COLLINS
POCKET
DICCIONARIO
ESPAÑOL·INGLÉS
ENGLISH·SPANISH

COLLINS POCKET DICCIONARIO

ESPAÑOL · INGLÉS
ENGLISH · SPANISH

Mike Gonzalez

Collins

grijalbo

General Editor: *R. H. Thomas*
Contributors: *Margaret Tejerizo, John Forey*
              Carmen Billinghurst, Liam Kane,
              Pat Feehan
Editorial Staff: *Irene Lakhani*

© 1982, WILLIAM COLLINS SONS & Co. Ltd.
© 1982, EDICIONES GRIJALBO, S.A.
       Déu i Mata, 98. 08029 Barcelona
Octava edición
Reservados todos los derechos
ISBN: 84-253-1453-4
Depósito legal: B. 13506-1986
Impreso y encuadernado en
Printer, industria gráfica, sa
Provenza, 388   08025 Barcelona
Sant Vicenç dels Horts   1986

INTRODUCCIÓN

Quien desee leer y entender el inglés encontrará en este diccionario un extenso léxico moderno que abarca una amplia gama de locuciones de uso corriente. Igualmente encontrará, en su debido orden alfabético, las abreviaturas, las siglas, los nombres geográficos más conocidos y, además, las principales formas de verbo irregulares, donde se le referirá a las respectivas formas de base, hallándose allí la traducción.

Quien aspire comunicarse y expresarse en lengua extranjera, hallará aquí una clara y detallada explicación de las palabras básicas, empleándose · un sistema de indicadores que le remitirán a la traducción más apta y le señalarán su correcto uso.

INTRODUCTION

The user whose aim is to read and understand Spanish will find a comprehensive and up-to-date wordlist including numerous phrases in current use. He will also find listed alphabetically the main irregular forms with a cross-reference to the basic form where a translation is given, as well as some of the most common abbreviations, acronyms and geographical names.

The user who wishes to communicate and to express himself in the foreign language will find clear and detailed treatment of all the basic words, with numerous indicators pointing to the appropriate translation, and helping him to use it correctly.

Abbreviations	iv
Pronunciation guide	vi
SPANISH-ENGLISH	I
ENGLISH-SPANISH	195
Verb tables	400
Notes to the user of this dictionary	405
Notes on Spanish grammar	413
Spanish verb conjugations	422
The sounds of Spanish	427
The time, dates and numbers	433

ABREVIATURAS

ABBREVIATIONS

adjetivo, locución adjetivo	**a**	adjective, adjectival phrase
abreviatura	**ab(b)r**	abbreviation
adverbio, locución adverbial	**ad**	adverb, adverbial phrase
administración, lengua administrativa	**ADMIN**	administration
agricultura	**AGR**	agriculture
América Latina	**AM**	Latin America
anatomía	**ANAT**	anatomy
arquitectura	**ARQ, ARCH**	architecture
astrología, astronomía	**ASTRO**	astrology, astronomy
el automóvil	**AUT(O)**	the motor car and motoring
aviación, viajes aéreos	**AVIAT**	flying, air travel
biología	**BIO(L)**	biology
botánica, flores	**BOT**	botany
inglés británico	**Brit**	British English
química	**CHEM**	chemistry
conjunción	**conj**	conjunction
lengua familiar	**col**	colloquial usage
comercio, finanzas, banca	**COM(M)**	commerce, finance, banking
construcción	**CONSTR**	building
compuesto	**cpd**	compound element
cocina	**CULIN**	cookery
determinante, artículo	**det**	determiner, article
economía	**ECON**	economics
electricidad, electrónica	**ELEC**	electricity, electronics
enseñanza, sistema escolar y universitario	**ESCOL**	schooling, schools and universities
especialmente	**esp**	especially
exclamación, interjección	**excl**	exclamation, interjection
feminino	**f**	feminine
lengua familiar	**fam**	colloquial usage
ferrocarril	**FERRO**	railways
uso figurado	**fig**	figurative use
fotografía	**FOTO**	photography
(verbo inglés) del cual la partícula es inseparable	**fus**	(phrasal verb) where the particle is inseparable
generalmente	**gen**	generally
geografía, geología	**GEO**	geography, geology
geometría	**GEOM**	geometry
invariable	**inv**	invariable
irregular	**irg**	irregular
lo jurídico	**JUR**	law
gramática, lingüística	**LING**	grammar, linguistics
masculino	**m**	masculine

matemáticas	**MAT(H)**	mathematics
medicina	**MED**	medical term, medicine
masculino/feminino	**m/f**	masculine/feminine
lo militar, ejército	**MIL**	military matters
música	**MUS**	music
sustantivo, nombre	**n**	noun
navegación, náutica	**NAUT**	sailing, navigation
sustantivo numérico	**num**	numeral noun
complemento	**obj**	(grammatical) object
	o.s.	oneself
peyorativo	**pey, pej**	derogatory, pejorative
fotografía	**PHOT**	photography
fisiología	**PHYSIOL**	physiology
plural	**pl**	plural
política	**POL**	politics
participio de pasado	**pp**	past participle
prefijo	**pref**	prefix
preposición	**prep**	preposition
pronombre	**pron**	pronoun
psicología, psiquiatría	**PSICO, PSYCH**	psychology, psychiatry
tiempo pasado	**pt**	past tense
sustantivo no empleado en el plural	**q**	collective (uncountable) noun, not used in plural
ferrocarril	**RAIL**	railways
religión, lo eclesiástico	**REL**	religion, church service
	sb	somebody
escolar, universitario	**SCOL**	schools, universities
singular	**sg**	singular
	sth	something
sujeto	**su(b)j**	(grammatical) subject
sufijo	**suff**	suffix
tauromaquia	**TAUR**	bullfighting
técnica, tecnología	**TEC(H)**	technical term, technology
telecomunicaciones	**TELEC, TEL**	telecommunications
televisión	**TV**	television
imprenta, tipografía	**TYP**	typography, printing
inglés norteamericano	**US**	American English
verbo	**vb**	verb
verbo intransitivo	**vi**	intransitive verb
verbo pronominal	**vr**	reflexive verb
verbo transitivo	**vt**	transitive verb
zoología, animales	**ZOOL**	zoology
marca registrada	®	registered trademark
indica un equivalente cultural	≈	introduces a cultural equivalent

SPANISH PRONUNCIATION

Consonants

c	[k]	*c*aja	*c* before *a*, *o* or *u* is pronounced as in *c*at
ce, ci	[θe, θi]	*ce*ro *ci*elo	*c* before *e* or *i* is pronounced as in *th*in
ch	[tʃ]	*ch*iste	*ch* is pronounced as *ch* in *ch*air
d	[d, ð]	*d*anés ciu*d*a*d*	at the beginning of a phrase or after *l* or *n*, *d* is pronounced as in English. In any other position it is pronounced like *th* in *th*e
g	[g, ɤ]	*g*afas pa*g*a	*g* before *a*, *o* or *u* is pronounced as in *g*ap, if at the beginning of a phrase or after *n*. In other positions the sound is softened
ge, gi	[xe, xi]	*ge*nte *gi*rar	*g* before *e* or *i* is pronounced similar to *ch* in Scottish lo*ch*
h		*h*aber	*h* is always silent in Spanish
j	[x]	*j*ugar	*j* is pronounced similar to *ch* in Scottish lo*ch*
ll	[ʎ]	ta*ll*e	*ll* is pronounced like the *lli* in mi*lli*on
ñ	[ɲ]	ni*ñ*o	*ñ* is pronounced like the *ni* in o*ni*on
q	[k]	*q*ue	*q* is pronounced as *k* in *k*ing
r, rr	[r, rr]	quita*r* ga*rr*a	*r* is always pronounced in Spanish, unlike the silent *r* in dance*r*. *rr* is trilled, like a Scottish *r*
s	[s]	quiz*ás* i*s*la	*s* is usually pronounced as in pa*ss*, but before *b*, *d*, *g*, *l*, *m* or *n* it is pronounced as in ro*s*e
v	[b, ß]	*v*ía di*v*idir	*v* is pronounced something like *b*. At the beginning of a phrase or after *m* or *n* it is pronounced as *b* in *b*oy. In any other position the sound is softened
z	[θ]	tena*z*	*z* is pronounced as *th* in *th*in

b, f, k, l, m, n, p, t and x are pronounced as in English.

Vowels

[a]	p*a*ta	not as long as *a* in f*a*r. When followed by a consonant in the same syllable (i.e. in a closed syllable), as in am*a*nte, the *a* is short, as in b*a*t
[e]	m*e*	like *e* in th*ey*. In a closed syllable, as in g*e*nte, the *e* is short as in p*e*t
[i:]	p*i*no	as in m*ea*n or mach*i*ne
[o]	l*o*	as in l*o*cal. In a closed syllable, as in c*o*ntrol, the *o* is short as in c*o*t
[u:]	l*u*nes	as in r*u*le. It is silent after *q*, and in g*ue*, g*ui*, unless marked *güe*, *güi* e.g. anti*güe*dad

Diphthongs

ai, ay	ba*i*le	as *i* in r*i*de
au	*au*to	as *ou* in sh*ou*t
ei, ey	bu*ey*	as *ey* in gr*ey*
eu	d*eu*da	both elements pronounced independently [e] + [u:]
oi, oy	h*oy*	as *oy* in t*oy*

Stress

The rules of stress in Spanish are as follows:
(a) when a word ends in a vowel or in *n* or *s*, the second last syllable is stressed: pat*a*ta, pat*a*tas, c*o*me, c*o*men
(b) when a word ends in a consonant other than *n* or *s*, the stress falls on the last syllable: par*e*d, habl*a*r
(c) when the rules set out in a and b are not applied, an acute accent appears over the stressed vowel: com*ú*n, geograf*í*a, ingl*é*s

In the phonetic transcription, the symbol ['] precedes the syllable on which the stress falls.

PRONUNCIACIÓN INGLESA

Vocales y diptongos

	Ejemplo inglés	*Ejemplo español/explicación*
ɑː	father	Entre *a* de *padre* y *o* de *noche*
ʌ	but, come	*a* muy breve
æ	man, cat	Se mantienen los labios en la posición de *e* en *pena* y luego se pronuncia el sonido *a*
ə	father, ago	Sonido indistinto parecido a una *e* u *o* casi mudas
əː	bird, heard	Entre *e* abierta, y *o* cerrada, sonido alargado
ɛ	get, bed	como en p*e*rro
ɪ	it, big	Más breve que en s*i*
iː	tea, see	Como en f*i*no
ɔ	hot, wash	Como en t*o*rre
ɔː	saw, all	Como en p*o*r
u	put, book	Sonido breve, más cerrado que b*u*rro
uː	too, you	Sonido largo, como en *u*no
aɪ	fly, high	Como en fra*i*le
au	how, house	Como en pa*u*sa
ɛə	there, bear	Casi como en v*ea*, pero el sonido *a* se mezcla con el indistinto [ə]
eɪ	day, obey	*e* cerrada seguida por una *i* débil
ɪə	here, hear	Como en man*ía*, mezclándose el sonido *a* con el indistinto [ə]
əu	go, note	[ə] seguido por una breve *u*
ɔɪ	boy, oil	Como en v*oy*
uə	poor, sure	*u* bastante larga más el sonido indistinto [ə]

Consonantes

	Ejemplo inglés	Ejemplo español/explicación
d	men*d*ed	Como en con*d*e, an*d*ar
g	*g*o, *g*et, bi*g*	Como en *g*rande, *g*ol
dʒ	*g*in, ju*dg*e	Como en la *ll* andaluza y en *G*eneralitat (catalán)
ŋ	si*ng*	Como en ví*n*culo
h	*h*ouse, *h*e	Como la jota hispanoamericana
j	*y*oung, *y*es	Como en *y*a
k	*c*ome, mo*ck*	Como en *c*aña, Es*c*ocia
r	*r*ed, t*r*ead	Se pronuncia con la punta de la lengua hacia atrás y sin hacerla vibrar
s	*s*and, ye*s*	Como en ca*s*a, *s*esión
z	ro*s*e, *z*ebra	Como en de*s*de, mi*s*mo
ʃ	*sh*e, ma*ch*ine	Como en *ch*ambre (francés), ro*x*o (portugués)
tʃ	*ch*in, ri*ch*	Como en *ch*ocolate
v	*v*alley	Como en f, pero se retiran los dientes superiores vibrándolos contra el labio inferior
w	*w*ater, *wh*ich	Como en la *u* de h*u*evo, p*u*ede
ʒ	vi*s*ion	Como en *j*ournal (francés)
θ	*th*ink, my*th*	Como en re*c*eta, *z*apato
ð	*th*is, *th*e	Como en la *d* de habla*d*o, verda*d*

b, p, f, m, n, l, t iguales que en español
El signo * indica que la r final escrita apenas se pronuncia en inglés británico cuando la palabra siguiente empieza con vocal. El signo ['] indica la sílaba acentuada.

ESPAÑOL - INGLÉS
SPANISH - ENGLISH

A

a [a] *prep* (*a + el = al*) (*lugar*) at, in, on; (*dirección*) to; (*destino*) to, towards; (*tiempo*) at; ~ **la derecha/ izquierda** on the right/left; **al lado de** beside, at the side of; **subir** ~ **un avión/tren** to get on *or* board a plane/train; **hablar** ~ **larga distancia** to speak long distance; ~ **las cuatro** at four o'clock; ¿~ **qué hora?** at what time?; ~ **los 30 años** at 30 years of age; **al día siguiente** the next day; ~ **eso de las cuatro** at about four o'clock; **al poco tiempo** a short time later; **al verlo yo** when I saw it; (*manera*): **hacerlo** ~ **la fuerza** to do it by force; **ir** ~ **caballo/pie** to go on horseback/foot; (*evaluación*): **poco** ~ **poco** little by little; **de dos** ~ **tres** from two to three; **ocho horas al día** eight hours a *or* per day; ~ **50 ptas el kilo** 50 pesetas a kilo; (*con verbo*): **empezó** ~ **llover** it started raining; **enseñar** ~ **leer** to teach to read; **voy** ~ **llevarlo** I am going to carry it; (*complemento de objeto*): **quiero** ~ **mis padres** (*not translated*) I love my parents; (*complemento circunstancial*): **cercano** ~ near (to); **por miedo** ~ **out of fear of**; (*frases elípticas*): ¡~ **comer!** let's eat!; ¿~ **qué viene eso?** what's the meaning of this?; ~ **ver** let's see.

abacero, a [aβa'θero, a] *nm/f* grocer.

abad, esa [a'βað, 'ðesa] *nm/f* abbot/abbess; ~**ía** *nf* abbey.

abajo [a'βaxo] *ad* (*situación*) down, below, underneath; (*en casa*) downstairs; (*dirección*) down, downwards; ~ **de** *prep* below, under; **el piso de** ~ **the** downstairs flat; **la parte de** ~ **the** lower part; ¡~ **el gobierno!** down with the government!; **cuesta/río** ~ **downhill/downstream**; **de arriba** ~ **from top** to bottom; **el** ~ **firmante** the undersigned; **más** ~ **lower** *or* **further** down; **echar** ~ **to bring down.**

abalanzar [aβalan'θar] *vt* to weigh; (*equilibrar*) to balance; (*arrojar*) to hurl; ~**se** *vr*: ~**se sobre** *o* **contra** to throw o.s. at.

abandonado, a [aβando'naðo, a] *a* derelict; (*desatendido*) abandoned; (*desierto*) deserted; (*descuidado*) neglected.

abandonar [aβando'nar] *vt* (*dejar*) to leave, abandon, desert; (*descuidar*) to neglect; (*ceder, dejar de*) to give up; ~**se** *vr*: ~**se a** to abandon o.s. to.

abandono [aβan'dono] *nm* (*acto*) desertion, abandonment; (*estado*) abandon, neglect; (*renuncia*) withdrawal, retirement; **perdió por** ~ he lost by default.

abanicar [aβani'kar] *vt* to fan; **abanico** *nm* fan; (*NAUT*) derrick.

abaratar [aβara'tar] *vt* to lower (the price of) // *vi*, ~**se** *vr* to go *or* come down in price.

abarcar [aβar'kar] *vt* to include, embrace; (*AM*) to monopolize.

abarrotar [aβarro'tar] *vt* to bar; (*NAUT*) to stow; (*fig*) to overstock.

abarrote [aβa'rrote] *nm* packing; ~**s** *nmpl* (*AM*) groceries, provisions; ~**ro, a** *nm/f* (*AM*) grocer.

abastecer [aβaste'θer] *vt* to supply; **abastecimiento** *nm* supply; (*suministrar*) supplying.

abasto [a'βasto] *nm* supply; (*abundancia*) abundance; **dar** ~ **con** to manage to finish.

abatido, a [aβa'tiðo, a] *a* dejected, downcast.

abatimiento [aβati'mjento] *nm* (*acto*) demolition; (*moral*) dejection, depression.

abatir [aβa'tir] *vt* (*muro*) to demolish; (*pájaro*) to shoot, bring down; (*fig*) to depress; (*humillar*) to humiliate // *vi* to go off course; ~**se** *vr* to be depressed; ~**se sobre** to swoop *or* pounce on.

abdicación [aβðika'θjon] *nf* abdication; **abdicar** *vi* to abdicate.

abdomen [aβ'ðomen] *nm* abdomen.

abecedario [aβeθe'ðarjo] *nm* alphabet; (*libro*) spelling book.

abedul [aβe'ðul] *nm* birch.

abeja [a'βexa] *nf* bee.

aberración [aβerra'θjon] *nf* aberration.

abertura [aβer'tura] *nf* opening, gap; (*fig*) openness.

abeto [a'βeto] *nm* fir.

abierto, a [a'βjerto, a] *pp de* **abrir** // *a* open; (*AM*) generous.

abigarrado, a [aβiɣa'rraðo, a] *a* multicoloured.

abismar [aβis'mar] *vt* to humble, cast down; ~**se** *vr* to sink; ~**se en** (*fig*) to be plunged into.

abismo [a'βismo] *nm* abyss.

abjurar [aβxu'rar] *vt*, *vi* to abjure, forswear.

ablandar [aβlan'dar] *vt* to soften up; (*AUTO*) to run in // *vi*, ~**se** *vr* to grow softer.

ablución [aβlu'θjon] *nf* ablution.

abnegación [aβneɣa'θjon] *nf* self-denial; **abnegarse** *vr* to act unselfishly.

abobado, a [aβo'βaðo, a] *a* silly.
abobar [aβo'βar] *vt* to daze.
abocar [aβo'kar] *vt* to seize in one's mouth; ~**se** *vr* to approach.
abochornar [aβotʃor'nar] *vt* to embarrass; ~**se** *vr* to get flustered; (*BOT*) to wilt.
abofetear [aβofete'ar] *vt* to slap (in the face).
abogacía [aβoxa'θia] *nf* legal profession; (*ejercicio*) practice of the law; **abogado** *nm* lawyer.
abogar [aβo'xar] *vi:* ~ **por** to plead for; (*fig*) to advocate.
abolengo [aβo'lengo] *nm* ancestry, lineage.
abolición [aβoli'θjon] *nf* abolition.
abolir [aβo'lir] *vt* to abolish; (*cancelar*) to cancel.
abolladura [aβoʎa'ðura] *nf* dent; (*chichón, choque*) bump; **abollar** *vt* to dent; to raise a bump on.
abominación [aβomina'θjon] *nf* abomination.
abonado, a [aβo'naðo, a] *a* (*deuda*) paid // *nm/f* subscriber.
abonar [aβo'nar] *vt* (*deuda*) to settle; (*terreno*) to fertilize; (*idea*) to endorse; ~**se** *vr* to subscribe; **abono** *nm* payment; fertilizer; subscription.
abordar [aβor'ðar] *vt* to board; (*fig*) to broach.
aborigen [aβo'rixen] *nm* aborigine.
aborrecer [aβorre'θer] *vt* to hate, loathe; **aborrecible** *a* hateful, loathsome.
abortar [aβor'tar] *vi* (*malparir*) to have a miscarriage; (*deliberadamente*) to have an abortion; **hacerse** ~ to have an abortion; **aborto** *nm* miscarriage; abortion.
abotonar [aβoto'nar] *vt* to button (up), do up // *vi* to bud.
abovedado, a [aβoβe'ðaðo, a] *a* vaulted, domed.
abrasar [aβra'sar] *vt* to burn (up); (*AGR*) to dry up, parch.
abrazar [aβra'θar] *vt* to embrace.
abrazo [a'βraθo] *nm* embrace, hug; **un** ~ (*en carta*) with best wishes.
abrelatas [aβre'latas] *nm inv* tin opener.
abreviar [aβre'βjar] *vt* to abbreviate; (*texto*) to abridge; (*plazo*) to reduce; **abreviatura** *nf* abbreviation.
abrigar [aβri'xar] *vt* (*proteger*) to shelter; (*suj: ropa*) to keep warm; (*fig*) to cherish; **abrigo** *nm* shelter; (*apoyo*) support; (*prenda*) coat, overcoat.
abril [a'βril] *nm* April.
abrir [a'βrir] *vt* to open (up) // *vi* to open; ~**se** *vr* to open (up); (*extenderse*) to open out; (*cielo*) to clear; ~**se paso** to find *or* force a way through.
abrochar [aβro'tʃar] *vt* (*vestido*) to button (up); (*AM*) to staple; (*zapato*) to buckle; (*atar*) to lace up.
abrumar [aβru'mar] *vt* to overwhelm; (*sobrecargar*) to weigh down; (*agotar*) to wear out; ~**se** *vr* to become foggy.

abrupto, a [a'βrupto, a] *a* abrupt; (*empinado*) steep.
absceso [aβs'θeso] *nm* abscess.
absolución [aβsolu'θjon] *nf* (*REL*) absolution; (*JUR*) pardon; (: *de acusado*) acquittal.
absoluto, a [aβso'luto, a] *a* absolute; **en** ~ *ad* in no way, not at all.
absolver [aβsol'βer] *vt* to absolve; (*JUR*) to pardon; (: *acusado*) to acquit.
absorber [aβsor'βer] *vt* to absorb; (*embeber*) to soak up.
absorción [aβsor'θjon] *nf* absorption.
absorto, a [aβ'sorto, a] *pp de* **absorber** // *a* absorbed, engrossed.
abstemio, a [aβs'temjo, a] *a* teetotal.
abstención [aβsten'θjon] *nf* abstention; **abstenerse** *vr:* **abstenerse de** to abstain *or* refrain from.
abstinencia [aβsti'nenθja] *nf* abstinence; (*ayuno*) fasting.
abstracción [aβstrak'θjon] *nf* abstraction; (*despiste*) absent-mindedness; ~ **hecha de** leaving aside.
abstraer [aβstra'er] *vt* to abstract // *vi:* ~ **de** to leave aside; ~**se** *vr* to be/become absorbed.
abstraído, a [aβstra'iðo, a] *a* preoccupied; (*despistado*) absent-minded.
absuelto [aβ'swelto] *pp de* **absolver.**
absurdo, a [aβ'surðo, a] *a* absurd.
abuelo, a [a'βwelo, a] *nm/f* grandfather/mother.
abulia [a'βulja] *nf* spinelessness, weakness.
abultado, a [aβul'taðo, a] *a* bulky.
abultar [aβul'tar] *vt* to enlarge; (*aumentar*) to increase; (*fig*) to exaggerate // *vi* to be bulky.
abundancia [aβun'danθja] *nf* abundance, plenty; **abundante** *a* abundant, plentiful; **abundar** *vi* to abound, be plentiful.
aburrido, a [aβu'rriðo, a] *a* (*hastiado*) bored; (*que aburre*) boring; **aburrimiento** *nm* boredom, tedium; **aburrir** *vt* to bore; **aburrirse** *vr* to be bored, get bored.
abusar [aβu'sar] *vi* to go too far; ~ **de** to abuse; **abuso** *nm* imposition; abuse.
abyecto, a [aβ'jekto, a] *a* wretched, abject.
A.C. *abr de* **Año de Cristo** A.D. (Anno Domini).
a/c *abr de* **al cuidado de** c/o (care of).
acá [a'ka] *ad* (*lugar*) here; (*tiempo*) now.
acabado, a [aka'βaðo, a] *a* finished, complete; (*perfecto*) perfect; (*agotado*) worn out; (*fig*) masterly // *nm* finish.
acabar [aka'βar] *vt* (*llevar a su fin*) to finish, complete; (*llegar al final de*) to finish, conclude; (*perfeccionar*) to complete; (*consumir*) to use up; (*rematar*) to finish off // *vi* to finish, end, come to an end; ~ **con** to put an end to; ~ **de llegar** to have just arrived; ~ **por** to end (up) by; ~**se** *vr* to finish, stop; (*terminarse*) to be over; (*agotarse*) to run out; **¡se acabó!** that's enough!; it's all over!

academia [aka'ðemja] *nf* academy;
académico, a *a* academic.
acaecer [akae'θer] *vi* to happen, occur;
acaecimiento *nm* occurrence,
happening.
acalorar [akalo'rar] *vt* to heat; (*fig*) to
inflame; ~**se** *vr* (*fig*) to get heated.
acampar [akam'par] *vi* to camp.
acanalar [akana'lar] *vt* to groove;
(*ondular*) to corrugate.
acantilado, a [akanti'laðo, a] *a* steep,
sheer // *nm* cliff.
acaparar [akapa'rar] *vt* to monopolize;
(*acumular*) to hoard.
acariciar [akari'θjar] *vt* to caress; (*fig*) to
cherish.
acarrear [akarre'ar] *vt* to transport; (*fig*)
to cause, result in; **acarreo** *nm* transport,
haulage; (*precio*) carriage.
acaso [a'kaso] *ad* perhaps, maybe // *nm*
chance; **por si** ~ just in case; **si** ~ in
case; **al** ~ at random.
acatamiento [akata'mjento] *nm* respect;
(*reverencia*) reverence; (*deferencia*)
deference; **acatar** *vt* to respect; to revere;
(*obedecer*) to obey.
acatarrarse [akata'rrarse] *vr* to catch a
cold.
acaudalado, a [akauða'laðo, a] *a* well-off;
acaudalar *vt* to accumulate.
acaudillar [akauði'ʎar] *vt* to lead,
command.
acceder [akθe'ðer] *vi* to accede, agree.
accesible [akθe'siβle] *a* accessible.
acceso [ak'θeso] *nm* access, entry;
(*camino*) access road; (*MED*) attack, fit.
accesorio, a [akθe'sorjo, a] *a, nm*
accessory.
accidentado, a [akθiðen'taðo, a] *a* a
uneven; (*áspero*) rough; (*montañoso*) hilly;
(*azaroso*) eventful // *nm/f* injured person.
accidental [akθiðen'tal] *a* accidental;
accidentarse *vr* to have an accident.
accidente [akθi'ðente] *nm* accident; (*MED*)
faint; ~**s** *nmpl* unevenness *sg*, roughness
sg.
acción [ak'θjon] *nf* action; (*acto*) action,
act, deed; (*COM*) share; (*JUR*) action,
lawsuit; ~ **ordinaria/preferente** ordi-
nary/preference share; **accionar** *vt* to
work, operate // *vi* to gesticulate.
accionista [akθjo'nista] *nm/f* shareholder.
acebo [a'θeβo] *nm* holly; (*árbol*) holly tree.
acechanza [aθe'tʃanθa] *nf* = **acecho**.
acechar [aθe'tʃar] *vt* to spy on; (*aguardar*)
to lie in wait for; **acecho** *nm* spying,
watching; ambush.
acedía [aθe'ðia] *nf* acidity; (*MED*)
heartburn; (*fig*) sourness.
aceitar [aθei'tar] *vt* to oil, lubricate;
aceite *nm* oil; (*de oliva*) olive oil; **aceitera**
nf oilcan; **aceitoso, a** *a* oily.
aceituna [aθei'tuna] *nf* olive.
acelerar [aθele'rar] *vt* to accelerate.
acento [a'θento] *nm* accent; (*acentuación*)

stress; **acentuar** *vt* to accent; to stress;
(*fig*) to accentuate.
acepción [aθep'θjon] *nf* meaning;
(*preferencia*) preference.
acepillar [aθepi'ʎar] *vt* to brush; (*alisar*)
to plane.
aceptación [aθepta'θjon] *nf* acceptance;
(*aprobación*) approval; **aceptar** *vt* to
accept; to approve.
acequia [a'θekja] *nf* irrigation ditch.
acera [a'θera] *nf* pavement.
acerado, a [aθe'raðo, a] *a* steel; (*afilado*)
sharp; (*fig: duro*) steely; (: *mordaz*) biting.
acerbo, a [a'θerβo, a] *a* bitter; (*fig*) harsh.
acerca [a'θerka]: ~ **de** *ad* about,
concerning.
acercar [aθer'kar] *vt* to bring *or* move
nearer; ~**se** *vr* to approach, come near.
acero [a'θero] *nm* steel.
acérrimo, a [a'θerrimo, a] *a* out-and-out,
staunch.
acertado, a [aθer'taðo, a] *a* correct;
(*apropiado*) apt; (*sensato*) sensible.
acertar [aθer'tar] *vt* (*dar en: el blanco*) to
hit; (*llegar a encontrar*) to get right;
(*adivinar*) to guess; (*alcanzar*) to achieve
// *vi* to get it right, be right; ~ **a** to
manage to; ~ **con** to happen on.
acertijo [aθer'tixo] *nm* riddle, puzzle.
acervo [a'θerβo] *nm* heap; ~ **común**
undivided estate.
acicalar [aθika'lar] *vt* to polish; (*adornar*)
to bedeck; ~**se** *vr* to smarten o.s. up.
acicate [aθi'kate] *nm* spur.
acidez [aθi'ðeθ] *nf* acidity.
ácido, a ['aθiðo, a] *a* sour, acid // *nm* acid.
acierto [a'θjerto] *nm* success; (*buen paso*)
wise move; (*solución*) solution; (*habilidad*)
skill, ability.
aclamación [aklama'θjon] *nf*
acclamation; (*aplausos*) applause;
aclamar *vt* to acclaim; to applaud.
aclaración [aklara'θjon] *nf* rinsing, rinse;
(*clasificación*) classification.
aclarar [akla'rar] *vt* to clarify, explain;
(*ropa*) to rinse // *vi* to clear up; ~**se** *vr*:
~**se la garganta** to clear one's throat.
aclimatación [aklimata'θjon] *nf*
acclimatization; **aclimatar** *vt* to
acclimatize; **aclimatarse** *vr* to become
acclimatized.
acobardar [akoβar'ðar] *vt* to daunt,
intimidate.
acodarse [ako'ðarse] *vr*: ~ **en** to lean on.
acogedor, a [akoxe'ðor, a] *a* welcoming;
(*hospitalario*) hospitable; **acoger** *vt* to
welcome; (*abrigar*) to shelter; **acogerse**
vr to take refuge; **acogida** *nf* reception,
refuge.
acolchar [akol'tʃar] *vt* to pad; (*tapizar*) to
upholster; (*fig*) to cushion.
acometer [akome'ter] *vt* to attack;
(*emprender*) to undertake; **acometida** *nf*
attack, assault.
acomodadizo, a [akomoða'ðiθo, a] *a*
obliging, acquiescent.

acomodado, a [akomoˈðaðo, a] *a* suitable; (*precio*) moderate; (*persona*) well-to-do.

acomodador, a [akomoðaˈðor, a] *nm/f* usher/ette.

acomodar [akomoˈðar] *vt* to adjust; (*alojar*) to accommodate; (*convenir*) to suit; (*reparar*) to repair; (*reconciliar*) to reconcile // *vi* to suit, be suitable; ~**se** *vr* to conform; (*instalarse*) to install o.s.; (*adaptarse*) to adapt o.s.

acomodo [akoˈmoðo] *nm* arrangement; (*puesto*) post.

acompañar [akompaˈɲar] *vt* to accompany; (*documentos*) to enclose.

acondicionar [akondiθjoˈnar] *vt* to arrange, prepare; (*determinar*) to condition.

acongojar [akongoˈxar] *vt* to distress, grieve.

aconsejar [akonseˈxar] *vt* to advise, counsel; ~**se** *vr*: ~**se con** to consult.

acontecer [akonteˈθer] *vi* to happen, occur; **acontecimiento** *nm* event.

acopio [aˈkopjo] *nm* store, stock; (*asamblea*) gathering.

acoplamiento [akoplaˈmjento] *nm* coupling, joint; **acoplar** *vt* to fit, couple; (*unir*) to connect.

acorazado, a [akoraˈθaðo, a] *a* armour-plated, armoured // *nm* battleship.

acordar [akorˈðar] *vt* (*resolver*) to agree, resolve; (*recordar*) to remind; (*MUS*) to tune; ~**se** *vr* to agree; ~**se (de)** to remember; **acorde** *a* in agreement; (*MUS*) harmonious // *nm* chord.

acordeón [akorðeˈon] *nm* accordion.

acordonado, a [akorðoˈnaðo, a] *a* cordoned-off.

acorralar [akorraˈlar] *vt* to round up, corral.

acortar [akorˈtar] *vt* to shorten; (*duración*) to cut short; (*cantidad*) to reduce; ~**se** *vr* to become shorter.

acosar [akoˈsar] *vt* to pursue relentlessly; (*fig*) to hound, pester.

acostar [akosˈtar] *vt* (*en cama*) to put to bed; (*en suelo*) to lay down; (*barco*) to bring alongside; ~**se** *vr* to go to bed; to lie down.

acostumbrar [akostumˈbrar] *vt*: ~ **a uno a** to accustom sb to // *vi*: ~ **a** to be used to; ~**se** *vr*: ~**se a** to get used to.

acotación [akotaˈθjon] *nf* marginal note; (*GEO*) elevation mark; (*de límite*) boundary mark; (*TEATRO*) stage direction.

acre [ˈakre] *a* sharp, bitter; (*fig*) biting // *nm* acre.

acrecentar [akreθenˈtar] *vt* to increase, augment.

acreditar [akreðiˈtar] *vt* (*garantizar*) to vouch for, guarantee; (*autorizar*) to authorize; (*dar prueba de*) to prove; (*COM: abonar*) to credit; (*embajador*) to accredit; ~**se** *vr* to become famous.

acreedor, a [akreeˈðor, a] *a*: ~ **a** worthy of // *nm/f* creditor.

acribillar [akriβiˈʎar] *vt*: ~ **a balazos** to riddle with bullets.

acrimonia [akriˈmonja], **acritud** [akriˈtuð] *nf* acrimony.

acta [ˈakta] *nf* certificate; (*de comisión*) minutes *pl*, record; ~ **de nacimiento/matrimonial** birth/marriage certificate; ~ **notarial** affidavit.

actitud [aktiˈtuð] *nf* attitude; (*postura*) posture.

activar [aktiˈβar] *vt* to activate; (*acelerar*) to expedite.

actividad [aktiβiˈðað] *nf* activity.

activo, a [akˈtiβo, a] *a* active; (*vivo*) lively // *nm* assets *pl*.

acto [ˈakto] *nm* act, action; (*ceremonia*) ceremony; (*TEATRO*) act; **en el** ~ immediately.

actor [akˈtor] *nm* actor; (*JUR*) plaintiff.

actora [akˈtora] *a*: **parte** ~ prosecution; (*demandante*) plaintiff.

actriz [akˈtriθ] *nf* actress.

actuación [aktwaˈθjon] *nf* action; (*comportamiento*) conduct, behaviour; (*JUR*) proceedings *pl*; (*desempeño*) performance.

actual [akˈtwal] *a* present(-day), current; ~**idad** *nf* present time; ~**idades** *nfpl* news *sg*; (*película, nodo*) newsreel *sg*; **en la** ~**idad** nowadays, at the present time.

actualizar [aktwaliˈθar] *vt* to update, modernize.

actualmente [aktwalˈmente] *ad* now, nowadays, at present.

actuar [akˈtwar] *vi* (*obrar*) to work, operate; (*actor*) to act, perform // *vt* to work, operate; ~ **de** to act as.

actuario [akˈtwarjo] *nm* clerk; (*COM*) actuary.

acuarela [akwaˈrela] *nf* watercolour.

acuario [aˈkwarjo] *nm* aquarium; **A**~ (*ASTRO*) Aquarius.

acuático, a [aˈkwatiko, a] *a* aquatic.

acuciar [akuˈθjar] *vt* to urge on.

acuclillarse [akukliˈʎarse] *vr* to crouch down.

acudir [akuˈðir] *vi* to come along, turn up; ~ **a** to turn to; ~ **en ayuda de** to go to the aid of.

acuerdo *etc vb ver* **acordar** // [aˈkwerðo] *nm* agreement; **¡de** ~**!** agreed!; **de** ~ **con** (*persona*) in agreement with; (*acción, documento*) in accordance with.

acumulador [akumulaˈðor] *nm* storage battery; **acumular** *vt* to accumulate, collect.

acuñar [akuˈɲar] *vt* (*moneda*) to coin, mint; (*poner cuñas*) to wedge.

acuoso, a [aˈkwoso, a] *a* watery.

acurrucarse [akurruˈkarse] *vr* to crouch; (*ovillarse*) to curl up.

acusación [akusaˈθjon] *nf* accusation; **acusar** *vt* to accuse; (*revelar*) to reveal; (*denunciar*) to denounce.

acuse [aˈkuse] *nm*: ~ **de recibo**

acknowledgement of receipt.
acústico, a [a'kustiko, a] *a* acoustic // *nm* hearing aid.
achacar [atʃa'kar] *vt* to attribute.
achacoso, a [atʃa'koso, a] *a* sickly.
achaque [a'tʃake] *nm* ailment.
achicar [atʃi'kar] *vt* to reduce; (*humillar*) to humiliate; (NAUT) to bale out.
achicoria [atʃi'korja] *nf* chicory.
achicharrar [atʃitʃa'rrar] *vt* to scorch, burn.
adagio [a'ðaxjo] *nm* adage; (MUS) adagio.
adaptación [aðapta'θjon] *nf* adaptation;
adaptar *vt* to adapt; (*acomodar*) to fit.
a. de C. *abr* = **a. de J.C.**
A. de C. *abr* = **A.C.**
adecuado, a [aðe'kwaðo, a] *a* adequate; (*apto*) suitable; (*oportuno*) appropriate;
adecuar *vt* to adapt; to make suitable.
a. de J.C. *abr de antes de Jesucristo* B.C. (before Christ).
adelantado, a [aðelan'taðo, a] *a* advanced; (*reloj*) fast; **pagar por ~** to pay in advance; **adelantamiento** *nm* advance, advancement; (AUTO) overtaking; (*progreso*) progress.
adelantar [aðelan'tar] *vt* to move forward; (*avanzar*) to advance; (*acelerar*) to speed up // *vi*, **~se** *vr* to go forward, advance; (AUTO) to overtake.
adelante [aðe'lante] *ad* forward(s), onward(s), ahead // *excl* come in!; **de hoy en ~** from now on; **más ~** later on; (*más allá*) further on.
adelanto [aðe'lanto] *nm* advance; (*mejora*) improvement; (*progreso*) progress.
adelgazar [aðelxa'θar] *vt* to thin (down); (*afilar*) to taper // *vi*, **~se** *vr* to grow thin.
ademán [aðe'man] *nm* gesture; **ademanes** *nmpl* manners; **en ~ de** as if to.
además [aðe'mas] *ad* besides; (*por otra parte*) moreover; (*también*) also; **~ de** besides, in addition to.
adentro [a'ðentro] *ad* inside, in; **mar ~** out at sea; **tierra ~** inland.
adepto, a [a'ðepto, a] *nm/f* supporter.
aderezar [aðere'θar] *vt* to prepare; (*persona, ensalada*) to dress; (*comida*) to season; **~se** *vr* to dress up; **aderezo** *nm* preparation; dressing; seasoning.
adeudar [aðeu'ðar] *vt* to owe // *vi* to become related by marriage; **~se** *vr* to run into debt.
adherirse [aðe'rirse] *vr*: **~ a** to adhere to.
adhesión [aðe'sjon] *nf* adhesion; (*fig*) adherence.
adición [aði'θjon] *nf* addition.
adicionar [aðiθjo'nar] *vt* to add.
adicto, a [a'ðikto, a] *a*: **~ a** a given to; (*dedicado*) devoted to // *nm/f* supporter, follower.
adiestrar [aðjes'trar] *vt* to train, teach; (*conducir*) to guide, lead; **~se** *vr* to practise; (*enseñarse*) to train o.s.

adinerado, a [aðine'raðo, a] *a* wealthy.
adiós [a'ðjos] *excl* (*para despedirse*) goodbye!, cheerio!; (*para saludar*) hello!
aditivo [aði'tiβo] *nm* additive.
adivinanza [aðiβi'nanθa] *nf* riddle; **adivinar** *vt* to prophesy; (*conjeturar*) to guess; **adivino, a** *nm/f* fortune-teller.
adj *a abr de* **adjunto** encl. (enclosed).
adjetivo [aðxe'tiβo] *nm* adjective.
adjudicación [aðxuðika'θjon] *nf* award; **adjudicar** *vt* to award; **adjudicarse** *vr*: **adjudicarse algo** to appropriate sth.
adjuntar [aðxun'tar] *vt* to attach, enclose; **adjunto, a** *a* attached, enclosed // *nm/f* assistant.
administración [aðministra'θjon] *nf* administration; (*dirección*) management; **administrador, a** *nm/f* administrator; manager/ess.
administrar [aðminis'trar] *vt* to administer; **administrativo, a** *a* administrative.
admirable [aðmi'raβle] *a* admirable; **admiración** *nf* admiration; (*asombro*) wonder; (LING) exclamation mark; **admirar** *vt* to admire; (*extrañar*) to surprise; **admirarse** *vr* to be surprised.
admisible [aðmi'siβle] *a* admissible.
admitir [aðmi'tir] *vt* to admit; (*aceptar*) to accept.
admonición [aðmoni'θjon] *nf* warning.
adobe [a'ðoβe] *nm* adobe, sun-dried brick.
adolecer [aðole'θer] *vi* to be ill, fall ill; **~ de** to suffer from.
adolescente [aðoles'θente] *nm/f* adolescent.
adonde [a'ðonðe] *conj* (to) where.
adónde [a'ðonðe] *ad* = **dónde**.
adopción [aðop'θjon] *nf* adoption.
adoptar [aðop'tar] *vt* to adopt.
adoquín [aðo'kin] *nm* paving stone.
adorar [aðo'rar] *vt* to adore.
adormecer [aðorme'θer] *vt* to put to sleep; **~se** *vr* to become sleepy, fall asleep.
adornar [aðor'nar] *vt* to adorn.
adorno [a'ðorno] *nm* adornment; (*decoración*) decoration.
adquiero *etc vb ver* **adquirir**.
adquirir [aðki'rir] *vt* to acquire, obtain.
adquisición [aðkisi'θjon] *nf* acquisition.
adrede [a'ðreðe] *ad* on purpose.
adscribir [aðskri'βir] *vt* to appoint.
aduana [a'ðwana] *nf* customs pl.
aduanero, a [aðwa'nero, a] *a* customs *cpd* // *nm/f* customs officer.
aducir [aðu'θir] *vt* to adduce; (*dar como prueba*) to offer as proof.
adueñarse [aðwe'narse] *vr*: **~ de** to take possession of.
adulación [aðula'θjon] *nf* flattery.
adular [aðu'lar] *vt* to flatter.
adulterar [aðulte'rar] *vt* to adulterate // *vi* to commit adultery.
adulterio [aðul'terjo] *nm* adultery.
adulto, a [a'ðulto, a] *a, nm/f* adult.

adusto, a [a'ðusto, a] a stern; (austero) austere.

advenedizo, a [aðßene'ðiθo, a] nm/f upstart.

advenimiento [aðßeni'mjento] nm arrival; (al trono) accession.

adverbio [að'ßerßjo] nm adverb.

adversario, a [aðßer'sarjo, a] nm/f adversary.

adversidad [aðßersi'ðað] nf adversity; (contratiempo) setback.

adverso, a [að'ßerso, a] a adverse; (opuesto) opposite.

advertencia [aðßer'tenθja] nf warning; (prefacio) preface, foreword.

advertir [aðßer'tir] vt to notice; (avisar) to warn // vi: ~ en to notice.

Adviento [að'ßjento] nm Advent.

adyacente [aðja'θente] a adjacent.

aéreo, a [a'ereo, a] a aerial.

aerodeslizador [aeroðesliθa'ðor], **aerodeslizante** [aeroðesli'θante] nm hovercraft.

aeronáutica [aero'nautika] nf aeronautics sg.

aeropuerto [aero'pwerto] nm airport.

afabilidad [afaßili'ðað] nf friendliness; **afable** a affable.

afán [a'fan] nm hard work; (deseo) desire.

afanar [afa'nar] vt to harass; ~**se** vr: ~**se** por to strive to; **afanoso, a** a hard; (trabajador) industrious.

afear [afe'ar] vt to make ugly; (mutilar) to deface.

afección [afek'θjon] nf affection; (MED) disease.

afectación [afekta'θjon] nf affectation; **afectado, a** a affected; **afectar** vt to affect.

afectísimo, a [afek'tisimo, a] a affectionate; ~ **suyo** yours truly.

afecto, a [a'fekto, a] a affectionate // nm affection; ~ **a** fond of.

afectuoso, a [afek'twoso, a] a affectionate.

afeitar [afei'tar] vt to shave; ~**se** vr to shave.

afeminado, a [afemi'naðo, a] a effeminate.

aferrado, a [afe'rraðo, a] a stubborn.

aferrar [afe'rrar] vt to moor; (fig) to grasp // vi to moor.

afianzamiento [afjanθa'mjento] nm strengthening; (garantía) guarantee; (COM) security; **afianzar** vt to strengthen; to guarantee; to secure; **afianzarse** vr to become established.

afición [afi'θjon] nf fondness, liking; **la** ~ the fans pl; **pinto por** ~ I paint as a hobby; **aficionado, a** a a keen, enthusiastic; amateur // nm/f enthusiast, fan; amateur.

aficionar [afiθjo'nar] vt: ~ **a uno a algo** to make sb like sth; ~**se** vr: ~**se a algo** to grow fond of sth.

afilado, a [afi'laðo, a] a sharp.

afilar [afi'lar] vt to sharpen.

afiliarse [afi'ljarse] vr to become affiliated to.

afín [a'fin] a bordering, adjacent; (parecido) similar; (conexo) related.

afinar [afi'nar] vt (TEC) to refine; (MUS) to tune // vi to play/sing in tune.

afinidad [afini'ðað] nf affinity; (parentesco) relationship; **por** ~ by marriage.

afirmación [afirma'θjon] nf affirmation; **afirmar** vt to affirm, state; (sostener) to strengthen; **afirmativo, a** a affirmative.

aflicción [aflik'θjon] nf affliction; (dolor) grief.

afligir [afli'xir] vt to afflict; (apenar) to distress; ~**se** vr to grieve.

aflojar [aflo'xar] vt to slacken; (desatar) to loosen, undo; (relajar) to relax // vi to drop; (bajar) to go down; ~**se** vr to relax.

afluente [aflu'ente] a flowing; (elocuente) eloquent // nm tributary.

afluir [aflu'ir] vi to flow.

afmo, a abr de **afectísimo(a) suyo(a)**.

afónico, a [a'foniko, a] a (ronco) hoarse; (sin voz) voiceless.

afortunado, a [afortu'naðo, a] a fortunate, lucky.

afrancesado, a [afranθe'saðo, a] a francophile; (pey) frenchified.

afrenta [a'frenta] nf affront, insult; (deshonra) dishonour, shame; **afrentar** vt to affront; to dishonour; **afrentarse** vr to be ashamed; **afrentoso, a** a insulting.

África ['afrika] nf Africa; ~ **del Sur** South Africa; **africano, a** a, nm/f African.

afrontar [afron'tar] vt to confront; (poner cara a cara) to bring face to face.

afuera [a'fwera] ad out, outside; ~**s** nfpl outskirts, suburbs.

agachar [aʁa'tʃar] vt to bend, bow; ~**se** vr to stoop, bend.

agalla [a'ʁaʎa] nf (ZOOL) gill; ~**s** nfpl (MED) tonsillitis sg; (ANAT) tonsils.

agarradera [aʁarra'ðera] nf (AM), **agarradero** [aʁarra'ðero] nm handle; ~**s** npl pull sg, influence sg.

agarrado, a [aʁa'rraðo, a] a mean, stingy.

agarrar [aʁa'rrar] vt to grasp, grab; (AM) to take, catch // vi (planta) to take root; ~**se** vr to hold on (tightly).

agarrotar [aʁarro'tar] vt (llo) to tie tightly; (persona) to squeeze tightly; (reo) to garrotte; ~**se** vr (motor) to seize up; (MED) to stiffen.

agasajar [aʁasa'xar] vt to treat well, fête; **agasajo** nm lavish hospitality.

agencia [a'xenθja] nf agency; ~ **de viajes/inmobiliaria** travel/estate agency.

agenda [a'xenda] nf diary.

agente [a'xente] nm agent; (de policía) policeman; ~ **femenino** policewoman.

ágil ['axil] a agile, nimble; **agilidad** nf agility, nimbleness.

agio ['axjo] nm speculation.

agiotista [axjo'tista] nm (stock)jobber; (especulador) speculator.

agitación [axita'θjon] *nf* shaking, waving, stirring; (*del mar*) roughness; (*fig*) agitation.

agitar [axi'tar] *vt* to wave, shake, stir; (*fig*) to stir up, excite; ~**se** *vr* to get excited.

aglomerar [axlome'rar] *vt*, ~**se** *vr* to agglomerate, crowd together.

agnóstico, a [ax'nostiko, a] *a, nm/f* agnostic.

agobiar [axo'ßjar] *vt* to weigh down; (*oprimir*) to oppress; (*cargar*) to burden.

agolparse [axol'parse] *vr* to crowd together.

agonía [axo'nia] *nf* agony, anguish.

agonizante [axoni'θante] *a* dying.

agonizar [axoni'θar] *vi* (*también* **estar agonizando**) to be dying.

agosto [a'xosto] *nm* August.

agotado, a [axo'taðo, a] *a* exhausted; (*libros*) out of print; (*acabado*) finished; (*mercancías*) sold out; **agotamiento** *nm* exhaustion.

agotar [axo'tar] *vt* to exhaust; (*consumir*) to drain; (*recursos*) to use up, deplete; ~**se** *vr* to be exhausted; (*acabarse*) to run out; (*libro*) to go out of print.

agraciar [axra'θjar] *vt* (*JUR*) to pardon; (*con premio*) to reward.

agradable [axra'ðaßle] *a* pleasing, pleasant, nice.

agradar [axra'ðar] *vt, vi* to please.

agradecer [axraðe'θer] *vt* to thank; (*favor etc*) to be grateful for; **agradecimiento** *nm* thanks *pl*; gratitude.

agrado [a'xraðo] *nm* affability; (*gusto*) liking.

agrandar [axran'dar] *vt* to enlarge; (*fig*) to exaggerate; ~**se** *vr* to get bigger.

agrario, a [a'xrarjo, a] *a* agrarian.

agravar [axra'ßar] *vt* to make heavier; (*irritar*) to aggravate; (*oprimir*) to oppress; ~**se** *vr* to worsen, get worse.

agraviar [axra'ßjar] *vt* to offend; (*ser injusto con*) to wrong; ~**se** *vr* to take offence; **agravio** *nm* offence; wrong; (*ofensa*) grievance.

agregado [axre'xaðo] *nm* aggregate; (*persona*) attaché.

agregar [axre'xar] *vt* to gather; (*añadir*) to add; (*persona*) to appoint.

agresión [axre'sjon] *nf* aggression; **agresivo, a** *a* aggressive.

agriar [a'xrjar] *vt* to (turn) sour; ~**se** *vr* to turn sour.

agricultor, a [axrikul'tor, a] *nm/f* farmer; **agricultura** *nf* agriculture, farming.

agridulce [axri'ðulθe] *a* bittersweet.

agrietarse [axrje'tarse] *vr* to crack; (*la piel*) to chap.

agrio, a ['axrjo, a] *a* bitter.

agronomía [axrono'mia] *nf* agronomy, agriculture.

agrupación [axrupa'θjon] *nf* group; (*acto*) grouping.

agrupar [axru'par] *vt* to group.

agua ['axwa] *nf* water; (*lluvia*) rain; (*NAUT*) wake; (*ARQ*) slope of a roof; ~**s** *nfpl* (*de piedra*) water *sg*, sparkle *sg*; (*MED*) water *sg*, urine *sg*; (*NAUT*) waters; ~**s abajo/arriba** downstream/upstream; ~ **bendita/destilada/potable** holy/distilled/drinking water; ~ **corriente** running water; ~ **de colonia** eau de cologne; ~**s jurisdiccionales** territorial waters; ~**s mayores** excrement *sg*.

aguacate [axwa'kate] *nm* avocado pear.

aguacero [axwa'θero] *nm* (heavy) shower.

aguado, a [a'xwaðo, a] *a* watery, watered down // *nf* (*AGR*) watering place; (*NAUT*) water supply; (*ARTE*) water-colour.

aguafiestas [axwa'fjestas] *nm/f inv* spoilsport.

aguafuerte [axwa'fwerte] *nf* etching.

aguamar [axwa'mar] *nm* jellyfish.

aguantable [axwan'taßle] *a* bearable; **aguantar** *vt* to bear, put up with; (*contener*) to hold; (*sostener*) to hold up // *vi* to last; **aguantarse** *vr* to restrain o.s.

aguar [a'xwar] *vt* to water down.

aguardar [axwar'ðar] *vt* to wait for.

aguardiente [axwar'ðjente] *nm* brandy.

aguarrás [axwa'rras] *nm* turpentine.

agudeza [axu'ðeθa] *nf* sharpness; (*ingenio*) wit; **agudo, a** *a* sharp; (*voz*) high-pitched, piercing; (*dolor, enfermedad*) acute.

agüero [a'xwero] *nm* omen; (*pronóstico*) prediction.

aguijar [axi'xar] *vt* to goad; (*incitar*) to urge on // *vi* to hurry along.

aguijón [axi'xon] *nm* sting; (*BOT*) spine; (*estímulo, fig*) spur; **aguijonear** *vt* = **aguijar**.

águila ['axila] *nf* eagle; (*fig*) genius.

aguileño, a [axi'leɲo, a] *a* aquiline; (*facciones*) sharp-featured.

aguinaldo [axi'naldo] *nm* Christmas box.

aguja [a'xuxa] *nf* needle; (*de reloj*) hand; (*ARQ*) spire; (*TEC*) firing-pin; ~**s** *nfpl* (*ZOOL*) ribs; (*FERRO*) points.

agujerear [axuxere'ar] *vt* to make holes in; **agujero** *nm* hole.

agujetas [axu'xetas] *nfpl* stitch *sg*; (*rigidez*) stiffness *sg*.

aguzar [axu'θar] *vt* to sharpen; (*fig*) to incite.

ahí [a'i] *ad* there; **de** ~ **que** so that, with the result that; ~ **llega** here he comes; **por** ~ that way; (*allá*) over there.

ahijado, a [ai'xaðo, a] *nm/f* godson/daughter.

ahínco [a'inko] *nm* earnestness.

ahitar [ai'tar] *vt* to surfeit; ~**se** *vr* to stuff o.s.

ahíto, a [a'ito, a] *a*: **estoy** ~ I have indigestion // *nm* indigestion.

ahogar [ao'xar] *vt* to drown; (*asfixiar*) to suffocate, smother; (*fuego*) to put out; ~**se** *vr* (*en el agua*) to drown; (*suicidio*) to drown o.s.; (*por asfixia*) to suffocate.

ahogo [a'oxo] *nm* shortness of breath; (*fig*) financial difficulty.

ahondar [aon'dar] *vt* to deepen, make

deeper; (*fig*) to go deeply into // *vi:* ~ **en** to go deeply into.

ahora [a'ora] *ad* now; (*poco tiempo ha*) a moment ago, just now; (*dentro de poco*) in a moment // *conj* now; ~ **voy** I'm coming; ~ **mismo** right now; ~ **bien** now then; **por** ~ for the present.

ahorcar [aor'kar] *vt* to hang; ~**se** *vr* to hang o.s.

ahorita [ao'rita] *ad* (*fam*) right now.

ahorrar [ao'rrar] *vt* (*dinero*) to save; (*esfuerzos*) to save, avoid; **ahorro** *nm* economy, saving; (*frugalidad*) thrift; **ahorros** *nmpl* savings.

ahuecar [awe'kar] *vt* to hollow (out); (*voz*) to deepen; ~**se** *vr* to give o.s. airs.

ahumar [au'mar] *vt* to smoke, cure; (*llenar de humo*) to fill with smoke // *vi* to smoke; ~**se** *vr* to fill with smoke.

ahuyentar [aujen'tar] *vt* to drive off, frighten off; (*fig*) to dispel; ~**se** *vr* to run away.

airado, a [ai'raðo, a] *a* angry; **airar** *vt* to anger; **airarse** *vr* to get angry.

aire ['aire] *nm* air; (*viento*) wind; (*corriente*) draught; (*MUS*) tune; ~**s** *nmpl*: **darse** ~**s** to give o.s. airs; **al** ~ **libre** in the open air; ~ **acondicionado** air conditioning; **airoso, a** a windy; draughty; (*fig*) graceful.

aislador [aisla'ðor] *nm* insulator; **aislar** *vt* to isolate; (*ELEC*) to insulate.

ajar [a'xar] *vt* to spoil; (*fig*) to abuse.

ajedrez [axe'ðreθ] *nm* chess.

ajeno, a [a'xeno, a] *a* (*que pertenece a otro*) somebody else's; (*impropio*) inappropriate; (*extraño*) alien, foreign; ~ **a** a foreign to; ~ **de** free from, devoid of.

ajetreo [axe'treo] *nm* bustle.

ají [a'xi] *nm* chili, red pepper; (*salsa*) chili sauce.

ajo ['axo] *nm* garlic; ~ **porro** *o* **puerro** leek.

ajorca [a'xorka] *nf* bracelet.

ajuar [a'xwar] *nm* household furnishings *pl*; (*de novia*) trousseau; (*de niño*) layette.

ajustado, a [axus'taðo, a] *a* (*tornillo*) tight; (*cálculo*) right; (*ropa*) tight-fitting; (*DEPORTE: resultado*) close.

ajustar [axus'tar] *vt* (*adaptar*) to adjust; (*encajar*) to fit; (*TEC*) to engage; (*contratar*) to hire; (*IMPRENTA*) to make up; (*apretar*) to tighten; (*concertar*) to agree (on); (*reconciliar*) to reconcile; (*cuenta*) to settle // *vi* to fit; ~**se** *vr* to come to an agreement.

ajuste [a'xuste] *nm* adjustment; (*TEC: costura*) fitting; (*acuerdo*) compromise; (*de cuenta*) settlement.

al [al] = **a** + **el**, *ver* **a.**

ala ['ala] *nf* wing; (*de sombrero*) brim; (*futbolista*) winger.

alabanza [ala'βanθa] *nf* praise.

alabar [ala'βar] *vt* to praise; ~**se** *vr:* ~**se de** to boast of (being).

alabear [alaβe'ar] *vt*, ~**se** *vr* to warp.

alacena [ala'θena] *nf* cupboard.

alacrán [ala'kran] *nm* scorpion.

alambicado, a [alambi'kaðo, a] *a* distilled; (*fig*) affected.

alambicar [alambi'kar] *vt* to distil.

alambique [alam'bike] *nm* still.

alambrado [alam'braðo] *nm* wire fence; (*red*) wire netting; **alambre** *nm* wire; **alambre de púas** barbed wire; **alambrista** *nm/f* tightrope walker.

alameda [ala'meða] *nf* (*plantío*) poplar grove; (*lugar de paseo*) avenue, tree-lined walk.

álamo ['alamo] *nm* poplar; ~ **temblón** aspen.

alano [a'lano] *nm* mastiff.

alar [a'lar] *nm* eaves *pl*.

alarde [a'larðe] *nm* (*MIL*) review; (*ostentación*) show, display; **hacer** ~ **de** to boast of.

alargar [alar'xar] *vt* to lengthen, extend; (*paso*) to hasten; (*brazo*) to stretch out; (*cuerda*) to pay out; (*conversación*) to spin out; ~**se** *vr* to get longer; ~**se en** to enlarge upon; (*pey*) to drag out.

alarido [ala'riðo] *nm* shriek.

alarma [a'larma] *nf* alarm.

alazán [ala'θan] *nm* sorrel.

alba ['alβa] *nf* dawn.

albacea [alβa'θea] *nm/f* executor/trix.

Albania [al'βanja] *nf* Albania.

albañal [alβa'ɲal] *nm* drain, sewer.

albañil [alβa'ɲil] *nm* bricklayer; (*cantero*) mason.

albaricoque [alβari'koke] *nm* apricot.

albedrío [alβe'ðrio] *nm*: **libre** ~ free will.

alberca [al'βerka] *nf* reservoir.

albergar [alβer'xar] *vt*, ~**se** *vr* to shelter.

albergue [al'βerxe] *nm* shelter, refuge; ~ **de juventud** youth hostel.

albóndiga [al'βondixa] *nf* meatball.

albor [al'βor] *nm* whiteness; (*amanecer*) dawn; ~**ada** *nf* dawn; (*diana*) reveille; ~**ear** *vi* to dawn.

albornoz [alβor'noθ] *nm* (*de los árabes*) burnous; (*para el baño*) bathrobe.

alborotar [alβoro'tar] *vi* to make a row // *vt* to agitate, stir up; ~**se** *vr* to get excited; (*mar*) to get rough; **alboroto** *nm* row, uproar.

alborozar [alβoro'θar] *vt* to gladden; ~**se** *vr* to rejoice.

alborozo [alβo'roθo] *nm* joy.

albricias [al'βriθjas] *nfpl* reward *sg* // *excl* good news!

álbum ['alβum] *nm* album.

albumen [al'βumen] *nm* egg white.

alcachofa [alka'tʃofa] *nf* artichoke.

alcalde [al'kalde] *nm* mayor.

alcaldía [alkal'dia] *nf* mayoralty; (*lugar*) mayor's office.

alcance [al'kanθe] *nm* reach; (*COM*) adverse balance; (*de periódico*) stop-press (news); **de pocos** ~ not very clever; ~ **de última hora** late postal collection.

alcancía [alkan'θia] *nf* money box.

alcantarilla [alkanta'riʎa] *nf* (*de aguas*

cloacales) sewer; (*en la calle*) gutter.

alcanzar [alkan'θar] *vt* (*algo: con la mano, el pie*) to reach; (*alguien en el camino*) to catch up with; (*autobús*) to catch; (*suj: bala*) to hit, strike // *vi*: ~ **a hacer** to manage to do.

alcatraz [alka'traθ] *nm* gannet.

alcázar [al'kaθar] *nm* fortress; (*palacio*) royal palace; (*NAUT*) quarter-deck.

alcoba [al'koβa] *nf* bedroom.

alcohol [al'kol] *nm* alcohol; **alcohólico, a** *a* alcoholic; ~ **ismo** *nm* alcoholism.

alcornoque [alkor'noke] *nm* cork tree.

aldaba [al'daβa] *nf* (door) knocker.

aldea [al'dea] *nf* village; ~ **no, a** *a* village *cpd* // *nm/f* villager.

aleación [alea'θjon] *nf* alloy.

aleccionar [alekθjo'nar] *vt* to instruct; (*adiestrar*) to train.

alegación [aleɣa'θjon] *nf* allegation; **alegar** *vt* to allege; (*JUR*) to plead; (*AM*) to dispute, argue.

alegato [ale'ɣato] *nm* (*JUR*) allegation; (*AM*) argument.

alegoría [aleɣo'ria] *nf* allegory.

alegrar [ale'ɣrar] *vt* (*causar alegría*) to cheer (up); (*fuego*) to poke; (*fiesta*) to liven up; ~ **se** *vr* to get merry *or* tight; ~ **se de** to be glad about.

alegre [a'leɣre] *a* happy, cheerful; (*fam*) merry, tight; (*licencioso*) risqué, blue; **alegría** *nf* happiness; merriment.

alejamiento [alexa'mjento] *nm* removal; (*distancia*) remoteness.

alejar [ale'xar] *vt* to remove; (*fig*) to estrange; ~ **se** *vr* to move away.

aleluya [ale'luja] *nm* (*canto*) hallelujah; (*Pascuas*) Easter time // *nf* Easter print.

alemán, ana [ale'man, ana] *a, nm/f* German // *nm* (*lengua*) German.

Alemania [ale'manja] *nf*: ~ **Federal/Oriental** West/East Germany.

alentado, a [alen'taðo, a] *pp de* **alentar** // *a* brave; (*orgulloso*) proud; (*fuerte*) strong.

alentador, a [alenta'ðor, a] *a* encouraging.

alentar [alen'tar] *vt* to encourage; ~ **se** *vr* to cheer up.

alerce [a'lerθe] *nm* larch.

alergia [a'lerxja] *nf* allergy.

alero [a'lero] *nm* (*de tejado*) eaves *pl*; (*de carruaje*) mudguard.

alerta [a'lerta] *a, nm* alert.

aleta [a'leta] *nf* (*de pez*) fin; (*de ave*) wing; (*de coche*) mudguard.

aletargar [aletar'xar] *vt* to make drowsy; (*entumecer*) to make numb; ~ **se** *vr* to grow drowsy; to become numb.

aletazo [ale'taθo] *nm* wingbeat, flap of the wing.

aletear [alete'ar] *vi* to flutter.

aleve [a'leβe] *a* treacherous.

alevosía [aleβo'sia] *nf* treachery.

alfabeto [alfa'βeto] *nm* alphabet.

alfarería [alfare'ria] *nf* pottery; (*tienda*) pottery shop; **alfarero** *nm* potter.

alférez [al'fereθ] *nm* (*MIL*) second lieutenant; (*NAUT*) ensign.

alfiler [alfi'ler] *nm* pin; (*broche*) clip; ~ **de seguridad** safety pin.

alfombra [al'fombra] *nf* carpet; (*más pequeña*) rug; **alfombrar** *vt* to carpet; **alfombrilla** *nf* rug, mat; (*MED*) German measles.

alforja [al'forxa] *nf* saddlebag.

alforza [al'forθa] *nf* pleat.

alga ['alɣa] *nf* seaweed, alga.

algarabía [alɣara'βia] *nf* (*fam*) gibberish; (*BOT*) cornflower.

algarrobo [alɣa'rroβo] *nm* carob tree.

algazara [alɣa'θara] *nf* din, uproar.

álgebra ['alxeβra] *nf* algebra.

algo ['alɣo] *pron* something; anything // *ad* somewhat, rather; **por** ~ **será** there must be some reason for it.

algodón [alɣo'ðon] *nm* cotton; (*planta*) cotton plant; (*dulce*) candy floss; ~ **hidrófilo** cotton wool.

algodonero, a [alɣoðo'nero, a] *a* cotton *cpd* // *nm/f* cotton grower // *nm* cotton plant.

alguacil [alɣwa'θil] *nm* bailiff; (*TAUR*) mounted official.

alguien ['alɣjen] *pron* someone, somebody, anybody.

alguno, a [al'ɣuno, a] **algún** [al'ɣun] *a* some, any // *pron* some; one; someone, somebody; ~ **que otro libro** some book or other; **algún día iré** I'll go one *or* some day; **sin interés** ~ without the slightest interest; ~ **que otro** an occasional one; ~ **s piensan** some (people) think.

alhaja [a'laxa] *nf* jewel; (*tesoro*) precious object, treasure; (*pey*) rogue.

aliado, a [a'ljaðo, a] *a* allied.

alianza [a'ljanθa] *nf* alliance.

aliar [a'ljar] *vt* to ally; ~ **se** *vr* to form an alliance.

alias ['aljas] *ad* alias.

alicantino, a [alikan'tino, a] *a* of *or* from Alicante.

alicates [ali'kates] *nmpl*: ~ **de uñas** nail clippers.

aliciente [ali'θjente] *nm* incentive; (*atracción*) attraction.

alienación [aljena'θjon] *nf* alienation.

aliento [a'ljento] *nm* breath; (*respiración*) breathing; **sin** ~ breathless.

aligerar [alixe'rar] *vt* to lighten; (*reducir*) to shorten; (*aliviar*) to alleviate; (*mitigar*) to ease.

alimaña [ali'maɲa] *nf* pest.

alimentación [alimenta'θjon] *nf* (*comida*) food; (*acción*) feeding; (*tienda*) grocer's (shop); **alimentar** *vt* to feed; (*nutrir*) to nourish; **alimentarse** *vr* to feed.

alimenticio, a [alimen'tiθjo, a] *a* nourishing.

alimento [ali'mento] *nm* food; (*nutrición*) nourishment; ~ **s** *nmpl* (*JUR*) alimony *sg*.

alinear [aline'ar] *vt* to align; ~ **se** *vr*: ~ **se en** to fall in with.

aliñar [ali'ɲar] *vt* to adorn; (*preparar*) to prepare; (*CULIN*) to season; **aliño** *nm* decoration; (*esmero*) neatness; (*CULIN*) dressing.

alisar [ali'sar] *vt* to smooth; (*pulir*) to polish.

aliso [a'liso] *nm* alder.

alistamiento [alista'mjento] *nm* recruitment; **alistar** *vt* to recruit; (*inscribir*) to enrol; **alistarse** *vr* to enlist; to enrol.

aliviar [ali'βjar] *vt* (*carga*) to lighten; (*persona*) to relieve; (*dolor*) to alleviate; ~**se** *vr.* ~**se de** to unburden o.s. of.

alivio [a'liβjo] *nm* alleviation, relief.

aljibe [al'xiβe] *nm* cistern; (*AUTO*) oil tanker.

aljofaina [alxo'faina] *nf* = **jofaina.**

alma ['alma] *nf* soul; (*persona*) person; (*que anima*) life and soul; (*TEC*) core.

almacén [alma'θen] *nm* (*depósito*) warehouse, store; (*MIL*) magazine; (*AM*) shop; **almacenes** *nmpl* department store *sg*; **almacenaje** *nm* storage.

almacenar [almaθe'nar] *vt* to store, put in storage; (*proveerse*) to stock up (with); **almacenero** *nm* warehouseman.

almanaque [alma'nake] *nm* almanac.

almeja [al'mexa] *nf* shellfish, clam.

almendra [al'mendra] *nf* almond; **almendro** *nm* almond tree.

almiar [al'mjar] *nm* hayrick.

almíbar [al'miβar] *nm* syrup; **almibarado, a** *a* syrupy.

almidón [almi'ðon] *nm* starch; **almidonar** *vt* to starch.

almirantazgo [almiran'taθvo] *nm* admiralty; **almirante** *nm* admiral.

almohada [almo'aða] *nf* pillow; (*funda*) pillowcase; **almohadilla** *nf* cushion; (*TEC*) pad; (*AM*) pincushion.

almoneda [almo'neða] *nf* auction; (*liquidación*) clearance sale.

almorranas [almo'rranas] *nfpl* piles, haemorrhoids.

almorzar [almor'θar] *vt:* ~ **una tortilla** to have an omelette for lunch // *vi* to (have) lunch.

almuerzo [al'mwerθo] *nm* lunch.

alnado, a [al'naðo, a] *nm/f* stepson/daughter.

alocado, a [alo'kaðo, a] *a* crazy.

alojamiento [aloxa'mjento] *nf* lodging(s) (*pl*); (*viviendas*) housing.

alojar [alo'xar] *vt* to lodge; ~**se** *vr* to lodge, stay.

alondra [a'londra] *nf* lark, skylark.

alpargata [alpar'xata] *nf* rope-soled sandal; (*de lona*) canvass shoe.

Alpes ['alpes] *nmpl:* **los** ~ the Alps.

alpinismo [alpi'nismo] *nm* mountaineering, climbing; **alpinista** *nm/f* mountaineer, climber.

alquería [alke'ria] *nf* farmhouse.

alquilar [alki'lar] *vt* to rent (out), let, hire (out); (*de inquilino*) to rent, hire; **se**

alquilan casas houses to let.

alquiler [alki'ler] *nm* renting, letting, hiring; (*arriendo*) rent, hire charge; **de** ~ for hire.

alquimia [al'kimja] *nf* alchemy.

alquitrán [alki'tran] *nm* tar.

alrededor [alreðe'ðor] *ad* around, about; ~**es** *nmpl* surroundings; ~ **de** *prep* around, about; **mirar a su** ~ to look (round) about one.

alta ['alta] *nf ver* **alto.**

altanería [altane'ria] *nf* haughtiness, arrogance; **altanero, a** *a* arrogant, haughty.

altar [al'tar] *nm* altar.

altavoz [alta'βoθ] *nm* loudspeaker; (*amplificador*) amplifier.

alteración [altera'θjon] *nf* alteration; (*alboroto*) disturbance; (*discusión*) quarrel; **alterar** *vt* to alter; to disturb; **alterarse** *vr* (*alimento etc*) to go bad or off; (*voz*) to falter; (*persona*) to get upset.

altercado [alter'kaðo] *nm* argument.

alternar [alter'nar] *vt* to alternate // *vi,* ~**se** *vr* to alternate; (*turnar*) to take turns; ~ **con** to mix with; **alternativo, a** *a* alternative; (*alterno*) alternating // *nf* alternative; (*elección*) choice; **alternativas** *nfpl* ups and downs.

alteza [al'teθa] *nf* (*tratamiento*) highness; (*altura*) height.

altibajos [alti'βaxos] *nmpl* ups and downs.

altiplanicie [altipla'niθje] *nf,* **altiplano** [alti'plano] *nm* high plateau.

altisonante [altiso'nante] *a* high-flown.

altitud [alti'tuð] *nf* altitude.

altivez [alti'βeθ] *nf* haughtiness, arrogance; **altivo, a** *a* haughty, arrogant.

alto, a ['alto, a] *a* high; (*de tamaño*) tall; (*precio, importante*) high; (*sonido*) high, sharp; (*noble*) high, lofty // *nm* halt; (*MUS*) alto; (*GEO*) hill; (*AM*) pile // *ad* (*de sitio*) high; (*de sonido*) loud, loudly // *nf* (*certificate of*) discharge // *excl* halt!; **tiene 2 metros de** ~ he is 2 metres tall; **en** ~**a mar** on the high seas; **en voz** ~**a** in a loud voice; **las** ~**as horas de la noche** the small hours; **en lo** ~ **de** at the top of; **pasar por** ~ to overlook; **dar de** ~**a** to discharge.

altoparlante [altopar'lante] *nm* (*AM*) loudspeaker.

altura [al'tura] *nf* height; (*NAUT*) depth; (*GEO*) latitude; **tiene 1.80 de** ~ he is 1 metre 80cm tall; **a esta** ~ **del año** at this time of the year.

alubia [a'luβja] *nf* French bean, kidney bean.

alucinación [aluθina'θjon] *nf* hallucination; **alucinar** *vi* to hallucinate // *vt* to deceive; (*fascinar*) to fascinate.

alud [a'luð] *nm* avalanche.

aludir [alu'ðir] *vi:* ~ **a** to allude to; **darse por** ~ to take the hint.

alumbrado [alum'braðo] *nm* lighting; **alumbramiento** *nm* lighting; (*MED*) childbirth, delivery.

alumbrar [alum'brar] *vt* to light (up); (*ciego*) to restore the sight of // *vi* to give birth.

aluminio [alu'minjo] *nm* aluminium.

alumno, a [a'lumno, a] *nm/f* pupil, student.

alunizar [aluni'θar] *vi* to land on the moon.

alusión [alu'sjon] *nf* allusion.

alusivo, a [alu'siβo, a] *a* allusive.

aluvión [alu'βjon] *nm* alluvium; (*fig*) flood.

alza ['alθa] *nf* rise; ~**s** *nfpl* sights.

alzada [al'θaða] *nf* (*de caballos*) height; (*JUR*) appeal.

alzamiento [alθa'mjento] *nm* (*aumento*) rise, increase; (*acción*) lifting, raising; (*mejor postura*) higher bid; (*rebelión*) rising; (*COM*) fraudulent bankruptcy.

alzar [al'θar] *vt* to lift (up); (*precio, muro*) to raise; (*cuello de abrigo*) to turn up; (*AGR*) to gather in; (*IMPRENTA*) to gather; ~**se** *vr* to get up, rise; (*rebelarse*) to revolt; (*COM*) to go fraudulently bankrupt; (*JUR*) to appeal.

allá [a'ʎa] *ad* (*lugar*) there; (*por ahí*) over there; (*tiempo*) then; ~ **abajo** down there; **más** ~ further on; **más** ~ **de** beyond; ¡~ **tu!** that's your problem!

allanar [aʎa'nar] *vt* to flatten, level (out); (*igualar*) to smooth (out); (*fig*) to subdue; (*JUR*) to burgle, break into; ~**se** *vr* to fall down; ~**se a** to submit to, accept.

allegado, a [aʎe'xaðo, a] *a* near, close // *nm/f* relation.

allegar [aʎe'xar] *vt* to gather (together); (*añadir*) to add; ~**se a** to approach.

allí [a'ʎi] *ad* there; ~ **mismo** right there; **por** ~ over there; (*por ese camino*) that way.

ama ['ama] *nf* lady of the house; (*dueña*) owner; (*institutriz*) governess; (*madre adoptiva*) foster mother; ~ **de cría** *o* **de leche** wet-nurse; ~ **de llaves** housekeeper.

amabilidad [amaβili'ðað] *nf* kindness; (*simpatía*) niceness; **amable** *a* kind; nice.

amado, a [a'maðo, a] *nm/f* beloved, sweetheart.

amaestrar [amaes'trar] *vt* to train; (*preparar*) to coach.

amagar [ama'xar] *vt*, *vi* to threaten; **amago** *nm* threat; (*gesto*) threatening gesture; (*MED*) symptom.

amalgama [amal'xama] *nf* amalgam; **amalgamar** *vt* to amalgamate; (*combinar*) to combine, mix.

amamantar [amaman'tar] *vt* to suckle, nurse.

amanecer [amane'θer] *vi* to dawn // *nm* dawn; **el niño amaneció afiebrado** the child woke up with a fever.

amanerado, a [amane'raðo, a] *a* affected.

amansar [aman'sar] *vt* to tame; (*templar*) to subdue.

amante [a'mante] *a*: ~ **de** fond of // *nm/f* lover.

amapola [ama'pola] *nf* poppy.

amar [a'mar] *vt* to love.

amargado, a [amar'xaðo, a] *a* bitter; **amargar** *vt* to make bitter; (*fig*) to embitter; **amargarse** *vr* to get bitter.

amargo, a [a'marxo, a] *a* bitter; **amargura** *nf* bitterness.

amarillento, a [amari'ʎento, a] *a* yellowish; (*tez*) sallow; **amarillo, a** *a, nm* yellow.

amarrar [ama'rrar] *vt* to moor; (*sujetar*) to tie up.

amartelar [amarte'lar] *vt* to make jealous; (*enamorar*) to win the heart of; ~**se** *vr*: ~**se de** to fall in love with.

amartillar [amarti'ʎar] *vt* = **martillar**.

amasar [ama'sar] *vt* to knead; (*mezclar*) to mix, prepare; (*MED*) to massage; (*confeccionar*) to concoct; **amasijo** *nm* kneading; mixing; (*masa*) dough; (*pasta*) paste; (*fig*) hotchpotch.

amateur ['amatur] *nm/f* amateur.

amatista [ama'tista] *nf* amethyst.

amazona [ama'θona] *nf* horsewoman; **A**~**s** *nm*: **el A**~**s** the Amazon.

ambages [am'baxes] *nmpl*: **sin** ~ in plain language.

ámbar ['ambar] *nm* amber.

ambición [ambi'θjon] *nf* ambition; **ambicionar** *vt* to aspire to; **ambicioso, a** *a* ambitious.

ambidextro, a [ambi'ðekstro, a] *a* ambidextrous.

ambiente [am'bjente] *nm* atmosphere; (*medio*) environment.

ambigüedad [ambiɣwe'ðað] *nf* ambiguity; **ambiguo, a** *a* ambiguous.

ámbito ['ambito] *nm* compass; (*campo*) field; (*límite*) boundary; (*fig*) scope.

ambos, as ['ambos, as] *apl, pron pl* both.

ambulancia [ambu'lanθja] *nf* ambulance.

ambulante [ambu'lante] *a* walking *cpd*, itinerant.

ambulatorio [ambula'torio] *nm* national health clinic.

amedrentar [ameðren'tar] *vt* to scare.

amén [a'men] *excl* amen; ~ **de** except for.

amenaza [ame'naθa] *nf* threat; **amenazar** *vt*, *vi* to threaten.

amenguar [amen'ɣwar] *vt* to diminish; (*fig*) to dishonour.

amenidad [ameni'ðað] *nf* pleasantness.

ameno, a [a'meno, a] *a* pleasant.

América [a'merika] *nf* America; ~ **del Norte/del Sur** North/South America; ~ **Central/Latina** Central/Latin America; **americano, a** *a, nm/f* American // *nf* coat, jacket.

ametralladora [ametraʎa'ðora] *nf* machine gun.

amigable [ami'xaβle] *a* friendly.

amígdala [a'mixðala] *nf* tonsil; **amigdalitis** *nf* tonsillitis.

amigo, a [a'mixo, a] *a* friendly // *nm/f* friend.

amilanar [amila'nar] *vt* to scare.

aminorar [amino'rar] vt to diminish; (reducir) to reduce.

amistad [amis'tað] nf friendship; ~es nfpl friends; **amistoso, a** a friendly.

amnesia [am'nesja] nf amnesia.

amnistía [amnis'tia] nf amnesty.

amo ['amo] nm owner; (dueño) boss; ~ **de casa** householder.

amodorrarse [amoðo'rrarse] vr to get sleepy.

amolar [amo'lar] vt to sharpen; (fig) to bore.

amoldar [amol'dar] vt to mould; (adaptar) to adapt.

amonestación [amonesta'θjon] nf warning; **amonestaciones** nfpl marriage banns; **amonestar** vt to warn; to publish the banns of.

amontonar [amonto'nar] vt to collect, pile up; ~**se** vr to crowd together; (acumularse) to pile up.

amor [a'mor] nm love; (amante) lover; **hacer el** ~ to make love; (cortejar) to court.

amoratado, a [amora'taðo, a] a purple, blue with cold.

amordazar [amorða'θar] vt to muzzle; (fig) to gag.

amorío [amo'rio] nm (fam) love affair.

amoroso, a [amo'roso, a] a affectionate, loving.

amortajar [amorta'xar] vt to shroud.

amortiguador [amortigwa'ðor] nm shock absorber; (parachoques) bumper; (silenciador) silencer; **amortiguar** vt to deaden; (ruido) to muffle; (color) to soften.

amortización [amortiθa'θjon] nf redemption, repayment.

amotinar [amoti'nar] vt to stir up, incite (to riot); ~**se** vr to mutiny.

amparar [ampa'rar] vt to protect; ~**se** vr to seek protection; (abrigar) to shelter; **amparo** nm help, protection.

ampliación [amplja'θjon] nf enlargement; (extensión) extension; **ampliar** vt to enlarge; to extend.

amplificación [amplifika'θjon] nf enlargement; **amplificador** nm amplifier; **amplificar** vt to amplify.

amplio, a ['ampljo, a] a spacious; (de falda etc) full; (extenso) extensive; (ancho) wide; **amplitud** nf spaciousness; extent; (fig) amplitude.

ampolla [am'poʎa] nf blister; (MED) ampoule.

amputar [ampu'tar] vt to cut off, amputate.

amueblar [amwe'βlar] vt to furnish.

amurallar [amura'ʎar] vt to wall up/in.

anacronismo [anakro'nismo] nm anachronism.

ánade ['anaðe] nm duck.

anadear [anaðe'ar] vi to waddle.

anales [a'nales] nmpl annals.

analfabetismo [analfaβe'tismo] nm illiteracy; **analfabeto, a** a illiterate.

análisis [a'nalisis] nm analysis.

analizar [anali'θar] vt to analyse.

analogía [analo'xia] nf analogy.

ananá(s) [ana'na(s)] nm pineapple.

anaquel [ana'kel] nm shelf.

anarquía [anar'kia] nf anarchy; **anarquismo** nm anarchism; **anarquista** nm/f anarchist.

anatomía [anato'mia] nf anatomy.

anciano, a [an'θjano, a] a old, aged // nm/f old man/woman // nm elder.

ancla ['ankla] nf anchor; ~**dero** nm anchorage; **anclar** vi to (drop) anchor.

ancho, a ['antʃo, a] a wide; (falda) full; (fig) liberal // nm width; (FERRO) gauge; **ponerse** ~ to get conceited; **estar a sus** ~**as** to be at one's ease.

anchoa [an'tʃoa] nf anchovy.

anchura [an'tʃura] nf width; (extensión) wideness; (fig) freedom.

andaderas [anda'ðeras] nfpl baby walker sg.

andadura [anda'ðura] nf gait, pace.

Andalucía [andalu'θia] nf Andalusia; **andaluz, a** a, nm/f Andalusian.

andamio [an'damjo], **andamiaje** [anda-'mjaxe] nm scaffold.

andar [an'dar] vt to go, cover, travel // vi to go, walk, travel; (funcionar) to go, work; (estar) to be // nm walk, gait, pace; ~**se** vr to go away; ~ **a pie/a caballo/en bicicleta** to go on foot/on horseback/by bicycle; ¡**anda!**, ¡**andando!** go on!; (vamos) come on!; (bien) well!; **anda en los 40** he's about 40.

andariego, a [anda'rjeʝo, a] a fond of travelling.

andén [an'den] nm (FERRO) platform; (NAUT) quayside; (AUTO) hard shoulder.

Andes ['andes] nmpl: los ~ the Andes.

Andorra [an'dorra] nf Andorra.

andrajo [an'draxo] nm rag; ~**so, a** a ragged.

andurriales [andu'rrjales] nmpl out-of-the-way place sg.

anduve etc vb ver **andar**.

anécdota [a'nekðota] nf anecdote, story.

anegar [ane'xar] vt to flood; (ahogar) to drown; ~**se** vr to drown; (hundirse) to sink.

anemia [a'nemja] nf anaemia.

anestésico [anes'tesiko] nm anaesthetic.

anexar [anek'sar] vt to annex; (documento) to attach; **anexo, a** a attached // nm annexe.

anfibio, a [an'fiβjo, a] a amphibious // nm amphibian.

anfiteatro [anfite'atro] nm amphitheatre; (TEATRO) dress circle.

anfitrión, ona [anfi'trjon, ona] nm/f host.

ángel ['anxel] nm angel; **angélico, a**, **angelical** a angelic(al).

angina [an'xina] nf (MED) inflammation of the throat; ~ **de pecho** angina (pectoris).

anglicano, a [angli'kano, a] a, nm/f Anglican.

angosto, a [an'gosto, a] *a* narrow.
angostura [angos'tura] *nf* narrowness; (*paso*) narrow passage.
anguila [an'gila] *nf* eel; ~**s** *nfpl* slipway *sg.*
ángulo ['angulo] *nm* angle; (*esquina*) corner; (*curva*) bend.
angustia [an'gustja] *nf* anguish; **angustiar** *vt* to distress, grieve.
anhelante [ane'lante] *a* eager; (*deseoso*) longing; **anhelar** *vt* to be eager for; to long for, desire // *vi* to pant, gasp; **anhelo** *nm* eagerness; desire.
anidar [ani'ðar] *vi* to nest.
anillo [a'niʎo] *nm* ring; ~ **de boda** wedding ring.
ánima ['anima] *nf* soul; **las** ~**s** the Angelus (bell) *sg.*
animación [anima'θjon] *nf* liveliness; (*vitalidad*) life; (*actividad*) bustle; **animado, a** *a* lively; (*vivaz*) animated.
animadversión [animaðßer'sjon] *nf* ill-will, antagonism.
animal [ani'mal] *a* animal; (*fig*) stupid // *nm* animal; (*fig*) fool; (*bestia*) brute.
animar [ani'mar] *vt* (*BIO*) to animate, give life to; (*fig*) to liven up, brighten up, cheer up; (*estimular*) to stimulate; ~**se** *vr* to cheer up, feel encouraged; (*decidirse*) to make up one's mind.
ánimo ['animo] *nm* soul, mind; (*valentía*) courage // *excl* cheer up!
animosidad [animosi'ðað] *nf* animosity.
animoso, a [ani'moso, a] *a* brave; (*vivo*) lively.
aniquilar [aniki'lar] *vt* to annihilate, destroy; ~**se** *vr* to be wiped out, disappear; (*empeorarse*) to deteriorate.
anís [a'nis] *nm* aniseed.
aniversario [anißer'sarjo] *nm* anniversary.
anoche [a'notʃe] *ad* last night; **antes de** ~ the night before last.
anochecer [anotʃe'θer] *vi* to get dark // *nm* nightfall, dark.
anomalía [anoma'lia] *nf* anomaly.
anonadamiento [anonaða'mjento] *nm* annihilation; (*desaliento*) discouragement; **anonadar** *vt* to annihilate; to discourage; **anonadarse** *vr* to get discouraged.
anónimo, a [a'nonimo, a] *a* anonymous; (*COM*) limited // *nm* anonymity.
anormal [anor'mal] *a* abnormal.
anotación [anota'θjon] *nf* note.
anotar [ano'tar] *vt* to note down; (*comentar*) to annotate.
ansia ['ansja] *nf* anxiety; (*añoranza*) yearning; **ansiar** *vt* to long for.
ansiedad [ansje'ðað] *nf* anxiety.
ansioso, a [an'sjoso, a] *a* anxious; (*anhelante*) eager.
antagónico, a [anta'voniko, a] *a* antagonistic; (*opuesto*) contrasting; **antagonista** *nm/f* antagonist.
antaño [an'taɲo] *ad* long ago.

Antártico [an'tartiko] *nm*: **el** ~ the Antarctic.
ante ['ante] *prep* before, in the presence of; (*encarado con*) faced with // *nm* suede, buckskin; ~ **todo** above all.
anteanoche [antea'notʃe] *ad* the night before last.
anteayer [antea'jer] *ad* the day before yesterday.
antebrazo [ante'ßraθo] *nm* forearm.
antecedente [anteθe'ðente] *a* previous // *nm* antecedent; ~**s** *nmpl* record *sg*, background *sg.*
anteceder [anteθe'ðer] *vt* to precede, go before.
antecesor, a [anteθe'sor, a] *nm/f* predecessor; (*antepasado*) ancestor.
antedicho, a [ante'ðitʃo, a] *a* aforementioned.
antelación [antela'θjon] *nf*: **con** ~ in advance.
antemano [ante'mano]: **de** ~ *ad* beforehand, in advance.
antena [an'tena] *nf* antenna; (*de televisión etc*) aerial.
anteojo [ante'oxo] *nm* eyeglass; ~**s** *nmpl* spectacles, glasses.
antepasados [antepa'saðos] *nmpl* ancestors.
antepecho [ante'petʃo] *nm* guardrail, parapet; (*repisa*) ledge, sill.
anteponer [antepo'ner] *vt* to place in front; (*fig*) to prefer; ~**se** *vr*: ~**se a** to overcome.
anteproyecto [antepro'jekto] *nm* preliminary sketch; (*fig*) blueprint.
anterior [ante'rjor] *a* preceding, previous; ~**idad** *nf*: **con** ~ **a** prior to, before.
antes ['antes] *ad* sooner; (*primero*) first; (*con prioridad*) before; (*hace tiempo*) previously, once; (*más bien*) rather // *prep*: ~ **de** before // *conj*: ~ **(de) que** before; ~ **bien** (but) rather; **dos días** ~ two days before *or* previously; ~ **muerto que esclavo** better dead than enslaved; **tomo el avión** ~ **que el barco** I take the plane rather than the boat; **cuanto** ~, **lo** ~ **posible** as soon as possible.
antesala [ante'sala] *nf* anteroom.
antibiótico [anti'ßjotiko] *nm* antibiotic.
anticipación [antiθipa'θjon] *nf* anticipation; (*COM*) advance; **con 10 minutos de** ~ 10 minutes early; **anticipado, a** *a* (in) advance.
anticipar [antiθi'par] *vt* to anticipate; (*adelantar*) to bring forward; (*COM*) to advance; ~**se** *vr*: ~**se a su época** to be ahead of one's time.
anticipo [anti'θipo] *nm* = **anticipación.**
anticonceptivo, a [antikonθep'tißo, a] *a*, *nm* contraceptive.
anticongelante [antikonxe'lante] *nm* antifreeze.
anticuado, a [anti'kwaðo, a] *a* out-of-date, old-fashioned; (*desusado*) obsolete.
anticuario [anti'kwarjo] *nm* antique dealer.

antídoto [an'tiðoto] *nm* antidote.
antifaz [anti'faθ] *nm* mask; (*velo*) veil.
antigualla [anti'ɣwaʎa] *nf* antique;
(*reliquia*) relic.
antiguamente [antiɣwa'mente]   *ad*
formerly; (*hace mucho tiempo*) long ago.
antigüedad [antiɣwe'ðað] *nf* antiquity;
(*artículo*) antique; (*rango*) seniority;
antiguo, a *a* old, ancient; (*que fue*)
former.
antílope [an'tilope] *nm* antelope.
antillano, a [anti'ʎano, a] *a, nm/f* West
Indian.
Antillas [an'tiʎas] *nfpl:* **las** ~ the West
Indies.
antipara [anti'para] *nf* screen.
antipatía [antipa'tia] *nf* antipathy, dislike;
antipático, a *a* disagreeable, unpleasant.
antisemita [antise'mita] *nm/f* antisemite.
antítesis [an'titesis] *nf* antithesis.
antojadizo,   a   [antoxa'ðiθo,   a]   *a*
capricious.
antojarse [anto'xarse] *vr* (*desear*): **se me
antoja comprarlo** I have a mind to buy
it; (*pensar*): **se me antoja que** I have a
feeling that.
antojo [an'toxo] *nm* caprice, whim; (*rosa*)
birthmark; (*lunar*) mole.
antología [antolo'xia] *nf* anthology.
antorcha [an'tortʃa] *nf* torch.
antro ['antro] *nm* cavern.
antropófago, a [antro'pofaxo, a] *a, nm/f*
cannibal.
antropología   [antropolo'xia]   *nf*
anthropology.
anual [a'nwal] *a* annual.
anualidad [anwali'ðað] *nf* annuity.
anuario [a'nwarjo] *nm* yearbook.
anublar [anu'βlar] *vt* to cloud; (*oscurecer*)
to darken; ~**se** *vr* to become cloudy,
cloud over; (*BOT*) to wither.
anudar [anu'ðar] *vt* to knot, tie; (*unir*) to
join; ~**se** *vr* to get tied up.
anulación [anula'θjon] *nf* annulment;
(*cancelación*) cancellation; **anular** *vt* to
annul; to cancel; (*revocar*) to revoke,
repeal // *nm* ring finger.
anunciación   [anunθja'θjon]   *nf*
announcement; **anunciar** *vt* to announce;
(*proclamar*)   to   proclaim;   (*COM*)   to
advertise.
anuncio [a'nunθjo] *nm* announcement;
(*señal*) sign; (*COM*) advertisement; (*cartel*)
poster.
anzuelo [an'θwelo] *nm* hook; (*para pescar*)
fish hook.
añadidura [aɲaði'ðura] *nf* addition, extra;
por ~ besides, in addition.
añadir [aɲa'ðir] *vt* to add.
añejo, a [a'ɲexo, a] *a* old.
añicos [a'ɲikos] *nmpl:* **hacer** ~ to smash,
shatter.
año [a'ɲo] *nm* year; **¡Feliz A~ Nuevo!**
Happy New Year!; **tener 15** ~**s** to be 15
(years old); **los** ~**s 60** the sixties; ~ **bi-
siesto/escolar** leap/school year.

añoranza   [aɲo'ranθa]   *nf*   nostalgia;
(*anhelo*) longing.
apacentar [apaθen'tar] *vt* to pasture,
graze.
apacible [apa'θiβle] *a* gentle, mild.
apaciguar [apaθi'ɣwar] *vt* to pacify, calm
(down).
apadrinar [apaðri'nar] *vt* to sponsor,
support; (*REL*) to act as godfather to.
apagado, a [apa'xaðo, a] *a* out; (*volcán*)
extinct; (*cal*) slaked; (*color*) dull; (*voz*)
quiet, timid; (*sonido*) muted, muffled;
(*apático*) listless.
apagar [apa'xar] *vt* to put out; (*sonido*) to
silence, muffle; (*sed*) to quench; (*fig*) to
kill.
apagón [apa'xon] *nm* blackout, power cut.
apalabrar [apala'βrar] *vt* to agree to;
(*obrero*) to engage.
apalear [apale'ar] *vt* to beat, thrash; (*AGR*)
to winnow.
apañar [apa'ɲar] *vt* to pick up; (*asir*) to
take hold of, grasp; (*vestir*) to dress up;
(*reparar*) to mend, patch up; ~**se** *vr* to
manage, get along.
aparador [apara'ðor] *nm* sideboard;
(*escaparate*) shop window.
aparato   [apa'rato]   *nm*   apparatus;
(*máquina*)   machine;   (*doméstico*)
appliance; (*boato*) ostentation; ~**so, a** *a*
showy, ostentatious.
aparcamiento [aparka'mjento] *nm* car
park.
aparcar [apar'kar] *vt, vi* to park.
aparecer [apare'θer] *vi,* ~**se** *vr* to
appear.
aparejado, a [apare'xaðo, a] *a* fit,
suitable.
aparejar [apare'xar] *vt* to prepare;
(*caballo*) to saddle, harness; (*NAUT*) to fit
out, rig out; **aparejo** *nm* preparation;
harness; rigging; (*de poleas*) block and
tackle.
aparentar [aparen'tar] *vt* to feign;
(*parecer*) to look, seem (to be).
aparente [apa'rente] *a* apparent; (*adecuado*) suitable.
aparición [apari'θjon] *nf* appearance; (*de
libro*) publication.
apariencia [apa'rjenθja] *nf* (outward)
appearance; **en** ~ outwardly, seemingly.
apartado, a [apar'taðo, a] *a* separate;
(*lejano*) remote // *nm* post office box;
(*tipográfico*) paragraph.
apartamento   [aparta'mento]   *nm*
apartment, flat.
apartamiento   [aparta'mjento]   *nm*
separation; (*aislamiento*) remoteness; (*AM*)
apartment, flat.
apartar [apar'tar] *vt* to separate; (*quitar*)
to remove; (*MINEROLOGÍA*) to extract; ~**se**
vr to separate, part; (*irse*) to move away,
keep away; **aparte** *ad* (*separadamente*)
separately; (*además*) besides // *nm* aside;
(*tipográfico*) new paragraph.
apasionado, a [apasjo'naðo, a] *a*
passionate; biassed, prejudiced.

apasionar [apasjo'nar] vt to arouse passion in; ~se vr to get excited.

apatía [apa'tia] nf apathy.

apático, a [a'patiko, a] a apathetic.

apdo nm abr de **apartado (de correos)**.

apeadero [apea'ðero] nm halt, wayside station.

apearse [ape'arse] vr to dismount; (bajarse) to get down/out.

apedrear [apeðre'ar] vt to stone.

apegarse [ape'xarse] vr: ~se a to become attached to; **apego** nm attachment, fondness.

apelación [apela'θjon] nf appeal.

apelante [ape'lante] nm/f appellant.

apelar [ape'lar] vi to appeal; ~ a to resort to.

apellidar [apeʎi'ðar] vt to call, name; ~se vr to be called; **apellido** nm surname, name.

apenar [ape'nar] vt to grieve, trouble; ~se vr to grieve.

apenas [ape'nas] ad scarcely, hardly // conj as soon as, no sooner.

apéndice [a'pendiθe] nm appendix; **apendicitis** nf appendicitis.

apercibir [aperθi'ßir] vt to prepare; (avisar) to warn; (JUR) to summon; (AM) to notice, see; ~se vr to get ready.

aperitivo [aperi'tißo] nm aperitif.

apertura [aper'tura] nf opening.

apesadumbrar [apesaðum'brar] vt to grieve, sadden; ~se vr to distress o.s.

apestar [apes'tar] vt to infect // vi to stink.

apetecer [apete'θer] vt: ¿te apetece una tortilla? do you fancy an omelette?; **apetecible** a desirable; (llamativo) attractive.

apetito [ape'tito] nm appetite; ~so, a a appetizing; (fig) tempting.

apiadarse [apja'ðarse] vr: ~ de to take pity on.

ápice ['apiθe] nm apex; (fig) whit, iota.

apio ['apjo] nm celery.

aplacar [apla'kar] vt to placate; ~se vr to calm down.

aplanamiento [aplana'mjento] nm smoothing, levelling.

aplanar [apla'nar] vt to smooth, level; (allanar) to roll flat, flatten.

aplastar [aplas'tar] vt to squash (flat); (fig) to crush.

aplaudir [aplau'ðir] vt to applaud.

aplauso [a'plauso] nm applause; (fig) approval, acclaim.

aplazamiento [aplaθa'mjento] nm postponement, adjournment; **aplazar** vt to postpone, defer.

aplicación [aplika'θjon] nf application; (esfuerzo) effort.

aplicado, a [apli'kaðo, a] a diligent, hard-working.

aplicar [apli'kar] vt (ejecutar) to apply; ~se vr to apply o.s.

aplomo [a'plomo] nm aplomb, self-assurance.

apocado, a [apo'kaðo, a] a timid.

apocamiento [apoka'mjento] nm timidity; (depresión) depression.

apocar [apo'kar] vt to reduce; ~se vr to feel small, feel humiliated.

apodar [apo'ðar] vt to nickname.

apoderado [apoðe'raðo] nm agent, representative; **apoderar** vt to authorize, empower; (JUR) to grant (a) power of attorney to; **apoderarse** vr: **apoderarse de** to take possession of.

apodo [a'poðo] nm nickname.

apogeo [apo'xeo] nm peak, summit.

apología [apolo'xia] nf eulogy; (defensa) defence.

apoplejía [apople'xia] nf apoplexy, stroke.

aporrear [aporre'ar] vt to beat (up); **aporreo** nm beating.

aportar [apor'tar] vt to contribute // vi to reach port; ~se vr (AM) to arrive, come.

aposentar [aposen'tar] vt to lodge, put up; **aposento** nm lodging; (habitación) room.

apostar [apos'tar] vt to bet, stake; (destinar) to station, post // vi to bet.

apostilla [apos'tiʎa] nf note, comment.

apóstol [a'postol] nm apostle.

apóstrofe [a'postrofe] nm insult; (reprimenda) reprimand.

apóstrofo [a'postrofo] nm apostrophe.

apostura [apos'tura] nf neatness, elegance.

apoyar [apo'jar] vt to lean, rest; (fig) to support, back; ~se vr: ~se en to lean on; **apoyo** nm support, backing; (sostén) prop.

apreciable [apre'θjaßle] a considerable; (fig) esteemed.

apreciación [apreθja'θjon] nf appreciation; (COM) valuation; **apreciar** vt to evaluate, assess; (COM) to appreciate, value.

aprecio [a'preθjo] nm valuation, estimate; (fig) appreciation.

aprehender [apreen'der] vt to apprehend, seize; **aprehensión** nf detention, capture.

apremiante [apre'mjante] a urgent, pressing; **apremiar** vt to compel, force // vi to be urgent, press; **apremio** nm compulsion; urgency.

aprender [apren'der] vt, vi to learn.

aprendiz, a [apren'diθ, a] nm/f apprentice; (principiante) learner; ~aje nm apprenticeship.

aprensión [apren'sjon] nm apprehension, fear; (delicadeza) squeamishness; **aprensivo, a** a apprehensive; (nervioso) nervous, timid.

apresar [apre'sar] vt to seize; (capturar) to capture.

aprestar [apres'tar] vt to prepare, get ready; (TEC) to prime, size; ~se vr to get ready.

apresurado, a [apresu'raðo, a] a hurried,

hasty; **apresuramiento** nm hurry, haste.
apresurar [apresu'rar] vt to hurry, accelerate; ~**se** vr to hurry, make haste.
apretado, a [apre'taðo, a] a tight; (escritura) cramped; (difícil) difficult; (fam) stingy.
apretar [apre'tar] vt to squeeze, press; (TEC) to tighten; (presionar) to press together, pack // vi to be too tight; (insistir) to insist.
apretón [apre'ton] nm squeeze; (abrazo) hug; (aglomeración) crush; (dificultad) difficulty, jam; (carrera) dash, sprint; ~ **de manos** handshake; **apretura** nf squeeze; hug; crush; difficulty, jam; (escasez) scarcity.
aprieto [a'prjeto] nm squeeze, press; (dificultad) difficulty, jam.
aprisionar [aprisjo'nar] vt to imprison.
aprobación [aproβa'θjon] nf approval; (de examen) pass; (nota) pass mark; **aprobar** vt to approve (of); to pass // vi to pass.
apropiación [apropja'θjon] nf appropriation.
apropiado, a [apro'pjaðo, a] a appropriate.
apropiar [apro'pjar] vt to adapt, make fit; ~**se** vr: ~**se de** to appropriate.
aprovechado, a [aproβe'tʃaðo, a] a diligent, hardworking; (económico) thrifty; (pey) unscrupulous, grasping; **aprovechamiento** nm use, exploitation.
aprovechar [aproβe'tʃar] vt to use, exploit, profit from; (sacar partido de) to take advantage of // vi to progress, improve; ~**se** vr: ~**se de** to make use of, take advantage of; **¡que aproveche!** enjoy your meal!
aproximación [aproksima'θjon] nf approximation; (cercanía) nearness; (de lotería) consolation prize; **aproximado, a** a approximate; **aproximar** vt to bring nearer; **aproximarse** vr to come near, approach.
aptitud [apti'tuð] nf aptitude; (idoneidad) suitability.
apto, a ['apto, a] a suitable.
apuesto, a [a'pwesto, a] a neat, elegant // nf bet, wager.
apuntador [apunta'ðor] nm prompter.
apuntalar [apunta'lar] vt to prop up.
apuntar [apun'tar] vt (con arma) to aim at; (con dedo) to point at or to; (anotar) to note (down); (TEATRO) to prompt; (dinero) to stake; ~**se** vr to score a point.
apunte [a'punte] nm note.
apuñalar [apuɲa'lar] vt to stab.
apurado, a [apu'raðo, a] a needy; (difícil) difficult, dangerous; (agotado) exhausted; (AM) hurried, rushed.
apurar [apu'rar] vt (purificar) to purify; (agotar) to drain; (recursos) to use up; (molestar) to annoy; ~**se** vr to worry; (AM) to hurry.
apuro [a'puro] nm (aprieto) fix, jam; (escasez) want, hardship; (aflicción) distress; (AM) haste, urgency.

aquejar [ake'xar] vt to distress, grieve; (MED) to afflict.
aquel, aquella, aquellos, as [a'kel, a'keʎa, a'keʎos, as] det that; (pl) those.
aquél, aquélla, aquéllos, as [a'kel, a'keʎa, a'keʎos, as] pron that (one); (pl) those (ones).
aquello [a'keʎo] pron that, that business.
aquí [a'ki] ad (lugar) here; (tiempo) now; ~ **arriba** up here; ~ **mismo** right here; ~ **yace** here lies; **de** ~ **a siete días** a week from now.
aquietar [akje'tar] vt to quieten (down), calm (down).
árabe ['araβe] a Arab, Arabian, Arabic // nm/f Arab // nm (lengua) Arabic.
Arabia Saudita [araβjasau'ðita] nf Saudi Arabia.
arado [a'raðo] nm plough.
aragonés, esa [araxo'nes, esa] a, nm/f Aragonese.
arancel [aran'θel] nm tariff, duty; ~ **de aduanas** customs duty.
araña [a'raɲa] nf (ZOOL) spider; (de luces) chandelier.
arañar [ara'ɲar] vt to scratch.
arañazo [ara'naθo] nm scratch.
arar [a'rar] vt to plough, till.
arbitrador, a [arβitra'ðor, a] nm/f arbiter.
arbitraje [arβi'traxe] nm arbitration.
arbitrar [arβi'trar] vt to arbitrate in; (DEPORTE) to referee // vi to arbitrate.
arbitrariedad [arβitrarje'ðað] nf arbitrariness; (acto) arbitrary act; **arbitrario, a** a arbitrary.
arbitrio [ar'βitrjo] nm free will; (JUR) adjudication, decision.
árbitro ['arβitro] nm arbitrator; (DEPORTE) referee; (TENIS) umpire.
árbol ['arβol] nm (BOT) tree; (NAUT) mast; (TEC) axle, shaft; **arbolado, a** a wooded, tree-lined // nm woodland.
arboladura [arβola'ðura] nf rigging; **arbolar** vt to hoist, raise; **arbolarse** vr to rear up.
arboleda [arβo'leða] nf grove, plantation.
arbusto [ar'βusto] nm bush, shrub.
arca ['arka] nf chest, box; (caja fuerte) strongbox.
arcada [ar'kaða] nf arcade; (de puente) arch, span; ~**s** nfpl retching sg.
arcaduz [arka'ðuz] nm pipe, conduit.
arcaico, a [ar'kaiko, a] a archaic.
arce ['arθe] nm maple tree.
arcediano [arθe'ðjano] nm archdeacon.
arcilla [ar'θiʎa] nf clay.
arco ['arko] nm arch; (MAT) arc; (MIL, MUS) bow; ~ **iris** rainbow.
archipiélago [artʃi'pjelaxo] nm archipelago.
archivar [artʃi'βar] vt to file (away); **archivo** nm archive(s) (pl).
arder [ar'ðer] vi, vt to burn.
ardid [ar'ðið] nm ruse.

ardiente [ar'ðjente] *a* burning; (*apasionado*) ardent.

ardilla [ar'ðiʎa] *nf* squirrel.

ardor [ar'ðor] *nm* (*calor*) heat, warmth; (*fig*) ardour; ~ **de estómago** heartburn; ~**oso, a** *a a* = **ardiente**.

arduo, a ['arðwo, a] *a* arduous.

área ['area] *nf* area; (*DEPORTE*) penalty area.

arena [a'rena] *nf* sand; (*de una lucha*) arena; (*MED*) stone.

arenal [are'nal] *nm* sandy ground; (*arena movediza*) quicksand.

arengar [aren'gar] *vt* to harangue.

arenisco, a [are'nisko, a] *a* sandy // *nf* sandstone; (*cascajo*) grit.

arenoso, a [are'noso, a] *a* sandy.

arenque [a'renke] *nm* herring.

arete [a'rete] *nm* earring.

argamasa [arɣa'masa] *nf* mortar, plaster; **argamasar** *vt* to mortar, plaster.

Argel [ar'xel] *n* Algiers; ~**ia** *nf* Algeria; **argelino, a** *a*, *nm/f* Algerian.

argentino, a [arxen'tino, a] *a a* Argentinian; (*de plata*) silvery // *nm/f* Argentinian // *nf*: A~a Argentina.

argolla [ar'xoʎa] *nf* (large) ring; (*juego*) croquet.

argot [ar'xo] *nm* slang.

argucia [ar'ɣuθja] *nf* subtlety, sophistry.

argüir [ar'ɣwir] *vt* to deduce; (*discutir*) to argue; (*indicar*) to indicate, imply; (*censurar*) to reproach // *vi* to argue.

argumentación [arxumenta'θjon] *nf* (line of) argument; **argumentar** *vt, vi* to argue.

argumento [arxu'mento] *nm* argument; (*de obra*) plot.

aria ['arja] *nf* aria.

aridez [ari'ðeθ] *nf* aridity, dryness.

árido, a ['ariðo, a] *a* arid, dry; ~**s** *nmpl* dry goods.

Aries ['arjes] *nm* Aries.

ariete [a'rjete] *nm* battering ram.

ario, a ['arjo, a] *a* Aryan.

arisco, a [a'risko, a] *a* surly; (*insociable*) unsociable.

aristócrata [aris'tokrata] *nm/f* aristocrat.

aritmética [arit'metika] *nf* arithmetic.

arma ['arma] *nf* arm; ~**s** *nfpl* arms; ~ **blanca** blade, knife; (*espada*) sword; ~ **de fuego** firearm; ~**s cortas** small arms.

armadillo [arma'ðiʎo] *nm* armadillo.

armado, a [ar'maðo, a] *a* armed; (*TEC*) reinforced // *nf* armada; (*flota*) fleet.

armadura [arma'ðura] *nf* (*MIL*) armour; (*TEC*) framework; (*ZOOL*) skeleton; (*FÍSICA*) armature.

armamento [arma'mento] *nm* armament; (*NAUT*) fitting-out.

armar [ar'mar] *vt* (*soldado*) to arm; (*máquina*) to assemble; (*navío*) to fit out; ~**la**, ~ **un lío** to start a row.

armario [ar'marjo] *nm* wardrobe.

armatoste [arma'toste] *nm* large useless object, contraption.

armazón [arma'θon] *nf* body, chassis; (*de mueble etc*) frame; (*ARQ*) skeleton.

armería [arme'ria] *nf* (*museo*) military museum; (*tienda*) gunsmith's.

armiño [ar'miɲo] *nm* stoat; (*piel*) ermine.

armisticio [armis'tiθjo] *nm* armistice.

armonía [armo'nia] *nf* harmony.

armónica [ar'monika] *nf* harmonica.

armonioso, a [armo'njoso, a] *a* harmonious.

arnés [ar'nes] *nm* armour; **arneses** *nmpl* harness *sg*.

aro ['aro] *nm* ring; (*tejo*) quoit; (*pendiente*) earring.

aroma [a'roma] *nm* aroma.

aromático, a [aro'matiko, a] *a* aromatic.

arpa ['arpa] *nf* harp.

arpía [ar'pia] *nf* shrew.

arpista [ar'pista] *nm/f* harpist.

arpón [ar'pon] *nm* harpoon.

arquear [arke'ar] *vt* to arch, bend; ~**se** *vr* to arch, bend; **arqueo** *nm* (*gen*) arching, curve; (*de navío*) tonnage.

arqueología [arkeolo'xia] *nf* archaeology; **arqueólogo, a** *nm/f* archaeologist.

arquero [ar'kero] *nm* archer, bowman.

arquetipo [arke'tipo] *nm* archetype.

arquitecto [arki'tekto] *nm* architect; **arquitectura** *nf* architecture.

arrabal [arra'ßal] *nm* suburb; (*AM*) slum.

arraigado, a [arrai'xaðo, a] *a* deep-rooted; (*fig*) established.

arraigar [arrai'xar] *vt* to establish // *vi*, ~**se** *vr* to take root.

arrancar [arran'kar] *vt* (*sacar*) to pull up, extract, pull out; (*separar*) to snatch (away), wrest; (*fig*) to extract // *vi* to start, pull out.

arranque [a'rranke] *nm* sudden start; (*AUTO*) start; (*fig*) fit, outburst.

arras ['arras] *nfpl* pledge *sg*, security *sg*.

arrasar [arra'sar] *vt* (*aplanar*) to level, flatten; (*destruir*) to demolish; (*llenar*) to fill up // *vi* to clear.

arrastrado, a [arras'traðo, a] *a* poor, wretched; (*AM*) servile.

arrastrar [arras'trar] *vt* to drag (along); (*fig*) to drag down, degrade; (*suj: agua, viento*) to carry away // *vi* to drag, trail on the ground; ~**se** *vr* to crawl; (*fig*) to grovel; **llevar algo arrastrado** to drag sth along.

arrastre [a'rrastre] *nm* drag, dragging; (*DEPORTE*) crawl.

arrayán [arra'jan] *nm* myrtle.

arrear [arre'ar] *vt* to drive, urge on; (*enganchar*) to harness // *vi* to hurry along; ¡**arre(a)!** get up!, gee up!

arrebatado, a [arreßa'taðo, a] *a* rash, impetuous; (*repentino*) sudden, hasty.

arrebatar [arreßa'tar] *vt* to snatch (away), seize; (*fig*) to captivate; ~**se** *vr* to get carried away, get excited.

arrebato [arre'ßato] *nm* fit of rage, fury; (*éxtasis*) rapture.

arreglado, a [arre'xlaðo, a] *a* (*ordenado*)

neat, orderly; (*moderado*) moderate, reasonable.

arreglar [arre'xlar] *vt* (*poner orden*) to tidy up; (*algo roto*) to fix, repair; (*problema*) to solve; (*MUS*) to arrange; ~**se** *vr* to reach an understanding; **arreglárselas** (*fam*) to get by, manage.

arreglo [a'rreɣlo] *nm* settlement; (*orden*) order; (*acuerdo*) agreement; (*MUS*) arrangement, setting.

arremangar [arreman'gar] *vt* to roll up, turn up; ~**se** *vr* to roll up one's sleeves.

arremeter [arreme'ter] *vt* to attack, assault.

arrendador, a [arrenda'ðor, a] *nm/f* landlord/lady; (*inquilino*) tenant.

arrendamiento [arrenda'mjento] *nm* letting; (*alquilar*) hiring; (*contrato*) lease; (*alquiler*) rent; **arrendar** *vt* to let, lease; to rent; **arrendatario, a** *nm/f* tenant.

arreo [a'rreo] *nm* adornment; ~**s** *nmpl* harness *sg*, trappings.

arrepentimiento [arrepenti'mjento] *nm* regret, repentance.

arrepentirse [arrepen'tirse] *vr*: ~ **de** to regret, repent of.

arrestar [arres'tar] *vt* to arrest; (*encarcelar*) to imprison; **arresto** *nm* arrest; (*MIL*) detention; (*audacia*) boldness, daring; **arresto domiciliario** house arrest.

arriar [a'rrjar] *vt* (*velas, bandera*) to lower, strike; (*un cable*) to pay out; ~**se** *vr* to flood.

arriba [a'rriβa] *ad* (*posición*) above, overhead, on top; (*en casa*) upstairs; (*dirección*) up, upwards; ~ **de** above, higher (up) than; ~ **del todo** at the very top; **el piso de** ~ the flat upstairs; **de** ~ **abajo** from top to bottom; **calle** ~ up the street; **lo** ~ **mencionado** the aforementioned; ~ **de 20 pesetas** more than 20 pesetas; **¡**~ **las manos!** hands up!

arribar [arri'βar] *vi* to put into port; (*llegar*) to arrive.

arribista [arri'βista] *nm/f* parvenu/e, upstart.

arriendo [a'rrjendo] *nm* = **arrendamiento**.

arriero [a'rrjero] *nm* muleteer.

arriesgado, a [arrjes'xaðo, a] *a* (*peligroso*) risky; (*audaz*) bold, daring; **arriesgar** *vt* to risk; (*poner en peligro*) to endanger; **arriesgarse** *vr* to take a risk.

arrimar [arri'mar] *vt* (*acercar*) to bring close; (*poner de lado*) to set aside; ~**se** *vr* to come close or closer; ~**se a** to lean on; **arrimo** *nm* approach; (*fig*) support.

arrinconado, a [arrinko'naðo, a] *a* forgotten, neglected; **arrinconar** *vt* to put in a corner; (*fig*) to put on one side; (*abandonar*) to push aside; **arrinconarse** *vr* to withdraw from the world.

arrodillarse [arroði'ʎarse] *vr* to kneel, kneel down.

arrogancia [arro'ɣanθja] *nf* arrogance; **arrogante** *a* arrogant.

arrojar [arro'xar] *vt* to throw, hurl; (*humo*) to emit, give out; (*COM*) to yield, produce; ~**se** *vr* to throw or hurl o.s.

arrojo [a'rroxo] *nm* daring.

arrollador, a [arro∧a'ðor, a] *a* a crushing, overwhelming.

arropar [arro'par] *vt* to cover, wrap up; ~**se** *vr* to wrap o.s. up.

arrope [a'rrope] *nm* syrup.

arrostrar [arros'trar] *vt* to face (up to); ~**se** *vr* to rush into the fight.

arroyo [a'rrojo] *nm* stream; (*de la calle*) gutter.

arroz [a'rroθ] *nm* rice; ~ **con leche** rice pudding.

arruga [a'rruɣa] *nf* fold; (*de cara*) wrinkle; (*de vestido*) crease; **arrugar** *vt* to fold; to wrinkle; to crease; **arrugarse** *vr* to get creased.

arruinar [arrwi'nar] *vt* to ruin, wreck; ~**se** *vr* to be ruined.

arrullar [arru'∧ar] *vi* to coo // *vt* to lull to sleep.

arsenal [arse'nal] *nm* naval dockyard; (*MIL*) arsenal.

arsénico [ar'seniko] *nm* arsenic.

arte ['arte] *nm* (*gen m en sg y siempre f en pl*) art; (*maña*) skill, guile; ~**s** *nfpl* arts.

artefacto [arte'fakto] *nm* appliance; (*ARQUEOLOGÍA*) artefact.

artejo [ar'texo] *nm* knuckle.

arteria [ar'terja] *nf* artery.

artesanía [artesa'nia] *nf* craftsmanship; (*artículos*) handicrafts *pl*; **artesano** *nm* artisan, craftsman.

ártico, a ['artiko, a] *a* Arctic // *nm*: **el A**~ the Arctic.

articulación [artikula'θjon] *nf* articulation; (*MED, TEC*) joint; **articulado, a** *a* articulated; jointed; **articular** *vt* to articulate; to join together.

artículo [ar'tikulo] *nm* article; (*cosa*) thing, article; ~**s** *nmpl* goods.

artífice [ar'tifiθe] *nm* artist, craftsman; (*fig*) architect.

artificial [artifi'θjal] *a* artificial.

artificio [arti'fiθjo] *nm* art, skill; (*artesanía*) craftsmanship; (*astucia*) cunning; ~**so, a** *a* skilful, clever; cunning.

artillería [arti∧e'ria] *nf* artillery.

artillero [arti'∧ero] *nm* artilleryman, gunner.

artimaña [arti'maɲa] *nf* trap, snare; (*astucia*) cunning.

artista [ar'tista] *nm/f* (*pintor*) artist, painter; (*TEATRO*) artist, artiste; **artístico, a** *a* artistic.

artritis [ar'tritis] *nf* arthritis.

arzobispo [arθo'βispo] *nm* archbishop.

as [as] *nm* ace.

asa ['asa] *nf* handle; (*fig*) lever.

asado [a'saðo] *nm* roast (meat).

asador [asa'ðor] *nm* spit.

asalariado, a [asala'rjaðo, a] *a* paid, wage-earning // *nm/f* wage earner.

asaltabancos [asalta'bankos] *nm inv* bank robber.

asaltador, a [asalta'ðor, a], **asaltante** [asal'tante] *nm/f* assailant; **asaltar** *vt* to attack, assault; (*fig*) to assail; **asalto** *nm* attack, assault; (*DEPORTE*) round.

asamblea [asam'blea] *nf* assembly; (*reunión*) meeting.

asar [a'sar] *vt* to roast.

asbesto [as'ßesto] *nm* asbestos.

ascendencia [asθen'denθja] *nf* ancestry; (*AM*) ascendancy.

ascender [asθen'der] *vi* (*subir*) to ascend, rise; (*ser promovido*) to gain promotion // *vt* to promote; ~ **a** to amount to; **ascendiente** *nm* ascendency, influence // *nm/f* ancestor.

ascensión [asθen'sjon] *nf* ascent; **la A**~ the Ascension.

ascensionista [asθensjo'nista] *nm/f* balloonist.

ascenso [as'θenso] *nm* ascent; (*promoción*) promotion.

ascensor [asθen'sor] *nm* lift, elevator.

ascético, a [as'θetiko, a] *a* ascetic.

asco ['asko] *nm* loathing, disgust; (*cosa*) loathsome thing; **el ajo me da** ~ I hate *or* loathe garlic.

ascua ['askwa] *nf* ember.

aseado, a [ase'aðo, a] *a* clean; (*arreglado*) tidy; (*pulcro*) smart; **asear** *vt* to clean, wash; to tidy (up); (*adornar*) to adorn.

asediar [ase'ðjar] *vt* to besiege, lay siege to; (*fig*) to chase, pester; **asedio** *nm* siege; (*COM*) run.

asegurado, a [aseɣu'raðo, a] *a* insured; **asegurador, a** *nm/f* insurer; underwriter.

asegurar [aseɣu'rar] *vt* (*consolidar*) to secure, fasten; (*dar garantía de*) to guarantee; (*preservar*) to safeguard; (*afirmar, dar por cierto*) to assure, affirm; (*tranquilizar*) to reassure; (*tomar un seguro*) to insure; ~**se** *vr* to assure o.s., make sure.

asemejarse [aseme'xarse] *vr* to be alike; ~ **a** to be like, resemble.

asentado, a [asen'taðo, a] *a* established, settled.

asentar [asen'tar] *vt* (*sentar*) to seat, sit down; (*poner*) to place, establish; (*alisar*) to level, smooth down *or* out; (*anotar*) to note down; (*afirmar*) to affirm, assent; (*afinar*) to sharpen, hone // *vi* to be suitable, suit.

asentir [asen'tir] *vi* to assent, agree.

aseo [a'seo] *nm* cleanliness; ~**s** *nmpl* toilet *sg*, cloakroom *sg*.

asequible [ase'kißle] *a* attainable, available.

aserradero [aserra'ðero] *nm* sawmill; **aserrar** *vt* to saw.

aserrín [ase'rrin] *nm* sawdust.

asesinar [asesi'nar] *vt* to murder; (*POL*) to assassinate; (*fig*) to pester; **asesinato** *nm* murder; assassination.

asesino, a [ase'sino, a] *nm/f* murderer, killer; (*POL*) assassin.

asesor, a [ase'sor, a] *nm/f* adviser, consultant.

asfalto [as'falto] *nm* asphalt.

asfixia [as'fiksja] *nf* suffocation.

asfixiar [asfik'sjar] *vt*, ~**se** *vr* to asphyxiate, suffocate.

asgo *etc vb ver* **asir**.

así [a'si] *ad* (*de esta manera*) so, in this way, like this, thus; (*aunque*) although; (*tan luego como*) as soon as; ~ **que** so, therefore; ~ **como** as well as; ~ **y todo** even so; **¿no es** ~**?** isn't it?, didn't you? *etc*.

Asia ['asja] *nf* Asia; **asiático, a** *a* Asiatic, Asian.

asidero [asi'ðero] *nm* handle.

asiduidad [asiðwi'ðað] *nf* assiduousness; **asiduo, a** *a* assiduous; (*frecuente*) frequent // *nm/f* regular (customer).

asiento [a'sjento] *nm* (*mueble*) seat, chair; (*de coche, en tribunal etc*) seat; (*localidad*) seat, place; (*fundamento*) site; (*colocación*) establishment; (*depósito*) sediment; (*cordura*) good sense; ~ **delan-tero/trasero** front/back seat.

asignación [asiɣna'θjon] *nf* (*atribución*) assignment; (*reparto*) allocation; (*cita*) appointment; (*sueldo*) salary; **asignar** *vt* to assign, allocate.

asignatura [asiɣna'tura] *nf* subject.

asilo [a'silo] *nm* (*refugio*) asylum, refuge; (*establecimiento*) home, institution.

asimilación [asimila'θjon] *nf* assimilation.

asimilar [asimi'lar] *vt* to assimilate; ~**se** *vr*: ~**se a** to resemble; (*incorporarse*) to become assimilated to.

asimismo [asi'mismo] *ad* in the same way, likewise.

asir [a'sir] *vt* to seize, grasp.

asistencia [asis'tenθja] *nf* audience; (*MED*) attendance; (*ayuda*) assistance; **asistir** *vt* to assist // *vi* to attend, be present.

asma ['asma] *nf* asthma.

asno ['asno] *nm* donkey; (*fig*) ass.

asociación [asoθja'θjon] *nf* association; (*COM*) partnership; ~ **aduanera** customs union; **asociado, a** *a* associate // *nm/f* associate; partner.

asociar [aso'θjar] *vt* to combine.

asolear [asole'ar] *vt* to put in the sun; ~**se** *vr* to sunbathe.

asomar [aso'mar] *vt* to show, stick out // *vi* to appear; ~**se** *vr* to appear, show up; ~ **la cabeza por la ventana** to put one's head out of the window.

asombrar [asom'brar] *vt* (*causar admiración, sorpresa*) to amaze, astonish; (*asustar*) to frighten; (*dar sombra a*) to shade; ~**se** *vr* to be amazed; to be frightened; **asombro** *nm* amazement, astonishment; fright; **asombroso, a** *a* astonishing, amazing.

asomo [a'somo] *nm* hint, sign; (*apariencia*) appearance.

aspa ['aspa] *nf* (*cruz*) cross; (*de molino*) sail.

aspar [as'par] *vt* to reel, wind; (*fig*) to vex, annoy.

aspaviento [aspa'βjento] *nm* exaggerated display of feeling; (*fam*) fuss.

aspecto [as'pekto] *nm* (*apariencia*) look, appearance; (*fig*) aspect.

aspereza [aspe'reθa] *nf* roughness; (*agrura*) sourness; (*severidad*) harshness, surliness; **áspero, a** *a* rough; bitter, sour; harsh.

aspersión [asper'sjon] *nf* sprinkling.

áspid ['aspið] *nm* asp.

aspiración [aspira'θjon] *nf* breath, inhalation; (*MUS*) short pause; **aspiraciones** *nfpl* (*AM*) aspirations.

aspiradora [aspira'ðora] *nf* vacuum cleaner.

aspirar [aspi'rar] *vt* to breathe in // *vi*: ~ **a** to aspire to.

aspirina [aspi'rina] *nf* aspirin.

asquear [aske'ar] *vt* to sicken // *vi* to be sickening; ~**se** *vr* to feel disgusted; **asqueroso, a** *a* disgusting, sickening.

asta ['asta] *nf* lance; (*arpón*) spear; (*mango*) shaft, handle; (*ZOOL*) horn; **a media** ~ at half mast.

astilla [as'tiʎa] *nf* splinter; (*pedacito*) chip; ~**s** *nfpl* firewood *sg*.

astillero [asti'ʎero] *nm* shipyard.

astringente [astrin'xente] *a*, *nm* astringent.

astringir [astrin'xir] *vt* to bind.

astro ['astro] *nm* star.

astrología [astrolo'xia] *nf* astrology; **astrólogo, a** *nm/f* astrologer.

astronauta [astro'nauta] *nm/f* astronaut.

astronomía [astrono'mia] *nf* astronomy; **astrónomo** *nm* astronomer.

astucia [as'tuθja] *nf* astuteness; (*destreza*) clever trick; **astuto, a** *a* astute; (*taimado*) cunning.

asueto [a'sweto] *nm* holiday; (*tiempo libre*) time off *q.*

asumir [asu'mir] *vt* to assume.

asunción [asun'θjon] *nf* assumption.

asunto [a'sunto] *nm* (*tema*) matter, subject; (*negocio*) business.

asustar [asus'tar] *vt* to frighten; ~**se** *vr* to be/become frightened.

atacar [ata'kar] *vt* to attack.

atadura [ata'ðura] *nf* bond, tie.

atajo [a'taxo] *nm* short cut; (*DEPORTE*) tackle.

ataque [a'take] *nm* attack; ~ **cardíaco** heart attack.

atar [a'tar] *vt* to tie, tie up; ~**se** *vr* (*fig*) to be or get embarrassed.

atardecer [ataröe'θer] *vi* to get dark // *nm* evening; (*crepúsculo*) dusk.

atareado, a [atare'aðo, a] *a* busy.

atarear [atare'ar] *vt* to give a job to; ~**se** *vr* to be busy, keep busy.

atascamiento [ataska'mjento] *nm* = **atasco.**

atascar [atas'kar] *vt* to clog up; (*obstruir*) to jam; (*fig*) to hinder; ~**se** *vr* to stall;

(*cañería*) to get clogged up; **atasco** *nm* obstruction; (*AUTO*) traffic jam.

ataúd [ata'uð] *nm* coffin.

ataviar [ata'βjar] *vt* to deck, array; ~**se** *vr* to dress up.

atavío [ata'βio] *nm* attire, dress; ~**s** *nmpl* finery *sg.*

atemorizar [atemori'θar] *vt* to frighten, scare; ~**se** *vr* to get scared.

Atenas [a'tenas] *n* Athens.

atención [aten'θjon] *nf* attention; (*bondad*) kindness; (*cortesía*) civility // *excl* (be) careful!, look out!

atender [aten'der] *vt* to attend to, look after // *vi* to pay attention.

atenerse [ate'nerse] *vr*: ~ **a** to abide by, adhere to.

atentado [aten'taðo] *nm* crime, illegal act; (*asalto*) assault; (*contra la vida de uno*) attempt on sb's life.

atentar [aten'tar] *vi*: ~ **a** o **contra** to commit an outrage against.

atento, a [a'tento, a] *a* attentive, observant; (*cortés*) polite, thoughtful.

atenuación [atenwa'θjon] *nf* attenuation, lessening; **atenuante** *a* attenuating, extenuating; **atenuar** *vt* to attenuate; (*disminuir*) to lessen, minimize.

ateo, a [a'teo, a] *a* atheistic // *nm/f* atheist.

aterrador, a [aterra'ðor, a] *a* frightening.

aterrar [ate'rrar] *vt* to pull down, demolish; (*AGR*) to cover with earth; (*espantar*) to frighten; ~**se** *vr* to be frightened.

aterrizar [aterri'θar] *vi* to land.

aterrorizar [aterrori'θar] *vt* to terrify; (*MIL, POL*) to terrorize.

atesorar [ateso'rar] *vt* to hoard, store up.

atestar [ates'tar] *vt* to pack, stuff; (*JUR*) to attest, testify to.

atestiguar [atesti'ɣwar] *vt* to testify to, bear witness to.

atiborrar [atiβo'rrar] *vt* to fill, stuff; ~**se** *vr* to stuff o.s.

ático ['atiko] *nm* attic.

atildar [atil'dar] *vt* to criticize; ~**se** *vr* to spruce o.s. up.

atisbar [atis'βar] *vt* to spy on; (*echar ojeada*) to peep at.

atizar [ati'θar] *vt* to poke; (*horno etc*) to stoke; (*fig*) to stir up, rouse.

atlántico, a [at'lantiko, a] *a* Atlantic // *nm*: **el (océano) A**~ the Atlantic (Ocean).

atlas ['atlas] *nm* atlas.

atleta [at'leta] *nm* athlete; **atlético, a** *a* athletic; **atletismo** *nm* athletics *q.*

atmósfera [at'mosfera] *nf* atmosphere.

atolondramiento [atolondra'mjento] *nm* bewilderment; (*insensatez*) silliness.

atollar [ato'ʎar] *vi*, ~**se** *vr* to get stuck; (*fig*) to get into a jam.

atómico, a [a'tomiko, a] *a* atomic.

atomizador [atomiθa'ðor] *nm* atomizer.

átomo ['atomo] *nm* atom.

atónito, a [a'tonito, a] *a* astonished, amazed.

atontado, a [aton'taðo, a] *a* stunned; (*bobo*) silly, daft.

atontar [aton'tar] *vt* to stun; ~**se** *vr* to become bewildered.

atormentar [atormen'tar] *vt* to torture; (*molestar*) to torment; (*acosar*) to plague, harass.

atornillar [atorni'ʎar] *vt* to screw on *or* down.

atracar [atra'kar] *vt* (*NAUT*) to moor; (*robar*) to hold up, rob; (*fam*) to stuff (with food) // *vi* to moor.

atracción [atrak'θjon] *nf* attraction.

atraco [a'trako] *nm* holdup, robbery.

atractivo, a [atrak'tiβo, a] *a* attractive // *nm* attraction; (*belleza*) attractiveness.

atraer [atra'er] *vt* to attract.

atrancar [atran'kar] *vt* (*con tranca, barra*) to bar, bolt.

atrapar [atra'par] *vt* to trap; (*fig*) to take in, deceive.

atrás [a'tras] *ad* (*movimiento*) back, backwards; (*lugar*) behind; (*tiempo*) previously; **ir hacia** ~ to go back *or* backwards; to go to the rear; **estar** ~ to be behind *or* at the back.

atrasado, a [atra'saðo, a] *a* slow; (*pago*) overdue, late; (*país*) backward.

atrasar [atra'sar] *vi* to be slow; ~**se** *vr* to remain behind; (*llegar tarde*) to arrive late; **atraso** *nm* slowness; lateness, delay; (*de país*) backwardness; **atrasos** *nmpl* arrears.

atravesar [atraβe'sar] *vt* (*cruzar*) to cross (over); (*traspasar*) to pierce, go through; (*poner al través*) to lay *or* put across; ~**se** *vr* to come in between; (*intervenir*) to interfere.

atrayente [atra'jente] *a* attractive.

atreverse [atre'βerse] *vr* to dare; (*insolentarse*) to be insolent; **atrevido, a** *a* daring; insolent; **atrevimiento** *nm* daring; insolence.

atribuir [atriβu'ir] *vt* to attribute; (*funciones*) to confer.

atribular [atriβu'lar] *vt* to afflict, distress; ~**se** *vr* to grieve, be distressed.

atributo [atri'βuto] *nm* attribute.

atrocidad [atroθi'ðað] *nf* atrocity, outrage.

atropellar [atrope'ʎar] *vt* (*derribar*) to knock over, knock down; (*empujar*) to push (aside); (*pasar por encima de*) to run over, run down; (*agraviar*) to insult; ~**se** *vr* to act hastily; **atropello** *nm* accident; push; insult; (*agravio*) wrong; (*atrocidad*) outrage.

atroz [a'troθ] *a* atrocious, awful.

atto, a *abr de* **atento**.

atuendo [a'twendo] *nm* dress.

atún [a'tun] *nm* tuna, tunny.

aturdir [atur'ðir] *vt* to stun; (*de ruido*) to deafen; (*fig*) to dumbfound, bewilder.

audacia [au'ðaθja] *nf* boldness, audacity; **audaz** *a* bold, audacious; (*descarado*) cheeky, impudent.

audible [au'ðiβle] *a* audible.

audición [auði'θjon] *nf* hearing; (*TEATRO*) audition.

audiencia [au'ðjenθja] *nf* audience; (*JUR*) high court.

auditor [auði'tor] *nm* (*JUR*) judge-advocate; (*COM*) auditor.

auditorio [auði'torjo] *nm* audience; (*sala*) auditorium.

auge ['auxe] *nm* boom; (*clímax*) climax.

augurar [auxu'rar] *vt* to predict; (*presagiar*) to portend; **augurio** *nm* omen; **augurios** *nmpl* good wishes.

aula ['aula] *nf* classroom.

aullar [au'ʎar] *vi* to howl, yell.

aullido [au'ʎiðo] *nm* howl, yell.

aumentar [aumen'tar] *vt* (*precios, sueldo*) to raise; (*producción*) to increase; (*con microscopio, anteojos*) to magnify // *vi*, ~**se** *vr* to increase; (*subirse*) to rise; (*multiplicarse*) to multiply; **aumento** *nm* increase; rise.

aun [a'un] *ad* even.

aún [a'un] *ad* still, yet.

aunque [a'unke] *conj* though, although, even though, even if.

aura ['aura] *nf* gentle breeze; (*fig*) popularity.

aureola [aure'ola] *nf* halo.

auricular [auriku'lar] *nm* (*dedo*) little finger; (*del teléfono*) earpiece, receiver; ~**es** *nmpl* headphones.

ausencia [au'senθja] *nf* absence.

ausentarse [ausen'tarse] *vr* to go/stay away, absent o.s.

ausente [au'sente] *a* absent.

auspicios [aus'piθjos] *nmpl* auspices; (*protección*) protection *sg*.

austeridad [austeri'ðað] *nf* austerity; **austero, a** *a* austere.

austral [aus'tral] *a* southern.

Australia [aus'tralja] *nf* Australia; **australiano, a** *a*, *nm/f* Australian.

Austria ['austrja] *nf* Austria; **austríaco, a** *a*, *nm/f* Austrian.

autenticar [autenti'kar] *vt* to authenticate; **auténtico, a** *a* authentic.

auto ['auto] *nm* (*JUR*) edict, decree; (: *orden*) writ; (*fam*) car; ~**s** *nmpl* (*JUR*) proceedings; (: *acta*) court record *sg*.

autobiografía [autoβjoxra'fia] *nf* autobiography.

autobús [auto'βus] *nm* bus.

autocar [auto'kar] *nm* coach.

autócrata [au'tokrata] *nm/f* autocrat.

autóctono, a [au'toktono, a] *a* native, indigenous.

autodefensa [autoðe'fensa] *nf* self-defence.

autodeterminación [autoðetermina-'θjon] *nf* self-determination.

autoescuela [autoes'kwela] *nf* driving school.

autógrafo [au'toxrafo] *nm* autograph.

autómata [au'tomata] *nm* automaton.

automático, a [auto'matiko, a] *a* automatic.

automotor, triz [automo'tor, 'triz] *a* self-propelled // *nm* Diesel train.

automóvil [auto'moßil] *nm* (motor) car, automobile; **automovilístico, a** *a* driving *cpd*, motoring *cpd*.

autonomía [autono'mia] *nf* autonomy; **autónomo, a** *a* autonomous.

autopista [auto'pista] *nf* motorway.

autopsia [au'topsja] *nf* autopsy.

autor, a [au'tor, a] *nm/f* author.

autoridad [autori'ðað] *nf* authority; **autoritario, a** *a* authoritarian.

autorización [autoriθa'θjon] *nf* authorization; **autorizado, a** *a* authorized; (*aprobado*) approved; **autorizar** *vt* to authorize; to approve.

autorretrato [autorre'trato] *nm* self-portrait.

autoservicio [autoser'ßiθjo] *nm* self-service restaurant.

autostop [auto'stop] *nm* hitch-hiking; **hacer el** ~ to hitch-hike; ~**ista** *nm/f* hitch-hiker.

autosuficiencia [autosufi'θjenθja] *nf* self-sufficiency.

auxiliar [auksi'ljar] *vt* to help // *nm/f* assistant; **auxilio** *nm* assistance, help; **primeros auxilios** first aid *sg*.

Av *abr de* **Avenida**.

aval [a'ßal] *nm* guarantee; (*persona*) guarantor.

avalancha [aßa'lantʃa] *nf* avalanche.

avaluar [aßa'lwar] *vt* to value, appraise.

avance [a'ßanθe] *nm* advance; (*pago*) advance payment.

avanzar [aßan'θar] *vt, vi,* ~**se** *vr* to advance.

avaricia [aßa'riθja] *nf* avarice, greed; **avariento, a** *a* avaricious, greedy.

avaro, a [a'ßaro, a] *a* miserly, mean // *nm/f* miser.

avasallar [aßasa'ʎar] *vt* to subdue, subjugate; ~**se** *vr* to submit.

Avda *abr de* **Avenida**.

ave ['aße] *nf* bird; ~ **de rapiña** bird of prey.

avellana [aße'ʎana] *nf* hazelnut; **avellano** *nm* hazel tree.

avemaría [aßema'ria] *nf* Hail Mary, Ave Maria.

avena [a'ßena] *nf* oats *pl*.

avenencia [aße'nenθja] *nf* agreement; (*com*) bargain.

avenida [aße'niða] *nf* (*calle*) avenue; (*de río*) flood, spate.

avenir [aße'nir] *vt* to reconcile; ~**se** *vr* to come to an agreement, reach a compromise.

aventajado, a [aßenta'xaðo, a] *a* outstanding; **aventajar** *vt* (*sobrepasar*) to surpass, outstrip; (*preferir*) to prefer; **aventajarse** *vr* to surpass *or* excel o.s.

aventar [aßen'tar] *vt* to fan, blow;

(*esparcir*) to scatter; (*grano*) to winnow; ~**se** *vr* to fill with air.

aventura [aßen'tura] *nf* adventure; (*casualidad*) chance; **aventurado, a** *a* risky; **aventurero, a** *a* adventurous.

avergonzar [aßerxon'θar] *vt* to shame; (*desconcertar*) to embarrass; ~**se** *vr* to be ashamed; to be embarrassed.

avería [aße'ria] *nf* damage; (*tec*) breakdown, fault.

averiguación [aßerixwa'θjon] *nf* investigation; (*determinación*) ascertainment; **averiguar** *vt* to investigate; to find out, ascertain.

aversión [aßer'sjon] *nf* aversion, dislike.

avestruz [aßes'truθ] *nm* ostrich.

avezarse [aße'θarse] *vr*: ~**se a algo** to grow used to sth.

aviación [aßja'θjon] *nf* aviation *q*; (*fuerzas aéreas*) air force.

aviador, a [aßja'ðor, a] *nm/f* aviator, airman/woman.

avicultura [aßikul'tura] *nf* poultry farming.

avidez [aßi'ðeθ] *nf* avidity, eagerness; **ávido, a** *a* avid, eager.

avinagrado, a [aßina'xraðo, a] *a* sour, acid; **avinagrarse** *vr* to turn sour.

avío [a'ßio] *nm* preparation; ~**s** *nmpl* gear *sg*, kit *sg*.

avión [a'ßjon] *nm* aeroplane; (*ave*) martin; ~ **de reacción** jet plane.

avisar [aßi'sar] *vt* (*advertir*) to warn, notify; (*informar*) to tell; (*aconsejar*) to advise, counsel; **aviso** *nm* warning; (*noticia*) notice; (*prudencia*) caution, discretion.

avispa [a'ßispa] *nf* wasp.

avispado, a [aßis'paðo, a] *a* sharp, clever.

avispar [aßis'par] *vt* to spur (on); ~**se** *vr* to fret, worry.

avispero [aßis'pero] *nm* wasp's nest.

avispón [aßis'pon] *nm* hornet.

avistar [aßis'tar] *vt* to sight, spot; ~**se** *vr* to have an interview.

avituallar [aßitwa'ʎar] *vt* to supply with food.

avivar [aßi'ßar] *vt* to strengthen, intensify; ~**se** *vr* to revive, acquire new life.

avizorar [aßiθo'rar] *vt* to spy on.

axila [ak'sila] *nf* armpit.

axioma [ak'sjoma] *nm* axiom.

ay [ai] *excl* (*dolor*) ow!, ouch!; (*aflicción*) oh!, oh dear!; ¡~ **de mí!** poor me!; ¡~ **del que!** pity help *or* woe betide whoever!

aya ['aja] *nf* governess; (*niñera*) children's nurse.

ayer [a'jer] *ad, nm* yesterday; **antes de** ~ the day before yesterday.

ayo ['ajo] *nm* tutor.

ayuda [a'juða] *nf* help, assistance; (*med*) enema; (*am*) laxative // *nm* page; **ayudante, a** *nm/f* assistant, helper; (*escol*) assistant; (*mil*) adjutant; **ayudar** *vt* to help, assist.

ayunar [aju'nar] *vi* to fast; **ayunas** *nfpl*: **estar en ayunas** (*no haber comido*) to be fasting; (*ignorante*) to be in the dark; **ayuno** *nm* fasting; ignorance.

ayuntamiento [ajunta'mjento] *nm* (*consejo*) council; (*edificio*) town hall; (*cópula*) sexual intercourse.

azabache [aθa'βatʃe] *nm* jet.

azada [a'θaða] *nf* hoe.

azafata [aθa'fata] *nf* air hostess.

azafrán [aθa'fran] *nm* saffron.

azahar [aθa'ar] *nm* orange/lemon blossom.

azar [a'θar] *nm* (*casualidad*) chance, fate; (*desgracia*) misfortune, accident; **por ~** by chance; **al ~** at random.

azararse [aθara'rarse] *vr* = **azorarse**.

azogue [a'θoxe] *nm* mercury.

azoramiento [aθora'mjento] *nm* alarm; (*confusión*) confusion.

azorar [aθo'rar] *vt* to alarm; **~se** *vr* to get alarmed.

Azores [a'θores] *nmpl*: **los ~** the Azores.

azotar [aθo'tar] *vt* to whip, beat; (*pegar*) to spank; **azote** *nm* (*látigo*) whip; (*latigazo*) lash, stroke; (*en las nalgas*) spank; (*calamidad*) calamity.

azotea [aθo'tea] *nf* terrace roof.

azteca [aθ'teka] *a, nm/f* Aztec.

azúcar [a'θukar] *nm* sugar; **azucarado, a** *a* sugary, sweet.

azucarero, a [aθuka'rero, a] *a* sugar *cpd* // *nm* sugar bowl.

azucena [aθu'θena] *nf* white lily.

azufre [a'θufre] *nm* sulphur.

azul [a'θul] *a, nm* blue.

azulejo [aθu'lexo] *nm* glazed tile.

azuzar [aθu'θar] *vt* to incite, egg on.

B

B.A. *abr de* **Buenos Aires.**

baba ['baβa] *nf* spittle, saliva; **babear** *vi* to drool, slaver.

babel [ba'βel] *nm o f* bedlam.

babero [ba'βero] *nm* bib.

babor [ba'βor] *nm* port (side).

babucha [ba'βutʃa] *nf* slipper.

bacalao [baka'lao] *nm* cod(fish).

bacía [ba'θia] *nf* basin, bowl.

bacín [ba'θin] *nm* chamber pot.

bacteria [bak'terja] *nf* bacterium, germ.

báculo ['bakulo] *nm* stick, staff.

bache ['batʃe] *nm* pothole, rut; (*fig*) bad patch.

bachillerato [batʃiʎe'rato] *nm* (*ESCOL*) school-leaving examination.

bagaje [ba'xaxe] *nm* baggage.

bagatela [baxa'tela] *nf* trinket, trifle.

bahía [ba'ia] *nf* bay.

bailar [bai'lar] *vt, vi* to dance; **~ín, ina** *nm/f* (*ballet*) dancer; **baile** *nm* dance; (*formal*) ball.

baja ['baxa] *nf ver* **bajo.**

bajada [ba'xaða] *nf* descent; (*camino*) slope; (*de aguas*) ebb.

bajamar [baxa'mar] *nf* low tide.

bajar [ba'xar] *vi* to go/come down; (*temperatura, precios*) to drop, fall; (*de coche*) to get out; (*de autobús*) to get off // *vt* (*cabeza*) to bow, bend; (*escalera*) to go/come down; (*precio, voz*) to lower; (*llevar abajo*) to take down; **~se** *vr* to bend down; to get out of; to get off; (*fig*) to humble o.s.

bajeza [ba'xeθa] *nf* baseness *q*; (*una ~*) vile deed.

bajío [ba'xio] *nm* shoal, sandbank; (*AM*) lowlands *pl*.

bajo, a ['baxo, a] *a* (*terreno*) low(-lying); (*mueble, número, precio*) low; (*piso*) ground; (*de estatura*) small, short; (*color*) pale; (*sonido*) faint, soft, low; (*voz: en tono*) deep; (*metal*) base; (*humilde*) low, humble // *ad* (*hablar*) low, quietly; (*volar*) low // *prep* under, below, underneath // *nm* (*MUS*) bass // *nf* drop, fall; (*MIL*) casualty; **~ la lluvia** in the rain; **dar de ~a** (*soldado*) to discharge; (*empleado*) to dismiss, sack.

bajón [ba'xon] *nm* (*MUS*) bassoon; (*baja*) decline, fall, drop.

bajorrelieve [baxorre'ljeβe] *nm* bas-relief.

bala ['bala] *nf* bullet.

baladí [bala'ði] *a* trivial.

baladrón, ona [bala'ðron, ona] *a* boastful.

bálago ['balaxo] *nm* thatch.

balance [ba'lanθe] *nm* (*balanceo*) oscillation, rocking; (*NAUT*) roll; (*COM*) balance; (: *libro*) balance sheet; (: *cuenta general*) stocktaking; **~ar** *vt* to balance // *vi*, **~arse** *vr* to swing (to and fro); (*vacilar*) to hesitate; **balanceo** *nm* swinging.

balanza [ba'lanθa] *nf* balance, scales *pl*; **~ comercial** balance of trade; **~ de pagos** balance of payments; (*ASTRO*): **B~** = **Libra.**

balar [ba'lar] *vi* to bleat.

balazo [ba'laθo] *nm* (*golpe*) shot; (*herida*) bullet wound.

balbucear [balβuθe'ar] *vi, vt* to stammer, stutter; **balbuceo** *nm* stammering, stuttering.

balbucir [balβu'θir] *vi, vt* to stammer, stutter.

balcón [bal'kon] *nm* balcony.

baldaquín [balda'kin], **baldaquino** [balda'kino] *nm* canopy.

baldar [bal'dar] *vt* to cripple.

balde ['balde] *nm* bucket, pail; **de ~** *ad* (for) free, for nothing; **en ~** *ad* in vain.

baldío, a [bal'dio, a] *a* uncultivated // *nm* waste land.

baldón [bal'don] *nm* (*injuria*) insult.

baldosa [bal'dosa] *nf* paving stone.

Baleares [bale'ares] *nfpl*: **las (Islas) ~** the Balearic Islands.

balido [ba'liðo] *nm* bleat, bleating.

balística [ba'listika] *nf* ballistics *pl*.

baliza [ba'liθa] *nf* (*AVIAT*) beacon; (*NAUT*) buoy.

balneario, a [balne'arjo, a] a: **estación ~a** bathing resort // nm spa, health resort.

balón [ba'lon] nm ball.

baloncesto [balon'θesto] nm basketball.

balsa ['balsa] nf raft; (BOT) balsa wood.

bálsamo ['balsamo] nm balsam, balm.

baluarte [ba'lwarte] nm bastion, bulwark.

ballena [ba'ʎena] nf whale.

ballesta [ba'ʎesta] nf crossbow; (AUTO) spring.

ballet [ba'le] nm ballet.

bambolear [bambole'ar] vi, **~se** vr to swing, sway; (silla) to wobble; **bamboleo** nm swinging, swaying; wobbling.

bambú [bam'bu] nm bamboo.

banca ['banka] nf (asiento) bench; (COM) banking; **~da** nf (banco) stone bench; (TEC) bench.

bancario, a [ban'karjo, a] a banking cpd, bank cpd.

bancarrota [banka'rrota] nf (esp fraudulent) bankruptcy.

banco ['banko] nm bench; (ESCOL) desk; (COM) bank; (GEO) stratum; ~ de **crédito/de ahorros** credit/ savings bank; ~ **de arena** sandbank; ~ **de hielo** iceberg.

banda ['banda] nf band; (pandilla) gang; (NAUT) side, edge; **la B~ Oriental** Uruguay; ~ **sonora** soundtrack.

bandada [ban'daða] nf (de pájaros) flock; (de peces) shoal.

bandeja [ban'dexa] nf tray.

bandera [ban'dera] nf (de tela) flag; (estandarte) banner.

banderilla [bande'riʎa] nf banderilla.

banderola [bande'rola] nf banderole, pennant.

bandidaje [bandi'ðaxe] nm banditry; **bandido** nm bandit.

bando ['bando] nm (edicto) edict, proclamation; (facción) faction; **los ~s** the banns.

bandolero [bando'lero] nm bandit, brigand.

banquero [ban'kero] nm banker.

banqueta [ban'keta] nf (asiento) bench; (escabel) stool.

banquete [ban'kete] nm banquet; (para convivados) formal dinner.

banquillo [ban'kiʎo] nm (JUR) dock, prisoner's bench; (banco) bench; (para los pies) footstool.

bañador [baɲa'ðor] nm swimming costume.

bañar [ba'ɲar] vt (niño) to bath, bathe; (objeto) to dip; (de barniz) to coat; **~se** vr (en el mar) to bathe, swim; (en la bañera) to bath, have a bath.

bañera [ba'ɲera] nf bath(tub).

bañero [ba'ɲero] nm lifeguard.

bañista [ba'ɲista] nm/f bather.

baño ['baɲo] nm (en bañera) bath; (en río) dip, swim; (cuarto) bathroom; (bañera) bath(tub); (capa) coating.

baptista [bap'tista] nm/f baptist.

baqueta [ba'keta] nf (MUS) drumstick.

bar [bar] nm bar.

barahúnda [bara'unda] nf uproar, hubbub.

baraja [ba'raxa] nf pack (of cards); **barajar** vt (naipes) to shuffle; (fig) to jumble up.

baranda [ba'randa] nf rail, railing.

barandilla [baran'diʎa] nf rail, railing.

baratija [bara'tixa] nf trinket.

baratillo [bara'tiʎo] nm (tienda) junkshop; (subasta) bargain sale; (conjunto de cosas) secondhand goods pl.

barato, a [ba'rato, a] a cheap // nm bargain sale // ad cheap, cheaply; **baratura** nf cheapness.

baraúnda [bara'unda] nf = **barahúnda**.

barba ['barβa] nf (ANAT) chin; (pelo) beard, whiskers pl.

barbacoa [barβa'koa] nf (parrilla) barbecue; (carne) barbecued meat.

barbado, a [bar'βaðo, a] a bearded // nm seedling.

barbaridad [barβari'ðað] nf barbarity; (acto) barbarism; (atrocidad) outrage; **una ~** (fam) a huge amount; **¡qué ~!** (fam) how awful!

barbarie [bar'βarje] nf, **barbarismo** [barβa'rismo] nm barbarism; (crueldad) barbarity.

bárbaro, a ['barβaro, a] a barbarous, cruel; (grosero) rough, uncouth // nm/f barbarian // ad: **lo pasamos ~** (fam) we had a tremendous time; **¡qué ~!** (fam) how marvellous!; **un éxito ~** (fam) a terrific success; **es un tipo ~** (fam) he's a splendid chap.

barbear [barβe'ar] vt (AM) to shave.

barbecho [bar'βetʃo] nm fallow land.

barbero [bar'βero] nm barber, hairdresser.

barbilampiño [barβilam'piɲo] a smooth-faced; (fig) inexperienced.

barbilla [bar'βiʎa] nf chin, tip of the chin.

barbotar [barβo'tar], **barbotear** [barβote'ar] vt, vi to mutter, mumble.

barbudo, a [bar'βuðo, a] a bearded.

barca ['barka] nf (small) boat; ~ **de pesca** fishing boat; ~ **de pasaje** ferry; **~za** nf barge; **~za de desembarco** landing craft.

barcelonés, esa [barθelo'nes, esa] a of or from Barcelona.

barco ['barko] nm boat; (buque) ship; ~ **de carga** cargo boat.

bardar [bar'ðar] vt to thatch.

barítono [ba'ritono] nm baritone.

barman ['barman] nm barman.

Barna abr de **Barcelona**.

barniz [bar'niθ] nm varnish; (en la loza) glaze; (fig) veneer; ~ **para las uñas** nail varnish; **~ar** vt to varnish; (loza) to glaze.

barómetro [ba'rometro] nm barometer.

barquero [bar'kero] nm boatman.

barquillo [bar'kiʎo] nm cone, cornet.

barra ['barra] *nf* bar, rod; (*de un bar, café*) bar; (*de pan*) small loaf; (*palanca*) lever; ~ **de carmín** *o* **de labios** lipstick.
barraca [ba'rraka] *nf* hut, cabin.
barranca [ba'rranka] *nf* ravine, gully; **barranco** *nm* ravine; (*fig*) difficulty.
barrena [ba'rrena] *nf* drill; **barrenar** *vt* to drill (through), bore; **barreno** *nm* large drill, borer.
barrer [ba'rrer] *vt* to sweep; (*quitar*) to sweep away.
barrera [ba'rrera] *nf* barrier.
barriada [ba'rrjaða] *nf* quarter, district.
barricada [barri'kaða] *nf* barricade.
barrido [ba'rriðo] *nm*, **barrida** [ba'rriða] *nf* sweep, sweeping.
barriga [ba'rriɣa] *nf* belly; (*panza*) paunch; **barrigón, ona**, **barrigudo, a** *a* fat, potbellied.
barril [ba'rril] *nm* barrel, cask.
barrio ['barrjo] *nm* (*en el pueblo*) district, quarter; (*fuera del pueblo*) suburb.
barro ['barro] *nm* (*lodo*) mud; (*objetos*) earthenware; (*MED*) pimple.
barroco, a [ba'rroko, a] *a, nm* baroque.
barroso, a [ba'rroso, a] *a* (*lodoso*) muddy; (*MED*) pimply.
barruntar [barrun'tar] *vt* (*conjeturar*) to guess; (*presentir*) to suspect; **barrunto** *nm* guess; suspicion.
bartola [bar'tola]: **a la** ~ *ad*: **tirarse a la** ~ to take it easy, do nothing.
bártulos ['bartulos] *nmpl* things, belongings.
barullo [ba'ruʎo] *nm* row, uproar.
basa ['basa] *nf* base; (*fig*) basis; ~**mento** *nm* base, plinth.
basar [ba'sar] *vt* to base; ~**se** *vr*: ~**se en** to be based on.
basca ['baska] *nf* nausea.
báscula ['baskula] *nf* (*platform*) scales *pl*.
base ['base] *nf* base; **a** ~ **de** on the basis of.
básico, a ['basiko, a] *a* basic.
basílica [ba'silika] *nf* basilica.
bastante [bas'tante] *a* (*suficiente*) enough, sufficient; (*no poco(s)*) quite a lot of // *ad* (*suficientemente*) enough, sufficiently; (*muy*) quite, rather.
bastar [bas'tar] *vi* to be enough *or* sufficient; ~**se** *vr* to be self-sufficient; ~ **para** to be enough to; **¡basta!** (that's) enough!
bastardilla [bastar'ðiʎa] *nf* italics *pl*.
bastardo, a [bas'tarðo, a] *a, nm/f* bastard.
bastidor [basti'ðor] *nm* frame; (*de coche*) chassis.
basto, a ['basto, a] *a* coarse, rough; ~**s** *nmpl* (*NAIPES*) clubs.
bastón [bas'ton] *nm* (*gen*) stick, staff; (*para el paseo*) walking stick.
basura [ba'sura] *nf* rubbish, refuse.
basurero [basu'rero] *nm* (*hombre*) dustman; (*lugar*) rubbish dump; (*cubo*) (rubbish) bin.
bata ['bata] *nf* (*salto de cama*) dressing gown, housecoat; (*de alumno etc*) smock, overall.
batalla [ba'taʎa] *nf* battle; **de** ~ everyday, for everyday use.
batallar [bata'ʎar] *vi* to fight.
batallón [bata'ʎon] *nm* battalion.
bate ['bate] *nm* bat; ~**ador** *nm* batter, batsman.
batería [bate'ria] *nf* battery; (*MUS*) drums *pl*; ~ **de cocina** kitchen utensils *pl*.
batido, a [ba'tiðo, a] *a* (*camino*) beaten, well-trodden // *nm* (*CULIN*) batter; ~ **de leche** milk shake.
batidora [bati'ðora] *nf* beater, mixer.
batir [ba'tir] *vt* to beat, strike; (*vencer*) to beat, defeat; (*revolver*) to beat, mix; (*acuñar*) to strike, mint; (*pelo*) to comb; ~**se** *vr* to fight; ~ **palmas** to clap, applaud.
batuta [ba'tuta] *nf* baton.
baúl [ba'ul] *nm* trunk; (*AUTO*) boot.
bautismo [bau'tismo] *nm* baptism, christening.
bautizar [bauti'θar] *vt* to baptize, christen; (*fam*) to water down; **bautizo** *nm* baptism, christening.
bayo, a ['bajo, a] *a* bay // *nf* berry.
bayoneta [bajo'neta] *nf* bayonet.
baza ['baθa] *nf* trick.
bazar [ba'θar] *nm* bazaar.
bazofia [ba'θofja] *nf* left-overs *pl*.
beato, a [be'ato, a] *a* blessed; (*piadoso*) pious // *nm/f* lay brother/sister.
bebé [be'βe] *nm* baby.
bebedero, a [beβe'ðero, a] *a* drinkable // *nm* (*para animales*) drinking trough; (*de vasija*) spout.
bebedizo, a [beβe'ðiθo, a] *a* drinkable // *nm* potion.
bebedor, a [beβe'ðor, a] *a* hard-drinking.
beber [be'βer] *vt, vi* to drink.
bebida [be'βiða] *nf* drink.
beca ['beka] *nf* grant, scholarship.
befa ['befa] *nf* ver **befo**.
befar [be'far] *vt* to scoff at.
befo, a ['befo, a] *a* thick-lipped // *nm* lip // *nf*: **hacer** ~**a de** to jeer, mock.
beldad [bel'dað] *nf* beauty.
belfo, a ['belfo, a] = **befo**.
belga ['belɣa] *a, nm/f* Belgian.
Bélgica ['belxika] *nf* Belgium.
bélico, a ['beliko, a] *a* warlike, martial; **belicoso, a** *a* (*guerrero*) warlike; (*agresivo*) aggressive, bellicose.
beligerante [belixe'rante] *a* belligerent.
bellaco, a [be'ʎako, a] *a* sly, cunning // *nm* villain, rogue; **bellaquería** *nf* (*acción*) dirty trick; (*calidad*) wickedness.
belleza [be'ʎeθa] *nf* beauty.
bello, a ['beʎo, a] *a* beautiful, lovely; ~**as artes** fine arts.
bellota [be'ʎota] *nf* acorn.
bemol [be'mol] *nm* (*MUS*) flat; **esto tiene** ~**es** (*fam*) this is a real problem.
bendecir [bende'θir] *vt* to bless.
bendición [bendi'θjon] *nf* blessing.

bendito, a [ben'dito, a] *pp de* **bendecir** //
a holy; (*afortunado*) lucky; (*feliz*) happy;
(*sencillo*) simple // *nm/f* simple soul.
benedictino, a [beneðik'tino, a] *a, nm*
Benedictine.
beneficencia [benefi'θenθja] *nf* charity.
beneficiar [benefi'θjar] *vt* (*hacer bien a*)
to benefit, be of benefit to; (*tierra*) to
cultivate; (*mina*) to exploit; (*mineral*) to
process, treat; ~**se** *vr* to benefit, profit;
~**io, a** *nm/f* beneficiary.
beneficio [bene'fiθjo] *nm* (*bien*) benefit,
advantage; (*ganancia*) profit, gain; (AGR)
cultivation; ~**so, a** *a* beneficial.
benéfico, a [be'nefiko, a] *a* beneficent,
charitable.
beneplácito [bene'plaθito] *nm* approval,
consent.
benevolencia [beneβo'lenθja] *nf*
benevolence, kindness; **benévolo, a** *a*
benevolent, kind.
benignidad [benixni'ðað] *nf* (*afabilidad*)
kindness; (*suavidad*) mildness; **benigno, a**
a kind; mild.
beodo, a [be'oðo, a] *a* drunk.
berenjena [beren'xena] *nf* aubergine,
eggplant.
Berlín [ber'lin] *n* Berlin; **berlinés, esa** *a*
of *or* from Berlin // *nm/f* Berliner.
bermejo, a [ber'mexo, a] *a* red.
Berna ['berna] *n* Berne.
berrear [berre'ar] *vi* to bellow, low.
berrido [be'rriðo] *nm* bellow, bellowing.
berrinche [be'rrintʃe] *nm* (*fam*) temper,
tantrum.
berro ['berro] *nm* watercress.
berza ['berθa] *nf* cabbage.
besar [be'sar] *vt* to kiss; (*fig*) to graze;
~**se** *vr* to kiss (one another); **beso** *nm*
kiss.
bestia ['bestja] *nf* beast, animal; (*fig*) idiot;
~ **de carga** beast of burden.
bestial [bes'tjal] *a* bestial; (*fam*) terrific;
~**idad** *nf* bestiality; (*fam*) stupidity.
besuquear [besuke'ar] *vt* to cover with
kisses; ~**se** *vr* to kiss and cuddle.
betún [be'tun] *nm* bitumen, asphalt; (*para
calzado*) shoe polish.
biberón [biβe'ron] *nm* feeding bottle.
Biblia ['biβlja] *nf* Bible.
bíblico, a ['biβliko, a] *a* biblical.
bibliografía [biβljoɣra'fia] *nf*
bibliography.
biblioteca [biβljo'teka] *nf* library;
(*mueble*) bookshelves *pl*; ~ **de consulta**
reference library; ~**rio, a** *nm/f* librarian.
B.I.C. *nf abr de* **Brigada de
Investigación Criminal** CID (Criminal
Investigation Department); FBI (Federal
Bureau of Investigation) (*US*).
bicarbonato [bikarβo'nato] *nm*
bicarbonate.
bicicleta [biθi'kleta] *nf* bicycle, bike.
bicho ['bitʃo] *nm* (*animal*) small animal;
(*sabandija*) bug, insect; (TAUR) bull.
bidé [bi'ðe] *nm* bidet.

bien [bjen] *nm* good; (*interés*) advantage,
benefit // *ad* well; (*correctamente*)
properly, right; (*oler*) nice; (*muy*) very;
más ~ rather // *excl*: ¡(**muy**) ~! well
done! // *conj*: **no** ~ **llovió, bajó la
temperatura** no sooner had it rained
than the temperature dropped; ~ **que**
although; ~**es inmuebles/muebles** real
estate *sg*/personal property *sg*; ~**es de
consumo** consumer goods; ~**es raíces**
real estate *sg*.
bienal [bje'nal] *a* biennial.
bienandanza [bjenan'danθa] *nf*
happiness.
bienaventurado, a [bjenaβentu'raðo, a]
a (*feliz*) happy, fortunate; (*sencillo*) simple,
naïve.
bienestar [bjenes'tar] *nm* well-being.
bienhechor, a [bjene'tʃor, a] *a* beneficent.
bienvenida [bjenβe'niða] *nf* welcome;
bienvenido *excl* welcome!
biftec [bif'tek] *nm* (beef)steak.
bifurcación [bifurka'θjon] *nf* fork.
bigamia [bi'ɣamja] *nf* bigamy; **bígamo, a**
a bigamous // *nm/f* bigamist.
bigote [bi'ɣote] *nm* moustache; **bigotudo,
a** *a* moustached.
bilbaíno, a [bilβa'ino, a] *a* of *or* from
Bilbao.
bilingüe [bi'lingwe] *a* bilingual.
billar [bi'ʎar] *nm* billiards *sg*; (*lugar*)
billiard hall.
billete [bi'ʎete] *nm* ticket; (*de banco*)
banknote; (*carta*) note; ~ **simple** single
(ticket); ~ **de ida y vuelta** return
(ticket); ~ **kilométrico** runabout ticket.
billetera [biʎe'tera] *nf*, **billetero** [biʎe-
'tero] *nm* wallet.
billón [bi'ʎon] *nm* billion.
bimensual [bimen'swal] *a* twice monthly.
bimotor [bimo'tor] *a* twin-engined // *nm*
twin-engined plane.
binóculo [bi'nokulo] *nm* pince-nez.
biografía [bjoɣra'fia] *nf* biography;
biógrafo, a *nm/f* biographer.
biología [bjolo'xia] *nf* biology; **biológico,
a** *a* biological; **biólogo, a** *nm/f* biologist.
biombo ['bjombo] *nm* (folding) screen.
biopsia [bi'opsja] *nf* biopsy.
biplano [bi'plano] *nm* biplane.
birlar [bir'lar] *vt* (*derribar*) to knock
down; (*matar*) to kill; (*fam*) to pinch.
bis [bis] *excl* encore! // *ad*: **viven en el 27**
~ **they live at 27a.**
bisabuelo, a [bisa'βwelo, a] *nm/f* great-
grandfather/mother.
bisagra [bi'saɣra] *nf* hinge.
bisbisar [bisβi'sar], **bisbisear** [bisβise-
'ar] *vt* to mutter, mumble.
bisexual [bisek'swal] *a* bisexual.
bisiesto [bi'sjesto] *a*: **año** ~ leap year.
bisnieto, a [bis'njeto, a] *nm/f* great-
grandson/daughter.
bisonte [bi'sonte] *nm* bison.
bisoño, a [bi'soɲo, a] *a* green,
inexperienced.

bistec [bis'tek], **bisté** [bis'te] *nm* steak.
bisturí [bistu'ri] *nm* scalpel.
bisutería [bisute'ria] *nf* imitation *or* costume jewellery.
bizarría [biθa'rria] *nf* (*valor*) bravery; (*generosidad*) generosity; **bizarro, a** *a* brave; generous.
bizcar [biθ'kar] *vi* to squint; **bizco, a** *a* cross-eyed.
bizcocho [biθ'kotʃo] *nm* (*CULIN*) sponge cake.
bizquear [biθke'ar] *vi* to squint.
blanco, a ['blanko, a] *a* white // *nm/f* white man/woman, white // *nm* (*color*) white; (*intervalo*) space, interval; (*en texto*) blank; (*MIL, fig*) target // *nm* (*MUS*) minim; **en ~** blank; **noche en ~** sleepless night; **estar sin ~** to be broke.
blancura [blan'kura] *nf* whiteness.
blandir [blan'dir] *vt* to brandish.
blando, a ['blando, a] *a* soft; (*tierno*) tender, gentle; (*carácter*) mild; (*fam*) cowardly; **blandura** *nf* softness; tenderness; mildness.
blanquear [blanke'ar] *vt* to whiten; (*fachada*) to whitewash; (*paño*) to bleach // *vi* to turn white; **blanquecino, a** *a* whitish; **blanqueo** *nm* whitewashing; bleaching.
blanquillo, a [blan'kiʎo, a] *a* white.
blasfemar [blasfe'mar] *vi* to blaspheme, curse; **blasfemia** *nf* blasphemy.
blasón [bla'son] *nm* coat of arms; (*fig*) honour; **blasonar** *vt* to emblazon // *vi* to boast, brag.
bledo ['bleðo] *nm*: **(no) me importa un ~** I don't care two hoots.
blindaje [blin'daxe] *nm* armour, armour-plating; **blindar** *vt* to armour, armour-plate.
bloc [blok] *nm* writing pad.
bloque ['bloke] *nm* block; (*POL*) bloc; **~ de cilindros** cylinder block.
bloquear [bloke'ar] *vt* to blockade; **bloqueo** *nm* blockade; (*COM*) freezing, blocking.
bluejean ['bludʒin] *nm inv* jeans *pl*.
blusa ['blusa] *nf* (*de alumno*) smock; (*de mujer*) blouse.
boardilla [boar'ðiʎa] *nf* = **buhardilla.**
boato [bo'ato] *nm* show, ostentation.
bobada [bo'ßaða], **bobería** [boße'ria] *nf* foolish action/ statement.
bobina [bo'ßina] *nf* (*TEC*) bobbin; (*FOTO*) spool; (*ELEC*) coil; **bobinar** *vt* to wind.
bobo, a ['boßo, a] *a* (*tonto*) daft, silly; (*cándido*) naïve // *nm* (*TEATRO*) clown, funny man, fool.
boca ['boka] *nf* mouth; (*de crustáceo*) pincer; (*de cañón*) muzzle; (*de vino*) flavour, taste; (*entrada*) mouth, entrance; **~s** *nfpl* (*de río*) mouth *sg*; **~ abajo/arriba** face down/up; **a ~ de jarro** point-blank; **se me hace la ~ agua** my mouth is watering.
bocacalle [boka'kaʎe] *nf* entrance to a street.

bocadillo [boka'ðiʎo] *nm* (*emparedado*) sandwich; (*comida ligera*) snack.
bocado [bo'kaðo] *nm* mouthful, bite; (*de caballo*) bridle; **~ de Adán** Adam's apple.
bocanada [boka'naða] *nf* (*de vino*) mouthful, swallow; (*de aire*) gust, puff.
boceto [bo'θeto] *nm* sketch, outline.
bocina [bo'θina] *nf* (*MUS*) trumpet; (*AUTO*) horn; (*para hablar*) megaphone; (*para sordos*) ear trumpet.
bocha ['botʃa] *nf* bowl; **~s** *nfpl* bowls.
bochinche [bo'tʃintʃe] *nm* (*fam*) uproar.
bochorno [bo'tʃorno] *nm* (*calor*) sultry weather; (*vergüenza*) embarrassment; **~so, a** *a* sultry; embarrassing; (*sofocante*) stuffy.
boda ['boða] *nf* (*también* **~s** *nfpl*) wedding, marriage; (*fiesta*) wedding reception; **~s de plata/de oro** silver/golden wedding.
bodega [bo'ðexa] *nf* (*de vino*) (wine) cellar; (*depósito*) storeroom; (*de barco*) hold.
bodegón [boðe'xon] *nm* cheap restaurant; (*ARTE*) still life.
bofe ['bofe] *nm* (*también* **~s** *nmpl*) lung.
bofetada [bofe'taða] *nf* slap (in the face).
bofetón [bofe'ton] *nm* punch (in the face).
boga ['boxa] *nf* (*NAUT*) rowing; (*fig*) vogue, fashion // *nm/f* rower; **en ~** in vogue; **bogar** *vi* (*remar*) to row; (*navegar*) to sail.
Bogotá [boxo'ta] *n* Bogota; **bogotano, a** *a* of *or* from Bogota.
bohardilla [boar'ðiʎa] *nf* = **buhardilla.**
bohemio, a [bo'emjo, a] *a, nm/f* Bohemian.
boicot [boi'kot] *nm* boycott; **~ear** *vt* to boycott; **~eo** *nm* boycott.
boina ['boina] *nf* beret.
bola ['bola] *nf* (*gen*) ball; (*canica*) marble; (*NAIPES*) (grand) slam; (*betún*) shoe polish; **~ de billar** billiard ball; **~ de nieve** snowball.
bolchevique [boltʃe'ßike] *nm/f* Bolshevik.
boleadoras [bolea'ðoras] *nfpl* (*AM*) bolas.
bolera [bo'lera] *nf* skittle alley.
boleta [bo'leta] *nf* (*billete*) ticket; (*permiso*) pass, permit.
boletín [bole'tin] *nm* bulletin; (*periódico*) journal, review; (*billete*) ticket; **~ escolar** school report; **~ de noticias** news bulletin; **~ de pedido** application form; **~ de precios** price list; **~ de prensa** press release.
boleto [bo'leto] *nm* ticket.
boliche [bo'litʃe] *nm* (*bola*) jack; (*juego*) bowls *sg*; (*lugar*) bowling alley.
bolígrafo [bo'lixrafo] *nm* ball-point pen.
bolívar [bo'lißar] *nm* monetary unit of Venezuela.
Bolivia [bo'lißja] *nf* Bolivia; **boliviano, a** *a, nm/f* Bolivian.
bolo ['bolo] *nm* skittle; (*píldora*) (large) pill; **(juego de) ~s** skittles *sg*.
bolsa ['bolsa] *nf* (*cartera*) purse; (*saco*) bag; (*ANAT*) cavity, sac; (*COM*) stock exchange; (*MINERÍA*) pocket; **~ de agua**

caliente hot water bottle; ~ **de aire** air pocket; ~ **de papel** paper bag.

bolsillo [bol'siʎo] *nm* pocket; (*cartera*) purse; **de** ~ pocket(-size).

bolsista [bol'sista] *nm/f* stockbroker.

bolso ['bolso] *nm* (*bolsa*) bag; (*de mujer*) handbag.

bollo ['boʎo] *nm* (*pan*) roll; (*bulto*) bump, lump; (*abolladura*) dent.

bomba ['bomba] *nf* (MIL) bomb; (TEC) pump // *a* (*fam*): **noticia** ~ shattering piece of news // *ad* (*fam*): **pasarlo** ~ to have a great time; ~ **atómica/de humo/de retardo** atomic/smoke/ time bomb; ~ **de gasolina** petrol pump; ~ **de mano** grenade; ~ **lacrimógena** tear gas bomb.

bombardear [bombarðe'ar] *vt* to bombard; (MIL) to bomb; **bombardeo** *nm* bombardment; bombing.

bombardero [bombar'ðero] *nm* bomber.

bombear [bombe'ar] *vt* (*agua*) to pump (out *or* up); (MIL) to bomb; ~**se** *vr* to warp.

bombero [bom'bero] *nm* fireman.

bombilla [bom'biʎa] *nf* bulb.

bombín [bom'bin] *nm* bowler hat.

bombo ['bombo] *nm* (MUS) bass drum; (TEC) drum.

bombón [bom'bon] *nm* chocolate.

bonachón, ona [bona'tʃon, ona] *a* good-natured, easy-going.

bonaerense [bonae'rense] *a* of *or* from Buenos Aires.

bonancible [bonan'θiβle] *a* (*tiempo*) fair, calm.

bonanza [bo'nanθa] *nf* (NAUT) fair weather; (*fig*) bonanza; (MINERÍA) rich pocket *or* vein.

bondad [bon'dað] *nf* goodness, kindness; **tenga la** ~ **de** (please) be good enough to; ~**oso, a** *a* good, kind.

bonito, a [bo'nito, a] *a* (*lindo*) pretty; (*agradable*) nice.

bono ['bono] *nm* voucher; (FIN) bond.

boquear [boke'ar] *vi* to gasp.

boquerón [boke'ron] *nm* (*anchoa*) anchovy; (*agujero*) large hole.

boquete [bo'kete] *nm* gap, hole.

boquiabierto, a [bokia'βjerto, a] *a* open-mouthed (in astonishment).

boquilla [bo'kiʎa] *nf* (*para riego*) nozzle; (*para cigarro*) cigarette holder; (MUS) mouthpiece.

borbollar [borβo'ʎar], **borbollear** [borβoʎe'ar], **borbotar** [borβo'tar] *vi* to bubble.

borbotón [borβo'ton] *nm* bubbling.

bordado [bor'ðaðo] *nm* embroidery.

bordar [bor'ðar] *vt* to embroider.

borde ['borðe] *nm* edge, border; (*de camino etc*) side; (*en la costura*) hem; **al** ~ **de** (*fig*) on the verge *or* brink of; ~**ar** *vt* to border.

bordo ['borðo] *nm* (NAUT) side; **a** ~ **on** board.

Borinquén [borin'ken] *nm* Puerto Rico;

borinqueño, a *a, nm/f* Puerto Rican.

borra ['borra] *nf* (*pelusa*) fluff; (*sedimento*) sediment.

borrachera [borra'tʃera] *nf* (*ebriedad*) drunkenness; (*orgía*) spree, binge.

borracho, a [bo'rratʃo, a] *a* drunk // *nm/f* (*que bebe mucho*) drunkard, drunk; (*temporalmente*) drunk, drunk man/woman.

borrador [borra'ðor] *nm* (*escritura*) first draft, rough sketch; (*cuaderno*) scribbling pad; (*goma*) rubber, eraser.

borrajear [borraxe'ar] *vt, vi* to scribble.

borrar [bo'rrar] *vt* to erase, rub out.

borrascoso, a [borras'koso, a] *a* stormy.

borrica [bo'rrika] *nf* she-donkey; (*fig*) stupid woman; ~**da** *nf* foolish action/statement.

borrico [bo'rriko] *nm* donkey; (*fig*) stupid man.

borrón [bo'rron] *nm* (*mancha*) stain; (*proyecto*) rough draft; (*de cuadro*) sketch.

borroso, a [bo'rroso, a] *a* vague, unclear; (*escritura*) illegible.

bosque ['boske] *nm* wood, forest.

bosquejar [boske'xar] *vt* to sketch; **bosquejo** *nm* sketch.

bosta ['bosta] *nf* dung, manure.

bostezar [boste'θar] *vi* to yawn; **bostezo** *nm* yawn.

bota ['bota] *nf* (*saco*) leather wine bottle; (*calzado*) boot.

botadura [bota'ðura] *nf* launching.

botánico, a [bo'taniko, a] *nm/f* botanist // *nf* botany.

botar [bo'tar] *vt* to throw, hurl; (NAUT) to launch; (*fam*) to throw out // *vi* to bounce.

bote ['bote] *nm* (*salto*) bounce; (*golpe*) thrust; (*vasija*) tin, can; (*embarcación*) boat; **de** ~ **en** ~ packed, jammed full; ~ **salvavidas** lifeboat.

botella [bo'teʎa] *nf* bottle.

botica [bo'tika] *nf* chemist's (shop), pharmacy; ~**rio, a** *nm/f* chemist, pharmacist.

botija [bo'tixa] *nf* (earthenware) jug; **botijo** *nm* (earthenware) jug; (*tren*) excursion train.

botín [bo'tin] *nm* (*calzado*) half boot; (*polaina*) spat; (MIL) booty.

botiquín [boti'kin] *nm* (*armario*) medicine cabinet; (*portátil*) first-aid kit.

botón [bo'ton] *nm* button; (*de florete*) tip; ~ **de oro** buttercup.

botones [bo'tones] *nm* buttons *sg*, bellboy.

bóveda ['boβeða] *nf* (ARQ) vault.

boxeador [boksea'ðor] *nm* boxer.

boxeo [bok'seo] *nm* boxing.

boya ['boja] *nf* (NAUT) buoy; (*flotador*) float.

bozal [bo'θal] *a* (*novato*) raw, green; (*tonto*) stupid; (*salvaje*) wild // *nm* (*de caballo*) halter; (*de perro*) muzzle.

bracear [braθe'ar] *vi* (*agitar los brazos*) to wave one's arms; (*nadar*) to swim (the crawl).

bracero [bra'θero] *nm* labourer; (*en el campo*) farmhand.

bracete [bra'θete]: **de ~ ad** arm in arm.
braga ['braɣa] *nf* (*cuerda*) sling, rope; (*de bebé*) nappy; **~s** *nfpl* (*de mujer*) panties.
bragueta [bra'ɣeta] *nf* fly, flies *pl*.
braille [breil] *nm* braille.
bramar [bra'mar] *vi* to bellow, roar; **bramido** *nm* bellow, roar.
brasa ['brasa] *nf* live coal.
brasero [bra'sero] *nm* brazier.
Brasil [bra'sil] *nm*: **el ~** Brazil; **brasileño, a** *a*, *nm/f* Brazilian.
bravata [bra'βata] *nf* boast.
braveza [bra'βeθa] *nf* (*valor*) bravery; (*ferocidad*) ferocity.
bravío, a [bra'βio, a] *a* wild; (*feroz*) fierce.
bravo, a ['braβo, a] *a* (*valiente*) brave; (*bueno*) fine, splendid; (*feroz*) ferocious; (*salvaje*) wild // *excl* bravo!; **bravura** *nf* bravery; ferocity; (*pey*) boast.
braza ['braθa] *nf* fathom; **nadar a la ~** to swim the breast-stroke.
brazada [bra'θaða] *nf* stroke.
brazado [bra'θaðo] *nm* armful.
brazalete [braθa'lete] *nm* (*pulsera*) bracelet; (*banda*) armband.
brazo ['braθo] *nm* arm; (*ZOOL*) foreleg; (*BOT*) limb, branch; **a ~ partido** hand-to-hand; **del ~** arm in arm.
brea ['brea] *nf* pitch, tar.
brebaje [bre'βaxe] *nm* potion.
brecha ['bretʃa] *nf* breach, gap, opening.
brega ['breɣa] *nf* (*lucha*) struggle; (*trabajo*) hard work.
breve ['breβe] *a* short, brief // *nf* breve; **~dad** *nf* brevity, shortness.
brezal [bre'θal] *nm* moor(land), heath; **brezo** *nm* heather.
bribón, ona [bri'βon, ona] *a* idle, lazy // *nm/f* (*vagabundo*) vagabond; (*pícaro*) rascal, rogue.
bricolaje [briko'laxe] *nm* do-it-yourself, DIY.
brida ['briða] *nf* bridle, rein; (*TEC*) clamp; **a toda ~** at top speed.
bridge [britʃ] *nm* bridge.
brigada [bri'ɣaða] *nf* (*unidad*) brigade; (*trabajadores*) squad, gang // *nm* ≈ staff-sergeant, sergeant-major.
brillante [bri'ʎante] *a* brilliant // *nm* diamond; **brillar** *vi* to shine.
brillo ['briʎo] *nm* shine; (*brillantez*) brilliance; (*fig*) splendour; **sacar ~ a** to polish.
brincar [brin'kar] *vi* to skip about, hop about, jump about; **está que brinca** he's hopping mad.
brinco ['brinko] *nm* hop, skip, jump.
brindar [brin'dar] *vi*: **~ a o por** to drink (a toast) to // *vt* to offer, present.
brindis ['brindis] *nm* toast; (*TAUR*) (ceremony of) dedicating the bull.
brío ['brio] *nm* spirit, dash; **brioso, a** *a* spirited, dashing.
brisa ['brisa] *nf* breeze.
británico, a [bri'taniko, a] *a* British // *nm/f* Briton, British person.

brocal [bro'kal] *nm* rim.
brocha ['brotʃa] *nf* brush.
broche ['brotʃe] *nm* brooch; **~ para papeles** (*AM*) paper clip.
broma ['broma] *nf* (*bulla*) fun; (*chanza*) joke; **en ~** in fun, as a joke; **bromear** *vi* to joke.
bromista [bro'mista] *a* fond of joking // *nm/f* joker, wag.
bronca ['bronka] *nf* row.
bronce ['bronθe] *nm* bronze; **~ado, a** *a* bronze; (*por el sol*) tanned // *nm* (sun)tan; (*TEC*) bronzing.
broncearse [bronθe'arse] *vr* to get a suntan.
bronco, a ['bronko, a] *a* (*superficie*) rough; (*manera*) rude, surly; (*voz*) harsh.
bronquitis [bron'kitis] *nf* bronchitis.
brotar [bro'tar] *vi* (*BOT*) to sprout; (*aguas*) to gush (forth), flow; (*MED*) to break out; **brote** *nm* (*BOT*) shoot; (*MED*, *fig*) outbreak.
bruces ['bruθes]: **de ~ ad**: **caer** *o* **dar de ~** to fall headlong, fall flat; **estar de ~** to lie face downwards.
bruja ['bruxa] *nf* witch; (*lechuza*) owl; **brujería** *nf* witchcraft.
brujo ['bruxo] *nm* wizard, magician.
brújula ['bruxula] *nf* compass.
bruma ['bruma] *nf* mist; **brumoso, a** *a* misty.
bruñido [bru'ɲiðo] *nm* polish; **bruñir** *vt* to polish.
brusco, a ['brusko, a] *a* (*súbito*) sudden; (*áspero*) brusque.
Bruselas [bru'selas] *n* Brussels.
brutal [bru'tal] *a* brutal; (*fig*) sudden; **~idad** *nf* brutality.
bruto, a ['bruto, a] *a* (*idiota*) stupid; (*bestial*) brutish; (*peso*) gross; (*diamante etc*) raw, uncut; **en ~** raw, unworked.
Bs.As. *abr de* **Buenos Aires.**
buba ['buβa] *nf* tumour.
bucal [bu'kal] *a*: **por vía ~** by *or* through the mouth, orally.
bucear [buθe'ar] *vi* to dive // *vt* to explore; **buceo** *nm* diving; (*fig*) investigation.
bucle ['bukle] *nm* curl.
budismo [bu'ðismo] *nm* Buddhism.
buenamente [bwena'mente] *ad* (*fácilmente*) easily; (*voluntariamente*) willingly.
buenaventura [bwenaβen'tura] *nf* (*suerte*) good luck; (*adivinación*) fortune.
bueno, a ['bweno, a], **buen** [bwen] *a* (*amable*) kind; (*MED*) well; (*guapo*) attractive; **¡~as!** hello!; **buen día, ~as días** good morning!; good afternoon!; hello!; **~as tardes** good afternoon!; good evening!; **~as noches** good night!; **¡buen sinvergüenza resultó!** a fine rascal he turned out to be // *excl* right!, all right!; **~, ¿y qué?** well, so what?
buey [bwei] *nm* ox.
búfalo ['bufalo] *nm* buffalo.
bufanda [bu'fanda] *nf* scarf, muffler.
bufar [bu'far] *vi* to snort.

bufete [bu'fete] *nm* (*mesa*) desk; (*de abogado*) lawyer's office.
bufo, a ['bufo, a] *a* comic.
bufón, ona [bu'fon, ona] *a* funny // *nm* clown.
buhardilla [buar'ðiʎa] *nf* (*ventana*) skylight; (*desván*) attic.
búho ['buo] *nm* owl; (*fig*) hermit, recluse.
buhonero [buo'nero] *nm* pedlar.
buitre ['bwitre] *nm* vulture.
bujía [bu'xia] *nf* (*vela*) candle; (*ELEC*) candle (power); (*AUTO*) spark plug.
bula ['bula] *nf* (*papal*) bull.
bulbo ['bulβo] *nm* bulb.
búlgaro, a ['bulxaro, a] *a, nm/f* Bulgarian.
bulto ['bulto] *nm* (*paquete*) package; (*fardo*) bundle; (*tamaño*) size, bulkiness; (*MED*) swelling, lump; (*silueta*) vague shape; (*estatua*) bust, statue; **de mucho/poco ~** important/unimportant.
bulla ['buʎa] *nf* (*ruido*) uproar; (*de gente*) crowd.
bullicio [bu'ʎiθjo] *nm* (*ruido*) uproar; (*movimiento*) bustle.
bullir [bu'ʎir] *vi* (*hervir*) to boil; (*burbujear*) to bubble; (*mover*) to move, stir.
buñuelo [bu'nwelo] *nm* fritter.
buque ['buke] *nm* ship, vessel.
burbuja [bur'βuxa] *nf* bubble; **burbujear** *vi* to bubble.
burdel [bur'ðel] *nm* brothel.
burdo, a ['burðo, a] *a* coarse, rough.
burgués, esa [bur'ɣes, esa] *a* middle-class, bourgeois; **burguesía** *nf* middle class, bourgeoisie.
burla ['burla] *nf* (*mofa*) gibe; (*broma*) joke; (*engaño*) trick.
burladero [burla'ðero] *nm* (bullfighter's) refuge.
burlador, a [burla'ðor, a] *a* mocking // *nm* (*bromista*) joker; (*libertino*) seducer.
burlar [bur'lar] *vt* (*engañar*) to deceive; (*seducir*) to seduce // *vi*, **~se** *vr* to joke; **~se de** to make fun of.
burlesco, a [bur'lesko, a] *a* burlesque.
burlón, ona [bur'lon, ona] *a* mocking.
burocracia [buro'kraθja] *nf* civil service; (*pey*) bureaucracy.
burócrata [bu'rokrata] *nm/f* civil servant; (*pey*) bureaucrat.
burra ['burra] *nf* (she-)donkey; (*fig*) stupid woman.
burro ['burro] *nm* donkey; (*fig*) ass, idiot.
bursátil [bur'satil] *a* stock-exchange *cpd*.
busca ['buska] *nf* search, hunt; **en ~ de** in search of.
buscapleitos [buska'pleitos] *nm/f inv* troublemaker.
buscar [bus'kar] *vt* to look for, search for, seek // *vi* to look, search, seek; **se busca empleado** employee wanted.
buscón, ona [bus'kon, ona] *a* thieving // *nm* petty thief // *nf* whore.
busilis [bu'silis] *nm* (*fam*) snag.
busque *etc vb ver* **buscar.**

búsqueda ['buskeða] *nf* = **busca.**
busto ['busto] *nm* bust.
butaca [bu'taka] *nf* armchair; (*de cine, teatro*) stall, seat.
butano [bu'tano] *nm* butane.
buzo ['buθo] *nm* diver.
buzón [bu'θon] *nm* letter box; (*en la calle*) pillar box.

C

c. *abr de* **capítulo.**
C. *abr de* **centígrado; compañía.**
C/ *abr de* **calle.**
c.a. *abr de* **corriente alterna.**
cabal [ka'βal] *a* (*exacto*) exact; (*correcto*) right, proper; (*acabado*) finished, complete; **~es** *nmpl*: **estar en sus ~es** to be in one's right mind.
cabalgadura [kaβalɣa'ðura] *nf* mount, horse.
cabalgar [kaβal'xar] *vt, vi* to ride.
caballa [ka'βaʎa] *nf* mackerel.
caballeresco, a [kaβaʎe'resko, a] *a* noble, chivalrous.
caballería [kaβaʎe'ria] *nf* mount; (*MIL*) cavalry.
caballeriza [kaβaʎe'riθa] *nf* stable; **caballerizo** *nm* groom, stableman.
caballero [kaβa'ʎero] *nm* rider, horseman; (*hombre galante*) gentleman; (*de la orden de caballería*) knight; (*hidalgo*) noble(man); (*señor, término de cortesía*) sir.
caballerosidad [kaβaʎerosi'ðað] *nf* chivalry.
caballo [ka'βaʎo] *nm* horse; (*AJEDREZ*) knight; (*NAIPES*) queen; **~ de vapor** *o* **de fuerza** horsepower.
cabaña [ka'βaɲa] *nf* (*casita*) hut, cabin; (*rebaño*) flock.
cabaré, cabaret (*pl* **cabarets**) [kaβa're] *nm* cabaret.
cabás [ka'βas] *nm* satchel.
cabecear [kaβeθe'ar] *vt* to head // *vi* to nod; (*negar*) to shake one's head.
cabecera [kaβe'θera] *nf* (*gen*) head; (*de distrito*) chief town; (*IMPRENTA*) headline.
cabecilla [kaβe'θiʎa] *nm/f* ringleader; (*fig: fam*) hothead.
cabellera [kaβe'ʎera] *nf* hair; (*de cometa*) tail.
cabello [ka'βeʎo] *nm* (*también* **~s** *nmpl*) hair *sg*; **cabelludo, a** *a* hairy.
caber [ka'βer] *vi* (*entrar*) to fit, go; (*tener lugar*) to have enough room; **caben 3 más** there's room for 3 more.
cabestrillo [kaβes'triʎo] *nm* sling.
cabestro [ka'βestro] *nm* halter.
cabeza [ka'βeθa] *nf* head; (*POL*) chief, leader; **~da** *nf* (*golpe*) butt; (*al dormirse*) nod.
cabezudo, a [kaβe'θuðo, a] *a* bigheaded; (*fig*) pigheaded.
cabida [ka'βiða] *nf* space.
cabildo [ka'βildo] *nm* (*de iglesia*) chapter; (*POL*) town council.

cabina [ka'βina] *nf* booth; (*de camión*) cabin.

cabizbajo, a [kaβiθ'βaxo, a] *a* crestfallen, dejected.

cable ['kaβle] *nm* cable; **~grama** *nm* cablegram.

cabo ['kaβo] *nm* (*de objeto*) end, extremity; (*de tiempo, proceso*) end; (*persona*) head, chief; (MIL) corporal; (NAUT) rope, cable; (GEO) cape; **al ~ de 3 días** after 3 days; **al fin y al ~** in the end.

cabra ['kaβra] *nf* (she-)goat, nanny goat.

cabré *etc vb ver* **caber.**

cabria ['kaβrja] *nf* hoist, derrick.

cabrío, a [ka'βrio, a] *a* goatish; **macho ~** (he-)goat, billy goat.

cabriola [ka'βrjola] *nf* caper.

cabritilla [kaβri'tiʎa] *nf* kid, kidskin.

cabrito [ka'βrito] *nm* kid.

cabrón [ka'βron] *nm* cuckold; (*fig: fam*) bastard (*fam!*).

cacahuete [kaka'wete] *nm* peanut, monkey nut.

cacao [ka'kao] *nm* cocoa; (BOT) cacao.

cacarear [kakare'ar] *vi* (*persona*) to boast; (*gallo*) to cackle.

cacería [kaθe'ria] *nf* hunting, shooting.

cacerola [kaθe'rola] *nf* pan, saucepan.

cacique [ka'θike] *nm* chief, local ruler; (POL) local boss; **caciquismo** *nm* (system of) dominance by the local boss.

caco ['kako] *nm* pickpocket.

cacto ['kakto], **cactus** ['kaktus] *nm* cactus.

cacumen [ka'kumen] *nm* (*fig: fam*) acumen.

cachar [ka'tʃar] *vt* to smash, break.

cacharro [ka'tʃarro] *nm* earthenware pot.

cachear [katʃe'ar] *vt* to search, frisk.

cachemira [katʃe'mira] *nf* cashmere.

cacheo [ka'tʃeo] *nm* searching, frisking.

cachimba [ka'tʃimba] *nf*, **cachimbo** [ka'tʃimbo] *nm* pipe.

cachiporra [katʃi'porra] *nf* truncheon.

cachivache [katʃi'βatʃe] *nm* pot; (*utensilio*) utensil; (*persona*) good-for-nothing.

cacho, a ['katʃo, a] *a* bent, crooked // *nm* (small) bit.

cachondeo [katʃon'ðeo] *nm* (*fam*) farce, joke.

cachondo, a [ka'tʃondo, a] *a* (ZOOL) on heat; (*vulg*) randy, sexy; (*gracioso*) funny.

cachorro, a [ka'tʃorro, a] *nm/f* (*perro*) pup, puppy; (*león*) cub.

cada ['kaða] *a inv* each; (*antes de número*) every; **~ día** each day, every day; **~ uno/a** each one, every one; **~ vez más** more and more; **uno de ~ diez** one out of every ten.

cadalso [ka'ðalso] *nm* scaffold.

cadáver [ka'ðaβer] *nm* (dead) body, corpse.

cadena [ka'ðena] *nf* chain; (TV) channel; **trabajo en ~** assembly line work.

cadencia [ka'ðenθja] *nf* cadence, rhythm.

cadera [ka'ðera] *nf* hip.

cadete [ka'ðete] *nm* cadet.

caducar [kaðu'kar] *vi* (*permiso, ley*) to lapse, expire; (*persona*) to become senile; **caduco, a** *a* expired; (*persona*) very old.

C.A.E. *abr de* **cóbrese al entregar** COD (cash on delivery).

caer [ka'er] *vi*, **~se** *vr* to fall (down); **~ bien/mal** to make a good/bad impression; **el pago cae mañana** the payment is due tomorrow; **~ en la cuenta** to catch on.

café [ka'fe] (*pl* **~s**) *nm* (*bebida, planta*) coffee; (*lugar*) café // *a* (*color*) brown; **cafetal** *nm* coffee plantation.

cafetero, a [kafe'tero, a] *a* coffee *cpd* // *nf* coffee pot.

cáfila ['kafila] *nf* (*de personas*) group; (*de ovejas*) flock.

caída [ka'iða] *nf* (*gen*) fall; (*declive*) slope; (*disminución*) fall, drop.

caigo *etc vb ver* **caer.**

caimán [kai'man] *nm* alligator.

caimiento [kai'mjento] *nm* fall, falling.

caja ['kaxa] *nf* box; (*para reloj*) case; (*de ascensor*) shaft; (COM) cashbox; (*donde se hacen los pagos*) cashdesk; **~ de cambios** gearbox; **~ fuerte, ~ de caudales** safe, strongbox.

cajero, a [ka'xero, a] *nm/f* cashier.

cajetilla [kaxe'tiʎa] *nf* small box; (*de cigarrillos*) packet.

cajón [ka'xon] *nm* big box; (*de mueble*) drawer.

cal [kal] *nf* lime.

cala ['kala] *nf* (GEO) cove, inlet; (*de barco*) hold; (MED) suppository.

calabaza [kala'βaθa] *nf* (BOT) pumpkin.

calabozo [kala'βoθo] *nm* prison (cell).

calamar [kala'mar] *nm* squid.

calambre [ka'lambre] *nm* cramp.

calamidad [kalami'ðað] *nf* calamity, disaster.

calamina [kala'mina] *nf* calamine.

calaña [ka'laɲa] *nf* model, pattern.

calar [ka'lar] *vt* to soak, drench; (*penetrar*) to pierce, penetrate; (*comprender*) to see through; (*vela, red*) to lower; **~se las gafas** to stick one's glasses on.

calavera [kala'βera] *nf* skull.

calcañar [kalka'ɲar], **calcañal** [kalka-'ɲal], **calcaño** [kal'kaɲo] *nm* heel.

calcar [kal'kar] *vt* (*reproducir*) to trace; (*imitar*) to copy.

calceta [kal'θeta] *nf* (knee-length) stocking; **hacer ~** to knit; **calcetín** *nm* sock.

calcina [kal'θina] *nf* concrete.

calcinar [kalθi'nar] *vt* to burn, blacken.

calcio ['kalθjo] *nm* calcium.

calco ['kalko] *nm* tracing.

calcomanía [kalkoma'nia] *nm* transfer.

calculadora [kalkula'ðora] *nf* calculator; **~ de bolsillo** pocket calculator.

calcular [kalku'lar] *vt* (MAT) to calculate, compute; (*suponer, creer*) to reckon, expect; **cálculo** *nm* calculation; reckoning.

caldear [kalde'ar] *vt* to warm (up), heat (up); (*los metales*) to weld.

caldera [kal'dera] *nf* boiler.

calderilla [kalde'riʎa] *nf* (REL) vessel for holy water; (*moneda*) small change.

caldero [kal'dero] *nm* small boiler.

calderón [kalde'ron] *nm* cauldron.

caldo [kaldo] *nm* stock; (*consomé*) consommé; (*para la ensalada*) dressing.

calefacción [kalefak'θjon] *nf* heating.

calendario [kalen'darjo] *nm* calendar.

calentador [kalenta'ðor] *nm* heater.

calentar [kalen'tar] *vt* to heat up (up); ~**se** *vr* to heat up, warm up; (*fig*) to get heated.

calentura [kalen'tura] *nf* (MED) fever, (high) temperature; **calenturiento, a** *a* feverish.

calero [ka'lero] *a* lime *cpd.*

calibrar [kali'βrar] *vt* to gauge, measure; **calibre** *nm* (*de cañón*) calibre, bore; (*diámetro*) diameter; (*fig*) calibre.

calidad [kali'ðað] *nf* quality; **en ~ de** in the capacity of.

cálido, a [ka'liðo, a] *a* hot; (*fig*) warm.

caliente [ka'ljente] *a* hot; (*sin exceso*) warm; (*fig*) fiery; (*disputa*) heated.

calificación [kalifika'θjon] *nf* qualification; (*de alumno*) grade, mark.

calificado, a [kalifi'kaðo, a] *a* qualified, competent; (*trabajador*) skilled.

calificar [kalifi'kar] *vt* to qualify; (*enaltecer*) to distinguish; (*alumno*) to grade, mark; (*determinar*) to describe.

calma ['kalma] *nf* calm; (*pachorra*) slowness.

calmante [kal'mante] *nm* sedative, tranquillizer.

calmar [kal'mar] *vt* to calm, calm down // *vi* (*tempestad*) to abate; (*mente etc*) to become calm.

calmoso, a [kal'moso, a], **calmudo, a** [kal'muðo, a] *a* calm, quiet.

calofrío [kalo'frio] *nm* = **escalofrío.**

calor [ka'lor] *nm* heat; (~ *agradable*) warmth.

caloría [kalo'ria] *nf* calorie.

calorífero, a [kalo'rifero, a] *a* heat-producing, heat-giving // *nm* heating system.

calumnia [ka'lumnja] *nf* calumny, slander; **calumnioso, a** *a* slanderous.

caluroso, a [kalu'roso, a] *a* hot; (*sin exceso*) warm; (*fig*) enthusiastic.

calva ['kalβa] *nf* bald patch; (*en bosque*) clearing.

calvario [kal'βarjo] *nm* stations *pl* of the cross.

calvicie [kal'βiθje] *nf* baldness.

calvo, a [kalβo, a] *a* bald; (*terreno*) bare, barren; (*tejido*) threadbare.

calza ['kalθa] *nf* wedge, chock.

calzado, a [kal'θaðo, a] *a* shod // *nm* footwear // *nf* roadway, highway.

calzador [kalθa'ðor] *nm* shoehorn.

calzar [kal'θar] *vt* to put on; (*un mueble*) to put a wedge under; ~**se** *vr*: ~**se los zapatos** to put on one's shoes; ¿**qué (número) calza?** what size do you wear *or* take?

calzón [kal'θon] *nm* (*también* **calzones** *nmpl*) shorts *pl.*

calzoncillos [kalθon'θiʎos] *nmpl* underpants.

callado, a [ka'ʎaðo, a] *a* quiet.

callar [ka'ʎar] *vt* to keep quiet about, say nothing about // *vi*, ~**se** *vr* to keep quiet, be silent.

calle ['kaʎe] *nf* street; (DEPORTE) lane; ~ **arriba/abajo** up/down the street; ~ **de un solo sentido** one-way street.

calleja [ka'ʎexa] *nf* alley, narrow street; **callejear** *vi* to wander about the streets; **callejero, a** *a* street *cpd.*

callejón [kaʎe'xon] *nm* alley, passage; ~ **sin salida** one-way street.

callejuela [kaʎe'xwela] *nf* side-street, alley.

callista [ka'ʎista] *nm/f* chiropodist.

callo ['kaʎo] *nm* callus; (*en el pie*) corn; ~**s** *nmpl* tripe *sg*; ~**so, a** *a* horny, rough.

cama ['kama] *nf* bed; (GEO) stratum; ~ **de matrimonio** double bed.

camada [ka'maða] *nf* litter; (*de personas*) gang, band.

camafeo [kama'feo] *nm* cameo.

camandulear [kamandule'ar] *vi* to be a hypocrite.

cámara ['kamara] *nf* (*gen*) chamber; (*habitación*) room; (*sala*) hall; (CINE) cine camera; (*fotográfica*) camera; ~ **de aire** inner tube.

camarada [kama'raða] *nm* comrade, companion.

camarera [kama'rera] *nf* (*en restaurante*) waitress; (*en casa, hotel*) maid.

camarero [kama'rero] *nm* waiter.

camarilla [kama'riʎa] *nf* (*clan*) clique; (POL) lobby.

camarín [kama'rin] *nm* dressing room.

camarón [kama'ron] *nm* shrimp.

camarote [kama'rote] *nm* cabin.

cambiable [kam'bjaβle] *a* (*variable*) changeable, variable; (*intercambiable*) interchangeable.

cambiante [kam'bjante] *a* variable // *nm* moneychanger.

cambiar [kam'bjar] *vt* (*gen*) to change; (*de moneda*) to change; (*dinero*) to exchange // *vi* (*gen*) to change; ~**se** *vr* (*mudarse*) to move; (*de ropa*) to change; ~(**se**) **de...** to change one's ... .

cambio ['kambjo] *nm* change; (*trueque*) exchange; (COM) rate of exchange; (*oficina*) (foreign) exchange office; (*dinero menudo*) small change; **en ~** on the other hand; (*en lugar de eso*) instead; ~ **de velocidades** gear lever; ~ **de vía** points *pl.*

cambista [kam'bista] *nm* (COM) exchange broker; (FERRO) switchman.

camelar [kame'lar] *vt* (*galantear*) to flirt with; (*engañar*) to cajole.
camello [ka'meʎo] *nm* camel.
camilla [ka'miʎa] *nf* (*cama*) cot; (*MED*) stretcher.
caminante [kami'nante] *nm/f* traveller.
caminar [kami'nar] *vi* (*marchar*) to walk, go; (*viajar*) to travel, journey // *vt* (*recorrer*) to cover, travel.
caminata [kami'nata] *nf* long walk.
camino [ka'mino] *nm* (*gen*) way, road; (*senda*) track; **a medio ~** halfway (there); **en el ~** on the way, en route.
camión [ka'mjon] *nm* lorry, truck.
camisa [ka'misa] *nf* shirt; (*BOT*) skin; **~ de dormir** nightdress; **~ de fuerza** straitjacket; **camisería** *nf* outfitter's (shop).
camiseta [kami'seta] *nf* (*prenda*) vest; (*de deportista*) singlet.
camisón [kami'son] *nm* nightdress, nightgown.
campamento [kampa'mento] *nm* camp.
campana [kam'pana] *nf* bell; **~da** *nf* peal; **~rio** *nm* belfry.
campanilla [kampa'niʎa] *nf* (*campana*) small bell; (*burbuja*) bubble.
campaña [kam'paɲa] *nf* (*MIL*, *POL*) campaign; (*campo*) countryside.
campar [kam'par] *vi* to camp; (*sobresalir*) to excel, stand out.
campeón, ona [kampe'on, ona] *nm/f* champion; **campeonato** *nm* championship.
campesino, a [kampe'sino, a] *a* country *cpd*, rural // *nm/f* countryman/woman; (*agricultor*) farmer.
campestre [kam'pestre] *a* country *cpd*, rural.
camping ['kampin] *nm* camping; (*lugar*) campsite; **hacer ~** to go camping.
campiña [kam'piɲa] *nf* countryside.
campo ['kampo] *nm* (*fuera de la ciudad*) country, countryside; (*AGR*, *ELEC*) field; (*de fútbol*) ground, pitch; (*de golf*) course; (*de tenis*) court; (*MIL*) camp.
camposanto [kampo'santo] *nm* cemetery.
camuflaje [kamu'flaxe] *nm* camouflage.
Canadá [kana'ða] *nm* Canada; **canadiense** *a*, *nm/f* Canadian // *nf* fur-lined jacket.
canal [ka'nal] *nm* canal; (*GEO*) channel, strait; (*de televisión*) channel; (*de tejado*) gutter; **~izar** *vt* to channel.
canalón [kana'lon] *nm* (*conducto vertical*) drainpipe; (*del tejado*) gutter.
canalla [ka'naʎa] *nf* rabble, mob // *nm* swine, rotter.
canapé [kana'pe] (*pl* **~s**) *nm* sofa, settee; (*CULIN*) canapé.
canario, a [ka'narjo, a] *a*, *nm/f* (native) of the Canary Isles // *nm* canary.
canasta [ka'nasta] *nf* (round) basket; **canasto** *nm* large basket.
cancelación [kanθela'θjon] *nf* cancellation.

cancelar [kanθe'lar] *vt* to cancel; (*una deuda*) to write off.
cáncer ['kanθer] *nm* (*MED*) cancer; **C~** (*ASTRO*) Cancer.
canciller [kanθi'ʎer] *nm* chancellor.
canción [kan'θjon] *nf* song; **~ de cuna** lullaby; **cancionero** *nm* song book.
candado [kan'daðo] *nm* padlock.
candela [kan'dela] *nf* candle.
candelero [kande'lero] *nm* (*para vela*) candlestick; (*de aceite*) oil lamp.
candente [kan'dente] *a* red-hot; (*fig*) burning.
candidato [kandi'ðato] *nm/f* candidate.
candidez [kandi'ðeθ] *nf* (*sencillez*) simplicity; (*simpleza*) naiveté; **cándido, a** *a* simple; naive.
candil [kan'dil] *nm* oil lamp; **~eja** *nf* small oil lamp.
candor [kan'dor] *nm* (*sinceridad*) frankness; (*inocencia*) innocence.
canela [ka'nela] *nf* cinnamon.
canelón [kane'lon] *nm* (*canal*) drainpipe; (*carámbano*) icicle.
cangrejo [kan'grexo] *nm* crab.
canguro [kan'guro] *nm* kangaroo.
caníbal [ka'niβal] *a*, *nm/f* cannibal.
canica [ka'nika] *nf* marble.
canijo, a [ka'nixo, a] *a* frail, sickly.
canino, a [ka'nino, a] *a* canine // *nm* canine (tooth).
canjear [kanxe'ar] *vt* to exchange.
cano, a ['kano, a] *a* grey-haired, white-haired.
canoa [ka'noa] *nf* canoe.
canon ['kanon] *nm* canon; (*pensión*) rent; (*COM*) tax.
canónigo [ka'nonixo] *nm* canon.
canonizar [kanoni'θar] *vt* to canonize.
canoro, a [ka'noro, a] *a* melodious.
cansado, a [kan'saðo, a] *a* tired, weary; (*tedioso*) tedious, boring.
cansancio [kan'sanθjo] *nm* tiredness, fatigue.
cansar [kan'sar] *vt* (*fatigar*) to tire, tire out, weary; (*aburrir*) to bore; (*fastidiar*) to bother; **~se** *vr* to tire, get tired; (*aburrirse*) to get bored.
cantante [kan'tante] *a* singing // *nm/f* singer.
cantar [kan'tar] *vt* to sing // *vi* (*gen*) to sing; (*insecto*) to chirp; (*rechinar*) to squeak // *nm* (*acción*) singing; (*canción*) song; (*poema*) poem.
cántara ['kantara] *nf* large pitcher.
cántaro ['kantaro] *nm* pitcher, jug.
cantatriz [kanta'triθ] *nf* singer.
cante ['kante] *nm:* ~ **jondo** flamenco singing.
cantera [kan'tera] *nf* quarry.
cantidad [kanti'ðað] *nf* quantity, amount.
cantilena [kanti'lena] *nf* = **cantinela.**
cantimplora [kantim'plora] *nf* (*frasco*) water bottle, canteen; (*sifón*) syphon.
cantina [kan'tina] *nf* canteen; (*de estación*) buffet; (*sótano*) wine cellar.

cantinela [kanti'nela] nf ballad, song.
canto ['kanto] nm (gen) singing; (canción) song; (borde) edge, rim; (de un cuchillo) back; ~ **rodado** boulder.
cantor, a [kan'tor, a] nm/f singer.
canturrear [kanturre'ar], **canturriar** [kantu'rrjar] vi to sing softly.
caña ['kaɲa] nf (BOT: tallo) stem, stalk; (carrizo) reed; (de cerveza) glass; (ANAT: del brazo) long bone; (: de la pierna) shinbone; (MINERÍA) gallery; ~ **de azúcar** sugar cane.
cañada [ka'ɲaða] nf (entre dos montañas) gully, ravine; (camino) cattle track.
caño [ka'ɲo] nm (tubo) tube, pipe; (de aguas servidas) sewer; (MUS) pipe; (NAUT) navigation channel; (de fuente) jet.
cañón [ka'ɲon] nm tube, pipe; (MIL) cannon; (de fusil) barrel; (GEO) canyon, gorge.
cañonero [kaɲo'nero] nm gunboat.
caoba [ka'oβa] nf mahogany.
caos ['kaos] nm chaos.
cap. abr de **capítulo.**
capa ['kapa] nf (de) cloak, cape; (GEO) layer, stratum; (pretexto) pretence.
capacidad [kapaθi'ðað] nf (medida) capacity; (aptitud) capacity, ability.
capacitación [kapaθita'θjon] nf training.
capar [ka'par] vt to castrate, geld.
caparazón [kapara'θon] nm shell.
capataz [kapa'taθ] nm foreman.
capaz [ka'paθ] a able, capable; (amplio) capacious, roomy.
capcioso, a [kap'θjoso, a] a wily, deceitful.
capellán [kape'ʎan] nm chaplain; (sacerdote) priest.
caperuza [kape'ruθa] nf hood; **caperucita** nf: **Caperucita Roja** Little Red Riding Hood.
capilla [ka'piʎa] nf chapel; (capucha) hood, cowl.
capital [kapi'tal] a capital // nm (COM) capital // nf capital; ~ **social** share capital.
capitalismo [kapita'lismo] nm capitalism; **capitalista** a, nm/f capitalist.
capitalizar [kapitali'θar] vt to capitalize.
capitán [kapi'tan] nm captain.
capitana [kapi'tana] nf flagship.
capitanear [kapitane'ar] vt to captain.
capitolio [kapi'toljo] nm capitol.
capitoné [kapito'ne] nm removal van.
capitulación [kapitula'θjon] nf (rendición) capitulation, surrender; (acuerdo) agreement, pact.
capitular [kapitu'lar] vi to come to terms, make an agreement // a chapter cpd.
capítulo [ka'pitulo] nm chapter; ~s nmpl: ~s **matrimoniales** marriage contract sg.
capó [ka'po] nm bonnet.
caporal [kapo'ral] nm chief, leader.
capota [ka'pota] nf (de mujer) bonnet; (de coche) hood, roof.
capote [ka'pote] nm (abrigo, de militar)

greatcoat; (de torero) cloak; (NAIPES) slam.
Capricornio [kapri'kornjo] nm Capricorn.
capricho [ka'pritʃo] nm whim, caprice; ~**so, a** a capricious.
cápsula ['kapsula] nf capsule; (de botella) cap.
captar [kap'tar] vt to win (over).
captura [kap'tura] nf capture; (JUR) arrest; **capturar** vt to capture; to arrest.
capucha [ka'putʃa] nf hood, cowl.
cara ['kara] nf (ANAT) face; (aspecto) appearance; (de moneda) face; (de disco) side; (fig) boldness; ~ **a** ad facing; **de** ~ opposite, facing; **dar la** ~ to face the consequences; ¿~ **o cruz?** heads or tails?
carabina [kara'βina] nf carbine, rifle.
caracol [kara'kol] nm (ZOOL) snail; (concha) shell.
caracolear [karakole'ar] vi to prance about.
carácter [ka'rakter] (pl **caracteres**) nm character.
característico, a [karakte'ristiko, a] a characteristic // nf characteristic.
caracterizar [karakteri'θar] vt (distinguir) to characterize, typify; (honrar) to confer (a) distinction on.
caramba [ka'ramba] excl well!, good gracious!
carámbano [ka'rambano] nm icicle.
caramelo [kara'melo] nm (dulce) sweet; (dulce de ~) toffee; (azúcar fundida) caramel.
caramillo [kara'miʎo] nm (flauta) recorder; (montón) untidy heap; (chisme, enredo) bit of gossip.
carapacho [kara'patʃo] nm shell, carapace.
caraqueño, a [kara'keɲo, a] a, nm/f (native) of Caracas.
carátula [ka'ratula] nf (careta, máscara) mask; (TEATRO): **la** ~ the stage.
caravana [kara'βana] nf caravan; (fig) group; (sucesión de autos) stream; (embotellamiento) traffic jam.
carbón [kar'βon] nm coal; **papel** ~ carbon paper; **carbonero** nm/f coal merchant; **carbonilla** nf coal dust.
carbonizar [karβoni'θar] vt to carbonize; (quemar) to char.
carbono [kar'βono] nm carbon.
carburador [karβura'ðor] nm carburettor.
carcajada [karka'xaða] nf (loud) laugh, guffaw.
cárcel ['karθel] nf prison, jail; (TEC) clamp; **carcelero, a** a prison cpd // nm/f warder.
carcomer [karko'mer] vt to bore into, eat into; (fig) to undermine; ~**se** vr to become worm-eaten; (fig) to decay.
carcomido, a [karko'miðo, a] a worm-eaten; (fig) rotten.
cardenal [karðe'nal] nm (REL) cardinal; (equimosis) bruise.
cárdeno, a ['karðeno, a] a purple; (lívido) livid.

cardíaco, a [kar'ðiako, a] *a* cardiac, heart *cpd.*

cardinal [karði'nal] *a* cardinal.

cardo ['karðo] *nm* thistle.

cardumen [kar'ðumen] *nm* shoal.

carear [kare'ar] *vt* to bring face to face; (*comparar*) to compare; ~se *vr* to come face to face, meet.

carecer [kare'θer] *vi*: ~ **de** to lack, be in need of.

carencia [ka'renθja] *nf* lack; (*escasez*) shortage; (*MED*) deficiency.

carente [ka'rente] *a*: ~ **de** lacking, devoid of.

carestía [kares'tia] *nf* (*escasez*) scarcity, shortage; (*COM*) high cost.

careta [ka'reta] *nf* mask.

carga ['karɣa] *nf* (*peso, ELEC*) load; (*de barco*) cargo, freight; (*MIL*) charge; (*obligación, responsabilidad*) duty, obligation.

cargadero [karɣa'ðero] *nm* goods platform, loading bay.

cargado, a [kar'ɣaðo, a] *a* loaded; (*ELEC*) live; (*café, te*) strong; (*el cielo*) overcast.

cargamento [karɣa'mento] *nm* (*acción*) loading; (*mercancías*) load, cargo.

cargar [kar'ɣar] *vt* (*barco, arma*) to load; (*ELEC*) to charge; (*COM: algo en cuenta*) to charge, debit; (*MIL: enemigo*) to charge // *vi* to load (up); (*inclinarse*) to lean; ~ **con** to pick up, carry away.

cargo ['karɣo] *nm* (*puesto*) post, office; (*responsabilidad*) duty, obligation; (*fig*) weight, burden; (*JUR*) charge; **hacerse ~ del gobierno** to take charge of the government.

carguero [kar'ɣero] *nm* freighter, cargo boat; (*avión*) freight plane.

caribe [ka'riße] *a, nm/f* (native) of the Caribbean.

Caribe [ka'riße] *nm*: **el** ~ the Caribbean.

caricatura [karika'tura] *nf* caricature.

caricia [ka'riθja] *nf* caress.

caridad [kari'ðað] *nf* charity.

cariño [ka'riɲo] *nm* affection, love; (*caricia*) caress; (*en carta*) love...; ~**so, a** *a* affectionate.

caritativo, a [karita'tißo, a] *a* charitable.

carmesí [karme'si] *a, nm* crimson.

carnal [kar'nal] *a* carnal; **primo** ~ first cousin.

carnaval [karna'ßal] *nm* carnival.

carne ['karne] *nf* flesh; (*CULIN*) meat; **echar** ~**s** to put on weight.

carnero [kar'nero] *nm* sheep, ram; (*carne*) mutton.

carnet [kar'ne] *nm*: ~ **de conducir** driving licence.

carnicería [karniθe'ria] *nf* butcher's (shop); (*mercado*) meat market.

carnicero, a [karni'θero, a] *a* carnivorous // *nm/f* butcher // *nm* carnivore.

carnívoro, a [kar'nißoro, a] *a* carnivorous.

carnoso, a [kar'noso, a] *a* beefy, fat.

caro, a ['karo, a] *a* dear; (*COM*) dear, expensive // *ad* dear, dearly.

carpeta [kar'peta] *nf* table cover; (*para documentos*) folder, file.

carpintería [karpinte'ria] *nf* carpentry, joinery; **carpintero** *nm* carpenter.

carraspera [karras'pera] *nf* hoarseness.

carrera [ka'rrera] *nf* (*DEPORTE*) running; (*espacio recorrido*) run; (*certamen*) race; (*trayecto*) course; (*profesión*) career; (*ESCOL*) course.

carreta [ka'rreta] *nf* wagon, cart.

carrete [ka'rrete] *nm* reel, spool; (*TEC*) coil.

carretel [karre'tel] *nm* reel, spool.

carretera [karre'tera] *nf* (main) road, highway.

carretilla [karre'tiʎa] *nf* trolley; (*AGR*) (wheel)barrow.

carril [ka'rril] *nm* furrow; (*de autopista*) lane; (*FERRO*) rail.

carrillo [ka'rriʎo] *nm* (*ANAT*) cheek; (*TEC*) pulley.

carrizo [ka'rriθo] *nm* reed.

carro ['karro] *nm* cart, wagon; (*MIL*) tank; (*AM: coche*) car.

carrocería [karroθe'ria] *nf* bodywork, coachwork.

carta ['karta] *nf* letter; (*CULIN*) menu; (*naipe*) card; (*mapa*) map; (*JUR*) document; ~ **de crédito** credit card; ~ **certificada** registered letter.

cartel [kar'tel] *nm* (*anuncio*) poster, placard; (*alfabeto*) wall chart; (*COM*) cartel.

cartera [kar'tera] *nf* (*de bolsillo*) wallet; (*de colegial, cobrador*) satchel; (*de señora*) handbag; (*para documentos*) briefcase; (*COM, POL*) portfolio.

cartero [kar'tero] *nm* postman.

cartón [kar'ton] *nm* cardboard; (*ARTE*) cartoon.

cartucho [kar'tutʃo] *nm* (*MIL*) cartridge.

casa ['kasa] *nf* house; (*hogar*) home; (*edificio*) building; (*COM*) firm, company; (*de tablero de ajedrez*) square; ~ **consistorial** town hall; ~ **de huéspedes** boarding house; ~ **de socorro** first aid post; ~ **editorial** publishing house.

casamiento [kasa'mjento] *nm* marriage, wedding.

casar [ka'sar] *vt* to marry; (*JUR*) to quash, annul // *nm* hamlet; ~**se** *vr* to marry, get married.

cascada [kas'kaða] *nf* waterfall.

cascar [kas'kar] *vt*, ~**se** *vr* to crack, split, break (open).

cáscara ['kaskara] *nf* (*de huevo, fruta seca*) shell; (*de fruta*) skin; (*de limón*) peel.

casco ['kasko] *nm* (*de bombero, soldado*) helmet; (*cráneo*) skull; (*de botella, obús*) fragment; (*BOT: de cebolla*) skin; (*tonel*) cask, barrel; (*NAUT: de barco*) hull; (*ZOOL: de caballo*) hoof; (*botella*) empty bottle.

caserío [kase'rio] *nm* hamlet; (*casa*) country house.

casero, a [ka'sero, a] *a* domestic, household *cpd* // *nm/f* (*propietario*) landlord/lady; (*portero*) caretaker; (*COM*) house agent.

caseta [ka'seta] *nf* hut; (*para bañista*) cubicle; (*de feriantes*) stall.

casi ['kasi] *ad* almost; ~ **te caes** you almost fell.

casilla [ka'siʎa] *nf* (*casita*) hut, cabin; (*TEATRO*) box office; (*de ajedrez*) square.

casino [ka'sino] *nm* club.

caso ['kaso] *nm* case; **en** ~ **de...** in case of...; **el** ~ **es que** the fact is that; **hacer** ~ **a** to pay attention to; **hacer** *o* **venir al** ~ to be relevant.

caspa ['kaspa] *nf* dandruff.

cassette [ka'set] *nf* cassette.

casta ['kasta] *nf* caste; (*raza*) breed; (*linaje*) lineage.

castaña [kas'taɲa] *nf* chestnut.

castaño, a [kas'taɲo, a] *a* chestnut-brown // *nm* chestnut tree.

castañuela [kasta'ɲwela] *nf* castanet.

castellano, a [kaste'ʎano, a] *a* Castilian // *nm* (*lengua*) Castilian, Spanish.

castidad [kasti'ðað] *nf* chastity, purity.

castigar [kasti'xar] *vt* to punish; (*DEPORTE*) to penalize; (*afligir*) to afflict; **castigo** *nm* punishment; (*DEPORTE*) penalty.

castillo [kas'tiʎo] *nm* castle.

castizo, a [kas'tiθo, a] *a* (*LING*) pure; (*de buena casta*) purebred, pedigree.

casto, a ['kasto, a] *a* chaste, pure.

castor [kas'tor] *nm* beaver.

castrar [kas'trar] *vt* to castrate.

casual [ka'swal] *a* fortuitous, accidental; ~**idad** *nf* chance, accident; (*combinación de circunstancias*) coincidence.

cataclismo [kata'klismo] *nm* cataclysm.

catalán, ana [kata'lan, ana] *a, nm/f* Catalan, Catalonian.

catalizador [kataliθa'ðor] *nm* catalyst.

catálogo [ka'taloxo] *nm* catalogue.

Cataluña [kata'luɲa] *nf* Catalonia.

cataplasma [kata'plasma] *nf* poultice.

catar [ka'tar] *vt* to taste, sample.

catarata [kata'rata] *nf* (*GEO*) waterfall, falls *pl*; (*MED*) cataract.

catarro [ka'tarro] *nm* catarrh; (*constipado*) cold.

catástrofe [ka'tastrofe] *nf* catastrophe.

catedral [kate'ðral] *nf* cathedral.

catedrático, a [kate'ðratiko, a] *nm/f* professor.

categoría [katexo'ria] *nf* category; (*rango*) rank, standing; (*calidad*) quality.

categórico, a [kate'xoriko, a] *a* categorical.

catolicismo [katoli'θismo] *nm* Catholicism.

católico, a [ka'toliko, a] *a, nm/f* Catholic.

catorce [ka'torθe] *num* fourteen.

caución [kau'θjon] *nf* bail; **caucionar** *vt* to prevent, guard against; (*JUR*) to bail, go bail for.

caucho ['kautʃo] *nm* rubber.

caudal [kau'ðal] *nm* (*de río*) volume, flow;

(*fortuna*) wealth; (*abundancia*) abundance; ~**oso, a** *a* (*río*) large; (*aguas*) copious; (*persona*) wealthy, rich.

caudillo [kau'ðiʎo] *nm* leader, chief.

causa ['kausa] *nf* cause; (*razón*) reason; (*JUR*) lawsuit, case; **causar** *vt* to cause.

cáustico, a ['kaustiko, a] *a* caustic.

cautela [kau'tela] *nf* caution, cautiousness; **cauteloso, a** *a* cautious, wary, careful.

cautivar [kauti'ßar] *vt* to capture; (*fig*) to captivate.

cautiverio [kauti'ßerjo] *nm*, **cautividad** [kautißi'ðað] *nf* captivity.

cautivo, a [kau'tißo, a] *a, nm/f* captive.

cauto, a ['kauto, a] *a* cautious, careful.

cavar [ka'ßar] *vt* to dig.

caverna [ka'ßerna] *nf* cave, cavern.

cavidad [kaßi'ðað] *nf* cavity.

cavilar [kaßi'lar] *vt* to ponder.

cayado [ka'jaðo] *nm* (*de pastor*) staff, crook; (*de obispo*) crozier.

cayó *etc vb ver* **caer.**

caza ['kaθa] *nf* (*gen*) hunting, shooting; (*una* ~) hunt, chase; (*animales*) game // *nm* (*AVIAT*) fighter.

cazador [kaθa'ðor] *nm* hunter.

cazar [ka'θar] *vt* to hunt; (*perseguir*) to chase; (*coger*) to catch.

cazo ['kaθo] *nm* saucepan.

cazuela [ka'θwela] *nf* pan; (*guisado*) casserole.

cebada [θe'ßaða] *nf* barley.

cebar [θe'ßar] *vt* (*animal*) to fatten (up); (*anzuelo*) to bait; (*MIL, TEC*) to prime; (*pasión*) to nourish; (*ira*) to inflame.

cebo ['θeßo] *nm* (*para animales*) feed, food; (*para peces, fig*) bait; (*de arma*) charge.

cebolla [θe'ßoʎa] *nf* onion.

cebra ['θeßra] *nf* zebra.

cecear [θeθe'ar] *vi* to lisp; **ceceo** *nm* lisp.

cedazo [θe'ðaθo] *nm* sieve.

ceder [θe'ðer] *vt* to hand over, give up, part with // *vi* (*renunciar*) to give in, yield; (*disminuir*) to diminish, decline; (*romperse*) to give way.

cedro ['θeðro] *nm* cedar.

cédula ['θeðula] *nf* certificate, document; ~ **de aduana** customs permit.

C.E.E. *nf abr de* **Comunidad Económica Europea** E.E.C. (European Economic Community).

cegar [θe'xar] *vt* to blind; (*fig: pozo*) to block up, fill up // *vi* to go blind; ~**se** *vr* to be blinded (*de* by).

ceguedad [θexe'ðað], **ceguera** [θe'xera] *nf* blindness.

ceja ['θexa] *nf* eyebrow.

cejar [θe'xar] *vi* to move back, go back; (*fig*) to back down.

cejijunto, a [θexi'xunto, a] *a* with bushy eyebrows; (*fig*) scowling.

celada [θe'laða] *nf* ambush, trap.

celador, a [θela'ðor, a] *nm/f* (*de edificio*) watchman; (*de museo etc*) attendant.

celar [θe'lar] *vt* (*vigilar*) to watch over; (*encubrir*) to conceal, hide.

celda ['θelda] nf cell.

celebración [θeleßra'θjon] nf celebration.

celebrar [θele'ßrar] vt to celebrate; (alabar) to praise // vi to be glad; ~se vr to occur, take place.

célebre ['θelebre] a famous; (chistoso) witty, funny.

celebridad [θeleßri'ðaθ] nf (gen) fame; (persona) celebrity; (festividad) celebration(s) (pl).

celeste [θe'leste] a celestial, heavenly.

celestial [θeles'tjal] a celestial, heavenly.

celibato [θeli'ßato] nm celibacy.

célibe ['θeliße] a celibate // nm/f unmarried person.

celo ['θelo] nm zeal; (REL) fervour; (pey) envy; (de animales) rut, heat; ~s nmpl jealousy sg.

celofán [θelo'fan] nm cellophane.

celoso, a [θe'loso, a] a (envidioso) jealous; (trabajo) zealous; (desconfiado) suspicious.

celta ['θelta] nm/f Celt.

célula ['θelula] nf cell.

cementar [θemen'tar] vt to cement.

cementerio [θemen'terjo] nm cemetery, graveyard.

cemento [θe'mento] nm cement; (hormigón) concrete.

cena ['θena] nf evening meal.

cenagal [θena'xal] nm bog, quagmire.

cenar [θe'nar] vt to have for supper // vi to dine.

cenicero [θeni'θero] nm ashtray.

cenit [θe'nit] nm zenith.

ceniza [θe'niθa] nf ash, ashes pl.

censo ['θenso] nm (empadronamiento) census; (JUR) tax; (renta) rent; (carga sobre una casa) mortgage.

censor [θen'sor] nm censor.

censura [θen'sura] nf (POL) censorship; (moral) censure, criticism.

censurar [θensu'rar] vt (idea) to censure; (cortar: película) to censor.

centella [θen'teλa] nf spark.

centellar [θente'λar], **centellear** [θenteλe'ar] vi (metal) to gleam; (estrella) to twinkle; (fig) to sparkle; **centelleo** nm gleam(ing); twinkling; sparkling.

centenar [θente'nar] nm hundred.

centenario, a [θente'narjo, a] a centenary.

centésimo, a [θen'tesimo, a] a hundredth.

centígrado, a [θen'tixraðo, a] a centigrade.

centímetro [θen'timetro] nm centimetre.

céntimo, a ['θentimo, a] a hundredth // nm cent.

centinela [θenti'nela] nm sentry, guard.

central [θen'tral] a central // nf head office; (TEC) plant; (TELEC) exchange.

centralización [θentraliθa'θjon] nf centralization.

centralizar [θentrali'θar] vt to centralize.

centrar [θen'trar] vt to centre.

céntrico, a ['θentriko, a] a centre.

centro ['θentro] nm centre.

centroamericano, a [θentroameri'kano, a] a, nm/f Central American.

ceñidor [θeɲi'ðor] nm sash.

ceñir [θe'ɲir] vt (rodear) to encircle, surround; (ajustar) to fit (tightly); (apretar) to tighten.

ceño ['θeɲo] nm frown, scowl; **fruncir el** ~ to frown, knit one's brow.

cepillar [θepi'λar] vt to brush; (madera) to plane (down); **cepillo** nm (gen) brush; (TEC) plane.

cera ['θera] nf wax.

cerámico, a [θe'ramiko, a] a ceramic // nf ceramics sg.

cerca ['θerka] nf fence // ad near, nearby, close; ~s nmpl foreground sg; ~ de prep near, close to.

cercanía [θerka'nia] nf nearness, closeness; ~s nfpl outskirts.

cercano, a [θer'kano, a] a close, near.

cercar [θer'kar] vt to fence in; (rodear) to surround.

cerciorar [θerθjo'rar] vt (informar) to inform; (asegurar) to assure; ~se vr (descubrir) to find out; (asegurarse) to make sure.

cerco ['θerko] nm (AGR) enclosure; (AM) fence; (MIL) siege.

cerdo ['θerðo] nm pig.

cereal [θere'al] nm cereal.

cerebro [θe'reßro] nm brain; (fig) brains pl.

ceremonia [θere'monja] nf ceremony; **ceremonial** a, nm ceremonial; **ceremonioso, a** a ceremonious; (cumplido) formal.

cereza [θe'reθa] nf cherry.

cerilla [θe'riλa] nf (fósforo) match.

cerner [θer'ner] vt to sift, sieve; (fig) to scan, watch // vi to blossom; (lloviznar) to drizzle; ~se vr to hover.

cernidor [θerni'ðor] nm sieve.

cero ['θero] nm nothing, zero.

cerrado, a [θe'rraðo, a] a closed, shut; (con llave) locked; (tiempo) cloudy, overcast; (curva) sharp; (acento) thick, broad.

cerradura [θerra'ðura] nf (acción) closing; (mecanismo) lock.

cerraja [θe'rraxa] nf lock.

cerrar [θe'rrar] vt to close, shut; (paso, carretera) to close; (grifo) to turn off; (trato, cuenta, negocio) to close; ~ **con llave** to lock // vi to close, shut; (la noche) to come down; ~se vr to close, shut.

cerro ['θerro] nm hill.

cerrojo [θe'rroxo] nm (herramienta) bolt; (de puerta) latch.

certamen [θer'tamen] nm competition, contest.

certero, a [θer'te͡ɔ, a] a accurate; (cierto) sure, certain.

certeza [θer'teθa], **certidumbre** [θerti-'ðumbre] nf certainty.

certificado [θertifi'kaðo] nm certificate.

certificar [θertifi'kar] vt (asegurar,

atestar) to certify; (carta) to register.
cervato [θer'ßato] nm fawn.
cervecería [θerßeθe'ria] nf (fábrica) brewery; (tienda) public house.
cerveza [θer'ßeθa] nf beer.
cesación [θesa'θjon] nf cessation; (suspensión) suspension.
cesante [θe'sante] a out of a job.
cesar [θe'sar] vi to cease, stop.
cese ['θese] nm (de trabajo) dismissal; (de pago) suspension.
césped ['θespeð] nm grass, lawn.
cesta ['θesta] nf basket; **cesto** nm (large) basket, hamper.
ch... ver bajo la letra CH, después de C.
Cía abr de **compañía.**
cianuro [θja'nuro] nm cyanide.
ciar [θjar] vi to go backwards.
cicatriz [θika'triθ] nf scar.
ciclismo [θi'klismo] nm cycling.
ciclo ['θiklo] nm cycle.
ciclón [θi'klon] nm cyclone.
ciego, a ['θjexo, a] a blind // nm/f blind man/woman.
cielo ['θjelo] nm sky; (REL) heaven; ¡~s! good heavens!
ciempiés [θjem'pjes] nm centipede.
cien [θjen] num ver **ciento.**
ciénaga [θjenaxa] nf marsh, swamp.
ciencia ['θjenθja] nf science; **~-ficción** nf science fiction.
cieno ['θjeno] nm mud, mire.
científico, a [θjen'tifiko, a] a scientific // nm/f scientist.
ciento ['θjento], **cien** num hundred; **pagar al 10 por ~** to pay at 10 per cent.
cierne ['θjerne] nm: **en ~** in blossom.
cierre ['θjerre] nm closing, shutting; (con llave) locking; **~ a cremallera** zip fastener.
cierro etc vb ver **cerrar.**
cierto, a ['θjerto, a] a sure, certain; (un tal) a certain; (correcto) right, correct; **~ hombre** a certain man; **sí, es ~** yes, that's correct.
ciervo ['θjerßo] nm (especie) deer; (macho) stag.
cierzo ['θjerθo] nm north wind.
cifra ['θifra] nf number, numeral; (cantidad) number, quantity; (secreta) code; (siglas) abbreviation.
cifrar [θi'frar] vt to code, write in code; (resumir) to abridge.
cigarra [θi'xarra] nf cicada.
cigarrera [θixa'rrera] nf cigar case.
cigarrillo [θixa'rriλo] nm cigarette.
cigarro [θi'xarro] nm cigarette; (puro) cigar.
cigüeña [θi'xweɲa] nf stork.
cilíndrico, a [θi'lindriko, a] a cylindrical.
cilindro [θi'lindro] nm cylinder; (rodillo) roller.
cima ['θima] nf (de montaña) top, peak; (de árbol) top; (fig) summit, height.
címbalo ['θimbalo] nm cymbal.
cimbrar [θim'brar], **cimbrear** [θimbre-

'ar] vt to brandish; **~se** vr (al viento) to sway.
cimentar [θimen'tar] vt to lay the foundations of.
cimiento [θi'mjento] nm foundation.
cinc [θink] nm zinc.
cincel [θin'θel] nm chisel; **~ar** vt to chisel.
cinco ['θinko] num five.
cincuenta [θin'kwenta] num fifty.
cincho ['θintʃo] nm sash, belt.
cine ['θine] nm cinema.
cinematográfico, a [θinemato'xrafiko, a] a cine-, film cpd.
cínico, a ['θiniko, a] a cynical // nm/f cynic.
cinismo [θi'nismo] nm cynicism.
cinta ['θinta] nf band, strip; (de seda, lana, algodón) ribbon, tape; (película) reel; (de máquina de escribir) ribbon; (métrica) tape measure; (magnetofónica) tape; (adhesiva) adhesive tape.
cinto ['θinto] nm belt, girdle.
cintura [θin'tura] nf waist.
cinturón [θintu'ron] nm belt; **~ de seguridad** safety belt.
ciprés [θi'pres] nm cypress (tree).
circo ['θirko] nm circus.
circuito [θir'kwito] nm circuit.
circulación [θirkula'θjon] nf circulation; (AUTO) traffic.
circular [θirku'lar] a, nf circular // vi, vt to circulate.
círculo ['θirkulo] nm circle.
circuncidar [θirkunθi'dar] vt to circumcise; **circuncisión** nf circumcision; **circunciso, a** pp de **circuncidar** // a circumcised.
circundar [θirkun'dar] vt to surround.
circunferencia [θirkunfe'renθja] nf circumference.
circunlocución [θirkunloku'θjon] nf, **circunloquio** [θirkun'lokjo] nm circumlocution.
circunscribir [θirkunskri'ßir] vt to circumscribe; **~se** vr to be limited.
circunscripción [θirkunskrip'θjon] nf division; (POL) constituency.
circunspección [θirkunspek'θjon] nf circumspection.
circunspecto, a [θirkuns'pekto, a] a circumspect, cautious.
circunstancia [θirkuns'tanθja] nf circumstance.
circunstante [θirkuns'tante] nm/f onlooker, bystander.
cirio ['θirjo] nm (wax) candle.
ciruela [θi'rwela] nf plum; **~ pasa** prune.
cirugía [θiru'xia] nf surgery; **~ estética** plastic surgery.
cirujano [θiru'xano] nm surgeon.
cisne ['θisne] nm swan.
cisterna [θis'terna] nf cistern.
cita ['θita] nf appointment, engagement; (de novios) date; (referencia) quotation.
citación [θita'θjon] nf (JUR) summons sg; (referencia) quotation.

citar [θi'tar] vt (gen) to make an appointment with; (JUR) to summons; (un autor, texto) to quote.

citrón [θi'tron] nm lemon.

ciudad [θju'ðað] nf town; (capital de país etc) city; ~ano, a nm/f citizen; ~ela nf citadel, fortress.

cívico, a ['θiβiko, a] a civic.

civil [θi'βil] a civil // nm (guardia) policeman; ~idad nf civility, courtesy.

civilización [θiβiliθa'θjon] nf civilization.

civilizar [θiβili'θar] vt to civilize.

civismo [θi'βismo] nm public spirit.

cizaña [θi'θaɲa] nf discord.

clamar [kla'mar] vt to clamour for // vi to cry out, clamour.

clamor [kla'mor] nm (grito) cry, shout; (gemido) whine; (de campana) knell; (fig) clamour, protest.

clamorear [klamore'ar] vt to clamour for // vi (campana) to toll; **clamoreo** nm clamour(ing).

clandestino, a [klandes'tino, a] a clandestine; (POL) underground.

clara ['klara] nf (de huevo) white of an egg; (del día) bright interval.

claraboya [klara'βoja] nf skylight.

clarear [klare'ar] vi (el día) to dawn; (el cielo) to clear up, brighten up; ~se vr to be transparent.

claridad [klari'ðað] nf (del día) brightness; (de estilo) clarity.

clarificar [klarifi'kar] vt to clarify.

clarín [kla'rin] nm bugle.

clarinete [klari'nete] nm clarinet.

clarividencia [klariβi'ðenθja] nf clairvoyance; (fig) far-sightedness.

claro, a ['klaro, a] a (gen) clear; (luminoso) bright; (poco subido) light; (evidente) clear, evident; (ralo) sparse; (poco espeso) thin // nm (en escritura) space; (en bosque) clearing // ad clearly // excl of course!

clase ['klase] nf class; ~ alta/media/obrera upper/middle/ working class.

clásico, a ['klasiko, a] a classical; (fig) classic.

clasificación [klasifika'θjon] nf classification; (DEPORTE) league.

clasificar [klasifi'kar] vt to classify.

claudicar [klauði'kar] vi to limp; (fig) to back down.

claustro ['klaustro] nm cloister.

cláusula ['klausula] nf clause.

clausura [klau'sura] nf closing, closure.

clavar [kla'βar] vt (clavo) to knock in, drive in; (cuchillo, tenedor) to stick, thrust; (mirada) to fix.

clave ['klaβe] nf key; (MUS) clef.

clavel [kla'βel] nm carnation.

clavícula [kla'βikula] nf collar bone.

clavija [kla'βixa] nf peg, dowel, pin; (ELEC) plug.

clavo ['klaβo] nm (de metal) nail; (BOT) clove; (callo) corn.

claxon ['klakson] nm horn.

clemencia [kle'menθja] nf mercy, clemency; **clemente** a merciful, clement.

cleptómano, a [klep'tomano, a] nm/f kleptomaniac.

clerical [kleri'kal] a clerical // nm clergyman.

clérigo ['kleriɣo] nm clergyman.

clero ['klero] nm clergy.

cliente ['kljente] nm/f client, customer.

clientela [kljen'tela] nf clientele, customers pl.

clima ['klima] nm climate.

clínica ['klinika] nf clinic; (particular) private hospital.

clip [klip] nm paper clip.

clorhídrico, a [klo'ridriko, a] a hydrochloric.

cloroformo [kloro'formo] nm chloroform.

club [klub] (pl ~s o ~es) nm club.

C.N.T. abr de **Confederación Nacional de Trabajo.**

coacción [koak'θjon] nf coercion, compulsion.

coalición [koali'θjon] nf coalition.

coartar [koar'tar] vt to limit, restrict.

cobarde [ko'βarðe] a cowardly // nm coward; **cobardía** nf cowardice.

cobertizo [koβer'tiθo] nm shelter.

cobertor [koβer'tor] nm bedspread.

cobertura [koβer'tura] nf cover.

cobija [ko'βixa] nf roof; **cobijar** vt (cubrir) to cover; (abrigar) to shelter.

cobra ['koβra] nf cobra.

cobrador [koβra'ðor] nm (de autobús) conductor; (de impuestos, gas) collector.

cobrar [ko'βrar] vt (cheque) to cash; (sueldo) to collect, draw; (objeto) to recover; (precio) to charge; (deuda) to collect // vi to draw one's pay; ~se vr to recover, get well; **cóbrese al entregar** cash on delivery (COD).

cobre ['koβre] nm copper; ~s nmpl brass instruments.

cobro ['koβro] nm recovery; (paga) payment.

cocaína [koka'ina] nf cocaine.

cocción [kok'θjon] nf cooking.

cocear [koθe'ar] vi to kick.

cocer [ko'θer] vt, vi to cook; (en agua) to boil; (en horno) to bake; ~se vr to suffer intensely.

cocido [ko'θiðo] nm stew.

cocina [ko'θina] nf kitchen; (aparato) cooker, stove; (acto) cookery; **cocinar** vt, vi to cook.

cocinero, a [koθi'nero, a] nm/f cook.

coco ['koko] nm (árbol) coconut palm; (fruto) coconut.

cocodrilo [koko'ðrilo] nm crocodile.

coche ['kotʃe] nm car, motorcar; (de tren, de caballos) coach, carriage; (fúnebre) hearse; (para niños) pram; ~ celular Black Maria, prison van.

coche-cama [kotʃekama] (pl coches-camas) nm sleeping car, sleeper.

cochera [ko'tʃera] nf garage.
cochero [ko'tʃero] nm coachman.
cochino, a [ko'tʃino, a] a filthy, dirty // nm pig.
codazo [ko'ðaθo] nm jab, poke (with the elbow).
codear [koðe'ar] vi to elbow, jostle; ~se vr: ~se con to rub shoulders with.
códice ['koðiθe] nm manuscript, codex.
codicia [ko'ðiθja] nf greed; (fig) lust; **codiciar** vt to covet; **codicioso, a** a covetous.
código ['koðixo] nm code; ~ **civil** common law.
codillo [ko'ðiʎo] nm (ZOOL) knee; (TEC) elbow (joint).
codo ['koðo] nm (ANAT, de tubo) elbow; (ZOOL) knee.
codorniz [koðor'niθ] nf quail.
coerción [koer'θjon] nf coercion.
coetáneo, a [koe'taneo, a] a contemporary.
coexistencia [koeksis'tenθja] nf coexistence; **coexistir** vi to coexist.
cofradía [kofra'ðia] nf brotherhood, fraternity.
cofre ['kofre] nm chest.
coger [ko'xer] vt (gen) to take (hold of); (objeto caído) to pick up; (frutas) to pick, harvest; (resfriado, ladrón, pelota) to catch // vi: ~ **por el buen camino** to take the right road; ~se vr to catch; (robar) to steal.
cogida [ko'xiða] nf gathering, harvesting; (de peces) catch.
cogote [ko'xote] nm back or nape of the neck.
cohabitar [koaβi'tar] vi to live together, cohabit.
cohechar [koe'tʃar] vt to bribe; **cohecho** nm (acción) bribery; (soborno) bribe.
coherente [koe'rente] a coherent.
cohesión [koe'sjon] nm cohesion.
cohete [ko'ete] nm rocket.
cohibición [koiβi'θjon] nf restraint, restriction.
cohibir [koi'ßir] vt to restrain, restrict.
coincidencia [koinθi'ðenθja] nf coincidence; (acuerdo) agreement.
coincidir [koinθi'ðir] vi (en idea) to coincide, agree; (en lugar) to coincide.
coito ['koito] nm intercourse, coitus.
cojear [koxe'ar] vi (persona) to limp, hobble; (mueble) to wobble, rock.
cojera [ko'xera] nf lameness; (andar cojo) limp.
cojín [ko'xin] nm cushion; **cojinete** nm small cushion, pad; (TEC) ball bearing.
cojo, a [ˈkoxo, a] a (que no puede andar) lame; (manco) crippled; (mueble) shaky // nm/f lame person; cripple.
col [kol] nf cabbage; ~ **de Bruselas** Brussels sprouts.
cola ['kola] nf (gen) tail; (de gente) queue; (lugar) end, last place; (para pegar) glue, gum; **hacer la** ~ to queue (up).

colaborador, a [kolaβora'ðor, a] nm/f collaborator.
colaborar [kolaßo'rar] vi to collaborate.
coladera [kola'ðera] nf strainer.
coladura [kola'ðura] nf (filtración) straining; (residuo) grounds pl, dregs pl.
colapso [ko'lapso] nm collapse; ~ **nervioso** nervous breakdown.
colar [ko'lar] vt (líquido) to strain off; (ropa) to bleach; (metal) to cast // vi to ooze, seep (through); ~se vr to slip in or past.
colateral [kolate'ral] nm collateral.
colcha ['koltʃa] nf bedspread.
colchón [kol'tʃon] nm mattress.
colear [kole'ar] vi to wag its tail.
colección [kolek'θjon] nf collection; **coleccionista** nm/f collector.
colecta [ko'lekta] nf collection.
colectar [kolek'tar] vt to collect.
colectivo, a [kolek'tißo, a] a collective, joint.
colector [kolek'tor] nm collector; (sumidero) sewer.
colega [ko'lexa] nm/f colleague.
colegio [ko'lexjo] nm (gen) college; (escuela) (private) school; (de abogados etc) association.
colegir [kole'xir] vt (juntar, reunir) to collect, gather; (deducir) to infer, conclude.
cólera ['kolera] nf (ira) anger; (MED) cholera.
colérico, a [ko'leriko, a] a angry, furious.
coleta [ko'leta] nf pigtail.
colgadero [kolxa'ðero] nm (gancho) hook; (percha) hanger.
colgadura [kolxa'ðura] nf hangings pl, drapery.
colgante [kol'xante] a hanging // nm drop earring.
colgar [kol'xar] vt to hang (up); (ropa) to hang (out); (teléfono) to hang up // vi to hang.
coliflor [koli'flor] nf cauliflower.
colilla [ko'liʎa] nf fag end, butt.
colina [ko'lina] nf hill.
colindante [kolin'dante] a adjacent, neighbouring.
colindar [kolin'dar] vi to adjoin, be adjacent.
colisión [koli'sjon] nf collision; (choque) crash.
colmado, a [kol'maðo, a] a abundant, copious; (cuchara etc) heaped.
colmar [kol'mar] vt to fill to the brim; (fig) to fulfil, realize.
colmena [kol'mena] nf beehive.
colmillo [kol'miʎo] nm (diente) eye tooth; (de elefante) tusk; (de perro) fang.
colmo ['kolmo] nm height, summit.
colocación [koloka'θjon] nf placing; (empleo) job, position; (de mueble) place, position.
colocar [kolo'kar] vt to place, put,

position; (*poner en empleo*) to find a job for.

Colombia [ko'lombja] *nf* Colombia; **colombiano, a** *a*, *nm/f* Colombian.

colon ['kolon] *nm* colon.

colonia [ko'lonja] *nf* colony; (*de casas*) housing estate; (*agua de* ~) cologne.

colonización [koloniθa'θjon] *nf* colonization.

colonizador, a [koloniθa'ðor, a] *a* colonizing // *nm/f* colonist, settler.

colonizar [koloni'θar] *vt* to colonize.

coloquio [ko'lokjo] *nm* conversation; (*congreso*) conference.

color [ko'lor] *nm* colour.

colorado, a [kolo'raðo, a] *a* (*que tiene color*) coloured; (*rojo*) red.

colorar [kolo'rar] *vt* to colour; (*teñir*) to dye.

colorear [kolore'ar] *vt* to colour // *vi* to redden.

colorido [kolo'riðo] *nm* colouring.

colosal [kolo'sal] *a* colossal.

columbrar [kolum'brar] *vt* to glimpse, spy.

columna [ko'lumna] *nf* column; (*pilar*) pillar; (*apoyo*) support.

columpiar [kolum'pjar] *vt*, ~**se** *vr* to swing; **columpio** *nm* swing.

collar [ko'ʎar] *nm* necklace; (*de perro*) collar.

coma ['koma] *nf* comma // *nm* coma.

comadre [ko'maðre] *nf* (*partera*) midwife; (*madrina*) godmother; (*vecina*) neighbour; ~**ar** *vi* to gossip.

comandancia [koman'danθja] *nf* command.

comandante [koman'dante] *nm* commandant.

comandar [koman'dar] *vt* to command.

comarca [ko'marka] *nf* region.

comarcar [komar'kar] *vi*: ~ **con** to border on, be adjacent to.

combar [kom'bar] *vt* to bend, curve.

combate [kom'bate] *nm* fight; (*fig*) battle; **combatiente** *nm* combatant.

combatir [komba'tir] *vt* to fight, combat.

combinación [kombina'θjon] *nf* combination; (*QUÍMICA*) compound; (*bebida*) cocktail; (*plan*) scheme, setup.

combinar [kombi'nar] *vt* to combine.

combustible [kombus'tiβle] *nm* fuel.

combustión [kombus'tjon] *nf* combustion.

comedia [ko'meðja] *nf* comedy; (*TEATRO*) play, drama.

comediante [kome'ðjante] *nm/f* (comic) actor/actress.

comedido, a [kome'ðiðo, a] *a* moderate; (*cortés*) courteous.

comedirse [kome'ðirse] *vr* to behave moderately; (*ser cortés*) to be courteous.

comedor, a [kome'ðor, a] *nm/f* (*persona*) glutton // *nm* (*habitación*) dining room; (*restaurante*) restaurant; (*cantina*) canteen.

comentador, a [komenta'ðor, a] *nm/f* = **comentarista.**

comentar [komen'tar] *vt* to comment on; (*fam*) to discuss.

comentario [komen'tarjo] *nm* comment, remark; (*literario*) commentary; ~**s** *nmpl* gossip *sg.*

comentarista [komenta'rista] *nm/f* commentator.

comento [ko'mento] *nm* = **comentario.**

comenzar [komen'θar] *vt*, *vi* to begin, start, commence.

comer [ko'mer] *vt* (*gen*) to eat; (*DAMAS, AJEDREZ*) to take, capture // *vi* to eat; (*almorzar*) to have lunch; ~**se** *vr* to eat up.

comercial [komer'θjal] *a* commercial; (*relativo al negocio*) business *cpd.*

comerciante [komer'θjante] *nm/f* trader, merchant.

comerciar [komer'θjar] *vi* to trade, do business.

comercio [ko'merθjo] *nm* commerce; (*tráfico*) trade; (*negocio*) business; (*fig*) dealings *pl.*

comestible [komes'tiβle] *a* eatable, edible // *nm* foodstuff.

cometa [ko'meta] *nm* comet // *nf* kite.

cometer [kome'ter] *vt* to commit.

cometido [kome'tiðo] *nm* (*misión*) task, assignment; (*deber*) commitment.

comezón [kome'θon] *nf* itch, itching.

cómico, a ['komiko, a] *a* comic(al) // *nm/f* comedian; (*de teatro*) (comic) actor/actress.

comida [ko'miða] *nf* (*alimento*) food; (*almuerzo, cena*) meal; (*de mediodía*) lunch.

comienzo [ko'mjenθo] *nm* beginning, start.

comillas [ko'miʎas] *nfpl* inverted commas.

comisario [komi'sarjo] *nm* commissary; (*POL*) commissar.

comisión [komi'sjon] *nf* commission.

comité [komi'te] *nm* committee.

como ['komo] *ad* ɛs; (*tal* ~) like; (*aproximadamente*) about, approximately // *conj* (*ya que, puesto que*) as, since; (*en seguida que*) as soon as; ¡~ no! of course!; ~ **no lo haga hoy** unless he does it today; ~ **si** as if; **es tan alto** ~ **ancho** it is as high as it is wide.

cómo ['komo] *ad* how?, why? // *excl* what?, I beg your pardon? // *nm*: **el** ~ **y el porqué** the whys and wherefores.

comodidad [komoði'ðað] *nf* comfort; **venga a su** ~ come at your convenience.

comodín [komo'ðin] *nm* joker.

cómodo, a ['komoðo, a] *a* comfortable; (*práctico, de fácil uso*) convenient.

compacto, a [kom'pakto, a] *a* compact.

compadecer [kompaðe'θer] *vt* to pity, be sorry for; ~**se** *vr*: ~**se de** to pity, be sorry for.

compadre [kom'paðre] *nm* (*padrino*) godfather; (*amigo*) friend, pal.

compañero, a [kompa'ɲero, a] *nm/f* companion; ~ **de clase** classmate.
compañía [kompa'ɲia] *nf* company.
comparación [kompara'θjon] *nf* comparison; **en** ~ **con** in comparison with.
comparar [kompa'rar] *vt* to compare.
comparativo, a [kompara'tiβo, a] *a* comparative.
comparecer [kompare'θer] *vi* to appear (in court).
compartimiento [komparti'mjento] *nm* division; (*distribución*) distribution; (*FERRO*) compartment.
compartir [kompar'tir] *vt* to divide (up), share (out).
compás [kom'pas] *nm* (*MUS*) beat, rhythm; (*MAT*) compasses *pl*; (*NAUT*) compass.
compasión [kompa'sjon] *nf* compassion, pity.
compasivo, a [kompa'siβo, a] *a* compassionate.
compatibilidad [kompatiβili'ðað] *nf* compatibility.
compatible [kompa'tiβle] *a* compatible.
compatriota [kompa'trjota] *nm/f* compatriot.
compeler [kompe'ler] *vt* to compel.
compendiar [kompen'djar] *vt* to summarize; (*libro*) to abridge; **compendio** *nm* summary; abridgement.
compensación [kompensa'θjon] *nf* compensation.
compensar [kompen'sar] *vt* to compensate.
competencia [kompe'tenθja] *nf* (*incumbencia*) domain, field; (*aptitud, idoneidad*) competence; (*rivalidad*) competition.
competente [kompe'tente] *a* (*persona, jurado, tribunal*) competent; (*conveniente*) fit, suitable.
competición [kompeti'θjon] *nf* competition.
competir [kompe'tir] *vi* to compete.
compilar [kompi'lar] *vt* to compile.
complacencia [kompla'θenθja] *nf* (*placer*) pleasure; (*satisfacción*) satisfaction; (*buena voluntad*) willingness.
complacer [kompla'θer] *vt* to please; ~**se** *vr* to be pleased.
complaciente [kompla'θjente] *a* kind, obliging, helpful.
complejo, a [kom'plexo, a] *a, nm* complex.
complementario, a [komplemen'tarjo, a] *a* complementary.
completar [komple'tar] *vt* to complete.
completo, a [kom'pleto, a] *a* complete; (*perfecto*) perfect; (*lleno*) full // *nm* full complement.
complicar [kompli'kar] *vt* to complicate.
cómplice ['kompliθe] *nm/f* accomplice.
complot [kom'plot] *nm* plot; (*conspiración*) conspiracy.
componenda [kompo'nenda] *nf*

compromise; (*pey*) shady deal.
componer [kompo'ner] *vt* to make up, put together; (*MUS, LITERATURA, IMPRENTA*) to compose; (*algo roto*) to mend, repair; (*adornar*) to adorn; (*arreglar*) to arrange; (*reconciliar*) to reconcile; ~**se** *vr*: ~**se de** to consist of.
comportamiento [komporta'mjento] *nm* behaviour, conduct.
comportarse [kompor'tarse] *vr* to behave.
composición [komposi'θjon] *nf* composition.
compositor, a [komposi'tor, a] *nm/f* composer.
compostura [kompos'tura] *nf* (*reparación*) mending, repair; (*arreglo*) arrangement; (*acuerdo*) agreement; (*actitud*) composure.
compra ['kompra] *nf* purchase; ~**s** *nfpl* purchases, shopping *sg*.
comprador, a [kompra'ðor, a] *nm/f* buyer, purchaser.
comprar [kom'prar] *vt* to buy, purchase.
comprender [kompren'der] *vt* to understand; (*incluir*) to comprise, include.
comprensión [kompren'sjon] *nf* understanding; (*totalidad*) comprehensiveness.
comprensivo, a [kompren'siβo, a] *a* comprehensive; (*actitud*) understanding.
compresión [kompre'sjon] *nf* compression.
comprimir [kompri'mir] *vt* to compress; (*fig*) to control.
comprobante [kompro'βante] *a* verifying, supporting // *nm* proof.
comprobar [kompro'βar] *vt* to check; (*probar*) to prove; (*TEC*) to check, test.
comprometer [komprome'ter] *vt* to compromise; (*exponer*) to endanger; ~**se** *vr* to compromise o.s.; (*involucrarse*) to get involved.
compromiso [kompro'miso] *nm* (*obligación*) obligation; (*cometido*) commitment; (*convenio*) agreement; (*dificultad*) awkward situation.
compuesto, a [kom'pwesto, a] *a*: ~ **de** composed of, made up of // *nm* compound.
compulsión [kompul'sjon] *nf* compulsion.
compunción [kompun'θjon] *nf* compunction, regret.
computador [komputa'ðor] *nm*, **computadora** [komputa'ðora] *nf* computer.
comulgar [komul'xar] *vi* to receive communion.
común [ko'mun] *a* common // *nm*: **el** ~ the community.
comunicación [komunika'θjon] *nf* communication; (*ponencia*) report.
comunicar [komuni'kar] *vt, vi,* ~**se** *vr* to communicate; **comunicativo, a** *a* communicative.
comunidad [komuni'ðað] *nf* community.
comunión [komu'njon] *nf* communion.
comunismo [komu'nismo] *nm*

communism; **comunista** a, nm/f communist.

con [kon] prep with; (a pesar de) in spite of; ~ **que** so, and so; ~ **apretar el botón** by pressing the button.

concebir [konθe'ßir] vt, vi to conceive.

conceder [konθe'ðer] vt to concede.

concejo [kon'θexo] nm council.

concentración [konθentra'θjon] nf concentration.

concentrar [konθen'trar] vt, ~**se** vr to concentrate.

concepción [konθep'θjon] nf conception.

concepto [kon'θepto] nm concept.

concertar [konθer'tar] vt (MUS) to harmonize; (acordar: precio) to agree; (: tratado) to conclude; (trato) to arrange, fix up; (combinar: esfuerzos) to coordinate; (reconciliar: personas) to reconcile // vi to harmonize, be in tune.

concesión [konθe'sjon] nf concession.

conciencia [kon'θjenθja] nf conscience.

concienzudo, a [konθjen'θuðo, a] a conscientious.

concierto [kon'θjerto] nm concert; (obra) concerto.

conciliar [konθi'ljar] vt to reconcile.

concilio [kon'θiljo] nm council.

conciso, a [kon'θiso, a] a concise.

concluir [konklu'ir] vt, vi, ~**se** vr to conclude.

conclusión [konklu'sjon] nf conclusion.

concordar [konkor'ðar] vt to reconcile // vi to agree, tally; **concordia** nf concord, harmony.

concretar [konkre'tar] vt to make concrete, make more specific; ~**se** vr to become more definite.

concreto, a [kon'kreto, a] a, nm (AM) concrete; en ~ (en resumen) to sum up; (específicamente) specifically; **no hay nada en** ~ there's nothing definite.

concurrir [konku'rrir] vi (juntarse: ríos) to meet, come together; (: personas) to gather, meet; (ponerse de acuerdo, coincidir) to concur; (competir) to compete; (contribuir) to contribute.

concurso [kon'kurso] nm (de público) crowd; (ESCOL, DEPORTE, competencia) competition; (coincidencia) coincidence; (ayuda) help, cooperation.

concusión [konku'sjon] nf concussion.

concha ['kontʃa] nf shell.

conde ['konde] nm count.

condecorar [kondeko'rar] vt to decorate.

condena [kon'dena] nf sentence.

condenación [kondena'θjon] nf (gen) condemnation; (condena) sentence; (REL) damnation.

condenar [konde'nar] vt to condemn; (JUR) to convict; ~**se** vr (JUR) to confess (one's guilt); (REL) to be damned.

condensar [konden'sar] vt to condense.

condescender [kondesθen'der] vi to acquiesce, comply.

condición [kondi'θjon] nf condition;

condicionado, a a a conditioned.

condicional [kondiθjo'nal] a conditional.

condimento [kondi'mento] nm seasoning.

condolerse [kondo'lerse] vr to sympathize.

conducir [kondu'θir] vt to take, convey; (AUTO) to drive // vi to drive; (fig) to lead; ~**se** vr to behave.

conducta [kon'dukta] nf conduct, behaviour.

conducto [kon'dukto] nm pipe, tube; (fig) channel.

conductor, a [konduk'tor, a] a leading, guiding // nm (FÍSICA) conductor; (de vehículo) driver.

conduje etc vb ver **conducir.**

conduzco etc vb ver **conducir.**

conectar [konek'tar] vt to connect (up), plug in.

conejo [ko'nexo] nm rabbit.

conexión [konek'sjon] nf connection.

confeccionar [konfekθjo'nar] vt to make (up).

confederación [konfeðera'θjon] nf confederation.

conferencia [konfe'renθja] nf conference; (lección) lecture; (TELEC) call.

conferir [konfe'rir] vt to award.

confesar [konfe'sar] vt to confess, admit.

confesión [konfe'sjon] nf confession.

confesionario [konfesjo'narjo] nm confessional.

confiado, a [kon'fjaðo, a] a (crédulo) trusting; (presumido) confident; (pey) conceited, vain.

confianza [kon'fjanθa] nf trust; (aliento, confidencia) confidence; (familiaridad) intimacy, familiarity; (pey) vanity, conceit.

confiar [kon'fjar] vt to entrust // vi to trust.

confidencia [konfi'ðenθja] nf confidence.

confidencial [konfiðen'θjal] a confidential.

confidente [konfi'ðente] nm/f confidant/e; (policial) informer.

configurar [konfiɣu'rar] vt to shape, form.

confín [kon'fin] nm limit; ~**es** nmpl edges.

confinar [konfi'nar] vi to confine; (desterrar) to banish.

confirmar [konfir'mar] vt to confirm.

confiscar [konfis'kar] vt to confiscate.

confitería [konfite'ria] nf confectionery; (tienda) confectioner's (shop).

confitura [konfi'tura] nf jam.

conflicto [kon'flikto] nm conflict; (fig) clash.

conformar [konfor'mar] vt to shape, fashion // vi to agree; ~**se** vr to conform; (resignarse) to resign o.s.

conforme [kon'forme] a (gen) alike, similar; (de acuerdo) agreed, in agreement; (resignado) resigned // ad as // excl agreed! // nm agreement // prep: ~ **a** in accordance with.

conformidad [konformi'ðað] *nf* (*semejanza*) similarity; (*acuerdo*) agreement; (*resignación*) resignation.
confortable [konfor'taβle] *a* comfortable.
confortar [konfor'tar] *vt* to comfort.
confrontar [konfron'tar] *vt* to confront; (*dos personas*) to bring face to face; (*cotejar*) to compare // *vi* to border.
confundir [konfun'dir] *vt* to blur; (*equivocar*) to mistake, confuse; (*mezclar*) to mix; (*turbar*) to confuse; ~**se** *vr* to become blurred; (*turbarse*) to get confused; (*equivocarse*) to make a mistake; (*mezclarse*) to mix.
confusión [konfu'sjon] *nf* confusion.
confuso, a [kon'fuso, a] *a* confused.
congelar [konxe'lar] *vt* to freeze; ~**se** *vr* (*sangre, grasa*) to congeal.
congeniar [konxe'njar] *vi* to get on (well).
conglomeración [konglomera'θjon] *nf* conglomeration.
congoja [kon'goxa] *nf* distress, grief.
congratular [kongratu'lar] *vt* to congratulate.
congregación [kongreʁa'θjon] *nf* congregation.
congresista [kongre'sista] *nm/f* delegate, congressman/woman.
congreso [kon'greso] *nm* congress.
conjetura [konxe'tura] *nf* guess; **conjeturar** *vt* to guess.
conjugar [konxu'ʁar] *vt* to combine, fit together; (*un verbo*) to conjugate.
conjunción [konxun'θjon] *nf* conjunction.
conjunto, a [kon'xunto, a] *a* joint, united // *nm* whole; (*MUS*) group; **en** ~ as a whole.
conmemoración [konmemora'θjon] *nf* commemoration.
conmemorar [konmemo'rar] *vt* to commemorate.
conmigo [kon'miʁo] *pron* with me; with myself.
conminar [konmi'nar] *vt* to threaten.
conmiseración [konmisera'θjon] *nf* pity, commiseration.
conmoción [konmo'θjon] *nf* shock; (*MED*) concussion; (*fig*) upheaval.
conmovedor, a [konmoβe'ðor, a] *a* touching, moving; (*impresionante*) exciting.
conmover [konmo'βer] *vt* to shake, disturb; (*fig*) to move.
conmutador [konmuta'ðor] *nm* switch.
conocedor, a [konoθe'ðor, a] *a* expert, knowledgeable // *nm/f* expert.
conocer [kono'θer] *vt* (*gen*) to know; (*por primera vez*) to meet, get to know; (*entender*) to know about; (*reconocer*) to know, recognize; ~**se** *vr* (*una persona*) to know o.s.; (*dos personas*) to (get to) know each other.
conocido, a [kono'θiðo, a] *a* (well-)known // *nm/f* acquaintance.
conocimiento [konoθi'mjento] *nm* knowledge; (*MED*) consciousness; ~**s** *nmpl* (*personas*) acquaintances; (*ciencia*) knowledge *sg*.
conozco *etc vb ver* **conocer.**
conque ['konke] *conj* and so, so then.
conquista [kon'kista] *nf* conquest.
conquistador, a [konkista'ðor, a] *a* conquering // *nm* conqueror.
conquistar [konkis'tar] *vt* to conquer.
consagrar [konsa'ʁrar] *vt* (*REL*) to consecrate; (*fig*) to devote.
consciente [kons'θjente] *a* conscious.
consecución [konseku'θjon] *nf* acquisition; (*de fin*) attainment.
consecuencia [konse'kwenθja] *nf* consequence, outcome; (*firmeza*) consistency.
consecuente [konse'kwente] *a* consistent.
consecutivo, a [konseku'tiβo, a] *a* consecutive.
conseguir [konse'ʁir] *vt* to get, obtain; (*sus fines*) to attain.
consejero, a [konse'xero, a] *nm/f* adviser, consultant; (*POL*) councillor.
consejo [kon'sexo] *nm* advice; (*POL*) council.
consenso [kon'senso] *nm* consensus.
consentimiento [konsenti'mjento] *nm* consent.
consentir [konsen'tir] *vt* (*permitir, tolerar*) to consent to; (*mimar*) to pamper, spoil; (*admitir*) to admit // *vi* to agree, consent.
conserje [kon'serxe] *nm* caretaker; (*portero*) porter.
conserva [kon'serβa] *nf* (*acción*) preserving; (*alimento*) preserved food.
conservación [konserβa'θjon] *nf* conservation; (*de alimentos, vida*) preservation.
conservador, a [konserβa'ðor, a] *a* preservative; (*POL*) conservative // *nm/f* conservative; (*de museo*) keeper.
conservar [konser'βar] *vt* to conserve, keep; (*alimentos, vida*) to preserve; ~**se** *vr* to survive.
considerable [konsiðe'raβle] *a* considerable.
consideración [konsiðera'θjon] *nf* consideration; (*estimación*) respect.
considerado, a [konsiðe'raðo, a] *a* (*prudente, reflexivo*) considerate; (*respetado*) respected.
considerar [konsiðe'rar] *vt* to consider.
consigna [kon'siʁna] *nf* (*orden*) order, instruction; (*para equipajes*) left-luggage office.
consigo [kon'siʁo] *pron* (*m*) with him; (*f*) with her; (*Vd.*) with you; (*reflexivo*) with o.s.
consiguiente [konsi'ʁjente] *a* consequent; **por** ~ and so, therefore, consequently.
consistente [konsis'tente] *a* consistent; (*sólido*) solid, firm; (*válido*) sound.
consistir [konsis'tir] *vi*: ~ **en** (*componerse de*) to consist of; (*ser resultado de*) to be due to.
consolación [konsola'θjon] *nf* consolation.

consolar [konso'lar] *vt* to console.
consolidar [konsoli'ðar] *vt* to consolidate.
consomé [konso'me] *nm* consommé, clear soup.
consonante [konso'nante] *a* consonant, harmonious // *nf* consonant.
conspicuo, a [kons'pikwo, a] *a* conspicuous.
conspiración [konspira'θjon] *nf* conspiracy.
conspirador, a [konspira'ðor, a] *nm/f* conspirator.
conspirar [konspi'rar] *vi* to conspire.
constante [kons'tante] *a* constant.
constar [kons'tar] *vi* (*evidenciarse*) to be clear *or* evident; ~ **de** to consist of.
consternación [konsterna'θjon] *nf* consternation.
constipación [konstipa'θjon] *nf* = **constipado.**
constipado, a [konsti'paðo, a] *a*: **estar** ~ to have a cold // *nm* cold.
constitución [konstitu'θjon] *nf* constitution; **constitucional** *a* constitutional.
constituir [konstitu'ir] *vt* (*formar, componer*) to constitute, make up; (*fundar, erigir, ordenar*) to constitute, establish.
constitutivo, a [konstitu'tiβo, a] *a* constitutive, constituent.
constituyente [konstitu'jente] *a* constituent.
constreñir [konstre'nir] *vt* (*obligar*) to compel, oblige; (*restringir*) to restrict.
construcción [konstruk'θjon] *nf* construction, building.
constructor, a [konstruk'tor, a] *nm/f* builder.
construir [konstru'ir] *vt* to build, construct.
consuelo [kon'swelo] *nm* consolation, solace.
cónsul ['konsul] *nm* consul; **consulado** *nm* consulate.
consulta [kon'sulta] *nf* consultation.
consultar [konsul'tar] *vt* to consult.
consultorio [konsul'torjo] *nm* information bureau; (*MED*) surgery.
consumar [konsu'mar] *vt* to complete, carry out; (*crimen*) to commit; (*matrimonio*) to consummate.
consumición [konsumi'θjon] *nf* consumption; (*bebida*) drink; (*en restaurante*) meal.
consumidor, a [konsumi'ðor, a] *nm/f* consumer.
consumir [konsu'mir] *vt* to consume; ~**se** *vr* to be consumed; (*persona*) to waste away.
consumo [kon'sumo] *nm*, **consunción** [konsun'θjon] *nf* consumption.
contabilidad [kontaβili'ðað] *nf* accounting, book-keeping; (*profesión*) accountancy.
contacto [kon'takto] *nm* contact.
contado, a [kon'taðo, a] *a*: ~**s** (*escasos*)

numbered, scarce, few // *nm*: **al** ~ for cash.
contador [konta'ðor] *nm* (*aparato*) meter; (*COM*) accountant; (*de café*) counter.
contagiar [konta'xjar] *vt* (*enfermedad*) to pass on, transmit; (*persona*) to infect; ~**se** *vr* to become infected.
contagio [kon'taxjo] *nm* infection.
contagioso, a [konta'xjoso, a] *a* infectious; (*fig*) catching.
contaminación [kontamina'θjon] *nf* contamination.
contaminar [kontami'nar] *vt* to contaminate.
contar [kon'tar] *vt* (*páginas, dinero*) to count; (*anécdota*) to tell // *vi* to count; ~ **con** to rely on, count on.
contemplación [kontempla'θjon] *nf* contemplation.
contemplar [kontem'plar] *vt* to contemplate; (*mirar*) to look at.
contemporáneo, a [kontempo'raneo, a] *a, nm/f* contemporary.
contender [konten'der] *vi* (*gen*) to contend; (*en un concurso*) to compete.
contener [konte'ner] *vt* to contain, hold; (*retener*) to hold back, contain.
contenido, a [konte'niðo, a] *a* (*moderado*) restrained; (*reprimido*) suppressed // *nm* contents *pl*, content.
contentar [konten'tar] *vt* (*satisfacer*) to satisfy; (*complacer*) to please; ~**se** *vr* to be satisfied.
contento, a [kon'tento, a] *a* contented, content; (*alegre*) pleased; (*feliz*) happy // *nm* contentment; (*felicidad*) happiness.
contestación [kontesta'θjon] *nf* answer, reply.
contestar [kontes'tar] *vt* to answer, reply; (*JUR*) to corroborate, confirm.
contigo [kon'tixo] *pron* with you.
contiguo, a [kon'tixwo, a] *a* (*de al lado*) next; (*vecino*) adjacent, adjoining.
continental [kontinen'tal] *a* continental.
continente [konti'nente] *a, nm* continent.
contingencia [kontin'xenθja] *nf* contingency; (*riesgo*) risk; **contingente** *a, nm* contingent.
continuación [kontinwa'θjon] *nf* continuation; **a** ~ then, next.
continuar [konti'nwar] *vt* to continue, go on with // *vi* to continue, go on.
continuidad [kontinwi'ðað] *nf* continuity.
continuo, a [kon'tinwo, a] *a* (*sin interrupción*) continuous; (*acción perseverante*) continual.
contorno [kon'torno] *nm* outline; (*GEO*) contour; ~**s** *nmpl* neighbourhood *sg*, environs.
contorsión [kontor'sjon] *nf* contortion.
contra ['kontra] *prep, ad* against // *nm* con.
contraataque [kontraa'take] *nm* counter-attack.
contrabajo [kontra'βaxo] *nm* double bass.

contrabandista [kontraβan'dista] *nm/f*
smuggler.

contrabando [kontra'βando] *nm* (*acción*)
smuggling; (*mercancías*) contraband.

contracción [kontrak'θjon] *nf*
contraction; (*encogimiento*) shrinkage.

contracepción [kontraθep'θjon] *nf*
contraception.

contraceptivo [kontraθep'tiβo] *nm*
contraceptive.

contradecir [kontraðe'θir] *vt* to
contradict.

contradicción [kontraðik'θjon] *nf*
contradiction.

contradictorio, a [kontraðik'torjo, a] *a*
contradictory.

contraer [kontra'er] *vt* to contract;
(*encoger*) to shrink; (*limitar*) to restrict;
~**se** *vr* to contract; to shrink; (*limitarse*)
to limit o.s.

contragolpe [kontra'volpe] *nm* backlash.

contrahacer [kontraa'θer] *vt* to copy,
imitate; (*falsificar*) to forge.

contramaestre [kontrama'estre] *nm*
foreman.

contrapelo [kontra'pelo]: **a** ~ *ad* the
wrong way.

contrapesar [kontrape'sar] *vt* to
counterbalance; (*fig*) to offset.

contrariar [kontra'rjar] *vt* (*oponerse*) to
oppose; (*poner obstáculo*) to impede;
(*enfadar*) to vex.

contrariedad [kontrarje'ðað] *nf*
(*oposición*) opposition; (*obstáculo*)
obstacle, setback; (*disgusto*) vexation,
annoyance.

contrario, a [kon'trarjo, a] *a* contrary; (*de
persona*) opposed; (*sentido, lado*) opposite
// *nm/f* enemy, adversary; (*DEPORTE*)
opponent; **de lo** ~ otherwise.

contrarrestar [kontrarres'tar] *vt* to
counteract; (*pelota*) to return.

contrastar [kontras'tar] *vt* to resist // *vi*
to contrast.

contraste [kon'traste] *nm* contrast.

contratante [kontra'tante] *nm/f*
contractor.

contratar [kontra'tar] *vt* (*firmar un
acuerdo para*) to contract for; (*empleados,
obreros*) to hire, engage; ~**se** *vr* to sign
on.

contratiempo [kontra'tjempo] *nm*
setback.

contratista [kontra'tista] *nm/f*
contractor.

contrato [kon'trato] *nm* contract.

contravención [kontraβen'θjon] *nf*
contravention, violation.

contravenir [kontraβe'nir] *vi*: ~ **a** to
contravene, violate.

contraventana [kontraβen'tana] *nf*
shutter.

contribución [kontriβu'θjon] *nf*
(*municipal etc*) tax; (*ayuda*) contribution.

contribuir [kontriβu'ir] *vt, vi* to
contribute; (*COM*) to pay (in taxes).

contribuyente [kontriβu'jente] *nm/f*
(*COM*) taxpayer; (*que ayuda*) contributor.

control [kon'trol] *nm* control; (*inspección*)
inspection, check; ~**ar** *vt* to control; to
inspect, check.

controversia [kontro'βersja] *nf*
controversy.

convalecencia [konßale'θenθja] *nf*
convalescence.

convalecer [konßale'θer] *vi* to
convalesce, get better.

convaleciente [konßale'θjente] *a, nm/f*
convalescent.

convencer [konßen'θer] *vt* to convince;
(*persuadir*) to persuade.

convencimiento [konßenθi'mjento] *nm*
convincing; (*persuasión*) persuasion;
(*certidumbre*) conviction.

convención [konßen'θjon] *nf* convention.

convencional [konßenθjo'nal] *a*
conventional.

convenido, a [konße'niðo, a] *a* agreed.

conveniencia [konße'njenθja] *nf*
suitability; (*conformidad*) agreement;
(*utilidad, provecho*) usefulness; ~**s** *nfpl*
conventions; (*COM*) property *sg*.

conveniente [konße'njente] *a* suitable;
(*útil*) useful.

convenio [kon'βenjo] *nm* agreement,
treaty.

convenir [konße'nir] *vi* (*estar de acuerdo*)
to agree; (*ser conveniente*) to suit, be
suitable; ~**se** *vr* to agree.

convento [kon'βento] *nm* monastery; (*de
monjas*) convent.

converger [konßer'xer], **convergir**
[konßer'xir] *vi* to converge.

conversación [konßersa'θjon] *nf*
conversation.

conversar [konßer'sar] *vi* to talk,
converse.

conversión [konßer'sjon] *nf* conversion.

convertir [konßer'tir] *vt* to convert.

convicción [konßik'θjon] *nf* conviction.

convicto, a [kon'βikto, a] *a* convicted,
found guilty; (*condenado*) condemned.

convidado, a [konßi'ðaðo, a] *nm/f* guest.

convidar [konßi'ðar] *vt* to invite.

convincente [konßin'θente] *a* a convincing.

convite [kon'βite] *nm* invitation;
(*banquete*) banquet.

convivencia [konßi'βenθja] *nf*
coexistence, living together.

convocar [konßo'kar] *vt* to summon, call
(together).

convulsión [konßul'sjon] *nf* convulsion.

conyugal [konju'xal] *a* conjugal.

coñac [ko'nak] *nm* cognac, brandy.

cooperación [koopera'θjon] *nf*
cooperation.

cooperar [koope'rar] *vi* to cooperate.

cooperativo, a [koopera'tiβo, a] *a*
cooperative // *nf* cooperative.

coordinación [koorðina'θjon] *nf*
coordination.

coordinar [koorði'nar] *vt* to coordinate.

copa ['kopa] *nf* cup; (*vaso*) glass; (*de árbol*) top; (*de sombrero*) crown; ~**s** *nfpl* (*NAIPES*) ≈ hearts.

copia ['kopja] *nf* copy; **copiar** *vt* to copy.

copioso, a [ko'pjoso, a] *a* copious, plentiful.

copita [ko'pita] *nf* (small) glass; (*GOLF*) tee.

copla ['kopla] *nf* verse; (*canción*) (popular) song.

coqueta [ko'keta] *a* flirtatious, coquettish; **coquetear** *vi* to flirt.

coraje [ko'raxe] *nm* courage; (*ánimo*) spirit; (*ira*) anger.

coral [ko'ral] *a* choral // *nf* choir.

corazón [kora'θon] *nm* heart.

corazonada [koraθo'naða] *nf* impulse; (*presentimiento*) presentiment, hunch.

corbata [kor'ßata] *nf* tie.

corcovado, a [korko'ßaðo, a] *a* hunchbacked.

corchete [kor'tʃete] *nm* catch, clasp.

corcho ['kortʃo] *nm* cork; (*PESCA*) float.

cordel [kor'ðel] *nm* cord, line.

cordero [kor'ðero] *nm* lamb.

cordial [kor'ðjal] *a* cordial; ~**idad** *nf* warmth, cordiality.

cordillera [korði'ʎera] *nf* range, chain (of mountains).

Córdoba ['korðoßa] *n* Cordoba; **cordobés, esa** *a* of *or* from Cordoba.

cordón [kor'ðon] *nm* (*cuerda*) cord, string; (*de zapatos*) lace; (*policía*) cordon.

corneta [kor'neta] *nf* bugle.

coro ['koro] *nm* chorus; (*conjunto de cantores*) choir.

corolario [koro'larjo] *nm* corollary.

corona [ko'rona] *nf* crown; (*de flores*) garland; ~**ción** *nf* coronation; **coronar** *vt* to crown.

coronel [koro'nel] *nm* colonel.

coronilla [koro'niʎa] *nf* crown (of the head).

corporación [korpora'θjon] *nf* corporation.

corporal [korpo'ral] *a* corporal.

corpulento, a [korpu'lento a] *a* (*árbol*) stout; (*persona*) well-built.

corral [ko'rral] *nm* farmyard; ~**illo** *nm* playpen.

correa [ko'rrea] *nf* strap; (*cinturón*) belt.

corrección [korrek'θjon] *nf* correction; (*reprensión*) rebuke; **correccional** *nm* reformatory.

correcto, a [ko'rrekto, a] *a* correct; (*persona*) well-mannered.

corredor, a [korre'ðor, a] *a* running; (*rápido*) fast // *nm* (*COM*) agent, broker; (*pasillo*) corridor, passage; (*DEPORTE*) runner.

corregir [korre'xir] *vt* (*error*) to correct; (*amonestar, reprender*) to rebuke, reprimand; ~**se** *vr* to reform.

correo [ko'rreo] *nm* post, mail; (*persona*) courier; (*cartero*) postman; **C**~ Post Office; ~ **aéreo** airmail.

correr [ko'rrer] *vt* to run; (*viajar*) to cover, travel; (*cortinas*) to draw; (*cerrojo*) to shoot // *vi* to run; (*líquido*) to run, flow; (*moneda*) to pass, be valid; ~**se** *vr* to slide, move; (*colores*) to run.

correspondencia [korrespon'denθja] *nf* correspondence; (*FERRO*) connection.

corresponder [korrespon'der] *vi* to correspond; (*convenir*) to be suitable; (*pertenecer*) to belong; (*tocar*) to concern; ~**se** *vr* (*por escrito*) to correspond; (*amarse*) to have mutual affection.

correspondiente [korrespon'djente] *a* corresponding // *nm* correspondent.

corrido, a [ko'rriðo, a] *a* (*avergonzado*) abashed; (*fluido*) fluent // *nf* run, dash; (*de toros*) bullfight; **3 noches** ~**as** 3 nights running; **un kilo** ~ a good kilo.

corriente [ko'rrjente] *a* (*agua*) running; (*fig*) flowing; (*dinero etc*) current; (*común*) ordinary, normal // *nf* current // *nm* current month.

corrillo [ko'rriʎo] *nm* huddle; (*fig*) clique.

corro ['korro] *nm* ring, circle (of people).

corroborar [korroßo'rar] *vt* to corroborate.

corroer [korro'er] *vt* to corrode; (*GEO*) to erode.

corromper [korrom'per] *vt* (*madera*) to rot; (*alimento*) to turn bad; (*fig*) to corrupt.

corrosivo, a [korro'sißo, a] *a* corrosive.

corrupción [korrup'θjon] *nf* rot, decay; (*fig*) corruption.

corsé [kor'se] *nm* corset.

cortado, a [kor'taðo, a] *a* (*con cuchillo*) cut; (*leche*) sour; (*confuso*) confused; (*disconcertado*) embarrassed; (*estilo*) abrupt // *nm* white coffee (with just a little milk).

cortador, a [korta'ðor, a] *a* cutting // *nf* cutter, slicer.

cortadura [korta'ðura] *nf* cut.

cortar [kor'tar] *vt* to cut; (*el agua*) to cut off; (*un pasaje*) to cut out // *vi* to cut; ~**se** *vr* (*turbarse*) to become embarrassed; (*leche*) to turn, curdle; ~**se el pelo** to have one's hair cut.

corte ['korte] *nm* cut, cutting; (*filo*) edge; (*de tela*) piece, length; **las C**~**s** the Spanish Parliament.

cortedad [korte'ðað] *nf* shortness; (*fig*) bashfulness, timidity.

cortejar [korte'xar] *vt* to court.

cortejo [kor'texo] *nm* entourage; ~ **fúnebre** funeral procession.

cortés [kor'tes] *a* courteous, polite.

cortesía [korte'sia] *nf* courtesy.

corteza [kor'teθa] *nf* (*de árbol*) bark; (*de pan*) crust.

cortina [kor'tina] *nf* curtain.

corto, a ['korto, a] *a* (*breve*) short; (*tímido*) bashful; (*poco inteligente*) not very clever; ~ **de vista** short-sighted; **estar** ~ **de fondos** to be short of funds.

corvo, a ['korßo, a] *a* curved.

cosa ['kosa] *nf* thing; (*asunto*) affair; ~ **de** about; **eso es** ~ **mía** that's my affair.

cosecha [ko'setʃa] *nf* (*AGR*) harvest; (*de vino*) vintage.
cosechar [kose'tʃar] *vt* to harvest, gather (in).
coser [ko'ser] *vt* to sew.
cosmético, a [kos'metiko, a] *a, nm* cosmetic.
cosquillas [kos'kiʎas] *nfpl*: **hacer ~** to tickle; **tener ~** to be ticklish.
cosquilloso, a [koski'ʎoso, a] *a* ticklish; (*fig*) touchy.
costa ['kosta] *nf* (*gasto*) cost; (*GEO*) coast.
costado [kos'taðo] *nm* side.
costal [kos'tal] *nm* sack.
costar [kos'tar] *vt* (*valer*) to cost; (*necesitar*) to require, need; **me cuesta hacer** I find it hard to do.
Costa Rica [kosta'rika] *nf* Costa Rica; **costarricense, costarriqueño, a** *a, nm/f* Costa Rican.
coste ['koste] *nm* = **costo**.
costilla [kos'tiʎa] *nf* rib; (*CULIN*) chop.
costo ['kosto] *nm* cost, price; **~ de la vida** cost of living; **~so, a** *a* costly, expensive.
costra ['kostra] *nf* crust; (*MED*) scab.
costumbre [kos'tumbre] *nf* custom, habit.
costura [kos'tura] *nf* sewing, needlework; (*de medias*) seam.
costurera [kostu'rera] *nf* dressmaker.
costurero [kostu'rero] *nm* sewing box *or* case.
cotejar [kote'xar] *vt* to compare.
cotejo [ko'texo] *nm* comparison.
cotidiano, a [koti'ðjano, a] *a* daily, day to day.
cotización [kotiθa'θjon] *nf* (*COM*) quotation, price; (*cuota*) dues *pl*.
cotizar [koti'θar] *vt* (*COM*) to quote, price; **~se** *vr*: **~se a** to sell at, fetch.
coto ['koto] *nm* (*terreno cercado*) enclosure; (*de caza*) reserve.
coyote [ko'jote] *nm* coyote, prairie wolf.
coyuntura [kojun'tura] *nf* (*ANAT*) joint; (*oportunidad*) opportunity.
cráneo ['kraneo] *nm* skull, cranium.
cráter ['krater] *nm* crater.
creación [krea'θjon] *nf* creation.
creador, a [krea'ðor, a] *a* creative // *nm/f* creator.
crear [kre'ar] *vt* to create, make.
crecer [kre'θer] *vi* (*niño*) to grow; (*precio*) to rise; (*días*) to get longer; (*mar*) to swell.
crecido, a [kre'θiðo, a] *a* (*persona, planta*) full-grown; (*cantidad*) large; (*fig*) conceited.
creciente [kre'θjente] *a* (*persona*) growing; (*cantidad*) increasing; (*luna*) crescent // *nm* crescent // *nf* flood.
crecimiento [kreθi'mjento] *nm* growth; (*aumento*) increase.
credenciales [kreðen'θjales] *nfpl* credentials.
crédito ['kreðito] *nm* credit.
credo ['kreðo] *nm* creed.
crédulo, a ['kreðulo, a] *a* credulous.
creencia [kre'enθja] *nf* belief.

creer [kre'er] *vt, vi* to think, believe; **~se** *vr* to believe o.s. (to be); ¡**ya lo creo!** I should think so!
creíble [kre'iβle] *a* credible, believable.
crema ['krema] *nf* cream; (*de huevo*) custard.
cremallera [krema'ʎera] *nf* zip (fastener).
crepúsculo [kre'puskulo] *nm* twilight, dusk.
crespón [kres'pon] *nm* crêpe.
creta ['kreta] *nf* chalk.
creyente [kre'jente] *nm/f* believer.
creyó *etc vb ver* **creer**.
cría ['kria] *nf* (*de animales*) rearing, breeding; (*animal*) baby animal; (*niño*) child.
criadero [kria'ðero] *nm* nursery; (*ZOOL*) breeding place.
criado, a [kri'aðo, a] *a* bred, reared // *nm* servant // *nf* servant, maid; **mal/bien ~** badly/well brought up.
criador [kria'ðor] *nm* breeder.
crianza [kri'anθa] *nf* rearing, breeding; (*fig*) breeding.
criar [kri'ar] *vt* to suckle, feed; (*educar*) to bring up; (*producir*) to grow, produce; (*animales*) to breed.
criatura [kria'tura] *nf* creature; (*niño*) baby, (small) child.
criba ['kriβa] *nf* sieve; **cribar** *vt* to sieve.
crimen ['krimen] *nm* crime.
criminal [krimi'nal] *a, nm/f* criminal.
crin [krin] *nf* (*también* **~es** *nfpl*) mane.
crisis ['krisis] *nf inv* crisis.
crispar [kris'par] *vt* (*músculo*) to make contract; (*nervios*) to set on edge.
cristal [kris'tal] *nm* crystal; (*de ventana*) glass, pane; (*lente*) lens; **~ino, a** *a* crystalline; (*fig*) clear // *nm* lens of the eye; **~izar** *vt, vi* to crystallize.
cristiandad [kristjan'daθ] *nf* Christianity.
cristianismo [kristja'nismo] *nm* Christianity.
cristiano, a [kris'tjano, a] *a, nm/f* Christian.
Cristo ['kristo] *nm* (*dios*) Christ; (*crucifijo*) crucifix.
criterio [kri'terjo] *nm* criterion; (*juicio*) judgement.
criticar [kriti'kar] *vt* to criticize.
crítico, a ['kritiko, a] *a* critical // *nm* critic // *nf* criticism.
cromo ['kromo] *nm* chrome.
crónico, a ['kroniko, a] *a* chronic // *nf* chronicle, account.
cronista [kro'nista] *nm/f* chronicler.
cruce ['kruθe] *nm* crossing; (*de carreteras*) crossroads.
crucificar [kruθifi'kar] *vt* to crucify.
crucifijo [kruθi'fixo] *nm* crucifix.
crucigrama [kruθi'xrama] *nm* crossword (puzzle).
crudo, a ['kruðo, a] *a* raw; (*no maduro*) unripe; (*petróleo*) crude; (*rudo, cruel*) cruel.

cruel [krwel] *a* cruel.
crueldad [krwel'ðað] *nf* cruelty.
crujido [kru'xiðo] *nm* creak.
crujir [kru'xir] *vi* (*madera*) to creak; (*dedos*) to crack; (*dientes*) to grind; (*nieve, arena*) to crunch.
cruz [kruθ] *nf* cross; (*de moneda*) tails *sg*.
cruzado, a [kru'θaðo, a] *a* crossed // *nm* crusader // *nf* crusade.
cruzar [kru'θar] *vt* to cross; ~**se** *vr* to cross; (*personas*) to pass each other.
cuaderno [kwa'ðerno] *nm* notebook; (*de escuela*) exercise book; (*NAUT*) logbook.
cuadra ['kwaðra] *nf* (*caballeriza*) stable; (*gran sala*) hall.
cuadrado, a [kwa'ðraðo, a] *a* square // *nm* (*MAT*) square; (*regla*) ruler.
cuadrar [kwa'ðrar] *vt* to square // *vi*: ~ **con** to square with, tally with; ~**se** *vr* (*soldado*) to stand to attention.
cuadrilla [kwa'ðriʎa] *nf* party, group.
cuadro ['kwaðro] *nm* square; (*de vidrio*) frame; (*PINTURA*) painting; (*TEATRO*) scene.
cuádruplo, a ['kwaðruplo, a], **cuádruple** ['kwaðruple] *a* quadruple.
cuajar [kwa'xar] *vt* to thicken; (*leche*) to curdle; (*sangre*) to congeal; (*adornar*) to adorn; ~**se** *vr* to curdle; to congeal; (*llenarse*) to fill up.
cual [kwal] *ad* like, as // *pron*: **el** ~ *etc* which; (*persona*: *sujeto*) who; (: *objeto*) whom // *a* such as; **cada** ~ each one; ~ **más,** ~ **menos** some more, some less; **tal** ~ just as it is.
cuál [kwal] *pron interr* which (one).
cualesquier(a) [kwales'kjer(a)] *pl de* **cualquier(a).**
cualidad [kwali'ðað] *nf* quality.
cualquiera [kwal'kjera], **cualquier** [kwal'kjer] *a* any // *pron* anybody, anyone; (*quienquiera*) whoever; **en cualquier parte** anywhere; ~ **que sea** whichever it is; (*persona*) whoever it is.
cuando ['kwando] *ad* when; (*aún si*) if, even if // *conj* (*puesto que*) since // *prep*: **yo,** ~ **niño...** when I was a child...; ~ **no sea así** even if it is not so; ~ **más** the more; ~ **menos** the less; ~ **no** if not, otherwise; **de** ~ **en** ~ from time to time.
cuándo ['kwando] *ad* when; **¿desde** ~**?, ¿de** ~ **acá?** since when?
cuanto, a ['kwanto, a] *a* all that, as much as // *pron* all that (which), as much as; **llévate todo** ~ **quieras** take as much as you like; **en** ~ (*en seguida que*) as soon as; (*ya que*) since, inasmuch as; **en** ~ **a** as for; ~ **antes** as soon as possible; **unos** ~**s libros** a few books.
cuánto, a ['kwanto, a] *a* what a lot of; (*interr: sg*) how much?; (: *pl*) how many? // *pron, ad* how; (*interr: sg*) how much?; (: *pl*) how many?; **¡**~**a gente!** what a lot of people!; **¿**~ **cuesta?** how much does it

cost?; **¿a** ~**s estamos?** what's the date?; **Señor no sé** ~**s** Mr. So-and-So.
cuarenta [kwa'renta] *num* forty.
cuarentena [kwaren'tena] *nf* quarantine.
cuartear [kwarte'ar] *vt* to quarter; (*dividir*) to divide up; ~**se** *vr* to crack, split.
cuartel [kwar'tel] *nm* (*de ciudad*) quarter, district; (*MIL*) barracks *pl*; ~ **general** headquarters *pl*.
cuarteto [kwar'teto] *nm* quartet.
cuarto, a ['kwarto, a] *a* fourth // *nm* (*MAT*) quarter, fourth; (*habitación*) room // *nf* (*MAT*) quarter, fourth; (*palmo*) span; ~ **de baño** bathroom; ~ **de hora** quarter (of an) hour.
cuatro ['kwatro] *num* four.
cuba ['kuβa] *nf* cask, barrel; (*fig*) drunkard.
Cuba ['kuβa] *nf* Cuba; **cubano, a** *a, nm/f* Cuban.
cúbico, a ['kuβiko, a] *a* cubic.
cubierto, a [ku'βjerto, a] *pp de* **cubrir** // *a* covered // *nm* cover; (*en la mesa*) place; ~**s** *nmpl* cutlery *sg* // *nf* cover, covering; (*neumático*) tyre; (*NAUT*) deck; **a** ~ **de** covered with *or* in.
cubo ['kuβo] *nm* cube; (*de madera*) bucket, tub; (*TEC*) drum.
cubrir [ku'βrir] *vt* to cover; ~**se** *vr* (*cielo*) to become overcast.
cucaracha [kuka'ratʃa] *nf* cockroach.
cuchara [ku'tʃara] *nf* spoon; (*TEC*) scoop; ~**da** *nf* spoonful; ~**dita** *nf* teaspoonful.
cucharita [kutʃa'rita] *nf* teaspoon.
cucharón [kutʃa'ron] *nm* ladle.
cuchichear [kutʃitʃe'ar] *vi* to whisper.
cuchilla [ku'tʃiʎa] *nf* (large) knife; (*de arma blanca*) blade.
cuchillo [ku'tʃiʎo] *nm* knife.
cuello ['kweʎo] *nm* (*ANAT*) neck; (*de vestido, camisa*) collar.
cuenca ['kwenka] *nf* (*escudilla*) hollow; (*ANAT*) eye socket; (*GEO*) bowl, deep valley.
cuenta ['kwenta] *nf* (*cálculo*) count, counting; (*en café, restaurante*) bill; (*COM*) account; (*de collar*) bead; (*fig*) account; **a fin de** ~ in the end; **caer en la** ~ to catch on; **darse** ~ to realize; **tener en** ~ to bear in mind; **echar** ~**s** to take stock; ~ **corriente/de ahorros** current/savings account.
cuento *etc vb ver* **contar** // ['kwento] *nm* story.
cuerdo, a ['kwerðo, a] *a* sane; (*prudente*) wise, sensible // *nf* rope; (*hilo*) string; (*de reloj*) spring; **dar** ~**a a un reloj** to wind up a clock.
cuerno ['kwerno] *nm* horn.
cuero ['kwero] *nm* (*ZOOL*) skin, hide; (*TEC*) leather; **en** ~**s** stark naked; ~ **cabelludo** scalp.
cuerpo ['kwerpo] *nm* body.
cuesta ['kwesta] *nf* slope; (*en camino etc*) hill; ~ **arriba/abajo** uphill/downhill; **a** ~**s** on one's back.
cuestión [kwes'tjon] *nf* matter, question,

issue; (*riña*) quarrel, dispute.
cuesto *etc vb ver* **costar.**
cueva ['kweβa] *nf* cave; (*bodega*) cellar.
cuidado [kwi'ðaðo] *nm* care, carefulness; (*preocupación*) care, worry; *excl* careful!, look out!
cuidadoso, a [kwiða'ðoso, a] *a* careful; (*preocupado*) anxious.
cuidar [kwi'ðar] *vt* (*MED*) to care for; (*ocuparse de*) to take care of, look after // *vi*: ~ **de** to take care of, look after; ~**se** *vr* to look after o.s.; ~**se de hacer algo** to take care not to do something.
culebra [ku'leβra] *nf* snake.
culebrear [kuleβre'ar] *vi* to wriggle along; (*río*) to meander.
culinario, a [kuli'narjo, a] *a* culinary, cooking *cpd.*
culminación [kulmina'θjon] *nf* culmination.
culo ['kulo] *nm* bottom, backside.
culpa ['kulpa] *nf* fault; (*JUR*) guilt; **tener la** ~ (**de**) to be to blame (for).
culpabilidad [kulpaβili'ðað] *nf* guilt.
culpable [kul'paβle] *a* guilty // *nm/f* culprit.
culpar [kul'par] *vt* to blame; (*acusar*) to accuse.
cultivador, a [kultiβa'ðor, a] *nm/f* farmer // *nf* cultivator.
cultivar [kulti'βar] *vt* to cultivate.
cultivo [kul'tiβo] *nm* cultivation; (*plantas*) crop.
culto, a ['kulto, a] *a* (*cultivado*) cultivated; (*que tiene cultura*) cultured // *nm* (*homenaje*) worship; (*religión*) cult.
cultura [kul'tura] *nf* culture.
cumbre ['kumbre] *nf* summit, top.
cumpleaños [kumple'aɲos] *nm* birthday.
cumplido, a [kum'pliðo, a] *a* complete, perfect; (*abundante*) plentiful; (*cortés*) courteous // *nm* compliment; (*cortesía*) courtesy.
cumplimentar [kumplimen'tar] *vt* to congratulate.
cumplimiento [kumpli'mjento] *nm* (*de un deber*) fulfilment; (*acabamiento*) completion; (*cumplido*) compliment.
cumplir [kum'plir] *vt* (*orden*) to carry out, obey; (*promesa*) to carry out, fulfil; (*condena*) to serve; (*años*) to reach, attain // *vi*: ~ **con** (*deberes*) to carry out, fulfil; ~**se** *vr* (*plazo*) to expire.
cuna ['kuna] *nf* cradle, cot.
cuñado, a [ku'ɲaðo, a] *nm/f* brother/sister-in-law.
cuota ['kwota] *nf* (*parte proporcional*) share; (*cotización*) fee, dues *pl.*
cupe *etc vb ver* **caber.**
cura ['kura] *nf* (*curación*) cure; (*método curativo*) treatment // *nm* priest.
curación [kura'θjon] *nf* cure; (*acción*) curing.
curar [ku'rar] *vt* (*herida*) to treat, dress; (*enfermo*) to cure; (*carne, pescado*) to cure,

salt; (*cuero*) to tan // *vi,* ~**se** *vr* to get well, recover.
curiosear [kurjose'ar] *vt* to glance at, look over // *vi* to look round, wander round.
curiosidad [kurjosi'ðað] *nf* curiosity.
curioso, a [ku'rjoso, a] *a* curious // *nm/f* bystander, onlooker.
cursi ['kursi] *a* (*fam*) in bad taste, vulgar.
cursivo, a [kur'siβo, a] *a* italic // *nf* italics *pl.*
curso ['kurso] *nm* course; **en** ~ (*año*) current; (*proceso*) going on, under way.
curvo, a ['kurβo, a] *a* (*gen*) curved; (*torcido*) bent // *nf* (*gen*) curve, bend.
custodia [kus'toðja] *nf* care, safekeeping, custody.
custodiar [kusto'ðjar] *vt* (*guardar*) to keep, take care of; (*vigilar*) to guard, watch over.
custodio [kus'toðjo] *nm* guardian, keeper.
cutis ['kutis] *nm* skin, complexion.
cuyo, a ['kujo, a] *pron* (*de quien*) whose, of whom; (*de que*) of which.

CH

chabacano, a [tʃaβa'kano, a] *a* vulgar, coarse.
chacal [tʃa'kal] *nm* jackal.
chacota [tʃa'kota] *nf* fun (and games).
chal [tʃal] *nm* shawl.
chalán [tʃa'lan] *nm* (*pey*) shady dealer.
chaleco [tʃa'leko] *nm* waistcoat, vest (*US*); ~ **salvavidas** life jacket.
chalupa [tʃa'lupa] *nf* launch, boat.
champán [tʃam'pan] *nm,* **champaña** [tʃam'paɲa] *nf* champagne.
champiñón [tʃampi'ɲon] *nm* mushroom.
champú [tʃam'pu] *nm* shampoo.
chamuscar [tʃamus'kar] *vt* to scorch, sear, singe.
chantaje [tʃan'taxe] *nm* blackmail.
chapa ['tʃapa] *nf* (*de metal*) plate, sheet; (*de madera*) board, panel.
chaparrón [tʃapa'rron] *nm* downpour, cloudburst.
chapotear [tʃapote'ar] *vt* to sponge down // *vi* (*agua*) to splash about.
chapucero, a [tʃapu'θero, a] *a* rough, crude // *nm/f* bungler.
chapurrar [tʃapu'rrar], **chapurrear** [tʃapurre'ar] *vt* (*idioma*) to speak badly; (*bebidas*) to mix.
chapuzar [tʃapu'θar] *vi* to duck.
chaqueta [tʃa'keta] *nf* jacket.
charca ['tʃarka] *nf* pond, pool.
charco ['tʃarko] *nm* pool, puddle.
charla ['tʃarla] *nf* talk, chat; (*conferencia*) lecture.
charlar [tʃar'lar] *vi* to talk, chat.
charlatán, ana [tʃarla'tan, ana] *nm/f* chatterbox; (*embaidor*) trickster; (*curandero*) charlatan.
charol [tʃa'rol] *nm* varnish; (*cuero*) patent leather.

chascarrillo [tʃaska'rriʎo] *nm* (*fam*) funny story.

chasco ['tʃasko] *nm* (*broma*) trick, joke; (*desengaño*) disappointment.

chasquear [tʃaske'ar] *vt* (*engañar*) to disappoint; (*bromear*) to play a trick on; (*látigo*) to crack; (*lengua*) to click.

chasquido [tʃas'kiðo] *nm* (*de lengua*) click; (*de látigo*) crack.

chato, a ['tʃato, a] *a* flat // *excl* hey handsome/beautiful!

chaval, a [tʃa'ßal, a] *nm/f* lad/girl.

checo(e)slovaco, a [tʃeko(e)slo'ßako, a] *a, nm/f* Czech, Czechoslovak.

Checo(e)slovaquia [tʃeko(e)slo'ßakja] *nf* Czechoslovakia.

cheque ['tʃeke] *nm* cheque.

chequeo [tʃe'keo] *nm* (*MED*) check-up; (*AUTO*) service.

chequera [tʃe'kera] *nf* cheque-book.

chico, a ['tʃiko, a] *a* small, little // *nm/f* (*niño, niña*) child; (*muchacho, muchacha*) boy/girl.

chicharrón [tʃitʃa'rron] *nm* crackling.

chichón [tʃi'tʃon] *nm* bump, hump.

chiflado, a [tʃi'flaðo, a] *a* daft, barmy.

chiflar [tʃi'flar] *vt* to hiss, boo; ~**se** *vr*: ~**se por** to be/go crazy about.

chile ['tʃile] *nm* chilli, red pepper.

Chile ['tʃile] *nm* Chile; **chileno, a** *a, nm/f* Chilean.

chillar [tʃi'ʎar] *vi* (*persona*) to yell, scream; (*animal salvaje*) to howl; (*cerdo*) to squeal; (*puerta*) to creak.

chillido [tʃi'ʎiðo] *nm* (*de persona*) yell, scream; (*de animal*) howl; (*de frenos*) screech(ing).

chillón, ona [tʃi'ʎon, ona] *a* (*niño*) noisy; (*color*) loud, gaudy.

chimenea [tʃime'nea] *nf* chimney; (*hogar*) fireplace.

China ['tʃina] *nf*: **la** ~ China.

chinche ['tʃintʃe] *nf* bug; (*TEC*) drawing pin // *nm/f* nuisance, pest.

chino, a ['tʃino, a] *a, nm/f* Chinese // *nm* (*lengua*) Chinese.

Chipre ['tʃipre] *nf* Cyprus; **chipriota, chipriote** *a, nm/f* Cypriot.

chiquito, a [tʃi'kito, a] *a* very small, tiny // *nm/f* kid.

chirle ['tʃirle] *a* watery, wishy-washy.

chirriar [tʃi'rrjar] *vi* (*goznes*) to creak, squeak; (*pájaros*) to chirp, sing.

chirrido [tʃi'rriðo] *nm* creak(ing), squeak(ing); (*de pájaro*) chirp(ing).

chis [tʃis] *excl* sh!

chisme ['tʃisme] *nm* (*habladurías*) piece of gossip; (*fam: objeto*) thing, thingummyjig.

chismoso, a [tʃis'moso, a] *a* gossiping // *nm/f* gossip.

chispa ['tʃispa] *nf* spark; (*fig*) sparkle; (*ingenio*) wit; (*fam*) drunkenness.

chispeante [tʃispe'ante] *a* sparkling, scintillating.

chispear [tʃispe'ar] *vi* to spark; (*lloviznar*) to drizzle.

chisporrotear [tʃisporrote'ar] *vi* (*fuego*) to throw out sparks; (*leña*) to crackle; (*aceite*) to hiss, splutter.

chiste ['tʃiste] *nm* joke, funny story.

chistoso, a [tʃis'toso, a] *a* (*gracioso*) funny, amusing; (*bromista*) witty.

chivo, a ['tʃißo, a] *nm/f* (billy/ nanny-)goat.

chocante [tʃo'kante] *a* startling; (*extraño*) odd; (*ofensivo*) shocking; (*antipático*) annoying.

chocar [tʃo'kar] *vi* (*coches, trenes*) to collide, crash // *vt* to shock; (*sorprender*) to startle; ~ **con** to collide with; (*fig*) to run into *or* up against; ¡**chócala!** put it there!

chocolate [tʃoko'late] *a, nm* chocolate.

chochear [tʃotʃe'ar] *vi* to dodder, be senile.

chocho, a ['tʃotʃo, a] *a* doddering, senile; (*fig*) soft, doting.

chollo ['tʃoʎo] *nm* (*fam*) bargain, snip.

choque ['tʃoke] *nm* (*impacto*) impact; (*golpe*) jolt; (*AUTO*) crash; (*ELEC, MED*) shock; (*MIL*) clash; (*fig*) conflict.

chorizo [tʃo'riθo] *nm* hard pork sausage, salami.

chorrear [tʃorre'ar] *vi* to gush, spout (out); (*gotear*) to drip, trickle.

chorro ['tʃorro] *nm* jet; (*fig*) stream.

choza ['tʃoθa] *nf* hut, shack.

chuleta [tʃu'leta] *nf* chop, cutlet.

chulo ['tʃulo] *nm* (*pícaro*) rascal; (*fam: joven lindo*) dandy.

chupado, a [tʃu'paðo, a] *a* (*delgado*) skinny, gaunt; (*ajustado*) tight.

chupar [tʃu'par] *vt* to suck; (*absorber*) to absorb; ~**se** *vr* to grow thin.

churro, a ['tʃurro, a] *a* coarse // *nm* fritter.

chuscada [tʃus'kaða] *nf* funny remark, joke.

chusco, a ['tʃusko, a] *a* funny; (*persona*) coarse but amusing.

chusma ['tʃusma] *nf* rabble, mob.

D

D. *abr de* **Don.**

Da. *abr de* **Doña.**

dactilógrafo, a [dakti'loxrafo, a] *nm/f* typist.

dádiva ['daðißa] *nf* (*donación*) donation; (*regalo*) gift.

dado, a ['daðo, a] *pp de* **dar** // *nm* die; ~**s** *nmpl* dice; ~ **que** *conj* given that.

dador, a [da'ðor, a] *nm/f* (*gen*) giver.

dama ['dama] *nf* (*gen*) lady; (*AJEDREZ*) queen; ~**s** *nfpl* draughts.

damasco [da'masko] *nm* (*tela*) damask.

damnificar [damnifi'kar] *vt* (*gen*) to harm; (*persona*) to injure.

danés, esa [da'nes, esa] *a* Danish // *nm/f* Dane.

danzar [dan'θar] *vt, vi* to dance.

dañar [da'ɲar] *vt* (*objeto*) to damage;

(*persona*) to hurt; ~**se** *vr* to get hurt.
dañino, a [da'ɲino, a] *a* harmful.
daño ['daɲo] *nm* (*a un objeto*) damage; (*a una persona*) harm, injury; ~**s y perjuicios** (*JUR*) damages; **hacer** ~ **a** to damage; to harm, injure.
dar [dar] *vt* (*gen*) to give; (*TEATRO*) to perform, put on; (*película*) to show; (*intereses*) to yield; (*naipes*) to deal; (*la hora*): ~ **las 3** to strike 3 // *vi*: ~ **a** to look out on(to), overlook; ~ **con** (*persona etc*) to meet, run into; (*idea*) to hit on; ~ **contra** to knock against, bang into; ~ **de cabeza** to fall on one's head; ~ **en** (*objeto*) to strike, hit; (*broma*) to catch on to; ~ **de sí** to give, stretch; ~**se** *vr* (*pasar*) to happen; (*presentarse*) to occur; ~**se a** to be given to; ~**se por** to consider o.s.; **dárselas de** to pose as; ~ **de comer/beber a uno** to give sb sth to eat/drink; **da lo mismo** *o* **qué más da** it's all the same; ~ **en el blanco** to hit the mark; **me da pena** it saddens me; ~**se prisa** to hurry (up).
dardo ['darðo] *nm* dart.
dársena ['darsena] *nf* dock.
datar [da'tar] *vi*: ~ **de** to date from.
dátil ['datil] *nm* date.
dato ['dato] *nm* fact, piece of information.
d. de J. C. *abr de* **después de Jesucristo** A.D. (Anno Domini).
de [de] *prep* of; from; **libro** ~ **cocina** cookery book; **el hombre** ~ **largos cabellos** the man with long hair; **guantes** ~ **cuero** leather gloves; **fue a Londres** ~ **profesor** he went to London as a teacher; **una** ~ **dos** one or the other; ~ **mañana** in the morning; **vestido** ~ **negro** dressed in black; **más/menos** ~ more/less than; ~ **cabeza** on one's head; ~ **cara** a facing.
deambular [deambu'lar] *vi* to stroll, wander.
debajo [de'βaxo] *ad* underneath; ~ **de** below, under; **por** ~ **de** beneath.
debate [de'βate] *nm* debate; **debatir** *vt* to debate.
deber [de'βer] *nm* duty // *vt* to owe // *vi*: **debe (de)** it must, it should; **debo hacerlo** I must do it; **debe de ir** he should go; ~**se** *vr*: ~**se a** to be owing *or* due to.
debido, a [de'βiðo, a] *a* proper, just; ~ **a** due to, because of.
débil ['deβil] *a* (*persona, carácter*) weak; (*luz*) dim; **debilidad** *nf* weakness; dimness; **debilidad senil** senility.
debilitar [deβili'tar] *vt* to weaken; ~**se** *vr* to grow weak.
débito ['deβito] *nm* debit.
década ['dekaða] *nf* decade.
decadencia [deka'ðenθja] *nf* decadence.
decaer [deka'er] *vi* (*declinar*) to decline; (*debilitarse*) to weaken.
decaimiento [dekai'mjento] *nm* (*declinación*) decline; (*desaliento*) discouragement; (*MED*: *empeoramiento*) weakening; (: *estado débil*) weakness.

decano, a [de'kano, a] *nm/f* dean.
decapitar [dekapi'tar] *vt* to behead.
decena [de'θena] *nf*: **una** ~ ten (or so).
decencia [de'θenθja] *nf* (*modestia*) modesty; (*honestidad*) respectability.
decente [de'θente] *a* (*correcto*) seemly, proper; (*honesto*) respectable.
decepción [deθep'θjon] *nf* disappointment; **decepcionar** *vt* to disappoint.
decidir [deθi'ðir] *vt* (*persuadir*) to convince, persuade; (*resolver*) to decide // *vi* to decide; ~**se** *vr*: ~**se a** to make up one's mind to.
décimo, a ['deθimo, a] *a* tenth // *nm* tenth.
decir [de'θir] *vt* (*expresar*) to say; (*contar*) to tell; (*hablar*) to speak // *nm* saying; ~**se** *vr*: **se dice que** it is said that; ~ **para/entre sí** to say to o.s.; **querer** ~ to mean.
decisión [deθi'sjon] *nf* (*resolución*) decision; (*firmeza*) decisiveness.
decisivo, a [deθi'siβo, a] *a* decisive.
declamar [dekla'mar] *vt, vi* to declaim.
declaración [deklara'θjon] *nf* (*manifestación*) statement; (*explicación*) explanation; **declarar** *vt* to declare, state; to explain // *vi* to declare; (*JUR*) to testify; **declararse** *vr* to propose.
declinar [dekli'nar] *vt* (*gen*) to decline; (*JUR*) to reject // *vi* (*el día*) to draw to a close; (*salud*) to deteriorate.
declive [de'kliβe] *nm* (*cuesta*) slope; (*inclinación*) incline.
decolorarse [dekolo'rarse] *vr* to become discoloured.
decoración [dekora'θjon] *nf* decoration.
decorado [deko'raðo] *nm* scenery, set.
decorar [deko'rar] *vt* to decorate; **decorativo, a** *a* ornamental, decorative.
decoro [de'koro] *nm* (*respeto*) respect; (*dignidad*) decency; (*recato*) decorum, propriety; ~**so, a** *a* (*decente*) decent; (*modesto*) modest; (*digno*) proper.
decrecer [dekre'θer] *vi* to decrease, diminish.
decrépito, a [de'krepito, a] *a* decrepit.
decretar [dekre'tar] *vt* to decree; **decreto** *nm* decree.
dedal [de'ðal] *nm* thimble.
dedicación [deðika'θjon] *nf* dedication; **dedicar** *vt* (*libro*) to dedicate; (*tiempo, dinero*) to devote; (*palabras*: *decir, consagrar*) to dedicate, devote; **dedicatoria** *nf* (*de libro*) dedication.
dedo ['deðo] *nm* finger; ~ (**del pie**) toe; ~ **pulgar** thumb; ~ **índice** index finger; ~ **mayor** *o* **cordial** middle finger; ~ **anular** ring finger; ~ **meñique** little finger.
deducción [deðuk'θjon] *nf* deduction.
deducir [deðu'θir] *vt* (*concluir*) to deduce, infer; (*COM*) to deduct.
defecto [de'fekto] *nm* defect, flaw; (*ELEC*) fault; **defectuoso, a** *a* defective, faulty.
defender [defen'der] *vt* to defend.
defensa [de'fensa] *nf* defence; (*DEPORTE*)

back; **defensivo, a** a defensive // nf: **a la defensiva** on the defensive.

defensor, a [defen'sor, a] a defending // nm/f (abogado) defending counsel; (protector) protector.

deficiencia [defi'θjenθja] nf deficiency; **deficiente** a (defectuoso) defective; (imperfecto) deficient, wanting.

déficit ['defiθit] nm deficit.

definición [defini'θjon] nf definition.

definir [defi'nir] vt (determinar) to determine, establish; (decidir) to define; (aclarar) to clarify; **definitivo, a** a definitive; **en definitiva** definitively.

deformación [deforma'θjon] nf (alteración) deformation; (distorsión) distortion.

deformar [defor'mar] vt (gen) to deform; ~**se** vr to become deformed; **deforme** a (informe) deformed; (feo) ugly; (mal hecho) misshapen.

defraudar [defrau'ðar] vt (decepcionar) to disappoint; (estafar) to cheat, defraud; (engañar) to deceive.

defunción [defun'θjon] nf decease, demise.

degeneración [dexenera'θjon] nf (de las células) degeneration; (moral) degeneracy; **degenerar** vi to degenerate.

degollar [dexo'ʎar] vt (animal) to slaughter; (decapitar) to behead, decapitate.

degradar [dexra'ðar] vt to debase, degrade; ~**se** vr to demean o.s.

degüello [de'ɣweʎo] nm: **entrar a** ~ to slaughter, put to the sword.

degustación [dexusta'θjon] nf sampling, tasting.

deidad [dei'ðað] nf deity, divinity.

deificar [deifi'kar] vt (persona) to deify.

dejación [dexa'θjon] nf (abandono) abandonment.

dejadez [dexa'ðeθ] nf (negligencia) neglect; (descuido) untidiness, carelessness; **dejado, a** a (negligente) careless; (indolente) lazy.

dejar [de'xar] vt (gen) to leave; (permitir) to allow, let; (abandonar) to abandon, forsake; (beneficios) to produce, yield // vi: ~ **de** (parar) to stop; (no hacer) to fail to; ~ **a un lado** to leave or set aside.

dejo ['dexo] nm (LING) accent; (sabor fuerte) tang; (sabor que queda) aftertaste.

del [del] = **de** + **el**, ver **de**.

delantal [delan'tal] nm apron.

delante [de'lante] ad in front; (enfrente) opposite; (adelante) ahead; ~ **de** in front of, before.

delantero, a [delan'tero, a] a front // nm (DEPORTE) forward // nf (de vestido, casa) front part; (DEPORTE) forward line; **llevar la** ~ **a uno** to be ahead of sb.

delatar [dela'tar] vt to inform on or against, betray; **delator, a** nm/f informer.

delegación [dexeʁa'θjon] nf delegation; (COM) office, branch; ~ **de policía** police station; ~ **municipal** local government

office; **delegado, a** nm/f delegate; (COM) agent; **delegar** vt to delegate.

deleitar [delei'tar] vt to delight; ~**se** vr: ~**se con** o **en** to delight in, take pleasure in; **deleite** nm delight, pleasure.

deletrear [deletre'ar] vi to spell (out); (fig) to interpret, decipher; **deletreo** nm spelling; interpretation, decipherment.

deleznable [deleθ'naßle] a inv (frágil) fragile; (resbaloso) slippery; (fugaz) fleeting.

delfín [del'fin] nm dolphin.

delgadez [delɣa'ðeθ] nf thinness, slimness; **delgado, a** a (gen) thin; (persona) slim, thin; (tierra) poor; (tela etc) light, delicate.

deliberación [deliβera'θjon] nf deliberation; **deliberar** vt to debate, discuss.

delicadeza [delika'ðeθa] nf (gen) delicacy; (refinamiento, sutileza) refinement.

delicado, a [deli'kaðo, a] a (gen) delicate; (sensible) sensitive; (quisquilloso) touchy.

delicia [de'liθja] nf delight.

delicioso, a [deli'θjoso, a] a (gracioso) delightful, agreeable; (placentero) pleasant; (exquisito) delicious.

delincuencia [delin'kwenθja] nf delinquency; **delincuente** nm/f delinquent, criminal.

delinquir [delin'kir] vi to commit an offence.

delirante [deli'rante] a delirious; **delirar** vi to be delirious, rave.

delirio [de'lirjo] nm (MED) delirium; (palabras insensatas) wanderings pl, ravings pl.

delito [de'lito] nm (infracción) offence; (crimen) crime; ~ **político/común** political/common crime.

demagogo [dema'xoxo] nm demagogue.

demanda [de'manda] nf (pedido, COM) demand; (petición) request; (JUR) action, lawsuit; **demandante** nm/f claimant.

demandar [deman'dar] vt (gen) to demand; (JUR) to sue.

demarcación [demarka'θjon] nf (de terreno) demarcation; **demarcar** vt to demarcate.

demás [de'mas] a: **los** ~ **niños** the other children, the remaining children // pron: **los/las** ~ the others, the rest (of them); **lo** ~ the rest (of it) // ad besides.

demasía [dema'sia] nf (exceso) excess, surplus; (atrevimiento) boldness; (insolencia) outrage; **comer en** ~ to eat to excess.

demasiado, a [dema'sjaðo, a] a too, too much; ~**s** too many // ad too, too much; **¡es** ~**!** it's too much!

demencia [de'menθja] nf (locura) madness; **demente** nm/f lunatic // a mad, insane.

democracia [demo'kraθja] nf democracy.

demócrata [de'mokrata] nm/f democrat; **democrático, a** a democratic.

demoler [demoˈler] vt to demolish; **demolición** nf demolition.

demonio [deˈmonjo] nm devil, demon; ¡~s! hell!, confound it!; ¿cómo ~s? how the hell?

demora [deˈmora] nf delay; **demorar** vt (retardar) to delay, hold back; (dilatar) to hold up // vi to linger, stay on.

demostración [demostraˈθjon] nf (de teorema) demonstration; (de afecto) show, display.

demostrar [demosˈtrar] vt (probar) to prove; (mostrar) to show; (manifestar) to demonstrate; **demostrativo, a** a demonstrative.

denegar [deneˈɣar] vt (rechazar) to refuse; (JUR) to reject.

denigrar [deniˈɣrar] vt (desacreditar, infamar) to denigrate; (injuriar) to insult.

denominación [denominaˈθjon] nf (nombramiento) designation; (clase) denomination.

denotar [denoˈtar] vt (indicar) to indicate; (significar) to denote.

densidad [densiˈðað] nf (FÍSICA) density; (fig) thickness.

denso, a [ˈdenso, a] a (apretado) solid; (espeso, pastoso) thick; (fig) heavy.

dentadura [dentaˈðura] nf (set of) teeth pl; ~ **postiza** false teeth pl.

dentera [denˈtera] nf (sensación desagradable) the shivers pl, the shudders pl; (envidia) envy, jealousy; (deseo) desire.

dentista [denˈtista] nm/f dentist.

dentro [ˈdentro] ad inside // prep: ~ **de** in, inside, within; **vayamos a** ~ let's go inside; **mirar por** ~ to look inside; ~ **de tres meses** within three months.

denuedo [deˈnweðo] nm boldness, daring.

denuncia [deˈnunθja] nf (delación) denunciation; (acusación) accusation; (de accidente) report; **denunciar** vt to report; (delatar) to inform on or against.

departamento [departaˈmento] nm (sección administrativa) department, section; (de caja, tren) compartment; (AM: piso) apartment, flat.

dependencia [depenˈdenθja] nf dependence; (POL) dependency; (COM) office, section.

depender [depenˈder] vi: ~ **de** to depend on.

dependienta [depenˈdjenta] nf saleswoman, shop assistant; **dependiente** a dependent // nm salesman.

deplorable [deploˈraβle] a deplorable; **deplorar** vt to deplore.

deponer [depoˈner] vt to lay down // vi (JUR) to give evidence; (declarar) to testify.

deportar [deporˈtar] vt to deport.

deporte [deˈporte] nm sport; **deportista** a sports cpd // nm/f sportsman/woman.

depositante [deposiˈtante], **depositador, a** [deposiˈtaˈðor, a] nm/f depositor.

depositar [deposiˈtar] vt (dinero) to deposit; (mercaderías) to put away, store;

(AM: persona) to confide; ~**se** vr to settle; ~**io, a** nm/f trustee.

depósito [deˈposito] nm (gen) deposit; (de mercaderías) warehouse, store; (de agua, gasolina etc) tank; ~ **de equipajes** cloakroom.

depravar [depraˈβar] vt to deprave; ~**se** vr to become depraved.

depreciar [depreˈθjar] vt to depreciate, reduce the value of; ~**se** vr to depreciate, lose value.

depredación [depreðaˈθjon] nf (saqueo, pillaje) pillage; (malversación) depredation.

depresión [depreˈsjon] nf depression.

deprimido, a [depriˈmiðo, a] a depressed.

deprimir [depriˈmir] vt to depress; ~**se** vr (persona) to become depressed.

depuración [depuraˈθjon] nf purification; (POL) purge; **depurar** vt to purify; (purgar) to purge.

derecha [deˈretʃa] nf right(-hand) side; (POL) right.

derechamente [deretʃaˈmente] ad (dirección) straight.

derecho, a [deˈretʃo, a] a right, right-hand // nm (privilegio) right; (lado) right(-hand) side; (leyes) law // ad straight, directly; ~**s** nmpl (de aduana) duty sg; (de autor) royalties; **tener** ~ **a** to have a right to.

deriva [deˈriβa] nf: **ir** o **estar a la** ~ to drift, be adrift.

derivación [deriβaˈθjon] nf derivation.

derivar [deriˈβar] vt (gen) to derive; (desviar) to drift; ~**se** vr to derive, be derived; to drift.

derramamiento [derramaˈmjento] nm (de sangre) shedding; (dispersión) spilling.

derramar [derraˈmar] vt to spill; (echar) to pour out; (dispersar) to scatter; ~**se** vr to pour out; ~ **lágrimas** to weep.

derrame [deˈrrame] nm (de líquido) spilling; (de sangre) shedding; (de tubo etc) overflow; (perdida) loss, leakage; (MED) discharge; (declive) slope.

derredor [derreˈðor] ad: **al** o **en** ~ **de** around, about.

derretido, a [derreˈtiðo, a] a melted, molten.

derretir [derreˈtir] vt (gen) to melt; (nieve) to thaw; (fig) to squander; ~**se** vr to melt.

derribar [derriˈβar] vt to knock down; (construcción) to demolish; (persona, gobierno, político) to bring down; ~**se** vr to fall down.

derrocar [derroˈkar] vt (despeñar) to demolish, knock down; (gobierno) to bring down, overthrow.

derrochar [derroˈtʃar] vt to squander; **derroche** nm (despilfarro) waste squandering.

derrota [deˈrrota] nf (camino, vereda) road, route; (NAUT) course; (MIL) defeat, rout; (fig) disaster; **derrotar** vt (gen) to defeat; (destruir) to ruin; **derrotero** n (rumbo) course.

derrumbar [derrum'bar] *vt* to throw down; ~**se** *vr* (*despeñarse*) to collapse; (*precipitarse*) to throw o.s. down.

desabotonar [desaßoto'nar] *vt* to unbutton, undo // *vi* to open out; ~**se** *vr* to come undone.

desabrido, a [desa'ßriðo, a] *a* (*insípido, soso*) insipid, tasteless; (*persona*) rude, surly; (*respuesta*) sharp.

desabrochar [desaßro'tʃar] *vt* (*botones, broches*) to undo, unfasten; (*fig*) to expose; ~**se** *vr* to confide, unburden o.s.

desacato [desa'kato] *nm* (*falta de respeto*) disrespect; (*irreverencia*) insulting behaviour; (*JUR*) contempt.

desacertado, a [desaθer'taðo, a] *a* (*equivocado*) mistaken; (*inoportuno*) unwise.

desacertar [desaθer'tar] *vi* (*errar*) to be mistaken; (*desatinar*) to act unwisely.

desacierto [desa'θjerto] *nm* mistake, error.

desacomodar [desakomo'ðar] *vt* (*molestar*) to put out, inconvenience; **desacomodo** *nm* (*incomodidad*) inconvenience; (*molestia*) trouble.

desaconsejado, a [desakonse'xaðo, a] *a* ill-advised; **desaconsejar** *vt* to dissuade, advise against.

desacordarse [desakor'ðarse] *vr* (*MUS*) to get out of tune; **desacorde** *a inv* discordant.

desacreditar [desakreði'tar] *vt* (*desprestigiar*) to discredit, bring into disrepute; (*denigrar*) to run down.

desacuerdo [desa'kwerðo] *nm* (*conflicto*) discord, disagreement; (*error*) error, blunder.

desafecto, a [desa'fekto, a] *a* (*opuesto*) disaffected // *nm* (*hostilidad*) disaffection.

desafiar [desa'fjar] *vt* (*retar*) to challenge; (*enfrentarse a*) to defy.

desafilar [desafi'lar] *vt* to blunt; ~**se** *vr* to become blunt.

desafinado, a [desafi'naðo] *a*: **estar** ~ to be out of tune; **desafinarse** *vr* (*MUS*) to go out of tune.

desafío [desa'fio] *nm* (*reto*) challenge; (*combate*) duel; (*resistencia*) defiance; (*competencia*) competition.

desafortunado, a [desafortu'naðo, a] *a* (*desgraciado*) unfortunate, unlucky.

desagradable [desaʁra'ðaßle] *a* (*fastidioso, enojoso*) unpleasant; (*irritante*) disagreeable.

desagradar [desaʁra'ðar] *vi* (*disgustar*) to displease; (*molestar*) to bother; **desagradecido, a** *a* ungrateful.

desagrado [desa'ʁraðo] *nm* (*disgusto*) displeasure; (*contrariedad*) dissatisfaction.

desagraviar [desaʁra'ßjar] *vt* to make amends to; **desagravio** *nm* (*recompensa*) amends; (: *en efectivo*) compensation.

desaguadero [desaʁwa'ðero] *nm* drain.

desagüe [des'aʁwe] *nm* (*de un líquido*) drainage; (*cañería*) drainpipe.

desaguisado, a [desaxi'saðo, a] *a* illegal // *nm* outrage.

desahogado, a [desao'ʁaðo, a] *a* (*descarado*) brazen, impudent; (*holgado*) comfortable; (*espacioso*) roomy.

desahogar [desao'ʁar] *vt* (*consolar*) to console; (*aliviar*) to ease, relieve; (*ira*) to vent; ~**se** *vr* (*distenderse*) to take it easy; (*desfogarse*) to let off steam.

desahogo [desa'oʁo] *nm* (*alivio*) relief; (*comodidad*) comfort, ease; (*descaro*) impudence.

desahuciar [desau'θjar] *vt* (*enfermo*) to give up hope for; (*inquilino*) to evict; **desahucio** *nm* eviction.

desairado, a [desai'raðo, a] *a* (*menospreciado*) disregarded; (*desgarbado*) shabby.

desairar [desai'rar] *vt* (*menospreciar*) to slight, snub; (*ultrajar*) to dishonour.

desaire [des'aire] *nm* (*afrenta*) rebuff; (*menosprecio*) slight; (*falta de garbo*) unattractiveness, lack of charm.

desajustar [desaxus'tar] *vt* (*desarreglar*) to disarrange; (*desconcertar*) to throw off balance; ~**se** *vr* to get out of order; (*cintura*) to loosen.

desajuste [desa'xuste] *nm* (*de máquina*) disorder; (*situación*) imbalance.

desalentador, a [desalenta'ðor, a] *a* disheartening; **desalentar** *vt* (*desanimar*) to discourage; **desalentar a uno** to make sb breathless.

desaliento [desa'ljento] *nm* discouragement.

desalinear [desaline'ar] *vt* to throw out of the straight; ~**se** *vr* to go off the straight.

desaliño [desa'liɲo] *nm* (*negligencia*) slovenliness.

desalmado, a [desal'maðo, a] *a* (*cruel*) cruel, heartless.

desalojamiento [desaloxa'mjento] *nm* ousting; (*cambio de residencia*) removal; (: *forzado*) eviction.

desalojar [desalo'xar] *vt* (*expulsar, echar*) to eject; (*abandonar*) to abandon, evacuate // *vi* to move out.

desamarrar [desama'rrar] *vt* to untie; (*NAUT*) to cast off.

desamor [desa'mor] *nm* (*frialdad*) indifference; (*odio*) dislike; (*enemistad*) enmity.

desamparado, a [desampa'raðo, a] *a* (*persona*) helpless; (*lugar: expuesto*) exposed; (*desierto*) deserted.

desamparar [desampa'rar] *vt* (*abandonar*) to desert, abandon; (*JUR*) to leave defenceless; (*barco*) to abandon.

desandar [desan'dar] *vt*: ~ **lo andado** *o* **el camino** to retrace one's steps.

desanimado, a [desani'maðo, a] *a* (*persona*) downhearted; (*espectáculo, fiesta*) dull; **desanimar** *vt* (*desalentar*) to discourage; (*deprimir*) to depress.

desapacible [desapa'θißle] *a* (*gen*) unpleasant; (*carácter*) disagreeable; (*voz*) harsh.

desaparecer [desapare'θer] *vt* (*gen*) to hide // *vi* (*gen*) to disappear; (*el sol, la luz*) to vanish; **desaparición** *nf* disappearance.

desapego [desa'peɣo] *nm* (*frialdad*) coolness; (*distancia*) detachment.

desapercibido, a [desaperθi'βiðo, a] *a* (*desprevenido*) unprepared; **pasar** ~ to go unnoticed.

desaplicación [desaplika'θjon] *nf* (*negligencia*) slackness; (*ocio*) laziness; **desaplicado, a** *a* slack; lazy.

desaprensivo, a [desapren'siβo, a] *a* unscrupulous.

desaprobar [desapro'βar] *vt* (*reprobar*) to disapprove of; (*condenar*) to condemn; (*no consentir*) to reject.

desaprovechado, a [desaproβe'tʃaðo, a] *a* (*improductivo*) unproductive; (*atrasado*) backward; **desaprovechar** *vt* to waste.

desarmar [desar'mar] *vt* (*MIL, fig*) to disarm; (*TEC*) to take apart, dismantle; **desarme** *nm* disarmament.

desarraigar [desarrai'ɣar] *vt* to uproot; **desarraigo** *nm* uprooting.

desarreglado, a [desarre'ɣlaðo, a] *a* (*TEC*) out of order; (*desordenado*) disorderly, untidy.

desarreglar [desarre'ɣlar] *vt* (*desordenar*) to disarrange; (*mecánica*) to put out of order; (*trastocar*) to upset, disturb.

desarreglo [desa'rreɣlo] *nm* (*de casa, persona*) untidiness; (*desorden*) disorder.

desarrollar [desarro'ʎar] *vt* (*gen*) to develop; (*extender*) to unfold; ~**se** *vr* to develop; (*extenderse*) to open (out); (*film*) to develop; **desarrollo** *nm* development.

desarticular [desartiku'lar] *vt* (*hueso*) to put out; (*objeto*) to take apart; (*fig*) to break up.

desaseo [desa'seo] *nm* (*suciedad*) slovenliness; (*desarreglo*) untidiness.

desasir [desa'sir] *vt* to loosen; ~**se** *vr* to extricate o.s.; ~**se de** to let go, give up.

desasosegar [desasose'ɣar] *vt* (*inquietar*) to disturb; (*afligir*) to make uneasy; ~**se** *vr* to become uneasy.

desasosiego [desaso'sjeɣo] *nm* (*intranquilidad*) uneasiness; (*aflicción*) restlessness; (*ansiedad*) anxiety.

desastrado, a [desas'traðo, a] *a* (*desaliñado*) shabby; (*sucio*) dirty; (*desgraciado, adverso*) wretched.

desastre [de'sastre] *nm* disaster; **desastroso, a** *a* disastrous.

desatado, a [desa'taðo, a] *a* (*desligado*) untied; (*violento*) violent, wild.

desatar [desa'tar] *vt* (*nudo*) to untie; (*paquete*) to undo; (*separar*) to detach; ~**se** *vr* (*zapatos*) to come untied; (*tormenta*) to break.

desatender [desaten'der] *vt* (*no prestar atención a*) to disregard; (*abandonar*) to neglect; (*invitado*) to slight.

desatento, a [desa'tento, a] *a* (*distraído*) inattentive; (*descortés*) discourteous.

desatinado, a [desati'naðo, a] *a* (*disparatado*) wild, reckless; (*absurdo*) foolish, silly; **desatinar** *vi* (*desvariar*) to behave foolishly; **desatino** *nm* (*idiotez*) foolishness, folly; (*error*) blunder.

desautorizado, a [desautori'θaðo, a] *a* unauthorized; **desautorizar** *vt* (*oficial*) to deprive of authority; (*informe*) to deny.

desavenencia [desaβe'nenθja] *nf* (*desacuerdo*) disagreement; (*discrepancia*) rift, quarrel.

desaventajado, a [desaβenta'xaðo, a] *a* (*inferior*) inferior; (*poco ventajoso*) disadvantageous.

desayunar [desaju'nar] *vi* to have breakfast // *vt* to have for breakfast; **desayuno** *nm* breakfast.

desazón [desa'θon] *nf* (*insipidez*) tastelessness; (*angustia*) anxiety; (*fig*) annoyance.

desazonar [desaθo'nar] *vt* to make tasteless; (*fig*) to annoy, upset; ~**se** *vr* (*enojarse*) to be annoyed; (*preocuparse*) to worry, be anxious; (*MED*) to be off colour.

desbandarse [desβan'darse] *vr* (*MIL*) to disband; (*fig*) to flee in disorder.

desbarajuste [desβara'xuste] *nm* confusion, disorder.

desbaratar [desβara'tar] *vt* (*deshacer, destruir*) to ruin; (*malgastar*) to squander; (*mecánica*) to take apart.

desbordar [desβor'ðar] *vt* (*sobrepasar*) to go beyond; (*exceder*) to exceed // *vi*, ~**se** *vr* (*río*) to overflow; (*entusiasmo*) to erupt; (*persona*) to express one's feelings freely.

descabalgar [deskaβal'ɣar] *vi* to dismount.

descabellado, a [deskaβe'ʎaðo, a] *a* (*disparatado*) wild, crazy; (*insensato*) ridiculous.

descabellar [deskaβe'ʎar] *vt* to ruffle; (*TAUR: toro*) to give the coup de grace to.

descabezar [deskaβe'θar] *vt* (*persona*) to behead; (*árbol*) to lop; ~**se** *vr* (*AGR*) to shed the grain; (*fig*) to rack one's brains.

descafeinado [deskafei'naðo] *nm* decaffeinated coffee.

descalabro [deska'laβro] *nm* blow; (*desgracia*) misfortune.

descalzar [deskal'θar] *vt* (*zapato*) to take off; **descalzo, a** *a* barefoot(ed); (*fig*) destitute.

descaminado, a [deskami'naðo, a] *a* (*equivocado*) on the wrong road; (*fig*) misguided.

descaminar [deskami'nar] *vt* (*alguien*) to misdirect; (: *fig*) to lead astray; ~**se** *vr* (*en la ruta*) to go the wrong way; (*fig*) to go astray.

descansado, a [deskan'saðo, a] *a* (*gen*) rested; (*que tranquiliza*) restful; **descansar** *vt* (*gen*) to rest // *vi* to rest, have a rest; (*echarse*) to lie down.

descanso [des'kanso] *nm* (*reposo*) rest; (*alivio*) relief; (*pausa*) break; (*DEPORTE*) interval, half time.

descarado, a [deska'raðo, a] *a* (*sin

vergüenza) shameless; (*insolente*) cheeky; **descararse** *vr* to be insolent *or* cheeky.

descarga [des'karɣa] *nf* (ARQ, ELEC, MIL) discharge; (NAUT) unloading.

descargadero [deskarɣa'ðero] *nm* wharf.

descargar [deskar'ɣar] *vt* to unload; (*golpe*) to let fly; (*fig*) to lead astray; ~**se** *vr* to unburden o.s.; **descargo** *nm* unloading; (COM) receipt; (JUR) evidence.

descarnado, a [deskar'naðo, a] *a* scrawny; (*fig*) bare.

descaro [des'karo] *nm* (*atrevimiento*) shamelessness, nerve; (*insolencia*) cheek.

descarriar [deska'rrjar] *vt* (*descaminar*) to misdirect; (*fig*) to lead astray; ~**se** *vr* (*perderse*) to lose one's way; (*separarse*) to stray; (*pervertirse*) to err, go astray.

descarrilamiento [deskarrila'mjento] *nm* (*de tren*) derailment.

descartar [deskar'tar] *vt* (*rechazar*) to reject; (*poner a un lado*) to set aside; (*eliminar*) to rule out; ~**se** *vr* (NAIPES) to discard; ~**se de** to shirk; **descartado, a** *a* rejected; set aside, eliminated.

descendencia [desθen'denθja] *nf* (*origen*) origin, descent; (*hijos*) offspring.

descender [desθen'der] *vt* (*bajar: escalera*) to go down; (: *equipajes*) to take down // *vi* to descend; (*temperatura, nivel*) to fall, drop; ~ **de** to be descended from.

descendiente [desθen'djente] *nm/f* descendant.

descenso [des'θenso] *nm* descent; (*de temperatura*) drop.

descifrar [desθi'frar] *vt* to decipher.

descolgar [deskol'xar] *vt* (*bajar*) to take down; (*teléfono*) to pick up; ~**se** *vr* to let o.s. down.

descolorir [deskolo'rir], **descolorar** [deskolo'rar] *vt* = **decolorar.**

descomedido, a [deskome'ðiðo, a] *a* (*descortés*) rude; (*excesivo*) excessive.

descompaginar [deskompaxi'nar] *vt* (*desordenar*) to disarrange, mess up.

descompasado, a [deskompa'saðo, a] *a* (*sin proporción*) out of all proportion; (*excesivo*) excessive.

descomponer [deskompo'ner] *vt* (*desordenar*) to disarrange, disturb; (TEC) to put out of order; (*dividir*) to break down (into parts); (*fig*) to provoke; ~**se** *vr* (*corromperse*) to rot, decompose; (*el tiempo*) to change (for the worse); (TEC) to break down; (*irritarse*) to lose one's temper.

descomposición [deskomposi'θjon] *nf* (*gen*) breakdown; (*de fruta etc*) decomposition.

descompostura [deskompos'tura] *nf* (TEC) breakdown; (*desorganización*) disorganization; (*desorden*) untidiness.

descompuesto, a [deskom'pwesto, a] *a* (*corrompido*) decomposed; (*roto*) broken; (*descarado*) brazen; (*furioso*) angry.

desconcertado, a [deskonθer'taðo, a] *a* disconcerted, bewildered.

desconcertar [deskonθer'tar] *vt*

(*confundir*) to baffle; (*incomodar*) to upset, put out; (TEC) to put out of order; (ANAT) to dislocate; ~**se** *vr* (*turbarse*) to be upset.

desconcierto [deskon'θjerto] *nm* (*gen*) disorder; (*daño*) damage; (*desorientación*) uncertainty; (*inquietud*) uneasiness.

desconectar [deskonek'tar] *vt* to disconnect.

desconfianza [deskon'fjanθa] *nf* distrust; **desconfiar** *vi* to be distrustful; **desconfiar de** to distrust, suspect.

desconocer [deskono'θer] *vt* (*alguien*) to ignore; (*ignorar*) not to know, be ignorant of; (*no recordar*) to fail to remember; (*no aceptar*) to deny; (*repudiar*) to disown.

desconocimiento [deskonoθi'mjento] *nm* (*falta de conocimientos*) ignorance; (*repudio*) disregard; (*ingratitud*) ingratitude.

desconsiderado, a [deskonsiðe'raðo, a] *a* (*descuidado*) inconsiderate; (*insensible*) thoughtless.

desconsolar [deskonso'lar] *vt* to distress; ~**se** *vr* to despair.

desconsuelo [deskon'swelo] *nm* (*tristeza*) distress; (*desesperación*) despair.

descontar [deskon'tar] *vt* (*deducir*) to take away, deduct; (*rebajar*) to discount; (*predecir, dar por cierto*) to take for granted.

descontento, a [deskon'tento, a] *a* dissatisfied // *nm* dissatisfaction, discontent.

descorazonar [deskoraθo'nar] *vt* to discourage, dishearten.

descorchar [deskor'tʃar] *vt* to uncork.

descortés [deskor'tes] *a* (*mal educado*) discourteous; (*grosero*) rude.

descoser [desko'ser] *vt* to unstitch; ~**se** *vr* to come apart (at the seams).

descosido, a [desko'siðo, a] *a* (*costura*) unstitched; (*indiscreto*) indiscreet; (*desordenado*) disjointed.

descoyuntar [deskojun'tar] *vt* (ANAT) to dislocate.

descrédito [des'kreðito] *nm* discredit.

descreído, a [deskre'iðo, a] *a* (*incrédulo*) incredulous; (*falto de fe*) unbelieving.

describir [deskri'ßir] *vt* to describe.

descripción [deskrip'θjon] *nf* description.

descrito [des'krito] *pp de* **describir.**

descuajar [deskwa'xar] *vt* (*disolver*) to melt; (*planta*) to pull out by the roots.

descubierto, a [desku'ßjerto, a] *pp de* **descubrir** // *a* uncovered, bare; (*persona*) bareheaded; **al** ~ in the open.

descubrimiento [deskußri'mjento] *nm* (*hallazgo*) discovery; (*revelación*) revelation.

descubrir [desku'ßrir] *vt* to discover, find; (*inaugurar*) to unveil; (*vislumbrar*) to detect; (*revelar*) to reveal, show; (*quitar la tapa*) to uncover; ~**se** *vr* to reveal o.s.; (*quitarse sombrero*) to take off one's hat; (*confesar*) to confess.

descuento [des'kwento] *nm* discount; ~ **jubilatorio** retirement pension.

descuidado, a [deskwi'ðaðo, a] *a* (*sin cuidado*) careless; (*desordenado*) untidy; (*olvidadizo*) forgetful; (*dejado*) neglected; (*desprevenido*) unprepared.

descuidar [deskwi'ðar] *vt* (*dejar*) to neglect; (*olvidar*) to overlook // *vi*, ~**se** *vr* (*distraerse*) to be careless; (*estar desaliñado*) to let o.s. go; (*desprevenirse*) to drop one's guard; ¡**descuida!** don't worry!; **descuido** *nm* (*dejadez*) carelessness; (*olvido*) negligence.

desde ['desðe] *ad* from; ~ **que** *conj* since; ~ **lejos** from afar; ~ **ahora en adelante** from now onwards; ~ **hace 3 días** for 3 days now; ~ **luego** of course.

desdecirse [desðe'θirse] *vr* (*de promesa*) to go back on one's word.

desdén [des'ðen] *nm* scorn.

desdeñar [desðe'ɲar] *vt* (*despreciar*) to scorn.

desdicha [des'ðitʃa] *nf* (*desgracia*) misfortune; (*infelicidad*) unhappiness; **desdichado, a** *a* (*sin suerte*) unlucky; (*infeliz*) unhappy.

desdoblar [desðo'βlar] *vt* (*extender*) to spread out; (*desplegar*) to unfold; (*separar en dos*) to split.

desear [dese'ar] *vt* to want, desire, wish for.

desecar [dese'kar] *vt*, ~**se** *vr* to dry up.

desechar [dese'tʃar] *vt* (*basura*) to throw out *or* away; (*ideas*) to reject, discard; **desechos** *nmpl* rubbish *sg*, waste *sg*.

desembalar [desemba'lar] *vt* to unpack.

desembarazado, a [desembara'θaðo, a] *a* (*libre*) clear, free; (*desenvuelto*) free and easy.

desembarazar [desembara'θar] *vt* (*desocupar*) to clear; (*desenredar*) to free; ~**se** *vr*: ~**se de** to free o.s. of, get rid of.

desembarcar [desembar'kar] *vt*, *vi*, ~**se** *vr* to land.

desembocadura [desemboka'ðura] *nf* (*de río*) mouth; (*de calle*) opening.

desembocar [desembo'kar] *vi* to flow into; (*fig*) to result in.

desembolso [desem'bolso] *nm* payment; ~**s** *nmpl* expenses; ~ **inicial** deposit, down payment.

desemejante [deseme'xante] *a* dissimilar, unlike; **desemejanza** *nf* dissimilarity.

desempeñar [desempe'ɲar] *vt* (*cargo*) to hold; (*papel*) to perform; (*lo empeñado*) to redeem; ~**se** *vr* to get out of debt; ~ **un papel** (*fig*) to play (a role).

desempeño [desem'peɲo] *nm* redeeming; (*de cargo*) occupation; (*TEATRO*, *fig*) performance.

desempleado, a [desemple'aðo, a] *nm/f* unemployed person; **desempleo** *nm* unemployment.

desencadenar [desenkaðe'nar] *vt* to unchain; (*ira*) to unleash; ~**se** *vr* to break loose; (*tormenta*) to burst.

desencajar [desenka'xar] *vt* (*hueso*) to put out of joint; (*mandíbula*) to dislocate;

(*mecanismo, pieza*) to disconnect, disengage.

desencanto [desen'kanto] *nm* disillusionment.

desenfadado, a [desenfa'ðaðo, a] *a* (*desenvuelto*) uninhibited; (*descarado*) forward; **desenfado** *nm* (*libertad*) freedom; (*comportamiento*) free and easy manner; (*descaro*) forwardness.

desenfrenado, a [desenfre'naðo, a] *a* (*descontrolado*) uncontrolled; (*inmoderado*) unbridled; **desenfreno** *nm* (*vicio*) wildness; (*de las pasiones*) lack of self-control.

desengañar [desenga'ɲar] *vt* to disillusion; ~**se** *vr* to become disillusioned; **desengaño** *nm* disillusionment; (*decepción*) disappointment.

desenlace [desen'laθe] *nm* outcome.

desenmarañar [desenmara'ɲar] *vt* (*desenredar*) to disentangle; (*fig*) to unravel.

desenredar [desenre'ðar] *vt* to resolve; (*intriga*) to unravel; ~**se** *vr* to extricate o.s.

desentenderse [desenten'derse] *vr*: ~ **de** to pretend to be ignorant about; (*apartarse*) to have nothing to do with.

desenterrar [desente'rrar] *vt* to exhume; (*tesoro, fig*) to unearth, dig up.

desentrañar [desentra'ɲar] *vt* to disembowel; (*misterio*) to unravel.

desentumecer [desentume'θer] *vt* (*pierna etc*) to stretch; (*DEPORTE*) to loosen up.

desenvoltura [desenβol'tura] *nf* (*libertad, gracia*) ease; (*descaro*) free and easy manner; (*desvergüenza*) forwardness.

desenvolver [desenβol'βer] *vt* (*paquete*) to unwrap; (*madeja*) to disentangle; (*fig*) to develop; ~**se** *vr* (*desarrollarse*) to unfold, develop; (*arreglárselas*) to extricate o.s.

deseo [de'seo] *nm* desire, wish; ~**so, a** *a*: **estar** ~**so de** to be anxious to.

desequilibrado, a [desekili'βraðo, a] *a* unbalanced.

desertar [deser'tar] *vi* to desert.

desesperación [desespera'θjon] *nf* (*impaciencia*) desperation, despair; (*irritación*) fury.

desesperar [desespe'rar] *vt* to drive to despair; (*exasperar*) to drive to distraction // *vi*: ~ **de** to despair of; ~**se** *vr* to despair, lose hope.

desestimar [desesti'mar] *vt* (*menospreciar*) to have a low opinion of; (*rechazar*) to reject.

desfachatez [desfatʃa'teθ] *nf* (*insolencia*) impudence; (*descaro*) cheek.

desfalco [des'falko] *nm* embezzlement.

desfallecer [desfaʎe'θer] *vi* (*perder las fuerzas*) to become weak; (*desvanecerse*) to faint.

desfavorable [desfaβo'raβle] *a* unfavourable.

desfigurar [desfiˣuˈrar] vt (cara) to disfigure; (cuerpo) to deform.

desfilar [desfiˈlar] vi to parade; **desfile** nm procession.

desgaire [desˈˣaire] nm (desaliño, desgano) slovenliness; (menosprecio) disdain.

desgajar [desˣaˈxar] vt (arrancar) to tear off; (romper) to break off; ~ **se** vr to come off.

desgana [desˈˣana] nf (falta de apetito) loss of appetite; (renuencia) unwillingness; **desganarse** vr to lose one's appetite; (cansarse) to become bored.

desgarrar [desˣaˈrrar] vt to tear (up); (fig) to shatter; **desgarro** nm (muscular) tear; (aflicción) grief; (descaro) impudence.

desgastar [desˣasˈtar] vt (deteriorar) to wear away or down; (estropear) to spoil; ~ **se** vr to get worn out; **desgaste** nm wear (and tear); (MED) weakening, decline.

desgracia [desˈˣraθja] nf misfortune; (accidente) accident; (vergüenza) disgrace; (contratiempo) setback; **por** ~ unfortunately.

desgraciado, a [desˣraˈθjaðo, a] a (infortunado) unlucky, unfortunate; (miserable) wretched; (infeliz) miserable; (feo) ugly; (desagradable) unpleasant.

desgreñado, a [desˣreˈɲaðo, a] a dishevelled.

deshacer [desaˈθer] vt (casa) to break up; (dañar) to damage; (TEC) to take apart; (enemigo) to defeat; (diluir) to melt; (contrato) to break; (intriga) to solve; ~ **se** vr (disolverse) to melt; (despedazarse) to come apart or undone; ~ **se de** to get rid of; ~ **se en lágrimas** to burst into tears.

deshecho, a [desˈetʃo, a] a undone.

deshelar [deseˈlar] vt (cañería) to thaw; (heladera) to defrost.

desheredar [desereˈðar] vt to disinherit.

deshielo [desˈjelo] nm (de cañería) thaw; (de heladera) defrosting.

deshilar [desiˈlar] vt (tela) to unravel.

deshonesto, a [desoˈnesto, a] a indecent.

deshonra [desˈonra] nf (deshonor) dishonour; (vergüenza) shame; **deshonrar** vt to dishonour; (insultar) to insult.

deshora [desˈora]: **a** ~ ad at the wrong time.

desierto, a [deˈsjerto, a] a (casa, calle, negocio) deserted // nm desert.

designar [desiˣˈnar] vt (nombrar) to designate; (indicar) to fix.

designio [deˈsiˣnjo] nm (proyecto) plan; (destino) fate.

desigual [desiˈˣwal] a (terreno) uneven; (lucha etc) unequal.

desilusión [desiluˈsjon] nf disappointment, disillusionment; **desilusionar** vt to disappoint; **desilusionarse** vr to become disillusioned.

desinfectar [desinfekˈtar] vt to disinfect.

desinflar [desinˈflar] vt to deflate.

desintegración [desinteˣraˈθjon] nf disintegration.

desinterés [desinteˈres] nm (objetividad) disinterestedness; (altruismo) unselfishness.

desistir [desisˈtir] vi (renunciar) to stop, desist.

desleal [desleˈal] a (infiel) disloyal; ~ **tad** nf disloyalty.

deslenguado, a [deslenˈgwaðo, a] a (grosero) foul-mouthed.

desligar [desliˈˣar] vt (desatar) to untie, undo; (separar) to separate; ~ **se** vr (dos personas) to break up, separate; (de un compromiso) to extricate o.s.

desliz [desˈliθ] nm (de coche) skid; (de persona) slip, slide; (fig) lapse; ~ **ar** vt to slip, slide; (coche) to skid; (aguas mansas) to flow gently; (error) to slip in.

deslucido, a [desluˈθiðo, a] a (gen) dull; (torpe) awkward, graceless; (marchitado) tarnished.

deslumbrar [deslumˈbrar] vt to dazzle.

desmán [desˈman] nm (exceso) outrage; (abuso de poder) abuse.

desmandarse [desmanˈdarse] vr (abusarse) to behave badly; (excederse) to get out of hand; (caballo) to bolt.

desmantelar [desmanteˈlar] vt (deshacer) to dismantle; (casa) to strip.

desmayado, a [desmaˈjaðo, a] a (sin sentido) unconscious; (carácter) dull; (débil) faint, weak.

desmayar [desmaˈjar] vi to lose heart; ~ **se** vr (MED) to faint; **desmayo** nm (desvanecimiento) faint; (sin conciencia) unconsciousness; (depresión) dejection.

desmedido, a [desmeˈðiðo, a] a excessive; **desmedirse** vr to go too far, forget o.s.

desmejorar [desmexoˈrar] vt (dañar) to impair, spoil; (MED) to weaken.

desmembrar [desmemˈbrar] vt (MED) to dismember; (fig) to separate.

desmentir [desmenˈtir] vt (contradecir) to contradict; (refutar) to deny // vi: ~ **de** to refute; ~ **se** vr to contradict o.s.

desmenuzar [desmenuˈθar] vt (deshacer) to crumble; (examinar) to examine closely.

desmerecer [desmereˈθer] vt to be unworthy of // vi (deteriorarse) to deteriorate.

desmesurado, a [desmesuˈraðo, a] a disproportionate.

desmontar [desmonˈtar] vt (deshacer) to dismantle; (tierra) to level // vi to dismount.

desmoralizar [desmoraliˈθar] vt to demoralize.

desmoronar [desmoroˈnar] vt to wear away, erode; ~ **se** vr (edificio, dique) to fall into disrepair; (sociedad) to decay; (economía) to decline.

desnivel [desniˈβel] nm (de terreno) unevenness; **paso a** ~ (AUTO) flyover.

desnudar [desnuˈðar] vt (desvestir) to

undress; (*despojar*) to strip; ~**se** *vr* (*desvestirse*) to get undressed; **desnudo, a** *a* naked // *nm/f* nude; **desnudo de** devoid or bereft of.

desobedecer [desoβeðe'θer] *vt, vi* to disobey; **desobediencia** *nf* disobedience.

desocupación [desokupa'θjon] *nf* (*ocio*) leisure; (*desempleo*) unemployment; **desocupado, a** *a* at leisure; unemployed; (*deshabitado*) empty, vacant; **desocupar** *vt* to vacate.

desodorante [desoðo'rante] *nm* deodorant.

desolación [desola'θjon] *nf* (*lugar*) desolation; (*fig*) grief; **desolar** *vt* to ruin, lay waste; **desolarse** *vr* to grieve.

desorden [des'orðen] *nm* confusion; (*político*) disorder.

desorganizar [desorɣani'θar] *vt* (*desordenar*) to disorganize; (*deshacer*) to disrupt.

desorientar [desorjen'tar] *vt* (*extraviar*) to mislead; (*confundir, desconcertar*) to confuse; ~**se** *vr* (*perderse*) to lose one's way.

despabilado, a [despaβi'laðo, a] *a* (*despierto*) wide-awake; (*fig*) alert, sharp.

despabilar [despaβi'lar] *vt* (*vela*) to snuff; (*el ingenio*) to sharpen; (*fortuna, negocio*) to squander // *vi*, ~**se** *vr* to wake up.

despacio [des'paθjo] *ad* slowly.

despachar [despa'tʃar] *vt* (*negocio*) to do, complete; (*enviar*) to send, dispatch; (*vender*) to sell, deal in; (*billete*) to issue; (*mandar ir*) to send away.

despacho [des'patʃo] *nm* (*oficina*) office; (*de paquetes*) dispatch; (*venta*) sale; (*comunicación*) message; (*eficacia*) efficiency; (*rapidez*) promptness.

desparramar [desparra'mar] *vt* (*esparcir*) to scatter; (*noticia*) to spread; (*dinero, fortuna*) to squander; (*líquido*) to spill.

despavorido, a [despaβo'riðo, a] *a* terrified.

despectivo, a [despek'tiβo, a] *a* (*despreciativo*) derogatory; (*LING*) pejorative.

despecho [des'petʃo] *nm* spite; **a** ~ **de** in spite of.

despedazar [despeða'θar] *vt* to tear to pieces.

despedida [despe'ðiða] *nf* (*adios*) farewell; (*de obrero*) sacking.

despedir [despe'ðir] *vt* (*visita*) to see off, show out; (*licenciar: empleado*) to discharge; (*inquilino*) to evict; (*objeto*) to hurl; (*flecha*) to fire; (*olor etc*) to give out or off; ~**se** *vr*: ~**se de** to say goodbye to.

despegar [despe'ɣar] *vt* to unstick // *vi* to take off; ~**se** *vr* to come loose, come unstuck; **despego** *nm* detachment.

despegue [des'peɣe] *nm* takeoff.

despeinado, a [despei'naðo, a] *a* dishevelled, unkempt.

despejado, a [despe'xaðo, a] *a* (*lugar*)

clear, free; (*cielo*) cloudless, clear; (*persona*) wide-awake.

despejar [despe'xar] *vt* (*gen*) to clear; (*misterio*) to clarify, clear up // *vi* (*el tiempo*) to clear; ~**se** *vr* (*tiempo, cielo*) to clear (up); (*misterio*) to become clearer; (*persona*) to relax.

despejo [des'pexo] *nm* (*de casa, calle etc*) brightness; (*desenvoltura*) self-confidence; (*talento, ingenio*) alertness.

despensa [des'pensa] *nf* larder.

despeñadero [despeɲa'ðero] *nm* (*GEO*) cliff, precipice.

desperdicio [desper'ðiθjo] *nm* (*despilfarro*) squandering; (*residuo*) waste.

desperezarse [despere'θarse] *vr* to stretch (o.s.).

desperfecto [desper'fekto] *nm* (*deterioro*) slight damage; (*defecto*) flaw, imperfection.

despertador [desperta'ðor] *nm* alarm clock.

despertar [desper'tar] *vt* (*persona*) to wake up; (*vocación*) to awaken; (*recuerdos*) to revive; (*apetito*) to arouse // *vi*, ~**se** *vr* to awaken, wake up // *nm* awakening.

despido [des'piðo] *nm* dismissal, sacking.

despierto *etc vb ver* **despertar.**

despierto, a [des'pjerto, a] *a* awake; (*fig*) sharp, alert.

despilfarro [despil'farro] *nm* (*derroche*) squandering; (*lujo desmedido*) extravagance.

despistar [despis'tar] *vt* to throw off the track or scent; (*fig*) to mislead, confuse; ~**se** *vr* to take the wrong road; (*fig*) to become confused.

desplazamiento [desplaθa'mjento] *nm* displacement; ~ **de tierras** landslip.

desplegar [desple'ɣar] *vt* (*tela, papel*) to unfold, open out; (*bandera*) to unfurl.

despoblar [despo'βlar] *vt* (*de gente*) to depopulate.

despojar [despo'xar] *vt* (*alguien: de sus bienes*) to divest of, deprive of; (*casa*) to strip, leave bare; (*alguien: de su cargo*) to strip of; **despojo** *nm* (*acto*) plundering; (*objetos*) plunder, loot; **despojos** *nmpl* waste *sg*; (*rocas, ladrillos*) debris *sg*.

desposado, a [despo'saðo, a] *a, nm/f* newly-wed.

desposeer [despose'er] *vt* (*despojar*) to dispossess.

déspota ['despota] *nm* despot.

despreciar [despre'θjar] *vt* (*desdeñar*) to despise, scorn; (*afrentar*) to slight; **desprecio** *nm* scorn, contempt; slight.

desprender [despren'der] *vt* (*separar*) to separate; (*desatar*) to unfasten; (*olor*) to give off; ~**se** *vr* (*botón: caerse*) to fall off; (: *abrirse*) to unfasten; (*olor, perfume*) to be given off; ~**se de** to follow from; **se desprende que** it transpires that.

desprendimiento [desprendi'mjento] *nm* (*gen*) loosening; (*de botón que se cae*) detachment; (*de botón que se abre*)

unfastening; (*generosidad*) disinter-
estedness; (*indiferencia*) detachment; (*de gas*) release; (*de tierra, rocas*) landslide.
despreocupado, a [despreoku'paðo, a] *a* (*sin preocupación*) unworried, nonchalant; (*desprejuiciado*) impartial; (*negligente*) careless; **despreocuparse** *vr* to be carefree; **despreocuparse de** to have no interest in.
desprevenido, a [despreße'niðo, a] *a* (*no preparado*) unprepared, unready.
desproporción [despropor'θjon] *nf* disproportion, lack of proportion.
después [des'pwes] *ad* afterwards, later; (*próximo paso*) next; ~ **de comer** after lunch; **un año** ~ a year later; ~ **se debatió el tema** next the matter was discussed; ~ **de corregido el texto** after the text had been corrected; ~ **de todo** after all.
desquite [des'kite] *nm* (*satisfacción*) satisfaction; (*venganza*) revenge.
destacar [desta'kar] *vt* to emphasize, point up; (*MIL*) to detach, detail // *vi*, ~**se** *vr* (*resaltarse*) to stand out; (*persona*) to be outstanding *or* exceptional.
destajo [des'taxo] *nm*: **trabajar a** ~ to do piecework.
destapar [desta'par] *vt* (*gen*) to open; (*cacerola*) to take the lid off, uncover; ~**se** *vr* (*revelarse*) to reveal one's true character.
destartalado, a [destarta'laðo, a] *a* (*desordenado*) untidy; (*ruinoso*) tumbledown.
destello [des'teʎo] *nm* (*de estrella*) twinkle; (*de faro*) signal light.
destemplado, a [destem'plaðo, a] *a* (*MUS*) out of tune; (*voz*) harsh; (*MED*) out of sorts, indisposed.
desteñir [deste'ɲir] *vt* to fade // *vi*, ~**se** *vr* (*color*) to fade; **esta tela no destiñe** this fabric will not run.
desterrar [deste'rrar] *vt* (*exilar*) to exile; (*fig*) to banish, dismiss.
destierro [des'tjerro] *nm* exile.
destilación [destila'θjon] *nf* distillation; **destilar** *vt* to distil; **destilería** *nf* distillery.
destinar [desti'nar] *vt* to destine; (*funcionario*) to appoint, assign; (*fondos*) to set aside (*a* for); ~**se** *vr* to be destined.
destinatario, a [destina'tarjo, a] *nm/f* addressee.
destino [des'tino] *nm* (*suerte*) destiny; (*de viajero*) destination; (*función*) use.
destituir [destitu'ir] *vt* to dismiss.
destornillador [destorniʎa'ðor] *nm* screwdriver; **destornillar** *vt*, **destornillarse** *vr* (*tornillo*) to unscrew.
destreza [des'treθa] *nf* (*habilidad*) skill; (*maña*) dexterity; (*facilidad*) handiness.
destrozar [destro'θar] *vt* (*romper*) to smash, break (up); (*estropear*) to ruin; (*deshacer*) to shatter; (*el corazón*) to break.
destrozo [des'troθo] *nm* (*acción*)

destruction; (*desastre*) smashing; ~**s** *nmpl* (*pedazos*) pieces; (*daños*) havoc *sg*.
destrucción [destruk'θjon] *nf* destruction.
destruir [destru'ir] *vt* to destroy.
desunir [desu'nir] *vt* to separate; (*TEC*) to disconnect; (*fig*) to cause a quarrel *or* rift between.
desusado, a [desu'saðo, a] *a* (*anticuado*) obsolete.
desvalido, a [desßa'liðo, a] *a* (*desprotegido*) destitute; (*POL*) underprivileged; (*sin fuerzas*) helpless.
desván [des'ßan] *nm* attic.
desvanecer [desßane'θer] *vt* (*disipar*) to dispel; (*borrar*) to blur; ~**se** *vr* (*humo*) to vanish, disappear; (*color*) to fade; (*recuerdo*) to fade away.
desvanecimiento [desßaneθi'mjento] *nm* (*desaparición*) disappearance; (*de colores*) fading; (*evaporación*) evaporation; (*MED*) fainting fit.
desvariar [desßa'rjar] *vi* (*enfermo*) to be delirious; **desvarío** *nm* delirium.
desvelar [desße'lar] *vt* to keep awake; ~**se** *vr* to stay awake; (*fig*) to be vigilant *or* watchful; **desvelo** *nm* lack of sleep; (*insomnio*) sleeplessness; (*fig*) vigilance.
desventaja [desßen'taxa] *nf* disadvantage.
desventura [desßen'tura] *nf* misfortune.
desvergonzado, a [desßerɤon'θaðo, a] *a* shameless.
desvergüenza [desßer'xwenθa] *nf* (*descaro*) shamelessness; (*insolencia*) impudence; (*mala conducta*) effrontery.
desviación [desßja'θjon] *nf* deviation.
desviar [des'ßjar] *vt* to turn aside; (*río*) to alter the course of; (*navío*) to divert, reroute; (*conversación*) to sidetrack; ~**se** *vr* (*apartarse del camino*) to turn aside, deviate; (*: barco*) to go off course.
desvío [des'ßio] *nm* (*desviación*) detour, diversion; (*fig*) indifference.
desvirtuar [desßir'twar] *vt*, ~**se** *vr* to spoil.
desvivirse [desßi'ßirse] *vr*: ~ **por** to long for, crave for.
detallar [deta'ʎar] *vt* to detail; (*COM*) to sell retail.
detalle [de'taʎe] *nm* detail; (*fig*) gesture, token; **al** ~ in detail.
detallista [deta'ʎista] *nm/f* retailer.
detener [dete'ner] *vt* (*tren, persona*) to stop; (*JUR*) to arrest; (*objeto*) to keep; ~**se** *vr* to stop; (*demorarse*): ~**se en** to delay over, linger over.
detenido, a [dete'niðo, a] *a* (*preso*) arrested, under arrest; (*minucioso*) detailed; (*tímido*) timid // *nm/f* person under arrest, prisoner.
detergente [deter'xente] *nm* detergent.
deteriorar [deterjo'rar] *vt* to spoil, damage; ~**se** *vr* to deteriorate; (*relaciones*) to become damaged; **deterioro** *nm* deterioration.
determinación [determina'θjon] *nf* (*empeño*) determination; (*decisión*)

decision; **determinar** vt (plazo) to fix; (precio) to settle; **determinarse** vr to decide.

detestar [detes'tar] vt to detest.

detonar [deto'nar] vi to detonate.

detrás [de'tras] ad behind; (atrás) at the back; ~ **de** behind.

detrimento [detri'mento] nm harm, damage; **en** ~ **de** to the detriment of.

deuda ['deuða] nf (condición) indebtedness, debt; (cantidad) debt.

deudor, a [deu'ðor, a] a: **saldo** ~ debit balance // nm/f debtor.

devaluación [deßalwa'θjon] nf devaluation.

devastar [deßas'tar] vt (destruir) to devastate.

devoción [deßo'θjon] nf devotion.

devolución [deßolu'θjon] nf devolution; (reenvío) return, sending back; (reembolso) repayment.

devolver [deßol'ßer] vt (gen) to return; (carta al correo) to send back; (COM) to repay, refund; (visita, la palabra) to return.

devorar [deßo'rar] vt to devour.

devoto, a [de'ßoto, a] a devout // nm/f admirer.

di vb ver **dar; decir.**

día ['dia] nm day; ¿**qué** ~ **es?** what's the date?; **estar/poner al** ~ to be/keep up to date; **el** ~ **de hoy/de mañana** today/tomorrow; **al** ~ **siguiente** on the following day; **vivir al** ~ to live from hand to mouth; **de** ~ by day, in daylight; **en pleno** ~ in full daylight.

diablo ['djaßlo] nm devil; **diablura** nf prank; **diabluras** nfpl mischief sg.

diabólico, a [dja'ßoliko, a] a diabolical.

diafragma [dja'fraxma] nm diaphragm.

diagnosis [djax'nosis] nf, **diagnóstico** [djax'nostiko] nm diagnosis.

dialecto [dja'lekto] nm dialect.

diálogo ['djaloxo] nm dialogue.

diamante [dja'mante] nm diamond.

diapositiva [djaposi'tißa] nf (FOTO) slide, transparency.

diario, a ['djarjo, a] a daily // nm newspaper.

diarrea [dja'rrea] nf diarrhoea.

dibujar [dißu'xar] vt to draw, sketch; **dibujo** nm drawing; **dibujos animados** cartoons.

diccionario [dikθjo'narjo] nm dictionary.

dice etc vb ver **decir.**

diciembre [di'θjembre] nm December.

dictado [dik'taðo] nm dictation.

dictador [dikta'ðor] nm dictator; **dictadura** nf dictatorship.

dictamen [dik'tamen] nm (opinión) opinion; (juicio) judgment.

dicho, a ['ditʃo, a] pp de **decir** // a: **en** ~**s países** in the aforementioned countries // nm saying // nf happiness.

diente ['djente] nm (ANAT, TEC) tooth; (ZOOL) fang; (: de elefante) tusk; (de ajo) clove; **da** ~ **con** ~ his teeth are chattering; **hablar entre** ~**s** to mutter, mumble.

dieron vb ver **dar.**

diesel ['disel] a: **motor** ~ diesel engine.

dieta ['djeta] nf diet.

diez [djeθ] num ten.

diferencia [dife'renθja] nf difference; **diferenciar** vt to differentiate between // vi to differ; **diferenciarse** vr to differ, be different; (distinguirse) to distinguish o.s.

diferente [dife'rente] a different.

difícil [di'fiθil] a difficult.

dificultad [difikul'tað] nf difficulty; (problema) trouble.

dificultar [difikul'tar] vt (complicar) to complicate, make difficult; (estorbar) to obstruct.

difundir [difun'dir] vt (esparcir) to spread, diffuse; (divulgar) to divulge; ~**se** vr to spread (out).

difunto, a [di'funto, a] a dead, deceased // nm/f deceased (person).

digerir [dixe'rir] vt to digest; (fig) to absorb.

digital [dixi'tal] a digital.

dignarse [dix'narse] vr to deign to.

dignidad [dixni'ðað] nf dignity; (honra) honour.

digno, a [dixno, a] a worthy.

digo etc vb ver **decir.**

dije etc vb ver **decir.**

dilatación [dilata'θjon] nf (expansión) dilation.

dilatado, a [dila'taðo, a] a dilated; (ancho) widened; (largo) long drawn-out; (extenso) extensive.

dilatar [dila'tar] vt (cuerpo) to dilate; (prolongar) to stretch; (en el tiempo) to prolong.

dilema [di'lema] nm dilemma.

diligencia [dili'xenθja] nf diligence; (ocupación) errand, job; ~**s** nfpl (JUR) formalities; **diligente** a diligent.

diluir [dilu'ir] vt to dilute.

diluvio [di'lußjo] nm deluge, flood.

dimensión [dimen'sjon] nf dimension.

diminuto, a [dimi'nuto, a] a tiny.

dimitir [dimi'tir] vi to resign.

dimos vb ver **dar.**

Dinamarca [dina'marka] nf Denmark; **dinamarqués, esa** a Danish // nm/f Dane.

dinámico, a [di'namiko, a] a dynamic.

dinamita [dina'mita] nf dynamite.

dínamo ['dinamo] nf dynamo.

dineral [dine'ral] nm large sum of money, fortune.

dinero [di'nero] nm money; ~ **efectivo** cash, ready cash.

dio vb ver **dar.**

dios [djos] nm god.

diosa ['djosa] nf goddess.

diplomacia [diplo'maθja] nf diplomacy; (fig) tact; **diplomático, a** a diplomatic // nm/f diplomat.

diputado, a [dipu'taðo, a] nm/f delegate; (*Cortes*) deputy.

diré etc vb ver **decir.**

dirección [direk'θjon] nf direction; (*señas*) address; (*AUTO*) steering; (*gerencia*) management; (*POL*) leadership; ~ **única** o **obligatoria** o **prohibida** one-way.

directo, a [di'rekto, a] a direct; **transmitir en** ~ to broadcast live.

director, a [direk'tor, a] a leading // nm/f director; ~ **de cine/de escena** producer/stage manager.

dirigir [diri'xir] vt to direct; (*carta*) to address; (*obra de teatro, film*) to produce, direct; (*coche, barco*) to steer; (*avión*) to fly; (*MUS*) to conduct; (*comercio*) to manage; ~**se a** to go towards, make one's way towards; (*fig*) to speak to.

discernir [disθer'nir] vt (*distinguir, discriminar*) to discern.

disciplina [disθi'plina] nf discipline; **disciplinar** vt to discipline.

discípulo, a [dis'θipulo, a] nm/f disciple.

disco ['disko] nm disc; (*DEPORTE*) discus; (*TELEC*) dial; (*AUTO*) signal; (*fam*) boring affair; ~ **de larga duración/de duración extendida** long-playing record (L.P.)/extended play record (E.P.); ~ **de freno** brake disc.

discordia [dis'korðja] nf discord.

discoteca [disko'teka] nf discotheque.

discreción [diskre'θjon] nf discretion; (*reserva*) prudence; (*secreto*) secrecy; **comer a** ~ to eat as much as one wishes; **discrecional** a (*facultativo*) discretionary.

discrepancia [diskre'panθja] nf (*diferencia*) discrepancy; (*desacuerdo*) disagreement.

discreto, a [dis'kreto, a] a (*diplomático*) discreet; (*sensato*) sensible; (*listo*) shrewd; (*reservado*) quiet; (*sobrio*) sober; (*retraído*) unobtrusive; (*razonable*) reasonable.

discriminación [diskrimina'θjon] nf discrimination.

disculpa [dis'kulpa] nf excuse; (*pedir perdón*) apology; **disculpar** vt to excuse, pardon; **disculparse** vr to excuse o.s.; to apologize.

discurrir [disku'rrir] vt to invent // vi (*pensar, reflexionar*) to think, meditate; (*recorrer*) to roam, wander; (*el tiempo*) to pass, flow by.

discurso [dis'kurso] nm speech; (*razonamiento*) reasoning power.

discutir [disku'tir] vt (*debatir*) to discuss; (*pelear*) to argue about; (*contradecir*) to contradict.

diseminar [disemi'nar] vt to disseminate, spread.

diseño [di'seɲo] nm (*dibujo*) design.

disfraz [dis'fraθ] nm (*máscara*) disguise; (*excusa*) pretext; ~**ar** vt to disguise; ~**arse** vr: ~**arse de** to disguise o.s. as.

disfrutar [disfru'tar] vt to enjoy // vi to enjoy o.s.; ~ **de** to enjoy, possess.

disgustar [disɣus'tar] vt (*no gustar*) to displease; (*contrariar, enojar*) to annoy,

upset; ~**se** vr to be annoyed; (*dos personas*) to fall out.

disgusto [dis'ɣusto] nm (*repugnancia*) disgust; (*contrariedad*) annoyance; (*tristeza*) grief; (*riña*) quarrel; (*avería*) misfortune.

disidente [disi'ðente] nm dissident.

disimular [disimu'lar] vt (*ocultar*) to hide, conceal; (*perdonar*) to excuse // vi to dissemble.

disipar [disi'par] vt to dispel; (*fortuna*) to squander; ~**se** vr (*nubes*) to vanish; (*indisciplinarse*) to dissipate.

disminución [disminu'θjon] nf diminution.

disminuir [disminu'ir] vt (*acortar*) to decrease; (*achicar*) to diminish; (*estrechar*) to lessen.

disoluto, a [diso'luto, a] a dissolute.

disolver [disol'ßer] vt (*gen*) to dissolve; ~**se** vr to be dissolved.

disparar [dispa'rar] vt, vi to shoot, fire.

disparate [dispa'rate] nm (*tontería*) foolish remark; (*error*) blunder.

disparo [dis'paro] nm shot.

dispensar [dispen'sar] vt to dispense; (*disculpar*) to excuse.

dispersar [disper'sar] vt to disperse; ~**se** vr to scatter.

disponer [dispo'ner] vt (*arreglar*) to arrange; (*ordenar*) to put in order; (*preparar*) to prepare, get ready // vi: ~ **de** to have, own; ~**se** vr: ~**se para** to prepare to, prepare for.

disponible [dispo'nißle] a available.

disposición [disposi'θjon] nf arrangement, disposition; (*aptitud*) aptitude; **a la** ~ **de** at the disposal of.

dispuesto, a [dis'pwesto, a] pp de **disponer** // a (*arreglado*) arranged; (*preparado*) disposed.

disputar [dispu'tar] vt (*discutir*) to dispute, question; (*contender*) to contend for // vi to argue.

distanciar [distan'θjar] vt to space out; ~**se** vr to become estranged.

distante [dis'tante] a distant.

diste, disteis vb ver **dar.**

distinción [distin'θjon] nf (*gen*) distinction; (*claridad*) clarity; (*elegancia*) elegance; (*honor*) honour.

distinguir [distin'gir] vt to distinguish; (*escoger*) to single out; ~**se** vr to be distinguished.

distinto, a [dis'tinto, a] a different; (*claro*) clear.

distracción [distrak'θjon] nf (*pasatiempo*) hobby, pastime; (*olvido*) absent-mindedness, distraction.

distraer [distra'er] vt (*entretener*) to entertain; (*divertir*) to amuse; (*fondos*) to embezzle; ~**se** vr (*entretenerse*) to amuse o.s.; (*perder la concentración*) to allow one's attention to wander.

distraído, a [distra'iðo, a] a (*gen*) absent-minded; (*entretenido*) amusing.

distribuir [distrißu'ir] vt to distribute.

distrito [dis'trito] *nm* (*sector, territorio*) region; (*barrio*) district.

disturbio [dis'turβjo] *nm* disturbance.

disuadir [diswa'ðir] *vt* to dissuade.

disuelto [di'swelto] *pp de* **disolver.**

divagar [diβa'xar] *vi* (*desviarse*) to digress; (*errar*) to wander.

diván [di'βan] *nm* divan.

divergencia [diβer'xenθja] *nf* divergence.

diversidad [diβersi'ðað] *nf* diversity, variety.

diversificar [diβersifi'kar] *vt* to diversify.

diversión [diβer'sjon] *nf* (*gen*) entertainment; (*actividad*) hobby, pastime.

diverso, a [di'βerso, a] *a* diverse; ~s sundry.

divertir [diβer'tir] *vt* (*entretener, recrear*) to amuse, entertain; (*apartar, distraer*) to divert; ~**se** *vr* (*pasarlo bien*) to have a good time; (*distraerse*) to amuse o.s.

dividir [diβi'ðir] *vt* (*gen*) to divide; (*separar*) to separate; (*distribuir*) to distribute, share out.

divino, a [di'βino, a] *a* divine.

divisa [di'βisa] *nf* (*emblema, moneda*) emblem, badge; ~**s** *nfpl* currency *sg*.

división [diβi'sjon] *nf* (*gen*) division; (*de partido*) split; (*de país*) partition; (LING) hyphen; (*divergencia*) divergence.

divorciar [diβor'θjar] *vt* to divorce; ~**se** *vr* to get divorced; **divorcio** *nm* divorce.

divulgar [diβul'xar] *vt* (*desparramar*) to spread; (*hacer circular*) to divulge, circulate; ~**se** *vr* to leak out.

doblar [do'βlar] *vt* (*gen*) to double; (*papel*) to fold; (*caño*) to bend; (*la esquina*) to turn, go round; (*film*) to dub // *vi* to turn; (*campana*) to toll; ~**se** *vr* (*plegarse*) to fold (up), crease; (*encorvarse*) to bend; ~**se de risa/dolor** to be doubled up with laughter/pain.

doble ['doβle] *a* (*gen*) double; (*de dos aspectos*) dual; (*fig*) two-faced // *nm* double; (*campana*) toll(ing); ~s *nmpl* (DEPORTE) doubles *sg* // *nm/f* (TEATRO) double, stand-in; **con** ~ **sentido** with a double meaning.

doblegar [doβle'xar] *vt* to fold, crease; ~**se** *vr* to yield.

doce ['doθe] *num* twelve.

docena [do'θena] *nf* dozen.

dócil ['doθil] *a* (*pasivo*) docile; (*obediente*) obedient.

doctor, a [dok'tor, a] *nm/f* doctor.

doctrina [dok'trina] *nf* doctrine, teaching.

documentación [dokumenta'θjon] *nf* documentation, papers *pl*.

documento [doku'mento] *nm* (*certificado*) document.

dólar ['dolar] *nm* dollar.

doler [do'ler] *vt, vi* to hurt; (*fig*) to grieve; ~**se** *vr* (*de su situación*) to grieve, feel sorry; (*de las desgracias ajenas*) to sympathize; **me duele el brazo** my arm hurts.

dolor [do'lor] *nm* pain; (*fig*) grief, sorrow.

domar [do'mar], **domesticar** [domesti-'kar] *vt* to tame.

domicilio [domi'θiljo] *nm* home; ~ **particular** private residence; ~ **social** head office.

dominante [domi'nante] *a* dominant; (*person*) domineering.

dominar [domi'nar] *vt* (*gen*) to dominate; (*idiomas etc*) to have a command of // *vi* to dominate, prevail; ~**se** *vr* to control o.s.

domingo [do'mingo] *nm* Sunday.

dominio [do'minjo] *nm* (*tierras*) domain; (*autoridad*) power, authority; (*de las pasiones*) grip, hold; (*de varios idiomas*) command.

don [don] *nm* (*talento*) gift; ~ **Juan Gómez** Mr Juan Gomez *or* Juan Gomez Esq.

donaire [do'naire] *nm* charm.

doncella [don'θeʎa] *nf* (*criada*) maid; (*muchacha*) girl.

donde ['donde] *ad* where // *prep*: **el coche está allí** ~ **el farol** the car is over there by the lamppost *or* where the lamppost is; **por** ~ through which; **en** ~ where, in which.

dónde ['donde] *ad interr* where?; ¿**a** ~ **vas?** where are you going (to)?; ¿**de** ~ **vienes?** where have you come from?; ¿**por** ~? where?, whereabouts?

dondequiera [donde'kjera] *ad* anywhere; **por** ~ everywhere, all over the place // *conj*: ~ **que** wherever.

doña ['doɲa] *nf* título de mujer que no se traduce.

dorado, a [do'raðo, a] *a* (*color*) golden; (TEC) gilt.

dormir [dor'mir] *vt*: ~ **la siesta por la tarde** to have an afternoon nap // *vi* to sleep; ~**se** *vr* to go to sleep.

dormitar [dormi'tar] *vi* to doze.

dormitorio [dormi'torjo] *nm* bedroom; ~ **común** dormitory.

dos [dos] *num* two.

dosis ['dosis] *nf inv* dose, dosage.

dotado, a [do'taðo, a] *a* gifted; ~ **de** endowed with.

dotar [do'tar] *vt* to endow; **dote** *nf* dowry; **dotes** *nfpl* gifts.

doy *vb ver* **dar.**

drama ['drama] *nm* drama.

dramaturgo [drama'turxo] *nm* dramatist, playwright.

droga ['droxa] *nf* drug.

drogadicto, a [droxa'ðikto, a] *nm/f* drug addict.

ducha ['dutʃa] *nf* (*baño*) shower; (MED) douche; **ducharse** *vr* to take a shower.

duda ['duða] *nf* doubt.

dudoso, a [du'ðoso, a] *a* (*incierto*) hesitant; (*sospechoso*) doubtful.

duelo ['dwelo] *nm* (*combate*) duel; (*luto*) mourning.

duende ['dwende] *nm* imp, goblin.

dueño, a ['dweɲo, a] *nm/f* (*propietario*)

owner; (de casa) landlord/lady; (empresario) employer.

duermo etc vb ver **dormir.**

dulce [ˈdulθe] a sweet // ad gently, softly // nm sweet.

dulzura [dulˈθura] nf sweetness; (ternura) gentleness.

duplicar [dupliˈkar] vt (hacer el doble de) to duplicate; ~**se** vr to double.

duque [ˈduke] nm duke.

duquesa [duˈkesa] nf duchess.

duración [duraˈθjon] nf duration.

duradero, a [duraˈðero, a] a lasting.

durante [duˈrante] ad during.

durar [duˈrar] vi (permanecer) to last; (recuerdo) to remain.

dureza [duˈreθa] nf (calidad) hardness.

durmí etc vb ver **dormir.**

durmiente [durˈmjente] nm/f sleeper.

duro, a [ˈduro, a] a (gen) hard; (carácter) tough // ad hard // nm (moneda) five peseta coin/note.

E

e [e] conj and.

E abr de **este.**

ebanista [eβaˈnista] nm cabinetmaker.

ébano [ˈeβano] nm ebony.

ebrio, a [ˈeβrjo, a] a drunk.

ebullición [eβuʎiˈθjon] nf boiling; (fig) ferment.

eclesiástico, a [ekleˈsjastiko, a] a ecclesiastical.

eclipse [eˈklipse] nm eclipse.

eco [ˈeko] nm echo; **tener** ~ to catch on.

ecología [ekoloˈxia] nf ecology.

economato [ekonoˈmato] nm cooperative store.

economía [ekonoˈmia] nf (sistema) economy; (cualidad) thrift.

económico, a [ekoˈnomiko, a] a (barato) cheap, economical; (persona) thrifty; (COM: plan) financial; (: situación) economic.

economista [ekonoˈmista] nm/f economist.

ecuador [ekwaˈðor] nm equator; **el E~** Ecuador.

ecuánime [eˈkwanime] a (carácter) levelheaded; (estado) calm.

ecuestre [eˈkwestre] a equestrian.

echar [eˈtʃar] vt to throw; (agua, vino) to pour (out); (empleado: despedir) to fire, sack; (bigotes) to grow; (hojas) to sprout; (cartas) to post; (humo) to emit, give out // vi: ~ **a correr/llorar** to break into a run/burst into tears; ~**se** vr to lie down; ~ **llave a** to lock (up); ~ **abajo** (gobierno) to overthrow; (edificio) to demolish; ~ **mano a** to lay hands on.

edad [eˈðað] nf age; ¿**qué** ~ **tienes?** how old are you?; **tiene ocho años de** ~ he is eight (years old); **de** ~ **mediana/avanzada** middle-aged/ advanced in years; **la E~** Media the Middle Ages.

edición [eðiˈθjon] nf (acto) publication; (ejemplar) edition.

edicto [eˈðikto] nm edict, proclamation.

edificio [eðiˈfiθjo] nm building; (fig) edifice, structure.

editar [eðiˈtar] vt (publicar) to publish; (preparar textos) to edit.

editor, a [eðiˈtor, a] nm/f (que publica) publisher; (de periódico etc) editor // a: **casa** ~**a** publishing house; ~**ial** a editorial // nm leading article, editorial; **casa** ~**ial** publishing house.

educación [eðukaˈθjon] nf education; (crianza) upbringing; (modales) (good) manners pl.

educar [eðuˈkar] vt to educate; (criar) to bring up; (voz) to train.

EE. UU. nmpl abr de **Estados Unidos** USA (United States of America).

efectivo, a [efekˈtiβo, a] a effective; (real) actual, real // nm: **pagar en** ~ to pay (in) cash; **hacer** ~ **un cheque** to cash a cheque.

efecto [eˈfekto] nm effect, result; ~**s** nmpl goods; (COM) assets; **en** ~ in fact; (respuesta) exactly, indeed.

efectuar [efekˈtwar] vt to carry out; (viaje) to make.

eficacia [efiˈkaθja] nf (de persona) efficiency; (de medicamento) effectiveness.

eficaz [efiˈkaθ] a (persona) efficient; (acción) effective.

egipcio, a [eˈxipθjo, a] a, nm/f Egyptian.

Egipto [eˈxipto] nm Egypt.

egoísmo [eɣoˈismo] nm egoism.

egoísta [eɣoˈista] a egoistical, selfish // nm/f egoist.

egregio, a [eˈɣrexjo, a] a eminent, distinguished.

Eire [ˈeire] nm Eire.

ej. abr de **ejemplo.**

eje [ˈexe] nm (GEO, MAT) axis; (de rueda) axle; (de máquina) shaft, spindle; **la idea** ~ the central idea.

ejecución [exekuˈθjon] nf (gen) execution; (cumplimiento) fulfilment; (actuación) performance; (JUR: embargo de deudor) attachment, distraint.

ejecutar [exekuˈtar] vt (gen) to execute, carry out; (matar) to execute; (cumplir) to fulfil; (MUS) to perform; (JUR: embargar) to attach, distrain (on).

ejecutivo, a [exekuˈtiβo, a] a executive; **el poder** ~ the Executive (Power).

ejemplar [exemˈplar] a exemplary // nm example; (ZOOL) specimen; (de libro) copy; (de periódico) number, issue.

ejemplo [eˈxemplo] nm example; **por** ~ for example.

ejercer [exerˈθer] vt to exercise; (influencia) to exert; (un oficio) to practise // vi (practicar) to practise (de as); (tener oficio) to hold office.

ejercicio [exerˈθiθjo] nm exercise; (período) tenure; ~ **comercial** financial year.

ejército [eˈxerθito] nm army; **entrar en**

el ~ to join the army, join up.
el [el] *det* the.
él [el] *pron* (*persona*) he; (*cosa*) it; (*después de prep*: *persona*) him; (: *cosa*) it.
elaborar [elaβo'rar] *vt* to elaborate; (*hacer*) to make; (*preparar*) to prepare; (*trabajar*) to work; (*calcular*) to work out.
elasticidad [elastiθi'ðað] *nf* elasticity; **elástico, a** *a* elastic; (*flexible*) flexible // *nm* elastic.
elección [elek'θjon] *nf* election; (*selección*) choice, selection.
electorado [elekto'raðo] *nm* electorate, voters *pl*.
electricidad [elektriθi'ðað] *nf* electricity.
electricista [elektri'θista] *nm/f* electrician.
eléctrico, a [e'lektriko, a] *a* electric // *nm* electric train.
electrizar [elektri'θar] *vt* to electrify.
electro... [elektro] *pref* electro...; **~cardiógrafo** *nm* electrocardiograph; **~cución** *nf* electrocution; **~cutar** *vt* to electrocute; **~chapado, a** *a* electroplated; **electrodo** *nm* electrode; **~domésticos** *nmpl* (electrical) household appliances; **~imán** *nm* electromagnet; **~magnético, a** *a* electromagnetic; **~motor** *nm* electric motor.
electrónico, a [elek'troniko, a] *a* electronic // *nf* electronics *sg*.
electrotecnia [elektro'teknja] *nf* electrical engineering; **electrotécnico, a** *nm/f* electrical engineer.
electrotermo [elektro'termo] *nm* immersion heater.
elefante [ele'fante] *nm* elephant; ~ **marino** elephant seal.
elegancia [ele'ɣanθja] *nf* (*gracia*) elegance, grace; (*estilo*) stylishness; **elegante** *a* elegant, graceful; stylish, fashionable.
elegía [ele'xia] *nf* elegy.
elegir [ele'xir] *vt* (*escoger*) to choose, select; (*optar*) to opt for; (*presidente*) to elect.
elemental [elemen'tal] *a* (*claro, obvio*) elementary; (*fundamental*) elemental, fundamental.
elemento [ele'mento] *nm* element; (*fig*) ingredient; ~**s** *nmpl* elements, rudiments.
elevación [eleβa'θjon] *nf* elevation; (*acto*) raising, lifting; (*de precios*) rise; (*GEO etc*) height, altitude; (*de persona*) loftiness; (*pey*) conceit, pride.
elevar [ele'βar] *vt* to raise, lift (up); (*precio*) to put up; ~**se** *vr* (*edificio*) to rise; (*precios*) to go up; (*transportarse, enajenarse*) to get carried away; (*engreírse*) to become conceited.
eliminar [elimi'nar] *vt* to eliminate, remove.
eliminatoria [elimina'torja] *nf* heat, preliminary (round).
elite [e'lite] *nf* elite.
elocuencia [elo'kwenθja] *nf* eloquence.
elogiar [elo'xjar] *vt* to praise, eulogize;

elogio *nm* praise; (*tributo*) tribute.
eludir [elu'ðir] *vt* (*evitar*) to avoid, evade; (*escapar*) to escape, elude.
ella ['eʎa] *pron* (*persona*) she; (*cosa*) it; (*después de prep*: *persona*) her; (: *cosa*) it.
ellas ['eʎas] *pron* (*personas y cosas*) they; (*después de prep*) them.
ello ['eʎo] *pron* it.
ellos ['eʎos] *pron* they; (*después de prep*) them.
emanar [ema'nar] *vi*: ~ **de** to emanate from, come from; (*derivar de*) to originate in.
emancipar [emanθi'par] *vt* to emancipate; ~**se** *vr* to become emancipated, free o.s.
embadurnar [embaður'nar] *vt* to smear.
embajada [emba'xaða] *nf* embassy; (*mensaje*) message, errand.
embajador, a [embaxa'ðor, a] *nm/f* ambassador/ambassadress.
embalar [emba'lar] *vt* (*envolver*) to parcel, wrap (up); (*envasar*) to package // *vi* to sprint.
embarazada [embara'θaða] *a* pregnant // *nf* pregnant woman.
embarazar [embara'θar] *vt* to obstruct, hamper; (*a una mujer*) to make pregnant; ~**se** *vr* (*aturdirse*) to become embarrassed; (*confundirse*) to get into a muddle; (*mujer*) to become pregnant.
embarazo [emba'raθo] *nm* (*de mujer*) pregnancy; (*impedimento*) obstacle, obstruction; (*timidez*) embarrassment.
embarcación [embarka'θjon] *nf* (*barco*) boat, craft; (*acto*) embarkation.
embarcadero [embarka'ðero] *nm* pier, landing stage.
embarcar [embar'kar] *vt* (*cargamento*) to ship, stow; (*persona*) to embark, put on board; ~**se** *vr* to embark, go on board.
embargar [embar'ɣar] *vt* (*impedir*) to impede, hinder; (*JUR*) to seize, impound.
embarque [em'barke] *nm* shipment, loading.
embaular [embau'lar] *vt* to pack (into a trunk); (*fig*) to stuff o.s. with.
embebecerse [embeβe'θerse] *vr* (*extasiarse*) to be lost in wonder, be amazed.
embeber [embe'βer] *vt* (*absorber*) to absorb, soak up; (*empapar*) to saturate // *vi* to shrink; ~**se** *vr*: ~**se en la lectura** to be engrossed or absorbed in a book.
embellecer [embeʎe'θer] *vt* to embellish, beautify.
embestida [embes'tiða] *nf* attack, onslaught; (*carga*) charge; **embestir** *vt* to attack assault; to charge, attack // *vi* to attack.
emblema [em'blema] *nm* emblem.
embobado, a [embo'βaðo, a] *a* (*atontado*) stunned, bewildered.
embocadura [emboka'ðura] *nf* narrow entrance; (*de río*) mouth; (*MUS*) mouthpiece.
émbolo ['embolo] *nm* (*AUTO*) piston.

embolsar [embol'sar] vt to pocket, put in one's pocket.

emborrachar [emborra't∫ar] vt to intoxicate, make drunk; ~**se** vr to get drunk.

emboscada [embos'kaða] nf (celada) ambush.

embotar [embo'tar] vt to blunt, dull; ~**se** vr (adormecerse) to go numb.

embotellar [embote'ʎar] vt to bottle; ~**se** vr (circulación) to get into a jam.

embozar [embo'θar] vt to muffle (up).

embragar [embra'xar] vi to let in the clutch.

embrague [em'braxe] nm (también **pedal de** ~) clutch.

embravecer [embraße'θer] vt to enrage, infuriate; ~**se** vr to become furious; (el mar) to get rough; (tormenta) to rage.

embriagado, a [embrja'xaðo, a] a (emborrachado) intoxicated, drunk.

embriagar [embrja'xar] vt (emborrachar) to intoxicate, make drunk; (alegrar) to delight; ~**se** vr (emborracharse) to get drunk.

embriaguez [embrja'xeθ] nf (borrachera) drunkenness; (fig) rapture, delight.

embrollar [embro'ʎar] vt (el asunto) to confuse, complicate; (persona) to involve, embroil; ~**se** vr (confundirse) to get into a muddle or mess; ~**se con uno** to get into an argument with sb.

embrollo [em'broʎo] nm (enredo) muddle, confusion; (aprieto) fix, jam; (pey: engaño) fraud; (: trampa) trick.

embromar [embro'mar] vt (burlarse de) to tease, make fun of.

embrutecer [embrute'θer] vt (brutalizar) to brutalize; (depravar) to deprave; (atontar) to stupefy; ~**se** vr to become brutal; to become depraved.

embudo [em'buðo] nm funnel; (fig: engaño) fraud; (: trampa) trick.

embuste [em'buste] nm trick; (impostura) imposture; (mentira) lie; (hum) fib; ~**ro, a** a lying, deceitful // nm/f (tramposo) cheat; (impostor) impostor; (mentiroso) liar; (hum) fibber.

embutido [embu'tiðo] nm (CULIN) sausage; (TEC) inlay.

embutir [embu'tir] vt (TEC) to inlay; (llenar) to pack tight, cram, stuff.

emergencia [emer'xenθja] nf emergency; (surgimiento) emergence.

emerger [emer'xer] vi to emerge, appear.

emigración [emixra'θjon] nf (éxodo) migration; (destierro) emigration.

emigrar [emi'xrar] vi (pájaros) to migrate; (personas) to emigrate.

eminencia [emi'nenθja] nf eminence; **eminente** a eminent, distinguished; (GEO) high.

emisario [emi'sarjo] nm emissary.

emisión [emi'sjon] nf (acto) emission; (COM etc) issue; (RADIO, TV: acto) broadcasting; (: programa) broadcast, programme.

emisora [emi'sora] nf (de onda corta) shortwave radio station; (aparato) broadcasting station.

emitir [emi'tir] vt (olor etc) to emit, give off; (moneda etc) to issue; (opinión) to express; (RADIO) to broadcast.

emoción [emo'θjon] nf emotion; (excitación) excitement; (turbación) worry, anxiety.

emocionante [emoθjo'nante] a (excitante) exciting, thrilling; (conmovedor) moving, touching; (impresionante) striking, impressive.

emocionar [emoθjo'nar] vt (excitar) to excite, thrill; (conmover) to move, touch; (impresionar) to impress.

empacho [em'pat∫o] nm (MED) indigestion; (fig) embarrassment.

empalagoso, a [empala'xoso, a] a cloying; (fig) tiresome.

empalmar [empal'mar] vt to join, connect // vi (dos caminos) to meet, join; **empalme** nm joint, connection; junction; (de trenes) connection.

empanada [empa'naða] nf pie, patty.

empantanarse [empanta'narse] vr to get swamped; (fig) to get bogged down.

empañar [empa'ɲar] vt (niño) to swaddle, wrap up; ~**se** vr (nublarse) to get misty, steam up.

empapar [empa'par] vt (mojar) to soak, saturate; (absorber) to soak up, absorb; ~**se** vr: ~**se de** to soak up.

empapelar [empape'lar] vt (paredes) to paper; (envolver con papel) to wrap (up) in paper.

empaquetar [empake'tar] vt to pack, parcel up.

empastar [empas'tar] vt (embadurnar) to paste; (diente) to fill.

empatar [empa'tar] vi to draw, tie; **empate** nm draw, tie.

empedernido, a [empeðer'niðo, a] a hard, heartless; (fijado) hardened, inveterate.

empedernir [empeðer'nir] vt to harden.

empedrado, a [empe'ðraðo, a] a paved // nm paving; **empedrar** vt to pave.

empeñado, a [empe'ɲaðo, a] a (objeto) pawned; (persona) determined.

empeñar [empe'ɲar] vt (objeto) to pawn, pledge; (persona) to compel; ~**se** vr (obligarse) to bind o.s., pledge o.s.; (endeudarse) to get into debt; ~**se en** to be set on, be determined to.

empeño [em'peɲo] nm (cosa prendada) pledge; (determinación, insistencia) determination, insistence; **banco de** ~**s** pawnshop.

empeorar [empeo'rar] vt to make worse, worsen // vi to get worse, deteriorate.

empequeñecer [empekeɲe'θer] vt to dwarf; (fig) to belittle.

emperador [empera'ðor] nm emperor.

emperatriz [empera'triθ] nf empress.

empezar [empe'θar] vt, vi to begin, start.

empiezo etc vb ver **empezar.**

empinar [empi'nar] *vt* to raise (up) // *vi* (*fam*) to drink, booze (*fam*); ~**se** *vr* (*persona*) to stand on tiptoe; (*animal*) to rear up; (*camino*) to climb steeply; (*edificio*) to tower.

empírico, a [em'piriko, a] *a* empirical.

emplasto [em'plasto], **emplaste** [em-'plaste] *nm* (*MED*) plaster; (: *cataplasma*) poultice; (*componenda*) compromise.

emplazamiento [emplaθa'mjento] *nm* site, location; (*JUR*) summons *sg*.

emplazar [empla'θar] *vt* (*ubicar*) to site, place, locate; (*JUR*) to summons; (*convocar*) to summon.

empleado, a [emple'aðo, a] *nm/f* (*gen*) employee; (*de banco etc*) clerk.

emplear [emple'ar] *vt* (*usar*) to use, employ; (*dar trabajo a*) to employ; ~**se** *vr* (*conseguir trabajo*) to be employed; (*ocuparse*) to occupy o.s.

empleo [em'pleo] *nm* (*puesto*) job; (*puestos: colectivamente*) employment; (*uso*) use, employment.

empobrecer [empoβre'θer] *vt* to impoverish; ~**se** *vr* to become poor *or* impoverished; **empobrecimiento** *nm* impoverishment.

emporio [em'porjo] *nm* emporium, trading centre; (*gran almacén*) department store.

emprender [empren'der] *vt* (*empezar*) to begin, embark on; (*acometer*) to tackle, take on.

empreñar [empre'nar] *vt* to make pregnant; ~**se** *vr* to become pregnant.

empresa [em'presa] *nf* enterprise.

empréstito [em'prestito] *nm* (public) loan.

empujar [empu'xar] *vt* to push, shove; **empuje** *nm* thrust; (*presión*) pressure; (*fig*) vigour, drive.

empujón [empu'xon] *nm* push, shove.

empuñar [empu'nar] *vt* (*asir*) to grasp, take (firm) hold of.

emular [emu'lar] *vt* to emulate; (*rivalizar*) to rival.

émulo, a ['emulo, a] *nm/f* rival, competitor.

en [en] *prep* (*gen*) in; (*sobre*) on, upon; **meter** ~ **el bolsillo** to put in *or* into one's pocket; (*lugar*): **vivir** ~ **Toledo** to live in Toledo; ~ **casa** at home; (*tiempo*): **lo terminó** ~ **6 días** he finished it in 6 days; ~ **el mes de enero** in the month of January; ~ **aquel momento/aquella época** at that moment/that time; ~ **aquel día/aquella ocasión** on that day/that occasion; ~ **serio** seriously; ~ **fin** well, well then; **ir de puerta** ~ **puerta** to go from door to door; ~ **tren** by train.

enajenación [enaxena'θjon] *nf*, **enajenamiento** [enaxena'mjento] *nm* alienation; (*fig: distracción*) absent-mindedness; (: *embelesamiento*) rapture, trance; (*extrañamiento*) estrangement.

enajenar [enaxe'nar] *vt* to alienate; (*fig*)

to carry away; ~**se** *vr* (*de un bien*) to deprive o.s.; (*amigos*) to become estranged, fall out.

enamorado, a [enamo'raðo, a] *a* in love; **enamorar** *vt* to inspire love; **enamorarse** *vr* to fall in love.

enano, a [e'nano, a] *a* tiny // *nm/f* dwarf.

enardecer [enarðe'θer] *vt* (*pasiones*) to fire, inflame; (*persona*) to fill with enthusiasm; (: *llenar de ira*) to fill with anger; ~**se** *vr* to get excited; (*entusiasmarse*) to get enthusiastic (*por* about); (*de cólera*) to blaze.

encabezamiento [enkaβeθa'mjento] *nm* (*de carta*) heading; (*de periódico*) headline; (*preámbulo*) foreword, preface; (*registro*) roll, register.

encabezar [enkaβe'θar] *vt* (*manifestación*) to lead, head; (*lista*) to be at the top of; (*carta*) to put a heading to; (*libro*) to entitle; (*empadronar*) to register.

encadenar [enkaðe'nar] *vt* to chain (together); (*poner grilletes a*) to shackle.

encajar [enka'xar] *vt* (*ajustar*) to fit (into); (*golpe*) to give, deal; (*entrometer*) to insert // *vi* to fit (well); (*fig: corresponder a*) to match; ~**se** *vr* to intrude; ~**se en un sillón** to squeeze into a chair.

encaje [en'kaxe] *nm* (*labor*) lace; (*inserción*) insertion; (*ajuste*) fitting.

encajonar [enkaxo'nar] *vt* to box (up), put in a box.

encaminar [enkami'nar] *vt* to direct, send; ~**se** *vr*: ~**se a** to set out for.

encandilar [enkandi'lar] *vt* to dazzle; (*fuego*) to poke.

encantador, a [enkanta'ðor, a] *a* charming, lovely // *nm/f* magician, enchanter/tress.

encantar [enkan'tar] *vt* to charm, delight; (*hechizar*) to bewitch, cast a spell on; **encanto** *nm* (*magia*) spell, charm; (*fig*) charm, delight.

encarcelar [enkarθe'lar] *vt* to imprison, jail.

encarecer [enkare'θer] *vt* to put up the price of; (*pedir*) tc recommend, urge // *vi*, ~**se** *vr* to get dearer.

encarecimiento [enkareθi'mjento] *nm* price increase; (*pedido insistente*) urging.

encargado, a [enkar'xaðo, a] *a* in charge // *nm/f* agent, representative; (*responsable*) person in charge; ~ **de negocios** chargé d'affaires.

encargar [enkar'xar] *vt* to entrust; (*recomendar*) to urge, recommend; ~**se** *vr*: ~**se de** to look after, take charge of.

encargo [en'karxo] *nm* (*pedido*) assignment, job; (*responsabilidad*) responsibility; (*recomendación*) recommendation; (*COM*) order.

encarnación [enkarna'θjon] *nf* incarnation, embodiment.

encarrilar [enkarri'lar] *vt* to correct, put on the right track; (*tren*) to put back on the rails.

encausar [enkau'sar] *vt* to prosecute, sue.

encauzar [enkau'θar] vt to channel.
enceguecer [enθeɣe'θer] vt to blind // vi,
~**se** vr to go blind.
encendedor [enθende'dor] nm lighter.
encender [enθen'der] vt (con fuego) to
light; (incendiar) to set fire to; (luz, radio)
to put on, switch on; (inflarse) to inflame;
~**se** vr to catch fire; (excitarse) to get
excited; (de cólera) to flare up; (el rostro)
to blush.
encendido [enθen'diðo] nm ignition.
encerrar [enθe'rrar] vt (confinar) to shut
in, shut up; (comprender, incluir) to
include, contain.
encía [en'θia] nf gum.
encierro [en'θjerro] nm shutting in,
shutting up; (calabozo) prison.
encima [en'θima] ad (sobre) above, over;
(además) besides; ~ **de** (en) on, on top of;
(sobre) above, over; (además de) besides,
on top of; **por** ~ **de** over; ¿**llevas dinero**
~**?** have you any money on you?; **se me**
vino ~ it got on top of me.
encinta [en'θinta] a pregnant.
enclavar [enkla'ßar] vt (clavar) to nail;
(atravesar) to pierce; (sitio) to set; (fig:
fam) to swindle.
encoger [enko'xer] vt (gen) to shrink,
contract; (fig: asustar) to scare; (:
desanimar) to discourage; ~**se** vr to
shrink, contract; (fig) to cringe; ~**se de**
hombros to shrug one's shoulders.
encojar [enko'xar] vt to lame; (tullir) to
cripple; ~**se** vr to go lame; to become
crippled.
encolar [enko'lar] vt (engomar) to glue,
paste; (pegar) to stick down.
encolerizar [enkoleri'θar] vt to anger,
provoke; ~**se** vr to get angry.
encomendar [enkomen'dar] vt to entrust,
commend; ~**se** vr: ~**se a** to put one's
trust in.
encomiar [enko'mjar] vt to praise, pay
tribute to.
encomienda [enko'mjenda] nf (encargo)
charge, commission; (precio) price;
(elogio) tribute; ~ **postal** (AM) parcel
post.
encomio [en'komjo] nm praise, tribute.
enconado, a [enko'naðo, a] a (MED)
inflamed; (: dolorido) sore; (fig) angry.
enconar [enko'nar] vt (MED) to inflame;
(fig) to anger, irritate; ~**se** vr (MED) to
become inflamed; (fig) to get angry or
irritated.
encono [en'kono] nm (rencor) rancour,
spite; (odio) ill-feeling.
encontrado, a [enkon'traðo, a] a
(contrario) contrary, conflicting; (hostil)
hostile.
encontrar [enkon'trar] vt (hallar) to find;
(inesperadamente) to meet, run into; ~**se**
vr to meet (each other); (situarse) to be
(situated); (entrar en conflicto) to crash,
collide; ~**se con** to meet (with); ~**se**
bien de salud to feel well.
encorvar [enkor'ßar] vt to curve;

(inclinar) to bend (down); ~**se** vr to bend
down, bend over, stoop.
encrespar [enkres'par] vt (cabellos) to
curl; (agua) to ripple; (fig) to anger,
irritate; ~**se** vr (el mar) to get rough;
(fig) to get annoyed, irritated.
encrucijada [enkruθi'xaða] nf crossroads
sg; (empalme) junction.
encuadernación [enkwaðerna'θjon] nf
binding.
encuadernador, a [enkwaðerna'ðor, a]
nm/f bookbinder.
encuadrar [enkwa'ðrar] vt (retrato) to
frame; (ajustar) to fit, insert; (encerrar) to
contain.
encubrir [enku'ßrir] vt (ocultar) to hide,
conceal; (criminal) to harbour, shelter.
encuentro etc vb ver **encontrar** // [en-
'kwentro] nm (de personas) meeting; (de
trenes) collision, crash; (DEPORTE) match,
game; (MIL) encounter.
encuesta [en'kwesta] nf inquiry,
investigation; ~ **judicial** post mortem.
encumbrado, a [enkum'braðo, a] a
(edificio) lofty, towering; (persona)
eminent, distinguished.
encumbrar [enkum'brar] vt (edificio) to
raise; (elevar) to elevate; (persona) to
exalt; ~**se** vr to rise, tower; (fig) to
become conceited.
encharcado, a [entʃar'kaðo, a] a still;
(estancado) stagnant.
enchufar [entʃu'far] vt (ELEC) to plug in;
(TEC) to connect, fit together; **enchufe** nm
(ELEC: clavija) plug; (: toma) plug, socket;
(de dos tubos) joint, connection; (fam:
influencia) contact, connection; (: puesto)
cushy job.
endemoniado, a [endemo'njaðo, a] a
possessed (of the devil); (endiabolado)
devilish; (furioso) furious, wild.
endentar [enden'tar] vt, vi to engage,
mesh.
enderezar [endere'θar] vt (poner derecho)
to straighten (out); (: verticalmente) to set
upright; (carta) to address; (fig) to
straighten or sort out; (dirigir) to direct;
~**se** vr (persona sentado) to stand up; (fig)
to correct one's ways.
endeudarse [endeu'ðarse] vr to get into
debt.
endiablado, a [endja'ßlaðo, a] a devilish,
diabolical; (hum) mischievous; (fig)
furious, angry.
endomingarse [endomin'garse] vr to
dress up, put on one's best clothes.
endosar [endo'sar] vt (cheque etc) to
endorse.
endulzar [endul'θar] vt to sweeten; (fig) to
soften.
endurecer [endure'θer] vt to harden; (fig)
to harden, toughen; ~**se** vr to harden,
grow hard.
endurecido, a [endure'θiðo, a] a (duro)
hard; (fig) hardy, tough; **estar** ~ **a algo**
to be hardened or used to sth.
endurecimiento [endureθi'mjento] nm

enemigo, a [ene'miʊo, a] *a* enemy, hostile // *nm/f* enemy // *nf* enmity, hostility.

enemistad [enemis'taθ] *nf* enmity.

enemistar [enemis'tar] *vt* to make enemies of, cause a rift between; ~**se** *vr* to become enemies; (*amigos*) to fall out.

energía [ener'xia] *nf* (*vigor*) energy, drive; (*TEC, ELEC*) energy, power.

enérgico, a [e'nerxiko, a] *a* (*gen*) energetic; (*voz, modales*) forceful.

enero [e'nero] *nm* January.

enfadar [enfa'ðar] *vt* to anger, annoy; ~**se** *vr* to get angry *or* annoyed.

enfado [en'faðo] *nm* (*enojo*) anger, annoyance; (*disgusto*) trouble, bother; ~**so, a** *a* annoying; (*aburrido*) tedious.

énfasis ['enfasis] *nm* emphasis, stress.

enfático, a [en'fatiko, a] *a* emphatic; (*afectado*) pompous.

enfermar [enfer'mar] *vt* to make ill // *vi* to fall ill, be taken ill.

enfermedad [enferme'ðaθ] *nf* illness; ~ **venérea** venereal disease.

enfermería [enferme'ria] *nf* infirmary; (*de colegio etc*) sick bay.

enfermero, a [enfer'mero, a] *nm/f* male nurse/nurse.

enfermizo, a [enfer'miθo, a] *a* (*persona*) sickly, unhealthy; (*lugar*) unhealthy.

enfermo, a [en'fermo, a] *a* ill, sick // *nm/f* invalid, sick person; (*en hospital*) patient.

enflaquecer [enflake'θer] *vt* (*adelgazar*) to make thin; (*debilitar*) to weaken; ~**se** *vr* (*adelgazarse*) to become thin, lose weight; (*debilitarse*) to grow weak; (*fig*) to lose heart.

enfocar [enfo'kar] *vt* (*foto etc*) to focus; (*problema etc*) to approach, look at.

enfoque [en'foke] *nm* focus.

enfrentar [enfren'tar] *vt* (*peligro*) to face (up to), confront; (*oponer, carear*) to put face to face; ~**se** *vr* (*dos personas*) to face *or* confront each other; (*dos equipos*) to meet; ~**se a** *o* **con** to face up to, confront.

enfrente [en'frente] *ad* opposite; ~ **de** *prep* opposite, facing; **la casa de** ~ the house opposite, the house across the street.

enfriamiento [enfria'mjento] *nm* chilling, refrigeration; (*MED*) cold, chill.

enfriar [enfri'ar] *vt* (*alimentos*) to cool, chill; (*algo caliente*) to cool down; (*habitación*) to air, freshen; ~**se** *vr* to cool down; (*MED*) to catch a chill; (*amistad*) to cool.

enfurecer [enfure'θer] *vt* to enrage, madden; ~**se** *vr* to become furious, fly into a rage; (*mar*) to get rough.

engalanar [engala'nar] *vt* (*adornar*) to adorn; (*ciudad*) to decorate; ~**se** *vr* to get dressed up.

enganchar [engan'tʃar] *vt* (*gen*) to hook; (*ropa*) to hang up; (*dos vagones*) to hitch up; (*TEC*) to couple, connect; (*MIL*) to recruit; (*fig: fam: persona*) to rope into; ~**se** *vr* (*MIL*) to enlist, join up.

enganche [en'gantʃe] *nm* hook; (*TEC*) coupling, connection; (*acto*) hooking (up); (: *ropa*) hanging up; (*MIL*) recruitment, enlistment.

engañar [enga'ɲar] *vt* to deceive; (*trampear*) to cheat, swindle; ~**se** *vr* (*equivocarse*) to be wrong; (*disimular la verdad*) to deceive or kid o.s.

engaño [en'gaɲo] *nm* deceit; (*trampa*) trick, swindle; (*error*) mistake, misunderstanding; (*ilusión*) delusion; ~**so, a** *a* (*tramposo*) crooked; (*mentiroso*) dishonest, deceitful; (*aspecto*) deceptive; (*consejo*) misleading, wrong.

engarzar [engar'θar] *vt* (*joya*) to set, mount; (*fig*) to link, connect.

engatusar [engatu'sar] *vt* (*fam*) to coax.

engendrar [enxen'drar] *vt* to breed; (*procrear*) to beget; (*fig*) to cause, produce; **engendro** *nm* (*BIO*) foetus; (*fig*) monstrosity; (*idea*) brainchild.

engolfarse [engol'farse] *vr*: ~ **en** to bury o.s in, become deeply involved in.

engomar [engo'mar] *vt* to gum, glue, stick.

engordar [engor'ðar] *vt* to fatten // *vi* to get fat, put on weight.

engranaje [engra'naxe] *nm* gear.

engranar [engra'nar] *vt* to put into gear // *vi* to interlock.

engrandecer [engrande'θer] *vt* to enlarge, magnify; (*alabar*) to praise, speak highly of; (*exagerar*) to exaggerate.

engrasar [engra'sar] *vt* (*TEC: poner grasa*) to grease; (: *lubricar*) to lubricate, oil; (*manchar*) to make greasy; (*animal*) to fatten.

engreído, a [engre'iðo, a] *a* vain, conceited; **engreirse** *vr* to become conceited.

engrosar [engro'sar] *vt* (*ensanchar*) to enlarge; (*aumentar*) to increase; (*hinchar*) to swell // *vi* to get fat; ~**se** *vr* to increase; to swell.

enhebrar [ene'ßrar] *vt* to thread.

enhorabuena [enora'ßwena] *nf* congratulations *pl* // *ad* well and good.

enigma [e'nixma] *nm* enigma; (*problema*) puzzle; (*misterio*) mystery.

enjabonar [enxaßo'nar] *vt* to soap; (*fam: adular*) to soft-soap; (: *regañar*) to scold.

enjambre [en'xamßre] *nm* swarm.

enjaular [enxau'lar] *vt* to put in a cage; (*fam*) to jail, lock up.

enjuagar [enxwa'xar] *vt* (*ropa*) to rinse (out).

enjugar [enxu'xar] *vt* to wipe (off); (*lágrimas*) to dry; (*déficit*) to wipe out.

enjuiciar [enxwi'θjar] *vt* (*JUR: procesar*) to prosecute, try; (*fig*) to judge.

enjuto, a [en'xuto, a] *a* dry, dried up; (*fig*) lean, skinny.

enlace [en'laθe] *nm* link, connection; (*relación*) relationship; (*casamiento*) marriage; (*de carretera, trenes*) connection; **agente**

de ~ broker; ~ sindical shop steward.
enlazar [enla'θar] vt (atar) to tie; (conectar) to link, connect; (AM) to lasso; ~se vr (novios) to get married; (dos familias) to become related by marriage; (conectarse) to link (up), be linked.
enlodar [enlo'ðar], enlodazar [enloða-'θar] vt to muddy, cover in mud; (fig: manchar) to stain; (: rebajar) to debase.
enloquecer [enloke'θer] vt to drive mad // vi, ~se vr to go mad.
enlutar [enlu'tar] vt to dress in mourning; ~se vr to go into mourning.
enmarañar [enmara'ɲar] vt (enredar) to tangle (up), entangle; (complicar) to complicate; (confundir) to confuse; ~se vr (enredarse) to become entangled; (confundirse) to get confused; (nublarse) to cloud over.
enmascarar [enmaska'rar] vt to mask; ~se vr to put on a mask; ~se de to masquerade as.
enmendar [enmen'dar] vt to emend, correct; (constitución etc) to amend; (compensar) to make good; (comportamiento) to reform; ~se vr to reform, mend one's ways; enmienda nf correction; amendment; reform; (compensación) compensation, indemnity.
enmohecerse [enmoe'θerse] vr (metal) to rust, go rusty; (muro, plantas) to get mouldy.
enmudecer [enmuðe'θer] vt to silence // vi, ~se vr (perder el habla) to go silent; (guardar silencio) to keep quiet.
enneqrecer [ennexre'θer] vt (poner negro) to blacken; (oscurecer) to darken; ~se vr to turn black; (oscurecerse) to get dark.
ennoblecer [ennoβle'θer] vt to ennoble; (fig) to embellish, adorn.
enojadizo, a [enoxa'ðiθo, a] a irritable, short-tempered.
enojar [eno'xar] vt (encolerizar) to anger; (disgustar) to annoy, upset; ~se vr to get angry; to get annoyed
enojo [e'noxo] nm (cólera) anger; (disgusto) annoyance; ~s nmpl trials, problems; ~so, a a annoying.
enorgullecerse [enorɣuʎe'θerse] vr to be proud; ~ de to pride o.s. on, be proud of.
enorme [e'norme] a enormous, huge; (fig) monstrous; enormidad nf hugeness, immensity; (despropósito) absurdity, piece of nonsense; (perversidad) monstrosity.
enraizar [enrai'θar] vi to take root.
enredadera [enreða'ðera] nf (BOT) creeper, climbing plant.
enredar [enre'ðar] vt (ovillo) to tangle (up), entangle; (peces) to net; (situación) to complicate, confuse; (meter cizaña) to sow discord among or between; (implicar) to embroil, implicate; ~se vr to get entangled, get tangled (up); (situación) to get complicated; (persona) to get embroiled; (AM. fam) to meddle.
enredo [en'reðo] nm (maraña) tangle;

(confusión) mix-up, confusion; (intriga) intrigue.
enrevesado, a [enreβe'saðo, a] a unruly, uncontrollable; (enredado) complicated, involved.
enriquecer [enrike'θer] vt to make rich, enrich; ~se vr to get rich.
enrojecer [enroxe'θer] vt to redden // vi, ~se vr (metal) to become red hot; (persona) to blush.
enrollar [enro'ʎar] vt to roll (up), wind (up).
enroscar [enros'kar] vt (torcer, doblar) to coil (round), wind; (tornillo, rosca) to screw in; ~se vr to coil, wind.
ensalada [ensa'laða] nf salad; ensaladilla nf Russian salad.
ensalzar [ensal'θar] vt (alabar) to praise, extol; (exaltar) to exalt.
ensambladura [ensambla'ðura] nf, ensamblaje [ensam'blaxe] nm assembly; (TEC) joint; ensamblar vt to assemble.
ensanchar [ensan'tʃar] vt (hacer más ancho) to widen; (agrandar) to enlarge, expand; ~se vr to get wider, expand; (pey) to give o.s. airs; ensanche nm (de vestido, calle) widening; (de negocio) expansion.
ensangrentar [ensangren'tar] vt to stain with blood; ~se vr (fig) to get angry.
ensañar [ensa'ɲar] vt to enrage; ~se vr: ~se con to delight in tormenting.
ensartar [ensar'tar] vt (gen) to string (together); (aguja) to thread.
ensayar [ensa'jar] vt to test, try (out); (TEATRO) to rehearse.
ensayista [ensa'jista] nm /f essayist.
ensayo [en'sajo] nm test, trial; (QUÍMICA) experiment; (TEATRO) rehearsal; (DEPORTE) try; (obra literaria) essay.
ensenada [ense'naða] nf inlet, cove.
enseñanza [ense'ɲanθa] nf (educación) education; (acción) teaching; (doctrina) teaching, doctrine.
enseñar [ense'ɲar] vt (educar) to teach; (instruir) to teach, instruct; (mostrar, señalar) to show.
enseres [en'seres] nmpl goods and chattels, things.
ensimismarse [ensimis'marse] vr (abstraerse) to become lost in thought; (estar absorto) to be lost in thought; (AM) to become conceited.
ensoberbecerse [ensoβerβe'θerse] vr to become proud; (hacerse arrogante) to become arrogant; (mar) to get rough.
ensordecer [ensorðe'θer] vt to deafen // vi to go deaf.
ensortijar [ensorti'xar] vt, ~se vr (cabellos) to curl.
ensuciar [ensu'θjar] vt (manchar) to dirty, soil; (fig) to defile; ~se vr (mancharse) to get dirty; (fig) to dirty/wet o.s.
ensueño [en'sweɲo] nm (sueño) dream, fantasy; (ilusión) illusion; (soñando despierto) reverie.
entablado [enta'βlaðo] nm (piso)

floorboards *pl*; (*armazón*) boarding.

entablar [enta'βlar] *vt* (*recubrir*) to board
(up); (*AJEDREZ*, *DAMAS*) to set up;
(*conversación*) to strike up; (*JUR*) to file //
vi to draw.

entallar [enta'ʎar] *vt* (*piedra*) to sculpt;
(*madera*) to carve; (*grabar*) to engrave;
(*traje*) to tailor // *vi*: **el traje entalla
bien** the suit fits well.

entender [enten'der] *vt* (*comprender*) to
understand; (*darse cuenta*) to realize;
(*creer, pensar*) to think, believe; (*querer
decir*) to mean // *vi*: ~ **de** to know all
about; ~ **en** to deal with, have to do with;
~**se** *vr* (*comprenderse*) to be understood;
(*ponerse de acuerdo*) to understand one
another, have an understanding; (*aliarse*)
to agree, reach an agreement; (*fam*) to
have an affair; **me entiendo con la
mecánica** I'm (quite) good at mechanics.

entendido, a [enten'diðo, a] *a* (*comprendi-
do*) understood; (*hábil*) skilled; (*inteligente*)
knowledgeable // *nm/f* (*experto*) expert;
(*docto*) knowledgeable person // *excl*
agreed!; **entendimiento** *nm* (*comprensión*) understanding; (*facultad intelectual*)
the mind, intellect; (*juicio*) judgement.

enterado, a [ente'raðo, a] *a* well-
informed; **estar** ~ **de** to know about, be
aware of.

enteramente [entera'mente] *ad* entirely,
completely.

enterar [ente'rar] *vt* (*informar*) to inform,
tell; ~**se** *vr* to find out, get to know.

entereza [ente'reθa] *nf* (*totalidad*)
entirety; (*fig: energía*) strength of mind;
(*honradez*) integrity; (*severidad*) strictness,
severity.

enternecer [enterne'θer] *vt* (*ablandar*) to
soften; (*apiadar*) to touch, move; ~**se** *vr*
to be touched, be moved.

entero, a [en'tero, a] *a* (*total*) whole,
entire; (*fig: recto*) honest; (: *firme*) firm,
resolute // *nm* (*COM: punto*) point; (*AM:
pago*) payment.

enterrador [enterra'ðor] *nm* gravedigger.

enterrar [ente'rrar] *vt* to bury.

entibiar [enti'βjar] *vt* to cool; (*fig*) to cool
(down).

entidad [enti'ðað] *nf* (*empresa*) firm,
company; (*organismo*) body; (*sociedad*)
society; (*FILOSOFÍA*) entity.

entiendo *etc vb ver* **entender.**

entierro [en'tjerro] *nm* (*acción*) burial;
(*funeral*) funeral.

entomología [entomolo'xia] *nf*
entomology.

entonación [entona'θjon] *nf* (*LING*)
intonation; (*fig*) conceit.

entonado, a [ento'naðo, a] *a* (*MUS*) in tune;
(*fig*) conceited.

entonar [ento'nar] *vt* (*canción*) to intone;
(*colores*) to tone; (*MED*) to tone up // *vi* to
be in tune; ~**se** *vr* (*engreírse*) to give o.s.
airs.

entonces [en'tonθes] *ad* then, at that time;

desde ~ since then; **en aquel** ~ at that
time; (**pues**) ~ and so.

entornar [entor'nar] *vt* (*puerta, ventana*)
to half close, leave ajar; (*los ojos*) to screw
up.

entorpecer [entorpe'θer] *vt* (*adormecer
los sentidos*) to dull, benumb; (*impedir*) to
obstruct, hinder; (: *tránsito*) to slow down,
delay; **entorpecimiento** *nm* numbness;
slowing-down, delay; (*letargia*) lethargy.

entrado, a [en'traðo, a] *a*: ~ **en años**
elderly; **una vez** ~ **el verano** in the
summer(time), when summer comes // *nf*
(*acción*) entry, access; (*sitio*) entrance,
way in; (*COM*) receipts *pl*, takings *pl*; (*CU-
LIN*) entree; (*DEPORTE*) innings *sg*; (*TEATRO*)
house, audience; (*para el cine etc*) ticket;
(*COM*): ~**as y salidas** income and
expenditure; (*TEC*): ~**a de aire** air intake
or inlet.

entrante [en'trante] *a* next, coming // *nm*
inlet; **ser** ~ **en una casa** to have the run
of a house.

entraña [en'trana] *nf* (*fig: centro*) heart,
core; (*raíz*) root; ~**s** *nfpl* (*ANAT*) entrails;
entrañable *a* close, intimate.

entrar [en'trar] *vt* (*introducir*) to bring in
// *vi* (*meterse*) to go/come in, enter;
(*comenzar*): ~ **diciendo** to begin by
saying; **no me entra** I can't get the hang
of it; **el año que entra** next year.

entre ['entre] *prep* (*dos*) between; (*más de
dos*) among(st); **pensaba** ~ **mí** I thought
to myself.

entreabrir [entrea'βrir] *vt* to half-open,
open halfway.

entrecejo [entre'θexo] *nm*: **fruncir el** ~
to frown.

entredicho [entre'ðitʃo] *nm* prohibition,
ban; (*JUR*) injunction.

entrega [en'trexa] *nf* (*de mercancías*)
delivery; (*rendición*) surrender; **novela
por** ~**s** serial, novel in instalments.

entregar [entre'xar] *vt* (*dar*) to hand
(over), deliver; (*ceder*) to give up; ~**se** *vr*
(*rendirse*) to surrender, give in, submit;
(*dedicarse*) to devote o.s.

entrelazar [entrela'θar] *vt* to entwine.

entremés [entre'mes] *nm* (*CULIN*) side-
dish; **entremeses** *nmpl* hors d'œuvres.

entremeter [entreme'ter] *vt* to insert, put
in; ~**se** *vr* to meddle, interfere;
entremetido, a *a* meddling, interfering.

entremezclar [entremeθ'klar] *vt*, ~**se** *vr*
to intermingle.

entrenador [entrena'ðor] *nm* trainer,
coach; **entrenarse** *vr* to train.

entreoír [entreo'ir] *vt* to half hear.

entresacar [entresa'kar] *vt* to pick out,
select.

entresuelo [entre'swelo] *nm* (*sótano*)
basement.

entretanto [entre'tanto] *ad* meanwhile,
meantime; **en el** ~ in the meantime.

entretejer [entrete'xer] *vt* to interweave.

entretener [entrete'ner] *vt* (*divertir*) to
entertain, amuse; (*detener*) to hold up,

delay; (cuidar) to maintain; ~**se** vr (divertirse) to amuse o.s.; (retrasarse) to delay, linger; **entretenido, a** a entertaining, amusing; **entretenimiento** nm entertainment, amusement; (cuidado) upkeep, maintenance.

entrever [entre'βer] vt to glimpse, catch a glimpse of.

entreverar [entreβe'rar] vt to mix (up).

entrevista [entre'βista] nf interview; **entrevistar** vt to interview; **entrevistarse** vr to have an interview.

entristecer [entriste'θer] vt to sadden, grieve; ~**se** vr to grow sad.

entrometer [entrome'ter] etc = **entremeter** etc.

entroncar [entron'kar] vi to be connected or related.

entronque [en'tronke] nm connection, link.

entuerto [en'twerto] nm wrong, injustice.

entumecer [entume'θer] vt to numb, benumb; ~**se** vr (por el frío) to go or become numb; **entumecido, a** a numb, stiff.

enturbiar [entur'βjar] vt (el agua) to disturb, make cloudy; (fig) to fog, confuse; ~**se** vr (oscurecerse) to become cloudy; (fig) to get confused, become obscure.

entusiasmar [entusjas'mar] vt to excite, fill with enthusiasm; (gustar mucho) to delight; ~**se** vr: ~**se con** o **por** to get enthusiastic or excited about.

entusiasmo [entu'sjasmo] nm enthusiasm; (deleite) delight; (excitación) excitement.

entusiasta [entu'sjasta] a enthusiastic // nm/f enthusiast.

enumerar [enume'rar] vt to enumerate.

enunciación [enunθja'θjon] nf, **enunciado** [enun'θjaðo] nm enunciation; (declaración) declaration, statement; **enunciar** vt to enunciate; to declare, state.

envainar [enβai'nar] vt to sheathe.

envalentonar [enβalento'nar] vt to give courage to; ~**se** vr to take courage, become bolder; (pey: jactarse) to boast, brag.

envanecer [enβane'θer] vt to make conceited; ~**se** vr to grow vain or conceited.

envasar [enβa'sar] vt (empaquetar) to pack, wrap; (enfrascar) to bottle; (enlatar) to tin; (embolsar) to pocket // vi (fig: fam: vino) to knock back; **envase** nm packing, wrapping; bottling; tinning, canning; pocketing; (recipiente) container; (paquete) package; (botella) bottle; (lata) tin, can.

envejecer [enβexe'θer] vt to make old, age // vi, ~**se** vr (volverse viejo) to grow old; (fig) to become old-fashioned.

envenenar [enβene'nar] vt to poison; (fig) to embitter.

envergadura [enβerɣa'ðura] nf (fig) scope, compass.

envés [en'βes] nm (de tela) back, wrong side.

enviar [en'βjar] vt to send.

envidia [en'βiðja] nf (deseo ferviente) envy; (celos) jealousy; **envidiar** vt (desear) to envy; (tener celos de) to be jealous of.

envilecer [enβile'θer] vt to debase, degrade; ~**se** vr to lower o.s.

envío [en'βio] nm (acción) sending; (de mercancías) consignment; (COM) remittance.

enviudar [enβju'ðar] vi to be widowed.

envoltura [enβol'tura] nf (cobertura) cover; (embalaje) wrapper, wrapping; (funda) case.

envolver [enβol'βer] vt to wrap (up); (cubrir) to cover; (enemigo) to surround; (implicar) to involve, implicate; ~**se** vr (cubrirse) to wrap o.s. up; (implicarse) to become involved.

envuelto [en'βwelto] pp de **envolver.**

enzarzar [enθar'θar] vt (fig) to involve (in a dispute).

épico, a ['epiko, a] a epic // nf epic.

epidemia [epi'ðemja] nf epidemic; **epidémico, a** a epidemic.

epifanía [epifa'nia] nf Epiphany.

epilepsia [epi'lepsja] nf epilepsy.

epílogo [e'piloɣo] nm epilogue.

episodio [epi'soðjo] nm episode.

epístola [e'pistola] nf epistle; (fam) letter.

epitafio [epi'tafjo] nm epitaph.

época ['epoka] nf period, time; (HISTORIA) age, epoch; **hacer** ~ to be epoch-making.

equidad [eki'ðað] nf equity.

equilibrar [ekili'βrar] vt to balance; **equilibrio** nm balance, equilibrium; **equilibrista** nm/f (funámbulo) tightrope walker; (acróbata) acrobat.

equipaje [eki'paxe] nm luggage; (equipo) equipment, kit; (NAUT: tripulación) crew; ~ **de mano** hand luggage.

equipar [eki'par] vt (proveer) to equip.

equipararse [ekipa'rarse] vr: ~ **con** to be on a level with.

equipo [e'kipo] nm (materiales) equipment; (grupo) team; (: de obreros) shift.

equis ['ekis] nf (the letter) X.

equitación [ekita'θjon] nf (acto) riding; (arte) horsemanship.

equitativo, a [ekita'tiβo, a] a equitable, fair.

equivalente [ekiβa'lente] a, nm equivalent; **equivaler** vi to be equivalent or equal.

equivocación [ekiβoka'θjon] nf mistake, error; **equivocarse** vr to be wrong, make a mistake; **equivocarse de camino** to take the wrong road; **equívoco, a** a (dudoso) suspect; (ambiguo) ambiguous // nm ambiguity; (juego de palabras) play on words.

era vb ver **ser** // ['era] nf era, age.

erais vb ver **ser.**

éramos vb ver **ser**.
eran vb ver **ser**.
erario [e'rarjo] nm exchequer, treasury.
eras vb ver **ser**.
eres vb ver **ser**.
erguir [er'xir] vt to raise, lift; (poner derecho) to straighten; ~**se** vr to straighten up; (fig) to swell with pride.
erigir [eri'xir] vt to erect, build; ~**se** vr: ~**se en** to set o.s. up as.
erizado, a [eri'θaðo, a] a bristly.
erizarse [eri'θarse] vr to stand on end.
erizo [e'riθo] nm hedgehog; (~ **de mar**) sea-urchin.
ermitaño, a [ermi'taɲo, a] nm/f hermit.
erótico, a [e'rotiko, a] a erotic; **erotismo** nm eroticism.
erradicar [erraði'kar] vt to eradicate.
errado, a [e'rraðo, a] a mistaken, wrong.
errante [e'rrante] a wandering, errant.
errar [e'rrar] vi (vagar) to wander, roam; (equivocarse) to err, make a mistake // vt: ~ **el camino** to take the wrong road; ~ **el tiro** to miss.
erróneo, a [e'rroneo, a] a (equivocado) wrong, mistaken; (falso) false, untrue.
error [e'rror] nm error, mistake; ~ **de imprenta** misprint.
eructar [eruk'tar] vt to belch.
erudición [eruði'θjon] nf erudition, learning.
erudito, a [eru'ðito, a] a erudite, learned.
erupción [erup'θjon] nf eruption; (MED) rash.
es vb ver **ser**.
esa, esas det ver **ese**.
ésa, ésas pron ver **ése**.
esbelto, a [es'βelto, a] a slim, slender.
esbozo [es'βoθo] nm sketch, outline.
escabeche [eska'βetʃe] nm brine; (de aceitunas etc) pickle; **pescado en** ~ pickled fish.
escabel [eska'βel] nm (low) stool.
escabroso, a [eska'βroso, a] a (accidentado) rough, uneven; (fig) tough, difficult; (: atrevido) risqué.
escabullirse [eskaβu'ʎirse] vr to slip away; (irse) to clear out.
escala [es'kala] nf (proporción, MUS) scale; (de mano) ladder; (AVIAT) stopover; **hacer** ~ **en** to stop or call in at; ~ **de colores** range of colours.
escalafón [eskala'fon] nm (escala de salarios) salary scale, wage scale; (lista etc) list; (registro) register.
escalar [eska'lar] vt (montaña etc) to climb, scale; (casa) to burgle, break into.
escalera [eska'lera] nf stairs pl, staircase; (escala) ladder; (NAIPES) run; ~ **mecánica** escalator; ~ **de caracol** spiral staircase.
escalinata [eskali'nata] nf outside staircase.
escalofrío [eskalo'frio] nm chill; ~**s** nmpl (fig) shivers; **escalofriante** a chilling.

escalón [eska'lon] nm step, stair; (de escalera) rung.
escama [es'kama] nf (de pez, serpiente) scale; (de jabón) flake; (fig) resentment.
escamado, a [eska'maðo, a] a wary, cautious.
escamotar [eskamo'tar], **escamotear** [eskamote'ar] vt (quitar) to lift, swipe (fam); (hacer desaparecer) to make disappear.
escampar [eskam'par] vb impersonal to stop raining; (del cielo) to clear (up).
escandalizar [eskandali'θar] vt to scandalize, shock; ~**se** vr to be shocked; (ofenderse) to be offended.
escándalo [es'kandalo] nm scandal; (alboroto, tumulto) row, uproar; **escandaloso, a** a scandalous, shocking.
escandinavo, a [eskandi'naβo, a] a, nm/f Scandinavian.
escaño [es'kaɲo] nm bench; (POL) seat.
escapar [eska'par] vi (gen) to escape, run away; (DEPORTE) to break away; ~**se** vr to escape, get away; (gas) to leak (out).
escaparate [eskapa'rate] nm shop window; (fig) display.
escape [es'kape] nm (de gas) leak; (de motor) exhaust; (de persona) escape.
escarabajo [eskara'βaxo] nm beetle; ~**s** nmpl (fam) scribble sg.
escaramuza [eskara'muθa] nf skirmish; (fig) brush.
escarbar [eskar'βar] vt (gallina) to scratch; (dientes) to pick; (orejas) to clean; (fig) to inquire into, investigate.
escarcha [es'kartʃa] nf frost.
escarlata [eskar'lata] a inv scarlet; **escarlatina** nf scarlet fever.
escarmentar [eskarmen'tar] vt to punish severely // vi to learn one's lesson; **escarmiento** nm (ejemplo) lesson, example; (castigo) punishment.
escarnecer [eskarne'θer] vt to mock, ridicule; **escarnio, escarnecimiento** nm mockery; (injuria) insult.
escarpado, a [eskar'paðo, a] a (abrupto) sheer; (inclinado) steep; (accidentado) craggy.
escasear [eskase'ar] vt to skimp (on) // vi to be scarce.
escasez [eska'seθ] nf (falta) shortage, scarcity; (pobreza) poverty; (mezquindad) meanness.
escaso, a [es'kaso, a] a (poco) scarce; (raro) rare; (ralo) thin, sparse; (limitado) limited.
escatimar [eskati'mar] vt (limitar) to skimp (on); (reducir) to curtail, cut down.
escena [es'θena] nf scene.
escenario [esθe'narjo] nm (TEATRO) stage; (CINE) set; (fig) scene.
escepticismo [esθepti'θismo] nm scepticism; **escéptico, a** a sceptical // nm/f sceptic.
esclarecer [esklare'θer] vt (iluminar) to light up, illuminate; (misterio, problema) to shed light on; (ennoblecer) to ennoble.

esclavitud [esklaβi'tuð] *nf* slavery.

esclavizar [esklaβi'θar] *vt* to enslave.

esclavo, a [es'klaβo, a] *nm/f* slave.

escoba [es'koβa] *nf* broom.

escocer [esko'θer] *vt* to annoy // *vi* to burn, sting; ~**se** *vr* to chafe, get chafed.

escocés, esa [esko'θes, esa] *a* Scottish // *nm/f* Scotsman/woman, Scot.

Escocia [es'koθja] *nf* Scotland.

escoger [esko'xer] *vt* to choose, pick, select; **escogido, a** *a* chosen, selected; (*calidad*) choice, select; **escogimiento** *nm* choice.

escolar [esko'lar] *a* school *cpd* // *nm/f* schoolboy/girl, pupil.

escolta [es'kolta] *nf* escort; **escoltar** *vt* to escort.

escombro [es'kombro] *nm* mackerel; ~**s** *nmpl* (*basura*) rubbish *sg*; (*restos*) debris *sg*.

esconder [eskon'der] *vt* to hide, conceal; ~**se** *vr* to hide; **escondite** *nm* hiding place; (*juego*) hide-and-seek.

escondrijo [eskon'drixo] *nm* hiding-place, hideout.

escopeta [esko'peta] *nf* shotgun.

escoplo [es'koplo] *nm* chisel.

Escorpio [es'korpjo] *nm* Scorpio.

escorpión [eskor'pjon] *nm* scorpion.

escote [es'kote] *nm* (*de vestido*) low neck; (*parte*) share; **pagar a** ~ to share the expenses.

escotillón [eskoti'ʎon] *nm* trapdoor.

escozor [esko'θor] *nm* (*dolor*) sting(ing); (*fig*) grief, heartache.

escribano, a [eskri'βano, a], **escribiente** [eskri'βjente] *nm/f* clerk.

escribir [eskri'βir] *vt, vi* to write; ~ **a máquina** to type; ¿**cómo se escribe?** how do you spell it?

escrito, a [es'krito, a] *pp de* **escribir** // *nm* (*documento*) document; (*manuscrito*) text, manuscript; **por** ~ in writing.

escritor, a [eskri'tor, a] *nm/f* writer.

escritorio [eskri'torjo] *nm* desk; (*oficina*) office.

escritura [eskri'tura] *nf* (*acción*) writing; (*caligrafía*) (hand)writing; (*JUR: documento*) deed.

escrúpulo [es'krupulo] *nm* scruple; (*minuciosidad*) scrupulousness; **escrupuloso, a** *a* scrupulous.

escrutar [eskru'tar] *vt* to scrutinize, examine; (*votos*) to count.

escrutinio [eskru'tinjo] *nm* (*examen atento*) scrutiny; (*recuento de votos*) poll; (*resultado de elección*) voting, ballot.

escuadra [es'kwaðra] *nf* (*MIL etc*) squad; (*NAUT*) squadron; (*de coches etc*) fleet; **escuadrilla** *nf* (*de aviones*) squadron; (*AM: de obreros*) gang.

escuadrón [eska'ðron] *nm* squadron.

escuálido, a [es'kwaliðo, a] *a* (*flaco, macilento*) pale, wan; (*sucio*) squalid.

escuchar [esku'tʃar] *vt* to listen to // *vi* to listen.

escudilla [esku'ðiʎa] *nf* bowl, basin.

escudo [es'kuðo] *nm* shield.

escudriñar [eskuðri'nar] *vt* (*examinar*) to investigate, examine closely; (*mirar de lejos*) to scan.

escuela [es'kwela] *nf* school.

escueto, a [es'kweto, a] *a* plain, unadorned.

esculpir [eskul'pir] *vt* to sculpt; (*grabar*) to engrave; (*tallar*) to carve; **escultor, a** *nm/f* sculptor/tress; **escultura** *nf* sculpture.

escupidora [eskupi'ðora], **escupidera** [eskupi'ðera] *nf* spittoon; (*orinal*) bedpan.

escupir [esku'pir] *vt, vi* to spit (out).

escurridero [eskurri'ðero] *nm* draining-board.

escurridizo, a [eskurri'ðiθo, a] *a* slippery.

escurrir [esku'rrir] *vt* (*ropa*) to wring out; (*verduras*) to strain; (*platos*) to drain // *vi* (*los líquidos*) to drip; (*resbalarse*) to slip, slide; ~**se** *vr* (*gotear*) to drip; (*secarse*) to drain; (*resbalarse*) to slip, slide; (*escaparse*) to slip away.

ese, esa, esos, esas ['ese, 'esa, 'esos, 'esas] *det* (*sg*) that; (*pl*) those.

ése, ésa, ésos, ésas ['ese, 'esa, 'esos, 'esas] *pron* (*sg*) that (one); (*pl*) those (ones); ~... **éste...** the former... the latter...; ¡**no me vengas con** ~**as** don't give me any more of that nonsense.

esencia [e'senθja] *nf* essence; **esencial** *a* essential.

esfera [es'fera] *nf* sphere; (*de reloj*) face; **esférico, a** *a* spherical.

esforzado, a [esfor'θaðo, a] *a* (*enérgico*) energetic, vigorous; (*valiente*) brave.

esforzar [esfor'θar] *vt* (*fortalecer*) to strengthen; (*alentar*) to encourage; ~**se** *vr* to exert o.s., make an effort.

esfuerzo [es'fwerθo] *nm* effort; (*TEC*) stress; (*valor*) courage, spirit.

esfumarse [esfu'marse] *vr* to fade away.

esgrima [es'xrima] *nf* fencing.

esguince [es'xinθe] *nm* (*MED*) sprain; (*ademán*) swerve, dodge; (*ceño*) scowl, frown.

eslabón [esla'βon] *nm* link; **eslabonar** *vt* to link, connect.

esmaltar [esmal'tar] *vt* to enamel; (*las uñas*) to paint, varnish; **esmalte** *nm* enamel; **esmalte de uñas** nail varnish, nail polish.

esmerado, a [esme'raðo, a] *a* careful, neat.

esmeralda [esme'ralda] *nf* emerald.

esmerarse [esme'rarse] *vr* (*aplicarse*) to take great pains, exercise great care; (*brillar*) to shine, do well.

esmero [es'mero] *nm* (great) care.

esnob [es'nob] *a inv* (*persona*) snobbish; (*coche etc*) posh // *nm/f* snob; ~**ismo** *nm* snobbery.

eso ['eso] *pron* that, that thing *or* matter; ~ **de su coche** all that about his car; ~ **de ir al cine** all that about going to the cinema, the idea of going to the cinema; **a** ~ **de las cinco** at about five o'clock; **en**

~ thereupon, at that point; ~ es that's it; ¡~ sí que es vida! now this is really living!; por ~ te lo dije that's why I told you.

esos ['esos] det ver **ese.**

ésos ['esos] pron ver **ése.**

espabilar [espaβi'lar] vt (vela) to snuff; ~se vr (despertarse) to wake up; (animarse) to liven up, look lively.

espacial [espa'θjal] a inv (del espacio) space cpd.

espaciar [espa'θjar] vt to space (out); (divulgar) to spread; ~se vr: ~se en un tema to enlarge on a subject.

espacio [es'paθjo] nm space; (MUS) interval; (emisión) (short) programme, spot; el ~ space; ~so, a a spacious, roomy; (lento) slow.

espada [es'paða] nf sword; ~s nfpl (NAIPES) spades.

espaguetis [espa'ɣetis] nmpl spaghetti sg.

espalda [es'palda] nf (gen) back; ~s nfpl (hombros) shoulders; a ~s de uno behind sb's back; **cargado de** ~s roundshouldered; **tenderse de** ~s to lie (down) on one's back; **volver la** ~ **a alguien** to give sb the cold shoulder.

espaldar [espal'dar] nm (de asiento) back.

espaldilla [espal'ðiʎa] nf shoulder-blade.

espantadizo, a [espanta'ðiθo, a] a timid, easily frightened.

espantajo [espan'taxo] nm, **espanta-pájaros** [espanta'paxaros] nmpl scarecrow sg.

espantar [espan'tar] vt (asustar) to frighten, scare; (ahuyentar) to frighten off; (asombrar) to horrify, appal; ~se vr to get frightened or scared; to be appalled.

espanto [es'panto] nm (susto) fright; (terror) terror; (fantasma) ghost; (asombro) astonishment; ~so, a a frightening; terrifying; astonishing.

España [es'paɲa] nf Spain; **español, a** a Spanish // nm/f Spaniard // nm (lengua) Spanish.

esparadrapo [espara'ðrapo] nm sticking plaster.

esparcido, a [espar'θiðo, a] a scattered; (fig) jolly, cheerful.

esparcimiento [esparθi'mjento] nm (de líquido) spilling; (dispersión) spreading; (derramamiento) scattering; (fig) cheerfulness.

esparcir [espar'θir] vt to spread; (derramar) to scatter; (líquido) to spill; ~se vr to spread (out); to scatter; to spill; (divertirse) to enjoy o.s.

espárrago [es'parraxo] nm asparagus.

espasmo [es'pasmo] nm spasm.

especia [es'peθja] nf spice.

especial [espe'θjal] a special; ~idad nf speciality.

especie [es'peθje] nf (BIO) species; (clase) kind, sort; (asunto) matter; (comentario) remark, comment; **en** ~ in kind.

especificar [espeθifi'kar] vt to specify; **específico, a** a specific.

espécimen [es'peθimen] (pl **especímenes**) nm specimen.

especioso, a [espe'θjoso, a] a (perfecto) perfect; (fig) deceitful.

espectáculo [espek'takulo] nm (gen) spectacle; (TEATRO etc) show.

espectador, a [espekta'ðor, a] nm/f spectator.

espectro [es'pektro] nm ghost; (fig) spectre.

especular [espeku'lar] vt, vi to speculate; **especulativo, a** a speculative.

espejismo [espe'xismo] nm mirage.

espejo [es'pexo] nm mirror; (fig) model; ~ **de retrovisión** rear-view mirror.

espeluznante [espeluθ'nante] a inv horrifying, hair-raising.

espera [es'pera] nf (pausa, intervalo) wait, period of waiting; (JUR: plazo) respite; **en** ~ **de** waiting for; (con expectativa) expecting.

esperanza [espe'ranθa] nf (confianza) hope; (expectativa) expectation; (perspectiva) prospect; **esperanzar** vt to give hope to.

esperar [espe'rar] vt (aguardar) to wait for; (tener expectativa de) to expect; (desear) to hope for // vi to wait; to expect; to hope.

esperma [es'perma] nf sperm.

espesar [espe'sar] vt to thicken; ~se vr to thicken, get thicker.

espeso, a [es'peso, a] a thick; **espesor** nm thickness.

espetar [espe'tar] vt (pollo) to put on a spit or skewer; (pregunta) to pop; (dar: reto, sermón) to give.

espetón [espe'ton] nm (asador) spit, skewer; (aguja) large pin; (empujón) jab, poke.

espía [es'pia] nm/f spy; **espiar** vt (observar) to spy on; (acechar) to watch out for.

espina [es'pina] nf thorn; (de madera, astilla) splinter; (de pez) bone; ~ **dorsal** spine.

espinaca [espi'naka] nf spinach.

espinar [espi'nar] vt (herir) to prick; (fig) to sting, hurt.

espinazo [espi'naθo] nm spine, backbone.

espino [es'pino] nm hawthorn.

espinoso, a [espi'noso, a] a (planta) thorny, prickly; (fig) bony.

espionaje [espjo'naxe] nm spying, espionage.

espiral [espi'ral] a, nf spiral.

espirar [espi'rar] vt to breathe out, exhale.

espiritista [espiri'tista] a, nm/f spiritualist.

espíritu [es'piritu] nm spirit; **espiritual** a spiritual.

espita [es'pita] nf tap; (fig: fam) drunkard.

esplendidez [esplendi'ðeθ] nf (abundancia) lavishness; (magnificencia) splendour.

esplendor [esplen'dor] nm splendour.

espolear [espole'ar] *vt* to spur on.

espolvorear [espolßore'ar] *vt* (*echar polvos*) to dust; (*esparcir*) to dust, sprinkle.

esponja [es'ponxa] *nf* sponge; (*fig*) sponger.

esponjarse [espon'xarse] *vr* (*fam: hincharse*) to swell with pride; (: *de salud*) to glow with health.

esponjoso, a [espon'xoso, a] *a* spongy, porous.

espontaneidad [espontanei'ðað] *nf* spontaneity; **espontáneo, a** *a* spontaneous.

esposa [es'posa] *nf* wife; **~s** *nfpl* handcuffs; **esposar** *vt* to handcuff.

esposo [es'poso] *nm* husband.

espuela [es'pwela] *nf* spur.

espuma [es'puma] *nf* foam; (*de cerveza*) froth, head; (*de jabón*) lather; **espumoso, a** *a* frothy, foamy; (*vino*) sparkling.

esqueleto [eske'leto] *nm* skeleton.

esquema [es'kema] *nm* (*diagrama*) diagram; (*dibujo*) plan; (*plan*) scheme; (*FILOSOFÍA*) schema.

esquí [es'ki] (*pl* **esquís**) *nm* (*objeto*) ski; (*deporte*) skiing.

esquilar [eski'lar] *vt* to shear.

esquilmar [eskil'mar] *vt* (*cosechar*) to harvest; (*empobrecer: suelo*) to exhaust; (*fig*) to skin.

esquimal [eski'mal] *a, nm/f* Eskimo.

esquina [es'kina] *nf* corner.

esquirol [eski'rol] *nm* (*fam*) blackleg.

esquivar [eski'ßar] *vt* to avoid; (*evadir*) to dodge, elude; **~se** *vr* to withdraw.

esquivez [eski'ßeθ] *nf* (*altanería*) aloofness; (*desdeño*) scorn, disdain; **esquivo, a** *a* (*altanero*) aloof; (*desdeñoso*) scornful, disdainful.

esta ['esta] *det ver* **este**.

ésta ['esta] *pron ver* **éste**.

está *vb ver* **estar**.

estabilidad [estaßili'ðað] *nf* stability; **estable** *a* stable.

establecer [estaßle'θer] *vt* to establish; **~se** *vr* to establish o.s.; (*echar raíces*) to settle; **establecimiento** *nm* establishment.

estaca [es'taka] *nf* stake, post; (*para tiendas*) peg.

estacada [esta'kaða] *nf* (*cerca*) fence, fencing; (*palenque*) stockade.

estación [esta'θjon] *nf* station; (*del año*) season; **~ de autobuses** bus station.

estacionamiento [estaθjona'mjento] *nm* (*AUTO*) parking; (*MIL*) stationing; (*colocación*) placing.

estacionar [estaθjo'nar] *vt* (*AUTO*) to park; (*MIL*) to station; (*colocar*) to place; **~io, a** *a* stationary; (*COM: mercado*) slack.

estadio [es'taðjo] *nm* (*fase*) stage, phase; (*DEPORTE*) stadium.

estadista [esta'ðista] *nm* (*POL*) statesman; (*ESTADÍSTICA*) statistician.

estadística [esta'ðistika] *nf* (*una* **~**) figure, statistic; (*ciencia*) statistics *sg*.

estado [es'taðo] *nm* (*POL: condición*) state; (*social*) status; **~ de las cuentas** statement of accounts; **~ mayor** staff; **E~s Unidos (EE. UU.)** United States (USA).

estafa [es'tafa] *nf* swindle, trick; **estafar** *vt* to swindle, defraud.

estafeta [esta'feta] *nf* (*correo*) post; (*oficina de correos*) post office; **~ diplomática** diplomatic bag.

estallar [esta'ʎar] *vi* to burst; (*explotar*) to explode; (*epidemia, rebelión*) to break out; **~ en llanto** to burst into tears; **estallido** *nm* explosion; (*fig*) outbreak.

estampa [es'tampa] *nf* (*imagen*) image; (*impresión, imprenta*) print, engraving; (*imagen, figura: de persona*) appearance; (*fig: huella*) footprint.

estampado, a [estam'paðo, a] *a* printed // *nm* (*impresión: acción*) printing; (: *efecto*) print; (*marca*) stamping.

estampar [estam'par] *vt* (*imprimir*) to print; (*marcar*) to stamp; (*metal*) to engrave; (*poner sello en*) to stamp; (*fig*) to stamp, imprint.

estampida [estam'piða] *nf* stampede; (*estampido*) bang, report.

estampido [estam'piðo] *nm* bang, report.

estampilla [estam'piʎa] *nf* stamp.

están *vb ver* **estar**.

estancar [estan'kar] *vt* (*aguas*) to hold up, hold back; (*COM*) to monopolize; (*fig*) to block, hold up; **~se** *vr* to stagnate.

estancia [es'tanθja] *nf* (*permanencia*) stay; (*sala*) living-room; (*AM*) farm, ranch; **estanciero** *nm* farmer, rancher.

estanco, a [es'tanko, a] *a* watertight // *nm* (*monopolio*) state monopoly; (*tienda*) tobacconist's (shop).

estandarizar [estandari'θar] *vt* to standardize.

estandarte [estan'darte] *nm* banner, standard.

estanque [es'tanke] *nm* (*lago*) pool, pond; (*AGR*) reservoir.

estanquero, a [estan'kero, a], **estanquillero, a** [estanki'ʎero, a] *nm/f* tobacconist.

estante [es'tante] *nm* (*armario*) rack, stand; (*biblioteca*) bookcase; (*anaquel*) shelf; (*AM*) prop; **estantería** *nf* shelving, shelves *pl*.

estantigua [estan'tiɣwa] *nf* (*fantasma*) apparition.

estaño [es'taɲo] *nm* tin.

estar [es'tar] *vi* (*gen*) to be; (*en casa*) to be in; (*ubicarse*) to be found; (*presente*) to be present; **estamos a 2 de mayo** it is the 2nd May; **¿cómo está Ud?** how are you?; **~ enfermo** to be ill; **~ viejo/joven** (*parecerse*) to seem old/young; (*seguido de una preposición*): **¿a cuánto estamos de Madrid?** how far are we from Madrid?; **~ de fiesta o vacaciones** to be on holiday; **las uvas están a 5 pesetas** grapes are at 5 pesetas; **María no está** Maria isn't in; **~ por** (: *moción*) to be in favour of; (: *persona*) to support, back; **está por hacer** it remains to be done; **¿estamos?** are we agreed?

estas ['estas] *det ver* **este.**

éstas ['estas] *pron ver* **éste.**

estás *vb ver* **estar.**

estatal [esta'tal] *a inv* state *cpd.*

estático, a [es'tatiko, a] *a* static.

estatificar [estatifi'kar] *vt* to nationalize.

estatua [es'tatwa] *nf* statue.

estatuir [estatu'ir] *vt* (*establecer*) to establish; (*determinar*) to prove.

estatura [esta'tura] *nf* stature, height.

estatuto [esta'tuto] *nm* statute; (*de ciudad*) bye-law; (*de comité*) rule.

este ['este] *nm* east.

este, esta, estos, estas ['este, 'esta, 'estos, 'estas] *det* (*sg*) this; (*pl*) these.

éste, ésta, éstos, éstas ['este, 'esta, 'estos, 'estas] *pron* (*sg*) this (one); (*pl*) these (ones); ~... **ése...** the latter... the former... .

esté *etc vb ver* **estar.**

estela [es'tela] *nf* wake, wash; (*fig*) trail.

estenografía [estenoxra'fia] *nf* shorthand, stenography.

estepa [es'tepa] *nf* (*GEO*) steppe.

estera [es'tera] *nf* mat(ting).

estereo... [estereo] *pref* stereo...; ~**fónico, a** *a* stereophonic; ~**tipar** *vt* to stereotype; ~**tipo** *nm* stereotype.

estéril [es'teril] *a* sterile, barren; (*fig*) vain, futile.

esterlina [ester'lina] *a.* **libra** ~ pound sterling.

estético, a [es'tetiko, a] *a* aesthetic // *nf* aesthetics *sg.*

estiércol [es'tjerkol] *nm* dung, manure.

estigma [es'tixma] *nm* stigma.

estilar [esti'lar] *vi,* ~**se** *vr* to be in fashion, be used, be worn.

estilo [es'tilo] *nm* style; (*TEC*) stylus; (*DEPORTE*) stroke; **algo por el** ~ something of the sort.

estima [es'tima] *nf* esteem, respect.

estimación [estima'θjon] *nf* (*evaluación*) estimation; (*aprecio, afecto*) esteem, regard.

estimar [esti'mar] *vt* (*evaluar*) to estimate; (*valorar*) to value; (*apreciar*) to esteem, respect; (*pensar, considerar*) to think, reckon; **¡se estima!** thanks very much!

estimulante [estimu'lante] *a* stimulating // *nm* stimulant; **estimular** *vt* to stimulate; (*excitar*) to excite; (*animar*) to encourage; **estímulo** *nm* stimulus; (*ánimo*) encouragement.

estío [es'tio] *nm* summer.

estipulación [estipula'θjon] *nf* stipulation, condition; **estipular** *vt* to stipulate.

estirado, a [esti'raðo, a] *a* (*tenso*) (stretched *or* drawn) tight; (*fig*) stiff, pompous.

estirar [esti'rar] *vt* to stretch; (*conversa-*

ción, presupuesto) to stretch out; ~**se** *vr* to stretch.

estirón [esti'ron] *nm* pull, tug; (*crecimiento*) spurt, sudden growth; **dar un** ~ to shoot up.

estirpe [es'tirpe] *nf* stock, lineage.

estival [esti'ßal] *a* summer *cpd.*

esto ['esto] *pron* this, this thing *or* matter; ~ **de la boda** this business about the wedding.

estofa [es'tofa] *nf* (*tela*) quilting; (*calidad, clase*) quality, class.

estofado, a [esto'faðo, a] *a* (*CULIN*) stewed; (*bordado*) quilted // *nm* stew.

estofar [esto'far] *vt* (*bordar*) to quilt; (*CULIN*) to stew.

estoico, a [es'toiko, a] *a* (*FILOSOFÍA*) stoic(al); (*fig*) cold, indifferent.

estólido, a [es'toliðo, a] *a* stupid.

estómago [es'tomaxo] *nm* stomach; **tener** ~ to be thick-skinned.

estorbar [estor'ßar] *vt* to hinder, obstruct; (*fig*) to bother, disturb // *vi* to be in the way; **estorbo** *nm* (*molestia*) bother, nuisance; (*obstáculo*) hindrance, obstacle.

estornudar [estornu'ðar] *vi* to sneeze.

estos ['estos] *det ver* **este.**

éstos ['estos] *pron ver* **éste.**

estoy *vb ver* **estar.**

estrafalario, a [estrafa'larjo, a] *a* odd, eccentric; (*desarreglado*) slovenly, sloppy.

estragar [estra'xar] *vt* to deprave, corrupt; (*deteriorar*) to ruin; **estrago** *nm* ruin, destruction; **hacer estragos en** to wreak havoc among.

estragón [estra'xon] *nm* (*CULIN*) tarragon.

estrangul [estran'gul] *nm* mouthpiece.

estrangulación [estrangula'θjon] *nf* strangulation.

estrangulador, a [estrangula'ðor, a] *nm/f* strangler // *nm* (*TEC*) throttle; (*AUTO*) choke.

estrangulamiento [estrangula'mjento] *nm* (*AUTO*) bottleneck.

estrangular [estrangu'lar] *vt* (*persona*) to strangle; (*MED*) to strangulate.

estraperlo [estra'perlo] *nm* black market.

estratagema [estrata'xema] *nf* (*MIL*) stratagem; (*astucia*) cunning.

estrategia [estra'texja] *nf* strategy; **estratégico, a** *a* strategic.

estratificar [estratifi'kar] *vt* to stratify.

estrato [es'trato] *nm* stratum, layer.

estrechar [estre'tʃar] *vt* (*reducir*) to narrow; (*vestido*) to take in; (*persona*) to hug, embrace; ~**se** *vr* (*reducirse*) to narrow, grow narrow; (*apretarse*) to embrace; (*reducir los gastos*) to economize; ~ **la mano** to shake hands; ~ **amistad con alguien** to become very friendly with sb.

estrechez [estre'tʃeθ] *nf* narrowness; (*de ropa*) tightness; (*intimidad*) intimacy; (*COM*) want *or* shortage of money; **estrecheces** *nfpl* financial difficulties; ~ **de conciencia** small-mindedness; ~ **de miras** narrow-mindedness.

estrecho, a [es'tretʃo, a] a narrow; (apretado) tight; (íntimo) close, intimate; (miserable) mean // nm strait.

estregar [estre'xar] vt (sobar) to rub (hard); (rascar) to scrape.

estrella [es'treʎa] nf star; ~ **de mar** starfish.

estrellar [estre'ʎar] vt (hacer añicos) to smash (to pieces); (huevos) to fry; ~**se** vr to smash; (chocarse) to crash; (fracasar) to be smashed to pieces.

estremecer [estreme'θer] vt to shake; ~**se** vr to shake, tremble; **estremecimiento** nm (conmoción) tremor; (sobresalto) shock; (temblor) trembling, shaking.

estrenar [estre'nar] vt (vestido) to wear for the first time; (casa) to move into; (película, obra de teatro) to present for the first time; ~**se** vr (persona) to make one's début; **estreno** nm (primer uso) first use; (en un empleo) début, first appearance; (CINE etc) première.

estreñir [estre'ɲir] vt to constipate; ~**se** vr to become constipated.

estrépito [es'trepito] nm noise, racket; (fig) fuss; **estrepitoso, a** a noisy; (fiesta) rowdy, boisterous.

estría [es'tria] nf groove.

estribar [estri'βar] vi: ~ **en** to rest on, be supported by.

estribo [es'triβo] nm (de jinete) stirrup; (de coche, tren) step; (de puente) support; (fig) basis, foundation; (GEO) spur.

estribor [estri'βor] nm starboard.

estricnina [estrik'nina] nf strychnine.

estricto, a [es'trikto, a] a (riguroso) strict; (severo) severe.

estro ['estro] nm inspiration.

estropajo [estro'paxo] nm scourer.

estropear [estrope'ar] vt (arruinar) to spoil; (dañar) to damage; (lisiar) to maim; (tullir) to cripple; ~**se** vr (objeto) to get damaged; (persona) to be crippled.

estructura [estruk'tura] nf structure.

estruendo [es'trwendo] nm (ruido) racket, din; (fig: alboroto) uproar, turmoil; (pompa) pomp.

estrujar [estru'xar] vt (apretar) to squeeze; (aplastar) to crush; (magullar) to bruise; (fig) to drain, bleed.

estuario [es'twarjo] nm estuary.

estuche [es'tutʃe] nm box, case.

estudiante [estu'ðjante] nm/f student; **estudiantil** a inv student cpd.

estudiantina [estuðjan'tina] nf student music group.

estudiar [estu'ðjar] vt to study.

estudio [es'tuðjo] nm study; (CINE, ARTE, RADIO) studio; ~**s** nmpl studies; (erudición) learning sg; ~**so, a** a studious.

estufa [es'tufa] nf heater, fire.

estulticia [estul'tiθja] nf foolishness.

estupefacto, a [estupe'fakto, a] a speechless, thunderstruck.

estupendo, a [estu'pendo, a] a wonderful,

terrific; (fam) great; ¡~! that's great!, fantastic!

estupidez [estupi'ðeθ] nf (torpeza) stupidity; (tontería) piece of nonsense.

estúpido, a [es'tupiðo, a] a stupid, silly.

estupor [estu'por] nm stupor; (fig) astonishment, amazement.

estupro [es'tupro] nm rape.

estuve etc vb ver **estar.**

etapa [e'tapa] nf stage; (DEPORTE) leg; (parada) stopping place; (fig) stage, phase.

eternidad [eterni'ðað] nf eternity; **eterno, a** a eternal, everlasting.

ético, a ['etiko, a] a ethical // nf ethics pl.

etíope [e'tiope] a, nm/f Ethiopian.

Etiopía [etjo'pia] nf Ethiopia.

etiqueta [eti'keta] nf (modales) etiquette; (papel) label, tag.

eucalipto [euka'lipto] nm eucalyptus.

Eucaristía [eukaris'tia] nf Eucharist.

eufemismo [eufe'mismo] nm euphemism.

euforia [eu'forja] nf euphoria.

eugenesia [euxe'nesja] nf, **eugenismo** [euxe'nismo] nm eugenics sg.

eunuco [eu'nuko] nm eunuch.

Europa [eu'ropa] nf Europe; **europeo, a** a, nm/f European.

éuscaro, a ['euskaro, a] a Basque // nm (lengua) Basque.

Euskadi [eus'kaði] nm the Basque Provinces pl.

eutanasia [euta'nasja] nf euthanasia.

evacuación [eβakwa'θjon] nf evacuation; **evacuar** vt to evacuate.

evadir [eβa'ðir] vt to evade, avoid; ~**se** vr to escape.

evaluar [eβa'lwar] vt to evaluate.

evangélico, a [eβan'xeliko, a] a evangelic(al).

evangelio [eβan'xeljo] nm gospel.

evaporación [eβapora'θjon] nf evaporation.

evaporar [eβapo'rar] vt to evaporate; ~**se** vr to vanish.

evasión [eβa'sjon] nf escape, flight; (fig) evasion.

evasivo, a [eβa'siβo, a] a evasive, noncommittal.

evento [e'βento] nm unforeseen event; (eventualidad) eventuality; **a cualquier** ~ in any event.

eventual [eβen'twal] a possible, conditional (upon circumstances); (trabajador) casual, temporary.

evidencia [eβi'ðenθja] nf (certidumbre) evidence, proof; **evidenciar** vt (hacer patente) to make evident; (probar) to prove, show; **evidenciarse** vr to be evident.

evidente [eβi'ðente] a obvious, clear, evident.

evitar [eβi'tar] vt (evadir) to avoid; (impedir) to prevent.

evocar [eβo'kar] vt to evoke, call forth.

evolución [eβolu'θjon] nf (desarrollo) evolution, development; (cambio) change;

(MIL) manoeuvre; **evolucionar** vi to evolve; (MIL, AVIAT) to manoeuvre.

ex [eks] a ex-; **el ~ ministro** the former minister, the ex-minister.

exacerbar [eksaθer'ßar] vt to irritate, annoy; (agravar) to aggravate.

exactitud [eksakti'tuð] nf exactness; (precisión) accuracy; (puntualidad) punctuality; **exacto, a** a exact; accurate; punctual; **¡exacto!** exactly!

exageración [eksaxera'θjon] nf exaggeration; **exagerar** vt, vi to exaggerate.

exaltado, a [eksal'taðo, a] a (apasionado) over-excited, worked-up; (exagerado) extreme; (excitado) elated.

exaltar [eksal'tar] vt to exalt, glorify; ~**se** vr (excitarse) to get excited or worked-up; (arrebatarse) to get carried away.

examen [ek'samen] nm examination.

examinar [eksami'nar] vt to examine; ~**se** vr to be examined, sit an examination.

exangüe [ek'sangwe] a (desangrado) bloodless; (sin fuerzas) weak.

exasperar [eksaspe'rar] vt to exasperate; ~**se** vr to get exasperated, lose patience.

Exca. abr de **Excelencia**.

excedente [eksθe'ðente] a, nm excess, surplus.

exceder [eksθe'ðer] vt to exceed, surpass; ~**se** vr (extralimitarse) to go too far; (sobrepasarse) to excel o.s.

excelencia [eksθe'lenθja] nf excellence; **E~** Excellency; **excelente** a excellent.

excelso, a [eks'θelso, a] a lofty, sublime.

excentricidad [eksθentriθi'ðað] nf eccentricity; **excéntrico, a** a, nm/f eccentric.

excepción [eksθep'θjon] nf exception; **excepcional** a exceptional.

excepto [eks'θepto] ad excepting, except (for).

exceptuar [eksθep'twar] vt to except, exclude.

excesivo, a [eksθe'siβo, a] a excessive.

exceso [eks'θeso] nm (gen) excess; (COM) surplus.

excitación [eksθita'θjon] nf (sensación) excitement; (acción) excitation.

excitado, a [eksθi'taðo, a] a excited; (emociones) aroused; **excitar** vt to excite; (incitar) to urge; **excitarse** vr to get excited.

exclamación [eksklama'θjon] nf exclamation; **exclamar** vi to exclaim.

excluir [eksklu'ir] vt to exclude; (dejar fuera) to shut out; (descartar) to reject; **exclusión** nf exclusion; (descarte) rejection; **con exclusión de** excluding.

exclusiva [eksklu'sißa], **exclusividad** [eksklusißi'ðað] nf exclusiveness; (PRENSA) exclusive; (COM) sole right or agency.

exclusivo, a [eksklu'sißo, a] a exclusive; (único) sole.

Excmo. abr de **excelentísmo**.

excomulgar [ekskomul'xar] vt (REL) to

excommunicate; (excluir) to ban, banish.

excomunión [ekskomu'njon] nf excommunication.

excoriar [eksko'rjar] vt to flay, skin.

excursión [ekskur'sjon] nf excursion, outing; **excursionismo** nm sightseeing.

excusa [eks'kusa] nf excuse; (disculpa) apology.

excusado, a [eksku'saðo, a] a unnecessary; (disculpado) excused, forgiven // nm lavatory, toilet.

excusar [eksku'sar] vt to excuse; (evitar) to avoid; (impedir) to prevent; ~**se** vr (rehusarse) to decline a request; (disculparse) to apologize.

execrar [ekse'krar] vt to loathe.

exención [eksen'θjon] nf exemption.

exento, a [ek'sento, a] pp de **eximir** // a exempt; ~ **de derechos** tax-free.

exequias [ek'sekjas] nfpl funeral rites, obsequies.

exhalación [eksala'θjon] nf (del aire) exhalation; (vapor) fumes pl, vapour; (rayo) shooting star.

exhalar [eksa'lar] vt to exhale, breathe out; (olor etc) to give off; (suspiro) to breathe, heave.

exhausto, a [ek'sausto, a] a exhausted.

exhibición [eksißi'θjon] nf exhibition, display, show.

exhibir [eksi'ßir] vt to exhibit, display, show.

exhortación [eksorta'θjon] nf exhortation; **exhortar** vt: **exhortar a** to exhort to.

exigencia [eksi'xenθja] nf demand, requirement; **exigente** a demanding.

exigir [eksi'xir] vt (gen) to demand, require; (pago) to exact.

exilio [ek'siljo] nm exile.

eximio, a [ek'simjo, a] a (excelente) choice, select; (eminente) distinguished, eminent.

eximir [eksi'mir] vt to exempt.

existencia [eksis'tenθja] nf existence; ~**s** nfpl stock(s) (pl).

existir [eksis'tir] vi to exist, be.

éxito ['eksito] nm (resultado) result, outcome; (triunfo) success; **tener ~** to be successful.

exonerar [eksone'rar] vt to exonerate; ~ **de una obligación** to free from an obligation.

exorcizar [eksorθi'ßar] vt to exorcize.

exótico, a [ek'sotiko, a] a exotic.

expandir [ekspan'dir] vt to expand.

expansión [ekspan'sjon] nf expansion.

expatriarse [ekspa'trjarse] vr to emigrate; (POL) to go into exile.

expectativa [ekspekta'tißa] nf (espera) expectation; (perspectiva) prospect.

expedición [ekspeði'θjon] nf (excursión) expedition; (envío) shipment; (rapidez) speed.

expediente [ekspe'ðjente] nm expedient; (JUR: procedimento) action, proceedings pl; (: papeles) dossier, file, record.

expedir [ekspe'ðir] vt (*despachar*) to send, forward; (*libreta cívica, pasaporte*) to issue; (*fig*) to deal with.

expedito, a [ekspe'ðito, a] a (*libre*) clear, free; (*pronto*) prompt, speedy.

expendedor, a [ekspende'ðor, a] nm/f (*vendedor*) dealer; (*aparato*) (vending) machine; ~ **de cigarrillos** cigarette machine.

expendeduría [ekspendedu'ria] nf shop; (*estanco*) tobacconist's (shop).

expensas [eks'pensas] nfpl expenses; **a** ~ **de** at the expense of.

experiencia [ekspe'rjenθja] nf experience; (*científica*) experiment.

experimentado, a [eksperimen'taðo, a] a experienced.

experimentar [eksperimen'tar] vt (*en laboratorio*) to experiment with; (*probar*) to test, try out; (*notar, observar*) to experience; (*sufrir*) to suffer; **experimento** nm experiment.

experto, a [eks'perto, a] a (*práctico*) expert; (*diestro*) skilled, experienced // nm/f expert.

expiar [ekspi'ar] vt to atone for.

expirar [ekspi'rar] vi to expire.

explayar [ekspla'jar] vt to extend, expand; ~**se** vr to extend, spread; ~**se con uno** to confide in sb.

explicación [eksplika'θjon] nf explanation; **explicar** vt to explain; **explicarse** vr to explain (o.s.).

explícito, a [eks'pliθito, a] a explicit.

explorador, a [eksplora'ðor, a] nm/f (*pionero*) explorer; (*MIL*) scout // nm (*MED*) probe; (*TEC*) (radar) scanner; **los E**~**es** the Scouts.

explorar [eksplo'rar] vt to explore; (*MED*) to probe; (*radar*) to scan.

explosión [eksplo'sjon] nf explosion; **explosivo, a** a explosive.

explotación [eksplota'θjon] nf exploitation; (*de planta etc*) running, operation; **explotar** vt to exploit; to run, operate // vi to explode.

exponer [ekspo'ner] vt to expose; (*cuadro*) to display; (*vida*) to risk; (*idea*) to explain; ~**se** vr to expose o.s., leave o.s. open.

exportación [eksporta'θjon] nf (*acción*) export; (*mercancías*) exports pl; **exportar** vt to export.

exposición [eksposi'θjon] nf (*gen*) exposure; (*de arte*) show, exhibition; (*petición*) petition; (*explicación*) explanation; (*narración*) account, statement.

exposímetro [ekspo'simetro] nm (*FOTO*) exposure meter.

exprés [eks'pres] nm (*AM*) express (train).

expresar [ekspre'sar] vt to express; **expresión** nf expression; **expresiones** nfpl regards.

expreso, a [eks'preso, a] pp de **expresar** // a (*claro*) specific, clear; (*rápido*) fast // nm: **mandar por** ~ to send by express (delivery).

exprimir [ekspri'mir] vt (*fruta*) to squeeze (out); (*ropa*) to wring out; (*fig*) to express emphatically.

expropiar [ekspro'pjar] vt to expropriate.

expuesto, a [eks'pwesto, a] a exposed; (*cuadro etc*) on show, on display.

expugnar [ekspuɣ'nar] vt to take by storm.

expulsar [ekspul'sar] vt (*echar*) to eject; (*arrojar*) to throw out; (*expeler*) to expel; (*desalojar*) to drive out; (*despedir*) to sack, fire; (*a un futbolista*) to send off; **expulsión** nf expulsion; sending-off.

expurgar [ekspur'xar] vt to expurgate.

exquisito, a [ekski'sito, a] a exquisite; (*agradable*) delightful.

éxtasis ['ekstasis] nm ecstasy.

extender [eksten'der] vt (*gen*) to extend; (*los brazos*) to stretch out, hold out; (*mapa*) to spread (out), open (out); (*mantequilla*) to spread; (*certificado*) to issue; (*cheque, recibo*) to make out; (*documento*) to draw up; ~**se** vr (*gen*) to extend; (*en el suelo*) to stretch out; (*epidemia*) to spread; **extendido, a** a (*abierto*) spread out, open; (*brazos*) outstretched; (*prevaleciente*) widespread; **extensión** nf (*de país*) expanse, stretch; (*de libro*) extent; (*de tiempo*) length, duration; (*AM*) extension; **en toda la extensión de la palabra** in every sense of the word; **extenso, a** a extensive; (*prevaleciente*) widespread.

extenuar [ekste'nwar] vi (*agotar*) to exhaust; (*debilitar*) to weaken.

exterior [ekste'rjor] a inv (*de fuera*) external; (*afuera*) outside, exterior; (*apariencia*) outward; (*comercio*) foreign // nm (*gen*) exterior, outside; (*aspecto*) outward appearance; (*DEPORTE*) wing(er); **el** ~ foreign parts pl; **al** ~ outwardly, on the surface.

exterminar [ekstermi'nar] vt to exterminate; **exterminio** nm extermination.

externo, a [eks'terno, a] a (*exterior*) external, outside; (*superficial*) outward // nm/f day pupil.

extinguir [ekstin'gir] vt (*fuego*) to extinguish, put out; (*raza, población*) to wipe out; ~**se** vr (*fuego*) to go out; (*BIO*) to die out, become extinct.

extinto, a [eks'tinto, a] a extinct.

extintor [ekstin'tor] nm (fire) extinguisher.

extra ['ekstra] a, nm/f extra // nm extra; (*bono*) bonus.

extracción [ekstrak'θjon] nf extraction; (*en lotería*) draw.

extracto [eks'trakto] nm extract.

extraer [ekstra'er] vt to extract, take out.

extralimitarse [ekstralimi'tarse] vr to go too far.

extranjero, a [ekstran'xero, a] a foreign // nm/f foreigner // nm foreign lands pl; **en el** ~ abroad.

extrañar [ekstra'ɲar] vt (*desterrar*) to exile; (*sorprender*) to find strange or odd;

(AM) to miss; ~**se** vr (sorprenderse) to be amazed, be surprised; (distanciarse) to become estranged, grow apart.

extrañeza [ekstra'neθa] nf (rareza) strangeness, oddness; (asombro) amazement, surprise.

extraño, a [eks'traŋo, a] a (extranjero) foreign; (raro, sorprendente) strange, odd.

extraordinario, a [ekstraorδi'narŋo, a] a extraordinary; (edición, número) special // nm (plato) special dish; (de periódico) special edition; **horas** ~**as** overtime sg.

extravagancia [ekstraβa'vanθja] nf extravagance; **extravagante** a extravagant; (extraño) strange, odd; (excéntrico) eccentric; (estrafalario) outlandish.

extraviado, a [ekstra'βjaδo, a] a lost, missing.

extraviar [ekstra'βjar] vt (desviar) to mislead; (perder) to lose, misplace; ~**se** vr to lose one's way, get lost.

extravío [ekstra'βio] nm loss; (fig) deviation.

extremar [ekstre'mar] vt to carry to extremes; ~**se** vr to do one's utmost, make every effort.

extremaunción [ekstremaun'θjon] nf extreme unction.

extremeño, a [ekstre'meŋo, a] a, nm/f Extremaduran.

extremidad [ekstremi'δaδ] nf (punta) extremity; (fila) edge; ~**es** nfpl (ANAT) extremities.

extremo, a [eks'tremo, a] a extreme; (último) end // nm end; (límite, grado sumo) extreme; **en último** ~ as a last resort; ~ **derecho/izquierdo** outside-right/ outside-left.

extrínseco, a [eks'trinseko, a] a extrinsic.

extrovertido, a [ekstroβer'tiδo, a] a, nm/f extrovert.

exuberancia [eksuβe'ranθja] nf exuberance; **exuberante** a exuberant; (fig) luxuriant, lush.

exvoto [eks'βoto] nm votive offering.

eyacular [ejaku'lar] vt, vi to ejaculate.

F

f.a.b. abr de **franco a bordo** f.o.b. (free on board).

fábrica ['faβrika] nf factory; **marca de** ~ trademark; **precio de** ~ factory price.

fabricación [faβrika'θjon] nf (manufactura) manufacture; (producción) production; **de** ~ **casera** home-made; ~ **en serie** mass production.

fabricante [faβri'kante] nm/f manufacturer.

fabricar [faβri'kar] vt (hacer) to manufacture, make; (construir) to build; (elaborar) to fabricate, devise.

fabril [fa'βril] a: **industria** ~ manufacturing industry.

fábula ['faβula] nf (cuento) fable; (chisme) rumour.

facción [fak'θjon] nf (POL) faction; (del rostro) feature.

fácil ['faθil] a (simple) easy; (probable) likely.

facilidad [faθili'δaδ] nf (capacidad) ease; (sencillez) simplicity; (de palabra) fluency; ~**es** nfpl facilities.

facilitar [faθili'tar] vt (hacer fácil) to make easy; (proporcionar) to provide; (hacer posible) to arrange; (hacer más fácil) to facilitate.

fácilmente [fa'θilmente] ad easily.

factible [fak'tiβle] a feasible.

factor [fak'tor] nm factor.

factura [fak'tura] nf (cuenta) bill; (hechura) manufacture; **facturar** vt (COM) to invoice, charge for.

facultad [fakul'taδ] nf (aptitud, ESCOL etc) faculty; (poder) power.

facha ['fatʃa] nf (fam: aspecto) look; (: desagradable) unpleasant sight.

fachada [fa't'ʃaδa] nf (ARQ) façade, front.

faena [fa'ena] nf (trabajo) work; (quehacer) task, job; ~**s de la casa** housework sg.

fagot [fa'got] nm (MUS) bassoon.

faisán [fai'san] nm pheasant.

faja ['faxa] nf (para la cintura) sash; (de mujer) corset; (de tierra) strip; (venda) bandage.

falange [fa'lanxe] nf (POL) Falange.

falda ['falda] nf (prenda de vestir) skirt.

falibilidad [faliβili'δaδ] nf fallibility.

fálico, a ['faliko, a] a phallic.

falo ['falo] nm phallus.

falsedad [false'δaδ] nf (hipocresía) falseness; (mentira) falsehood.

falsificar [falsifi'kar] vt (firma etc) to forge; (voto etc) to rig; (moneda) to counterfeit.

falso, a ['falso, a] a (gen) false; (erróneo) mistaken; (moneda etc) fake; **en** ~ falsely.

falta ['falta] nf (defecto) fault, flaw; (privación) lack, want; (ausencia) absence; (carencia) shortage; (equivocación) mistake; (DEPORTE) foul; **hacer** ~ to be missing or lacking.

faltar [fal'tar] vi (escasear) to be lacking, be wanting; (ausentarse) to be absent, be missing; (fallar: mecanismo) to go wrong, break down; **faltan 2 horas para llegar** there are 2 hours to go till arrival; ~ **el respeto a alguien** to be disrespectful to sb; **echar a** ~ **a alguien** to miss sb; ¡no **faltaba más!** that's the last straw!

falto, a ['falto, a] a (desposeído) deficient, lacking; (necesitado) poor, wretched.

falla ['faʎa] nf (defecto) fault, flaw; (fracaso) failure.

fallar [fa'ʎar] vt (JUR) to pronounce sentence on // vi (memoria) to fail; (motor) to miss.

fallecer [faʎe'θer] vi to pass away, die; **fallecimiento** nm decease, demise.

fallo ['faʎo] nm (JUR) verdict, ruling; (fracaso) failure.

fama ['fama] *nf* (*renombre*) fame; (*reputación*) reputation.

familia [fa'milja] *nf* family.

familiar [fami'ljar] *a* (*relativo a la familia*) family *cpd*; (*conocido, informal*) familiar // *nm* relative; **~idad** *nf* (*gen*) familiarity; (*informalidad*) homeliness; **~izarse** *vr* to familiarize o.s. with.

famoso, a [fa'moso, a] *a* (*renombrado*) famous; (*fam: fabuloso*) great.

fanático, a [fa'natiko, a] *a* fanatical // *nm/f* (*gen*) fanatic; (*CINE etc*) fan; (*de deportes*) supporter; **fanatismo** *nm* fanaticism.

fanfarrón, ona [fanfa'rron, ona] *a* boastful; (*pey*) showy.

fango ['fango] *nm* mud; **~so, a** *a* muddy.

fantasía [fanta'sia] *nf* fantasy, imagination; (*fam*) conceit, vanity; **joyas de ~** imitation jewellery *sg*.

fantasma [fan'tasma] *nm* (*espectro*) ghost, apparition.

fantástico, a [fan'tastiko, a] *a* fantastic.

farmacéutico, a [farma'θeutiko, a] *a* pharmaceutical // *nm/f* chemist, pharmacist.

farmacia [far'maθja] *nf* chemist's (shop), pharmacy; **~ de turno** all-night chemist.

faro ['faro] *nm* (*NAUT: torre*) lighthouse; (*AUTO*) headlamp; **~s laterales** sidelights; **~s traseros** rear lights.

farol [fa'rol] *nm* (*luz*) lantern, lamp; (*de calle*) streetlamp.

farsa ['farsa] *nf* (*gen*) farce.

farsante [far'sante] *nm/f* fraud, fake.

fascinar [fasθi'nar] *vt* (*deslumbrar*) to fascinate.

fascismo [fas'θismo] *nm* fascism; **fascista** *a, nm/f* fascist.

fase ['fase] *nf* phase.

fastidiar [fasti'ðjar] *vt* (*disgustar*) to annoy, bother; (*estropear*) to spoil; (*aburrir*) to bore; **~se** *vr* (*dañarse*) to harm o.s.; (*disgustarse*) to get annoyed *or* cross.

fastidio [fas'tiðjo] *nm* (*disgusto*) annoyance; (*tedio*) boredom; **~so, a** *a* (*molesto*) annoying; (*aburrido*) tedious.

fatal [fa'tal] *a* (*gen*) fatal; (*inevitable*) unavoidable; (*desgraciado*) ill-fated; (*fam: malo, pésimo*) awful; **~idad** *nf* (*destino*) fate; (*mala suerte*) misfortune.

fatiga [fa'tixa] *nf* (*cansancio*) fatigue, weariness; **fatigar** *vt* to tire, weary; **fatigarse** *vr* to get tired; **fatigoso, a** *a* (*cansador*) tiring; (*aburrido*) tiresome.

fatuo, a ['fatwo, a] *a* (*vano*) fatuous; (*presuntuoso*) conceited.

fauces ['fauθes] *nfpl* jaws, mouth *sg*.

favor [fa'βor] *nm* favour; **entrada de ~** complimentary ticket; **haga el ~ de...** would you be so good as to..., kindly...; **por ~** please; **~able** *a* favourable.

favorecer [faβore'θer] *vt* (*gen*) to favour; (*vestido etc*) to become, flatter; **este peinado le favorece** this hairstyle suits her.

favorito, a [faβo'rito, a] *a, nm/f* favourite.

faz [faθ] *nf*: **la ~ de la tierra** the face of the earth.

fe [fe] *nf* (*REL*) faith; (*confianza*) belief; (*documento*) certificate; (*lealtad*) fidelity, loyalty; **prestar ~ a** to believe, credit; **actuar con buena/mala ~** to act in good/bad faith; **dar ~ de** to bear witness to.

fealdad [feal'dað] *nf* ugliness.

febrero [fe'βrero] *nm* February.

febril [fe'βril] *a* feverish.

fecundar [fekun'dar] *vt* (*generar*) to fertilize, make fertile; **fecundo, a** *a* (*fértil*) fertile; (*prolífico*) prolific; (*fructífero*) fruitful; (*abundante*) abundant; (*productivo*) productive.

fecha ['fetʃa] *nf* date; **en ~ próxima** soon; **hasta la ~** to date, so far; **poner ~** to date; **con ~ adelantada** post-dated.

federación [federa'θjon] *nf* federation.

federal [feðe'ral] *a* federal; **~ismo** *nm* federalism.

felicidad [feliθi'ðað] *nf* (*satisfacción, contento*) happiness; (*suerte feliz*) (good) luck; **~es** *nfpl* best wishes, congratulations.

felicitación [feliθita'θjon] *nf* congratulation; **felicitar** *vt* to congratulate.

feligrés, esa [feli'xres, esa] *nm/f* parishioner.

feliz [fe'liθ] *a* (*contento*) happy; (*afortunado*) lucky.

felonía [felo'nia] *nf* felony, crime.

felpudo [fel'puðo] *nm* doormat.

femenino, a [feme'nino, a] *a, nm* feminine.

feminista [femi'nista] *nf* feminist.

fénix ['feniks] *nm* (*ave*) phoenix.

fenómeno [fe'nomeno] *nm* phenomenon; (*fig*) freak, accident // *a inv* great // *excl* smashing!, marvellous!

feo, a ['feo, a] *a* (*gen*) ugly; (*desagradable*) bad, nasty.

féretro ['feretro] *nm* (*ataúd*) coffin; (*sarcófago*) bier.

feria ['ferja] *nf* (*gen*) fair; (*AM*) village market; (*día de asueto*) holiday, rest day.

fermentar [fermen'tar] *vi* to ferment.

ferocidad [feroθi'ðað] *nf* fierceness, ferocity.

feroz [fe'roθ] *a* (*cruel*) cruel; (*salvaje*) fierce.

férreo, a ['ferreo, a] *a* iron.

ferretería [ferrete'ria], **ferrería** [ferre'ria] *nf* (*trastes*) ironmongery; (*tienda*) ironmonger's (shop), hardware store.

ferrocarril [ferroka'rril] *nm* railway; **~ de cremallera** rack railway.

fértil ['fertil] *a* (*productivo*) fertile; (*rico*) rich; **fertilidad** *nf* (*gen*) fertility; (*productividad*) fruitfulness; **fertilizar** *vt* to fertilize.

fervor [fer'βor] *nm* fervour; **~oso, a** *a* fervent.

festejar [feste'xar] *vt* (*agasajar*) to

entertain lavishly; (*galantear*) to court; (*su cumpleaños*) to celebrate; **festejo** *nm* (*diversión*) entertainment; (*galanteo*) courtship; (*fiesta*) celebration.

festividad [festiβi'ðað] *nf* festivity.

festivo, a [fes'tiβo, a] *a* (*de fiesta*) festive; (*fig*) witty; (*CINE, LITERATURA*) humorous.

fétido, a ['fetiðo, a] *a* (*hediondo*) foul-smelling; (*podrido*) rotten.

fiado [fi'aðo] *nm*: **comprar al** ~ to buy on credit.

fiador, a [fia'ðor, a] *nm/f* (*JUR*) surety, guarantor; (*COM*) backer // *nm* (*de arma*) safety catch; (*cerrojo*) tumbler; **salir** ~ **por alguien** to go bail for sb.

fiambre ['fjambre] *nm* cold meat.

fianza ['fjanθa] *nf* surety; (*JUR*): **libertad bajo** ~ release on bail.

fiar [fi'ar] *vt* (*salir garante de*) to guarantee; (*vender a crédito*) to sell on credit // *vi* to trust; ~**se** *vr* to trust (in), rely on; ~**se de uno** to rely on sb.

fiasco ['fjasko] *nm* fiasco.

fibra ['fiβra] *nf* fibre.

ficción [fik'θjon] *nf* fiction.

ficticio, a [fik'tiθjo, a] *a* (*imaginario*) fictitious; (*falso*) fabricated.

ficha ['fitʃa] *nf* (*en juegos*) token, counter; (*tarjeta*) (index) card; (*ELEC*) plug; **fichar** *vt* (*archivar*) to file, index; **estar fichado** to have a record; **fichero** *nm* card index.

fidelidad [fiðeli'ðað] *nf* (*lealtad*) fidelity, loyalty; **alta** ~ high fidelity, hi-fi.

fideos [fi'ðeos] *nmpl* noodles.

fiebre ['fjeβre] *nf* (*MED*) fever; (*fig*) feverish excitement; ~ **amarilla/del heno** yellow/hay fever; ~ **palúdica** malaria; **tener** ~ to have a temperature.

fiel [fjel] *a* (*leal*) faithful, loyal; (*fiable*) reliable; (*exacto*) accurate, exact // *nm* inspector; (*aguja*) needle, pointer; **los** ~**es** the faithful.

fieltro ['fjeltro] *nm* felt.

fiereza [fje're θa] *nf* (*bravura*) fierceness; (*fealdad*) ugliness.

fiero, a ['fjero, a] *a* (*cruel*) cruel; (*feroz*) fierce; (*duro*) harsh // *nf* (*animal feroz*) wild animal *or* beast.

fiesta ['fjesta] *nf* party; (*de pueblo*) festival; ~**s** *nfpl* (*caricias*) endearments; (*vacaciones*) holiday *sg*; (*broma*) jokes; (*juerga*) fun and games; (*REL*): ~ **de guardar** day of obligation.

figura [fi'xura] *nf* (*gen*) figure; (*forma, imagen*) shape, form; (*cara*) face; (*TEATRO*) marionette; (*NAIPES*) face card.

figurar [fixu'rar] *vt* (*representar*) to represent; (*fingir*) to figure // *vi* to figure; ~**se** *vr* (*imaginarse*) to imagine; (*suponer*) to suppose.

fijar [fi'xar] *vt* (*gen*) to fix; (*estampilla*) to affix, stick (on); (*fig*) to settle (on), decide; ~ **con hilos** to sew on; ~**se** *vr*: ~**se en** to notice.

fijo, a ['fixo, a] *a* (*gen*) fixed; (*firme*) firm; (*permanente*) permanent // *ad*: **mirar** ~ to stare.

fila ['fila] *nf* row; (*cola, columna*) queue; (*cadena*) line; **ponerse en** ~ to line up, get into line.

filántropo [fi'lantropo] *nm* philanthropist.

filatelia [fila'telja] *nf* philately.

filete [fi'lete] *nm* (*carne*) steak; (*pescado*) fillet.

filial [fi'ljal] *a* filial // *nf* subsidiary.

Filipinas [fili'pinas] *nfpl*: **las** ~ the Philippines.

filmar [fil'mar] *vt* to film, shoot.

filo ['filo] *nm* (*gen*) edge; **sacar** ~ **a** to sharpen; **al** ~ **del mediodía** at about midday; **de doble** ~ double-edged.

filosofía [filoso'fia] *nf* philosophy; **filósofo** *nm* philosopher.

filtrar [fil'trar] *vt*, *vi* to filter, strain; ~**se** *vr* to filter; (*fig*) to dwindle; **filtro** *nm* (*TEC, utensilio*) filter; (*CULIN*) strainer.

fin [fin] *nm* (*gen*) end; (*objetivo*) aim, purpose; **al** ~ **y al cabo** when all's said and done; **a** ~ **de** in order to; **por** ~ finally; **en** ~ in short; ~ **de semana** weekend; ~**al** a final // *nm* end, conclusion // *nf* final; ~**alista** *nm/f* finalist; ~**alizar** *vt* to end, finish // *vi*, ~**alizarse** *vr* to end, come to an end.

financiar [finan'θjar] *vt* to finance; **financiero, a** a financial.

finca ['finka] *nf* country estate; (*casa*) country house.

fingir [fin'xir] *vt* (*simular*) to simulate; (*pretextar*) to sham, fake // *vi* (*aparentar*) to pretend, feign; ~**se** *vr* to pretend to be.

finlandés, esa [finlan'des, esa] *a* Finnish // *nm/f* Finn // *nm* (*lengua*) Finnish.

Finlandia [fin'landja] *nf* Finland.

fino, a ['fino, a] *a* (*gen*) fine; (*delgado*) slender; (*puro*) pure; (*de buenas maneras*) polite, refined; (*inteligente*) shrewd.

firma ['firma] *nf* signature; (*COM*) firm, company; **firmar** *vt* to sign.

firme ['firme] *a* (*gen*) firm; (*estable*) stable; (*sólido*) solid; (*compacto*) compact; (*constante*) steady; (*decidido*) resolute // *nm* road (surface); ~**mente** *ad* firmly; ~**za** *nf* firmness; (*constancia*) steadiness; (*solidez*) solidity.

fiscal [fis'kal] *a* fiscal // *nm* Public Prosecutor.

fisgar [fis'xar] *vt* to pry into; (*pescar*) to spear, harpoon.

físico, a ['fisiko, a] *a* physical // *nm* physique // *nm/f* physicist // *nf* physics *sg*.

flaco, a ['flako, a] *a* (*muy delgado*) skinny, lean; (*débil*) weak, feeble.

flagrante [fla'xrante] *a* flagrant.

flamante [fla'mante] *a* brilliant; (*nuevo*) brand-new.

flamenco, a [fla'menko, a] *a* (*de Flandes*) Flemish; (*agitanado*) gipsy // *nm* (*canto y baile*) flamenco.

flan [flan] *nm* creme caramel.

flaqueza [fla'keθa] *nf* (*delgadez*) leanness; (*fig*) weakness.

flash [flaʃ] *nm* (*FOTO*) flash.

flauta ['flauta] *nf* flute.

fleco ['fleko] *nm* fringe.
flecha ['fletʃa] *nf* arrow.
flema ['flema] *nm* phlegm.
flequillo [fle'kiʎo] *nm* (*pelo*) fringe.
flete ['flete] *nm* (*carga*) freight; (*alquiler*) charter; (*precio*) freightage.
flexible [flek'sißle] *a* flexible.
flojo, a ['floxo, a] *a* (*gen*) loose; (*sin fuerzas*) limp; (*débil*) weak.
flor [flor] *nf* flower; (*piropo*) compliment; **a ~ de** on the surface of; **~ecer** *vi* (*BOT*) to flower; (*fig*) to flourish; **~eciente** *a* (*BOT*) in flower, flowering; (*fig*) thriving.
flota ['flota] *nf* fleet.
flotar [flo'tar] *vi* (*gen*) to float; (*colgar*) to hang; **flote** *nm*: **a flote** afloat; **sacar a flote** (*fig*) to get back on one's feet.
fluctuar [fluk'twar] *vi* (*oscilar*) to fluctuate; (*vacilar*) to waver.
fluidez [flui'ðeθ] *nf* fluidity; (*fig*) fluency.
flúido, a ['fluiðo, a] *a, nm* fluid.
fluir [flu'ir] *vi* to flow.
flujo ['fluxo] *nm* flow; **~ y reflujo** ebb and flow; **~ de sangre** (*MED*) loss of blood.
foca ['foka] *nf* seal.
foco ['foko] *nm* focus; (*ELEC*) floodlight.
fogón [fo'xon] *nm* (*de cocina*) stove.
fogoso, a [fo'xoso, a] *a* spirited.
follaje [fo'ʎaxe] *nm* foliage.
folleto [fo'ʎeto] *nm* pamphlet.
fomentar [fomen'tar] *vt* (*MED*) to foment; **fomento** *nm* (*MED*) fomentation; (*promoción*) promotion; **Ministerio de Fomento** Ministry of Public Works.
fonda ['fonda] *nf* inn; (*restaurante*) buffet.
fondo ['fondo] *nm* (*de mar*) bottom; (*cuarto*) back; (*ARTE etc*) background; (*reserva*) fund; **~s** *nmpl* (*COM*) funds, resources; **una investigación a ~ a** thorough investigation; **en el ~ a** bottom, deep down.
fontanería [fontane'ria] *nf* plumbing; **fontanero** *nm* plumber.
forastero, a [foras'tero, a] *a* (*extraño*) alien, strange // *nm/f* stranger.
forcejear [forθexe'ar] *vi* (*luchar*) to struggle; (*esforzarse*) to make violent efforts.
forjar [for'xar] *vt* to forge.
forma ['forma] *nf* (*figura*) form, shape; (*molde*) mould, pattern; (*MED*) fitness; (*método*) way, means; **las ~s** the conventions.
formación [forma'θjon] *nf* (*gen*) formation; (*educación*) education.
formal [for'mal] *a* (*gen*) formal; (*fig: persona*) serious; **~idad** *nf* formality; seriousness.
formar [for'mar] *vt* (*componer*) to form, shape; (*constituir*) to make up, constitute; (*ESCOL*) to train, educate; **~se** *vr* (*cobrar forma*) to form, take form; (*hacer línea*) to form up; (*desarrollarse*) to develop.
formidable [formi'ðaßle] *a* (*temible*) formidable; (*asombroso*) tremendous.
formulario [formu'larjo] *nm* form.

fornido, a [for'niðo, a] *a* strapping, well-built.
foro ['foro] *nm* (*gen*) forum; (*JUR*) court.
forrar [fo'rrar] *vt* (*abrigo*) to line; (*libro*) to cover; **forro** *nm* (*de cuaderno*) cover; (*costura*) lining; (*de sillón*) upholstery; **forro de freno** brake lining.
fortalecer [fortale'θer] *vt* to strengthen.
fortaleza [forta'leθa] *nf* (*gen*) strength; (*determinación*) resolution.
fortuito, a [for'twito, a] *a* accidental.
fortuna [for'tuna] *nf* (*suerte*) fortune, (good) luck; (*riqueza, caudal*) fortune, wealth.
forzar [for'θar] *vt* (*puerta*) to force (open); (*casa*) to break into; (*compeler*) to compel.
forzoso, a [for'θoso, a] *a* necessary.
fosa ['fosa] *nf* (*sepultura*) grave; (*en tierra*) pit; (*MED*) cavity.
fósforo ['fosforo] *nm* (*metaloide*) phosphorus; (*AM*) match.
foso ['foso] *nm* ditch; (*TEATRO*) pit; (*AUTO*): **~ de reconocimiento** inspection pit.
foto ['foto] *nf* photo, snap(shot); **~copia** *nf* photocopy; **~copiador** *nm* photocopier; **~copiar** *vt* to photocopy.
fotografía [fotoxra'fia] *nf* (*gen*) photography; (*una ~*) photograph; **fotografiar** *vt* to photograph.
fotógrafo, a [fo'toxrafo, a] *nm/f* photographer.
fracaso [fra'kaso] *nm* (*desgracia, revés*) failure; **fracasar** *vi* (*gen*) to fail.
fracción [frak'θjon] *nf* fraction; (*POL*) faction; **fraccionar** *vt* to divide, break up.
fractura [frak'tura] *nf* fracture, break.
fragancia [fra'xanθja] *nf* (*olor*) fragrance; (*perfume*) perfume.
frágil ['fraxil] *a* (*débil*) fragile; (*quebradizo*) breakable; **fragilidad** *nf* fragility; (*de persona*) frailty.
fragmento [fraxˈmento] *nm* (*pedazo*) fragment.
fragor [fra'xor] *nm* (*ruido intenso*) din; (*de gente*) uproar.
fragua ['fraxwa] *nf* forge; **fraguar** *vt* to forge; (*fig*) to concoct // *vi* to harden.
fraile ['fraile] *nm* (*REL*) friar; (: *monje*) monk.
frambuesa [fram'bwesa] *nf* raspberry.
francés, esa [fran'θes, esa] *a* French // *nm/f* Frenchman/woman // *nm* (*lengua*) French.
Francia ['franθja] *nf* France.
franco, a ['franko, a] *a* (*leal, abierto*) frank, open; (*generoso, liberal*) generous, liberal; (*COM: exento*) free // *nm* franc.
francotirador, a [frankotira'ðor, a] *nm/f* sniper.
franela [fra'nela] *nf* flannel.
franja ['franxa] *nf* fringe.
franquear [franke'ar] *vt* (*camino*) to clear; (*carta, paquete postal*) to frank, stamp; (*obstáculo*) to overcome; **~se** *vr* (*ceder*) to give way; (*confiarse a alguien*) to unburden o.s.

franqueo [fran'keo] *nm* postage.
franqueza [fran'keθa] *nf* (*candor*) frankness; (*generosidad*) generosity.
frasco ['frasko] *nm* bottle; (*al vacío*) (vacuum) flask.
frase ['frase] *nf* sentence; ~ **hecha** set phrase.
fraude ['frauðe] *nm* (*cualidad*) dishonesty; (*acto*) fraud; **fraudulento, a** a fraudulent.
frecuencia [fre'kwenθja] *nf* frequency; **con** ~ frequently, often.
fregadero [freɣa'ðor] *nm* sink.
fregar [fre'ɣar] *vt* (*frotar*) to scrub; (*platos*) to wash (up); (*AM*) to annoy.
freír [fre'ir] *vt* to fry.
frenar [fre'nar] *vt* to brake; (*fig*) to check.
frenesí [frene'si] *nm* frenzy; **frenético, a** a frantic.
freno ['freno] *nm* (*TEC, AUTO*) brake; (*de cabalgadura*) bit; (*fig*) check.
frente ['frente] *nm* (*ARQ, POL*) front; (*de objeto*) front part // *nf* forehead, brow; **en** ~ **de** in front of; (*en situación opuesta de*) opposite; **chocar de** ~ to crash head-on; **hacer** ~ **a** to face up to.
fresa ['fresa] *nf* strawberry.
fresco, a ['fresko, a] a (*nuevo*) fresh; (*frío*) cool // *nm* (*aire*) fresh air; (*ARTE*) fresco; (*fam*) shameless person; (*persona insolente*) impudent person // *nf* cool part of the day; **tomar el** ~ to get some fresh air; **frescura** *nf* freshness; (*descaro*) cheek, nerve; (*calma*) calmness.
frialdad [frial'daδ] *nf* (*gen*) coldness; (*indiferencia*) indifference.
fricción [frik'θjon] *nf* (*gen*) friction; (*acto*) rub(bing); (*MED*) massage.
frigidez [frixi'δeθ] *nf* frigidity.
frigorífico [friɣo'rifiko] *nm* refrigerator.
frijol [fri'xol] *nm* kidney bean.
frío, a ['frio, a] a cold // *nm* cold(ness).
frito, a ['frito, a] a fried; **me trae** ~ **ese hombre** I'm sick and tired of that man.
frívolo, a ['friβolo, a] a frivolous.
frontera [fron'tera] *nf* frontier; **fronterizo, a** a frontier *cpd*; (*contiguo*) bordering.
frontón [fron'ton] *nm* (*DEPORTE*) pelota court.
frotar [fro'tar] *vt* to rub; ~**se** *vr*: ~**se las manos** to rub one's hands.
fructífero, a [fruk'tifero, a] a fruitful.
frugal [fru'xal] a frugal.
fruncir [frun'θir] *vt* to pucker; (*costura*) to pleat; ~ **el ceño** to knit one's brow.
frustrar [frus'trar] *vt* to frustrate.
fruta ['fruta] *nf* fruit; **frutería** *nf* fruit shop.
fue *vb ver* **ser, ir.**
fuego ['fweɣo] *nm* (*gen*) fire; (*MED*) rash; **a** ~ **lento** on a low flame *or* gas; ¿**tienes** ~? have you a light?
fuente ['fwente] *nf* (*de una plaza*) fountain; (*manantial, fig*) spring; (*origen*) source; (*plato*) large dish.
fuera *etc vb ver* **ser, ir** // ['fwera] *ad*

out(side); (*en otra parte*) away; (*excepto, salvo*) except, save // *prep*: ~ **de** outside; (*fig*) besides; ~ **de sí** beside o.s.
fuerte ['fwerte] a (*gen*) strong; (*golpe*) hard; (*ruido*) loud; (*comida*) rich; (*lluvia*) heavy; (*dolor*) intense // *ad* strongly; hard; loud(ly).
fuerza ['fwerθa] *nf* (*fortaleza*) strength; (*TEC, ELEC*) power; (*coacción*) force; (*MIL*) forces *pl*; **a** ~ **de** by dint of; **cobrar** ~**s** to recover one's strength; **tener** ~**s para** to have the strength to; **a la** ~, **por** ~ forcibly, by force.
fuga ['fuɣa] *nf* (*huida*) flight, escape; (*de gas*) leak; **fugarse** *vr* to flee, escape; **fugaz** a fleeting; **fugitivo, a** a, *nm/f* fugitive.
fui *vb ver* **ser, ir.**
fulano, a [fu'lano, a] *nm/f* so-and-so, what's-his-name.
fulgor [ful'ɣor] *nm* brilliance.
fumar [fu'mar] *vt, vi* to smoke; ~**se** *vr* (*disipar*) to squander; ~ **en pipa** to smoke a pipe.
funámbulo, a [fu'nambulo, a] *nm/f* tightrope-walker.
función [fun'θjon] *nf* function; (*de puesto*) duties *pl*; (*espectáculo*) show; **entrar en funciones** to take up one's duties; **funcionar** *vi* (*gen*) to function; (*máquina*) to work.
funcionario, a [funθjo'narjo, a] *nm/f* official; (*público*) civil servant.
funda ['funda] *nf* (*gen*) cover; (*de almohada*) pillowcase.
fundación [funda'θjon] *nf* foundation.
fundamental [fundamen'tal] a fundamental, basic.
fundamentar [fundamen'tar] *vt* (*poner base*) to lay the foundations of; (*establecer*) to found; (*fig*) to base; **fundamento** *nm* (*base*) foundation.
fundar [fun'dar] *vt* to found; (*dotar de fondos*) to endow; ~**se** *vr*: ~**se en** to be founded on.
fundición [fundi'θjon] *nf* fusing; (*fábrica*) foundry.
fundir [fun'dir] *vt* (*gen*) to fuse; (*metal*) to smelt, melt down; (*COM*) to merge; (*estatua*) to cast; ~**se** *vr* (*sólido*) to merge, blend; (*unirse*) to fuse together.
fúnebre ['funeβre] a funeral *cpd*, funereal.
funeral [fune'ral] *nm* funeral.
furgón [fur'ɣon] *nm* wagon.
furia ['furja] *nf* (*ira*) fury; (*violencia*) violence; **furibundo, a** a furious; **furioso, a** a (*iracundo*) furious; (*violento*) violent; **furor** *nm* (*cólera*) rage.
furtivo, a [fur'tiβo, a] a furtive.
forúnculo [fu'runkulo] *nm* (*MED*) boil.
fusible [fu'siβle] *nm* fuse.
fusil [fu'sil] *nm* rifle; ~**ar** *vt* to shoot.
fusión [fu'sjon] *nf* (*gen*) melting; (*unión*) fusion; (*COM*) merger.
fútbol ['futβol] *nm* football; **futbolín** *nm* table football; **futbolista** *nm* footballer.

fútil ['futil] *a* trifling; **futilidad, futileza** *nf* triviality.

futuro, a [fu'turo, a] *a, nm* future.

G

gabacho, a [ga'ßatʃo, a] *a* Pyrenean; (*fam*) frenchified // *nm/f* Pyrenean villager.

gabán [ga'ßan] *nm* overcoat.

gabardina [gaßar'ðina] *nf* raincoat, gabardine.

gabinete [gaßi'nete] *nm* (*POL*) cabinet; (*estudio*) study; (*de abogados etc*) office.

gaceta [ga'ßeta] *nf* gazette; **gacetilla** *nf* (*en periódico*) news in brief; (*de personalidades*) gossip column.

gacha ['gatʃa] *nf* mush; **~s** *nfpl* porridge *sg.*

gafas ['gafas] *nfpl* glasses; **~ oscuras** dark glasses.

gaita ['gaita] *nf* flute; (**~** *gallega*) bagpipes *pl.*

gajes ['gaxes] *nmpl* (*salario*) pay; **los ~ del oficio** occupational hazards.

gajo ['gaxo] *nm* (*gen*) bunch; (*de árbol*) bough; (*de naranja*) segment.

gala ['gala] *nf* full dress; (*fig*: *lo mejor*) cream, flower; **~s** *nfpl* finery *sg*; **estar de ~** to be in one's best clothes; **hacer ~ de** to display, show off.

galán [ga'lan] *nm* lover, gallant; (*hombre atractivo*) ladies' man; (*TEATRO*): **primer ~** leading man.

galano, a [ga'lano, a] *a* (*elegante*) elegant; (*bien vestido*) smart.

galante [ga'lante] *a* gallant; **galantear** *vt* (*hacer la corte a*) to court, woo; **galanteo** *nm* (*coqueteo*) flirting; (*de pretendiente*) wooing; **galantería** *nf* (*caballerosidad*) gallantry; (*cumplido*) politeness; (*comentario*) compliment.

galaxia [ga'laksja] *nf* galaxy.

galera [ga'lera] *nf* (*nave*) galley; (*carro*) wagon; (*MED*) hospital ward; (*IMPRENTA*) galley.

galería [gale'ria] *nf* (*gen*) gallery; (*balcón*) veranda(h); (*de casa*) corridor.

Gales ['gales] *nm* Wales; **galés, esa** *a* Welsh // *nm/f* Welshman/woman // *nm* (*lengua*) Welsh.

galgo, a ['galxo, a] *nm/f* greyhound.

galimatías [galima'tias] *nmpl* (*lenguaje*) gibberish *sg*, nonsense *sg.*

galón [ga'lon] *nm* (*MIL*) stripe; (*medida*) gallon.

galopar [galo'par] *vi* to gallop; **galope** *nm* gallop.

galvanizar [galßani'θar] *vt* to galvanize.

gallardía [gaʎar'ðia] *nf* (*galantería*) dash; (*valor*) bravery; (*elegancia*) elegance.

gallego, a [ga'ʎexo, a] *a, nm/f* Galician.

galleta [ga'ʎeta] *nf* biscuit.

gallina [ga'ʎina] *nf* hen // *nm* (*fam*) coward; **~ ciega** blind man's buff.

gallo ['gaʎo] *nm* cock, rooster.

gama ['gama] *nf* (*MUS*) scale; (*fig*) range.

gamba ['gamba] *nf* prawn.

gamberro, a [gam'berro, a] *nm/f* hooligan, lout.

gamuza [ga'muθa] *nf* chamois.

gana ['gana] *nf* (*deseo*) desire, wish; (*apetito*) appetite; (*voluntad*) will; (*añoranza*) longing; **de buena ~** willingly; **de mala ~** reluctantly; **me da la ~ de** I feel like, I want to; **tener ~s de** to feel like.

ganadería [ganaðe'ria] *nf* (*ganado*) livestock; (*ganado vacuno*) cattle *pl*; (*cría, comercio*) cattle raising.

ganado [ga'naðo] *nm* livestock; **~ lanar** sheep *pl*; **~ vacuno** cattle *pl*; **~ porcino** pigs *pl.*

ganador, a [gana'ðor, a] *a* winning // *nm/f* winner.

ganancia [ga'nanθja] *nf* (*lo ganado*) gain; (*aumento*) increase; (*beneficio*) profit; **~s** *nfpl* (*ingresos*) earnings; (*beneficios*) profit *sg*, winnings.

ganapán [gana'pan] *nm* (*obrero casual*) odd-job man; (*individuo tosco*) lout.

ganar [ga'nar] *vt* (*obtener*) to get, obtain; (*sacar ventaja*) to gain; (*COM*) to earn; (*DEPORTE, premio*) to win; (*derrotar a*) to beat; (*alcanzar*) to reach // *vi* (*DEPORTE*) to win; **~se** *vr*: **~se la vida** to earn one's living.

gancho ['gantʃo] *nm* (*gen*) hook; (*colgador*) hanger.

gandul, a [gan'dul, a] *a, nm/f* good-for-nothing.

ganga ['ganga] *nf* (*cosa buena y barata*) bargain; (*buena situación*) cushy job.

gangrena [gan'grena] *nf* gangrene.

gansada [gan'saða] *nf* (*fam*) stupid thing to do.

ganso, a ['ganso, a] *nm/f* (*ZOOL*) gander/goose; (*fam*) idiot.

ganzúa [gan'θua] *nf* skeleton key // *nm/f* burglar.

gañán [ga'ɲan] *nm* farmhand, farm labourer.

garabato [gara'ßato] *nm* (*gancho*) hook; (*garfio*) grappling iron; (*escritura*) scrawl, scribble; (*fam*) sex appeal.

garaje [ga'raxe] *nm* garage.

garante [ga'rante] *a* responsible // *nm/f* guarantor.

garantía [garan'tia] *nf* guarantee.

garantizar [garanti'θar], **garantir** [garan'tir] *vt* (*hacerse responsable de*) to vouch for; (*asegurar*) to guarantee.

garbanzo [gar'ßanθo] *nm* chickpea.

garbo ['garßo] *nm* grace, elegance; **~so, a** *a* graceful, elegant.

garfa ['garfa] *nf* claw.

garfio ['garfjo] *nm* grappling iron.

garganta [gar'xanta] *nf* (*interna*) throat; (*externa, de botella*) neck; **gargantilla** *nf* necklace.

gárgara ['garɣara] *nf* gargle, gargling.

gárgola ['garɣola] *nf* gargoyle.

garita [ga'rita] *nf* cabin, hut; (*MIL*) sentry box; (*de camión*) cab.

garra ['garra] *nf* (*de gato, TEC*) claw; (*de ave*) talon; (*fam*) hand, paw (*fam*).

garrafa [ga'rrafa] *nf* carafe, decanter.

garrido, a [ga'rriðo, a] *a* handsome.

garrote [ga'rrote] *nm* (*palo*) stick; (*porra*) cudgel; (*suplicio*) garrotte; (*MED*) tourniquet.

garrulería [garrule'ria] *nf* chatter.

gárrulo, a ['garrulo, a] *a* (*charlatán*) talkative; (*ave*) twittering; (*arroyo*) murmuring.

garzo, a ['garθo, a] *a* blue // *nf* heron.

gas [gas] *nm* gas.

gasa ['gasa] *nf* gauze.

gaseoso, a [gase'oso, a] *a* gassy, fizzy // *nf* lemonade, fizzy drink; (*fam*) pop.

gasolina [gaso'lina] *nf* petrol, gas(oline) (*US*); **gasolinera** *nf* petrol station.

gasómetro [ga'sometro] *nm* gasometer.

gastado, a [gas'taðo, a] *a* (*rendido*) spent; (*raído*) worn, threadbare; (*usado: frase etc*) trite.

gastar [gas'tar] *vt* (*dinero, tiempo*) to spend; (*fuerzas*) to use up; (*desperdiciar*) to waste; (*llevar*) to wear; **~se** *vr* to wear out; (*estropearse*) to waste; **~ bromas** to crack jokes.

gasto ['gasto] *nm* (*desembolso*) expenditure, spending; (*consumo, uso*) use; **~s** *nmpl* (*desembolsos*) expenses; (*cargos*) charges, costs.

gatear [gate'ar] *vi* (*andar a gatas*) to go on all fours; (*trepar*) to climb // *vt* to scratch.

gatillo [ga'tiʎo] *nm* (*de arma de fuego*) trigger; (*de dentista*) forceps.

gato, a ['gato, a] *nm/f* cat // *nm* (*TEC*) jack; **andar a ~as** to go on all fours.

gatuno, a [ga'tuno, a] *a* feline.

gaucho ['gautʃo] *nm* gaucho.

gaveta [ga'βeta] *nf* drawer.

gavilla [ga'βiʎa] *nf* sheaf.

gaviota [ga'βjota] *nf* seagull.

gay [ge] *a* gay, homosexual.

gayo, a ['gajo, a] *a* gay, merry.

gazapera [gaθa'pera] *nf* (*conejera*) rabbit warren; (*de gente*) den of thieves; **gazapo** *nm* young rabbit; (*fam*) sly fellow.

gazmoño, a [gaθ'moɲo, a], **gazmoñero, a** [gaθmo'ɲero, a] *nm/f* prude; (*pretencioso*) prig; (*hipócrita*) hypocrite.

gazpacho [gaθ'patʃo] *nm* gazpacho, cold vegetable soup.

gelatina [xela'tina] *nf* (*plato*) jelly; (*polvos etc*) gelatine.

gema ['xema] *nf* gem.

gemelo, a [xe'melo, a] *a, nm/f* twin; **~s** *nmpl* (*de camisa*) cufflinks; **G~s** (*ASTRO*) Gemini *sg*; **~s de campo** field glasses.

gemido [xe'miðo] *nm* (*quejido*) moan, groan; (*aullido*) howl.

gemir [xe'mir] *vi* (*quejarse*) to moan, groan; (*aullar*) to howl.

genealogía [xenealo'xia] *nf* genealogy.

generación [xenera'θjon] *nf* generation.

generador [xenera'ðor] *nm* generator.

general [xene'ral] *a* general // *nm* general; **por lo** *o* **en ~** in general; **~idad** *nf* generality; **G~itat** *nf* Catalan parliament; **~ización** *nf* generalization; **~izar** *vt* to generalize; **~izarse** *vr* to become generalised, spread; **~mente** *ad* generally.

generar [xene'rar] *vt* to generate.

genérico, a [xe'neriko, a] *a* generic.

género ['xenero] *nm* (*clase*) kind, sort; (*tipo*) type; (*BIO*) genus; (*LING*) gender; (*COM*) material; **~ humano** human race.

generosidad [xenerosi'ðað] *nf* generosity; **generoso, a** *a* generous.

genial [xe'njal] *a* inspired; (*idea*) brilliant; (*afable*) genial.

genio ['xenjo] *nm* (*carácter*) nature, disposition; (*humor*) temper; (*facultad creadora*) genius; **de mal ~** bad-tempered.

gente ['xente] *nf* (*personas*) people *pl*; (*raza*) race; (*nación*) nation; (*parientes*) relatives *pl*.

gentil [xen'til] *a* (*elegante*) graceful; (*encantador*) charming; **~eza** *nf* grace; charm; (*cortesía*) courtesy.

gentío [xen'tio] *nm* crowd, throng.

genuflexión [xenuflek'sjon] *nf* genuflexion.

genuino, a [xe'nwino, a] *a* genuine.

geografía [xeoɣra'fia] *nf* geography.

geología [xeolo'xia] *nf* geology.

geometría [xeome'tria] *nf* geometry.

gerencia [xe'renθja] *nf* management; **gerente** *nm* (*supervisor*) manager; (*jefe*) director.

germen ['xermen] *nm* germ.

germinar [xermi'nar] *vi* to germinate.

gesticulación [xestikula'θjon] *nf* (*ademán*) gesticulation; (*mueca*) grimace.

gestión [xes'tjon] *nf* management; (*diligencia, acción*) negotiation; (*esfuerzo*) effort; **gestionar** *vt* (*lograr*) to try to arrange; (*llevar*) to manage; (*discutir*) to negotiate.

gesto ['xesto] *nm* (*mueca*) grimace; (*ademán*) gesture.

gestoría [xesto'ria] *nf* estate agent's.

Gibraltar [xiβral'tar] *nm* Gibraltar.

gigante [xi'vante] *a, nm/f* giant.

gilipollas [xili'poʎas] *excl* (*fam*) bastard! (*fam*).

gimnasia [xim'nasja] *nf* gymnastics *pl*; **gimnasio** *nm* gymnasium; **gimnásta** *nm/f* gymnast.

gimotear [ximote'ar] *vi* to whine, whimper.

ginebra [xi'neβra] *nf* gin.

ginecólogo, a [xine'koloxo, a] *nm/f* gynecologist.

gira ['xira] *nf* tour, trip.

girar [xi'rar] *vt* (*dar la vuelta*) to turn (around); (*: rápidamente*) to spin; (*COM: cheque*) to draw; (*comerciar: letra de cambio*) to issue // *vi* to turn (round); (*rápido*) to spin; (*COM*) to draw.

girasol [xira'sol] *nm* sunflower.
giratorio, a [xira'torjo, a] *a* (*gen*) revolving; (*puente*) swing.
giro ['xiro] *nm* (*movimiento*) turn, revolution; (*LING*) expression; (*COM*) draft; ~ **bancario/postal** money/ postal order.
gitano, a [xi'tano, a] *a*, *nm/f* gypsy.
glacial [gla'θjal] *a* icy, freezing.
glándula ['glandula] *nf* gland.
globo ['gloβo] *nm* (*esfera*) globe, sphere; (*aerostato, juguete*) balloon.
gloria ['glorja] *nf* glory; **gloriarse** *vr* to boast.
glorieta [glo'rjeta] *nf* (*de jardín*) bower, arbour; (*plazoleta*) roundabout.
glorificar [glorifi'kar] *vt* (*enaltecer*) to glorify, praise; ~**se** *vr*: ~**se de** to boast of.
glorioso, a [glo'rjoso, a] *a* glorious.
glosa ['glosa] *nf* comment; **glosar** *vt* (*comentar*) to comment on; (*fig*) to criticize.
glosario [glo'sarjo] *nm* glossary.
glotón, ona [glo'ton, ona] *a* gluttonous, greedy; **glotonería** *nf* gluttony, greed.
gobernación [goβerna'θjon] *nf* government, governing; **gobernador, a** *a* governing // *nm* governor; **gobernante** *a* governing.
gobernar [goβer'nar] *vt* (*dirigir*) to guide, direct; (*regir*) to rule, govern // *vi* to govern; (*NAUT*) to steer.
gobierno [go'βjerno] *nm* (*POL*) government; (*dirección*) guidance, direction; (*NAUT*) steering.
goce ['goθe] *nm* enjoyment.
gol [gol] *nm* goal.
gola ['gola] *nf* gullet; (*garganta*) throat.
golf [golf] *nm* golf.
golfa ['golfa] *nf* (*fam*) tart, whore.
golfo ['golfo] *nm* (*GEO*) gulf; (*fam*: *niño*) urchin; (*gamberro*) lout.
golondrina [golon'drina] *nf* swallow.
golosina [golo'sina] *nf* (*gen*) titbit; (*dulce*) sweet; **goloso, a** *a* sweet-toothed.
golpe ['golpe] *nm* (*gen*) blow; (*de puño*) punch; (*de mano*) smack; (*de corazón*) beat; (*de remo*) stroke; (*fig*: *choque*) clash; **no dar** ~ to be bone idle; **de un** ~ with one blow; **de** ~ suddenly; ~ **de estado** coup d'état; **golpear** *vt*, *vi* to strike, knock; (*asestar*) to beat; (*de puño*) to punch; (*golpetear*) to tap.
goma ['goma] *nf* (*caucho*) rubber; (*elástico*) elastic; ~ **espuma** foam rubber; ~ **de pegar** gum, glue.
gomita [go'mita] *nf* elastic band.
góndola ['gondola] *nf* (*barco*) gondola; (*de tren*) goods wagon.
gordo, a [gorðo, a] *a* (*gen*) fat; (*persona*) plump; (*tela*) coarse; (*fam*) enormous; **el premio** ~ (*en lotería*) first prize; **gordura** *nf* fat; (*corpulencia*) fatness, stoutness.
gorgojo [gor'xoxo] *nm* (*insecto*) grub; (*fam*) runt.

gorila [go'rila] *nm* gorilla.
gorjear [gorxe'ar] *vi* to twitter, chirp; **gorjeo** *nm* twittering, chirping.
gorra ['gorra] *nf* (*gen*) cap; (*de niño*) bonnet; (*militar*) bearskin // *nm* scrounger.
gorrión [go'rrjon] *nm* sparrow.
gorro ['gorro] *nm* (*gen*) cap; (*de niño, mujer*) bonnet.
gorrón [go'rron] *nm* pebble.
gota ['gota] *nf* (*gen*) drop; (*de sudor*) bead; (*MED*) gout; **gotear** *vi* to drip; (*lloviznar*) to drizzle; **gotera** *nf* leak.
gótico, a ['gotiko, a] *a* Gothic.
gozar [go'θar] *vi* to enjoy o.s.; ~ **de** (*disfrutar*) to enjoy; (*poseer*) to possess.
gozne ['goθne] *nm* hinge.
gozo ['goθo] *nm* (*alegría*) joy; (*placer*) pleasure; ~**so, a** *a* joyous, joyful.
grabación [graβa'θjon] *nf* recording.
grabado [gra'βaðo] *nm* print, engraving; **grabador** *nm* engraver.
grabadora [graβa'ðora] *nf* tape-recorder.
grabar [gra'βar] *vt* to engrave; (*discos, cintas*) to record.
gracejo [gra'θexo] *nm* (*humor*) wit, humour; (*elegancia*) grace.
gracia ['graθja] *nf* (*encanto*) grace, gracefulness; (*chiste*) joke; (*humor*) humour, wit; ¡~**s!** thanks!; **¡muchas** ~**s!** thanks very much!; ~**s a** thanks to; **tener** ~ to be funny; (*ser divertido*) to be enjoyable; **no me hace** ~ I am not keen; **gracioso, a** *a* (*divertido*) funny, amusing; (*cómico*) comical // *nm* (*TEATRO*) comic character.
grada ['graða] *nf* (*de escalera*) step; (*de anfiteatro*) tier, row.
gradación [graða'θjon] *nf* gradation.
gradería [graðe'ria] *nf* (*gradas*) (flight of) steps *pl*; (*de anfiteatro*) tiers *pl*, rows *pl*; ~ **cubierta** covered stand.
grado ['graðo] *nm* degree; (*de aceite, vino*) grade; (*grada*) step; (*MIL*) rank; **de buen** ~ willingly.
graduación [graðwa'θjon] *nf* (*del alcohol*) proof, strength; (*ESCOL*) graduation.
gradual [gra'ðwal] *a* gradual.
graduar [gra'ðwar] *vt* (*gen*) to graduate; (*clasificar*) to grade; (*MIL*) to commission; ~**se** *vr* to graduate.
gráfico, a ['grafiko, a] *a* graphic // *nm* diagram // *nf* graph.
grajo ['graxo] *nm* rook.
Gral *abr de* **General.**
gramática [gra'matika] *nf* grammar.
gramo ['gramo] *nm* gramme.
gran [gran] *a ver* **grande.**
grana ['grana] *nf* (*BOT*) seedling; (*ZOOL*) cochineal; (*color, tela*) scarlet.
Granada [gra'naða] *n* Granada.
granada [gra'naða] *nf* pomegranate; (*MIL*) grenade; **granadina** *nf* grenadine.
granadino, a [grana'ðino, a] *a* of Granada // *nm/f* native *or* inhabitant of Granada.

granado, a [gra'naðo, a] *a* choice, select // *nm* pomegranate tree.

granar [gra'nar] *vi* to seed.

granate [gra'nate] *nm* garnet.

Gran Bretaña [granbre'tana] *nf* Great Britain.

grande ['grande], **gran** [gran] *a* (*de tamaño*) big, large; (*alto*) tall; (*distinguido*) great; (*impresionante*) grand // *nm* grandee; **grandeza** *nf* greatness.

grandioso, a [gran'djoso, a] *a* magnificent, grand.

grandor [gran'dor] *nm* size.

granel [gra'nel]: **a ~** *ad* in abundance; (*COM*) in bulk.

granero [gra'nero] *nm* granary, barn.

granito [gra'nito] *nm* (*AGR*) small grain; (*roca*) granite; (*MED*) pimple.

granizado [grani'θaðo] *nm* iced drink; **granizar** *vi* to hail; **granizo** *nm* hail.

granja ['granxa] *nf* (*gen*) farm; (*lechería*) dairy; (*café*) milk bar.

granjear [granxe'ar] *vt* (*cobrar*) to earn; (*ganar*) to win; (*avanzar*) to gain; **granjería** *nf* (*COM*) profit; (*AGR*) farming.

grano ['grano] *nm* grain; (*semilla*) seed; (*baya*) berry; (*MED*) pimple; **~s** *nmpl* cereals.

granoso, a [gra'noso, a] *a* granulated.

granuja [gra'nuxa] *nf* grape seed // *a* rogue; (*golfillo*) urchin.

grapa ['grapa] *nf* staple; (*TEC*) clamp.

grasa ['grasa] *nf* (*gen*) grease; (*de cocina*) fat, lard; (*sebo*) suet; (*mugre*) filth; (*escoria*) dross; **grasiento, a** *a* greasy; (*de aceite*) oily.

gratificación [gratifika'θjon] *nf* (*propina*) tip; (*bono*) bonus; (*recompensa*) reward; **gratificar** *vt* to tip; to reward.

gratis ['gratis] *ad* free.

gratitud [grati'tuð] *nf* gratitude.

grato, a ['grato, a] *a* (*agradable*) pleasant, agreeable; (*bienvenido*) welcome.

gratuito, a [gra'twito, a] *a* (*gratis*) free; (*sin razón*) gratuitous.

gravamen [gra'ßamen] *nm* (*carga*) burden; (*impuesto*) tax.

gravar [gra'ßar] *vt* to burden.

grave ['graße] *a* heavy; (*serio*) grave, serious; **~ dad** *nf* gravity.

grávido, a [a 'graßiðo, a] *a* (*preñada*) pregnant; (*lleno, cargado*) full.

gravitación [graßita'θjon] *nf* gravitation; **gravitar** *vi* to gravitate; **gravitar sobre** to rest on.

gravoso, a [gra'ßoso, a] *a* (*pesado*) burdensome; (*costoso*) costly.

graznar [graθ'nar] *vi* (*cuervo*) to squawk; (*pato*) to quack; (*hablar ronco*) to croak; **graznido** *nm* squawk; croak.

Grecia [gre'θja] *nf* Greece.

greguería [grexe'ria] *nf* hubbub.

gremio ['gremjo] *nm* (*sindicato*) trade union; (*asociación*) professional association.

greña ['grena] *nf* (*cabellos*) shock of hair;

(*maraña*) tangle; **greñudo, a** *a* (*persona*) dishevelled; (*hair*) tangled.

gresca ['greska] *nf* uproar.

grey [grei] *nf* flock.

griego, a ['grjexo, a] *a*, *nm/f* Greek.

grieta ['grjeta] *nf* crack; **grietarse** *vr* = **agrietarse.**

grifo, a [a 'grifo, a] a curly, kinky // *nm* tap.

grillo ['griʎo] *nm* (*ZOOL*) cricket; (*BOT*) shoot; **~s** *nmpl* shackles, irons.

gripe ['gripe] *nf* flu, influenza.

gris [gris] *a* (*color*) grey.

grita ['grita] *nf* uproar; **gritar** *vt*, *vi* to shout, yell; **grito** *nm* shout, yell; (*de horror*) scream; **a grito pelado** at the top of one's voice.

grosella [gro'seʎa] *nf* (red)currant; **~ negra** blackcurrant.

grosería [grose'ria] *nf* (*actitud*) rudeness; (*comentario*) vulgar comment; **grosero, a** *a* (*poco cortés*) rude; (*ordinario*) vulgar, crude.

grosor [gro'sor] *nm* thickness.

grotesco, a [gro'tesko, a] *a* grotesque.

grúa ['grua] *nf* (*TEC*) crane; (*de petróleo*) derrick.

grueso, a ['grweso, a] *a* thick; (*voluminoso*) stout // *nm* bulk // *nf* gross; **el ~ de** the bulk of.

grulla ['gruʎa] *nf* crane.

gruñido [gru'niðo] *nm* grunt; (*fig*) grumble; **gruñir** *vi* (*animal*) to growl; (*fam*) to grumble.

grupa ['grupa] *nf* (*ZOOL*) rump.

grupo ['grupo] *nm* group; (*TEC*) unit, set.

gruta ['gruta] *nf* grotto.

guadamecí [gwaðame'θi], **guadamecil** [gwaðame'θil] *nm* embossed leather.

guadaña [gwa'ðana] *nf* scythe; **guadañar** *vt* to scythe, mow.

guano ['gwano] *nm* (*AM*) guano.

guante ['gwante] *nm* glove.

guapo, a ['gwapo, a] *a* good-looking, attractive; (*hombre*) handsome; (*elegante*) smart // *nm* lover, gallant.

guarda ['gwarða] *nm* guard, keeper // *nf* guarding; (*custodia*) custody; **~bosque** *nm* gamekeeper; **~costas** *nm inv* coastguard vessel; **~dor, a** a protective // *nm/f* guardian, protector; **~espaldas** *nm/f inv* bodyguard; **~polvo** *nm* dust cover; (*de niño*) smock; (*para el trabajo*) overalls *pl*; **guardar** *vt* (*gen*) to keep; (*vigilar*) to guard, watch over; (*dinero: ahorrar*) to save, put by; **guardarse** *vr* (*preservarse*) to protect o.s.; (*evitar*) to avoid; **guardarropa** *nm* (*armario*) wardrobe; (*en establecimiento público*) cloakroom.

guardería [gwarðe'ria] *nf* (children's) nursery.

guardia ['gwarðja] *nf* (*MIL*) guard; (*cuidado*) care, custody // *nm* guard; (*policía*) policeman; **estar de ~** to be on guard; **montar ~** to mount guard; **G~ Civil** Civil Guard; **G~ Nacional** police; **~ urbano** traffic policeman.

guardián, ana [gwar'ðjan, ana] *nm/f* (*gen*) guardian, keeper; (*sereno*) watchman.

guardilla [gwar'ðiʎa] *nf* attic.

guarecer [gware'θer] *vt* (*proteger*) to protect; (*abrigar*) to shelter; ~**se** *vr* to take refuge.

guarida [gwa'riða] *nf* (*de animal*) den, lair; (*refugio*) refuge.

guarismo [gwa'rismo] *nm* figure, number.

guarnecer [gwarne'θer] *vt* (*equipar*) to provide; (*adornar*) to adorn; (*TEC*) to reinforce; **guarnición** *nf* (*de vestimenta*) trimming; (*de piedra*) mount; (*CULIN*) garnish; (*arneses*) harness; (*MIL*) garrison.

guarro, a ['gwarro, a] *nm/f* pig.

guasa ['gwasa] *nf* joke; **guasón, ona** *a* witty; (*bromista*) joking // *nm/f* wit; joker.

Guatemala [gwate'mala] *nf* Guatemala.

gubernativo, a [guβerna'tiβo, a] *a* governmental.

guedeja [ge'ðexa] *nf* long hair; (*de león*) mane.

guerra ['gerra] *nf* war; (*pelea*) struggle; ~ **fría** cold war; **dar** ~ to annoy; **guerrear** *vi* to wage war; **guerrero, a** *a* fighting; (*carácter*) warlike // *nm/f* warrior.

guerrilla [ge'rriʎa] *nf* guerrilla warfare; (*tropas*) guerrilla band or group.

guía ['gia] *nm/f* guide // *nf* (*libro*) guidebook; ~ **de ferrocarriles** railway timetable; ~ **de teléfonos** telephone directory; **guiar** *vt* to guide, direct; (*AUT*) to steer; **guiarse** *vr*: **guiarse por** to be guided by.

guija ['gixa] *nf*, **guijarro** [gi'xarro] *nm* pebble; (*camino*) cobblestone.

guijo ['gixo] *nm* gravel; (*de playa*) shingle.

guillotina [giʎo'tina] *nf* guillotine.

guinda ['ginda] *nf* morello cherry.

guindar [gin'dar] *vt* to hoist.

guindilla [gin'diʎa] *nf* Guinea pepper.

guiñapo [gi'ɲapo] *nm* (*harapo*) rag; (*persona*) reprobate, rogue.

guiñar [gi'ɲar] *vi* to wink; (*parpadear*) to blink.

guión [gi'on] *nm* (*conductor*) leader; (*LING*) hyphen, dash; (*CINE*) script; **guionista** *nm/f* scriptwriter.

guirnalda [gir'nalda] *nf* garland.

guisa ['gisa] *nf*: **a ~ de** as, like, in the way of.

guisado [gi'saðo] *nm* stew.

guisante [gi'sante] *nm* pea; ~ **de olor** sweet pea.

guisar [gi'sar] *vt*, *vi* to cook; **guiso** *nm* cooked dish.

guita ['gita] *nf* twine.

guitarra [gi'tarra] *nf* guitar.

gula ['gula] *nf* gluttony, greed.

gusano [gu'sano] *nm* maggot; (*lombriz*) earthworm; ~ **de luz** glow-worm; ~ **de seda** silk-worm.

gustar [gus'tar] *vt* to taste, sample // *vi* to please, be pleasing; ~ **de algo** to like or

enjoy sth; **me gustan las uvas** I like grapes.

gusto ['gusto] *nm* (*sentido, sabor*) taste; (*placer*) pleasure; **tiene** ~ **a menta** it tastes of mint; **tener buen** ~ to have good taste; **sentirse a** ~ to feel at ease; **mucho** ~ **en conocerle** pleased to meet you; **el** ~ **es mío** the pleasure is mine; **con** ~ willingly, gladly; ~**so, a** *a* (*sabroso*) tasty; (*agradable*) pleasant.

gutural [gutu'ral] *a* guttural.

H

ha *vb ver* **haber.**

haba ['aβa] *nf* bean.

Habana [a'βana] *nf*: **la** ~ Havana.

habano [a'βano] *nm* Havana cigar.

haber [a'βer] *vb auxiliar* to have; **de** ~**lo sabido** if I had known (it); ~ **de** to have to // *vb impersonal*: **hay** there is/are; **hay que** it is necessary to, one must; **¿qué hay?** how's it going?; **no hay de qué** don't mention it // *nm* (*ingreso*) income; (*COM: crédito*) credit; ~**es** *nmpl* assets.

habichuela [aβi'tʃwela] *nf* kidney bean.

hábil ['aβil] *a* (*listo*) clever, smart; (*capaz*) fit, capable; (*experto*) expert; **día** ~ working day; **habilidad** *nf* (*gen*) skill, ability; (*inteligencia*) cleverness.

habilitación [aβilita'θjon] *nf* qualification; (*colocación de muebles*) fitting out; (*financiamiento*) financing.

habilitar [aβili'tar] *vt* (*capacitar*) to enable; (*dar instrumentos*) to equip; (*financiar*) to finance.

hábilmente [aβil'mente] *ad* skilfully, expertly.

habitación [aβita'θjon] *nf* (*cuarto*) room; (*casa*) dwelling, abode; (*BIO: morada*) habitat; ~ **sencilla** *o* **particular** single room; ~ **doble** *o* **matrimonial** double room.

habitante [aβi'tante] *nm/f* inhabitant.

habitar [aβi'tar] *vt* (*residir en*) to inhabit; (*ocupar*) to occupy // *vi* to live.

hábito ['aβito] *nm* habit; **habitual** *a* habitual.

habituar [aβi'twar] *vt* to accustom; ~**se** *vr*: ~**se a** to get used to.

habla ['aβla] *nf* (*capacidad de hablar*) speech; (*idioma*) language; (*dialecto*) dialect; **perder el** ~ to become speechless; **de** ~ **francesa** French-speaking; **estar al** ~ to be in contact; **¡González al** ~**!** Gonzalez speaking!

hablador, a [aβla'ðor, a] *a* talkative // *nm/f* chatterbox.

habladuría [aβlaðu'ria] *nf* rumour; (*sarcasmo*) sarcastic comment; ~**s** *nfpl* gossip *sg*.

hablar [a'βlar] *vt* to speak, talk // *vi* to speak; ~**se** *vr* to speak to each other; ~ **con** to speak to; ~ **de** to speak of *or* about; **'se habla inglés'** 'English spoken here'.

hablilla [a'βliʎa] *nf* story, rumour.

habré etc vb ver **haber.**
hacedero, a [aθe'ðero, a] a feasible.
hacedor, a [aθe'ðor, a] nm/f maker.
hacendoso, a [aθen'doso, a] a industrious.
hacer [a'θer] vt (gen) to make; (crear) to create; (TEC) to manufacture; (preparar) to prepare; (ejecutar) to do, execute; (obligar) to force, compel // vi (comportarse) to act, behave; (disimular) to pretend; (importar) to be important, matter; (convenir, ser apto) to be suitable; ~**se** vr (de comida) to be made, be done; (volverse) to become; (acostumbrarse a) to get used to; ~ **la maleta** to pack; ~ **una pregunta** to ask a question; ~ **una visita** to visit; ~ **bien/mal** to act rightly/wrongly; **hace frío/calor** it's cold/hot; **hace dos años** two years ago; **hace poco** a little while ago; ~ **el malo** (TEATRO) to play (the part of) the villain; ¿qué ~**?** what is to be done?; ~ **como que** o **como si** to act as though or as if; ~ **de** to act as; **me hice un traje** I had a suit made; ~**se el sordo** to turn a deaf ear; ~**se viejo** to grow old; ~**se con algo** to get hold of sth; ~**se a un lado** to stand aside.
hacia ['aθja] prep (en dirección de) towards; (cerca de) near; ~ **arriba/abajo** up(wards)/down(wards); ~ **mediodía** about noon.
hacienda [a'θjenda] nf (propiedad) property; (estancia) farm, ranch; (AM) plantation; ~ **pública** public finance; **(Ministerio de) H**~ Treasury, Exchequer.
hacina [a'θina] nf pile, stack.
hacha ['atʃa] nf axe; (antorcha) torch.
hache ['atʃe] nf (the letter) H.
hada ['aða] nf fairy.
hago etc vb ver **hacer.**
Haití [ai'ti] nm Haiti.
halagar [ala'xar] vt (mostrar afecto) to show affection to; (lisonjear) to flatter.
halago [a'laxo] nm pleasure, delight; (atractivo) attraction; (adulación) flattery; **halagüeño, a** a pleasing; attractive; flattering.
halcón [al'kon] nm falcon, hawk.
hálito ['alito] nm breath.
hallar [a'ʎar] vt (gen) to find; (descubrir) to discover; (toparse con) to run up against; ~**se** vr to be (situated); **hallazgo** nm discovery; (cosa) find.
hamaca [a'maka] nf hammock; ~ **plegable** deckchair.
hambre ['ambre] nf hunger; (carencia) famine; (fig) longing; **tener** ~ to be hungry; ~**ar** vi, vt to starve; **hambriento, a** a hungry, starving.
hamburguesa [ambur'xesa] nf hamburger.
hampa ['ampa] nf underworld; **hampón** nm tough.
han vb ver **haber.**
haragán, ana [ara'xan, ana] a, nm/f good-for-nothing; **haraganear** vi to idle, loaf about.
harapiento, a [ara'pjento, a] a tattered, in rags; **harapo** nm rag.
haré etc vb ver **hacer.**
harina [a'rina] nf flour; (polvo) powder; **harinero, a** nm/f flour merchant; **harinoso, a** a floury.
hartar [ar'tar] vt to satiate, glut; (fig) to tire, sicken; ~**se** vr (de comida) to fill o.s., gorge o.s.; (cansarse) to get fed up (de with); **hartazgo** nm surfeit, glut; **harto, a** a (lleno) full; (cansado) fed up // ad (bastante) enough; (muy) very; **estar harto de** to be fed up with; **hartura** nf (exceso) surfeit; (abundancia) abundance; (satisfacción) satisfaction.
has vb ver **haber.**
hasta ['asta] ad even // prep (alcanzando a) as far as, up/down to; (de tiempo: a tal hora) till, until; (antes de) before // conj: ~ **que** until; ~ **luego/la vista** see you soon.
hastiar [as'tjar] vt (gen) to weary; (aburrir) to bore; (asquear) to disgust; ~**se** vr: ~**se de** to get fed up with; **hastío** nm weariness; boredom; disgust.
hato ['ato], **hatillo** [a'tiʎo] nm belongings pl, kit; (víveres) provisions pl; (banda) gang, group; (montón) bundle, heap.
hay vb ver **haber.**
Haya ['aja] nf: **la** ~ The Hague.
haya etc vb ver **haber** // ['aja] nf beech tree; **hayal, hayedo** nm beech grove.
haz [aθ] vb ver **hacer** // nm bundle, bunch; (rayo: de luz) beam.
hazaña [a'θaɲa] nf feat, exploit.
hazmerreír [aθmerre'ir] nm laughing stock.
he vb ver **haber.**
hebilla [e'βiʎa] nf buckle, clasp.
hebra ['eβra] nf thread; (BOT: fibra) fibre, grain; **tabaco de** ~ loose tobacco.
hebreo, a [e'βreo, a] a, nm/f Hebrew // nm (lengua) Hebrew.
hectárea [ek'tarea] nf hectare.
hechizar [etʃi'θar] vt to cast a spell on, bewitch.
hechizo, a [e'tʃiθo, a] a (gen) false, artificial; (removible) detachable // nm witchcraft, magic; (acto de magía) spell, charm.
hecho, a ['etʃo, a] pp de **hacer** // a complete; (maduro) mature; (costura) ready-to-wear // nm deed, act; (dato) fact; (cuestión) matter; (suceso) event // excl agreed!, done!; ¡**bien** ~! well done!; **de** ~ in fact, as a matter of fact.
hechura [e'tʃura] nf making, creation; (producto) product; (forma) form, shape; (de persona) build; (TEC) craftsmanship; ~**s** nfpl (COSTURA) cost of making up sg.
heder [e'ðer] vi to stink, smell; (fig) to be unbearable.
hediondez [eðjon'deθ] nf stench, stink; (cosa) stinking thing; **hediondo, a** a

stinking; (*insoportable*) repulsive, unbearable.

hedor [e'ðor] *nm* stench.

helado, a [e'laðo, a] *a* frozen; (*glacial*) icy; (*fig*) chilly, cold // *nm* ice-cream // *nf* frost.

helar [e'lar] *vt* to freeze, ice (up); (*dejar atónito*) to amaze; (*desalentar*) to discourage // *vi*, ~**se** *vr* to freeze.

hélice ['eliθe] *nf* spiral; (*TEC*) propeller.

helicóptero [eli'koptero] *nm* helicopter.

hembra ['embra] *nf* (*BOT, ZOOL*) female; (*mujer*) woman; (*TEC*) nut.

hemorragia [emo'rraxja] *nf* haemorrhage.

hemorroides [emo'rroiðes] *nfpl* haemorrhoids.

hemos *vb ver* **haber.**

henchir [en'tʃir] *vt* to fill, stuff; ~**se** *vr* (*llenarse de comida*) to stuff o.s. (with food); (*inflarse*) to swell (up).

hender [en'der] *vt* to cleave, split; **hendidura** *nf* crack, split; (*GEO*) fissure.

heno ['eno] *nm* hay.

herbicida [erβi'θiða] *nm* weed-killer.

heredad [ere'ðað] *nf* landed property; (*granja*) farm.

heredar [ere'ðar] *vt* to inherit; **heredero, a** *nm/f* heir/heiress.

hereje [e'rexe] *nm/f* heretic; **herejía** *nf* heresy.

herencia [e'renðja] *nf* inheritance.

herido, a [e'riðo, a] *a* injured, wounded // *nm/f* casualty // *nf* wound, injury; (*insulto*) insult.

herir [e'rir] *vt* to wound, injure; (*fig*) to offend.

hermanar [erma'nar] *vt* to match; (*unir*) to join.

hermandad [erman'dað] *nf* brotherhood.

hermano, a [er'mano, a] *nm/f* brother/sister; ~ **gemelo** twin brother; ~ **político** brother-in-law; ~**a política** sister-in-law.

hermético, a [er'metiko, a] *a* hermetic; (*fig*) watertight.

hermoso, a [er'moso, a] *a* beautiful, lovely; (*estupendo*) splendid; (*guapo*) handsome; **hermosura** *nf* beauty.

héroe ['eroe] *nm* hero; **heroico, a** *a* heroic.

heroína [ero'ina] *nf* (*mujer*) heroine; (*droga*) heroin.

heroísmo [ero'ismo] *nm* heroism.

herrador [erra'ðor] *nm* blacksmith; **herradura** *nf*: **curva en herradura** hairpin bend.

herramienta [erra'mjenta] *nf* tool; (*conjunto*) set of tools.

herrería [erre'ria] *nf* smithy; (*TEC*) forge; **herrero** *nm* blacksmith.

herrumbre [e'rrumbre] *nf* rust.

hervidero [erβi'ðero] *nm* (*burbujeo*) boiling, seething; (*fuente*) hot spring.

hervir [er'βir] *vi* (*gen*) to boil; (*burbujear*) to bubble; (*fig*): ~ **de** to teem with; ~ **a**

fuego lento to simmer; **hervor** *nm* boiling; (*fig*) ardour, fervour.

heterogéneo, a [etero'xeneo, a] *a* heterogeneous.

heterosexual [eterosek'swal] *a* heterosexual.

hice *etc vb ver* **hacer.**

hidráulico, a [i'ðrauliko, a] *a* hydraulic // *nf* hydraulics *sg.*

hidro... [iðro] *pref* hydro..., water-...; ~**ala** *nf* hovercraft; ~**avión** *nm* seaplane; ~**eléctrico, a** *a* hydroelectric; ~**fobia** *nf* hydrophobia, rabies; **hidrófugo, a** *a* damp-proof; **hidrógeno** *nm* hydrogen.

hiedra ['jeðra] *nf* ivy.

hiel [jel] *nf* gall, bile; (*fig*) bitterness.

hiela *etc vb ver* **helar.**

hielo ['jelo] *nm* (*gen*) ice; (*escarza*) frost; (*fig*) coldness, reserve.

hiena ['jena] *nf* hyena.

hierba ['jerβa] *nf* (*BOT*) grass; (*MED*) herb; **mala** ~ weed; (*fig*) evil influence; ~**buena** *nf* mint.

hierro ['jerro] *nm* (*metal*) iron; (*objeto*) iron object; (*herramienta*) tool; ~ **acanalado** corrugated iron; ~ **colado** *o* **fundido** cast iron.

hígado ['ixaðo] *nm* liver.

higiene [i'xjene] *nf* hygiene; **higiénico, a** *a* hygienic.

higo ['ixo] *nm* fig; ~ **paso** *o* **seco** dried fig; **higuera** *nf* fig tree.

hijastro, a [i'xastro, a] *nm/f* stepson/daughter.

hijo, a ['ixo, a] *nm/f* son/daughter, child; ~**s** *nmpl* children, sons and daughters; ~ **de papá/mamá** daddy's/mummy's boy; ~ **de puta** bastard, son of a bitch.

hilado, a [i'laðo, a] *a* spun // *nm* yarn.

hilandero, a [ilan'dero, a] *nm/f* spinner.

hilar [i'lar] *vt* to spin; ~ **delgado** to split hairs.

hilera [i'lera] *nf* row, file.

hilo ['ilo] *nm* (*gen*) thread; (*BOT*) fibre; (*metal*) wire; (*de agua*) trickle, thin stream; (*de luz*) beam, ray.

hilvanar [ilβa'nar] *vt* to tack; (*fig*) to do hurriedly.

Himalayas [ima'lajas] *nfpl*: **las** ~ the Himalayas.

himno ['imno] *nm* hymn; ~ **nacional** national anthem.

hincapié [inka'pje] *nm*: **hacer** ~ **en** to emphasize.

hincar [in'kar] *vt* to drive (in), thrust (in); ~**se** *vr*: ~**se de rodillas** to kneel down.

hinchado, a [in'tʃaðo, a] *a* (*gen*) swollen; (*persona*) pompous.

hinchar [in'tʃar] *vt* (*gen*) to swell; (*inflar*) to blow up, inflate; (*fig*) to exaggerate; ~**se** *vr* (*inflarse*) to swell up; (*fam*: *llenarse*) to stuff o.s.; **hinchazón** *nf* (*MED*) swelling; (*altivez*) arrogance.

hinojo [i'noxo] *nm* fennel.

hipar [i'par] *vi* to hiccup; (*perro*) to pant.

hipnotismo [ipno'tismo] *nm* hypnotism;
hipnotizar *vt* to hypnotize.

hipo ['ipo] *nm* hiccups *pl*.

hipocresía [ipokre'sia] *nf* hypocrisy; **hi-pócrita** *a* hypocritical // *nm/f* hypocrite.

hipódromo [i'poðromo] *nm* racetrack.

hipopótamo [ipo'potamo] *nm* hippopotamus.

hipoteca [ipo'teka] *nf* mortgage.

hipótesis [i'potesis] *nf* hypothesis.

hiriente [i'rjente] *a* offensive, cutting.

hirsuto, a [ir'suto, a] *a* hairy; (*fig*) rough.

hispánico, a [is'paniko, a] *a* Hispanic.

hispano, a [is'pano, a] *a* Hispanic, Spanish, Hispano-; **H~américa** *nf* Spanish *or* Latin America; **~americano,** *a a, nm/f* Spanish *or* Latin American.

histeria [is'terja] *nf* hysteria.

historia [is'torja] *nf* (*gen*) history; (*cuento*) story, tale; **~s** *nfpl* (*chismes*) gossip *sg*; **dejarse de ~s** to come to the point; **pasar a la ~** to go down in history; **~dor, a** *nm/f* historian; **historiar** *vt* to chronicle, write the history of; **histórico, a** *a* historical; (*fig*) historic.

historieta [isto'rjeta] *nf* tale, anecdote; (*dibujos*) strip cartoon.

hito ['ito] *nm* (*gen*) landmark; (*objetivo*) goal, target.

hizo *vb ver* **hacer**.

hocico [o'θiko] *nm* snout; (*fig*) grimace; **caer** *o* **dar de ~s** to fall on one's face.

hockey ['xoki] *nm* hockey; **~ sobre patines** *o* **hielo** ice hockey.

hogar [o'ɣar] *nm* fireplace, hearth; (*casa*) home; (*vida familiar*) home life; **~eño, a** *a* home; (*persona*) home-loving.

hoguera [o'ɣera] *nf* (*gen*) bonfire; (*llamas*) blaze.

hoja ['oxa] *nf* (*gen*) leaf; (*de flor*) petal; (*de papel*) sheet; (*página*) page; **~ de afeitar** razor blade; **~ de estaño** tinfoil.

hojalata [oxa'lata] *nf* tin(plate).

hojear [oxe'ar] *vt* to leaf through, turn the pages of.

hola ['ola] *excl* hello!

Holanda [o'landa] *nf* Holland; **holandés, esa** *a* Dutch // *nm/f* Dutchman/woman // *nm* (*lengua*) Dutch.

holgado, a [ol'ɣaðo, a] *a* loose, baggy; (*libre*) free; (*desempleado*) idle; (*rico*) well-to-do.

holganza [ol'xanθa] *nf* (*ocio*) leisure; (*pereza*) idleness; (*diversión*) amusement.

holgar [ol'ɣar] *vi* (*descansar*) to rest; (*sobrar*) to be superfluous; **~se** *vr* to enjoy o.s.; **huelga decir que** it goes without saying that.

holgazán, ana [olɣa'θan, ana] *a* idle, lazy // *nm/f* loafer.

holgura [ol'xura] *nf* looseness, bagginess; (*TEC*) play, free movement; (*vida*) comfortable living, luxury.

hollar [o'ʎar] *vt* to tread (on), trample.

hollín [o'ʎin] *nm* soot.

hombradía [ombra'ðia] *nf* manliness.

hombre ['ombre] *nm* (*gen*) man(kind); (*uno*) man // *excl* (*claro*) of course!; (*para énfasis*) man, old boy; (*sorpresa*) you don't say!; **~ de negocios** businessman; **~-rana** frogman; **~ de pro** *o* **de provecho** honest man.

hombrera [om'brera] *nf* shoulder strap.

hombro ['ombro] *nm* shoulder.

hombruno, a [om'bruno, a] *a* mannish.

homenaje [ome'naxe] *nm* (*gen*) homage; (*lealtad*) allegiance; (*tributo*) tribute.

homicida [omi'θiða] *a* homicidal // *nm/f* murderer; **homicidio** *nm* murder, homicide.

homosexual [omosek'swal] *a, nm/f* homosexual.

hondo, a ['ondo, a] *a* deep; (*profundo*) low // *nm* depth(s) (*pl*), bottom; **~nada** *nf* hollow, depression; (*cañón*) ravine; (*GEO*) lowland; **hondura** *nf* depth, profundity.

Honduras [on'duras] *nf* Honduras.

hondureño, a [ondu'reɲo, a] *a, nm/f* Honduran.

honestidad [onesti'ðað] *nf* purity, chastity; (*decencia*) decency; **honesto, a** *a* chaste; decent, honest; (*justo*) just.

hongo ['ongo] *nm* (*BOT: gen*) fungus; (: *comestible*) mushroom; (: *venenoso*) toadstool.

honor [o'nor] *nm* (*gen*) honour; (*gloria*) glory; **en ~ a la verdad** to be fair; **~able** *a* honourable.

honorario, a [ono'rarjo, a] *a* honorary; **~s** *nmpl* fees.

honra ['onra] *nf* (*gen*) honour; (*nombre*) reputation; **~dez** *nf* honesty; (*de persona*) integrity; **~do, a** *a* honest, upright.

honrar [on'rar] *vt* to honour; **~se** *vr*: **~se con algo/de hacer algo** to be honoured by/to do sth.

honroso, a [on'roso, a] *a* (*honrado*) honourable; (*respetado*) respectable.

hora ['ora] *nf* (*gen*) time; (*específica*) hour; **¿qué ~ es?** what time is it?; **¿a qué ~?** at what time?; **media ~** half an hour; **a la ~ de recreo** at playtime; **a primera ~** first thing (in the morning); **a última ~** at the last moment; **en las altas ~s** in the small hours; **¡a buena ~!** it's high time!; **dar la ~** to strike the hour; **~s de oficina/de trabajo** office/working hours; **~s de visita** visiting times; **~s extras** *o* **extraordinarias** overtime *sg*; **~s punta** rush hours.

horadar [ora'ðar] *vt* to drill, bore.

horario, a [o'rarjo, a] *a* hourly, hour *cpd* // *nm* timetable.

horca ['orka] *nf* gallows *sg*.

horcajadas [orka'xaðas]: **a ~** *ad* astride.

horda ['orða] *nf* horde.

horizontal [oriθon'tal] *a* horizontal; **horizonte** *nm* horizon.

horma ['orma] *nf* mould.

hormiga [or'miɣa] *nf* ant; **~s** *nfpl* (*MED*) pins and needles.

hormigón [ormi'ɣon] *nm* concrete; **~**

armado/pretensado reinforced/pre-stressed concrete.

hormigueo [ormi'ɣeo] nm (comezón) itch; (fig) uneasiness; (amontonamiento) swarming.

hormona [or'mona] nf hormone.

hornillo [or'niʎo] nm small furnace; (cocina) portable stove.

horno ['orno] nm (CULIN) oven; (TEC) furnace; **alto** ~ blast furnace.

horóscopo [o'roskopo] nm horoscope.

horquilla [or'kiʎa] nf hairpin; (AGR) pitchfork.

horrendo, a [o'rrendo, a] a horrendous, frightful.

horrible [o'rriβle] a horrible, dreadful.

horripilante [orripi'lante] a hair-raising; (espeluznante) creepy.

horripilar [orripi'lar] vt: ~ **a uno** to horrify sb; ~**se** vr to be horrified.

horror [o'rror] nm horror, dread; (atrocidad) atrocity; ¡**qué** ~! (fam) oh, my God!; ~**izar** vt to horrify, frighten; ~**izarse** vr to be horrified; ~**oso, a** a horrifying, ghastly.

hortaliza [orta'liθa] nf vegetable.

hortelano, a [orte'lano, a] nm/f (market) gardener.

hosco, a ['osko, a] a dark; (triste, ceñudo) sullen, gloomy.

hospedar [ospe'ðar] vt to put up, lodge; ~**se** vr to stay, lodge.

hospital [ospi'tal] nm hospital.

hospitalario, a [ospita'larjo, a] a hospitable; **hospitalidad** nf hospitality.

hosquedad [oske'ðað] nf sullenness.

hostal [os'tal] nm small hotel.

hostelero, a [oste'lero, a] nm/f innkeeper, landlord/lady.

hostería [oste'ria] nf hostelry.

hostia ['ostja] nf host, consecrated wafer; (fam: golpe) whack, punch // excl: ¡~**s!** damn it!

hostigar [osti'ɣar] vt to whip; (fig) to harass, pester.

hostil [os'til] a hostile; ~**idad** nf hostility.

hotel [o'tel] nm hotel; ~**ero, a** a hotel cpd // nm/f hotelier.

hoy [oi] ad (este día) today; (el ahora) now(adays) // nm present time; ~ **(en) día** now(adays).

hoya ['oja] nf pit; (sepulcro) grave; (GEO) valley.

hoyo ['ojo] nm hole, pit; **hoyuelo** nm dimple.

hoz [oθ] nf sickle.

hube etc vb ver **haber.**

hucha ['utʃa] nf money box; (fig) nest egg.

hueco, a ['weko, a] a (vacío) hollow, empty; (blanco: papel) blank; (resonante) booming // nm hollow, cavity.

huelga etc vb ver **holgar** // ['welɣa] nf strike; **declararse en** ~ to go on strike, come out on strike; ~ **de brazos caídos/de hambre** sit-down/hunger strike; ~ **patronal** lockout.

huelgo etc vb ver **holgar** // ['welɣo] nm breath; (espacio) room, space.

huelguista [wel'ɣista] nm/f striker.

huelo etc vb ver **oler.**

huella ['weʎa] nf (acto de pisar, pisada) tread(ing); (marca del paso) footprint, footstep; (: de animal, máquina) track; ~ **digital** fingerprint; ~ **del sonido** sound track.

huérfano, a ['werfano, a] a orphan(ed) // nm/f orphan.

huerta ['werta] nf market garden; (área de regadío) irrigated region.

huerto ['werto] nm orchard.

hueso ['weso] nm (ANAT) bone; (de fruta) stone.

huésped, a ['wespeð, a] nm/f (invitado) guest; (habitante) resident; (anfitrión) host.

huesudo, a [we'suðo, a] a bony, big-boned.

huevo ['weβo] nm egg; ~ **en cáscara/escalfado/estrellado** o **frito/pasado por agua** boiled/poached/fried/soft-boiled egg; ~**s revueltos** scrambled eggs.

huida [u'iða] nf escape, flight.

huidizo [ui'ðiθo, a] a (tímido) shy; (pasajero) fleeting.

huir [u'ir] vt (escapar) to flee, escape (from); (evadir) to avoid; ~**se** vr (escaparse) to escape; (el tiempo) to fly.

hule ['ule] nm (goma) rubber; (encerado) oilskin.

humanidad [umani'ðað] nf (los hombres) man(kind); (cualidad) humanity.

humanizar [umani'θar] vt to humanize.

humano, a [u'mano, a] a (gen) human; (humanitario) humane // nm human; **ser** ~ human being.

humareda [uma'reða] nf cloud of smoke.

humear [ume'ar] vi to smoke.

humedad [ume'ðað] nf (del clima) humidity; (de pared etc) dampness; **a prueba de** ~ damp-proof; **humedecer** vt to moisten, wet; **humedecerse** vr to get wet.

húmedo, a ['umeðo, a] a (mojado) damp, wet; (tiempo etc) humid.

humildad [umil'dað] nf humility, humbleness; **humilde** a humble, modest; (pequeño: voz) small.

humillación [umiʎa'θjon] nf humiliation; **humillante** a humiliating; **humillar** vt to humiliate; **humillarse** vr to humble o.s., grovel.

humo ['umo] nm (de fuego) smoke; (gas nocivo) fumes pl; ~**s** nmpl (fig) conceit sg.

humor [u'mor] nm (disposición) mood, temper; (lo que divierte) humour; **de buen/mal** ~ in a good/bad mood; ~**ada** nf witticism; ~**ismo** nm humour; ~**ista** nm/f humorist; ~**ístico, a** a funny, humorous.

hundido, a [un'diðo, a] a (de mejillas) sunken; (de ojos) deep-set.

hundimiento [undi'mjento] nm (gen) sinking; (colapso) collapse.

hundir [un'dir] vt to sink; (edificio, plan) to

ruin, destroy; ~**se** *vr* to sink, collapse.
húngaro, a ['ungaro, a] *a, nm/f* Hungarian.
Hungría [un'gria] *nf* Hungary.
huracán [ura'kan] *nm* hurricane.
huraño, a [u'raño, a] *a* shy; (*antisocial*) unsociable.
hurgar [ur'xar] *vt* to poke, jab; (*remover*) to stir (up).
hurgonear [urxone'ar] *vt* to poke.
hurón, ona [u'ron, ona] *a* unsociable // *nm* (*ZOOL*) ferret; (*persona tímida*) shy person; (*persona arisca*) unsociable person.
hurtadillas [urta'ðiʎas]: **a ~** *ad* stealthily, on the sly.
hurtar [ur'tar] *vt* to steal; ~**se** *vr* to hide, withdraw; **hurto** *nm* theft, stealing.
husmear [usme'ar] *vt* (*oler*) to sniff out, scent; (*fam*) to pry into // *vi* to smell bad; **husmo** *nm* strong smell.
huyo *etc vb ver* **huir.**

I

iba *etc vb ver* **ir.**
ibérico, a [i'ßeriko, a] *a* Iberian.
iberoamericano, a [ißeroameri'kano, a] *a, nm/f* Spanish American.
íbice ['ißiθe] *nm* ibex.
ibicenco, a [ißi'θenko, a] *a* Ibizan.
Ibiza [i'ßiθa] *nf* Ibiza.
ibón [i'ßon] *nm* lake, tarn.
iceberg ['aisßerx] *nm* iceberg.
ícono [i'kono] *nm* ikon, icon.
iconoclasta [ikono'klasta] *a* iconoclastic // *nm/f* iconoclast.
ictericia [ikte'riθja] *nf* jaundice.
ida ['iða] *nf* going, departure; ~ **y vuelta** round trip, return.
idea [i'ðea] *nf* idea; **darse/hacerse una ~ de...** to get an idea of... .
ideal [iðe'al] *a, nm* ideal; ~**ista** *nm/f* idealist; ~**izar** *vt* to idealize.
idear [iðe'ar] *vt* to think up; (*aparato*) to invent; (*viaje*) to plan.
ídem ['iðem] *pron* ditto.
idéntico, a [i'ðentiko, a] *a* identical.
identidad [iðenti'ðað] *nf* identity; **carné de ~** identity card.
identificación [iðentifika'θjon] *nf* identification; **identificar** *vt* to identify; **identificarse** *vr*: **identificarse con** to identify o.s. with.
ideología [iðeolo'xia] *nf* ideology; **ideológico, a** *a* ideological.
idioma [i'ðjoma] *nm* (*gen*) language; (*giro*) idiom.
idiota [i'ðjota] *a* idiotic // *nm/f* idiot; **idiotez** *nf* idiocy.
idólatra [i'ðolatra] *nm/f* idolater/tress; **idolatría** *nf* idolatry.
ídolo ['iðolo] *nm* idol.
idóneo, a [i'ðoneo, a] *a* (*apto*) fit; (*conveniente*) suitable.
iglesia [i'xlesja] *nf* church.
ignición [ixni'θjon] *nf* ignition.

ignominia [ixno'minja] *nf* ignominy; **ignominioso, a** *a* ignominious.
ignorado, a [ixno'raðo, a] *a* unknown; (*dato*) obscure.
ignorancia [ixno'ranθja] *nf* ignorance; **ignorante** *a* ignorant, uninformed // *nm/f* ignoramus.
ignorar [ixno'rar] *vt* not to know, be ignorant of.
ignoto, a [ix'noto, a] *a* unknown.
igual [i'xwal] *a* (*gen*) equal; (*similar*) like, similar; (*mismo*) (the) same; (*constante*) constant; (*temperatura*) even // *nm/f* equal; **al ~ que** *prep, conj* like, just like.
igualada [ixwa'laða] *nf* equaliser.
igualar [ixwa'lar] *vt* (*gen*) to equalize, make equal; (*allanar, nivelar*) to level (off), even (out); ~**se** *vr* (*platos de balanza*) to balance out; (*equivaler*) to be equal.
igualdad [ixwal'dað] *nf* equality; (*similaridad*) sameness; (*uniformidad*) evenness, uniformity.
igualmente [ixwal'mente] *ad* equally; (*también*) also, likewise // *excl* the same to you.
ikurriña [iku'rriɲa] *nf* Basque flag.
ilegal [ile'xal] *a* illegal.
ilegítimo, a [ile'xitimo, a] *a* illegitimate.
ileso, a [i'leso, a] *a* unhurt.
ilícito, a [i'liθito] *a* illicit.
ilimitado, a [ilimi'taðo, a] *a* unlimited.
ilógico, a [i'loxiko, a] *a* illogical.
iluminación [ilumina'θjon] *nf* (*gen*) illumination; (*alumbrado*) lighting.
iluminar [ilumi'nar] *vt* to illuminate, light (up); (*fig*) to enlighten.
ilusión [ilu'sjon] *nf* illusion; (*quimera*) delusion; (*esperanza*) hope; **ilusionado, a** *a* excited.
ilusionista [ilusjo'nista] *nm/f* conjurer.
iluso, a [i'luso, a] *a* easily deceived.
ilusorio, a [ilu'sorjo, a] *a* (*de ilusión*) illusory, deceptive; (*esperanza*) vain.
ilustración [ilustra'θjon] *nf* illustration; (*saber*) learning, erudition; **la I~** the Enlightenment; **ilustrado, a** *a* illustrated; learned.
ilustrar [ilus'trar] *vt* (*gen*) to illustrate; (*instruir*) to instruct; (*explicar*) to explain, make clear; ~**se** *vr* to acquire knowledge.
ilustre [i'lustre] *a* famous, illustrious.
imagen [i'maxen] *nf* (*gen*) image; (*dibujo*) picture; (*semejanza*) likeness.
imaginación [imaxina'θjon] *nf* imagination.
imaginar [imaxi'nar] *vt* (*gen*) to imagine; (*idear*) to think up; (*suponer*) to suppose; ~**se** *vr* to imagine; ~**lo, a** *a* imaginary; **imaginativo, a** *a* imaginative.
imán [i'man] *nm* magnet.
imbécil [im'beθil] *nm/f* imbecile, idiot; **imbecilidad** *nf* imbecility.
imbuir [imbu'ir] *vi* to imbue.
imitación [imita'θjon] *nf* imitation; **imitar**

vt to imitate; (*parodiar, remedar*) to mimic, ape.

impaciencia [impa'θjenθja] *nf* impatience; **impaciente** *a* impatient; (*nervioso*) anxious.

impacto [im'pakto] *nm* impact.

impar [im'par] *a* odd.

imparcial [impar'θjal] *a* impartial, fair; ~**idad** *nf* impartiality, fairness.

impartir [impar'tir] *vt* to impart, give.

impasible [impa'siβle] *a* impassive.

impavidez [impaβi'ðeθ] *nf* fearlessness, intrepidness; **impávido, a** *a* fearless, intrepid.

impecable [impe'kaβle] *a* impeccable.

impedimento [impeði'mento] *nm* impediment, obstacle.

impedir [impe'ðir] *vt* (*obstruir*) to impede, obstruct; (*estorbar*) to prevent.

impeler [impe'ler] *vt* to drive, propel; (*fig*) to impel.

impenetrabilidad [impenetraβili'ðaθ] *nf* impenetrability; **impenetrable** *a* impenetrable; (*fig*) incomprehensible.

impenitente [impeni'tente] *a* unrepentant.

impensado, a [impen'saðo, a] *a* unexpected.

imperar [impe'rar] *vi* (*reinar*) to rule, reign; (*fig*) to prevail, reign; (*precio*) to be current.

imperativo, a [impera'tiβo, a] *a* (*persona*) imperious; (*urgente, LING*) imperative.

imperceptible [imperθep'tiβle] *a* imperceptible.

imperdible [imper'ðiβle] *nm* safety pin.

imperdonable [imperðo'naβle] *a* unforgivable, inexcusable.

imperfección [imperfek'θjon] *nf* imperfection.

imperfecto, a [imper'fekto, a] *a* imperfect.

imperial [impe'rjal] *a* imperial; ~**ismo** *nm* imperialism.

impericia [impe'riθja] *nf* (*torpeza*) unskilfulness; (*inexperiencia*) inexperience.

imperio [im'perjo] *nm* empire; (*reino, dominación*) rule, authority; (*fig*) pride, haughtiness; ~**so, a** *a* imperious; (*urgente*) urgent; (*imperativo*) imperative.

impermeable [imperme'aβle] *a* impermeable; (*a prueba de agua*) waterproof // *nm* raincoat.

impersonal [imperso'nal] *a* impersonal.

impertérrito, a [imper'territo, a] *a* undaunted.

impertinencia [imperti'nenθja] *nf* (*inoportunidad*) irrelevant; (*insolencia*) impertinence; **impertinente** *a* irrelevant; impertinent.

imperturbable [impertur'βaβle] *a* imperturbable.

ímpetu ['impetu] *nm* (*impulso*) impetus, impulse; (*impetuosidad*) impetuosity; (*violencia*) violence.

impetuosidad [impetwosi'ðaθ] *nf* impetuousness; (*violencia*) violence; **impetuoso, a** *a* impetuous; (*persona*) headstrong; (*río*) rushing, violent; (*acto*) hasty.

impío, a [im'pio, a] *a* impious, ungodly.

implacable [impla'kaβle] *a* implacable.

implicar [impli'kar] *vt* (*gen*) to implicate, involve; (*entrañar*) to imply.

implícito, a [im'pliθito, a] *a* (*tácito*) implicit; (*sobreentendido*) implied.

implorar [implo'rar] *vt* to beg, implore.

imponente [impo'nente] *a* (*impresionante*) impressive, imposing; (*solemne*) grand // *nm/f* investor.

imponer [impo'ner] *vt* (*gen*) to impose; (*informar*) to inform, instruct; (*exigir*) to exact, command; (*com*) to invest; ~**se** *vr* to assert o.s.; (*prevalecer*) to prevail.

impopular [impopu'lar] *a* unpopular.

importación [importa'θjon] *nf* (*acto*) importing; (*objetos*) imports *pl*.

importancia [impor'tanθja] *nf* importance; (*valor*) value, significance; (*extensión*) size, magnitude; **importante** *a* important; valuable, significant.

importar [impor'tar] *vt* (*del extranjero*) to import; (*valer*) to amount to, be worth // *vi* to be important, matter; **me importa el rábano** I don't give a damn; **no importa** it doesn't matter.

importe [im'porte] *nm* (*total*) amount; (*valor*) value.

importunar [importu'nar] *vt* to bother, pester.

importuno, a [impor'tuno, a] *a* (*inoportuno, molesto*) inopportune; (*indiscreto*) troublesome.

imposibilidad [imposiβili'ðaθ] *nf* impossibility; **imposibilitar** *vt* to make impossible, prevent; (*incapacitar*) to disable, cripple.

imposible [impo'siβle] *a* (*gen*) impossible; (*insoportable*) unbearable, intolerable.

imposición [imposi'θjon] *nf* imposition; (*com*) tax; (*enganche*) deposit.

impostor, a [impos'tor, a] *nm/f* impostor; **impostura** *nf* fraud, imposture.

impotencia [impo'tenθja] *nf* impotence; **impotente** *a* impotent, powerless.

impracticable [imprakti'kaβle] *a* (*irrealizable*) impracticable; (*intransitable*) impassable.

imprecar [impre'kar] *vi* to curse.

impregnar [impreɣ'nar] *vt* to impregnate; ~**se** *vr* to become impregnated.

imprenta [im'prenta] *nf* (*gen*) printing; (*aparato*) press; (*casa*) printer's; (*letra*) print.

imprescindible [impresθin'diβle] *a* essential, indispensable.

impresión [impre'sjon] *nf* (*gen*) impression; (*IMPRENTA*) printing; (*edición*) edition; (*FOTO*) print; (*marca*) imprint; ~ **digital** fingerprint.

impresionable [impresjo'naβle] *a*

(*sensible*) impressionable; (*excitable*) emotional.

impresionante [impresjo'nante] *a* impressive; (*tremendo*) tremendous; (*maravilloso*) great, marvellous.

impresionar [impresjo'nar] *vt* (*conmover*) to move; (*afectar*) to impress, strike; (*película fotográfica*) to expose; ~**se** *vr* to be impressed; (*conmoverse*) to be moved.

impreso, a [im'preso, a] *pp de* **imprimir** // *a* printed // *nm* printed paper/book *etc.*

impresor [impre'sor] *nm* printer.

imprevisto, a [impre'ßisto, a] *a* (*gen*) unforeseen; (*inesperado*) unexpected.

imprimir [impri'mir] *vt* to imprint, impress, stamp; (*textos*) to print.

improbabilidad [improßaßili'ðað] *nf* (*sin seguridad*) improbability; (*inverosimilitud*) unlikelihood; **improbable** *a* improbable; unlikely.

improcedente [improθe'ðente] *a* (*inconveniente*) unsuitable; (*inadecuado*) inappropriate.

improductivo, a [improðuk'tißo, a] *a* unproductive.

improperio [impro'perjo] *nm* insult, taunt.

impropiedad [impropje'ðað] *nf* impropriety (of language).

impropio, a [im'propjo, a] *a* improper.

impróvido, a [im'proßiðo, a] *a* improvident.

improvisación [improßisa'θjon] *nf* improvisation; **improvisado, a** *a* improvised; **improvisar** *vt* to improvise.

improviso, a [impro'ßiso, a], **improvisto, a** [impro'ßisto, a] *a* unexpected, unforeseen; **de** ~ unexpectedly, suddenly.

imprudencia [impru'ðenθja] *nf* imprudence; (*indiscreción*) indiscretion; (*descuido*) carelessness; **imprudente** *a* imprudent; indiscreet; (*irreflexivo*) unwise.

impúdico, a [im'puðiko, a] *a* shameless, immodest; (*lujurioso*) lecherous, lewd.

impudor [impu'ðor] *nm* shamelessness, immodesty; (*lujuria*) lechery, lewdness.

impuesto, a [im'pwesto, a] *a* imposed; (*informado*) informed // *nm* tax.

impugnar [impux'nar] *vt* to oppose, contest; (*refutar*) to refute, impugn.

impulsar [impul'sar] *vt* = **impeler.**

impulsión [impul'sjon] *nf* (*TEC*) propulsion; (*fig*) impulse.

impulso [im'pulso] *nm* impulse; (*fuerza, empuje*) thrust, drive; (*rapto*) urge, impulse.

impune [im'pune] *a* unpunished; **impunidad** *nf* impunity.

impureza [impu'reθa] *nf* impurity; (*fig*) lewdness; **impuro, a** *a* impure; lewd.

imputación [imputa'θjon] *nf* imputation.

imputar [impu'tar] *vt* (*atribuir*) to attribute to; (*cargar*) to impute to.

inacabable [inaka'ßaßle] *a* (*infinito*) endless; (*interminable*) interminable.

inaccesible [inakθe'sißle] *a* inaccessible.

inacción [inak'θjon] *nf* (*gen*) inaction; (*desocupación*) inactivity; (*ocio*) idleness.

inaceptable [inaθep'taßle] *a* inacceptable.

inactividad [inaktißi'ðað] *nf* inactivity; (*pereza*) laziness, idleness; (*COM*) dullness; **inactivo, a** *a* inactive.

inadaptación [inaðapta'θjon] *nf* maladjustment.

inadecuado, a [inaðe'kwaðo, a] *a* (*insuficiente*) inadequate; (*inapto*) unsuitable.

inadmisible [inaðmi'sißle] *a* inadmissible.

inadvertencia [inaðßer'tenθja] *nf* oversight.

inadvertido, a [inaðßer'tiðo, a] *a* (*distraído*) inattentive; (*no visto*) unnoticed; (*descuidado*) careless.

inagotable [inaxo'taßle] *a* inexhaustible.

inaguantable [inaxwan'taßle] *a* unbearable.

inalterable [inalte'raßle] *a* immutable, unchangeable; (*permanente*) permanent.

inanición [inani'θjon] *nf* starvation.

inanimado, a [inani'maðo, a] *a* inanimate.

inapto, a [in'apto] *a* unsuited.

inaudito, a [inau'ðito, a] *a* unheard-of.

inauguración [inauxura'θjon] *nf* inauguration; (*de exposición*) opening; **inaugurar** *vt* to inaugurate; to open.

I.N.B. *abr de* **Instituto Nacional de Bachillerato** ≈ secondary school.

inca ['inka] *nm/f* Inca; ~**ico, a** *a* Inca.

incalculable [inkalku'laßle] *a* incalculable.

incandescente [inkandes'θente] *a* incandescent.

incansable [inkan'saßle] *a* tireless, untiring.

incapacidad [inkapaθi'ðað] *nf* incapacity; (*incompetencia*) incompetence; ~ **física/mental** physical/mental incapacity *or* disability.

incapacitar [inkapaθi'tar] *vt* (*inhabilitar*) to incapacitate, render unfit; (*descalificar*) to disqualify.

incapaz [inka'paθ] *a* incapable.

incautación [inkauta'θjon] *nf* confiscation; **incautarse** *vr*: **incautarse de** to seize, confiscate.

incauto, a [in'kauto, a] *a* (*imprudente*) incautious, unwary.

incendiar [inθen'djar] *vt* to set on fire; (*fig*) to inflame; ~**se** *vr* to catch fire; ~**io, a** *a* incendiary; (*fig*) inflammatory.

incendio [in'θendjo] *nm* fire.

incentivo [inθen'tißo] *nm* incentive.

incertidumbre [inθerti'ðumßre] *nf* (*inseguridad*) uncertainty; (*duda*) doubt.

incesante [inθe'sante], **incesable** [inθe'saßle] *a* incessant.

incesto [in'θesto] *nm* incest.

incidencia [inθi'ðenθja] *nf (accidente)* incident; *(MAT)* incidence.
incidente [inθi'ðente] *a* incidental // *nm* incident.
incidir [inθi'ðir] *vi (influir)* to influence; *(afectar)* to affect; ~ **en un error** to fall into error.
incienso [in'θjenso] *nm* incense.
incierto, a [in'θjerto, a] *a* uncertain.
incineración [inθinera'θjon] *nf* incineration; *(de cadáveres)* cremation; **incinerar** *vt* to burn; to cremate.
incipiente [inθi'pjente] *a* incipient.
incisión [inθi'sjon] *nf* incision.
incisivo, a [inθi'siβo, a] *a* sharp, cutting; *(fig)* incisive.
incitación [inθita'θjon] *nf* incitement.
incitante [inθi'tante] *a (estimulante)* exciting; *(provocativo)* provocative; **incitar** *vt* to incite, rouse.
incivil [inθi'βil] *a* rude, uncivil.
inclemencia [inkle'menθja] *nf (severidad)* harshness, severity; *(del tiempo)* inclemency; **inclemente** *a* harsh, severe; inclement.
inclinación [inklina'θjon] *nf (gen)* inclination; *(de tierras)* slope, incline; *(de cabeza)* nod, bow; *(fig)* leaning, bent.
inclinar [inkli'nar] *vt* to incline; *(cabeza)* to nod, bow; *(tierras)* to slope; *(persuadir)* to persuade; ~**se** *vr* to bow; *(encorvarse)* to stoop; ~**se a** to take after, resemble; ~**se ante** to bow down to; **me inclino a pensar que** I'm inclined to think that.
ínclito, a ['inklito, a] *a* illustrious, renowned.
incluir [inklu'ir] *vt* to include; *(incorporar)* to incorporate; *(meter)* to enclose.
inclusive [inklu'siβe] *ad* inclusive // *prep* including.
incluso, a [in'kluso, a] *a* included // *ad* inclusively; *(hasta)* even.
incógnito, a [inko'ɣnito, a] *a* unknown // *nm*: **de** ~ incognito // *nf* unknown factor.
incoherente [inkoe'rente] *a* incoherent.
incoloro, a [inko'loro, a] *a* colourless.
incólume [in'kolume] *a (gen)* safe; *(indemne)* unhurt, unharmed.
incomodar [inkomo'ðar] *vt* to inconvenience; *(molestar)* to bother, trouble; *(fastidiar)* to annoy; ~**se** *vr* to put o.s. out; *(fastidiarse)* to get annoyed.
incomodidad [inkomoði'ðað] *nf* inconvenience; *(fastidio, enojo)* annoyance; *(de vivienda)* discomfort.
incómodo, a [in'komoðo, a] *a (inconfortable)* uncomfortable; *(molesto)* annoying; *(inconveniente)* inconvenient.
incomparable [inkompa'raβle] *a* incomparable.
incompatible [inkompa'tiβle] *a* incompatible.
incompetencia [inkompe'tenθja] *nf* incompetence; **incompetente** *a* incompetent.
incompleto, a [inkom'pleto, a] *a* incomplete, unfinished.

incomprensible [inkompren'siβle] *a* incomprehensible.
incomunicado, a [inkomuni'kaðo, a] *a (aislado)* cut off, isolated; *(confinado)* in solitary confinement.
inconcebible [inkonθe'βiβle] *a* inconceivable.
inconcluso, a [inkon'kluso, a] *a (inacabado)* unfinished; *(incompleto)* incomplete.
incondicional [inkondiθjo'nal] *a* unconditional; *(apoyo)* wholehearted; *(partidario)* staunch.
inconexo, a [inko'nekso, a] *a (gen)* unconnected; *(desunido)* disconnected.
inconfundible [inkonfun'diβle] *a* unmistakable.
incongruente [inkon'ɣrwente] *a* incongruous.
inconmensurable [inkonmensu'raβle] *a* immeasurable, vast.
inconsciencia [inkons'θjenθja] *nf* unconsciousness; *(fig)* thoughtlessness; **inconsciente** *a* unconscious; thoughtless.
inconsecuencia [inkonse'kwenθja] *nf* inconsistency; **inconsecuente** *a* inconsistent.
inconsiderado, a [inkonsiðe'raðo, a] *a* inconsiderate.
inconsistente [inkonsis'tente] *a* weak; *(tela)* flimsy.
inconstancia [inkon'stanθja] *nf (inconsecuencia, veleidad)* inconstancy; *(inestabilidad)* unsteadiness; **inconstante** *a* inconstant.
incontestable [inkontes'taβle] *a* unanswerable; *(innegable)* undeniable.
incontinencia [inkonti'nenθja] *nf* incontinence; **incontinente** *a* incontinent.
inconveniencia [inkonβe'njenθja] *nf* unsuitability, inappropriateness; *(incorrección)* impoliteness; **inconveniente** *a* unsuitable; impolite // *nm* obstacle; *(desventaja)* disadvantage.
incorporación [inkorpora'θjon] *nf* incorporation; *(del cuerpo)* sitting/standing up; **incorporar** *vt* to incorporate; **incorporarse** *vr* to sit/stand up.
incorrección [inkorrek'θjon] *nf (gen)* incorrectness, inaccuracy; *(descortesía)* bad-mannered behaviour; **incorrecto, a** *a (gen)* incorrect, wrong; *(facciones)* irregular, odd; *(comportamiento)* bad-mannered.
incorregible [inkorre'xiβle] *a* incorrigible.
incorruptible [inkorrup'tiβle] *a* incorruptible; ~ **a la intemperie** rustproof.
incredulidad [inkreðuli'ðað] *nf* incredulity; *(escepticismo)* scepticism; **incrédulo, a** *a* incredulous, unbelieving; sceptical.
increíble [inkre'iβle] *a* incredible.
incremento [inkre'mento] *nm* increment; *(aumento)* rise, increase.
increpar [inkre'par] *vt* to reprimand.

incruento, a [in'krwento, a] a bloodless.
incrustar [inkrus'tar] vt to incrust; (piedras: en joya) to inlay.
incubar [inku'ßar] vt to incubate; (fig) to hatch.
inculcar [inkul'kar] vt to inculcate.
inculpar [inkul'par] vt (acusar) to accuse; (achacar, atribuir) to charge, blame.
inculto, a [in'kulto, a] a (persona) uneducated, uncultured; (terreno) uncultivated // nm/f ignoramus.
incumplimiento [inkumpli'mjento] nm non-fulfilment; ~ de contrato breach of contract.
incurrir [inku'rrir] vi: ~ en to incur; (crimen) to commit; ~ en un error to fall into error.
indagación [indaɣa'θjon] nf investigation; (búsqueda) search; (JUR) inquest; **indagar** vt to investigate; to search; (averiguar) to ascertain.
indecente [inde'θente] a indecent, improper; (lascivo) obscene.
indecible [inde'θißle] a unspeakable; (indescriptible) indescribable.
indeciso, a [inde'θiso, a] a (por decidir) undecided; (vacilante) hesitant; (resultado) indecisive.
indefectible [indefek'tißle] a unfailing.
indefenso, a [inde'fenso, a] a defenceless.
indefinido, a [indefi'niðo, a] a indefinite; (vago) vague, undefined.
indeleble [inde'leßle] a indelible.
indemnizar [indemni'θar] vt to indemnify; (compensar) to compensate.
independencia [indepen'denθja] nf independence.
independiente [indepen'djente] a (libre) independent; (autónomo) self-sufficient.
indeterminado, a [indetermi'naðo, a] a indefinite; (desconocido) indeterminate.
India ['indja] nf: la ~ India.
indicación [indika'θjon] nf indication; (señal) sign; (sugerencia) suggestion, hint; (de termómetro) reading.
indicador [indika'ðor] nm indicator; (TEC) gauge, meter.
indicar [indi'kar] vt (mostrar) to indicate, show; (termómetro etc) to read, register; (señalar) to point to.
índice ['indiθe] nm index; (catálogo) catalogue; (ANAT) index finger, forefinger; (de cuadrante) pointer, needle; (de reloj) hand.
indicio [in'diθjo] nm indication, sign; (huella) trace; (pesquisa) clue.
indiferencia [indife'renθja] nf indifference; (apatía) apathy; **indiferente** a indifferent.
indígena [in'dixena] a indigenous, native; (aborigen) aboriginal // nm/f native; aborigine.
indigencia [indi'xenθja] nf poverty, need.
indigestión [indixes'tjon] nf indigestion.
indigesto, a [indi'xesto, a] a undigested; (indigestible) indigestible; (fig) turgid.

indignación [indiɣna'θjon] nf indignation; **indignado, a** a indignant.
indignar [indiɣ'nar] vt to anger, make indignant; ~se vr: ~se de o por to get indignant about.
indignidad [indiɣni'ðað] nf (insulto) indignity, insult; (ruindad) vile act; **indigno, a** a (despreciable) low, contemptible; (inmerecido) unworthy.
indio, a ['indjo, a] a, nm/f Indian.
indirecta [indi'rekta] nf insinuation, innuendo; (sugerencia) hint.
indirecto, a [indi'rekto, a] a indirect.
indiscreción [indiskre'θjon] nf (imprudencia) indiscretion; (irreflexión) tactlessness; (acto) gaffe, tactless act.
indiscreto, a [indis'kreto, a] a indiscreet.
indiscutible [indisku'tißle] a indisputable, unquestionable.
indispensable [indispen'saßle] a indispensable.
indisponer [indispo'ner] vt to spoil, upset; (salud) to make ill; ~se vr to fall ill; ~se con uno to fall out with sb.
indisposición [indisposi'θjon] nf indisposition.
indistinto, a [indis'tinto, a] a indistinct; (vago) vague.
individual [indißi'ðwal] a individual; (habitación) single // nm (DEPORTE) singles sg.
individuo, a [indi'ßiðwo, a] a individual // nm individual; (miembro, socio) member, fellow.
indiviso, a [indi'ßiso, a] a undivided.
índole ['indole] nf (naturaleza) nature; (clase) sort, kind.
indolencia [indo'lenθja] nf indolence, laziness.
indomable [indo'maßle] a indomitable; (animal) untameable; (fig) unmanageable.
indómito, a [in'domito, a] a indomitable.
inducir [indu'θir] vt to induce; (inferir) to infer; (persuadir) to persuade.
indudable [indu'ðaßle] a undoubted; (incuestionable) unquestionable.
indulgencia [indul'xenθja] nf indulgence.
indultar [indul'tar] vt (perdonar) to pardon, reprieve; (librar de pago) to exempt; **indulto** nm pardon; exemption.
industria [in'dustrja] nf industry; (habilidad) skill; **industrial** a industrial // nm industrialist.
industrioso, a [indus'trjoso, a] a industrious.
inédito, a [in'eðito, a] a (libro) unpublished; (nuevo) unheard-of.
inefable [ine'faßle] a ineffable, indescribable.
ineficaz [inefi'kaθ] a (inútil) ineffective; (ineficiente) inefficient.
ineludible [inelu'ðißle] a inescapable, unavoidable.
ineptitud [inepti'tuð] nf ineptitude, incompetence; **inepto, a** a inept, incompetent.

inequívoco, a [ine'kiβoko, a] *a* unequivocal; (*inconfundible*) unmistakable.

inercia [in'erθja] *nf* inertia; (*fig*) passivity.

inerme [in'erme] *a* (*sin armas*) unarmed; (*indefenso*) defenceless.

inerte [in'erte] *a* inert; (*fig*) passive.

inesperado, a [inespe'raðo, a] *a* unexpected, unforeseen.

inestable [ines'taβle] *a* unstable.

inevitable [ineβi'taβle] *a* inevitable.

inexactitud [ineksakti'tuð] *nf* inaccuracy; **inexacto, a** *a* inaccurate; (*falso*) untrue.

infamar [infa'mar] *vt* to dishonour; (*calumniar*) to defame, slander.

infame [in'fame] *a* infamous // *nm/f* vile person; **infamia** *nf* infamy; (*deshonra*) disgrace.

infancia [in'fanθja] *nf* infancy, childhood.

infante [in'fante] *nm* (*niño*) infant, child; (*hijo del rey*) prince.

infantería [infante'ria] *nf* infantry.

infantil [infan'til] *a* (*pueril, aniñado*) infantile; (*cándido*) childlike; (*literatura*) children's.

infarto [in'farto] *nm* heart attack.

infatigable [infati'xaβle] *a* tireless, untiring.

infausto, a [in'fausto, a] *a* unlucky.

infección [infek'θjon] *nf* infection; **infeccioso, a** *a* infectious.

infectar [infek'tar] *vt* to infect; ~**se** *vr* to become infected.

infelicidad [infeliθi'ðað] *nf* unhappiness.

infeliz [infe'liθ] *a* unhappy, wretched // *nm/f* wretch.

inferior [infe'rjor] *a* inferior; (*situación*) lower // *nm/f* inferior, subordinate.

inferir [infe'rir] *vt* (*deducir*) to infer, deduce; (*causar*) to cause.

infestar [infes'tar] *vt* (*infectar*) to infect; (*apestar*) to infest; (*fig*) to harass.

inficionar [infiθjo'nar] *vt* to infect; (*fig*) to corrupt.

infidelidad [infiðeli'ðað] *nf* (*gen*) infidelity, unfaithfulness; (*REL*) lack of faith.

infiel [in'fjel] *a* unfaithful, disloyal; (*falso*) inaccurate // *nm/f* infidel, unbeliever.

infierno [in'fjerno] *nm* hell.

ínfimo, a ['infimo, a] *a* vile, mean.

infinidad [infini'ðað] *nf* infinity; (*abundancia*) great quantity.

infinito, a [infi'nito, a] *a, nm* infinite.

inflación [infla'θjon] *nf* (*hinchazón*) swelling; (*monetaria*) inflation; (*fig*) conceit; **inflacionario, a** *a* inflationary.

inflamar [infla'mar] *vt* to set on fire; (*MED*) to inflame; ~**se** *vr* to catch fire; (*fig*) to become inflamed.

inflar [in'flar] *vt* (*hinchar*) to inflate, blow up; (*fig*) to exaggerate; ~**se** *vr* to swell (up); (*fig*) to get conceited.

inflexible [inflek'siβle] *a* inflexible; (*irrompible*) unbending; (*fig*) strict.

infligir [infli'xir] *vt* to inflict.

influencia [influ'enθja] *nf* influence; **influenciar** *vt* to influence.

influir [influ'ir] *vt* to influence.

influjo [in'fluxo] *nm* influence.

influyente [influ'jente] *a* influential.

información [informa'θjon] *nf* information; (*noticias*) news *sg*; (*JUR*) inquiry.

informal [infor'mal] *a* (*gen*) irregular, incorrect; (*persona*) unreliable; (*poco serio*) frivolous; (*trabajo*) disorganized; (*comportamiento*) unconventional.

informalidad [informali'ðað] *nf* (*impuntualidad*) unpunctuality; (*incorrección*) bad manners *pl*; (*ligereza*) frivolity.

informante [infor'mante] *nm/f* informant.

informar [infor'mar] *vt* (*gen*) to inform; (*revelar*) to reveal, make known // *vi* (*JUR*) to plead; (*denunciar*) to inform; (*dar cuenta de*) to report on; ~**se** *vr* to find out; ~**se de** to inquire into.

informe [in'forme] *a* shapeless // *nm* report.

infortunio [infor'tunjo] *nm* misfortune.

infracción [infrak'θjon] *nf* infraction, infringement; (*transgresión*) transgression.

infranqueable [infranke'aβle] *a* impassable; (*impracticable*) insurmountable.

infringir [infrin'xir] *vt* to infringe, contravene.

infructuoso, a [infruk'twoso, a] *a* fruitless, unsuccessful.

infundado, a [infun'daðo, a] *a* groundless, unfounded.

infundir [infun'dir] *vt* to infuse, instil.

ingeniar [inxe'njar] *vt* to think up, devise; ~**se** *vr*: ~**se para** to manage to.

ingeniería [inxenje'ria] *nf* engineering; **ingeniero, a** *nm/f* engineer; **ingeniero agrónomo/de sonido** agronomist/sound engineer.

ingenio [in'xenjo] *nm* (*talento*) talent; (*agudeza*) wit; (*habilidad*) ingenuity, inventiveness; (*TEC*): ~ **azucarero** sugar refinery.

ingenioso, a [inxe'njoso, a] *a* ingenious, clever; (*divertido*) witty.

ingénito, a [in'xenito, a] *a* innate.

ingenuidad [inxenwi'ðað] *nf* ingenuousness; (*candor*) candour; **ingenuo, a** *a* ingenuous.

ingerencia [inxe'renθja] *nf* = **injerencia.**

ingerir [inxe'rir] *vt* to ingest; (*tragar*) to swallow; (*consumir*) to consume.

Inglaterra [ingla'terra] *nf* England.

ingle ['ingle] *nf* groin.

inglés, esa [in'gles, esa] *a* English // *nm/f* Englishman/woman // *nm* (*lengua*) English.

ingratitud [ingrati'tuð] *nf* ingratitude; **ingrato, a** *a* (*gen*) ungrateful; (*desagradable*) unpleasant.

ingrediente [ingre'ðjente] *nm* ingredient.

ingresar [ingre'sar] *vt* (*dinero*) to deposit // *vi* to come in; ~ **en un club** to join a club; ~ **en el hospital** to go into hospital.

ingreso [in'greso] *nm* (*entrada*) entry; (: *en hospital etc*) admission; (*de dinero*) income, takings *pl*.

inhábil [in'aßil] *a* unskilful, clumsy; **día** ~ non-working day.

inhabitable [inaßi'taßle] *a* uninhabitable.

inherente [ine'rente] *a* inherent.

inhibir [ini'ßir] *vt* to inhibit; (*REL*) to restrain.

inhospitalario, a [inospita'larjo, a] *a* inhospitable.

inhumano, a [inu'mano] *a* inhuman.

I. N. I. ['ini] *nm abr de* **Instituto Nacional de Industria** = National Enterprise Board.

inicial [ini'θjal] *a*, *nf* initial.

iniciar [ini'θjar] *vt* (*persona*) to initiate; (*estudios*) to begin, commence; (*conversación*) to start up.

iniciativa [iniθja'tißa] *nf* initiative; **la** ~ **privada** private enterprise.

inicuo, a [in'ikwo, a] *a* iniquitous.

ininterrumpido, a [ininterrum'piðo, a] *a* uninterrupted.

injerencia [inxe'renθja] *nf* interference.

injertar [inxer'tar] *vt* to graft; (*inyectar*) to inject; **injerto** *nm* graft.

injuria [in'xurja] *nf* (*agravio, ofensa*) offence; (*insulto*) insult; (*daño*) harm; **injuriar** *vt* to insult; to harm; **injurioso, a** *a* offensive; insulting; harmful.

injusticia [inxus'tiθja] *nf* injustice.

injusto, a [in'xusto, a] *a* unjust, unfair.

inmadurez [inmaðu'reθ] *nf* immaturity.

inmarcesible [inmarθe'sißle], **inmarchitable** [inmartʃi'taßle] *a* imperishable.

inmediaciones [inmeðja'θjones] *nfpl* neighbourhood *sg*, environs.

inmediato, a [inme'ðjato, a] *a* immediate; (*contiguo*) adjoining; (*rápido*) prompt; (*próximo*) close, next; **de** ~ immediately.

inmejorable [inmexo'raßle] *a* unsurpassable; (*precio*) unbeatable.

inmenso, a [in'menso, a] *a* immense, huge.

inmerecido, a [inmere'θiðo, a] *a* undeserved.

inmigración [inmixra'θjon] *nf* immigration.

inmiscuirse [inmisku'irse] *vr* to interfere, meddle.

inmobiliario, a [inmoßi'ljarjo, a] *a* real-estate *cpd* // *nf* estate agency.

inmoderado, a [inmoðe'raðo, a] *a* immoderate, excessive.

inmolar [inmo'lar] *vt* to immolate, sacrifice.

inmoral [inmo'ral] *a* immoral.

inmortal [inmor'tal] *a* immortal; ~**izar** *vt* to immortalize.

inmotivado, a [inmoti'ßaðo, a] *a* motiveless.

inmóvil [in'moßil] *a* immobile;

(*inamovible*) immovable; (*invariable*) unchanging; (*parado*) still, stationary.

inmueble [in'mweßle] *nm* property.

inmundicia [inmun'diθja] *nf* filth; **inmundo, a** *a* filthy.

inmunidad [inmuni'ðað] *nf* immunity.

inmutar [inmu'tar] *vt* to alter; ~**se** *vr* to turn pale.

innato, a [in'nato, a] *a* innate.

innecesario, a [inneθe'sarjo, a] *a* unnecessary.

innoble [in'noßle] *a* ignoble.

innocuo, a [in'nokwo, a] *a* innocuous.

innovación [innoßa'θjon] *nf* innovation; **innovar** *vt* to introduce.

inocencia [ino'θenθja] *nf* innocence.

inocentada [inoθen'taða] *nf* practical joke.

inocente [ino'θente] *a* (*ingenuo*) naive, simple; (*inculpable*) innocent // *nm/f* simpleton.

inodoro [ino'ðoro] *nm* toilet, lavatory.

inofensivo, a [inofen'sißo, a] *a* inoffensive.

inolvidable [inolßi'ðaßle] *a* unforgettable.

inoperante [inope'rante] *a* unworkable.

inopinado, a [inopi'naðo, a] *a* unexpected.

inoportuno, a [inopor'tuno, a] *a* untimely; (*molesto*) inconvenient.

inoxidable [inoksi'ðaßle] *a*: **acero** ~ stainless steel.

inquebrantable [inkeßran'taßle] *a* unbreakable.

inquietar [inkje'tar] *vt* to worry, trouble, disturb; ~**se** *vr* to worry, get upset; **inquieto, a** *a* anxious, worried; **inquietud** *nf* anxiety, worry.

inquilino, a [inki'lino, a] *nm/f* tenant.

inquirir [inki'rir] *vt* to enquire into, investigate.

insaciable [insa'θjaßle] *a* insatiable.

insalubre [insa'lußre] *a* unhealthy.

inscribir [inskri'ßir] *vt* to inscribe; (*lista*) to list; (*censo*) to register; ~**se** *vr* to register; (*ESCOL etc*) to enrol.

inscripción [inskrip'θjon] *nf* inscription; (*ESCOL etc*) enrolment; (*censo*) registration.

insecto [in'sekto] *nm* insect.

inseguridad [insexuri'ðað] *nf* insecurity.

inseguro, a [inse'xuro, a] *a* insecure; (*inconstante*) unsteady; (*incierto*) uncertain.

insensato, a [insen'sato, a] *a* foolish, stupid.

insensibilidad [insensißili'ðað] *nf* (*gen*) insensitivity; (*dureza de corazón*) callousness.

insensible [insen'sißle] *a* (*gen*) insensitive; (*duro*) callous; (*movimiento*) imperceptible; (*sin sentido*) numb.

insertar [inser'tar] *vt* to insert.

inservible [inser'ßißle] *a* useless.

insidioso, a [insi'ðjoso, a] *a* insidious.

insignia [in'sixnja] *nf* (*señal distintivo*)

badge; (*estandarte*) flag; (*condecoración*) decoration.

insignificante [insiɤnifiˈkante] a insignificant.

insinuar [insiˈnwar] vt to insinuate, imply; ~se vr: ~se con uno to ingratiate o.s. with sb.

insípido, a [inˈsipiðo, a] a insipid.

insistencia [insisˈtenθja] nf (*obstinación*) insistence; (*porfía*) persistence.

insistir [insisˈtir] vi to insist; ~ en algo to stress sth.

insolación [insolaˈθjon] nf (MED) sunstroke.

insolencia [insoˈlenθja] nf insolence; **insolente** a insolent.

insólito, a [inˈsolito, a] a unusual.

insoluble [insoˈluβle] a insoluble.

insolvencia [insolˈβenθja] nf insolvency.

insomnio [inˈsomnjo] nm insomnia.

insondable [insonˈdaβle] a bottomless.

insoportable [insoporˈtaβle] a unbearable.

inspección [inspekˈθjon] nf inspection, check; **inspeccionar** vt (*examinar*) to inspect, examine; (*controlar*) to check.

inspector, a [inspekˈtor, a] nm/f inspector.

inspiración [inspiraˈθjon] nf inspiration; **inspirar** vt to inspire; (MED) to inhale; **inspirarse** vr: **inspirarse en** to be inspired by.

instalar [instaˈlar] vt (*establecer*) to instal; (*erguir*) to set up, erect; ~se vr to establish o.s.

instancia [insˈtanθja] nf (JUR) petition; (*ruego*) request; **en última** ~ in the last resort.

instantáneo, a [instanˈtaneo, a] a instant, instantaneous // nf snap(shot).

instante [insˈtante] nm instant, moment.

instar [insˈtar] vt to press, urge // vi to be pressing or urgent.

instigar [instiˈɤar] vt to instigate.

instinto [insˈtinto] nm instinct; **por** ~ instinctively.

institución [instituˈθjon] nf institution, establishment.

instituir [instituˈir] vt to establish; (*fundar*) to found; **instituto** nm (*gen*) institute; (*escuela*) high school.

instrucción [instrukˈθjon] nf instruction.

instructivo, a [instrukˈtiβo, a] a instructive.

instruir [instruˈir] vt (*gen*) to instruct; (*enseñar*) to teach, educate; (MIL, DEPORTE) to train.

instrumento [instruˈmento] nm (*gen*) instrument; (*herramienta*) tool, implement.

insubordinarse [insuβorðiˈnarse] vr to rebel.

insuficiencia [insufiˈθjenθja] nf (*carencia*) lack; (*inadecuación*) inadequacy; **insuficiente** a (*gen*) insufficient; (*incompetente*) incompetent; (*nota*) inadequate.

insufrible [insuˈfriβle] a insufferable.

insular [insuˈlar] a insular.

insulsez [insulˈseθ] nf (*insipidez*) insipidity; (*fig*) dullness.

insultar [insulˈtar] vt to insult; **insulto** nm insult.

insuperable [insupeˈraβle] a (*excelente*) unsurpassable; (*arduo*) insurmountable.

insurgente [insurˈxente] a, nm/f insurgent.

insurrección [insurrekˈθjon] nf insurrection, rebellion.

intacto, a [inˈtakto, a] a intact.

intachable [intaˈtʃaβle] a irreproachable.

integral [inteˈɤral] a: **pan** ~ wholemeal bread.

integrar [inteˈɤrar] vt to make up, compose; (COM) to repay; (MAT) to integrate.

integridad [inteɤriˈðað] nf wholeness; (*carácter*) integrity; **íntegro, a** a whole, entire; (*honrado*) honest.

intelectual [intelekˈtwal] a, nm/f intellectual.

inteligencia [inteliˈxenθja] nf intelligence; (*ingenio*) ability; **inteligente** a intelligent.

intemperancia [intempeˈranθja] nf excess, intemperance.

intemperie [intemˈperje] nf bad weather; **a la** ~ outdoors, in the open air.

intempestivo, a [intempesˈtiβo, a] a untimely.

intención [intenˈθjon] nf (*gen*) intention; (*propósito*) purpose; **con segundas intenciones** maliciously; **de primera** ~ provisionally; **con** ~ deliberately.

intencionado, a [intenθjoˈnaðo, a] a deliberate; **bien/mal** ~ well-meaning/ill-disposed.

intendencia [intenˈdenθja] nf management, administration.

intenso, a [inˈtenso, a] a intense; (*impresión*) vivid; (*sentimiento*) profound, deep.

intentar [intenˈtar] vt (*tratar*) to try, attempt; **intento** nm (*intención*) intention, purpose; (*tentativa*) attempt.

intercalar [interkaˈlar] vt to insert.

intercambio [interˈkambjo] nm exchange, swap.

interceder [interθeˈðer] vi to intercede.

intercesión [interθeˈsjon] nf intercession.

interés [inteˈres] nm (*gen*) interest; (*parte*) share, part; (*pey*) self-interest; **intereses creados** vested interests.

interesado, a [intereˈsaðo, a] a interested; (*prejuiciado*) prejudiced; (*pey*) mercenary, self-seeking.

interesar [intereˈsar] vt, vi to interest, be of interest to; ~se vr: ~se en o por to take an interest in.

interferir [interfeˈrir] vt to interfere with; (TELEC) to jam // vi to interfere.

interior [inteˈrjor] a inner, inside; (COM) domestic, internal // nm interior, inside; (*fig*) soul, mind; **Ministerio del I**~ Home Office.

interjección [interxek'θjon] *nf* interjection.

interlocutor, a [interloku'tor] *nm/f* speaker.

intermediario, a [interme'ðjarjo, a] *nm/f* intermediary // *nm* middleman.

intermedio, a [inter'meðjo, a] *a* intermediate // *nm* interval.

interminable [intermi'naβle] *a* endless.

intermitente [intermi'tente] *a* intermittent // *nm* indicator.

internacional [internaθjo'nal] *a* international.

internar [inter'nar] *vt* to intern; (*loco*) to commit; ~ se *vr* (*en un hospital*) to go into hospital; (*penetrar*) to penetrate.

interno, a [in'terno, a] *a* internal, interior; (*POL etc*) domestic // *nm/f* (*alumno*) boarder.

interpelar [interpe'lar] *vt* (*rogar*) to implore; (*hablar*) to speak to.

interponer [interpo'ner] *vt* to interpose, put in; ~ se *vr* to intervene.

interposición [interposi'θjon] *nf* insertion.

interpretación [interpreta'θjon] *nf* interpretation; **interpretar** *vt* to interpret; **interprete** *nm/f* interpreter; (*traductor*) translator; (*músico, TEATRO*) performer, artist(e).

interrogación [interroxa'θjon] *nf* interrogation; (*LING*) question mark; **interrogar** *vt* to interrogate, question.

interrumpir [interrum'pir] *vt* to interrupt; (*ELEC*) to switch off, cut off.

interrupción [interrup'θjon] *nf* interruption.

interruptor [interrup'tor] *nm* (*ELEC*) switch.

intersección [intersek'θjon] *nf* intersection.

interurbano, a [interur'βano, a] *a*: **llamada** ~a trunk call.

intervalo [inter'βalo] *nm* interval; (*descanso*) break; a ~s at intervals, every now and then.

intervenir [interβe'nir] *vt* (*controlar*) to control, supervise; (*MED*) to operate on // *vi* (*participar*) to take part, participate; (*mediar*) to intervene.

interventor, a [interβen'tor, a] *nm/f* inspector; (*COM*) auditor.

interviú [inter'βju] *nf* interview.

intestino, a [intes'tino, a] *a* internal; (*doméstico*) domestic // *nm* intestine.

intimar [inti'mar] *vt* to intimate, announce // *vi* to become friendly.

intimidad [intimi'ðað] *nf* intimacy; (*confianza*) confidence; (*familiaridad*) familiarity; (*vida privada*) private life; (*soledad*) privacy.

íntimo, a ['intimo, a] *a* intimate.

intolerable [intole'raβle] *a* intolerable, unbearable.

intransitable [intransi'taβle] *a* impassable.

intrepidez [intrepi'ðeθ] *nf* courage, bravery; **intrépido, a** *a* intrepid.

intriga [in'triɣa] *nf* intrigue; (*plan*) plot; **intrigar** *vt, vi* to intrigue.

intrincado, a [intrin'kaðo, a] *a* intricate.

intrínseco, a [in'trinseko, a] *a* intrinsic.

introducción [introðuk'θjon] *nf* introduction.

introducir [introðu'θir] *vt* (*gen*) to introduce; (*hacer penetrar*) to insert.

intruso, a [in'truso, a] *a* intrusive // *nm/f* intruder.

intuición [intwi'θjon] *nf* intuition.

inundación [inunda'θjon] *nf* flood(ing); **inundar** *vt* to flood; (*fig*) to swamp, inundate.

inusitado, a [inusi'taðo, a] *a* unusual.

inútil [in'util] *a* useless; (*esfuerzo*) vain, fruitless; **inutilidad** *nf* uselessness.

inutilizar [inutili'θar] *vt* to make useless, render useless; ~ se *vr* to become useless.

invadir [inβa'ðir] *vt* to invade.

inválido, a [in'βaliðo, a] *a* invalid // *nm/f* invalid.

invariable [inβa'rjaβle] *a* invariable.

invasión [inβa'sjon] *nf* invasion.

invasor, a [inβa'sor, a] *a* invading // *nm/f* invader.

invención [inβen'θjon] *nf* invention.

inventar [inβen'tar] *vt* to invent.

inventario [inβen'tarjo] *nm* inventory.

inventiva [inβen'tiβa] *nf* inventiveness.

inventor, a [inβen'tor, a] *nm/f* inventor.

inverosímil [inβero'simil] *a* implausible; (*improbable*) unlikely, improbable.

inversión [inβer'sjon] *nf* (*COM*) investment; (*AUTO*) reversing; **inversionista** *nm/f* investor.

inverso, a [in'βerso, a] *a* inverse, opposite; **en el orden** ~ in reverse order; **a la** ~a inversely, the other way round.

invertir [inβer'tir] *vt* (*COM*) to invest; (*volcar*) to turn upside down; (*tiempo etc*) to spend; (*AUTO*) to reverse.

investigación [inβestiɣa'θjon] *nf* investigation; (*estudio*) research; **investigar** *vt* to investigate; (*estudiar*) to do research into.

inveterado, a [inβete'raðo, a] *a* inveterate, confirmed.

invicto, a [in'βikto, a] *a* unconquered.

invierno [in'βjerno] *nm* winter.

invitar [inβi'tar] *vt* to invite; (*incitar*) to entice; (*pagar*) to buy, pay for.

invocar [inβo'kar] *vt* to invoke, call on.

inyección [injek'θjon] *nf* injection.

inyectar [injek'tar] *vt* to inject.

ir [ir] *vi* (*gen*) to go; (*viajar*) to travel; (*ropa*) to suit; ~ **caminando** to walk; ~ **en coche/bicicleta/caballo/a pie** to drive/cycle/ride/walk; **¡voy!** I'm coming!; ~ **de viaje** to travel, go away; **voy para viejo** I'm getting on (in years); ~ **por/a por algo** to go for/go and get sth; **¡qué va!** (*no diga*) you don't say!; (: *¡no!*) no way!, rubbish!; **¡vamos!** come on!; **vaya susto que me has dado** what a fright you gave me; ~**se** *vr* to go away, leave; (*mano etc*) to slip; ¡**vete!** go away!

ira ['ira] *nf* anger, rage.

iracundo, a [ira'kundo, a] *a* irascible; (*colérico*) irate.

Irán [i'ran] *nm* Iran; **iraní, esa, iraní** *a, nm/f* Iranian.

iris ['iris] *nm* (*arco* ~) rainbow; (ANAT) iris.

Irlanda [ir'landa] *nf* Ireland; **irlandés, esa** *a* Irish // *nm/f* Irishman/woman.

ironía [iro'nia] *nf* irony; **irónico, a** *a* ironic(al).

irreal [irre'al] *a* unreal.

irreflexión [irreflek'sjon] *nf* thoughtlessness.

irremediable [irreme'ðjaßle] *a* incurable, hopeless.

irresoluto, a [irreso'luto, a] *a* irresolute, hesitant.

irrespetuoso, a [irrespe'twoso, a] *a* disrespectful.

irresponsable [irrespon'saßle] *a* irresponsible.

irrigar [irri'xar] *vt* to irrigate.

irrisorio, a [irri'sorjo, a] *a* derisory, ridiculous.

irritar [irri'tar] *vt* to irritate, annoy.

irrupción [irrup'θjon] *nf* irruption; (*invasión*) invasion.

isla ['isla] *nf* island.

islandés, esa [islan'des, esa] *a* Icelandic // *nm/f* Icelander.

Islandia [is'landja] *nf* Iceland.

isleño, a [is'leɲo, a] *a* island *cpd* // *nm/f* islander.

Israel [isra'el] *nm* Israel; **israelí** *a, nm/f* Israeli.

istmo ['istmo] *nm* isthmus.

Italia [i'talja] *nf* Italy; **italiano, a** *a, nm/f* Italian.

itinerario [itine'rarjo] *nm* itinerary, route.

izar [i'θar] *vt* to hoist.

izquierdista [iθkjer'ðista] *nm/f* left-winger, leftist.

izquierdo, a [iθ'kjerðo, a] *a* left // *nf* left; **a la** ~**a** on the left.

J

jabalí [xaßa'li] *nm* wild boar.

jabalina [xaßa'lina] *nf* javelin.

jabón [xa'ßon] *nm* soap; **jabonar** *vt* to soap.

jaca ['xaka] *nf* pony.

jacinto [xa'θinto] *nm* hyacinth.

jactancia [xak'tanθja] *nf* boasting, boastfulness.

jactarse [xak'tarse] *vr* to boast, brag.

jadeante [xaðe'ante] *a* panting, gasping; **jadear** *vi* to pant, gasp for breath; **jadeo** *nm* panting, gasping.

jaez [xa'eθ] *nm* (*de caballerías*) harness; (*clase*) kind, sort.

jaguar [xa'ɣwar] *nm* jaguar.

jalar [xa'lar] *vt* to pull, haul.

jalbegue [xal'ßexe] *nm* (*pintura*) whitewash; (*fig*) make-up.

jalea [xa'lea] *nf* jelly.

jaleo [xa'leo] *nm* racket, uproar; (*baile*) Andalusian popular dance; **estar de** ~ to be having a good time; **armar un** ~ to kick up a din.

Jamaica [xa'maika] *nf* Jamaica.

jamás [xa'mas] *ad* never; (*sin negación*) ever.

jamón [xa'mon] *nm* ham.

Japón [xa'pon] *nm*: **el** ~ Japan; **japonés, esa** *a, nm/f* Japanese.

jaque ['xake] *nm* cheque; (*fam*) bully; ~ **mate** checkmate.

jaqueca [xa'keka] *nf* (severe) headache, migraine.

jarabe [xa'raße] *nm* syrup.

jarcia ['xarθja] *nf* (NAUT) ropes *pl*, rigging; (*para pescar*) (fishing) tackle; (*confusión, revoltijo*) jumble, mess.

jardín [xar'ðin] *nm* garden; **jardinería** *nf* gardening; **jardinero, a** *nm/f* gardener.

jarra ['xarra] *nf* jar.

jarro ['xarro] *nm* jug.

jaula ['xaula] *nf* cage.

jauría [xau'ria] *nf* pack of hounds.

J. C. *abr de* **Jesucristo.**

jefatura [xefa'tura] *nf*: ~ **de policía** police headquarters *sg*.

jefe ['xefe] *nm* (*gen*) chief, head; (*patrón*) boss; ~ **de camareros** head waiter; ~ **de cocina** chef; ~ **de estación** stationmaster; ~ **de estado** head of state; ~ **supremo** commander-in-chief; **ser el** ~ (*fig*) to be the boss.

jengibre [xen'xißre] *nm* ginger.

jeque ['xeke] *nm* sheik.

jerarquía [xerar'kia] *nf* (*orden*) hierarchy; (*rango*) rank; **jerárquico, a** *a* hierarchic(al).

jerez [xe'reθ] *nm* sherry.

jerga ['xerxa] *nf* (*tela*) coarse cloth; (*lenguaje*) jargon, slang.

jerigonza [xeri'xonθa] *nf* (*jerga*) jargon, slang; (*galimatías*) nonsense, gibberish.

jeringa [xe'ringa] *nf* syringe; (AM) annoyance, bother; ~ **de engrase** grease gun; **jeringar** *vt* to syringe; (*inyectar*) to inject; (AM) to annoy, bother.

jeroglífico [xero'xlifiko] *nm* hieroglyphic.

jersé, jersey (*pl* **jerseys**) [xer'sei] *nm* jersey, pullover, jumper.

Jerusalén [xerusa'len] *n* Jerusalem.

Jesucristo [xesu'kristo] *n* Jesus Christ.

jesuita [xe'swita] *a, nm* Jesuit.

Jesús [xe'sus] *nm* Jesus; ¡~! good heavens!; (*al estornudar*) bless you!

jícara ['xikara] *nf* small cup.

jifero, a [xi'fero, a] *a* (*fam*) filthy // *nm* butcher's knife; (*matarife*) butcher, slaughterer.

jinete [xi'nete] *nm* (horse)rider.

jipijapa [xipi'xapa] *nm* (AM) straw hat.

jira ['xira] *nf* (*de tela*) strip; (*excursión*) picnic.

jirafa [xi'rafa] *nf* giraffe.

jirón [xi'ron] *nm* rag, shred.

jocosidad [xokosi'ðað] *nf* humour; (*chiste*) joke.

jocoso, a [xo'koso, a] *a* humorous, jocular.

jofaina [xo'faina] *nf* washbasin.

jornada [xor'naða] *nf* day's journey; (*camino o viaje entero*) journey; (*día de trabajo*) working day; (*fig*) lifetime.

jornal [xor'nal] *nm* (day's) wage; ~ero *nm* (day) labourer.

joroba [xo'roβa] *nf* hump, hunched back; (*fam*) nuisance; ~do, a *a* hunchbacked // *nm/f* hunchback.

jota ['xota] *nf* letter J; (*danza*) Aragonese dance; (*fam*) iota; **no saber** ~ to have no idea.

joven ['xoβen] *a* young // *nm* young man, youth // *nf* young woman, girl.

jovial [xo'βjal] *a* cheerful, jovial; ~idad *nf* cheerfulness, joviality.

joya ['xoja] *nf* jewel, gem; (*fig: persona*) gem; **joyería** [xo'βja'tura] *nf* (*joyas*) jewellery; (*tienda*) jeweller's (shop); **joyero** *nm* (*persona*) jeweller; (*caja*) jewel case.

juanete [xwa'nete] *nm* bunion.

jubilación [xuβila'θjon] *nf* (*retiro*) retirement; (*alegría*) jubilation.

jubilar [xuβi'lar] *vt* to pension off, retire; (*fam*) to discard // *vi* to rejoice; ~se *vr* to retire.

jubileo [xuβi'leo] *nm* (*indulgencia*) jubilee; (*fam*) comings and goings *pl*.

júbilo ['xuβilo] *nm* joy, jubilation, rejoicing; ~so, a *a* jubilant.

judaísmo [xuða'ismo] *nm* Judaism.

judía [xu'ðia] *nf* Jewess; (*CULIN*) bean.

judicatura [xuðika'tura] *nf* (*cargo de juez*) office of judge; (*magistratura*) judicature.

judicial [xuði'θjal] *a* judicial.

judío, a [xu'ðio, a] *a* Jewish // *nm/f* Jew/ess.

juego *etc vb ver* **jugar** // ['xweɣo] *nm* (*gen*) play; (*pasatiempo, partido*) game; (*en casino*) gambling; (*conjunto*) set; **fuera de** ~ (*persona*) offside; (*pelota*) out of play.

juerga ['xwerɣa] *nf* good time; (*fiesta*) party; **ir de** ~ to go out on a spree.

jueves ['xweβes] *nm inv* Thursday.

juez [xweθ] *nm* judge; ~ **de línea** linesman; ~ **de salida** starter.

jugada [xu'ɣaða] *nf* play; **buena** ~ good move/shot/stroke *etc*.

jugador, a [xuɣa'ðor, a] *nm/f* player; (*en casino*) gambler.

jugar [xu'ɣar] *vt, vi* to play; (*en casino*) to gamble; ~se *vr* to gamble (away).

juglar [xu'ɣlar] *nm* minstrel.

jugo ['xuɣo] *nm* (*BOT*) juice; (*fig*) essence, substance; ~so, a *a* juicy; (*fig*) substantial, important.

juguete [xu'ɣete] *nm* toy; (*TEATRO*) sketch; ~ar *vi* to play; ~ría *nf* toyshop.

juguetón, ona [xuɣe'ton, ona] *a* playful.

juicio ['xwiθjo] *nm* judgement; (*sana razón*) sanity, reason; (*opinión*) opinion; **estar fuera de** ~ to be out of one's mind; ~so, a *a* wise, sensible.

julio ['xuljo] *nm* July.

jumento, a [xu'mento, a] *nm/f* donkey.

junco ['xunko] *nm* rush, reed.

jungla ['xungla] *nf* jungle.

junio ['xunjo] *nm* June.

junta ['xunta] *nf ver* **junto.**

juntamente [xunta'mente] *ad* (*conjuntamente*) together; (*al mismo tiempo*) together, at the same time.

juntar [xun'tar] *vt* to join, unite; (*maquinaria*) to assemble, put together; (*dinero*) to collect; (*puerta*) to half-close, leave ajar; ~se *vr* to join, meet; (*reunirse: personas*) to meet, assemble; (*arrimarse*) to approach, draw closer; (*vivir juntos*) to live together; ~se con uno to join sb.

junto, a ['xunto, a] *a* (*unido*) joined, united; (*anexo*) near, close; (*continuo, próximo*) next, adjacent // *ad*: **todo** ~ all at once // *nf* (*asamblea*) meeting, assembly; (*comité, consejo*) board, council, committee; (*articulación*) joint; ~ a near (to), next to; ~s together.

juntura [xun'tura] *nf* (*punto de unión*) join, junction; (*articulación*) joint.

jurado [xu'raðo] *nm* (*JUR*) juror; (*: conjunto de* ~s) jury; (*de concurso*) panel (of judges); (*: individuo*) member of a panel.

juramentar [xuramen'tar] *vt* to swear in, administer the oath to; ~se *vr* to be sworn in, take the oath.

juramento [xura'mento] *nm* oath; (*maldición*) oath, curse; **prestar** ~ to take the oath; **tomar** ~ a to swear in, administer the oath to.

jurar [xu'rar] *vt, vi* to swear; ~ **en falso** to commit perjury; **jurárselas a uno** to have it in for sb.

jurídico, a [xu'riðiko, a] *a* legal.

jurisdicción [xurisðik'θjon] *nf* (*poder, autoridad*) jurisdiction; (*territorio*) district.

jurisprudencia [xurispru'ðenθja] *nf* jurisprudence.

jurista [xu'rista] *nm/f* jurist.

justamente [xusta'mente] *ad* justly, fairly; (*precisamente*) just, precisely, exactly.

justicia [xus'tiθja] *nf* justice; (*equidad*) fairness, justice; **justiciero, a** *a* just, righteous.

justificación [xustifika'θjon] *nf* justification; **justificar** *vt* to justify.

justo, a ['xusto, a] *a* (*equitativo*) just, fair, right; (*preciso*) exact, correct; (*ajustado*) tight // *ad* (*precisamente*) exactly, precisely.

juvenil [xuβe'nil] *a* youthful.

juventud [xuβen'tuð] *nf* (*adolescencia*) youth; (*jóvenes*) young people *pl*.

juzgado [xuθ'ɣaðo] *nm* tribunal; (*JUR*) court.

juzgar [xuθ'ɣar] *vt* to judge; **a** ~ **por...** to judge by..., judging by... .

K

kg *abr de* **kilogramo.**
kilo ['kilo] *nm* kilo // *pref:* ~**gramo** *nm* kilogramme; ~**litro** *nm* kilolitre; ~**metraje** *nm* distance in kilometres; **kilómetro** *nm* kilometre; ~**vatio** *nm* kilowatt.
kiosco ['kjosko] *nm* = **quiosco.**
km *abr de* **kilómetro.**
kv *abr de* **kilovatio.**

L

l *abr de* **litro.**
la [la] *det* the // *pron* her; (*Ud.*) you; (*cosa*) it // *nm* (*MUS*) la; ~ **del sombrero rojo** the girl in the red hat.
laberinto [laβe'rinto] *nm* labyrinth.
labia ['laβja] *nf* fluency; (*pey*) glibness.
labial [la'βjal] *a* labial; **lectura** ~ lip-reading.
labio ['laβjo] *nm* lip.
labor [la'βor] *nf* labour; (*AGR*) farm work; (*tarea*) job, task; (*costura*) needlework; ~**able** a workable; **día** ~**able** working day; ~**ar** *vi* to work; ~**eo** *nm* (*AGR*) cultivation; (*de minas*) working; ~**ioso, a** *a* (*persona*) hard-working; (*trabajo*) tough; ~**ista** *a*: **Partido L**~**ista** Labour Party.
labrado, a [la'βraðo, a] *a* worked; (*cincelado*) carved; (*metal*) wrought // *nm* (*AGR*) cultivated field.
labrador, a [laβra'ðor, a] *a* farming // *nm/f* farmer.
labrantío, a [laβran'tio, a] *a* arable.
labranza [la'βranθa] *nf* (*AGR*) cultivation.
labrar [la'βrar] *vt* (*gen*) to work; (*madera etc*) to carve; (*fig*) to cause.
labriego, a [la'βrjeɣo, a] *nm/f* peasant.
laca ['laka] *nf* lacquer.
lacayo [la'kajo] *nm* lackey.
lacerar [laθe'rar] *vt* to lacerate.
lacio, a ['laθjo, a] *a* (*pelo*) lank; (*movimiento*) limp; (*BOT*) withered.
lacónico, a [la'koniko, a] *a* laconic.
lacrar [la'krar] *vt* (*MED*) to injure the health of; (*dañar*) to harm; (*cerrar*) to seal (with sealing wax); ~**se** *vr* to harm o.s.; **lacre** *nm* sealing wax.
lacrimoso, a [lakri'moso, a] *a* tearful.
lactar [lak'tar] *vt, vi* to suckle.
ladear [laðe'ar] *vt* to tip, tilt; (*ciudad, colina*) to skirt // *vi* to tilt; ~**se** *vr* to lean.
ladera [la'ðera] *nf* slope.
ladino, a [la'ðino, a] *a* cunning.
lado ['laðo] *nm* (*gen*) side; (*fig*) protection; (*MIL*) flank; **al** ~ **de** beside; **poner de** ~ to put on its side; **poner a un** ~ to put aside; **por todos** ~**s** on all sides, all round.
ladrar [la'ðrar] *vi* to bark; **ladrido** *nm* bark, barking.
ladrillo [la'ðriʎo] *nm* (*gen*) brick; (*azulejo*) tile; (*color*) brick red.

ladrón, ona [la'ðron, ona] *nm/f* thief.
lagar [la'ɣar] *nm* (wine/oil) press.
lagarto [la'ɣarto] *nm* (*ZOOL*) lizard; (*fig: fam*) sharp customer; ~ **de Indias** alligator.
lago ['laɣo] *nm* lake.
lágrima ['laɣrima] *nf* tear; **lagrimar** *vi* to weep.
laguna [la'ɣuna] *nf* (*lago*) lagoon; (*hueco*) gap.
laico, a ['laiko, a] *a* lay.
lamentable [lamen'taβle] *a* lamentable, regrettable; (*miserable*) pitiful.
lamentar [lamen'tar] *vt* (*sentir*) to regret; (*deplorar*) to lament; ~**se** *vr* to lament; **lamento** *nm* lament.
lamer [la'mer] *vt* to lick.
lámina ['lamina] *nf* (*plancha delgada*) sheet; (*para estampar, estampa*) plate; **laminar** *vt* (*en libro*) to laminate.
lámpara ['lampara] *nf* lamp; ~ **de alcohol/gas** spirit/gas lamp; ~ **de bolsillo** torch; ~ **de pie** standard lamp.
lampiño [lam'piɲo] *a* clean-shaven.
lana ['lana] *nf* wool.
lance ['lanθe] *nm* (*golpe*) stroke; (*suceso*) event, incident; (*riña*) quarrel; (*tirada*) throw; **libros de** ~ second-hand books.
lancha ['lantʃa] *nf* launch; ~ **automóvil** motorboat; ~ **de pesca** fishing boat; ~ **salvavidas/torpedera** lifeboat/torpedo boat; **lanchero** *nm* boatman.
lanero, a [la'nero, a] *a* woollen.
langosta [lan'gosta] *nf* (*insecto*) locust; (*crustáceo*) lobster; (*fig*) plague; **langostín, langostino** *nm* prawn.
languidecer [langiðe'θer] *vi* to languish; **languidez** *nf* languor; **lánguido, a** *a* (*gen*) languid; (*sin energía*) listless.
lanilla [la'niʎa] *nf* nap.
lanudo, a [la'nuðo, a] *a* woolly.
lanza ['lanθa] *nf* (*arma*) lance, spear; (*de vagón*) pole.
lanzadera [lanθa'ðera] *nf* shuttle.
lanzamiento [lanθa'mjento] *nm* (*gen*) throwing; (*NAUT, COM*) launch, launching; ~ **de pesos** putting the shot.
lanzar [lan'θar] *vt* (*gen*) to throw; (*DEPORTE*) to bowl; (*NAUT, COM*) to launch; (*JUR*) to evict; (*MED*) to vomit; ~**se** *vr* to throw o.s.
laña ['laɲa] *nf* clamp.
lapa ['lapa] *nf* limpet.
lapicero [lapi'θero] *nm* propelling pencil.
lápida ['lapiða] *nf* stone; ~ **mortuoria** headstone; ~ **conmemorativa** memorial stone; **lapidar** *vt* to stone; **lapidario, a** *a, nm* lapidary.
lápiz ['lapiθ] *nm* pencil; ~ **de color** coloured pencil; ~ **de labios** lipstick.
lapón, ona [la'pon, ona] *nm/f* Laplander, Lapp.
lapso ['lapso] *nm* (*de tiempo*) interval; (*error*) error.
largar [lar'ɣar] *vt* (*soltar*) to release; (*aflojar*) to loosen; (*lanzar*) to launch;

(*fam*) to let fly; (*pelota*) to throw; (*velas*) to unfurl; (*AM*) to throw; ~**se** *vr* (*fam*) to beat it; (*NAUT*) to set sail; ~**se a** (*AM*) to start to.

largo, a ['larɤo, a] *a* (*longitud*) long; (*tiempo*) lengthy; (*persona: alta*) tall; (*fig*) generous // *nm* length; (*MUS*) largo // *ad* widely; **dos años** ~**s** two long years; **tiene 9 metros de** ~ it is 9 metres long; **a lo** ~ **de** along.

largueza [lar'ɤeθa] *nf* generosity.

lárice ['lariθe] *nm* larch.

laringe [la'rinxe] *nf* larynx; **laringitis** *nf* laryngitis.

larva ['larβa] *nf* larva.

las [las] *det* the // *pron* them; ~ **que cantan** the ones/women/girls who sing.

lascivo, a [las'θiβo, a] *a* lewd.

láser ['laser] *nm* laser.

lasitud [lasi'tuð] *nf* lassitude, weariness.

lástima ['lastima] *nf* (*pena*) pity; (*queja*) complaint; **dar** ~ to be pitiful; **es** ~ **que** it's a pity that; **¡qué** ~**!** what a pity!; **ella está hecha una** ~ she looks pitiful.

lastimar [lasti'mar] *vt* (*herir*) to wound; (*ofender*) to offend; (*compadecer*) to pity; ~**se** *vr* to hurt o.s.; ~**se de** to feel sorry for; **lastimero, a, lastimoso, a** *a* pitiful, pathetic.

lastre ['lastre] *nm* (*TEC, NAUT*) ballast; (*fig*) dead weight.

lata ['lata] *nf* (*metal*) tin; (*caja*) tin, can; (*fam*) nuisance; **hoja de** ~ tin(plate); **en** ~ tinned; **dar (la)** ~ to be a nuisance.

latente [la'tente] *a* latent.

lateral [late'ral] *a* side, lateral // *nm* (*TEATRO*) wings.

latido [la'tiðo] *nm* (*del corazón*) beat; (*de perro*) yelp.

latifundio [lati'fundjo] *nm* large estate; **latifundista** *nm/f* owner of a large estate.

latigazo [lati'ɤaðo] *nm* (*golpe*) lash; (*sonido*) crack; (*fig: regaño*) sharp reproof; (*fam: bebida*) swig.

látigo ['latiɤo] *nm* whip.

latín [la'tin] *nm* Latin.

latino, a [la'tino, a] *a* Latin; ~**americano, a** *a, nm/f* Latin-American.

latir [la'tir] *vi* (*corazón, pulso*) to beat; (*perro*) to yelp.

latitud [lati'tuð] *nf* (*GEO*) latitude; (*fig*) breadth.

lato, a ['lato, a] *a* broad.

latón [la'ton] *nm* brass.

latoso, a [la'toso, a] *a* (*cansado*) annoying; (*aburrido*) boring.

latrocinio [latro'θinjo] *nm* robbery.

laúd [la'uð] *nm* lute.

laudo ['lauðo] *nm* (*JUR*) decision.

laureado, a [laure'aðo, a] *a* honoured // *nm* laureate.

laurel [lau'rel] *nm* (*BOT*) laurel; (*CULIN*) bay.

lava ['laβa] *nf* lava.

lavabo [la'βaβo] *nm* washbasin.

lavadero [laβa'ðero] *nm* laundry.

lavado [la'βaðo] *nm* washing; (*de ropa*) laundry; (*ARTE*) wash; ~ **de cerebro** brainwashing; ~ **en seco** dry cleaning.

lavadora [laβa'ðora] *nf* washing machine.

lavamanos [laβa'manos] *nm inv* washbasin.

lavandería [laβande'ria] *nf* laundry; ~ **automática** launderette.

lavaplatos [laβa'platos] *nm o f inv* dishwasher.

lavar [la'βar] *vt* to wash; (*borrar*) to wipe away; ~**se** *vr* to wash o.s.; ~ **las manos** to wash one's hands; ~ **y marcar** (*pelo*) to shampoo and set; ~ **en seco** to dry clean.

lavavajillas [laβaβa'xiʎas] *nm inv* dishwasher.

laxante [lak'sante] *nm* laxative.

laya ['laja] *nf* spade; **de la misma** ~ (*fig*) of the same sort.

lazada [la'θaða] *nf* bow.

lazo ['laθo] *nm* knot; (*lazada*) bow; (*para animales*) lasso; (*trampa*) snare; (*de camino*) hairpin bend; (*vínculo*) tie.

lb(s) *abr de* **libra(s).**

le [le] *pron* (*directo*) him; (: *usted*) you; (*indirecto*) to him; (: *usted*) to you.

leal [le'al] *a* loyal; ~**tad** *nf* loyalty.

lebrel [le'βrel] *nm* greyhound.

lección [lek'θjon] *nf* lesson.

lector, a [lek'tor, a] *nm/f* reader.

lectura [lek'tura] *nf* reading.

leche ['letʃe] *nf* milk; **tener mala** ~ to be nasty; ~ **condensada/en polvo** condensed/powdered milk; ~ **desnatada** skimmed milk; ~ **de magnesia** milk of magnesia; ~**ra** *nf* (*vendedora*) milkmaid; (*para hervir*) milk pan; (*para servir*) milkjug; (*AM*) cow; ~**ría** *nf* dairy.

lecho ['letʃo] *nm* (*cama*) bed; (*de río*) bottom; (*GEO*) layer.

lechón [le'tʃon] *nm* sucking pig.

lechoso, a [le'tʃoso, a] *a* milky.

lechuga [le'tʃuɤa] *nf* lettuce.

lechuza [le'tʃuθa] *nf* owl.

leer [le'er] *vt* to read.

legación [leɤa'θjon] *nf* legation.

legado [le'ɤaðo] *nm* (*don*) bequest; (*herencia*) legacy; (*enviado*) legate.

legajo [le'ɤaxo] *nm* file.

legal [le'ɤal] *a* (*gen*) legal; (*persona*) trustworthy; ~**idad** *nf* legality; ~**izar** *vt* to legalize; (*documento*) to authenticate.

légamo ['leɤamo] *nm* (*cieno*) mud, ooze.

legar [le'ɤar] *vt* to bequeath, leave; **legatario, a** *nm/f* legatee.

legión [le'xjon] *nf* legion; **legionario, a** *a* legionary // *nm* legionnaire.

legislación [lexisla'θjon] *nf* legislation; **legislar** *vt* to legislate.

legitimar [lexiti'mar] *vt* to legitimize; **legítimo, a** *a* (*genuino*) authentic; (*legal*) legitimate.

lego, a ['leɤo, a] *a* (*REL*) secular; (*ignorante*) ignorant // *nm* layman.

legua ['leɤwa] *nf* league.

leguleyo [leɣu'lejo] *nm* (*pey*) petty lawyer.

legumbre [le'ɣumbre] *nf* vegetable.

leído, a [le'iðo, a] *a* well-read.

lejanía [lexa'nia] *nf* distance; **lejano, a** *a* far-off; (*en el tiempo*) distant; (*fig*) remote.

lejía [le'xia] *nf* bleach.

lejos ['lexos] *ad* far, far away; **a lo ~** in the distance; **de** *o* **desde ~** from afar; **~ de** *prep* far from.

lelo, a ['lelo, a] *a* silly; (*fig*) open-mouthed // *nm/f* idiot.

lema ['lema] *nm* motto; (*POL*) slogan.

lencería [lenθe'ria] *nf* drapery.

lengua ['lengwa] *nf* tongue; **~ moderna** modern language; **morderse la ~** to hold one's tongue.

lenguado [len'gwaðo] *nm* sole.

lenguaje [len'gwaxe] *nm* language.

lenguaraz [lengwa'raθ] *a* talkative; (*pey*) foul-mouthed.

lengüeta [len'gweta] *nf* (*ANAT*) epiglottis; (*de balanza, zapatos, MUS*) tongue; (*herramienta*) needle.

lenidad [leni'ðað] *nf* lenience.

lente ['lente] *nm o f* lens; (*lupa*) magnifying glass; **~s** *npl* glasses; **~s de contacto** contact lenses.

lenteja [len'texa] *nf* lentil; **lentejuela** *nf* sequin.

lentitud [lenti'tuð] *nf* slowness; **con ~** slowly.

lento, a ['lento, a] *a* slow.

leña ['leɲa] *nf* firewood; **~dor, a, ~tero, a** *nm/f* woodcutter.

leño ['leɲo] *nm* (*trozo de árbol*) log; (*madera*) timber; (*fig*) blockhead.

Leo ['leo] *nm* Leo.

león [le'on] *nm* lion; (*AM*) puma; **~ marino** sea lion; **leonino, a** *a* leonine.

leontina [leon'tina] *nf* watch chain.

leopardo [leo'parðo] *nm* leopard.

lepra ['lepra] *nf* leprosy; **leproso, a** *nm/f* leper.

lerdo, a ['lerðo, a] *a* (*lento*) slow; (*patoso*) clumsy.

les [les] *pron* (*directo*) them; (: *ustedes*) you; (*indirecto*) to them; (: *ustedes*) to you.

lesbiana [les'βjana] *a, nf* lesbian.

lesión [le'sjon] *nf* (*daño*) lesion; (*fig*) injury; **lesionado, a** *a* injured // *nm/f* injured person.

letal [le'tal] *a* lethal.

letanía [leta'nia] *nf* litany.

letargo [le'tarxo] *nm* (*MED*) lethargy.

letra ['letra] *nf* letter; (*escritura*) handwriting; (*MUS*) lyrics *pl*; **~ de cambio** bill of exchange; **~ de imprenta** print; **~do, a** *a* learned; (*fam*) pedantic // *nm* lawyer; **letrero** *nm* (*cartel*) sign; (*etiqueta*) label.

leva ['leβa] *nf* (*NAUT*) weighing anchor; (*MIL*) levy; (*TEC*) lever.

levadizo [leβa'ðiθo] *a*: **puente ~** drawbridge.

levadura [leβa'ðura] *nf* (*para el pan*) yeast; (*de la cerveza*) brewer's yeast.

levantamiento [leβanta'mjento] *nm* raising, lifting; (*rebelión*) revolt, rising; **~ de pesos** weight-lifting.

levantar [leβan'tar] *vt* (*gen*) to raise; (*del suelo*) to pick up; (*hacia arriba*) to lift (up); (*plan*) to make, draw up; (*mesa*) to clear away; (*campamento*) to strike; (*fig*) to cheer up, hearten; **~se** *vr* to get up; (*enderezarse*) to straighten up; (*rebelarse*) to rebel; **~ el ánimo** to cheer up.

levante [le'βante] *nm* east coast; **el L~** the Near East, the Levant.

levar [le'βar] *vt* to weigh anchor; **~se** *vr* to set sail.

leve ['leβe] *a* light; (*fig*) trivial; **~dad** *nf* lightness.

levita [le'βita] *nf* frock coat.

léxico ['leksiko] *nm* lexicon, dictionary.

ley [lei] *nf* (*gen*) law; (*fig*) loyalty; (*metal*) standard.

leyenda [le'jenda] *nf* legend.

leyó *etc vb ver* **leer.**

liar [li'ar] *vt* to tie (up); (*unir*) to bind; (*envolver*) to wrap (up); (*enredar*) to confuse; (*cigarrillo*) to roll; **~se** *vr* (*fam*) to get involved; **~se a palos** to get involved in a fight.

Líbano ['liβano] *nm*: **el ~** the Lebanon.

libar [li'βar] *vt* to suck.

libelo [li'βelo] *nm* satire, lampoon; (*JUR*) petition.

libélula [li'βelula] *nf* dragonfly.

liberación [liβera'θjon] *nf* liberation; (*de la cárcel*) release.

liberal [liβe'ral] *a, nm/f* liberal; **~idad** *nf* liberality; (*lujo*) lavishness.

liberar [liβe'rar] *vt* to liberate.

libertad [liβer'tað] *nf* liberty; (*soltura*) freedom; **~ de culto/de prensa/de comercio** freedom of worship/the press/of trade; **~ condicional** probation; **~ bajo palabra** parole; **~ bajo fianza** bail.

libertar [liβer'tar] *vt* (*preso*) to set free; (*de una obligación*) to release; (*eximir*) to exempt.

libertino, a [liβer'tino, a] *a* loose-living // *nm/f* libertine.

libra ['liβra] *nf* pound; **L~** (*ASTRO*) Libra; **~ esterlina** pound sterling.

librador, a [liβra'ðor, a] *nm/f* drawer.

libramiento [liβra'mjento] *nm* rescue; (*COM*) delivery.

libranza [li'βranθa] *nf* (*COM*) draft; (*de letra de cambio*) bill of exchange.

librar [li'βrar] *vt* (*de peligro*) to save; (*batalla*) to wage, fight; (*de impuestos*) to exempt; (*secreto*) to reveal; (*mercancías*) to draw; (*cheque*) to make out; (*JUR*) to exempt // *vi* to give birth; **~se** *vr*: **~se de** to escape from, free o.s. from.

libre ['liβre] *a* (*gen*) free; (*lugar*) unoccupied; (*asiento*) vacant; (*de impuestos*) tax-free; (*de deudas*) free of debts; (*pey*) outspoken; **tiro ~** free kick; **los 100 metros ~** the 100 metres freestyle (race); **al aire ~** in the open air.

librería [liβre'ria] nf (biblioteca) library; (comercio) bookshop; **librero, a** nm/f bookseller.

libreta [li'βreta] nf notebook; ~ **de ahorros** savings book; ~ **de banco** bank book.

libro ['liβro] nm book; ~ **en rústica/en pasta** o **encuadernado** paperback/hardback; ~ **de bolsillo** paperback; ~ **de caja** cashbook; ~ **de cheques** cheque book; ~ **de inventario** stock-list; ~ **de pedidos** order book; ~ **de texto** textbook.

Lic. abr de **licenciado, a.**

licencia [li'θenθja] nf (gen) licence; (permiso) permission; ~ **por enfermedad/con goce de sueldo** sick leave/paid leave; ~ **de caza/de conductor** game/driving licence; ~ **de derecho/de letras** law/arts degree; ~**do, a** a licensed // nm/f graduate; **licenciar** vt (empleado) to dismiss; (permitir) to permit, allow; (soldado) to discharge; (estudiante) to confer a degree upon; **licenciarse** vr: **licenciarse en letras** to graduate in arts.

licencioso, a [liθen'θjoso, a] a licentious.

liceo [li'θeo] nm (high) school.

licitador [liθita'ðor] nm bidder; (AM) auctioneer; **licitar** vt to bid for; (AM) to sell by auction.

lícito, a ['liθito, a] a (legal) lawful; (justo) fair, just; (permisible) permissible.

licor [li'kor] nm spirits pl; (preparado) liqueur.

licuadora [likwa'ðora] nf food-mixer, liquidizer; **licuar** vt to liquidize.

lid [lið] nf combat; (fig) controversy.

líder ['liðer] nm/f leader; **liderato** nm leadership.

lidia ['liðja] nf bullfight; **toros de** ~ fighting bulls; **lidiar** vt, vi to fight.

liebre ['ljeβre] nf hare.

lienzo ['ljenθo] nm linen; (ARTE) canvas; (pañuelo) handkerchief; (ARQ) wall.

liga ['liva] nf (de medias) garter, suspender; (confederación) league; (venda) band; (aleación) alloy; (BOT) mistletoe.

ligadura [liva'ðura] nf bond, tie; (MED, MUS) ligature.

ligamento [liva'mento] nm (ANAT) ligament; (atadura) tie; (unión) bond.

ligar [li'var] vt (atar) to tie; (unir) to join; (MED) to bind up; (MUS) to slur; (metales) to alloy // vi to mix, blend; (fam) to pick up; (entenderse) to get on (well); ~**se** vr to commit o.s.

ligereza [lixe'reθa] nf lightness; (rapidez) swiftness; (agilidad) agility; (superficialidad) flippancy.

ligero, a [li'xero, a] a (de peso) light; (tela) thin; (rápido) swift, quick; (ágil) agile, nimble; (de importancia) slight; (de carácter) flippant, superficial // ad: **a la** ~**a** superficially.

lija ['lixa] nf (ZOOL) dogfish; **(papel de)** ~ sandpaper.

lila ['lila] nf lilac // nm (fam) twit.

lima ['lima] nf file; (BOT) lime; ~ **de carpintero** file; ~ **de uñas** nail-file; **limar** vt to file.

limitación [limita'θjon] nf limitation, limit.

limitar [limi'tar] vt to limit; (reducir) to reduce, cut down // vi: ~ **con** to border on; ~**se** vr: ~**se a** to limit o.s. to.

límite ['limite] nm (gen) limit; (fin) end; (frontera) border; ~ **de velocidad** speed limit.

limítrofe [li'mitrofe] a bordering, neighbouring.

limón [li'mon] nm lemon // a: **amarillo** ~ lemon-yellow; **limonada** nf lemonade; **limonero** nm lemon tree.

limosna [li'mosna] nf alms pl; **vivir de** ~ to live on charity.

limpiabotas [limpja'βotas] nm inv bootblack, shoeshine boy/girl.

limpiaparabrisas [limpjapara'βrisas] nm inv windscreen wiper.

limpiar [lim'pjar] vt (gen) to clean; (con trapo) to wipe; (quitar) to wipe away; (zapatos) to shine, polish; (fig) to clean up.

limpieza [lim'pjeθa] nf (estado) cleanliness; (acto) cleaning (: de las calles) cleansing; (: de zapatos) polishing; (habilidad) skill; (fig) clean-up; (pureza) purity; (MIL): **operación de** ~ mopping-up operation; ~ **en seco** dry cleaning.

limpio, a ['limpjo, a] a clean; (moralmente) pure; (COM) clear, net; (fam) honest // ad: **jugar** ~ to play fair // nm: **pasar en** ~ to make a fair copy.

linaje [li'naxe] nm lineage, family; **linajudo, a** a highborn.

linaza [li'naθa] nf linseed; **aceite de** ~ linseed oil.

lince ['linθe] nm lynx.

linchar [lin'tʃar] vt to lynch.

lindante [lin'dante] a adjoining; ~ **con** bordering on.

lindar [lin'dar] vi to adjoin; ~ **con** to border on; **linde** nm o f boundary; **lindero, a** a adjoining // nm boundary.

lindo, a ['lindo, a] a pretty, lovely // ad (AM): **nos divertimos de lo** ~ we had a marvellous time; **canta muy** ~ he/she sings beautifully.

línea ['linea] nf (gen) line; ~ **aérea** airline; ~ **delantera** (DEPORTE) forward line; ~ **de meta** goal line; (de carrera) finishing line; ~ **de saque** service line, base line; ~ **recta** straight line.

lingüista [lin'gwista] nm/f linguist.

linimento [lini'mento] nm liniment.

lino ['lino] nm linen; (BOT) flax.

linóleo [li'noleo] nm lino, linoleum.

linterna [lin'terna] nf lantern, lamp; ~ **eléctrica** o **a pilas** torch.

lío ['lio] nm bundle; (fam) fuss; (desorden) muddle, mess; **armar un** ~ to make a fuss.

liquidación [likiða'θjon] nf liquidation; **venta de** ~ clearance sale.

liquidar [liki'ðar] vt (licuar) to liquidize; (eliminar) to liquidate; (mercaderías) to sell off; (pagar) to pay off; (terminar) to wind up; (AM) to ruin; ~**se** vr to liquefy.

líquido, a ['likiðo, a] a liquid; (ganancia) net; (AM) accurate // nm liquid; ~ **imponible** net taxable income.

lira ['lira] nf (MUS) lyre; (moneda) lira.

lirio ['lirjo] nm (BOT) iris.

Lisboa [lis'ßoa] n Lisbon.

lisiado, a [li'sjaðo, a] a injured // nm/f cripple.

lisiar [li'sjar] vt to maim; ~**se** vr to injure o.s.

liso, a ['liso, a] a (terreno) flat; (cabello) straight; (superficie) even; (tela) smooth.

lisonja [li'sonxa] nf flattery; **lisonjear** vt to flatter; (fig) to please; **lisonjero, a** a (gen) flattering; (agradable) gratifying, pleasing // nm/f flatterer.

lista ['lista] nf (gen) list; (de alumnos) school register; (de libros) catalogue; (de correos) poste restante; (de platos) menu; (de precios) price list; **pasar** ~ to call the roll; ~ **de espera** waiting list; **tela a** ~**s** striped material.

listado, a [lis'taðo, a] a striped.

listo, a ['listo, a] a (perspicaz) smart, clever; (preparado) ready.

listón [lis'ton] nm (tela) ribbon; (de madera, metal) strip.

litera [li'tera] nf (en barco, tren) berth; (en dormitorio) bunk, bunk bed.

literato, a [lite'rato, a] a literary // nm/f writer.

literatura [litera'tura] nf literature.

litigar [liti'xar] vt to fight // vi (JUR) to go to law; (fig) to dispute, argue.

litigio [li'tixjo] nm (JUR) lawsuit; (fig): **en** ~ **con** in dispute with.

litografía [litoxra'fia] nf lithography; (una ~) lithograph.

litoral [lito'ral] a coastal // nm coast, seaboard.

litro ['litro] nm litre.

liviano, a [li'ßjano, a] a (persona) fickle; (cosa, objeto) trivial.

lívido, a ['lißiðo, a] a livid; (AM) pale.

ll... ver bajo la letra LL, después de L.

lo [lo] det neuter def art; ~ **bueno** the good // pron (persona) him; (cosa) it.

loa ['loa] nf praise; **loable** a praiseworthy; **loar** vt to praise.

lobato [lo'ßato] nm wolf cub.

lobo ['loßo] nm wolf; ~ **de mar** sea dog; ~ **marino** seal.

lóbrego, a ['loßrexo, a] a dark; (fig) gloomy.

lóbulo ['loßulo] nm lobe.

locación [loca'θjon] nf lease.

local [lo'kal] a local // nm place, site; (oficinas) premises pl; ~**idad** nf (barrio) locality; (lugar) location; (TEATRO) seat, ticket; ~**izar** vt (ubicar) to locate, find; (restringir) to localize; (situar) to place.

loco, a ['loko, a] a mad // nm/f lunatic, mad person.

locomoción [lokomo'θjon] nf locomotion.

locomotora [lokomo'tora] nf engine.

locuaz [lo'kwaθ] a loquacious.

locución [loku'θjon] nf expression.

locura [lo'kura] nf madness; (acto) crazy act.

lodo ['loðo] nm mud; ~**s** nmpl (MED) mudbath sg.

lógico, a ['loxiko, a] a logical // nf logic.

logística [lo'xistika] nf logistics pl.

lograr [lo'xrar] vt to achieve; (obtener) to get, obtain; ~ **hacer** to manage to do; ~ **que uno venga** to manage to get sb to come.

logro ['loxro] nm achievement, success; **prestar a** ~ to lend at a high rate of interest.

loma ['loma] nf hillock.

lombriz [lom'briθ] nf worm; ~ **solitaria** tapeworm.

lomo ['lomo] nm (de animal) back; (de cerdo) pork loin; (de vaca) rib steak; (de libro) spine.

lona ['lona] nf canvas.

Londres ['londres] n London.

longaniza [longa'niθa] nf pork sausage.

longitud [lonxi'tuð] nf length; (GEO) longitude; **tener 3 metros de** ~ to be 3 metres long; ~ **de onda** wavelength.

lonja ['lonxa] nf slice; (de jamón) rasher; ~ **de pescado** fish market.

lontananza [lonta'nanθa] nf background.

loor [lo'or] nm praise.

loro ['loro] nm parrot.

los [los] det the // pron them; (ustedes) you; **mis libros y** ~ **de Ud** my books and yours.

losa ['losa] nf stone; ~ **sepulcral** gravestone.

lote ['lote] nm portion; (COM) lot.

lotería [lote'ria] nf lottery; (juego) lotto.

loza ['loθa] nf crockery.

lozanía [loθa'nia] nf (lujo) luxuriance; (orgullo) pride; **lozano, a** a luxuriant; (animado) lively; (altanero) haughty.

lubricante [lußri'kante] nm lubricant; **lubricar** vt to lubricate.

lucero [lu'θero] nm (ASTRO) bright star; (fig) brilliance.

lucidez [luθi'ðeθ] nf lucidity; **lúcido, a** a lucid.

luciente [lu'θjente] a shining.

luciérnaga [lu'θjernaxa] nf glow-worm.

lucimiento [luθi'mjento] nm (brillo) brilliance; (éxito) success.

lucir [lu'θir] vt to illuminate, light (up); (fig) to show off // vi (brillar) to shine; (tener éxito) to be successful; ~**se** vr to dress up.

lucrarse [lu'krarse] vr to enrich o.s.

lucro ['lukro] nm profit, gain.

luctuoso, a [luk'twoso, a] a mournful.

lucha ['lutʃa] nf fight, struggle; ~ **de**

clases class struggle; ~ **libre** wrestling; **luchar** *vi* to fight.

ludibrio [lu'ðiβrjo] *nm* mockery.

luego ['lweɣo] *ad* (*después*) next; (*más tarde*) later, afterwards; (*pronto*) soon; **desde** ~ of course; **tan** ~ **como** as soon as.

lugar [lu'ɣar] *nm* place; (*sitio*) spot; **en** ~ **de** instead of; **hacer** ~ to make room; **fuera de** ~ out of place; **tener** ~ to take place; ~ **común** commonplace.

lugareño, a [luɣa'reɲo, a] *a* village *cpd* // *nm/f* villager.

lúgubre ['luɣuβre] *a* mournful.

lujo ['luxo] *nm* luxury; (*fig*) profusion, abundance; ~**so, a** *a* luxurious.

lujuria [lu'xurja] *nf* lust; (*fig*) lewdness.

lumbre ['lumbre] *nf* (*gen*) light.

lumbrera [lum'brera] *nf* luminary; (*en techo*) skylight; (*de barco*) vent, port.

luminoso, a [lumi'noso, a] *a* luminous, shining.

luna ['luna] *nf* moon; (*de un espejo*) glass; (*de gafas*) lens; (*fig*) crescent; ~ **llena/nueva** full/new moon; **estar con** ~ to have one's head in the clouds.

lunar [lu'nar] *a* lunar // *nm* (*ANAT*) mole; **tela a** ~**es** spotted material.

lunes ['lunes] *nm inv* Monday.

luneta [lu'neta] *nf* lens.

lupa ['lupa] *nf* magnifying glass.

lustrar [lus'trar] *vt* (*mueble*) to polish; (*zapatos*) to shine; **lustre** *nm* polish; (*fig*) lustre; **dar lustre a** to polish; **lustroso, a** *a* shining.

luterano, a [lute'rano, a] *a* Lutheran.

luto ['luto] *nm* mourning; (*congoja*) grief, sorrow; ~**s** *nmpl* mourning clothes; **llevar el** *o* **vestirse de** ~ to be in mourning.

Luxemburgo [luksem'burɣo] *nm* Luxembourg.

luz [luθ] (*pl* **luces**) *nf* light; **dar a** ~ **un niño** to give birth to a child; **sacar a** ~ to bring to light; (*ELEC*): **dar** ~ to switch on the light; **prender/apagar la** ~ to put the light on/off; **a todas luces** by any reckoning; **hacer la** ~ **sobre** to understand; **tener pocas luces** to be dim or stupid; ~ **roja/verde** red/green light; (*AUTO*): ~ **de costado** sidelight; ~ **de freno** brake light; ~ **del relámpago** flashlight; **luces de tráfico** traffic lights; **traje de luces** bullfighter's costume.

LL

llaga ['ʎaɣa] *nf* wound.

llama ['ʎama] *nf* flame; (*ZOOL*) llama.

llamada [ʎa'maða] *nf* call; ~ **al orden** call to order; **toque de** ~ (*MIL*) call-up; ~ **a pie de página** reference note.

llamamiento [ʎama'mjento] *nm* call.

llamar [ʎa'mar] *vt* to call; (*atención*) to attract // *vi* (*por teléfono*) to telephone; (*a la puerta*) to knock/ring; (*por señas*) to beckon; (*MIL*) to call up; ~**se** *vr* to be

called, be named; **¿cómo se llama Usted?** what's your name?

llamarada [ʎama'raða] *nf* (*llamas*) blaze; (*rubor*) flush; (*fig*) flare-up.

llamativo, a [ʎama'tiβo, a] *a* showy; (*color*) loud.

llamear [ʎame'ar] *vi* to blaze.

llaneza [ʎa'neθa] *nf* (*gen*) simplicity; (*honestidad*) straightforwardness, frankness.

llano, a ['ʎano, a] *a* (*superficie*) flat; (*persona*) straightforward; (*estilo*) clear // *nm* plain, flat ground.

llanta ['ʎanta] *nf* (*wheel*) rim; (*AM*): ~ **de goma** tyre.

llanto ['ʎanto] *nm* weeping.

llanura [ʎa'nura] *nf* plain.

llave ['ʎaβe] *nf* key; (*del agua*) tap; (*MECÁNICA*) spanner; (*de la luz*) switch; (*MUS*) key; ~ **inglesa** monkey wrench; ~ **de contacto** (*AUTO*) ignition key; **echar** ~ **a** to lock up; ~**ro** *nm* keyring; **llavín** *nm* latchkey.

llegada [ʎe'ɣaða] *nf* arrival.

llegar [ʎe'ɣar] *vi* to arrive; (*alcanzar*) to reach; (*bastar*) to be enough; ~**se** *vr*: ~**se a** to approach; ~ **a** to manage to, succeed in; ~ **a ser** to become; ~ **a las manos de** to come into the hands of.

llenar [ʎe'nar] *vt* (*gen*) to fill; (*espacio*) to cover; (*formulario*) to fill in *o* up; (*deber*) to fulfil; (*fig*) to heap.

lleno, a ['ʎeno, a] *a* full, filled; (*repleto*) full up // *nm* (*abundancia*) abundance; (*ASTRO*) full moon; (*TEATRO*) house; **dar de** ~ **contra un muro** to hit a wall head-on.

llevadero, a [ʎeβa'ðero, a] *a* bearable, tolerable.

llevar [ʎe'βar] *vt* (*gen*) to take; (*ropa*) to wear; (*cargar*) to carry; (*quitar*) to take away; (*conducir a alguien*) to drive; (*cargar hacia*) to transport; (*traer: dinero*) to carry; (*conducir*) to lead; (*MAT*) to carry; ~**se** *vr* to carry off, take away; **llevamos dos días aquí** we have been here for two days; **él me lleva 2 años** he's 2 years older than me; (*COM*): ~ **los libros** to keep the books; ~ **se bien** to get on well (together).

llorar [ʎo'rar] *vt, vi* to weep; ~ **de risa** to cry with laughter.

lloriquear [ʎorike'ar] *vi* to snivel, whimper.

lloro ['ʎoro] *nm* weeping; **llorón, ona** *a* tearful // *nm/f* cry-baby; ~**so, a** *a* (*gen*) weeping, tearful; (*triste*) sad, sorrowful.

llover [ʎo'βer] *vi* to rain; ~**se** *vr* (*techo*) to leak.

llovizna [ʎo'βiθna] *nf* drizzle; **lloviznar** *vi* to drizzle.

llueve *etc vb ver* **llover**.

lluvia ['ʎuβja] *nf* rain; ~ **radioactiva** radioactive fallout; **lluvioso, a** *a* rainy.

M

m *abr de* **metro; minuto.**
macarrones [maka'rrones] *nmpl* macaroni *sg.*
macerar [maθe'rar] *vt* to macerate; *(fig)* to mortify; ~**se** *vr* to mortify o.s.
maceta [ma'θeta] *nf (de flores)* pot of flowers; *(para plantas)* flowerpot; *(mazo pequeño)* mallet.
macilento, a [maθi'lento, a] *a* wan; *(ojeroso)* haggard.
macis ['maθis] *nf* mace.
macizo, a [ma'θiθo, a] *a* massive; *(puerta)* solid // *nm* mass, chunk; *(de edificios)* block; *(AUTO)* solid tyre.
mácula ['makula] *nf* stain, blemish; *(ANAT)* blind spot.
machacar [matʃa'kar] *vt* to crush, pound // *vi* to go on, keep on.
machamartillo [matʃamar'tiʎo]: **a** ~ *ad:* **cumplir a** ~ to carry out a task to the letter; **eran cristianos a** ~ they were totally convinced Christians.
machete [ma'tʃete] *nm (AM)* machete, (large) knife.
macho ['matʃo] *a* male; *(fig)* virile // *nm* male; *(fig)* he-man.
machucar [matʃu'kar] *vt* to pound.
madeja [ma'ðexa] *nf (de lana)* skein, hank; *(de pelo)* mop.
madera [ma'ðera] *nf* wood; *(fig)* nature, character; una ~ a piece of wood.
madero [ma'ðero] *nm* beam; *(fig)* ship.
madrastra [ma'ðrastra] *nf* stepmother.
madre ['maðre] *a* a mother *cpd*; *(AM)* tremendous // *nf* mother; *(ANAT)* womb; *(AGR)* main channel; *(de vino etc)* dregs *pl*; *(de río)* bed; ~ **política/soltera** mother-in-law/unmarried mother.
madreperla [maðre'perla] *nf* mother-of-pearl.
madreselva [maðre'selβa] *nf* honeysuckle.
madriguera [maðri'xera] *nf* burrow.
madrileño, a [maðri'leɲo, a] *a* of or from Madrid // *nm/f* native of Madrid.
madrina [ma'ðrina] *nf (protectora)* godmother; *(ARQ)* prop, shore; *(TEC)* brace; ~ **de boda** bridesmaid.
madrugada [maðru'xaða] *nf* early morning; *(alba)* dawn, daybreak; **madrugador, a** *a* early-rising; **madrugar** *vi* to get up early; *(fig)* to get ahead.
madurar [maðu'rar] *vt, vi (fruta)* to ripen; *(fig)* to mature; **madurez** *nf* ripeness; maturity; **maduro, a** *a* ripe; mature.
maestra [ma'estra] *nf ver* **maestro.**
maestría [maes'tria] *nf* mastery; *(habilidad)* skill, expertise.
maestro, a [ma'estro, a] *a* masterly; *(perito)* skilled, expert; *(principal)* main; *(educado)* trained // *nm/f* master/mistress; *(que enseña)* teacher // *nm (autoridad)* authority; *(MUS)* maestro;

(AM) skilled workman; **obra** ~**a** masterpiece; ~ **albañil** master mason.
magia ['maxja] *nf* magic; **mágico, a** *a* magic(al) // *nm/f* magician.
magisterio [maxis'terjo] *nm (enseñanza)* teaching; *(profesión)* teaching profession; *(maestros)* teachers *pl.*
magistrado [maxis'traðo] *nm* magistrate.
magistral [maxis'tral] *a* magisterial; *(fig)* masterly.
magnánimo, a [max'nanimo, a] *a* magnanimous.
magnate [max'nate] *nm* magnate, tycoon.
magnético, a [max'netiko, a] *a* magnetic; **magnetizar** *vt* to magnetize.
magnetofón [maxneto'fon], **magnetófono** [maxne'tofono] *nm* tape recorder; **magnetofónico, a** *a:* **cinta magnetofónica** recording tape.
magnífico, a [max'nifiko, a] *a* splendid, magnificent, wonderful.
magnitud [maxni'tuð] *nf* magnitude.
mago, a ['maxo, a] *nm/f* magician; **los Reyes M**~**s** the Magi, the Three Wise Men.
magro, a ['maxro, a] *a (persona)* thin, lean; *(carne)* lean.
magullar [maxu'ʎar] *vt (amoratar)* to bruise; *(dañar)* to damage; *(fam: golpear)* to bash, beat.
mahometano, a [maome'tano, a] *a* Mohammedan.
maíz [ma'iθ] *nm* maize, sweet corn.
majada [ma'xaða] *nf (abrigo)* sheepfold; *(abono)* dung.
majadero, a [maxa'ðero, a] *a* silly, stupid // *nm (TEC)* pestle; *(canilla)* bobbin.
majar [ma'xar] *vt* to crush, grind; *(fig)* to bother, pester.
majestad [maxes'taö] *nf* majesty; **majestuoso, a** *a* majestic.
majo, a ['maxo, a] *a* nice; *(guapo)* attractive, good-looking; *(lujoso)* smart.
mal [mal] *ad* badly; *(equivocadamente)* wrongly; *(con dificultad)* with difficulty // *a* = **malo** // *nm* evil; *(desgracia)* misfortune; *(daño)* harm, hurt; *(MED)* illness; **¡menos** ~**!** just as well!; ~ **que bien** rightly or wrongly.
malabarismo [malaβa'rismo] *nm* juggling; **malabarista** *nm/f* juggler.
malaconsejado, a [malakonse'xaðo, a] *a* ill-advised.
malagueño, a [mala'xeɲo, a] *a* of or from Málaga.
malaria [ma'larja] *nf* malaria.
malbaratar [malβara'tar] *vt (malgastar)* to squander; *(malvender)* to sell off cheap.
malcontento, a [malkon'tento, a] *a* discontented.
malcriado, a [mal'krjaðo, a] *a (grosero)* rude, bad-mannered; *(consentido)* spoiled.
maldad [mal'daö] *nf* evil, wickedness.
maldecir [malde'θir] *vt* to curse // *vi:* ~ **de** to speak ill of.
maldición [maldi'θjon] *nf* curse.

maldito, a [mal'dito, a] *pp de* **maldecir** // *a* (*condenado*) damned; (*perverso*) wicked // *nf:* **soltar la ~a** to talk too much.

maleante [male'ante] *a* wicked // *nm/f* malefactor; **malear** *vt* to spoil; (*fig*) to corrupt.

malecón [male'kon] *nm* pier, jetty.

maledicencia [maleði'θenθja] *nf* slander, scandal.

maleficiar [malefi'θjar] *vt* to harm, damage; (*hechizar*) to bewitch; **maleficio** *nm* curse, spell.

malestar [males'tar] *nm* (*gen*) discomfort; (*fig*) uneasiness; (*POL*) unrest.

maleta [ma'leta] *nf* case, suitcase; (*AUTO*) boot; **maletín** *nm* small case, bag.

malevolencia [maleßo'lenθja] *nf* malice, spite; **malévolo, a** *a* malicious, spiteful.

maleza [ma'leθa] *nf* (*hierbas malas*) weeds *pl*; (*arbustos*) thicket.

malgastar [malɣas'tar] *vt* (*tiempo, dinero*) to waste; (*salud*) to ruin.

malhechor, a [male't∫or, a] *nm/f* malefactor; (*criminal*) criminal.

malicia [ma'liðja] *nf* (*maldad*) wickedness; (*astucia*) slyness, guile; (*mala intención*) malice, spite; (*carácter travieso*) mischievousness; **~s** *nfpl* suspicions; **malicioso, a** *a* wicked, evil; sly, crafty; malicious, spiteful; mischievous.

malignidad [maliɣni'ðað] *nf* (*MED*) malignancy; (*malicia*) malice.

maligno, a [ma'liɣno, a] *a* evil; (*malévolo*) malicious; (*MED*) malignant.

malo, a ['malo, a] *a* bad; (*falso*) false // *nm/f* villain // *nf* spell of bad luck; **estar ~** to be ill; **estar de ~as** to be in a bad mood.

malograr [malo'ɣrar] *vt* to spoil; (*plan*) to upset; (*tiempo, ocasión*) to waste; **~se** *vr* (*plan etc*) to fail, come to grief; (*persona*) to die before one's time; **malogro** *nm* (*fracaso*) failure; (*pérdida*) waste; (*muerte*) early death.

malparado, a [malpa'raðo, a] *a:* **salir ~** to come off badly.

malparir [malpa'rir] *vi* to have a miscarriage.

malquistar [malkis'tar] *vt* to estrange, cause a rift with/between.

malsano, a [mal'sano, a] *a* unhealthy.

Malta ['malta] *nf* Malta.

maltratar [maltra'tar] *vt* to ill-treat; **maltrato** *nm* ill-treatment; (*ofensa*) abuse, insults *pl*.

maltrecho, a [mal'tret∫o, a] *a* battered, damaged.

malvado, a [mal'ßaðo, a] *a* evil, villainous.

malvavisco [malßa'ßisko] *nm* marshmallow.

malversar [malßer'sar] *vt* to embezzle, misappropriate.

Malvinas [mal'ßinas]: **Islas ~** *nfpl* Falkland Islands.

malla ['ma/a] *nf* mesh; (*de baño*) bathing costume; **~s** *nfpl* tights; **~ de alambre** wire mesh; **hacer ~** to knit.

Mallorca [ma'/orka] *nf* Majorca.

mama ['mama] *nf* (*de animal*) teat; (*de persona*) breast.

mamá [ma'ma] (*pl* **~s**) *nf* (*fam*) mum, mummy.

mamar [ma'mar] *vt* (*pecho*) to suck; (*fig*) to absorb, assimilate // *vi* to suck.

mamarracho [mama'rrat∫o] *nm* sight, mess.

mampara [mam'para] *nf* (*entre habitaciones*) partition; (*biombo*) screen.

mampostería [mamposte'ria] *nf* masonry.

mampuesto [mam'pwesto] *nm* (*piedra*) rough stone; (*muro*) wall, parapet; **de ~** spare, emergency.

mamut [ma'mut] *nm* mammoth.

manada [ma'naða] *nf* (*rebaño*) herd; (*de ovejas*) flock; (*de lobos*) pack.

manantial [manan'tjal] *nm* spring; (*fuente*) fountain; (*fig*) source.

manar [ma'nar] *vt* to run with, flow with // *vi* to run, flow; (*abundar*) to abound.

mancebo [man'θeßo] *nm* (*joven*) young man; (*soltero*) bachelor; (*dependiente*) assistant.

mancilla [man'θi/a] *nf* stain, blemish.

manco, a ['manko, a] *a* one-armed, one-handed; (*fig*) defective, faulty.

mancomún [manko'mun]: **de ~** *ad* jointly, together; **mancomunar** *vt* to unite, bring together; (*recursos*) to pool; (*JUR*) to make jointly responsible; **mancomunarse** *vr* to unite, merge; **mancomunidad** *nf* union, association; (*POL*) commonwealth; (*JUR*) joint responsibility.

mancha ['mant∫a] *nf* stain, mark; (*boceto*) sketch, outline; **manchar** *vt* (*gen*) to stain, mark; (*ensuciar*) to soil, dirty.

manchego, a [man't∫eɣo, a] *a* of *or* from La Mancha.

mandadero [manda'ðero] *nm* messenger; (*niño*) errand boy.

mandado [man'daðo] *nm* (*orden*) order; (*comisión*) commission, errand.

mandamiento [manda'mjento] *nm* (*orden*) order, command; (*REL*) commandment; **~ judicial** warrant.

mandar [man'dar] *vt* (*ordenar*) to order; (*dirigir*) to lead, command; (*enviar*) to send; (*pedir*) to order, ask for // *vi* to be in charge; (*pey*) to be bossy; **~se** *vr* (*MED*) to get about by o.s.; **¿mande?** pardon?; **~ hacer un traje** to have a suit made; **~se cambiar** to go away, leave.

mandarín [manda'rin] *nm* mandarin // *nf* tangerine, mandarin.

mandatario, a [manda'tarjo, a] *nm/f* (*representante*) agent; (*AM*) leader.

mandato [man'dato] *nm* (*orden*) order; (*POL*) term of office; (: *territorio*) mandate; **~ judicial** (*search*) warrant.

mandíbula [man'dißula] *nf* jaw.

mandil [man'dil] *nm* (*delantal*) apron; (*vestido*) pinafore dress.

mando ['mando] *nm* (MIL) command; (*de país*) rule; (*el primer lugar*) lead; (POL) term of office; (TEC) control; ~ **a la izquierda** left-hand drive; ~ **remoto** remote control.

mandolina [mando'lina] *nf* mandolin(e).

mandón, ona [man'don, ona] *a* bossy, domineering.

manea [ma'nea] *nf* hobble.

manejable [mane'xaβle] *a* manageable.

manejar [mane'xar] *vt* (*gen*) to manage; (*máquina*) to work, operate; (*idioma, caballo etc*) to handle; (*casa*) to run, manage; (AM) to drive; ~**se** *vr* (*comportarse*) to act, behave; (*arreglárselas*) to manage; (MED) to get about unaided; **manejo** *nm* management; handling; running; driving; (*facilidad de trato*) ease, confidence; **manejos** *nmpl* intrigues.

manera [ma'nera] *nf* way, manner, fashion; ~**s** *nfpl* manners; ~ **de ser** way of life; (*aire*) manner; **de ninguna** ~ no way, by no means; **de otra** ~ otherwise; **de todas** ~**s** at any rate; **no hay** ~ **de persuadirle** there's no way of convincing him.

manga ['manga] *nf* (*de camisa*) sleeve; (*de riego*) hose; (*tromba*) downpour; (*filtro*) filter; (NAUT) beam.

mangana [man'gana] *nf* lasso.

mango ['mango] *nm* handle; (BOT) mango.

mangonear [mangone'ar] *vt* to manage, boss about // *vi* (*meterse*) to meddle, interfere; (*ser mandón*) to boss people about.

manguera [man'gera] *nf* (*de riego*) hose; (*tubo*) pipe.

maní [ma'ni] *nm* (AM) peanut.

manía [ma'nia] *nf* (MED) mania; (*capricho*) rage, craze; (*disgusto*) dislike; (*malicia*) spite; **maníaco, a** *a* maniac(al) // *nm/f* maniac.

maniatar [manja'tar] *vt* to tie the hands of.

maniático, a [ma'njatiko, a] *a* maniac(al) // *nm/f* maniac.

manicomio [mani'komjo] *nm* asylum, mental hospital.

manifestación [manifesta'θjon] *nf* (*declaración*) statement, declaration; (*demostración*) show, manifestation; (POL) demonstration.

manifestar [manifes'tar] *vt* to show, manifest; (*declarar*) to state, declare; **manifiesto, a** *a* clear, manifest // *nm* manifiesto.

manija [ma'nixa] *nf* handle.

manilla [ma'niλa] *nf*: ~**s de hierro** handcuffs.

maniobra [ma'njoβra] *nf* manœuvring; (*maneja*) handling; (*fig*) manœuvre; (*estratagema*) stratagem; ~**s** *nfpl* manœuvres; **maniobrar** *vt* to manœuvre; (*manejar*) to handle.

manipulación [manipula'θjon] *nf* manipulation; **manipular** *vt* to manipulate; (*manejar*) to handle.

maniquí [mani'ki] *nm* dummy // *nf* model.

manirroto, a [mani'rroto, a] *a* lavish, extravagant // *nm/f* spendthrift.

manivela [mani'βela] *nf* crank.

manjar [man'xar] *nm* (tasty) dish; ~ **blanco** blancmange.

mano ['mano] *nf* hand; (ZOOL) foot, paw; (*de pintura*) coat; (*serie*) lot, series; **a** ~ by hand; **a la** ~ on hand, within reach; **a** ~ **derecha/izquierda** on the right(-hand side)/left(-hand side); **de primera** ~ (at) first hand; **de segunda** ~ (at) second hand; **robo a** ~ **armada** armed robbery; ~ **de obra** labour, manpower; **estrechar la** ~ **a uno** to shake sb's hand.

manojo [ma'noxo] *nm* handful, bunch; ~ **de llaves** bunch of keys.

manoseado, a [manose'aðo, a] *a* well-worn; **manosear** *vt* (*tocar*) to handle, touch; (*desordenar*) to mess up, rumple; (*insistir en*) to overwork; (AM) to caress, fondle.

manotazo [mano'taθo] *nm* slap, smack.

mansalva [man'salβa]: **a** ~ *ad* without risk, without any danger.

mansedumbre [manse'ðumbre] *nf* gentleness, meekness.

mansión [man'sjon] *nf* mansion.

manso, a ['manso, a] *a* gentle, mild, meek; (*animal*) tame.

manta ['manta] *nf* blanket; (*abrigo*) shawl.

manteca [man'teka] *nf* fat; ~ **de cacahuete/cacao** peanut/cocoa butter; ~ **de cerdo** lard.

mantecado [mante'kaðo] *nm* ice-cream.

mantel [man'tel] *nm* tablecloth.

mantener [mante'ner] *vt* (*gen*) to support, maintain; (*alimentar*) to sustain; (*conservar*) to keep; (TEC) to maintain, service; ~**se** *vr* (*seguir de pie*) to be still standing; (*no ceder*) to hold one's ground; (*subsistir*) to sustain o.s., keep going; **mantenimiento** *nm* maintenance; sustenance; (*sustento*) support.

mantequera [mante'kera] *nf* (*para hacer*) churn; (*para servir*) butter dish.

mantequilla [mante'kiλa] *nf* butter.

mantilla [man'tiλa] *nf* mantilla; ~**s** *nfpl* baby clothes.

manto ['manto] *nm* (*capa*) cloak; (*chal*) shawl; (*de ceremonia*) robe, gown.

mantón [man'ton] *nm* shawl.

manual [ma'nwal] *a* manual // *nm* manual, handbook.

manufactura [manufak'tura] *nf* manufacture; (*fábrica*) factory.

manuscrito, a [manus'krito, a] *a* hand-written // *nm* manuscript.

manutención [manuten'θjon] *nf* maintenance; (*sustento*) support.

manzana [man'θana] *nf* apple; (ARQ) block.

manzanilla [manθa'niλa] *nf* (*planta*) camomile; (*infusión*) camomile tea; (*vino*) manzanilla.

manzano [man'θano] *nm* apple tree.

maña ['maɲa] nf (gen) skill, dexterity; (pey) guile; (costumbre) habit; (una ~) trick, knack.

mañana [ma'ɲana] ad tomorrow // nm future // nf morning; **de o por la** ~ in the morning; **¡hasta** ~! see you tomorrow!; ~ **por la** ~ tomorrow morning; **mañanero, a** a early-rising.

mañoso, a [ma'ɲoso, a] a (hábil) skilful; (astuto) smart, clever.

mapa ['mapa] nm map.

maque ['make] nm lacquer.

maqueta [ma'keta] nf (scale) model.

maquillaje [maki'ʎaxe] nm make-up; (acto) making up; **maquillar** vt to make up; **maquillarse** vr to put on (some) make-up.

máquina ['makina] nf machine; (de tren) locomotive, engine; (cámara) camera; (fig) machinery; (: proyecto) plan, project; **escrito a** ~ typewritten; ~ **de afeitar** (safety) razor; ~ **de escribir** typewriter; ~ **de coser/lavar** sewing/washing machine.

maquinación [makina'θjon] nf machination, scheme, plot.

maquinal [maki'nal] a (fig) mechanical, automatic.

maquinaria [maki'narja] nf (máquinas) machinery; (mecanismo) mechanism, works pl.

maquinista [maki'nista] nm (de tren) engine driver; (TEC) operator; (NAUT) engineer.

mar [mar] nm o f sea; (marea) tide; ~ **adentro** o **afuera** out at sea; **en alta** ~ on the high seas; **la** ~ **de** (fam) lots of; **el M~ Negro/Báltico** the Black/Baltic Sea.

maraña [ma'raɲa] nf (maleza) thicket; (confusión) tangle.

maravilla [mara'βiʎa] nf marvel, wonder; (BOT) marigold; **maravillar** vt to astonish, amaze; **maravillarse** vr to be astonished, be amazed; **maravilloso, a** a wonderful, marvellous.

marca ['marka] nf (gen) mark; (sello) stamp; (COM) make, brand; **de** ~ excellent, outstanding; ~ **de fábrica** trademark.

marcado, a [mar'kaðo, a] a marked, strong.

marcar [mar'kar] vt (gen) to mark; (número de teléfono) to dial; (gol) to score; (números) to record, keep a tally of; (el pelo) to set; (fig) to indicate, point to // vi (DEPORTE) to score; (TELEC) to dial; ~**se** vr (NAUT) to take one's bearings; (fig) to make one's mark, stand out.

marcial [mar'θjal] a martial, military.

marciano, a [mar'θjano, a] a Martian.

marco ['marko] nm frame; (DEPORTE) goal-posts pl; (moneda) mark; (fig) framework; ~ **de chimenea** mantelpiece.

marcha ['martʃa] nf march; (TEC) running, working; (AUTO) gear; (velocidad) speed; (fig) progress; (dirección) course; **poner en** ~ to put into gear; **dar** ~ **atrás** to reverse, put into reverse; **estar en** ~ to be under way, be in motion.

marchante, a [mar'tʃante, a] nm/f dealer, merchant; (AM: cliente) client, customer; (: buhonero) pedlar.

marchar [mar'tʃar] vi to go; (funcionar) to work, go; ~**se** vr to go (away), leave.

marchitar [martʃi'tar] vt to wither, dry up; ~**se** vr (BOT) to wither; (fig) to go into a decline; **marchito, a** a withered, faded; (fig) in decline.

marea [ma'rea] nf tide; (llovizna) drizzle.

marear [mare'ar] vt (NAUT) to sail, navigate; (fig) to annoy, upset; (MED): ~ **a uno** to make sb feel sick; ~**se** vr (tener náuseas) to feel/be sick; (desvanecerse) to feel faint; (aturdirse) to feel dizzy; (fam: emborracharse) to get a bit drunk.

maremoto [mare'moto] nm tidal wave.

mareo [ma'reo] nm (náusea) sick feeling; (aturdimiento) dizziness; (fam: lata) nuisance.

marfil [mar'fil] nm ivory.

margarina [marɣa'rina] nf margarine.

margarita [marɣa'rita] nf (BOT) daisy; (perla) pearl.

margen ['marxen] nm (borde) edge, border; (fig) margin, space // nf bank; **dar** ~ **para** to give an opportunity for; **mantenerse al** ~ to keep out (of things).

marica [ma'rika] nm magpie; (fam) sissy.

maricón [mari'kon] nm (fam) queer (fam).

marido [ma'riðo] nm husband.

marijuana [mari'xwana] nf marijuana, cannabis.

marina [ma'rina] nf navy; ~ **mercante** merchant navy.

marinero, a [mari'nero, a] a sea cpd; (barco) seaworthy // nm sailor, seaman.

marino, a [ma'rino, a] a sea cpd, marine // nm sailor.

marioneta [marjo'neta] nf puppet.

mariposa [mari'posa] nf butterfly.

mariscos [ma'riskos] nmpl shellfish, seafood sg.

marisma [ma'risma] nf marsh, swamp.

marítimo, a [ma'ritimo, a] a sea cpd, maritime.

marmita [mar'mita] nf pot.

mármol ['marmol] nm marble; **marmóreo, a** a marble.

marqués, esa [mar'kes, esa] nm/f marquis/marchioness.

marrar [ma'rrar] vi to miss.

marrón [ma'rron] a brown.

marroquí [marro'ki] a Moroccan // nm Morocco (leather).

Marruecos [ma'rrwekos] nm Morocco.

Marsellas [mar'seʎas] n Marseille.

martes ['martes] nm inv Tuesday.

martillar [marti'ʎar] vt to hammer.

martillo [mar'tiʎo] nm hammer; ~

neumático pneumatic drill; ~ **de orejas** claw-hammer.

mártir ['martir] *nm/f* martyr; **martirio** *nm* martyrdom; (*fig*) torture, torment.

marxismo [mark'sismo] *nm* Marxism; **marxista** *nm/f* Marxist.

marzo ['marθo] *nm* March.

mas [mas] *conj* but.

más [mas] *a, ad* more; (*superlativo*) most // *conj* and, plus; **es ~ de medianoche** it's after midnight; **el libro ~ leído del año** the most-read book of the year; **¡qué perro ~ feo!** what an ugly dog!; **~ de, ~ de lo que, ~ que** more than; **~ bien** rather; **~ o menos** more or less.

masa ['masa] *nf* (*mezcla*) dough; (*volumen*) volume, mass; (*FÍSICA*) mass; (*ELEC*) earth; **en ~ en masse**; **las ~s** the masses.

masacre [ma'sakre] *nm* massacre.

masaje [ma'saxe] *nm* massage.

mascar [mas'kar] *vt* to chew; (*fig*) to mumble, mutter.

máscara ['maskara] *nf* (*gen*) mask // *nm/f* masked person; **mascarada** *nf* masquerade.

masculino, a [masku'lino, a] *a* masculine; (*BIO*) male.

mascullar [masku'ʎar] *vt* to mumble, mutter.

masilla [ma'siʎa] *nf* putty.

masivo, a [ma'siβo, a] *a* (*enorme*) massive; (*en masa*) mass, en masse.

masón [ma'son] *nm* (free)mason.

masoquista [maso'kista] *nm/f* masochist.

masticar [masti'kar] *vt* to chew; (*fig*) to ponder.

mástil ['mastil] *nm* (*de navío*) mast; (*de guitarra*) neck; (*sostén*) post, support.

mastín [mas'tin] *nm* mastiff; ~ **danés** Great Dane.

masturbación [masturβa'θjon] *nf* masturbation; **masturbarse** *vr* to masturbate.

mata ['mata] *nf* bush, shrub; (*de hierbas*) tuft; (*campo*) field; (*AM*) clump (of trees).

matadero [mata'ðero] *nm* slaughterhouse, abattoir.

matador, a [mata'ðor, a] *a* killing // *nm/f* killer // *nm* (*TAUR*) matador, bullfighter.

matanza [ma'tanθa] *nf* (*de personas*) killing; (*de animales*) slaughter(ing).

matar [ma'tar] *vt, vi* to kill; ~**se** *vr* (*suicidarse*) to kill o.s., commit suicide; (*por otro*) to be killed; ~ **el hambre** to stave off hunger.

mate ['mate] *a* (*sin brillo: color*) dull // *nm* (*en ajedrez*) (check)mate; (*AM. hierba*) maté; (: *vasija*) gourd.

matemáticas [mate'matikas] *nfpl* mathematics; **matemático, a** *a* mathematical // *nm/f* mathematician.

materia [ma'terja] *nf* (*gen*) matter; (*TEC*) material; **en ~ de** on the subject of; ~ **prima** raw material; **material** *a* material; (*dolor*) physical // *nm* material; (*TEC*) equipment; **materialismo** *nm*

materialism; **materialista** *a* materialist(ic); **materialmente** *ad* materially; (*fig*) absolutely.

maternal [mater'nal] *a* motherly, maternal.

maternidad [materni'ðað] *nf* motherhood, maternity; **materno, a** *a* motherly, maternal; (*lengua*) mother *cpd.*

matinal [mati'nal] *a* morning *cpd.*

matiz [ma'tiθ] *nm* shade; ~**ar** *vt* (*dar tonos de*) to tinge, tint; (*variar*) to vary; (*ARTE*) to blend.

matón [ma'ton] *nm* bully.

matorral [mato'rral] *nm* thicket.

matraca [ma'traka] *nf* rattle.

matrícula [ma'trikula] *nf* (*registro*) register; (*AUTO*) registration number; (: *placa*) licence plate; **matricular** *vt* to register, enrol.

matrimonial [matrimo'njal] *a* matrimonial.

matrimonio [matri'monjo] *nm* (*boda*) wedding; (*pareja*) (married) couple; (*unión*) marriage.

matriz [ma'triθ] *nf* womb; (*TEC*) mould; **casa ~** (*COM*) head office.

matrona [ma'trona] *nf* (*persona de edad*) matron; (*partera*) midwife.

matute [ma'tute] *nm* contraband.

maullar [mau'ʎar] *vi* to mew, miaow.

mausoleo [mauso'leo] *nm* mausoleum.

maxilar [maksi'lar] *nm* jaw(bone).

máxima ['maksima] *ver* **máximo.**

máxime ['maksime] *ad* especially.

máximo, a ['maksimo, a] *a* maximum; (*más alto*) highest; (*más grande*) greatest // *nm* maximum // *nf* maxim.

mayo ['majo] *nm* May.

mayonesa [majo'nesa] *nf* mayonnaise.

mayor [ma'jor] *a* (*gen*) main, chief; (*adulto*) adult; (*de edad avanzada*) elderly; (*MUS*) major; (*comparativo: de tamaño*) bigger; (: *de edad*) older; (*superlativo: de tamaño*) biggest; (: *de edad*) oldest // *nm* chief, boss; **al por ~** wholesale; ~ **de edad** adult; ~**es** *nmpl* ancestors.

mayoral [majo'ral] *nm* foreman.

mayordomo [major'ðomo] *nm* (*criado*) butler; (*de hotel*) steward.

mayoría [majo'ria] *nf* majority, greater part.

mayorista [majo'rista] *nm/f* wholesaler.

mayúsculo, a [ma'juskulo, a] *a* (*fig*) big, tremendous // *nf* capital (letter).

mazapán [maθa'pan] *nm* marzipan.

mazo ['maθo] *nm* (*martillo*) mallet; (*de flores*) bunch; (*fig*) bore; (*DEPORTE*) bat; (*palo*) club.

me [me] *pron* (*directo*) me; (*indirecto*) (to) me; (*reflexivo*) (to) myself; **¡démelo!** give it to me!

mecánico, a [me'kaniko, a] *a* mechanical // *nm/f* mechanic // *nf* (*estudio*) mechanics *sg*; (*mecanismo*) mechanism.

mecanismo [meka'nismo] *nm* mechanism; (*marcha*) gear.

mecanografía [mekanoɤra'fia] *nf* typewriting; **mecanógrafo, a** *nm/f* typist.

mecedor, a [meθe'ðor, a] *a* rocking // *nm* (*columpio*) swing // *nf* rocking chair.

mecer [me'θer] *vt* (*cuna*) to rock; (*líquido*) to stir; **~se** *vr* to rock; (*ramo*) to sway.

mechero [me'tʃero] *nm* (cigarette) lighter.

mechón [me'tʃon] *nm* (*gen*) tuft; (*manojo*) bundle; (*de pelo*) lock.

medalla [me'ðaʎa] *nf* medal.

media ['meðja] *nf ver* **medio.**

mediado, a [me'ðjaðo, a] *a* half-full; (*trabajo*) half-complete; **a ~s de** in the middle of, halfway through.

mediano, a [me'ðjano, a] *a* (*regular*) medium, average; (*mediocre*) mediocre; (*indiferente*) indifferent.

medianoche [meðja'notʃe] *nf* midnight.

mediante [me'ðjante] *ad* by (means of), through.

mediar [me'ðjar] *vi* (*llegar a la mitad*) to get to the middle, get halfway; (*estar en medio*) to be in the middle; (*interceder*) to mediate, intervene.

medicación [meðika'θjon] *nf* medication, treatment.

medicamento [meðika'mento] *nm* medicine, drug.

medicina [meði'θina] *nf* medicine.

medición [meði'θjon] *nf* measurement.

médico, a ['meðiko, a] *a* medical // *nm/f* doctor.

medida [me'ðiða] *nf* (*gen*) measure; (*medición*) measurement; (*prudencia*) moderation, prudence; **en cierta/gran ~** up to a point/to a great extent; **un traje a la ~** made-to-measure suit; **~ de cuello** collar size; **a ~ de** in proportion to; (*de acuerdo con*) in keeping with.

medio, a ['meðjo, a] *a* half (a); (*punto*) mid, middle; (*promedio*) average // *ad* half // *nm* (*centro*) middle, centre; (*promedio*) average; (*DEPORTE*) half-back; (*método*) means, way; (*ambiente*) environment // *nf* (*prenda de vestir*) stocking; (*promedio*) average; **~s** *nmpl* means, resources; **~ litro** half a litre; **las tres y ~** a half past three; **M~ Oriente** Middle East; **a ~ terminar** half finished; **pagar a ~as** to share the cost; **hacer ~a** to knit.

mediocre [me'ðjokre] *a* middling, average; (*pey*) mediocre.

mediodía [meðjo'ðia] *nm* midday, noon.

medir [me'ðir] *vt* (*gen*) to measure; (*pesar*) to weigh up // *vi* to measure.

meditar [meði'tar] *vt* to ponder, think over, meditate (on); (*planear*) to think out.

mediterráneo, a [meðite'rraneo, a] *a* Mediterranean // *nm*: **el M~** the Mediterranean.

medroso, a [me'ðroso, a] *a* fearful, timid.

medusa [me'ðusa] *nf* jellyfish.

megáfono [me'ɣafono] *nm* megaphone.

megalómano, a [meɣa'lomano, a] *nm/f* megalomaniac.

mejicano, a [mexi'kano, a] *a, nm/f* Mexican.

Méjico ['mexiko] *nm* Mexico.

mejilla [me'xiʎa] *nf* cheek.

mejor [me'xor] *a, ad* (*comparativo*) better; (*superlativo*) best; **a lo ~** probably; (*quizá*) maybe; **~ dicho** rather; **tanto ~** so much the better.

mejora [me'xora] *nf* improvement; **mejorar** *vt* to improve, make better // *vi*, **mejorarse** *vr* to improve, get better.

melancólico, a [melan'koliko, a] *a* (*triste*) sad, melancholy; (*soñador*) dreamy.

melena [me'lena] *nf* (*de persona*) long hair; (*del león*) mane.

melocotón [meloko'ton] *nm* peach.

melodía [melo'ðia] *nf* melody; (*aire*) tune.

melodrama [melo'ðrama] *nm* melodrama; **melodramático, a** *a* melodramatic.

melón [me'lon] *nm* melon.

meloso, a [me'loso, a] *a* honeyed, sweet.

mellizo, a [me'ʎiθo, a] *a, nm/f* twin.

membrete [mem'brete] *nm* letterhead.

memorable [memo'raßle] *a* memorable.

memorándum [memo'randum] *nm* (*libro*) notebook; (*comunicación*) memorandum.

memoria [me'morja] *nf* (*gen*) memory; (*informe*) report; **~s** *nfpl* (*de autor*) memoirs.

mencionar [menθjo'nar] *vt* to mention.

mendigar [mendi'ɣar] *vt* to beg (for).

mendigo, a [men'diɣo, a] *nm/f* beggar.

mendrugo [men'druɤo] *nm* crust.

menear [mene'ar] *vt* to move; (*fig*) to handle; **~se** *vr* to shake; (*balancearse*) to sway; (*moverse*) to move; (*fig*) to get a move on.

menester [menes'ter] *nm* (*necesidad*) necessity; (*ocupación*) job; **~es** *nmpl* (*deberes*) duties; (*instrumentos*) tackle *sg*, tools; **es ~** it is necessary.

mengua ['mengwa] *nf* (*disminución*) decrease; (*falta*) lack; (*pobreza*) poverty; (*fig*) discredit; **~do, a** *a* cowardly, timid; (*cicatero*) mean.

menguante [men'gwante] *a* decreasing, diminishing; **menguar** *vt* to lessen, diminish; (*fig*) to discredit // *vi* to diminish, decrease; (*fig*) to decline.

menopausia [meno'pausja] *nf* menopause.

menor [me'nor] *a* (*más pequeño*: *comparativo*) smaller; (: *superlativo*) smallest; (*más joven*: *comparativo*) younger; (: *superlativo*) youngest; (*MUS*) minor // *nm/f* (*joven*) young person, juvenile; **no tengo la ~ idea** I haven't the slightest idea; **al por ~** retail; **~ de edad** person under age.

menos ['menos] *a* (*comparativo*: *sg*) less; (: *pl*) fewer; (*superlativo*: *sg*) least; (: *pl*) fewest // *ad* (*comparativo*) less; (*superlativo*) least // *conj* except // *nm* (*MAT*) minus; **es lo ~ que puedo hacer**

it's the least I can do; **lo ~ posible** as little as possible; **a ~ que** unless; **te echo de ~** I miss you; **al** *o* **por lo ~** at least.

menoscabar [menoska'βar] *vt* (*estropear*) to damage, harm; (*acortar*) to lessen, reduce; (*fig*) to discredit.

menospreciar [menospre'θjar] *vt* to underrate, undervalue; (*despreciar*) to scorn, despise; **menosprecio** *nm* underrating, undervaluation; scorn, contempt.

mensaje [men'saxe] *nm* message; **~ro, a** *nm/f* messenger.

menstruar [mens'trwar] *vi* to menstruate; **menstruo** *nm* menstruation, period.

mensual [men'swal] *a* monthly; **100 ptas ~es** 100 ptas. a month.

menta ['menta] *nf* mint.

mental [men'tal] *a* mental.

mentar [men'tar] *vt* to mention, name.

mente ['mente] *nf* mind.

mentecato, a [mente'kato, a] *a* silly, stupid // *nm/f* fool, idiot.

mentir [men'tir] *vi* to lie; **~a** *nf* (*una ~a*) lie; (*acto*) lying; (*invención*) fiction; **parece ~a que...** it seems incredible that..., I can't believe that...; **~oso, a** *a* lying; (*texto*) full of errors // *nm/f* liar.

mentís [men'tis] *nm*: **dar el ~ a** to deny.

menú [me'nu] *nm* menu.

menudeo [menu'ðeo] *nm*: **vender al ~** to sell retail.

menudo, a [me'nuðo, a] *a* (*pequeño*) small, tiny; (*sin importancia*) petty, insignificant; (*exacto*) exact, meticulous; **¡~ negocio!** (*fam*) some deal!; **a ~** often, frequently; **por ~** in detail.

meñique [me'ɲike] *nm* little finger.

meollo [me'oʎo] *nm* (*gen*) marrow; (*fig*) core.

mercadería [merkaðe'ria] *nf* commodity; **~s** *nfpl* goods, merchandise *sg*.

mercado [mer'kaðo] *nm* market; **M~ Común** Common Market.

mercadotecnia [merkaðo'teknja] *nf* marketing.

mercancía [merkan'θia] *nf* commodity; **~s** *nfpl* goods, merchandise *sg*.

mercantil [merkan'til] *a* mercantile, commercial.

mercenario, a [merθe'narjo, a] *a, nm* mercenary.

mercurio [mer'kurjo] *nm* mercury.

merecer [mere'θer] *vt* to deserve, merit // *vi* to be deserving, be worthy; **merece la pena** it's worthwhile; **merecido, a** *a* (well) deserved; **llevar su merecido** to get one's deserts.

merendar [meren'dar] *vt* to have for tea // *vi* to have tea; (*en el campo*) to have a picnic.

merengue [me'renge] *nm* meringue.

merienda [me'rjenda] *nf* (light) tea, afternoon snack; (*de campo*) picnic.

mérito ['merito] *nm* merit, value.

merluza [mer'luθa] *nf* hake.

merma ['merma] *nf* decrease; (*pérdida*) wastage; **mermar** *vt* to reduce, lessen // *vi*, **mermarse** *vr* to decrease, dwindle; (*fig*) to waste away.

mermelada [merme'laða] *nf* jam.

mero, a ['mero, a] *a* mere.

mes [mes] *nm* month; (*salario*) month's pay.

mesa ['mesa] *nf* table; (*de trabajo*) desk; (*GEO*) plateau; (*ARQ*) landing; **poner/quitar la ~** to lay/clear the table.

meseta [me'seta] *nf* (*GEO*) meseta, tableland; (*ARQ*) landing.

mesón [me'son] *nm* olde-worlde bar.

mestizo, a [mes'tiθo, a] *a* half-caste, of mixed race; (*ZOOL*) crossbred // *nm/f* half-caste, half-breed.

mesura [me'sura] *nf* (*moderación*) moderation, restraint; (*dignidad*) dignity, calm; (*cortesía*) courtesy.

meta ['meta] *nf* goal; (*de carrera*) finish.

metáfora [me'tafora] *nf* metaphor.

metal [me'tal] *nm* (*materia*) metal; (*MUS*) brass; (*fig*) quality; **metálico, a** *a* metallic; (*de metal*) metal // *nm* cash.

metalurgia [meta'lurxja] *nf* metallurgy.

meteoro [mete'oro] *nm* meteor.

meter [me'ter] *vt* (*colocar*) to put, place; (*introducir*) to put in, insert; (*añadir*) to add; (*involucrar*) to involve; (*causar*) to make, cause; **~se** *vr*: **~se en** to go into, enter; (*fig*) to interfere in, meddle in; **~se a** to start; **~se a escritor** to become a writer; **~se con alguien** to provoke sb, pick a quarrel with sb.

meticuloso, a [metiku'loso, a] *a* meticulous, thorough.

metódico, a [me'toðiko, a] *a* methodical.

metodismo [meto'ðismo] *nm* Methodism.

método ['metoðo] *nm* method.

metralleta [metra'ʎeta] *nf* submachine gun.

métrico, a ['metriko, a] *a* metric.

metro ['metro] *nm* metre; (*tren*) underground, subway.

México ['meksiko] *nm* Mexico.

mezcla ['meθkla] *nf* mixture; (*ARQ*) mortar; **mezclar** *vt* to mix (up); (*naipes*) to shuffle; **mezclarse** *vr* to mix, mingle; **mezclarse en** to get mixed up in, get involved in.

mezquino, a [meθ'kino, a] *a* (*cicatero*) mean; (*pobre*) miserable.

mezquita [meθ'kita] *nf* mosque.

mi [mi] *det* my.

mí [mi] *pron* me; myself.

miaja ['mjaxa] *nf* crumb.

microbús [mikro'βus] *nm* minibus.

micrófono [mi'krofono] *nm* microphone.

microlentillas [mikrolen'tiʎas] *nfpl* contact lenses.

microscopio [mikro'skopjo] *nm* microscope.

miedo ['mjeðo] *nm* fear; (*nerviosismo*) apprehension, nervousness; **tener ~ to**

be afraid; **de ~** wonderful, marvellous; **hace un frío de ~** (fam) it's terribly cold; **~so, a** a fearful, timid.

miel [mjel] nf honey.

miembro ['mjembro] nm limb; (socio) member; **~ viril** penis.

mientes ['mjentes] nfpl: **no parar ~ en** to pay no attention to; **traer a las ~** to recall.

mientras ['mjentras] conj while; (duración) as long as // ad meanwhile; **~ tanto** meanwhile; **~ más tiene, más quiere** the more he has, the more he wants.

miércoles ['mjerkoles] nm inv Wednesday.

mierda ['mjerða] nf (fam) shit.

miga ['miɣa] nf crumb; (fig) essence; **hacer buenas ~s** (fam) to get on well.

migración [miɣra'θjon] nf migration.

mil [mil] num thousand; **dos ~ libras** two thousand pounds.

milagro [mi'laɣro] nm miracle; **~so, a** a miraculous.

mili ['mili] nf: **hacer la ~** (fam) to do one's military service.

milicia [mi'liθja] nf (MIL) militia; (: arte) art of war; (servicio militar) military service.

milímetro [mi'limetro] nm millimetre.

militante [mili'tante] a militant.

militar [mili'tar] a (del ejército) military; (guerrero) warlike // nm/f soldier // vi to serve in the army; (fig) to be a member of a party.

milla ['miʎa] nf mile.

millar [mi'ʎar] nm thousand.

millón [mi'ʎon] num million; **millonario, a** nm/f millionaire.

mimar [mi'mar] vt (gen) to spoil, pamper; (al poderoso) to flatter.

mimbre ['mimbre] nm wicker.

mímica ['mimika] nf (para comunicarse) sign language; (imitación) mimicry.

mimo ['mimo] nm (caricia) affectionate caress; (de niño) spoiling; (TEATRO) mime.

mina ['mina] nf mine; **minar** vt to mine; (fig) to undermine.

mineral [mine'ral] a mineral // nm (GEO) mineral; (mena) ore.

minero, a [mi'nero, a] a mining // nm/f miner.

miniatura [minja'tura] a inv, nf miniature.

minifalda [mini'falda] nf miniskirt.

mínimo, a ['minimo, a] a, nm minimum.

ministerio [minis'terjo] nm Ministry; **M~ de Hacienda/del Exterior** Treasury/Foreign Office.

ministro [mi'nistro] nm minister.

minorar [mino'rar] vt to reduce.

minoría [mino'ria] nf minority.

minucioso, a [minu'θjoso, a] a thorough, meticulous; (prolijo) very detailed.

minúsculo, a [mi'nuskulo, a] a tiny, minute // nf small letter.

minuta [mi'nuta] nf (de comida) menu;

(borrador) rough draft; (apunte) note.

minutero [minu'tero] nm minute hand.

minuto [mi'nuto] nm minute.

mío, a ['mio, a] pron: **el ~** mine; **un amigo ~** a friend of mine; **lo ~** what is mine.

miope [mi'ope] a short-sighted.

mira ['mira] nf (de arma) sight(s) (pl); (fig) aim, intention; **estar a la ~** to be on the look-out, keep watch; **~da** nf look, glance; (expresión) look, expression; **echar una ~da** a to glance at; **~do, a** a (sensato) sensible; (considerado) considerate; **bien/mal ~do** well/not well thought of.

mirador [mira'ðor] nm viewpoint, vantage point.

mirar [mi'rar] vt to look at; (observar) to watch; (considerar) to consider, think over; (vigilar, cuidar) to watch, look after // (ir a look; (ARQ) to face; **~se** vr (dos personas) to look at each other; **~ bien/mal** to think highly of/have a poor opinion of; **~se al espejo** to look at o.s. in the mirror.

mirlo ['mirlo] nm blackbird.

misa ['misa] nf mass.

miserable [mise'raβle] a (avaro) mean, stingy; (nimio) miserable, paltry; (lugar) squalid; (fam) vile, despicable // nm/f (indigente) wretch, poor person; (perverso) rotter.

miseria [mi'serja] nf misery; (pobreza) poverty; (tacañería) meanness, stinginess; (condiciones) squalor; **una ~** a pittance.

misericordia [miseri'korðja] nf (compasión) compassion, pity; (piedad) mercy.

misil [mi'sil] nm missile.

misión [mi'sjon] nf mission; **misionero, a** nm/f missionary.

mismo, a ['mismo, a] a (semejante) same; (después de pronombre) -self; (para énfasis) very; **el ~ traje** the same suit; **en ese ~ momento** at that very moment; **vino el ~ Ministro** the minister himself came; **yo ~ lo vi** I saw it myself; **lo ~ the same** (thing); **da lo ~** it's all the same; **quedamos en las ~as** we're no further forward // ad: **aquí/hoy ~** right here/this very day; **ahora ~** right now // conj: **lo ~ que** just like, just as; **por lo ~** for the same reason.

misterio [mis'terjo] nm (gen) mystery; (lo secreto) secrecy.

mitad [mi'tað] nf (medio) half; (centro) middle; **a ~ de precio** (at) half-price; **en o a ~ del camino** halfway along the road; **cortar por la ~** to cut through the middle.

mitin ['mitin] nm meeting.

mito ['mito] nm myth.

mixto, a ['miksto, a] a mixed.

mobiliario [moβi'ljarjo] nm furniture.

mocedad [moθe'ðað] nf youth.

moción [mo'θjon] nf motion.

mochila [mo'tʃila] nf rucksack.

moda ['moða] *nf* (*gen*) fashion; (*estilo*) style; **de** *o* **a la** ~ in fashion, fashionable; **pasado** *o* **fuera de** ~ out of fashion.
modales [mo'ðales] *nmpl* manners.
modalidad [moðali'ðað] *nf* kind, variety.
modelar [moðe'lar] *vt* to model.
modelo [mo'ðelo] *a inv, nm/f* model.
moderado, a [moðe'raðo, a] *a* moderate.
moderar [moðe'rar] *vt* to moderate; (*violencia*) to restrain, control; (*velocidad*) to reduce; ~**se** *vr* to restrain o.s., control o.s.
modernizar [moðerni'θar] *vt* to modernize.
moderno, a [mo'ðerno, a] *a* modern; (*actual*) present-day.
modestia [mo'ðestja] *nf* modesty; **modesto, a** *a* modest.
módico, a ['moðiko, a] *a* moderate, reasonable.
modificar [moðifi'kar] *vt* to modify.
modista [mo'ðista] *nm/f* dressmaker.
modo ['moðo] *nm* (*manera, forma*) way, manner; (*MUS*) mode; ~**s** *nmpl* manners; **de ningún** ~ in no way; **de todos** ~**s** at any rate; ~ **de empleo** directions *pl* (for use).
modorra [mo'ðorra] *nf* drowsiness.
modular [moðu'lar] *vt* to modulate.
mofa ['mofa] *nf* mockery, ridicule; **hacer** ~ **de** to mock; **mofar** *vi* to mock, scoff; **mofarse** *vr*: **mofarse de** to mock, scoff at.
mohíno, a [mo'ino, a] *a* (*triste*) gloomy, depressed; (*enojado*) sulky.
moho ['moo] *nm* (*BOT*) mould; (*oxidación*) rust; ~**so, a** *a* mouldy; rusty.
mojar [mo'xar] *vt* to wet; (*humedecer*) to damp(en), moisten; (*calar*) to soak // *vi*: ~ **en** to get involved in; ~**se** *vr* to get wet.
mojón [mo'xon] *nm* (*en un camino*) signpost; (*montón*) heap, pile.
molde ['molde] *nm* mould; (*de costura*) pattern; (*fig*) model; **el vestido le está de** ~ the dress is just right for her; ~**ar** *vt* to mould.
mole ['mole] *nf* mass, bulk.
moledora [mole'ðora] *nf* grinder, mill.
moler [mo'ler] *vt* to grind, crush; (*cansar*) to tire out, exhaust; (*irritar*) to annoy.
molestar [moles'tar] *vt* (*gen*) to bother; (*fastidiar*) to annoy; (*incomodar*) to inconvenience, put out // *vi* to be a nuisance; ~**se** *vr* to bother; (*incomodarse*) to go to trouble; (*ofenderse*) to take offence.
molestia [mo'lestja] *nf* (*gen*) bother, trouble; (*incomodidad*) inconvenience; (*MED*) discomfort; **es una** ~ it's a nuisance; **molesto, a** *a* (*que causa molestia*) annoying; (*incómodo*) inconvenient; (*inquieto*) uncomfortable, ill at ease; (*enfadado*) annoyed.
molinillo [moli'niʎo] *nm*: ~ **de café/carne** coffee grinder/mincer.

molino [mo'lino] *nm* (*edificio*) mill; (*máquina*) grinder.
momentáneo, a [momen'taneo, a] *a* momentary.
momento [mo'mento] *nm* (*gen*) moment; (*TEC*) momentum; **de** ~ at the moment, for the moment.
momia ['momja] *nf* mummy.
monarca [mo'narka] *nm/f* monarch, ruler; **monarquía** *nf* monarchy; **monarquista** *nm/f* royalist, monarchist.
monasterio [monas'terjo] *nm* monastery.
mondar [mon'dar] *vt* (*limpiar*) to clean; (*podar*) to prune, trim; (*pelar*) to peel; ~**se** *vr*: ~**se los dientes** to pick one's teeth.
moneda [mo'neða] *nf* (*tipo de dinero*) currency, money; (*pieza*) coin; **una** ~ **de 5p** a 5p piece; **monedero** *nm* purse; **monetario, a** *a* monetary, financial.
monja ['monxa] *nf* nun.
monje ['monxe] *nm* monk.
mono, a ['mono, a] *a* (*bonito*) lovely, pretty; (*gracioso*) nice, charming // *nm/f* monkey, ape // *nm* (*overoles*) overalls *pl*.
monopolio [mono'poljo] *nm* monopoly; **monopolizar** *vt* to monopolize.
monoriel [mono'riel] *nm* monorail.
monotonía [monoto'nia] *nf* (*sonido*) monotone; (*fig*) monotony.
monótono, a [mo'notono, a] *a* monotonous.
monstruo ['monstrwo] *nm* monster // *a* fantastic; ~**so, a** *a* monstrous.
monta ['monta] *nf* total, sum; **de poca** ~ unimportant, of little account.
montaje [mon'taxe] *nm* assembly; (*ARQ*) erection; (*TEATRO*) décor; (*CINE*) montage.
montaña [mon'tana] *nf* (*monte*) mountain; (*sierra*) mountains *pl*, mountainous area; (*AM*) forest; ~ **rusa** roller coaster; **montañés, esa** *a* mountain *cpd* // *nm/f* highlander; (*de Santander*) native of the Santander region.
montar [mon'tar] *vt* (*subir a*) to mount, get on; (*caballo etc*) to ride; (*TEC*) to assemble, put together; (*ARQ*) to erect; (*negocio*) to set up; (*arma*) to cock; (*colocar*) to lift on to // *vi* to mount, get on; (*sobresalir*) to overlap; ~ **a** to amount to, come to; ~ **en cólera** to get angry.
montaraz [monta'raθ] *a* mountain *cpd*, highland *cpd*; (*salvaje*) wild, untamed; (*pey*) uncivilized.
monte ['monte] *nm* (*montaña*) mountain; (*bosque*) woodland; (*área sin cultivar*) wild area, wild country; ~ **de Piedad** pawnshop; ~ **alto** forest; ~ **bajo** scrub(land).
monto ['monto] *nm* total, amount.
montón [mon'ton] *nm* heap, pile; (*fig*): **un** ~ **de** heaps of, lots of.
monumento [monu'mento] *nm* monument.
monzón [mon'θon] *nm* monsoon.
moña ['mona] *nf* hair ribbon.
moño ['mono] *nm* bun.

morado, a [mo'raðo, a] *a* purple; (*violado*) violet // *nm* bruise // *nf* (*casa*) dwelling, abode; (*período*) stay.

moral [mo'ral] *a* moral // *nf* (*ética*) ethics; (*moralidad*) morals *pl*, morality; (*ánimo*) morale.

moraleja [mora'lexa] *nf* moral.

moralizar [morali'θar] *vt* to moralize.

morboso, a [mor'ßoso, a] *a* morbid.

morcilla [mor'θiʎa] *nf* blood sausage, black pudding.

mordaz [mor'ðaθ] *a* biting, scathing.

mordaza [mor'ðaθa] *nf* (*para la boca*) gag; (*TEC*) clamp.

morder [mor'ðer] *vt* to bite; (*mordisquear*) to nibble; (*consumir*) to eat away, eat into; **mordisco** *nm* bite.

moreno, a [mo'reno, a] *a* (*color*) (dark) brown; (*de tez*) dark; (*de pelo* ~) dark-haired; (*negro*) Negro.

moretón [more'ton] *nm* (*fam*) bruise.

morfina [mor'fina] *nf* morphine.

moribundo, a [mori'ßundo, a] *a* dying.

morir [mo'rir] *vi* (*gen*) to die; (*fuego*) to die down; (*luz*) to go out; ~**se** *vr* (*gen*) to die; (*pierna etc*) to go to sleep, go numb; (*fig*) to be dying; **fue muerto en un accidente** he was killed in an accident; ~**se por algo** to be dying for sth.

morisco, a [mo'risko, a], **moro, a** [*'moro, a*] *a* Moorish // *nm/f* Moor.

morral [mo'rral] *nm* haversack.

morsa ['morsa] *nf* walrus.

mortaja [mor'taxa] *nf* shroud; (*TEC*) mortise; (*AM*) cigarette paper.

mortal [mor'tal] *a* mortal; (*golpe*) deadly; ~**idad, mortandad** *nf* mortality.

mortero [mor'tero] *nm* mortar.

mortífero, a [mor'tifero, a] *a* deadly, lethal.

mortificar [mortifi'kar] *vt* (*MED*) to damage, affect seriously; (*fig*) to mortify; ~**se** *vr* to be (very) embarrassed.

mosca ['moska] *nf* fly.

Moscú [mos'ku] *n* Moscow.

mosquitero [moski'tero] *nm* mosquito net.

mosquito [mos'kito] *nm* mosquito.

mostaza [mos'taθa] *nf* mustard.

mostrador [mostra'ðor] *nm* (*de tienda*) counter; (*de café*) bar; (*de reloj*) face, dial.

mostrar [mos'trar] *vt* (*gen*) to show; (*exhibir*) to display, exhibit; (*explicar*) to explain; ~**se** *vr*: ~**se amable** to be kind, to prove to be kind; **no se muestra muy inteligente** he doesn't seem (to be) very intelligent.

mostrenco, a [mos'trenko, a] *a* ownerless, unclaimed; (*perro*) stray; (*persona*) homeless; (*fam*) dense, slow.

mota ['mota] *nf* speck, tiny piece; (*en diseño*) dot.

mote ['mote] *nm* (*apodo*) nickname; (*sentencia*) motto.

motín [mo'tin] *nm* (*del pueblo*) revolt, rising; (*del ejército*) mutiny.

motivar [moti'ßar] *vt* (*causar*) to cause, motivate; (*explicar*) to explain, justify; **motivo, a** *a* motive // *nm* motive, reason.

moto ['moto] *nf*, **motocicleta** [motoθi'kleta] *nf* motorbike.

motoniveladora [motonißela'ðora] *nf* bulldozer.

motor [mo'tor] *nm* motor, engine; ~ **a chorro** *o* **de reacción/de explosión** jet engine/internal combustion engine.

motora [mo'tora] *nf*, **motorbote** [motor'ßote] *nm* motorboat.

motosierra [moto'sjerra] *nf* mechanical saw.

movedizo, a [moße'ðiθo, a] *a* easily moved, movable; (*inseguro*) unsteady; (*fig*) unsettled, changeable; (*persona*) fickle.

mover [mo'ßer] *vt* (*gen*) to move; (*cabeza*) to shake; (*accionar*) to drive; (*fig*) to cause, provoke; ~**se** *vr* to move; (*fig*) to get a move on.

móvil ['moßil] *a* mobile; (*pieza de máquina*) moving; (*mueble*) movable // *nm* motive; **movilidad** *nf* mobility; **movilizar** *vt* to mobilize.

movimiento [moßi'mjento] *nm* (*gen*) movement; (*TEC*) motion; (*actividad*) activity; **el M**~ the Falangist Movement.

mozo, a ['moθo, a] *a* (*joven*) young; (*soltero*) single, unmarried // *nm/f* (*joven*) youth, lad/girl; (*criado*) servant // *nm* (*camarero*) waiter.

muchacho, a [mu'tʃatʃo, a] *nm/f* (*niño*) boy/girl; (*criado*) servant/servant *or* maid.

muchedumbre [mutʃe'ðumbre] *nf* crowd.

mucho, a ['mutʃo, a] *a* (*sg*) a lot of; (*gen en frase negativa o interrogativa*) much; (*pl*) many, a lot of, lots of // *ad* (*en cantidad*) a lot, a great deal, much; (*del tiempo*) long; (*muy*) very // *pron*: **tengo** ~ **que hacer** I have a lot to do; ~**s dicen que** a lot of people say that; **ni** ~ **menos** far from it.

mudanza [mu'ðanθa] *nf* (*cambio*) change; (*de casa*) move; ~**s** *nfpl* (*fig*) moodiness *sg*.

mudar [mu'ðar] *vt* to change; (*ZOOL*) to shed // *vi* to change; ~**se** *vr* (*la ropa*) to change; (*de casa*) to move (house).

mudo, a ['muðo, a] *a* dumb; (*callado, CINE*) silent.

mueble ['mweßle] *nm* piece of furniture; ~**s** *nmpl* furniture *sg*; ~**ría** *nf* furniture shop.

mueca ['mweka] *nf* face, grimace; **hacer** ~**s a** to make faces at.

muela ['mwela] *nf* (*diente*) tooth; (: *de atrás*) molar.

muelle ['mweʎe] *a* (*blando*) soft; (*elástico*) springy; (*fig*) soft, easy // *nm* spring; (*NAUT*) wharf; (*malecón*) jetty.

muero *etc vb ver* **morir**.

muerte ['mwerte] *nf* death; (*homicidio*) murder; **dar** ~ **a** to kill.

muerto, a ['mwerto, a] *pp de* **morir** // *a* dead; (*color*) dull // *nm/f* dead man/woman; (*difunto*) deceased;

(*cadáver*) corpse; **estar ~ de cansancio** to be dead tired.

muestra ['mwestra] *nf* (*señal*) indication, sign; (*demostración*) demonstration; (*prueba*) proof; (*estadística*) sample; (*modelo*) model, pattern; (*testimonio*) token; **muestreo** *nm* sample, sampling.

muestro *etc vb ver* **mostrar**.

muevo *etc vb ver* **mover**.

mugir [mu'xir] *vi* (*vaca*) to moo; (*persona*) to roar, howl.

mugre ['muxre] *nf* dirt, filth; **mugriento, a** *a* dirty, filthy.

mujer [mu'xer] *nf* (*de sexo femenino*) woman; (*esposa*) wife; **~iego** *nm* womaniser.

mula ['mula] *nf* mule.

muladar [mula'ðar] *nm* dungheap, dunghill.

muleta [mu'leta] *nf* (*para andar*) crutch; (*TAUR*) stick with red cape attached; (*fig*) prop, support.

multa ['multa] *nf* fine; **multar** *vt* to fine.

multicopista [multiko'pista] *nm* duplicator.

múltiple ['multiple] *a* multiple; (*pl*) many, numerous.

multiplicar [multipli'kar] *vt* (*MAT*) to multiply; (*fig*) to increase; **~se** *vr* (*BIO*) to multiply; (*fig*) to attend to a lot of things at one time.

multitud [multi'tuð] *nf* (*gentío*, *muchedumbre*) crowd; **~ de** lots of.

mullido, a [mu'ʎiðo, a] *a* (*cama*) soft; (*hierba*) soft, springy // *nm* stuffing, filling.

mundano, a [mun'dano, a] *a* worldly; (*de moda*) fashionable.

mundial [mun'djal] *a* world-wide, universal; (*guerra, récord*) world *cpd*.

mundo ['mundo] *nm* world; **todo el ~** everybody; **tener ~** to be experienced, know one's way around.

munición [muni'θjon] *nf* (*MIL*) stores *pl*, supplies *pl*; (*de arma*) ammunition.

municipio [muni'θipjo] *nm* (*municipalidad*) town council, corporation; (*comuna*) town, municipality.

muñeca [mu'ɲeka] *nf* (*ANAT*) wrist; (*juguete*) doll; (*maniquí*) dummy.

muñeco [mu'ɲeko] *nm* (*figura*) figure; (*marioneta*) puppet; (*maniquí*) dummy; (*fig*) puppet, pawn.

muralla [mu'raʎa] *nf* (*city*) wall(s) (*pl*).

murciélago [mur'θjelaxo] *nm* bat.

murmullo [mur'muʎo] *nm* murmur(ing); (*cuchicheo*) whispering; (*de arroyo*) murmur, rippling.

murmuración [murmura'θjon] *nf* gossip; **murmurar** *vi* to murmur, whisper; (*criticar*) to criticize; (*cotillear*) to gossip.

muro ['muro] *nm* wall.

muscular [musku'lar] *a* muscular.

músculo ['muskulo] *nm* muscle.

museo [mu'seo] *nm* museum.

musgo ['musxo] *nm* moss.

músico, a ['musiko, a] *a* musical // *nm/f* musician // *nf* music.

musitar [musi'tar] *vt, vi* to mutter, mumble.

muslo ['muslo] *nm* thigh.

mustio, a ['mustjo, a] *a* (*persona*) depressed, gloomy; (*planta*) faded, withered.

musulmán, ana [musul'man, ana] *nm/f* Moslem.

mutación [muta'θjon] *nf* (*BIO*) mutation; (*cambio*) (sudden) change.

mutilar [muti'lar] *vt* to mutilate; (*a una persona*) to maim.

mutuamente [mutwa'mente] *ad* mutually; **mutuo, a** *a* mutual.

muy [mwi] *ad* very; (*demasiado*) too; **M~ Señor mío** Dear Sir; **~ de noche** very late at night; **eso es ~ de él** that's just like him.

N

N *abr de* **norte**.

n/ *abr de* **nuestro, a**.

nabo ['naβo] *nm* turnip; (*raíz*) root.

nácar ['nakar] *nm* mother-of-pearl.

nacer [na'θer] *vi* to be born; (*de huevo*) to hatch; (*vegetal*) to sprout; (*río*) to rise; **~ al amor** to awaken to love; **nació una sospecha en su mente** a suspicion formed in her mind; **nacido, a** *a* born; **recién nacido** newborn; **naciente** *a* new, emerging; (*sol*) rising; **nacimiento** *nm* birth; (*fig*) birth, origin; (*de Navidad*) Nativity; (*linaje*) descent, family; (*de río*) source.

nación [na'θjon] *nf* nation; **nacional** *a* national; **nacionalismo** *nm* nationalism; **nacionalista** *nm/f* nationalist; **nacionalizar** *vt* to nationalize; **nacionalizarse** *vr* to become naturalized.

nada ['naða] *pron* nothing // *ad* not at all, in no way; **no decir ~** to say nothing, not to say anything; **de ~** don't mention it.

nadaderas [naða'ðeras] *nfpl* waterwings.

nadador, a [naða'ðor, a] *nm/f* swimmer.

nadar [na'ðar] *vi* to swim.

nadie ['naðje] *pron* nobody, no-one; **~ habló** nobody spoke; **no había ~** there was nobody there, there wasn't anybody there.

nado ['naðo]: **a ~** *ad*: **pasar a ~** to swim across.

naipe ['naipe] *nm* playing card; **~s** *nmpl* cards.

nalgas ['nalxas] *nfpl* buttocks.

nana ['nana] *nf* (*fam*: *abuela*) grandma (*fam*), granny (*fam*); (: *canción*) lullaby.

naranja [na'ranxa] *a, nf* orange; **media ~** (*fam*) better half (*fam*); **~do, a** *a* orange // *nf* orangeade; **naranjo** *nm* orange tree.

narciso [nar'θiso] *nm* narcissus.

narcótico, a [nar'kotiko, a] *a, nm* narcotic; **narcotizar** *vt* to drug.

nardo ['narðo] *nm* lily.
narigón, ona [nari'xon, ona], **narigudo, a** [nari'xuðo, a] *a* big-nosed.
nariz [na'riθ] *nf* nose; **narices** *nfpl* nostrils; **en las narices de uno** under one's (very) nose.
narración [narra'θjon] *nf* narration; **narrador, a** *nm/f* narrator.
narrar [na'rrar] *vt* to narrate, recount; **narrativa** *nf* narrative, story.
nata ['nata] *nf* cream.
natación [nata'θjon] *nf* swimming.
natal [na'tal] *a*: **ciudad** ~ home town; ~**icio** *nm* birthday; ~**idad** *nf* birth rate.
natillas [na'tiʎas] *nfpl* custard *sg*.
natividad [natiβi'ðað] *nf* nativity.
nativo, a [na'tiβo, a] *a* native; (*innato*) innate, natural // *nm/f* native.
nato, a ['nato, a] *a* born; **un músico** ~ a born musician.
natural [natu'ral] *a* natural; (*fruta etc*) fresh // *nm/f* native // *nm* nature; ~**eza** *nf* nature; (*género*) nature, kind; ~**eza muerta** still life; ~**idad** *nf* naturalness; ~**ización** *nf* naturalization; ~**izarse** *vr* to become naturalized; (*aclimatarse*) to become acclimatized; ~**mente** *ad* naturally.
naufragar [naufra'xar] *vi* to sink; **naufragio** *nm* shipwreck; **náufrago, a** *nm/f* castaway, shipwrecked person.
náusea ['nausea] *nf* nausea; **me da** ~ it makes me feel sick; **nauseabundo, a** *a* nauseating, sickening.
náutico, a ['nautiko, a] *a* nautical.
nava ['naβa] *nf* (GEO) level plain.
navaja [na'βaxa] *nf* (*cortaplumas*) clasp knife, penknife; (*de barbero, peluquero*) razor.
navarro, a [na'βarro, a] *a* Navarrese.
nave ['naβe] *nf* (*barco*) ship, vessel; (ARQ) nave; ~ **espacial** spaceship.
navegación [naβexa'θjon] *nf* navigation; (*viaje*) sea journey; ~ **aérea** air traffic; ~ **costera** coastal shipping; **navegante** *nm/f* navigator; **navegar** *vi* (*barco*) to sail; (*avión*) to fly // *vt* to sail; to fly; (*dirigir el rumbo*) to navigate.
navidad [naβi'ðað] *nf* Christmas; **navideño, a** *a* Christmas *cpd*.
navío [na'βio] *nm* ship.
nazi ['naθi] *a, nm/f* Nazi.
neblina [ne'βlina] *nf* mist.
nebuloso, a [neβu'loso, a] *a* foggy; (*calinoso*) misty; (*cielo*) cloudy; (*indefinido*) nebulous, vague // *nf* nebula.
necedad [neθe'ðað] *nf* foolishness; (*una* ~) foolish act.
necesario, a [neθe'sarjo, a] *a* necessary.
neceser [neθe'ser] *nm* vanity case; (*bolsa*) holdall; ~ **de viaje** travelling case.
necesidad [neθesi'ðað] *nf* need; (*lo inevitable*) necessity; (*miseria*) poverty, need; **en caso de** ~ in case of need *or* emergency; **hacer sus** ~**es** to relieve o.s.

necesitado, a [neθesi'taðo, a] *a* needy, poor; ~ **de** in need of.
necesitar [neθesi'tar] *vt* to need, require // *vi*: ~ **de** to have need of.
necio, a ['neθjo, a] *a* foolish.
necrología [nekrolo'xia] *nf* obituary.
necrópolis [ne'kropolis] *nf* cemetery.
nectarina [nekta'rina] *nf* nectarine.
nefando, a [ne'fando, a] *a* unspeakable.
nefasto, a [ne'fasto, a] *a* ill-fated, unlucky.
negación [nexa'θjon] *nf* negation; (*rechazo*) refusal, denial.
negar [ne'xar] *vt* (*renegar, rechazar*) to refuse; (*prohibir*) to refuse, deny; (*desmentir*) to deny; ~**se** *vr*: ~**se a** to refuse to.
negativo, a [nexa'tiβo, a] *a, nm* negative // *nf* (*gen*) negative; (*rechazo*) refusal, denial.
negligencia [nexli'xenθja] *nf* negligence; **negligente** *a* negligent.
negociable [nexo'θjaβle] *a* (COM) negotiable.
negociado [nexo'θjaðo] *nm* department, section.
negociante [nexo'θjante] *nm/f* businessman/woman; (*comerciante*) merchant.
negociar [nexo'θjar] *vt, vi* to negotiate; ~ **en** to deal in, trade in.
negocio [ne'xoθjo] *nm* (COM) business; (*asunto*) affair, business; (*operación comercial*) deal, transaction; (AM) firm; (*lugar*) place of business; **los** ~**s** business *sg*; **hacer** ~ to do business.
negro, a ['nexro, a] *a* black; (*suerte*) awful // *nm* black // *nm/f* Negro/Negress, black // *nf* (MUS) crotchet; **negrura** *nf* blackness.
nene, a ['nene, a] *nm/f* baby, small child; (*fam*) dear.
nenúfar [ne'nufar] *nm* water lily.
neologismo [neolo'xismo] *nm* neologism.
neoyorquino, a [neojor'kino, a] *a* (of) New York.
nepotismo [nepo'tismo] *nm* nepotism.
nervio ['nerβjo] *nm* (ANAT) nerve; (: *tendón*) tendon; (*fig*) vigour; ~**sidad** *nf* nervousness, nerves *pl*; ~**so, a, nervudo, a** *a* nervous.
neto, a ['neto, a] *a* clear; (*verdad etc*) pure; (*limpio*) clean; (COM) net.
neumático, a [neu'matiko, a] *a* pneumatic // *nm* tyre; ~ **de recambio** spare tyre.
neuralgia [neu'ralxja] *nf* neuralgia.
neurastenia [neuras'tenja] *nf* nervous exhaustion.
neuritis [neu'ritis] *nf* neuritis.
neurólogo, a [neu'roloxo, a] *nm/f* neurologist.
neurosis [neu'rosis] *nf inv* neurosis.
neutral [neu'tral] *a* neutral; ~**izar** *vt* to neutralize; (*contrarrestar*) to counteract.
neutro, a ['neutro, a] *a* (BIO) neuter, sexless; (LING) neuter.

neutrón [neu'tron] *nm* neutron; **bomba de neutrones** neutron bomb.

nevada [ne'βaða] *nf* snowstorm; (*caída de nieve*) snowfall.

nevar [ne'βar] *vi* to snow; **nevasca** *nf* snowstorm.

nevera [ne'βera] *nf* refrigerator, icebox.

nevisca [ne'βiska] *nf* flurry of snow; (*aguanieve*) sleet; **neviscar** *vi* to snow lightly; to sleet.

ni [ni] *conj* nor, neither; (~ *siquiera*) not ... even; ~ **que** not even if; ~ **blanco** ~ **negro** neither white nor black.

Nicaragua [nika'raɣwa] *nf* Nicaragua; **nicaragüense** a, *nm/f* Nicaraguan.

nicotina [niko'tina] *nf* nicotine.

nicho ['nitʃo] *nm* niche.

nido ['niðo] *nm* nest; (*fig*) hiding place; (*lugar predilecto*) haunt.

niebla [n'jeβla] *nf* fog; (*neblina*) mist.

niego *etc vb ver* **negar.**

nieto, a ['njeto, a] *nm/f* grandson/daughter; ~**s** *nmpl* grandchildren.

nieva *etc vb ver* **nevar.**

nieve ['njeβe] *nf* snow.

nigromancia [niɣro'manθja] *nf* necromancy, black magic.

nihilismo [nii'lismo] *nm* nihilism.

Nilo ['nilo] *nm*: **el** ~ **the** Nile.

nimbo ['nimbo] *nm* (*aureola*) halo; (*nube*) nimbus.

nimiedad [nimje'ðað] *nf* small-mindedness; (*prolijidad*) long-windedness; (*trivialidad*) triviality.

nimio, a ['nimjo, a] *a* (*insignificante*) trivial, insignificant; (*escrupuloso*) fussy, overparticular.

ninfa ['ninfa] *nf* nymph.

ninfómana [nin'fomana] *nf* nymphomaniac.

ninguno, a [nin'guno, a], **ningún** [nin'gun] *a* no // *pron* (*nadie*) nobody; (*ni uno ni otro*) neither; **de** ~**a manera** by no means, not at all.

niña ['niɲa] *nf ver* **niño.**

niñera [ni'ɲera] *nf* nursemaid, nanny; **niñería** *nf* childish act.

niñez [ni'ɲeθ] *nf* childhood; (*infancia*) infancy.

niño, a ['niɲo, a] *a* (*joven*) young; (*inmaduro*) immature // *nm* (*chico*) boy, child // *nf* (*chica*) girl, child; (ANAT) pupil.

nipón, ona [ni'pon, ona] *a*, *nm/f* Japanese.

níquel ['nikel] *nm* nickel; **niquelar** *vt* (*TEC*) to nickel-plate.

nitidez [niti'ðeθ] *nf* (*claridad*) clarity; (: *de atmósfera*) brightness; (: *de imagen*) sharpness; **nítido, a** *a* clear; sharp.

nitrato [ni'trato] *nm* nitrate.

nitrógeno [ni'troxeno] *nm* nitrogen.

nitroglicerina [nitroxliθe'rina] *nf* nitroglycerine.

nivel [ni'βel] *nm* (GEO) level; (*norma*) level, standard; (*altura*) height; ~ **de aceite** oil level; ~ **de aire** spirit level; ~ **de vida** standard of living; ~**ar** *vt*

(*terreno*) to level out; (*equilibrar*: *mueble*) to even up; (COM) to balance.

NN. UU. *nfpl abr de* **Naciones Unidas** U.N. *sg* (United Nations).

no [no] *ad* no; not; (*con verbo*) not // *excl* no!; ~ **tengo nada** I don't have anything, I have nothing; ~ **es el mío** it's not mine; **ahora** ~ not now; ¿~ **lo sabes?** don't you know?; ~ **mucho** not much; ~ **bien termine, lo entregaré** as soon as I finish I'll hand it over; ¡**a que** ~ **lo sabes!** I bet you don't know!; ¡**cuándo** o **cómo** ~! of course!; **los países** ~ **alineados** the non-aligned countries; **el** ~ **conformismo** non-conformism; **la** ~ **intervención** non-intervention.

NO *abr de* **noroeste.**

no. *abr de* **número.**

noble ['noβle] *a*, *nm/f* noble; ~**za** *nf* nobility.

noción [no'θjon] *nf* notion.

nocivo, a [no'θiβo, a] *a* harmful.

noctambulismo [noktamβu'lismo] *nm* sleepwalking; **noctámbulo, a** *nm/f* sleepwalker.

nocturno, a [nok'turno, a] *a* (*de la noche*) nocturnal, night *cpd*; (*de la tarde*) evening *cpd* // *nm* nocturne.

noche ['notʃe] *nf* night, night-time; (*la tarde*) evening; (*fig*) darkness; **de** ~, **por la** ~ at night.

nochebuena [notʃe'βwena] *nf* Christmas Eve.

nochevieja [notʃe'βjexa] *nf* New Year's Eve.

nodriza [no'ðriθa] *nf* wet nurse.

nogal [no'ɣal] *nm* walnut tree.

nómada ['nomaða] *a* nomadic // *nm/f* nomad.

nombradía [nombra'ðia] *nf* fame.

nombramiento [nombra'mjento] *nm* naming; (*a un empleo*) appointment.

nombrar [nom'brar] *vt* (*designar*) to name; (*mencionar*) to mention; (*dar puesto a*) to appoint.

nombre [' nombre] *nm* name; (*sustantivo*) noun; (*fama*) renown; ~ **y apellidos** name ir full; ~ **común/propio** common/proper noun; ~ **de pila/de soltera** Christian/maiden name.

nomenclatura [nomenkla'tura] *nf* nomenclature.

nomeolvides [nomeol'βiðes] *nm inv* forget-me-not.

nómina ['nomina] *nf* (*lista*) list; (COM) payroll.

nominal [nomi'nal] *a* nominal.

nominativo, a [nomina'tiβo, a] *a* (COM): **cheque** ~ **a X** cheque made out to X.

non [non] *a* odd, uneven // *nm* odd number.

nonada [no'naða] *nf* trifle.

nono, a ['nono, a] *a* a ninth.

nordeste [nor'ðeste] *a* north-east, north-eastern, north-easterly // *nm* north-east.

nórdico, a ['norðiko, a] *a* (*del norte*) northern, northerly; (*escandinavo*) Nordic.

noria ['norja] *nf* (AGR) waterwheel; (*de carnaval*) big wheel.

normal [nor'mal] *a* (*corriente*) normal; (*habitual*) usual, natural; (**gasolina**) ~ two-star petrol; ~**idad** *nf* normality; **restablecer la** ~**idad** to restore order; ~**izar** *vt* (*reglamentar*) to normalize; (TEC) to standardize; ~**izarse** *vr* to return to normal.

normando, a [nor'mando, a] *a, nm/f* Norman.

noroeste [noro'este] *a* north-west, north-western, north-westerly // *nm* north-west.

norte ['norte] *a* north, northern, northerly // *nm* north; (*fig*) guide.

norteamericano, a [norteameri'kano, a] *a, nm/f* (North) American.

noruego, a [no'rweʁo, a] *a, nm/f* Norwegian; N~a *nf* Norway.

nos [nos] *pron* (*directo*) us; (*indirecto*) us; to us; for us; from us; (*reflexivo*) (to) ourselves; (*recíproco*) (to) each other; ~ **levantamos a las 7** we get up at 7.

nosotros [no'sotros] *pron* (*sujeto*) we; (*después de prep*) us.

nostalgia [nos'talxja] *nf* nostalgia.

nota ['nota] *nf* note; (ESCOL) mark.

notabilidad [notaβili'ðað] *nf* (*persona*) notable.

notable [no'taβle] *a, nm/f* notable.

notación [nota'θjon] *nf* (*nota*) note; (MAT, MUS) notation.

notar [no'tar] *vt* (*advertir*) to notice, note; (*anotar, asentar*) to note (down); (*censurar*) to criticize; ~**se** *vr* to be obvious.

notarial [nota'rjal] *a*: **acta** ~ affidavit.

notario [no'tarjo] *nm* notary.

noticia [no'tiθja] *nf* (*información*) piece of news; **las** ~**s** the news *sg*; **tener** ~**s de alguien** to hear from sb.

noticiar [noti'θjar] *vt* to notify; ~**io** *nm* (CINE) newsreel; (TV) news bulletin; **noticioso, a** *a* well-informed.

notificación [notifika'θjon] *nf* notification; **notificar** *vt* to notify, inform.

notoriedad [notorje'ðað] *nf* fame, renown; **notorio, a** *a* (*público*) well-known; (*evidente*) obvious.

novato, a [no'βato, a] *a* inexperienced // *nm/f* beginner.

novecientos [noβe'θjentos] *num* nine hundred.

novedad [noβe'ðað] *nf* (*calidad de nuevo*) newness; (*noticia*) piece of news; (*cambio*) change, (new) development.

novedoso, a [noβe'ðoso, a] *a* novel.

novel [no'βel] *a* new; (*inexperto*) inexperienced // *nm/f* beginner.

novela [no'βela] *nf* novel.

novelero, a [noβe'lero, a] *a* highly imaginative; (*voluble*) fickle; (*chismoso*) gossipy.

novelesco, a [noβe'lesko, a] *a* fictional; (*romántico*) romantic; (*fantástico*) fantastic.

noveno, a [no'βeno, a] *a* ninth.

noventa [no'βenta] *num* ninety.

novia ['noβja] *nf ver* **novio**.

noviazgo [no'βjaθʁo] *nm* engagement.

novicio, a [no'βiθjo, a] *nm/f* novice.

noviembre [no'βjembre] *nm* November.

novilla [no'βiʎa] *nf* heifer; ~**da** *nf* (TAUR) bullfight with young bulls; **novillero** *nm* novice bullfighter; **novillo** *nm* young bull; **hacer novillos** (*fam*) to play truant.

novio, a ['noβjo, a] *nm/f* boyfriend/girlfriend; (*prometido*) fiancé/fiancée; (*recién casado*) bridegroom/bride; **los** ~**s** the newly-weds.

N. S. *abr de* **Nuestro Señor.**

nubarrón [nuβa'rron] *nm* storm cloud.

nube ['nuβe] *nf* cloud.

nublado, a [nu'βlaðo, a] *a* cloudy // *nm* storm cloud; **nublar** *vt* (*oscurecer*) to darken; (*confundir*) to cloud; **nublarse** *vr* to grow dark.

nuca ['nuka] *nf* nape of the neck.

nuclear [nukle'ar] *a* nuclear.

núcleo ['nukleo] *nm* (*centro*) core; (FÍSICA) nucleus.

nudillo [nu'ðiʎo] *nm* knuckle.

nudo ['nuðo] *nm* (*gen*) knot; (*unión*) bond; (*de problema*) crux; (*de comunicaciones*) centre; ~**so, a** *a* knotty.

nuera ['nwera] *nf* daughter-in-law.

nuestro, a ['nwestro, a] *det* our // *pron* ours; ~ **padre** our father; **un amigo** ~ a friend of ours; **es el** ~ it's ours.

nueva ['nweβa] *nf ver* **nuevo**.

nuevamente [nweβa'mente] *ad* (*otra vez*) again; (*de nuevo*) anew.

nueve ['nweβe] *num* nine.

nuevo, a ['nweβo, a] *a* (*gen*) new // *nf* piece of news; **de** ~ again; N~a **York** *n* New York; N~a **Zelandia** *nf* New Zealand.

nuez [nweθ] (*pl* **nueces**) *nf* (*fruto*) nut; (*del nogal*) walnut; ~ **de Adán** Adam's apple; ~ **moscada** nutmeg.

nulidad [nuli'ðað] *nf* (*incapacidad*) incompetence; (*abolición*) nullity.

nulo, a ['nulo, a] *a* (*inepto, torpe*) useless; (*inválido*) (null and) void; (DEPORTE) drawn, tied.

núm. *abr de* **número.**

numen ['numen] *nm* inspiration.

numeración [numera'θjon] *nf* (*cifras*) numbers *pl*; (*arábiga, romana etc*) numerals *pl*.

numeral [nume'ral] *nm* numeral.

numerar [nume'rar] *vt* to number.

numerario [nume'rarjo] *nm* hard cash.

numérico, a [nu'meriko, a] *a* numerical.

número ['numero] *nm* (*gen*) number; (*tamaño: de zapato*) size; (*ejemplar: de diario*) number, issue; **sin** ~ numberless, unnumbered; ~ **de matrícula/telefónico** registration/telephone number; ~ **atrasado** back number.

numeroso, a [nume'roso, a] *a* numerous.

nunca ['nunka] *ad* (*jamás*) never; ~ **lo pensé** I never thought it; **no vino** ~ he never came; ~ **más** never again.

nuncio ['nunθjo] nm (REL) nuncio.

nupcias ['nupθjas] nfpl wedding sg, nuptials.

nutria ['nutrja] nf otter.

nutrición [nutri'θjon] nf nutrition.

nutrido, a [nu'triðo, a] a (alimentado) nourished; (fig: grande) large; (abundante) abundant.

nutrir [nu'trir] vt (alimentar) to nourish; (dar de comer) to feed; (alentar) to encourage; (esperanzas) to cherish; **nutritivo, a** a nourishing, nutritious.

nylon [ni'lon] nm nylon.

Ñ

ñame ['ɲame] nm yam.

ñaque ['ɲake] nm junk.

ñato, a ['ɲato, a] a (AM) snub-nosed.

ñoñería [ɲoɲe'ria], **ñoñez** [ɲo'neθ] nf insipidness.

ñoño, a ['ɲoɲo, a] a (AM: tonto) silly, stupid; (soso) insipid; (persona) spineless.

O

o [o] conj or.

O abr de **oeste**.

o/ abr de **orden**.

oasis [o'asis] nm oasis.

obcecar [oβθe'kar] vt to blind.

obedecer [oβeðe'θer] vt to obey; **obediencia** nf obedience; **obediente** a obedient.

obertura [oβer'tura] nf overture.

obesidad [oβesi'ðað] nf obesity; **obeso, a** a obese.

obispo [o'βispo] nm bishop.

objeción [oβxe'θjon] nf objection; **objetar** vt, vi to object.

objetivo, a [oβxe'tiβo, a] a, nm objective.

objeto [oβ'xeto] nm (cosa) object; (fin) aim.

oblicuo, a [o'βlikwo, a] a oblique; (mirada) sidelong.

obligación [oβliɣa'θjon] nf obligation; (COM) bond.

obligar [oβli'ɣar] vt to force; ~se vr to bind o.s.; **obligatorio, a** a compulsory, obligatory.

oboe [o'βoe] nm oboe.

obra ['oβra] nf (gen) work; (hechura) piece of work; (ARQ) construction, building; (TEATRO) play; ~ **maestra** masterpiece; **(Ministerio de) O~s Públicas** Ministry of Public Works; **en** ~ **de** in about; **por** ~ **de** thanks to (the efforts of); **obrar** vt to work; (tener efecto) to have an effect on // vi to act, behave; (tener efecto) to have an effect; **la carta obra en su poder** the letter is in his/her possession; **obrero, a** a working, labour cpd; **clase obrera** working class // nm/f (gen) worker; (sin oficio) labourer.

obscenidad [oβsθeni'ðað] nf obscenity; **obsceno, a** a obscene.

obscu... = oscu... .

obsequiar [oβse'kjar] vt (ofrecer) to present with; (agasajar) to make a fuss of, lavish attention on; **obsequio** nm (regalo) gift; (cortesía) courtesy, attention; **obsequioso, a** a attentive.

observación [oβserβa'θjon] nf observation; (reflexión) remark.

observancia [oβser'βanθja] nf observance.

observar [oβser'βar] vt to observe; (anotar) to notice; ~se vr to keep to, observe.

obsesión [oβse'sjon] nf obsession; **obsesionar** vt to obsess.

obstaculizar [oβstakuli'θar] vt (dificultar) to hinder; (impedir) to stand in the way of.

obstáculo [oβ'stakulo] nm (gen) obstacle; (impedimento) hindrance, drawback.

obstante [oβ'stante]: **no** ~ ad nevertheless // prep in spite of.

obstar [oβ'star] vi: ~ **a** to hinder.

obstetricia [oβste'triθja] nf obstetrics sg; **obstétrico, a** a obstetric // nm/f obstetrician.

obstinado, a [oβsti'naðo, a] a (gen) obstinate; (terco) stubborn.

obstinarse [oβsti'narse] vr to be obstinate; ~ **en** to persist in.

obstrucción [oβstruk'θjon] nf obstruction; **obstruir** vt to obstruct.

obtener [oβte'ner] vt (conseguir) to obtain; (ganar) to gain.

obtuso, a [oβ'tuso, a] a (filo) blunt; (MAT, fig) obtuse.

obviar [oβ'βjar] vt to clear away // vi to stand in the way.

obvio, a ['oββjo, a] a obvious.

ocasión [oka'sjon] nf (oportunidad) opportunity, chance; (momento) occasion, time; (causa) cause; **de** ~ secondhand; **ocasionar** vt to cause.

ocaso [o'kaso] nm (oeste) west; (fig) decline.

occidente [okθi'ðente] nm west.

océano [o'θeano] nm ocean; **el** ~ **Índico** the Indian Ocean.

O.C.E.D. nf abr de **Organización de Cooperación Económica y Desarrollo** OECD (Organization for Economic Cooperation and Development).

ocio ['oθjo] nm (tiempo) leisure; (pey) idleness; ~**s** nmpl pastime sg; ~**sidad** nf idleness; ~**so, a** a (inactivo) idle; (inútil) useless.

octanaje [okta'naxe] nm: **de alto** ~ high octane; **octano** nm octane.

octavín [okta'βin] nm piccolo.

octavo, a [ok'taβo, a] a eighth.

octogenario, a [oktoxe'narjo, a] a octogenarian.

octubre [ok'tuβre] nm October.

ocular [oku'lar] a ocular, eye cpd; **testigo** ~ eyewitness.

oculista [oku'lista] nm/f oculist.

ocultar [okul'tar] vt (esconder) to hide; (callar) to withhold; **oculto, a** a hidden; (fig) secret.

ocupación [okupa'θjon] nf occupation.

ocupado, a [oku'paðo, a] a (persona) busy; (sitio) occupied; (teléfono) engaged; **ocupar** vt (gen) to occupy; **ocuparse** vr: **ocuparse con** o **de** o **en** (gen) to concern o.s. with; (cuidar) to look after.

ocurrencia [oku'rrenθja] nf (ocasión) occurrence; (agudeza) witticism.

ocurrir [oku'rrir] vi to happen; ~ **se** vr: **se me ocurre que...** it occurs to me that... .

ochenta [o't∫enta] num eighty.

ocho ['ot∫o] num eight.

odiar [o'ðjar] vt to hate; **odio** nm (gen) hate, hatred; (disgusto) dislike; **odioso, a** a (gen) hateful; (malo) nasty.

O.E.A. nf abr de **Organización de Estados Americanos** O.A.S. (Organization of American States).

oeste [o'este] nm west; **una película del** ~ a western.

ofender [ofen'der] vt (agraviar) to offend; (ser ofensivo a) to be offensive to; ~ **se** vr to take offence; **ofensa** nf offence; **ofensivo, a** a (insultante) insulting; (MIL) offensive // excl offensive.

oferta [o'ferta] nf offer; (propuesta) proposal; **la** ~ **y la demanda** supply and demand; **artículos en** ~ goods on offer.

oficial [ofi'θjal] a official // nm official; (MIL) officer.

oficina [ofi'θina] nf office; **oficinista** nm/f clerk.

oficio [o'fiθjo] nm (profesión) profession; (puesto) post; (REL) service; **ser del** ~ to be an old hand; **tener mucho** ~ to have a lot of experience; ~ **de difuntos** funeral service; **de** ~ officially.

oficiosidad [ofiθjosi'ðað] nf helpfulness; (pey) officiousness.

oficioso, a [ofi'θjoso, a] a (diligente) attentive; (pey) officious; (no oficial) unofficial, informal.

ofrecer [ofre'θer] vt (dar) to offer; (proponer) to propose; ~ **se** vr (persona) to offer o.s., volunteer; (situación) to present itself; **¿qué se le ofrece?, ¿se le ofrece algo?** what can I do for you?, can I get you anything?

ofrecimiento [ofreθi'mjento] nm offer, offering.

ofrendar [ofren'dar] vt to offer, contribute.

oftálmico, a [of'talmiko, a] a ophthalmic.

ofuscación [ofuska'θjon] nf, **ofuscamiento** [ofuska'mjento] nm (fig) bewilderment; **ofuscar** vt (confundir) to bewilder; (enceguecer) to dazzle, blind.

oída [o'iða] nf hearing; **de** ~ **s** by hearsay.

oído [o'iðo] nm ear; (sentido) hearing.

oigo etc vb ver **oír.**

oír [o'ir] vt (gen) to hear; (atender a) to

listen to; **¡oiga!** listen!; ~ **misa** to attend mass.

O.I.T. nf abr de **Organización Internacional del Trabajo** I.L.O. (International Labour Organization).

ojal [o'xal] nm buttonhole.

ojalá [oxa'la] excl if only it were so!, some hope(s)! // conj if only...!, would that...!; ~ **que venga hoy** I hope he comes today.

ojeada [oxe'aða] nf glance; **ojear** vt (mirar fijo) to stare at; (examinar) to eye; (mirar de reojo) to glance at.

ojera [o'xera] nf: **tener** ~ **s** to have rings or circles under the eyes.

ojeriza [oxe'riθa] nf ill-will.

ojeroso, a [oxe'roso, a] a haggard.

ojete [o'xete] nm eye(let).

ojo ['oxo] nm eye; (de puente) span; (de cerradura) keyhole // excl careful!; **tener** ~ **para** to have an eye for; ~ **de buey** porthole.

ola ['ola] nf wave.

olé [o'le] excl bravo!, olé!

oleada [ole'aða] nf big wave, swell; (fig) surge.

oleaje [ole'axe] nm swell.

óleo ['oleo] nm oil; **oleoducto** nm (oil) pipeline.

oler [o'ler] vt (gen) to smell; (husmear) to pry into; (fig) to sniff out // vi: ~ **a** to smell of.

olfatear [olfate'ar] vt to smell; (fig) to sniff out; (husmear) to pry into; **olfato** nm sense of smell.

oliente [o'ljente] a smelling; **bien/mal** ~ sweet-/foul-smelling.

oligarquía [olixar'kia] nf oligarchy.

olimpíada [olim'piaða] nf: **las O** ~ **s** the Olympics.

oliva [o'liβa] nf (aceituna) olive; (árbol) olive tree; **aceite de** ~ olive oil; **olivo** nm olive tree.

olmo ['olmo] nm elm (tree).

olor [o'lor] nm smell; ~ **oso, a** a scented.

olvidadizo, a [olβiða'ðiθo, a] a (desmemoriado) forgetful; (distraído) absent-minded.

olvidar [olβi'ðar] vt to forget; (omitir) to omit; ~ **se** vr to forget o.s.; **se me olvidó** I forgot.

olvido [ol'βiðo] nm oblivion.

olla ['oʎa] nf pan; (comida) stew; ~ **a presión** o **autopresión** pressure cooker; ~ **podrida** Spanish stew.

ombligo [om'blixo] nm navel.

ominoso, a [omi'noso, a] a ominous.

omisión [omi'sjon] nf (abstención) omission; (descuido) neglect.

omiso, a [o'miso, a] a: **hacer caso** ~ **de** to ignore, pass over.

omitir [omi'tir] vt to omit.

omnipotente [omnipo'tente] a omnipotent.

omnívoro, a [om'niβoro, a] a omnivorous.

omóplato [o'moplato] nm shoulder blade.

O.M.S. nf abr de **Organización Mundial**

de la Salud W.H.O. (World Health Organization).

once ['onθe] *num* eleven; **las** ~ (*fam*) elevenses.

onda ['onda] *nf* wave; ~ **corta/larga/media** short/long/ medium wave; **~s acústicas/ hertzianas** acoustic/Hertzian waves; **ondear** *vt* to wave // *vi* to wave; (*tener ondas*) to be wavy; (*pelo*) to flow; (*agua*) to ripple; **ondearse** *vr* to swing, sway.

ondulación [ondula'θjon] *nf* undulation; **ondulado, a** *a* wavy // *nm* wave; **ondulante** *a* undulating; (*cartón, chapa*) corrugated.

ondular [ondu'lar] *vt* (*el pelo*) to wave // *vi*, ~ **se** *vr* to undulate.

oneroso, a [one'roso, a] *a* onerous.

ONU *nf abr de* **Organización de las Naciones Unidas** UNO (United Nations Organization).

O.P. *nfpl abr de* **Obras Públicas** Public Works.

opaco, a [o'pako, a] *a* opaque; (*fig*) dull.

opalescente [opales'θente] *a* opalescent.

ópalo ['opalo] *nm* opal.

opción [op'θjon] *nf* (*gen*) option; (*derecho*) right, option.

ópera ['opera] *nf* opera; ~ **bufa** *o* **cómica** comic opera.

operación [opera'θjon] *nf* (*gen*) operation; (*COM*) transaction, deal.

operador, a [opera'ðor, a] *nm/f* operator; (*en cine*) projectionist; (*de cine*) camera operator.

operante [ope'rante] *a* operating.

operar [ope'rar] *vt* (*producir*) to produce, bring about; (*MED*) to operate on // *vi* (*COM*) to operate, deal; ~ **se** *vr* to occur; (*MED*) to have an operation.

opereta [ope'reta] *nf* operetta.

opinar [opi'nar] *vt* (*estimar*) to think // *vi* (*enjuiciar*) to give one's opinion; **opinión** *nf* (*creencia*) belief; (*criterio*) opinion.

opio ['opjo] *nm* opium.

oponente [opo'nente] *nm/f* opponent.

oponer [opo'ner] *vt* (*resistencia*) to put up, offer; (*negativa*) to raise; ~ **se** *vr* (*objetar*) to object; (*estar frente a frente*) to be opposed; (*dos personas*) to oppose each other; ~ **A a B** to set A against B; **me opongo a pensar que...** I refuse to believe *or* think that... .

oportunidad [oportuni'ðað] *nf* (*ocasión*) opportunity; (*posibilidad*) chance.

oportunismo [oportu'nismo] *nm* opportunism; **oportunista** *nm/f* opportunist.

oportuno, a [opor'tuno, a] *a* (*apto*) appropriate, suitable; (*en su tiempo*) opportune; (*conveniente*) convenient; **en el momento** ~ at the right moment.

oposición [oposi'θjon] *nf* opposition; **oposiciones** *nfpl* public examinations.

opositor, a [oposi'tor, a] *nm/f* (*adversario*) opponent; (*concurrente*) competitor.

opresión [opre'sjon] *nf* oppression;

opresivo, a *a* oppressive; **opresor, a** *nm/f* oppressor.

oprimir [opri'mir] *vt* to squeeze; (*fig*) to oppress.

oprobio [o'proβjo] *nm* (*infamia*) ignominy; (*descrédito*) shame.

optar [op'tar] *vi* (*elegir*) to choose; ~ **a** *o* **por** to opt for.

óptico, a ['optiko, a] *a* optic(al) // *nm/f* optician.

optimismo [opti'mismo] *nm* optimism; **optimista** *nm/f* optimist.

óptimo, a ['optimo, a] *a* (*bueno*) very good; (*el mejor*) very best.

opuesto, a [o'pwesto, a] *a* (*contrario*) opposite; (*antagónico*) opposing.

opugnar [opuɣ'nar] *vt* to attack.

opulencia [opu'lenθja] *nf* opulence; **opulento, a** *a* opulent.

oquedad [oke'ðað] *nf* (*fig*) void.

ora ['ora] *ad*: ~ **tú** ~ **yo** now you, now me.

oración [ora'θjon] *nf* (*discurso*) speech; (*REL*) prayer; (*LING*) sentence.

oráculo [o'rakulo] *nm* oracle.

orador, a [ora'ðor, a] *nm/f* (*predicador*) preacher; (*conferenciante*) speaker.

oral [o'ral] *a* oral.

orangután [orangu'tan] *nm* orang-utan.

orar [o'rar] *vi* (*REL*) to pray; (*hablar*) to make a speech.

oratoria [ora'torja] *nf* oratory.

órbita ['orβita] *nf* orbit.

orden ['orðen] *nm* (*gen*) order // *nf* (*gen*) order; ~ **del día** agenda; **de primer** ~ first-rate; **en** ~ **de prioridad** in order of priority.

ordenado, a [orðe'naðo, a] *a* (*metódico*) methodical; (*arreglado*) orderly.

ordenador [orðena'ðor] *nm* computer.

ordenanza [orðe'nanθa] *nf* ordinance.

ordenar [orðe'nar] *vt* (*mandar*) to order; (*poner orden*) to put in order, arrange; ~ **se** *vr* (*REL*) to be ordained.

ordeñadora [orðeɲa'ðora] *nf* milking machine.

ordeñar [orðe'ɲar] *vt* to milk.

ordinario, a [orði'narjo, a] *a* (*común*) ordinary, usual; (*bajo*) vulgar, common.

orégano [o'reɣano] *nm* oregano.

oreja [o'rexa] *nf* ear; (*de zapatos*) tongue; (*MECÁNICA*) lug, flange.

orfandad [orfan'dað] *nf* orphanhood.

orfebrería [orfeβre'ria] *nf* gold/silver work.

organillo [orɣa'niʎo] *nm* barrel organ.

organismo [orɣa'nismo] *nm* (*BIO*) organism; (*POL*) organization.

organista [orɣa'nista] *nm/f* organist.

organización [orɣaniθa'θjon] *nf* organization; **organizar** *vt* to organize.

órgano ['orɣano] *nm* organ.

orgasmo [or'ɣasmo] *nm* orgasm.

orgía [or'xia] *nf* orgy.

orgullo [or'ɣuʎo] *nm* (*altanería*) pride; (*autorespeto*) self-respect; **orgulloso, a** *a* (*gen*) proud; (*altanero*) haughty.

orientación [orjenta'θjon] *nf* (*posición*) position; (*dirección*) direction; (*entrenamiento*) training.

orientar [orjen'tar] *vt* (*situar*) to orientate; (*señalar*) to point; (*dirigir*) to direct; (*informar*) to guide; ~**se** *vr* to get one's bearings; (*decidirse*) to decide on a course of action.

oriente [o'rjente] *nm* east; **Cercano/Medio/Lejano O**~ Near/Middle/Far East.

origen [o'rixen] *nm* (*germen*) origin; (*nacimiento*) lineage, birth.

original [orixi'nal] *a* (*nuevo*) original; (*extraño*) odd, strange; ~**idad** *nf* originality.

originar [orixi'nar] *vt* to originate; ~**se** *vr* to originate; ~**io, a** *a* (*nativo*) native; (*primordial*) original.

orilla [o'riʎa] *nf* (*borde*) border; (*de río*) bank; (*de bosque, tela*) edge; (*de taza etc*) rim, lip; (*de calle*) pavement; **orillar** *vt* (*bordear*) to skirt, go round; (*resolver*) to wind up; (*tocar: asunto*) to touch briefly on.

orín [o'rin] *nm* rust.

orina [o'rina] *nf* urine; **orinal** *nm* (*chamber*) pot; **orinar** *vi* to urinate; **orinarse** *vr* to wet o.s.; **orines** *nmpl* urine *sg*.

oriundo, a [o'rjundo, a] *a*: ~ **de** native of.

orlar [or'lar] *vt* (*adornar*) to adorn, decorate; (*encuadrar*) to frame.

ornamentar [ornamen'tar] *vt* (*adornar, ataviar*) to adorn; (*revestir*) to bedeck.

ornamento [orna'mento] *nm* ornament.

ornar [or'nar] *vt* to adorn.

oro ['oro] *nm* gold; ~**s** *nmpl* (*NAIPES*) hearts.

oropel [oro'pel] *nm* tinsel.

orozuz [oro'θuθ] *nm* liquorice.

orquesta [or'kesta] *nf* orchestra; ~ **de cámara/sinfónica** chamber/symphony orchestra.

orquídea [or'kiðea] *nf* orchid.

ortiga [or'tixa] *nf* nettle.

ortodoxo, a [orto'ðokso, a] *a* orthodox.

ortografía [ortoxra'fia] *nf* spelling.

ortopedia [orto'peðja] *nf* orthopaedics *sg*.

oruga [o'ruxa] *nf* caterpillar; (*BOT*) rocket.

orzuelo [or'θwelo] *nm* (*MED*) stye.

os [os] *pron* (*gen*) you; (*a vosotros*) to you.

osa ['osa] *nf* (she-)bear; **O**~ **Mayor/Menor** Great/Little Bear.

osadía [osa'ðia] *nf* daring.

osar [o'sar] *vi* to dare.

oscilación [osθila'θjon] *nf* (*movimiento*) oscillation; (*fluctuación*) fluctuation; (*vacilación*) hesitation; (*columpio*) swinging, movement to and fro; **oscilar** *vi* to oscillate; to fluctuate; to hesitate.

ósculo ['oskulo] *nm* kiss.

oscurecer [oskure'θer] *vt* to darken // *vi* to grow dark; ~**se** *vr* to grow or get dark.

oscuridad [oskuri'ðað] *nf* obscurity; (*tinieblas*) darkness.

oscuro, a [os'kuro, a] *a* dark; (*fig*) obscure; **a** ~**as** in the dark.

óseo, a ['oseo, a] *a* bony.

oso ['oso] *nm* bear; ~ **de peluche** teddy bear; ~ **hormiguero** anteater.

ostensible [osten'siβle] *a* obvious.

ostentación [ostenta'θjon] *nf* (*gen*) ostentation; (*acto*) display; **ostentar** *vt* (*gen*) to show; (*pey*) to flaunt, show off; (*poseer*) to have, possess; **ostentoso, a** *a* ostentatious, showy.

osteópata [oste'opata] *nm/f* osteopath.

ostra ['ostra] *nf* oyster.

ostracismo [ostra'θismo] *nm* ostracism.

osuno, a [o'suno, a] *a* bear-like.

OTAN ['otan] *nf abr de* **Organización del Tratado del Atlántico Norte** NATO (North Atlantic Treaty Organization).

otear [ote'ar] *vt* to observe; (*fig*) to look into.

otitis [o'titis] *nf* earache.

otoñal [oto'ɲal] *a* autumnal.

otoño [o'toɲo] *nm* autumn.

otorgamiento [otorɣa'mjento] *nm* conferring, granting; (*JUR*) execution.

otorgar [otor'ɣar] *vt* (*conceder*) to concede; (*dar*) to grant.

otro, a ['otro, a] *a* (*sg*) another; (*pl*) other // *pron* another one; ~**s** others; ~**a cosa** something else; **de** ~**a manera** otherwise; **en** ~ **tiempo** formerly, once; **ni uno ni** ~ neither one nor the other; ~ **tanto** the same again.

ovación [oβa'θjon] *nf* ovation.

oval [o'βal], **ovalado, a** [oβa'laðo, a] *a* oval; **óvalo** *nm* oval.

oveja [o'βexa] *nf* sheep; **ovejuno, a** *a* sheep *cpd*.

overol [oβe'rol] *nm* overalls *pl*.

ovillar [oβi'ʎar] *vt* to wind (into a ball); ~**se** *vr* to curl up into a ball.

OVNI ['oβni] *nm abr de* **objeto volante no identificado** UFO (unidentified flying object).

ovulación [oβula'θjon] *nf* ovulation; **óvulo** *nm* ovum.

oxidación [oksiða'θjon] *nf* rusting; **oxidar** *vt* to rust; **oxidarse** *vr* to become rusty.

óxido ['oksiðo] *nm* oxide.

oxigenado, a [oksixe'naðo, a] *a* (*QUÍMICA*) oxygenated; (*pelo*) bleached // *nm* peroxide.

oxígeno [ok'sixeno] *nm* oxygen.

oyente [o'jente] *nm/f* listener, hearer.

oyes, oyó *etc vb ver* **oír**.

P

P *abr de* **padre**.

pabellón [paβe'ʎon] *nm* bell tent; (*ARQ*) pavilion; (*de hospital etc*) block, section; (*bandera*) flag.

pábilo ['paβilo] *nm* wick.

pacer [pa'θer] *vi* to graze // *vt* to graze on.

paciencia [pa'θjenθja] *nf* patience.

paciente [pa'θjente] *a, nm/f* patient.

pacificación [paθifika'θjon] *nf* pacification; **pacificar** *vt* to pacify; (*tranquilizar*) to calm.

pacífico, a [pa'θifiko, a] *a* (*persona*) peace-loving; (*existencia*) pacific; **el** (**océano**) **P**~ the Pacific (Ocean).

pacifismo [paθi'fismo] *nm* pacifism; **pacifista** *nm/f* pacifist.

pactar [pak'tar] *vt* to agree to, agree on // *vi* to come to an agreement.

pacto ['pakto] *nm* (*tratado*) pact; (*acuerdo*) agreement.

padecer [paðe'θer] *vt* (*sufrir*) to suffer; (*soportar*) to endure, put up with; (*ser víctima de*) to be a victim of; **padecimiento** *nm* suffering.

padrastro [pa'ðrastro] *nm* stepfather.

padre ['paðre] *nm* father // *a* (*fam*): **un éxito** ~ a tremendous success; ~**s** *nmpl* parents.

padrino [pa'ðrino] *nm* (*REL*) godfather; (*fig*) sponsor, patron; ~**s** *nmpl* godparents; ~ **de boda** best man.

padrón [pa'ðron] *nm* (*censo*) census, roll; (*de socios*) register; (*TEC*) pattern.

paella [pa'eʎa] *nf* paella, dish of rice with meat, shellfish etc.

paga ['paxa] *nf* (*dinero pagado*) payment; (*sueldo*) pay, wages *pl*.

pagadero, a [paxa'ðero, a] *a* payable; ~ **a la entrega/a plazos** payable on delivery/in instalments.

pagador, a [paxa'ðor, a] *nm/f* (*quien paga*) payer; (*cajero*) cashier.

pagano, a [pa'xano, a] *a, nm/f* pagan, heathen.

pagar [pa'xar] *vt* (*gen*) to pay; (*las compras, crimen*) to pay for; (*fig: favor*) to repay // *vi* to pay; ~ **al contado/a plazos** to pay (in) cash/in instalments; ~**se** *vr*: ~**se con algo** to be content with sth; ~**se de sí mismo** to be conceited.

pagaré [paxa're] *nm* I.O.U.

página ['paxina] *nf* page.

pago ['paxo] *nm* (*dinero*) payment; (*fig*) return; (*barrio*) district; (*AM*) home region, home area; **estar** ~ to be even or quits; ~ **anticipado/a cuenta/a la entrega/en especie** advance payment/payment on account/cash on delivery/payment in kind.

país [pa'is] *nm* (*gen*) country; (*región*) land; (*paisaje*) landscape; **los P**~**es Bajos** the Low Countries; **el P**~ **Vasco** the Basque Country; **paisaje** *nm* countryside, scenery.

paisano, a [pai'sano, a] *a* of the same country // *nm/f* (*compatriota*) fellow countryman/woman; (*campesino*) peasant; **vestir de** ~ (*soldado*) to be in civvies (*fam*); (*guardia*) to be in plain clothes.

paja ['paxa] *nf* straw; (*fig*) trash, rubbish.

pájara ['paxara] *nf* hen bird; (*cometa*) kite; (*mujer*) thief.

pájaro [pa'xaro] *nm* bird.

pajita [pa'xita] *nf* (drinking) straw.

pala ['pala] *nf* (*de mango largo*) spade; (*de mango corto*) shovel; (*raqueta etc*) bat; (: *de tenis*) racquet; (*CULIN*) slice; ~ **matamoscas** fly swat.

palabra [pa'laβra] *nf* (*gen*) word; (*facultad*) (power of) speech; (*derecho de hablar*) right to speak; **palabrota** *nf* swearword.

palacio [pa'laθjo] *nm* palace; (*mansión*) mansion, large house; ~ **de justicia** courthouse; ~ **municipal** town/city hall.

paladar [pala'ðar] *nm* (*gen*) palate; **paladear** *vt* to taste.

palanca [pa'lanka] *nf* lever; (*fig*) pull, influence.

palangana [palan'gana] *nf* washbasin.

palco ['palko] *nm* box.

palenque [pa'lenke] *nm* (*cerca*) stockade, fence; (*área*) arena, enclosure; (*de gallos*) pit.

Palestina [pales'tina] *nf* Palestine.

paliar [pa'ljar] *vt* (*mitigar*) to mitigate; (*disfrazar*) to conceal; **paliativo** *nm* palliative.

palidecer [paliðe'θer] *vi* to turn pale; **palidez** *nf* paleness; **pálido, a** *a* pale.

palillo [pa'liʎo] *nm* small stick; (*para dientes*) toothpick.

paliza [pa'liθa] *nf* beating, thrashing.

palizada [pali'θaða] *nf* fence; (*lugar cercado*) enclosure.

palma ['palma] *nf* (*ANAT*) palm; (*árbol*) palm tree; **batir** *o* **dar** ~**s** to clap, applaud; ~**da** *nf* slap; ~**s** *nfpl* clapping *sg*, applause *sg*.

palmear [palme'ar] *vi* to clap.

palmo ['palmo] *nm* (*medida*) span; (*fig*) small amount; ~ **a** ~ inch by inch.

palmotear [palmote'ar] *vi* to clap, applaud; **palmoteo** *nm* clapping, applause; (*palmada*) slap.

palo ['palo] *nm* stick; (*poste*) post, pole; (*mango*) handle, shaft; (*golpe*) blow, hit; (*de golf*) club; (*de béisbol*) bat; (*NAUT*) mast; (*NAIPES*) suit; ~ **de tienda** tent pole.

paloma [pa'loma] *nf* dove, pigeon.

palomilla [palo'miʎa] *nf* moth; (*TEC: tuerca*) wing nut; (: *hierro*) angle iron.

palomitas [palo'mitas] *nfpl* popcorn *sg*.

palpar [pal'par] *vt* to touch, feel; (*acariciar*) to caress, fondle; (*caminar a tientas*) to grope one's way along; (*fig*) to appreciate, understand; ~ **a uno** to frisk sb.

palpitación [palpita'θjon] *nf* palpitation; **palpitante** *a* palpitating; (*fig*) burning; **palpitar** *vi* to palpitate; (*latir*) to beat.

palúdico, a [pa'luðiko, a] *a* marshy.

paludismo [palu'ðismo] *nm* malaria.

pampa ['pampa] *nf* (*AM*) pampa(s), prairie.

pan [pan] *nm* (*en general*) bread; (*una barra*) loaf; (*trigo*) wheat; **de** ~ **llevar** arable; ~ **integral** wholemeal bread; ~ **molido** breadcrumbs *pl*.

pana ['pana] *nf* corduroy.

panadería [panaðe'ria] *nf* baker's (shop); **panadero, a** *nm/f* baker.

Panamá [pana'ma] *nm* Panama; **panameño, a** *a* Panamanian.
pancarta [pan'karta] *nf* placard, banner.
panda ['panda] *nf* panda.
pandereta [pande'reta] *nf* tambourine.
pandilla [pan'diʎa] *nf* set, group; (*de criminales*) gang; (*pey*) clique.
pando, a ['pando, a] *a* sagging.
panel [pa'nel] *nm* panel.
pánico ['paniko] *nm* panic.
panorama [pano'rama] *nm* panorama; (*vista*) view.
pantalones [panta'lones] *nmpl* trousers.
pantalla [pan'taʎa] *nf* (*de cine*) screen; (*cubre-luz*) lampshade.
pantano [pan'tano] *nm* (*ciénaga*) marsh, swamp; (*depósito: de agua*) reservoir; (*fig*) jam, fix, difficulty.
pantera [pan'tera] *nf* panther.
pantimedias [panti'meðjas] *nfpl* tights.
pantomima [panto'mima] *nf* pantomime.
pantorrilla [panto'rriʎa] *nf* calf (of the leg).
pantufla [pan'tufla] *nf* slipper.
panza ['panθa] *nf* belly, paunch; **panzudo, a, panzón, ona** *a* fat, potbellied.
pañal [pa'nal] *nm* nappy; ~**es** *nmpl* (*fig*) early stages, infancy *sg*.
pañería [paɲe'ria] *nf* drapery; **pañero, a** *nm/f* draper.
paño ['paɲo] *nm* (*tela*) cloth; (*pedazo de tela*) (piece of) cloth; (*trapo*) duster, rag; ~ **higiénico** sanitary towel; ~**s menores** underclothes.
pañuelo [pa'ɲwelo] *nm* handkerchief, hanky (*fam*); (*para la cabeza*) (head)scarf.
papa ['papa] *nf* (*AM*) potato // *nm*: **el P**~ the Pope.
papá [pa'pa] (*pl* ~**s**) *nm* (*fam*) dad, daddy.
papagayo [papa'ɣajo] *nm* parrot.
papamoscas [papa'moskas] *nm inv* fly-catcher.
papanatas [papa'natas] *nm inv* (*fam*) sucker, simpleton.
papar [pa'par] *vt* to swallow, gulp (down).
paparrucha [papa'rrutʃa] *nf* (*tontería*) piece of nonsense; (*engaño*) hoax.
papaya [pa'paja] *nf* papaya.
papel [pa'pel] *nm* (*en general*) paper; (*hoja de papel*) sheet of paper; (*TEATRO*) part, role; ~ **de calcar/carbón/de cartas** tracing paper/carbon paper/stationery; ~ **de envolver/de empapelar** brown paper, wrapping paper/wallpaper; ~ **de estaño/higiénico** tinfoil/toilet paper; ~ **de lija** sandpaper; ~ **moneda** paper money; ~ **secante** blotting paper.
papeleo [pape'leo] *nm* red tape.
papelera [pape'lera] *nf* (*cesto*) wastepaper basket; (*escritorio*) desk.
papelería [papele'ria] *nf* (*papeles*) mass of papers; (*tienda*) stationer's (shop).
papeleta [pape'leta] *nf* (*pedazo de papel*) slip *or* bit of paper; (*tarjeta de archivo*) index card; (*POL*) ballot paper; (*ESCOL*) report.

paperas [pa'peras] *nfpl* mumps.
paquete [pa'kete] *nm* (*caja*) packet; (*bulto*) parcel; (*AM: fam*) nuisance, bore.
par [par] *a* (*igual*) like, equal; (*MAT*) even // *nm* equal; (*de guantes*) pair; (*de veces*) couple; (*dignidad*) peer; (*GOLF, COM*) par; **abrir de** ~ **en** ~ to open wide.
para ['para] *prep* (*gen*) for; **no es** ~ **comer** it's not for eating; **decir** ~ **sí** to say to o.s.; **¿** ~ **qué lo quieres?** what do you want it for?; **se casaron** ~ **separarse otra vez** they married only to separate again; **lo tendré** ~ **mañana** I'll have it for tomorrow; **ir** ~ **casa** to go home, head for home; ~ **profesor es muy estúpido** he's very stupid for a teacher; **¿quién es usted** ~ **gritar así?** who are you to shout like that?; **tengo bastante** ~ **vivir** I have enough to live on; **estoy** ~ **cantar** I'm about to sing.
parabién [para'ßjen] *nm* congratulations *pl*.
parábola [pa'raßola] *nf* parable; (*MAT*) parabola.
parabrisas [para'ßrisas] *nm inv* windscreen.
paracaídas [paraka'iðas] *nm inv* parachute; **paracaidista** *nm/f* parachutist; (*MIL*) paratrooper.
parachoques [para'tʃokes] *nm inv* bumper; (*en auto*) shock absorber.
parada [pa'raða] *nf ver* **parado**.
paradero [para'ðero] *nm* stopping-place; (*situación*) whereabouts; (*fin*) end.
parado, a [pa'raðo, a] *a* (*persona*) motionless, standing still; (*fábrica*) closed, at a standstill; (*coche*) stopped; (*AM*) standing (up); (*sin empleo*) unemployed, idle; (*confuso*) confused // *nf* (*gen*) stop; (*acto*) stopping; (*de industria*) shutdown, stoppage; (*de pagos*) suspension; (*lugar*) stopping-place; (*apuesta*) bet; ~**a de autobús** bus stop.
paradoja [para'ðoxa] *nf* paradox.
parador [para'ðor] *nm* (*luxury*) hotel.
paráfrasis [pa'rafrasis] *nm inv* paraphrase.
paragolpes [para'xolpes] *nm inv* bumper.
paraguas [pa'raxwas] *nm inv* umbrella.
Paraguay [para'xwai] *nm*: **el** ~ Paraguay.
paraíso [para'iso] *nm* paradise, heaven.
paraje [pa'raxe] *nm* place, spot.
paralelo, a [para'lelo, a] *a* parallel.
parálisis [pa'ralisis] *nf* paralysis; **paralítico, a** *a*, *nm/f* paralytic; **paralizar** *vt* to paralyse; **paralizarse** *vr* to become paralysed; (*fig*) to come to a standstill.
paramilitar [paramili'tar] *a* para-military.
páramo ['paramo] *nm* bleak plateau.
parangón [paran'gon] *nm*: **sin** ~ incomparable.
paranoico, a [para'noiko, a] *nm/f* paranoiac.
parapléjico, a [para'plexiko, a] *a*, *nm/f* paraplegic.

parar [pa'rar] vt to stop; (golpe) to ward off // vi to stop; ~**se** vr to stop; (AM) to stand up; **ha parado de llover** it has stopped raining; **van a ~ en la comisaria** they're going to end up in the police station; ~**se en** to pay attention to.

parásito, a [pa'rasito, a] nm/f parasite.

parasol [para'sol] nm parasol, sunshade.

parcela [par'θela] nf plot, piece of ground.

parcial [par'θjal] a (pago) part-; (eclipse) partial; (juez) prejudiced, biased; ~**idad** nf (prejuicio) prejudice, bias; (partido, facción) party, faction.

parco, a [ˈparko, a] a (frugal) frugal; (mezquino) mean; (moderado) moderate.

parche [ˈpartʃe] nm (MED) sticking plaster; (gen) patch.

parear [pare'ar] vt (juntar, hacer par) to match, put together; (calcetines) to put into pairs; (BIO) to mate, pair.

parecer [pare'θer] nm (opinión) opinion, view; (aspecto) looks pl // vi (tener apariencia) to seem, look; (asemejarse) to look like, seem like; (aparecer, llegar) to appear; ~**se** vr to look alike, resemble each other; ~**se a** to look like, resemble; **según** o **a lo que parece** evidently, apparently; **me parece que** I think (that), it seems to me that; **parecido, a** a similar // nm similarity, likeness, resemblance; **bien parecido** good-looking, nice-looking.

pared [pa'reð] nf wall.

parejo, a [pa'rexo, a] a (igual) equal; (liso) smooth, even // nf (dos) pair; (: de personas) couple; (el otro: de un par) other one (of a pair); (: persona) partner.

parentela [paren'tela] nf relations pl.

parentesco [paren'tesko] nm relationship.

paréntesis [pa'rentesis] nm inv parenthesis; (digresión) digression; (en escrito) bracket.

parezco etc vb ver **parecer.**

pariente, a [pa'rjente, a] nm/f relative, relation.

parihuela [pari'wela] nf stretcher.

parir [pa'rir] vt to give birth to // vi (mujer) to give birth, have a baby.

París [pa'ris] n Paris.

parlamentar [parlamen'tar] vi (hablar) to talk, converse; (negociar) to parley.

parlamentario, a [parlamen'tarjo, a] a parliamentary // nm/f member of parliament.

parlamento [parla'mento] nm (POL) parliament; (conversación) parley.

parlanchín, ina [parlan'tʃin, ina] a loose-tongued, indiscreet // nm/f chatterbox.

parlar [par'lar] vi to chatter (away), talk (a lot); (chismear) to gossip; **parlero, a** a talkative; gossipy; (pájaro) singing.

paro [ˈparo] nm (huelga) stoppage (of work), strike; (desempleo) unemployment; **subsidio de ~** unemployment benefit; **hay ~ en la industria** work in the industry is at a standstill.

parodia [pa'roðja] nf parody; **parodiar** vt to parody.

parpadear [parpaðe'ar] vi (los ojos) to blink; (luz) to flicker.

párpado [ˈparpaðo] nm eyelid.

parque [ˈparke] nm (lugar verde) park; (depósito) depot; ~ **de atracciones/de estacionamiento/zoológico** fair-ground/car park/zoo.

parquímetro [par'kimetro] nm parking meter.

párrafo [ˈparrafo] nm paragraph; **echar un ~** (fam) to have a chat.

parranda [pa'rranda] nf (fam) spree, binge.

parrilla [pa'rriʎa] nf (CULIN) grill; (de coche) grille; **(carne de) ~** barbecue; ~**da** nf barbecue.

párroco [ˈparroko] nm parish priest.

parroquia [pa'rrokja] nf parish; (iglesia) parish church; (COM) clientele, customers pl; ~**no, a** nm/f parishioner; client, customer.

parte [ˈparte] nm message; (informe) report // nf (gen) part; (lado, cara) side; (de reparto) share; (JUR) party; **en alguna ~ de Europa** somewhere in Europe; **en cualquier ~** anywhere; **en gran ~** to a large extent; **la mayor ~ de los españoles** most Spaniards; **de algún tiempo a esta ~** for some time past; **de ~ de alguien** on sb's behalf; **por ~ de** on the part of; **yo por mi ~** I for my part; **por otra ~** on the other hand; **dar ~** to inform; **tomar ~** to take part.

partera [par'tera] nf midwife.

partición [parti'θjon] nf division, sharing-out; (POL) partition.

participación [partiθipa'θjon] nf (acto) participation, taking part; (parte, COM) share; (de lotería) small prize; (aviso) notice, notification.

participante [partiθi'pante] nm/f participant; **participar** vt to notify, inform // vi to take part, participate; (compartir) to share.

partícipe [par'tiθipe] nm/f participant.

particular [partiku'lar] a (especial) particular, special; (individual, personal) private, personal // nm (punto, asunto) particular, point; (individuo) individual; **tiene coche ~** he has a car of his own; ~**izar** vt to distinguish; (especificar) to specify; (detallar) to give details about.

partida [par'tiða] nf (salida) departure; (COM) entry, item; (juego) game; (apuesta) bet; (grupo, bando) band, group; **mala ~** dirty trick; ~ **de nacimiento/matri-monio/defunción** birth/marriage/death certificate.

partidario, a [parti'ðarjo, a] a partisan // nm/f (DEPORTE) supporter; (POL) partisan.

partido [par'tiðo] nm (POL) party; (encuentro) game, match; (apoyo) support; (equipo) team; **sacar ~ de** to profit from, benefit from; **tomar ~** to take sides.

partir [par'tir] vt (dividir) to split, divide;

(*compartir, distribuir*) to share (out),
distribute; (*romper*) to break open, split
open; (*rebanada*) to cut (off) // *vi* (*tomar
camino*) to set off, set out; (*comenzar*) to
start (off *or* out); ~**se** *vr* to crack *or* split
or break (in two *etc*); **a ~ de** (starting)
from.

parto ['parto] *nm* birth; (*fig*) product,
creation; **estar de ~** to be in labour.

parvulario [parβu'larjo] *nm* nursery
school, kindergarten.

pasa ['pasa] *nf* raisin; **~ de Corinto/de
Esmirna** currant/sultana.

pasada [pa'saða] *nf ver* **pasado.**

pasadizo [pasa'ðiθo] *nm* (*pasillo*) passage,
corridor; (*callejuela*) alley.

pasado, a [pa'saðo, a] *a* past; (*malo:
comida, fruta*) bad; (*muy cocido*) overdone;
(*anticuado*) out of date // *nm* past // *nf*
passing, passage; (*acción de pulir*) rub,
polish; ~**s** *nmpl* ancestors; ~ **mañana**
the day after tomorrow; **el mes ~** last
month; **de ~a** in passing, incidentally;
una mala ~a a dirty trick.

pasador [pasa'ðor] *nm* (*gen*) bolt; (*de
pelo*) pin, grip; ~**es** *nmpl* cufflinks.

pasaje [pa'saxe] *nm* (*gen*) passage; (*pago
de viaje*) fare; (*los pasajeros*) passengers *pl*;
(*pasillo*) passageway.

pasajero, a [pasa'xero, a] *a* passing;
(*calle*) busy // *nm/f* passenger; (*viajero*)
traveller.

pasamanos [pasa'manos] *nm* rail,
handrail; (*de escalera*) banister.

pasaporte [pasa'porte] *nm* passport.

pasar [pa'sar] *vt* (*gen*) to pass; (*tiempo*) to
spend; (*durezas*) to suffer, endure; (*noticia*)
to give, pass on; (*río*) to cross; (*barrera*) to
pass through; (*falta*) to overlook, tolerate;
(*contrincante*) to surpass, do better than;
(*coche*) to overtake; (*enfermedad*) to give,
infect with // *vi* (*gen*) to pass; (*terminarse*)
to be over; (*ocurrir*) to happen; ~**se** *vr*
(*flores*) to fade; (*comida*) to go bad, go off;
(*fig*) to overdo it, go too far; ~ **de** to go
beyond, exceed; **¡pase!** come in!; ~**se al
enemigo** to go over to the enemy; **se me
pasó** I forgot; **no se le pasa nada**
nothing escapes him, he misses nothing;
pase lo que pase come what may.

pasarela [pasa'rela] *nf* footbridge; (*en
barco*) gangway.

pasatiempo [pasa'tjempo] *nm* pastime;
(*distracción*) amusement.

Pascua ['paskwa] *nf:* ~ **(de
Resurrección)** Easter; ~ **de Navidad**
Christmas; ~**s** *nfpl* Christmas time;
¡felices ~s! Merry Christmas.

pase ['pase] *nm* pass.

pasear [pase'ar] *vt* to take for a walk;
(*exhibir*) to parade, show off // *vi*, ~**se** *vr*
to walk, go for a walk; (*holgazanear*) to
idle, loaf about; ~ **en coche** to go for a
drive; **paseo** *nm* (*avenida*) avenue;
(*distancia corta*) short walk; **dar un paseo**
to go for a walk.

pasillo [pa'siλo] *nm* passage, corridor.

pasión [pa'sjon] *nf* passion.

pasivo, a [pa'siβo, a] *a* passive; (*inactivo*)
inactive // *nm* (*COM*) liabilities *pl*, debts *pl*.

pasmar [pas'mar] *vt* (*asombrar*) to amaze,
astonish; (*enfriar*) to chill (to the bone);
pasmo *nm* amazement, astonishment;
chill; (*fig*) wonder, marvel; **pasmoso, a** *a*
amazing, astonishing.

paso, a ['paso, a] *a* dried // *nm* (*gen*) step;
(*modo de andar*) walk; (*huella*) footprint;
(*rapidez*) speed, pace, rate; (*camino
accesible*) way through, passage; (*cruce*)
crossing; (*pasaje*) passing, passage; (*GEO*)
pass; (*estrecho*) strait; **a ese ~** (*fig*) at
that rate; **salir al ~ de** *o* **a** to waylay;
estar de ~ to be passing through; ~
elevado flyover; **prohibido el ~** no
entry; **ceda el ~** give way.

pasta ['pasta] *nf* (*gen*) paste; (*CULIN: masa*)
dough; (*: de bizcochos etc*) pastry; (*cartón*)
cardboard; (*fam*) money, dough (*fam*); ~**s**
nfpl (*bizcochos*) pastries, small cakes;
(*fideos, espaguetis etc*) noodles, spaghetti
sg etc; ~ **de dientes** *o* **dentífrica**
toothpaste; ~ **de madera** wood pulp.

pastar [pas'tar], **pastear** [paste'ar] *vt, vi*
to graze.

pastel [pas'tel] *nm* (*dulce*) cake; (*de carne*)
pie; (*pintura*) pastel; ~**ería** *nf* cake shop,
pastry shop.

pasteurizado, a [pasteuri'θaðo, a] *a*
pasteurized.

pastilla [pas'tiλa] *nf* (*de jabón, chocolate*)
cake, bar; (*píldora*) tablet, pill.

pasto ['pasto] *nm* (*hierba*) grass; (*lugar*)
pasture, field.

pastor, a [pas'tor, a] *nm/f* shepherd/ess //
nm clergyman, pastor.

pata ['pata] *nf* (*pierna*) leg; (*pie*) foot; (*de
muebles*) leg; ~**s arriba** upside down;
meter la ~ to put one's foot in it; (*TEC*):
~ **de cabra** crowbar; **tener
buena/mala ~** to be lucky/unlucky;
~**da** *nf* stamp; (*puntapié*) kick.

patalear [patale'ar] *vi* to stamp one's feet.

patata [pa'tata] *nf* potato; ~**s fritas** *o* **a
la española** chips, French fries; ~**s
inglesas** crisps.

patear [pate'ar] *vt* (*pisar*) to stamp on,
trample (on); (*pegar con el pie*) to kick //
vi to stamp (with rage), stamp one's foot.

patente [pa'tente] *a* obvious, evident;
(*COM*) patent // *nf* patent; **patentizar** *vt* to
show, reveal, make evident.

paternal [pater'nal] *a* fatherly, paternal;
paterno, a *a* paternal.

patético, a [pa'tetiko, a] *a* pathetic,
moving.

patillas [pa'tiλas] *nfpl* sideburns.

patín [pa'tin] *nm* skate; (*de tobogán*)
runner; **patinaje** *nm* skating; **patinar** *vi*
to skate; (*resbalarse*) to skid, slip; (*fam*) to
slip up, blunder.

patio ['patjo] *nm* (*de casa*) patio,
courtyard; ~ **de recreo** playground.

pato ['pato] *nm* duck; **pagar el ~** (*fam*) to
take the blame, carry the can.

patológico, a [pato'loxiko, a] *a* pathological.

patraña [pa'traɲa] *nf* story, fib.

patria ['patrja] *nf* native land, mother country.

patrimonio [patri'monjo] *nm* inheritance; *(fig)* heritage.

patriota [pa'trjota] *nm/f* patriot; **patriotismo** *nm* patriotism.

patrocinar [patroθi'nar] *vt* to sponsor; *(apoyar)* to back, support; **patrocinio** *nm* sponsorship; backing, support.

patrón, ona [pa'tron, ona] *nm/f (jefe)* boss, chief, master/mistress; *(propietario)* landlord/lady; *(REL)* patron saint // *nm (TEC, costura)* pattern; **patronal** *a*: **la clase patronal** management; **patronato** *nm* sponsorship; *(acto)* patronage; *(COM)* employers' association.

patrulla [pa'truʎa] *nf* patrol.

pausa ['pausa] *nf* pause; *(intervalo)* break; *(interrupción)* interruption.

pausado, a [pau'saðo, a] *a* slow, deliberate.

pauta ['pauta] *nf* line, guide line.

pavo ['paβo] *nm* turkey; ~ **real** peacock.

pavor [pa'βor] *nm* dread, terror.

payaso, a [pa'jaso, a] *nm/f* clown.

paz [paθ] *nf* peace; *(tranquilidad)* peacefulness, tranquillity; **hacer las paces** to make peace; *(fig)* to make up.

P.C.E. *abr de* **Partido Comunista Español.**

peaje [pe'axe] *nm* toll.

peatón [pea'ton] *nm* pedestrian.

peca ['peka] *nf* freckle.

pecado [pe'kaðo] *nm* sin; **pecador, a** *a* sinful // *nm/f* sinner.

pecaminoso, a [pekami'noso, a] *a* sinful.

pecar [pe'kar] *vi (REL)* to sin; *(fig)*: **peca de generoso** he is too generous.

peculiar [peku'ljar] *a* special, peculiar; *(característico)* typical, characteristic; ~**idad** *nf* peculiarity; special feature, characteristic.

pecho ['petʃo] *nm (ANAT)* chest; *(de mujer)* breast(s) *(pl)*, bosom; *(corazón)* heart, breast; *(valor)* courage, spirit; **dar el** ~ **a** to breast-feed; **tomar algo a** ~ to take sth to heart.

pechuga [pe'tʃuxa] *nf* breast (of chicken *etc*).

pedal [pe'ðal] *nm* pedal; ~**ear** *vi* to pedal.

pedante [pe'ðante] *a* pedantic // *nm/f* pedant; ~**ría** *nf* pedantry.

pedazo [pe'ðaθo] *nm* piece, bit; **hacerse** ~**s** to fall to pieces; *(romperse)* to smash, shatter.

pedernal [peðer'nal] *nm* flint.

pediatra [pe'ðjatra] *nm/f* pediatrician.

pedicuro, a [peði'kuro, a] *nm/f* chiropodist.

pedido [pe'ðiðo] *nm (COM. mandado)* order; *(petición)* request.

pedir [pe'ðir] *vt* to ask for, request; *(comida, COM: mandar)* to order; *(exigir:*

precio) to ask; *(necesitar)* to need, demand, require // *vi* to ask; **me pidió que cerrara la puerta** he asked me to shut the door; **¿cuánto piden por el coche?** how much are they asking for the car?

pegadizo, a [peɣa'ðiθo, a] *a* sticky; *(MED)* infectious // *nm/f* sponger, hanger-on *(fam)*.

pegajoso, a [peɣa'xoso, a] *a* sticky, adhesive; *(MED)* infectious.

pegamento [peɣa'mento] *nm* gum, sticky stuff.

pegar [pe'ɣar] *vt (papel, sellos)* to stick (on); *(cartel)* to post, stick up; *(coser)* to sew (on); *(unir: partes)* to join, fix together; *(MED)* to give, infect with; *(dar: golpe)* to give, deal // *vi (adherirse)* to stick, adhere; *(prender: fuego)* to catch; *(ir juntos: colores)* to match, go together; *(golpear)* to hit; *(quemar: el sol)* to strike hot, burn *(fig)*; ~**se** *vr (gen)* to stick; *(dos personas)* to hit each other, fight; *(fam)*: ~ **un grito** to let out a yell; ~ **un salto** to jump (with fright); ~ **en** to touch; ~**se un tiro** to shoot o.s.

peinado [pei'naðo] *nm (en peluquería)* hairdo; *(estilo)* hair style.

peinador, a [peina'ðor, a] *nm/f* hairdresser.

peinar [pei'nar] *vt* to comb; *(hacer estilo)* to style; ~**se** *vr* to comb one's hair.

peine ['peine] *nm* comb; ~**ta** *nf* ornamental comb.

Pekín [pe'kin] *n* Pekin(g).

pelado, a [pe'laðo, a] *a (cabeza)* shorn; *(fruta)* peeled; *(campo, fig)* bare // *nm* bare patch; *(fig)* wretch, poor devil.

pelaje [pe'laxe] *nm (ZOOL)* fur, coat; *(fig)* appearance.

pelambre [pe'lambre] *nm (pelo largo)* long hair, mop; *(piel de animal cortado)* fur; *(: de oveja)* fleece; *(parte sin piel)* bare patch.

pelar [pe'lar] *vt (cortar el pelo a)* to cut the hair of; *(quitar la piel: animal)* to skin; ~**se** *vr (la piel)* to peel off; *(persona)* to lose one's hair; **voy a** ~**me** I'm going to get my hair cut.

peldaño [pel'daɲo] *nm* step.

pelea [pe'lea] *nf (lucha)* fight; *(discusión)* quarrel, row; **pelear** *vi* to fight; **pelearse** *vr* to fight; *(reñirse)* to fall out, quarrel.

peletería [pelete'ria] *nf* furrier's, fur shop.

pelícano [peli'kano], **pelícano** [pe'likano] *nm* pelican.

pelicorto, a [peli'korto, a] *a* short-haired.

película [pe'likula] *nf* film; *(cobertura ligera)* thin covering; *(FOTO. rollo)* roll *or* reel of film.

peligro [pe'liɣro] *nm* danger; *(riesgo)* risk; **correr** ~ **de** to be in danger of; ~**so, a** *a* dangerous; risky.

pelirrojo, a [peli'rroxo, a] *a* red-haired, red-headed.

pelo ['pelo] *nm (cabellos)* hair; *(de barba, bigote)* whisker; *(de animal: pellejo)* fur, coat; (de perro etc) hair, coat; **al ~** just right; **venir al ~** to be exactly what one needs; **un hombre de ~ en pecho** a brave man; **por los ~s** by the skin of one's teeth; **no tener ~s en la lengua** to be outspoken, not mince words; **tomar el ~ a uno** to pull sb's leg.

pelón, ona [pe'lon, ona] a hairless, bald; (fig) broke, skint (fam).

pelota [pe'lota] nf ball; (fam: cabeza) nut (fam); **en ~** stark naked; **~ vasca** pelota.

pelotón [pelo'ton] nm (pelota) big ball; (muchedumbre) crowd; (MIL) squad, detachment.

peluca [pe'luka] nf wig.

peluche [pe'lutʃe] nm felt.

peludo, a [pe'luðo, a] a hairy, shaggy.

peluquería [peluke'ria] nf hairdresser's; (para hombres) barber's (shop); **peluquero, a** nm/f hairdresser; barber.

pelleja [pe'ʎexa] nf skin, hide; (fam) whore.

pellejo [pe'ʎexo] nm (de animal) skin, hide; (de fruta) skin, peel.

pellizcar [peʎiθ'kar] vt to pinch, nip.

pena ['pena] nf (congoja) grief, sadness; (ansia) anxiety; (remordimiento) regret; (dificultad) trouble; (dolor) pain; **merecer** o **valer la ~** to be worthwhile; **a duras ~s** with great difficulty; **~ de muerte** death penalty; **~ pecuniaria** fine; **¡qué ~!** what a shame!

penal [pe'nal] a penal // nm (cárcel) prison; (FÚTBOL) penalty.

penalidad [penali'ðað] nf (problema, dificultad) trouble, hardship; (JUR) penalty, punishment.

penar [pe'nar] vt to penalize; (castigar) to punish // vi to suffer; **~se** vr to grieve, mourn.

pender [pen'der] vi (colgar) to hang; (JUR) to be pending.

pendiente [pen'djente] a (colgante) hanging; (por resolver) pending, unsettled // nm earring // nf hill, slope.

pene ['pene] nm penis.

penetración [penetra'θjon] nf (acto) penetration; (agudeza) sharpness, insight.

penetrante [pene'trante] a (herida) deep; (persona, arma) sharp; (sonido) penetrating, piercing; (mirada) searching; (viento, ironía) biting.

penetrar [pene'trar] vt to penetrate, pierce; (entender) to grasp // vi to penetrate, go in; (líquido) to soak in; (emoción) to pierce.

penicilina [peniθi'lina] nf penicillin.

península [pe'ninsula] nf peninsula; **peninsular** a peninsular.

penitencia [peni'tenθja] nf (remordimiento) penitence; (castigo) penance; **penitencial** a penitential; **~ría** nf prison, penitentiary.

penoso, a [pe'noso, a] a (afligido) painful, distressing; (trabajoso) laborious, difficult.

pensador, a [pensa'ðor, a] nm/f thinker.

pensamiento [pensa'mjento] nm (gen) thought; (mente) mind; (idea) idea; (intento) intention.

pensar [pen'sar] vt to think; (considerar) to think over, think out; (proponerse) to intend, plan, propose; (imaginarse) to think up, invent // vi to think; **~ en** to aim at, aspire to; **pensativo, a** a thoughtful, pensive.

pensión [pen'sjon] nf (casa) boarding house, guest house; (dinero) pension; (cama y comida) board and lodging; (beca) scholarship; **pensionista** nm/f (jubilado) (old-age) pensioner; (quien vive en pensión) lodger.

penúltimo, a [pe'nultimo, a] a penultimate, second last.

penumbra [pe'numbra] nf half-light, semi-darkness.

penuria [pe'nurja] nf shortage, want.

peña ['peɲa] nf (roca) rock; (cuesta) cliff, crag; (grupo) group, circle.

peñascal [peɲas'kal] nm rocky place; **peñasco** nm large rock, boulder.

peñón [pe'ɲon] nm mass of rock; **el P~** the Rock (of Gibraltar).

peón [pe'on] nm labourer; (AM) farm labourer, farmhand; (eje) spindle, shaft, axle; (AJEDREZ) pawn.

peor [pe'or] a (comparativo) worse; (superlativo) worst // ad worse; worst; **de mal en ~** from bad to worse.

pepino [pe'pino] nm cucumber; **(no) me importa un ~** I don't care two hoots.

pepita [pe'pita] nf (BOT) pip; (MINERÍA) nugget.

pequeñez [peke'ɲeθ] nf smallness, littleness; (infancia) infancy; (trivialidad) trifle, triviality.

pequeño, a [pe'keɲo, a] a small, little.

pera ['pera] nf pear; **peral** nm pear tree.

percance [per'kanθe] nm setback, misfortune.

percatarse [perka'tarse] vr: **~ de** to notice, take note of.

percepción [perθep'θjon] nf (vista) perception; (idea) notion, idea; (colecta de fondos) collection.

perceptible [perθep'tiβle] a perceptible, noticeable; (COM) payable, receivable.

percibir [perθi'βir] vt to perceive, notice; (COM) to earn, receive, get.

percusión [perku'sjon] nf percussion.

percha ['pertʃa] nf (poste) pole, support; (ganchos) coat stand; (colgador) coat hanger; (de ave) perch.

perdedor, a [perðe'ðor, a] a (que pierde) losing; (olvidadizo) forgetful // nm/f loser.

perder [per'ðer] vt (gen) to lose; (tiempo, palabras) to waste; (oportunidad) to lose, miss; (tren) to miss // vi to lose; **~se** vr (extraviarse) to get lost; (desaparecer) to disappear, be lost to view; (arruinarse) to be ruined; (hundirse) to sink; **echar a ~** (comida) to spoil, ruin; (oportunidad) to waste.

perdición [perði'θjon] nf perdition, ruin.

pérdida ['perðiða] *nf* (*gen*) loss; (*de tiempo*) waste; ~**s** *nfpl* (*COM*) losses.
perdido, a [per'ðiðo, a] *a* lost; (*incorregible*) incorrigible; ~**so,** *a* a (*que pierde*) losing; (*fácilmente* ~) easily lost.
perdiz [per'ðiθ] *nf* partridge.
perdón [per'ðon] *nm* (*disculpa*) pardon, forgiveness; (*clemencia*) mercy; ¡~! sorry!, I beg your pardon!; **perdonar** *vt* to pardon, forgive; (*la vida*) to spare; (*excusar*) to exempt, excuse.
perdurable [perðu'raßle] *a* lasting; (*eterno*) everlasting; **perdurar** *vi* (*resistir*) to last, endure; (*seguir existiendo*) to stand, still exist.
perecer [pere'θer] *vi* (*morir*) to perish, die; (*objeto*) to shatter.
peregrinación [pereɣrina'θjon] *nf* long tour, travels *pl*; (*REL*) pilgrimage; **peregrino, a** a travelling; (*nuevo*) newly-introduced // *nm/f* pilgrim.
perejil [pere'xil] *nm* parsley.
perenne [pe'renne] a everlasting, perennial.
perentorio, a [peren'torjo, a] a (*urgente*) urgent, peremptory; (*fijo*) set, fixed.
pereza [pe'reθa] *nf* (*flojera*) laziness; (*lentitud*) sloth, slowness; **perezoso, a** a lazy; slow, sluggish.
perfección [perfek'θjon] *nf* perfection; (*acto*) completion; **perfeccionar** *vt* to perfect; (*acabar*) to complete, finish.
perfecto, a [per'fekto, a] a perfect; (*terminado*) complete, finished.
perfidia [per'fiðja] *nf* perfidy, treachery.
perfil [per'fil] *nm* (*parte lateral*) profile; (*silueta*) silhouette, outline; (*ARQ*) (*cross*) section; ~**es** *nmpl* features; (*fig*) social graces; ~**ado,** a (*bien formado*) well-shaped; (*largo: cara*) long; ~**ar** *vt* (*trazar*) to outline; (*dar carácter a*) to shape, give character to.
perforación [perfora'θjon] *nf* perforation; (*con taladro*) drilling; **perforadora** *nf* drill.
perforar [perfo'rar] *vt* to perforate; (*agujero*) to drill, bore; (*papel*) to punch a hole in // *vi* to drill, bore.
perfumado, a [perfu'maðo, a] a scented, perfumed.
perfume [per'fume] *nm* perfume, scent.
pericia [pe'riθja] *nf* skill, expertise.
periferia [peri'ferja] *nf* periphery; (*de ciudad*) outskirts *pl*.
perímetro [pe'rimetro] *nm* perimeter.
periódico, a [pe'rjoðiko, a] a periodic(al) // *nm* newspaper; **periodismo** *nm* journalism; **periodista** *nm/f* journalist.
periodo [pe'rjoðo], **período** [pe'rioðo] *nm* period.
perito, a [pe'rito, a] a (*experto*) expert; (*diestro*) skilled, skilful // *nm/f* expert; skilled worker; (*técnico*) technician.
perjudicar [perxuði'kar] *vt* (*gen*) to damage, harm; **ese vestido le perjudica** that dress doesn't suit her; **perjudicial** a damaging, harmful; (*en detrimento*) detri-

mental; **perjuicio** *nm* damage, harm; (*pérdidas*) financial loss.
perjurar [perxu'rar] *vi* to commit perjury.
perla ['perla] *nf* pearl; **me viene de** ~ it suits me fine.
permanecer [permane'θer] *vi* (*quedarse*) to stay, remain; (*seguir*) to continue to be.
permanencia [perma'nenθja] *nf* (*duración*) permanence; (*estancia*) stay.
permanente [perma'nente] a (*que queda*) permanent; (*constante*) constant // *nf* perm.
permisible [permi'sißle] a permissible, allowable.
permiso [per'miso] *nm* permission; (*licencia*) permit, licence; **con** ~ excuse me; **estar de** ~ (*MIL*) to be on leave; ~ **de conducir** o **conductor** driving licence.
permitir [permi'tir] *vt* to permit, allow.
pernicioso, a [perni'θjoso, a] a (*maligno, MED*) pernicious; (*persona*) wicked.
pernio ['pernjo] *nm* hinge.
perno ['perno] *nm* bolt.
pero ['pero] *conj* but; (*aún*) yet // *nm* (*defecto*) flaw, defect; (*reparo*) objection.
perorar [pero'rar] *vi* to make a speech.
perpendicular [perpendiku'lar] a perpendicular; **el camino es** ~ **al río** the road is at right angles to the river.
perpetrar [perpe'trar] *vt* to perpetrate.
perpetuamente [perpetwa'mente] *ad* perpetually; **perpetuar** *vt* to perpetuate; **perpetuo, a** a perpetual.
perplejo, a [per'plexo, a] a perplexed, bewildered.
perra ['perra] *nf* bitch; (*fam*) mania, crazy idea.
perrera [pe'rrera] *nf* kennel.
perrillo [pe'rriʎo] *nm* puppy.
perro ['perro] *nm* dog; ~ **caliente** hot dog.
persa ['persa] a, *nm/f* Persian.
persecución [perseku'θjon] *nf* pursuit, hunt, chase; (*REL, POL*) persecution.
perseguir [perse'ɣir] *vt* to pursue, hunt; (*cortejar*) to chase after; (*molestar*) to pester, annoy; (*REL, POL*) to persecute.
perseverante [perseße'rante] a persevering, persistent; **perseverar** *vi* to persevere, persist; **perseverar en** to persevere in, persist with.
persiana [per'sjana] *nf* (*Venetian*) blind.
persignarse [persiɣ'narse] *vr* to cross o.s.
persistente [persis'tente] a persistant; **persistir** *vi* to persist.
persona [per'sona] *nf* person; **10** ~**s 10** people.
personaje [perso'naxe] *nm* important person, celebrity; (*TEATRO*) character.
personal [perso'nal] a (*particular*) personal; (*para una persona*) single, for one person // *nm* personnel, staff; ~**idad** *nf* personality.
personarse [perso'narse] *vr* to appear in person.

personificar [personifi'kar] *vt* to personify.

perspectiva [perspek'tiβa] *nf* perspective; (*vista, panorama*) view, panorama; (*posibilidad futura*) outlook, prospect.

perspicacia [perspi'kaθja] *nf* keen-sightedness; (*fig*) discernment, perspicacity.

perspicaz [perspi'kaθ] *a* (*agudo: de la vista*) keen; (*fig*) shrewd.

persuadir [perswa'ðir] *vt* (*gen*) to persuade; (*convencer*) to convince; ~se *vr* to become convinced; **persuasión** *nf* (*acto*) persuasion; (*estado de mente*) conviction; **persuasivo, a** *a* persuasive; convincing.

pertenecer [pertene'θer] *vi* to belong; (*fig*) to concern; **pertenencia** *nf* ownership; **pertenencias** *nfpl* possessions, property *sg*; **perteneciente** *a*: **perteneciente a** belonging to.

pertinaz [perti'naθ] *a* (*persistente*) persistent; (*terco*) obstinate.

pertinente [perti'nente] *a* relevant, pertinent; (*apropiado*) appropriate; ~ **a** concerning, relevant to.

perturbación [perturβa'θjon] *nf* (*POL*) disturbance; (*MED*) upset, disturbance.

perturbado, a [pertur'βaðo, a] *a* mentally unbalanced.

perturbador, a [perturβa'ðor, a] *a* (*que perturba*) perturbing, disturbing; (*subversivo*) subversive.

perturbar [pertur'βar] *vt* (*el orden*) to disturb; (*MED*) to upset, disturb; (*mentalmente*) to perturb.

Perú [pe'ru] *nm*: **el** ~ Peru; **peruano, a** *a*, *nm/f* Peruvian.

perversión [perβer'sjon] *nf* perversion; **perverso, a** *a* perverse; (*depravado*) depraved; **pervertido, a** *a* perverted // *nm/f* pervert; **pervertir** *vt* to pervert, corrupt; (*distorsionar*) to distort.

pesa ['pesa] *nf* weight; (*DEPORTE*) shot.

pesadez [pesa'ðeθ] *nf* (*calidad de pesado*) heaviness; (*lentitud*) slowness; (*aburrimiento*) tediousness.

pesadilla [pesa'ðiʎa] *nf* nightmare, bad dream.

pesado, a [pe'saðo, a] *a* (*gen*) heavy; (*lento*) slow; (*difícil, duro*) tough, hard; (*aburrido*) tedious, boring; (*bochornoso*) sultry.

pesadumbre [pesa'ðumbre] *nf* grief, sorrow.

pésame ['pesame] *nm* expression of condolence, message of sympathy.

pesar [pe'sar] *vt* to weigh // *vi* to weigh; (*ser pesado*) to weigh a lot, be heavy; (*fig: opinión*) to carry weight // *nm* (*sentimiento*) regret; (*pena*) grief, sorrow; **a** ~ **de** *o* **pese a (que)** in spite of, despite.

pesario [pe'sarjo] *nm* pessary.

pesca ['peska] *nf* (*acto*) fishing; (*cantidad de pescado*) catch; **ir de** ~ to go fishing.

pescadería [peskaðe'ria] *nf* fish shop.

pescado [pes'kaðo] *nm* fish.

pescador, a [peska'ðor, a] *nm/f* fisherman/woman.

pescar [pes'kar] *vt* (*coger*) to catch; (*tratar de coger*) to fish for; (*conseguir: trabajo*) to manage to get // *vi* to fish, go fishing; **viene a** ~ **un marido** she's come to get a husband.

pescuezo [pes'kweθo] *nm* neck.

pesebre [pe'seβre] *nm* manger.

peseta [pe'seta] *nf* peseta.

pesimista [pesi'mista] *a* pessimistic // *nm/f* pessimist.

pésimo, a ['pesimo, a] *a* abominable, vile.

peso ['peso] *nm* weight; (*balanza*) scales *pl*; (*moneda*) peso; ~ **bruto/neto** gross/net weight; **vender a** ~ to sell by weight.

pesquero, a [pes'kero, a] *a* fishing *cpd*.

pesquisa [pes'kisa] *nf* inquiry, investigation.

pestaña [pes'taɲa] *nf* (*ANAT*) eyelash; (*borde*) rim; **pestañear, pestañar** *vi* to blink.

peste ['peste] *nf* (*gen*) plague; (*mal olor*) stink, stench.

pesticida [pesti'θiða] *nm* pesticide.

pestilencia [pesti'lenθja] *nf* (*plaga*) pestilence, plague; (*mal olor*) stink, stench.

pétalo ['petalo] *nm* petal.

petardista [petar'ðista] *nm/f* (*tramposo*) cheat; (*rompehuelgas*) blackleg.

petición [peti'θjon] *nf* (*pedido*) request, plea; (*memorial*) petition; (*JUR*) plea.

petrificar [petrifi'kar] *vt* to petrify.

petróleo [pe'troleo] *nm* oil, petroleum; **petrolero, a** *a* petroleum *cpd* // *nm* (*COM*) oil man; (*extremista*) extremist, revolutionary; (*buque*) (oil) tanker.

peyorativo, a [pejora'tiβo, a] *a* pejorative.

pez [peθ] *nm* fish.

pezón [pe'θon] *nm* teat, nipple; (*MECÁNICA*) nipple, lubrication point.

piadoso, a [pja'ðoso, a] *a* (*devoto*) pious, devout; (*misericordioso*) kind, merciful.

pianista [pja'nista] *nm/f* pianist.

piano ['pjano] *nm* piano.

piar [pi'ar] *vi* to cheep.

picadillo [pika'ðiʎo] *nm* mince, minced meat.

picado, a [pi'kaðo, a] *a* pricked, punctured; (*mar*) choppy; (*diente*) bad; (*tabaco*) cut; (*enfadado*) cross // *nf* prick; (*de abeja*) sting; (*de mosquito*) bite.

picador [pika'ðor] *nm* (*TAUR*) picador; (*entrenador de caballos*) horse trainer; (*minero*) faceworker.

picadura [pika'ðura] *nf* (*diente*) bad tooth; (*pinchazo*) puncture; (*de abeja*) sting; (*de mosquito*) bite; (*tabaco picado*) cut tobacco.

picante [pi'kante] *a* hot; (*comentario*) racy, spicy.

picar [pi'kar] *vt* (*agujerear, perforar*) to prick, puncture; (*abeja*) to sting; (*mosquito, serpiente*) to bite; (*incitar*) to incite, goad; (*dañar, irritar*) to annoy, bother; (*quemar:*

lengua) to burn, sting // *vi* (*pez*) to bite, take the bait; (*el sol*) to burn, scorch; (*abeja, MED*) to sting; (*mosquito*) to bite; ~se *vr* (*decaer*) to decay; (*agriarse*) to turn sour, go off; (*ofenderse*) to take offence; ~ **en** (*fig*) to dabble in.

picardía [pikar'ðia] *nf* villainy; (*astucia*) slyness, craftiness; (*una* ~) dirty trick; (*palabra*) rude/bad word *or* expression.

pícaro, a ['pikaro, a] *a* (*malicioso*) villainous; (*travieso*) mischievous // *nm* (*ladrón*) crook; (*astuto*) sly sort; (*sinvergüenza*) rascal, scoundrel.

pico ['piko] *nm* (*de ave*) beak; (*punto agudo*) peak, sharp point; (*TEC*) pick, pickaxe; (*GEO*) peak, summit; **y** ~ **and a** bit.

picotear [pikote'ar] *vt* to peck // *vi* to nibble, pick; (*fam*) to chatter; ~**se** *vr* to squabble.

picudo, a [pi'kuðo, a] *a* pointed, with a point.

pichón [pi'tʃon] *nm* young pigeon.

pido, pidió *etc vb ver* **pedir.**

pie [pje] (*pl* ~**s**) *nm* (*gen*) foot; (*fig: motivo*) motive, basis; (: *fundamento*) foothold; **ir a** ~ to go on foot, walk; **estar de** ~ to be standing (up); **ponerse de** ~ to stand up; **al** ~ **de la letra** (*citar*) literally, verbatim; (*copiar*) exactly, word for word; **en** ~ **de guerra** on a war footing; **dar** ~ **a** to give cause for.

piedad [pje'ðað] *nf* (*lástima*) pity, compassion; (*clemencia*) mercy; (*devoción*) piety, devotion.

piedra ['pjeðra] *nf* stone; (*roca*) rock; (*de mechero*) flint; (*METEOROLOGÍA*) hailstone.

piel [pjel] *nf* (*ANAT*) skin; (*ZOOL*) skin, hide; (*de oso*) fur; (*cuero*) leather; (*BOT*) skin, peel; ~ **de ante** *o* **de Suecia** suede.

pienso *etc vb ver* **pensar.**

pierdo *etc vb ver* **perder.**

pierna ['pjerna] *nf* leg.

pieza ['pjeθa] *nf* piece; (*habitación*) room; ~ **de recambio** *o* **repuesto** spare (part).

pigmeo, a [piɣ'meo, a] *a, nm/f* pigmy.

pijama [pi'xama] *nm* pyjamas *pl*.

pila ['pila] *nf* (*ELEC*) battery; (*montón*) heap, pile; (*fuente*) sink.

píldora ['pildora] *nf* pill; **la** ~ (**anticonceptiva**) the pill.

pileta [pi'leta] *nf* basin, bowl; (*AM*) swimming pool.

pilón [pi'lon] *nm* pillar, post; (*ELEC*) pylon.

piloto [pi'loto] *nm* pilot; (*de aparato*) rear light, tail light; (*AUTO*) driver.

pillaje [pi'ʎaxe] *nm* pillage, plunder.

pillar [pi'ʎar] *vt* (*saquear*) to pillage, plunder; (*fam: coger*) to catch; (: *agarrar*) to grasp, seize; (: *entender*) to grasp, catch on to.

pillo, a ['piʎo, a] *a* villainous; (*astuto*) sly, crafty // *nm/f* rascal, rogue, scoundrel.

pimentón [pimen'ton] *nm* (*polvo*) paprika; (*pimiento*) red pepper.

pimienta [pi'mjenta] *nf* pepper.

pimiento [pi'mjento] *nm* pepper, pimiento.

pinacoteca [pinako'teka] *nf* art gallery.

pinar [pi'nar] *nm* pinewood.

pincel [pin'θel] *nm* paintbrush.

pinchar [pin'tʃar] *vt* (*perforar*) to prick, pierce; (*neumático*) to puncture; (*incitar*) to prod; (*herir*) to wound.

pinchazo [pin'tʃaθo] *nm* (*perforación*) prick; (*de llanta*) puncture; (*fig*) prod.

pinchitos [pin'tʃitos] *nmpl* bar snacks.

pingüino [pin'gwino] *nm* penguin.

pino ['pino] *nm* pine (tree); **en** ~ upright, vertical.

pinta ['pinta] *nf* spot; (*medida*) spot, drop; (*aspecto*) appearance, look(s) (*pl*); ~**do, a** a spotted; (*de muchos colores*) colourful.

pintar [pin'tar] *vt* to paint // *vi* to paint; (*fam*) to count, be important; ~**se** *vr* to put on make-up.

pintor, a [pin'tor, a] *nm/f* painter.

pintoresco, a [pinto'resko, a] *a* picturesque.

pintura [pin'tura] *nf* painting; ~ **a la acuarela** watercolour; ~ **al óleo** oil painting; ~ **rupestre** cave painting.

pinza ['pinθa] *nf* (*ZOOL*) claw; (*para colgar ropa*) clothes peg; (*TEC*) pincers *pl*; ~**s** *nfpl* (*para depilar*) tweezers *pl*.

piña ['piɲa] *nf* (*fruto del pino*) pine cone; (*fruta*) pineapple; (*fig*) group.

pío, a ['pio, a] *a* (*devoto*) pious, devout; (*misericordioso*) merciful // *nm* cheep, chirp.

piojo ['pjoxo] *nm* louse.

pionero, a [pjo'nero, a] *a* pioneering // *nm/f* pioneer.

pipa ['pipa] *nf* pipe; (*BOT*) edible sunflower seed.

pipí [pi'pi] *nm* (*fam*): **hacer** ~ to have a wee/wee(s).

pique ['pike] *nm* (*resentimiento*) pique, resentment; (*rivalidad*) rivalry, competition; **irse a** ~ to sink; (*familia*) to be ruined.

piquera [pi'kera] *nf* hole, vent.

piqueta [pi'keta] *nf* pick(axe).

piquete [pi'kete] *nm* (*herida*) prick, jab; (*agujerito*) small hole; (*MIL*) squad, party; (*de obreros*) picket.

piragua [pi'raxwa] *nf* canoe; **piragüismo** *nm* (*DEPORTE*) canoeing.

pirámide [pi'ramiðe] *nf* pyramid.

pirata [pi'rata] *a, nm* pirate.

Pirineo(s) [piri'neo(s)] *nm(pl)* Pyrenees *pl*.

piropo [pi'ropo] *nm* compliment, (piece of) flattery.

pisada [pi'saða] *nf* (*paso*) footstep; (*huella*) footprint.

pisar [pi'sar] *vt* (*caminar sobre*) to walk on, tread on; (*apretar con el pie*) to press; (*fig*) to trample on, walk all over // *vi* to tread, step, walk.

piscina [pis'θina] *nf* swimming pool; (*para peces*) fishpond.

Piscis ['pisθis] *nm* Pisces.
piso ['piso] *nm* (*suelo, de edificio*) floor; (*apartamento*) flat, apartment.
pisotear [pisote'ar] *vt* to trample (on *or* underfoot).
pista ['pista] *nf* track, trail; (*indicio*) clue; ~ **de aterrizaje** runway; ~ **de baile** dance floor; ~ **de tenis** tennis court; ~ **de hielo** ice rink.
pistola [pis'tola] *nf* pistol; (*TEC*) spray-gun; **pistolero, a** *nm/f* gunman, gangster // *nf* holster.
pistón [pis'ton] *nm* (*TEC*) piston; (*MUS*) key.
pitar [pi'tar] *vt* (*hacer sonar*) to blow; (*rechiflar*) to whistle at, boo // *vi* to whistle; (*AUTO*) to sound *or* toot one's horn; (*AM*) to smoke.
pitillo [pi'tiʎo] *nm* cigarette.
pito ['pito] *nm* whistle; (*de coche*) horn.
pitón [pi'ton] *nm* (*ZOOL*) python; (*protuberancia*) bump, lump; (*de jarro*) spout.
pitonisa [pito'nisa] *nf* fortune-teller.
pizarra [pi'θarra] *nf* (*piedra*) slate; (*encerado*) blackboard.
pizca ['piθka] *nf* pinch, spot; (*fig*) spot, speck, trace; **ni** ~ not a bit.
placa ['plaka] *nf* plate; ~ **de matrícula** number plate.
placentero, a [plaθen'tero, a] *a* pleasant, agreeable.
placer [pla'θer] *nm* pleasure // *vt* to please.
plácido, a ['plaθiðo, a] *a* placid.
plaga ['plaxa] *nf* pest; (*MED*) plague; (*abundancia*) abundance; **plagar** *vt* to infest, plague; (*llenar*) to fill.
plagio ['plaxjo] *nm* plagiarism.
plan [plan] *nm* (*esquema, proyecto*) plan; (*idea, intento*) idea, intention; **tener** ~ (*fam*) to have a date; **tener un** ~ (*fam*) to have an affair; **en** ~ **económico** (*fam*) on the cheap; **vamos en** ~ **de turismo** we're going as tourists; **si te pones en ese** ~... if that's your attitude... .
plana ['plana] *nf ver* **plano.**
plancha ['plantʃa] *nf* (*para planchar*) iron; (*rótulo*) plate, sheet; (*NAUT*) gangway; ~**do** *nm* ironing; **planchar** *vt* to iron // *vi* to do the ironing.
planeador [planea'ðor] *nm* glider; ~**a** *nf* bulldozer.
planear [plane'ar] *vt* to plan // *vi* to glide.
planeta [pla'neta] *nm* planet.
planicie [pla'niθje] *nf* plain.
planificación [planifika'θjon] *nf* planning; ~ **familiar** family planning.
plano, a ['plano, a] *a* flat, level, even // *nm* (*MAT, TEC, AVIAT*) plane; (*FOTO*) shot; (*ARQ*) plan; (*GEO*) map; (*de ciudad*) map, street plan // *nf* sheet (of paper), page; (*TEC*) trowel; **primer** ~ close-up; **caer de** ~ to fall flat; **en primera** ~**a** on the front page; ~**a mayor** staff.
planta ['planta] *nf* (*BOT, TEC*) plant; (*ANAT*) sole of the foot, foot; ~ **baja** ground floor.

plantación [planta'θjon] *nf* (*AGR*) plantation; (*acto*) planting.
plantar [plan'tar] *vt* (*BOT*) to plant; (*levantar*) to erect, set up; ~**se** *vr* to stand firm; ~ **a uno en la calle** to chuck sb out; **dejar plantado a uno** (*fam*) to stand sb up.
plantear [plante'ar] *vt* (*problema*) to pose; (*dificultad*) to raise; (*planificar*) to plan; (*institución*) to set up, establish; (*reforma*) to implant.
plantilla [plan'tiʎa] *nf* (*de zapato*) insole; (*de media*) sole; (*personal*) personnel; **ser de** ~ to be on the staff.
plantío [plan'tio] *nm* (*acto*) planting; (*lugar*) plot, bed, patch.
plantón [plan'ton] *nm* (*MIL*) guard, sentry; (*fam*) long wait; **dar (un)** ~ **a uno** to stand sb up.
plañidero, a [plaɲi'ðero, a] *a* mournful, plaintive.
plañir [pla'ɲir] *vi* to mourn.
plasmar [plas'mar] *vt* (*dar forma*) to mould, shape; (*representar*) to represent // *vi*: ~ **en** to take the form of.
plasticina [plasti'θina] *nf* plasticine.
plástico, a ['plastiko, a] *a* plastic // *nf* (art of) sculpture, modelling // *nm* plastic.
plata ['plata] *nf* (*metal*) silver; (*cosas hechas de plata*) silverware; (*AM*) money; **hablar en** ~ to speak bluntly *or* frankly.
plataforma [plata'forma] *nf* platform; ~ **de lanzamiento/perforación** launch(ing) pad/drilling rig.
plátano ['platano] *nm* (*fruta*) banana; (*árbol*) banana tree.
platea [pla'tea] *nf* (*TEATRO*) pit.
plateado, a [plate'aðo, a] *a* silver; (*TEC*) silver-plated.
platería [plate'ria] *nf* silversmith's.
plática ['platika] *nf* talk, chat; **platicar** *vi* to talk, chat.
platillo [pla'tiʎo] *nm* saucer; ~**s** *nmpl* cymbals; ~ **volador** *or* **volante** flying saucer.
platino [pla'tino] *nm* platinum; ~**s** *nmpl* (*AUTO*) contact points.
plato ['plato] *nm* plate, dish; (*parte de comida*) course; (*guiso*) dish.
playa ['plaja] *nf* beach; (*lugar veraniego*) seaside resort; (*costa*) seaside; ~ **de estacionamiento** (*AM*) car park.
playera [pla'jera] *nf* T-shirt.
plaza ['plaθa] *nf* square; (*mercado*) market(place); (*sitio*) room, space; (*en vehículo*) seat, place; (*colocación*) post, job.
plazco *etc vb ver* **placer.**
plazo ['plaθo] *nm* (*lapso de tiempo*) time, period, term; (*fecha de vencimiento*) expiry date; (*pago parcial*) instalment; **a corto/largo** ~ short-/long-term; **comprar a** ~**s** to buy on hire purchase, pay for in instalments.
plazoleta [plaθo'leta] **plazuela** [pla-'θwela] *nf* small square.
pleamar [plea'mar] *nf* high tide.
plebe ['pleβe] *nf*: **la** ~ the common

people *pl*, the masses *pl*; (*pey*) the plebs *pl*; ~**yo, a** *a* plebeian; (*pey*) coarse, common.
plebiscito [pleˈβisˈθito] *nm* plebiscite.
plegable [pleˈɣaβle], **plegadizo, a** [pleɣaˈðiθo, a] *a* pliable; (*silla*) folding.
plegar [pleˈɣar] *vt* (*doblar*) to fold, bend; (*COSTURA*) to pleat; ~**se** *vr* to yield, submit.
pleito [ˈpleito] *nm* (*JUR*) lawsuit, case; (*fig*) dispute, feud.
plenilunio [pleniˈlunjo] *nm* full moon.
plenitud [pleniˈtuð] *nf* plenitude, fullness; (*abundancia*) abundance.
pleno, a [ˈpleno, a] *a* (*gen*) full; (*completo*) complete // *nm* plenum; **en** ~ **día** in broad daylight; **en** ~ **verano** at the height of summer; **en** ~**a cara** full in the face.
pleuresía [pleureˈsia] *nf* pleurisy.
plexiglás [pleksiˈɣlas] *nm* perspex.
pliego [ˈpljeɣo] *nm* (*hoja*) sheet (of paper); (*carta*) sealed letter/document; ~ **de condiciones** details *pl*, specifications *pl*.
pliegue [ˈpljeɣe] *nm* fold, crease; (*de vestido*) pleat.
plisado [pliˈsaðo] *nm* pleating; ~ **de acordeón** accordion pleats *pl*.
plomero [ploˈmero] *nm* plumber.
plomo [ˈplomo] *nm* (*metal*) lead; (*ELEC*) fuse.
pluma [ˈpluma] *nf* (*gen*) feather; (*para escribir*) pen.
plural [pluˈral] *a* plural; ~**idad** *nf* plurality; **una** ~**idad de votos** a majority of votes.
plus [plus] *nm* bonus.
plutocracia [plutoˈkraθja] *nf* plutocracy.
población [poβlaˈθjon] *nf* population; (*pueblo, ciudad*) town, city; **poblado, a** *a* inhabited // *nm* (*aldea*) village; (*pueblo*) (small) town; **densamente poblado** densely populated.
poblador, a [poβlaˈðor, a] *nm/f* settler, colonist; (*fundador*) founder.
poblar [poˈβlar] *vt* (*colonizar*) to colonize; (*fundar*) to found; (*habitar*) to inhabit.
pobre [ˈpoβre] *a* poor // *nm/f* poor person; ¡~! poor thing!; ~**za** *nf* poverty.
pocilga [poˈθilɣa] *nf* pigsty.
poción [poˈθjon], **pócima** [ˈpoθima] *nf* potion.
poco, a [ˈpoko, a] *a* little; ~**s** few // *ad* (*no mucho*) little, not much // *nm*: **un** ~ a little, a bit; **tener a uno en** ~ to think little *or* not think much of sb; **por** ~ almost, nearly; ~ **a** ~ little by little, gradually; **dentro de** ~ (+ *presente o futuro*) shortly; (+ *pasado*) soon after; **hace** ~ a short time ago, not long ago.
podar [poˈðar] *vt* to prune.
podenco [poˈðenko] *nm* hound.
poder [poˈðer] *vi* can; (*sujeto: persona*) to be able to, can; (*permiso*) can, may; (*posibilidad, hipótesis*) may // *nm* (*gen*) power; (*autoridad*) authority; **puede que sea así** it may be, maybe; **¿se puede?** may I come in?; **¿puedes con eso?** can

you manage that?; **a más no** ~ to the utmost; **no** ~ **menos de hacer algo** not to be able to help doing sth; **no** ~ **más** to have had enough; ~**ío** *nm* power; (*autoridad*) authority; ~**oso, a** *a* powerful.
podrido, a [poˈðriðo, a] *a* rotten, bad; (*fig*) rotten, corrupt.
podrir [poˈðrir] = **pudrir.**
poema [poˈema] *nm* poem.
poesía [poeˈsia] *nf* poetry.
poeta [poˈeta] *nm* poet; **poético, a** *a* poetic(al).
póker [ˈpoker] *nm* poker.
polaco, a [poˈlako, a] *a* Polish // *nm/f* Pole.
polar [poˈlar] *a* polar; ~**idad** *nf* polarity; ~**izarse** *vr* to polarize.
polea [poˈlea] *nf* pulley.
polémica [poˈlemika] *nf* (*gen*) polemics *sg*; (*una* ~) controversy.
policía [poliˈθia] *nm/f* policeman/woman // *nf* police; ~**co, a** *a* police *cpd*; **novela** ~**ca** detective story.
poligamia [poliˈɣamja] *nf* polygamy.
polilla [poˈliʎa] *nf* moth.
polio [ˈpoljo] *nm* polio.
politécnico [poliˈtekniko] *nm* polytechnic.
politene [poliˈtene], **políteno** [poliˈteno] *nm* polythene.
político, a [poˈlitiko, a] *a* political; (*discreto*) tactful; (*de familia*) in-law // *nm/f* politician // *a* politics *sg*; (*económica, agraria*) policy; **padre** ~ father-in-law; **politicastro** *nm* (*pey*) politician, politico.
póliza [ˈpoliθa] *nf* insurance policy.
polo [ˈpolo] *nm* (*GEO, ELEC*) pole; (*helado*) iced lolly; (*DEPORTE*) polo; (*suéter*) polo-neck; ~ **Norte/Sur** North/South Pole.
Polonia [poˈlonja] *nf* Poland.
poltrona [polˈtrona] *nf* reclining chair, easy chair.
polución [poluˈθjon] *nf* pollution.
polvera [polˈβera] *nf* powder compact, vanity case.
polvo [ˈpolβo] *nm* dust; (*QUÍMICA, CULIN, MED*) powder; ~**s** *nmpl* powder *sg*; ~ **de talco** talcum powder; **estar hecho** ~ to be worn out *or* exhausted.
pólvora [ˈpolβora] *nf* gunpowder; (*fuegos artificiales*) fireworks *pl*.
polvoriento, a [polβoˈrjento, a] *a* (*superficie*) dusty; (*sustancia*) powdery.
pollería [poʎeˈria] *nf* poulterer's (shop).
pollo [ˈpoʎo] *nm* chicken.
pomada [poˈmaða] *nf* pomade.
pomelo [poˈmelo] *nm* grapefruit.
pómez [ˈpomeθ] *nf*: **piedra** ~ pumice stone.
pompa [ˈpompa] *nf* (*burbuja*) bubble; (*bomba*) pump; (*esplendor*) pomp, splendour; **pomposo, a** *a* splendid, magnificent; (*pey*) pompous.
pómulo [ˈpomulo] *nm* cheekbone.
pon [pon] *vb ver* **poner.**
ponche [ˈpontʃe] *nm* punch.

poncho ['pontʃo] nm (AM) poncho, cape.
ponderado, a [ponde'raðo, a] a calm, steady, balanced.
ponderar [ponde'rar] vt (considerar) to weigh up, consider; (elogiar) to praise highly, speak in praise of.
pondré etc vb ver **poner.**
poner [po'ner] vt (gen) (colocar) to place, set; (ropa) to put on; (problema, la mesa) to set; (telegrama) to send; (TELEC) to connect; (radio, TV) to switch on, turn on; (tienda) to open, set up; (nombre) to give; (añadir) to add; (TEATRO, CINE) to put on; (+ adjetivo) to make, turn; (suponer) to suppose // vi (ave) to lay (eggs); ~**se** vr to put or place o.s.; (ropa) to put on; (+ adjetivo) to turn, get, become; (el sol) to set; **póngame con el Señor X** get me Mr X, put me through to Mr X; ~**se de zapatero** to take a job as a shoemaker; ~**se a bien con uno** to get on good terms with sb; ~**se con uno** to quarrel with sb; ~**se rojo** to blush; ~**se a** to begin to.
pongo etc vb ver **poner.**
pontificado [pontifi'kaðo] nm papacy, pontificate; **pontífice** nm pope, pontiff.
pontón [pon'ton] nm pontoon.
ponzoña [pon'θoɲa] nf poison, venom; **ponzoñoso, a** a poisonous, venomous.
popa ['popa] nf stern.
popular [popu'lar] a popular; (del pueblo) of the people; ~**idad** nf popularity; ~**izarse** vr to become popular.
poquedad [poke'ðað] nf (escasez) scantiness; (una ~) small thing, trifle; (fig) timidity.
por [por] prep (con el fin de) in order to; (a favor de, hacia) for; (a causa de) out of, because of, from; (según) according to; (por agencia de) by; (a cambio de) for, in exchange for; (en lugar de) instead of, in place of; (durante) for; **10 ~ 10 son 100** 10 times 10 are 100; **será ~ poco tiempo** it won't be for long; ~ **correo/avión** by post/plane; ~ **centenares** by the hundred; **(el) 10 ~ ciento** 10 per cent; ~ **orden** in order; **ir a Bilbao ~ Santander** to go to Bilbao via Santander; **pasar ~ Madrid** to pass through Madrid; **camina ~ la izquierda** walk on the left; ~ **todo el país** throughout the country; **entra ~ delante/detrás** come/go in by the front/back (door); ~ **la calle** along the street; ~ **la mañana** in the morning; ~ **la noche** at night; **£2 ~ hora** £2 an hour; ~ **allí** over there; **está ~ el norte** it's somewhere in the north; ~ **mucho que quisiera, no puedo** much as I would like to, I can't; ~**que** because; ¿~ **qué?** why?; ~ **(lo) tanto** so, therefore; ~ **cierto** (seguro) certainly; (a propósito) by the way; ~ **ejemplo** for example; ~ **favor** please; ~ **fuera/dentro** outside/inside; ~ **si (acaso)** just in case; ~ **sí mismo** o **sólo** by o.s.

porcelana [porθe'lana] nf porcelain; (china) china.
porcentaje [porθen'taxe] nm percentage.
porción [por'θjon] nf (parte) portion, share; (cantidad) quantity, amount.
pordiosear [porðjose'ar] vi to beg; **pordiosero, a** nm/f beggar.
porfía [por'fia] nf persistence; (terquedad) obstinacy; **porfiado, a** a persistent; obstinate; **porfiar** vi to persist, insist; (disputar) to argue stubbornly.
pormenor [porme'nor] nm detail, particular.
pornografía [pornoxra'fia] nf pornography.
poro ['poro] nm pore; ~**so, a** a porous.
porque ['porke] conj (a causa de) because; (ya que) since; (con el fin de) so that, in order that.
porqué [por'ke] nm reason, cause.
porquería [porke'ria] nf (suciedad) filth, muck, dirt; (acción) dirty trick; (objeto) small thing, trifle; (fig) rubbish.
porro, a ['porro, a] a (fam) stupid // nf (arma) stick, club; (TEC) large hammer; (fam) bore.
porrón, ona [po'rron, ona] a slow, stupid // nm glass wine jar with a long spout.
portada [por'taða] nf (entrada) porch, doorway; (de revista) cover.
portador, a [porta'ðor, a] nm/f carrier, bearer.
portaequipajes [portaeki'paxes] nm inv boot; (arriba del coche) luggage rack.
portal [por'tal] nm (entrada) vestibule, hall; (portada) porch, doorway; (puerta de entrada) main door; (de ciudad) gate; (DEPORTE) goal.
portaligas [porta'lixas] nm inv suspender belt.
portamaletas [portama'letas] nm inv boot.
portamonedas [portamo'neðas] nm inv purse.
portarse [por'tarse] vr to behave, conduct o.s.
portátil [por'tatil] a portable.
portaviones [porta'βjones] nm inv aircraft carrier.
portavoz [porta'βoθ] nm (megáfono) megaphone, loudhailer; (vocero) spokesman/woman.
portazo [por'taðo] nm: **dar un ~** to slam the door.
porte ['porte] nm (COM) transport; (precio) transport charges pl; (comportamiento) conduct, behaviour.
portento [por'tento] nm marvel, wonder; ~**so, a** a marvellous, extraordinary.
porteño, a [por'teɲo, a] a of or from Buenos Aires.
portería [porte'ria] nf (oficina) porter's office; (gol) goal.
portero, a [por'tero, a] nm/f porter; (conserje) caretaker; (ujier) doorman // nm goalkeeper.

pórtico ['portiko] *nm* (*patio*) portico, porch; (*fig*) gateway; (*arcada*) arcade.
portilla [por'tiʎa] *nf* porthole.
portillo [por'tiʎo] *nm* (*abertura*) gap, opening; (*GEO*) narrow pass.
portorriqueño, a [portorri'keɲo, a] *a* Puerto Rican.
Portugal [portu'xal] *nm* Portugal; **portugués, esa** *a, nm/f* Portuguese.
porvenir [porβe'nir] *nm* future.
pos [pos] *prep*: **en ~ de** after, in pursuit of.
posada [po'saða] *nf* (*refugio*) shelter, lodging; (*mesón*) guest house; **dar ~ a** to give shelter to, take in.
posaderas [posa'ðeras] *nfpl* backside *sg*, buttocks.
posar [po'sar] *vt* (*en el suelo*) to lay down, put down; (*la mano*) to place, put gently // *vi* to sit, pose; **~se** *vr* to settle; (*pájaro*) to perch ; (*avión*) to land, come down.
posdata [pos'ðata] *nf* postscript.
pose ['pose] *nf* pose.
poseedor, a [posee'ðor, a] *nm/f* owner, possessor; (*de récord, puesto*) holder.
poseer [pose'er] *vt* to have, possess, own; (*ventaja*) to enjoy; (*récord, puesto*) to hold; **poseído, a** *a* possessed; **posesión** *nf* possession; **posesionarse** *vr*: **posesionarse de** to take possession of, take over; **posesivo, a** *a* possessive.
posibilidad [posiβili'ðað] *nf* possibility; (*oportunidad*) chance; **posibilitar** *vt* to make possible, permit; (*hacer factible*) to make feasible.
posible [po'siβle] *a* possible; (*factible*) feasible; **de ser ~** if possible; **en lo ~** as far as possible.
posición [posi'θjon] *nf* (*gen*) position; (*rango social*) status.
positivo, a [posi'tiβo, a] *a* positive // *nf* (*FOTO*) print.
poso ['poso] *nm* sediment.
posponer [pospo'ner] *vt* to put behind/below; (*AM*) to postpone.
posta ['posta] *nf* (*de caballos*) relay, team; (*pedazo*) slice // *nm*: **postal** *a* postal // *nf* postcard.
poste ['poste] *nm* (*de telégrafos*) post, pole; (*columna*) pillar; **dar ~ a uno** (*fam*) to keep sb hanging about.
postergar [poster'xar] *vt* (*AM: posponer*) to postpone, delay.
posteridad [posteri'ðað] *nf* posterity.
posterior [poste'rjor] *a* back, rear; (*siguiente*) following, subsequent; (*más tarde*) later; **~idad** *nf*: **con ~idad** later, subsequently.
postizo, a [pos'tiβo, a] *a* false, artificial // *nm* hairpiece.
postor, a [pos'tor, a] *nm/f* bidder.
postrado, a [pos'traðo, a] *a* prostrate; **postrar** *vt* (*derribar*) to cast down, overthrow; (*humillar*) to humble; (*MED*) to weaken, exhaust.
postre ['postre] *nm* sweet, dessert.
postremo, a [pos'tremo, a], **postrer,**

ero, a [pos'trer, ero, a] *a* (*último*) last; (*que viene detrás*) rear.
postulado [postu'laðo] *nm* postulate; **postular** *vt* (*empleo*) to apply for; (*pedir*) to seek, demand; (*proponer*) to postulate.
póstumo, a ['postumo, a] *a* posthumous.
postura [pos'tura] *nf* (*del cuerpo*) posture, position; (*fig*) attitude, position.
potable [po'taβle] *a* drinkable.
potaje [po'taxe] *nm* stew; **~s** *nmpl* mixed vegetables.
pote ['pote] *nm* pot, jar.
potencia [po'tenθja] *nf* power.
potencial [poten'θjal] *a, nm* potential.
potente [po'tente] *a* powerful.
pozo ['poθo] *nm* well; (*de río*) deep pool; (*de mina*) shaft.
práctica ['praktika] *nf ver* **práctico.**
practicable [prakti'kaβle] *a* practicable; (*camino*) passable, usable.
practicante [prakti'kante] *nm/f* (*MED: ayudante de doctor*) medical assistant; (: *enfermero*) male nurse; (*quien practica algo*) practitioner // *a* practising.
practicar [prakti'kar] *vt* to practise; (*deporte*) to go in for, play; (*realizar*) to carry out, perform.
práctico, a ['praktiko, a] *a* (*gen*) practical; (*conveniente*) handy; (*instruído: persona*) skilled, expert // *nf* practice; (*método*) method; (*arte, capacidad*) skill; **en la ~a** in practice.
pradera [pra'ðera] *nf* meadow; (*de Canadá*) prairie.
prado ['praðo] *nm* (*campo*) meadow, field; (*pastizal*) pasture.
Praga ['praxa] *n* Prague.
pragmático, a [prax'matiko, a] *a* pragmatic.
preámbulo [pre'ambulo] *nm* preamble, introduction.
precario, a [pre'karjo, a] *a* precarious.
precaución [prekau'θjon] *nf* (*medida preventiva*) preventive measure, precaution; (*prudencia*) caution, wariness.
precaver [preka'βer] *vt* to guard against; (*impedir*) to forestall; **~se** *vr*: **~se de** *o* **contra algo** to (be on one's) guard against sth; **precavido, a** *a* cautious, wary.
precedencia [preθe'ðenθja] *nf* precedence; (*prioridad*) priority; (*superioridad*) greater importance, superiority; **precedente** *a* preceding; (*anterior*) former // *nm* precedent; **preceder** *vt, vi* to precede, go/come before.
precepto [pre'θepto] *nm* precept.
preciado, a [pre'θjaðo, a] *a* (*estimado*) esteemed, valuable; (*vanidoso*) presumptuous; **preciar** *vt* to esteem, value; **preciarse** *vr* to boast; **preciarse de** to pride o.s. on, boast of being.
precio ['preθjo] *nm* (*de mercado*) price; (*costo*) cost; (*valor*) value, worth; (*de viaje*) fare; **~ al contado/de coste/de**

oportunidad cash/cost/bargain price; ~ **tope** top price.

preciosidad [preθjosi'ðað] *nf* (*valor*) (high) value, (great) worth; (*encanto*) charm; (*cosa bonita*) beautiful thing; **es una** ~ it's lovely, it's really beautiful; **precioso, a** *a* precious; (*de mucho valor*) valuable; (*fam*) lovely, beautiful.

precipicio [preθi'piθjo] *nm* cliff, precipice; (*fig*) abyss.

precipitación [preθipita'θjon] *nf* haste; (*lluvia*) rainfall.

precipitado, a [preθipi'taðo, a] *a* hasty, rash; (*salida*) hasty, sudden.

precipitar [preθipi'tar] *vt* (*arrojar*) to hurl down, throw; (*apresurar*) to hasten; (*acelerar*) to speed up, accelerate; ~ **se** *vr* to throw o.s.; (*apresurarse*) to rush; (*actuar sin pensar*) to act rashly.

precipitoso, a [preθipi'toso, a] *a* (*escarpado*) steep, sheer; (*a la carrera*, *imprudente*) hasty, rash.

precisamente [preθisa'mente] *ad* precisely; (*justo*) precisely, exactly, just.

precisar [preθi'sar] *vt* (*necesitar*) to need, require; (*fijar*) to determine exactly, fix; (*especificar*) to specify // *vi* to be necessary.

precisión [preθi'sjon] *nf* (*exactitud*) precision; (*necesidad*) need, necessity.

preciso, a [pre'θiso, a] *a* (*exacto*) precise; (*necesario*) necessary, essential.

preconcebido, a [prekonθe'βiðo, a] *a* preconceived.

preconizar [prekoni'θar] *vt* (*aconsejar*) to advise; (*prever*) to foresee.

precoz [pre'koθ] *a* (*persona*) precocious; (*calvicie*) premature.

precursor, a [prekur'sor, a] *nm/f* precursor.

predecir [preðe'θir] *vt* to predict, foretell, forecast.

predestinado, a [preðesti'naðo, a] *a* predestined.

predeterminar [preðetermi'nar] *vt* to predetermine.

prédica ['preðika] *nf* sermon; **predicador, a** *nm/f* preacher; **predicar** *vt, vi* to preach.

predicción [preðik'θjon] *nf* prediction.

predilecto, a [preði'lekto, a] *a* favourite.

predio ['preðjo] *nm* property, estate.

predisponer [preðispo'ner] *vt* to predispose; (*pey*) to prejudice; **predisposición** *nf* predisposition, inclination; prejudice, bias.

predominante [preðomi'nante] *a* predominant.

predominar [preðomi'nar] *vt* to dominate // *vi* to predominate; (*prevalecer*) to prevail; **predominio** *nm* predominance, prevalence.

prefabricado, a [prefaβri'kaðo, a] *a* prefabricated.

prefacio [pre'faθjo] *nm* preface.

preferencia [prefe'renθja] *nf* preference; **de** ~ preferably, for preference;

preferible *a* preferable; **preferir** *vt* to prefer.

prefigurar [prefixu'rar] *vt* to foreshadow, prefigure.

pregonar [pre⋎o'nar] *vt* to proclaim, announce.

pregunta [pre'⋎unta] *nf* question; **hacer una** ~ to ask *or* put a question.

preguntar [pre⋎un'tar] *vt* to ask; (*cuestionar*) to question // *vi* to ask; ~ **se** *vr* to wonder; ~ **por alguien** to ask for sb; **preguntón, ona** *a* inquisitive.

prehistórico, a [preis'toriko, a] *a* prehistoric.

prejuicio [pre'xwiθjo] *nm* prejudgement; (*preconcepción*) preconception; (*pey*) prejudice, bias.

prelación [prela'θjon] *nf* priority.

preliminar [prelimi'nar] *a* preliminary.

preludio [pre'luðjo] *nm* prelude.

prematuro, a [prema'turo, a] *a* premature.

premeditación [premeðita'θjon] *nf* premeditation; **premeditar** *vt* to premeditate.

premiar [pre'mjar] *vt* to reward; (*en un concurso*) to give a prize to; **premio** *nm* reward; prize; (*COM*) premium.

premonición [premoni'θjon] *nf* premonition.

premura [pre'mura] *nf* (*aprieto*) pressure; (*prisa*) haste, urgency.

prenatal [prena'tal] *a* antenatal, prenatal.

prenda ['prenda] *nf* (*ropa*) garment, article of clothing; (*garantía*) pledge; ~ **s** *nfpl* talents, gifts.

prendar [pren'dar] *vt* to captivate, enchant; ~ **se de uno** to fall in love with sb.

prendedor [prende'ðor] *nm* brooch.

prender [pren'der] *vt* (*captar*) to catch, capture; (*detener*) to arrest; (*coser*) to pin, attach; (*sujetar*) to fasten // *vi* to catch; (*arraigar*) to take root; ~ **se** *vr* (*encenderse*) to catch fire; (*engalanarse*) to dress up.

prensa ['prensa] *nf* press; **la P** ~ the press; **prensar** *vt* to press.

preñado, a [pre'ɲaðo, a] *a* (*mujer*) pregnant; ~ **de** pregnant with, full of; **preñez** *nf* pregnancy.

preocupación [preokupa'θjon] *nf* worry, concern; (*ansiedad*) anxiety; **preocupado, a** *a* worried, concerned; anxious.

preocupar [preoku'par] *vt* to worry; ~ **se** *vr* to worry; ~ **se de algo** (*hacerse cargo*) to worry about sth, take care of sth.

preparación [prepara'θjon] *nf* (*acto*) preparation; (*estado*) preparedness, readiness; (*entrenamiento*) training; **preparado, a** *a* (*dispuesto*) prepared; (*CULIN*) ready (to serve) // *nm* preparation.

preparador, a [prepara'ðor, a] *nm/f* trainer.

preparar [prepa'rar] *vt* (*disponer*) to prepare, get ready; (*TEC: tratar*) to prepare, process, treat; (*entrenar*) to teach, train; ~ **se** *vr*: ~ **se a** *o* **para** to prepare to *or* for, get ready to *or* for; **preparativo, a** *a* preparatory, preliminary; **preparativos** *nmpl* preparations; **preparatorio, a** *a* preparatory.

prerrogativa [prerroχa'tiβa] *nf* prerogative, privilege.

presa ['presa] *nf* (*captura*) capture, seizure; (*cosa apresada*) catch; (*víctima*) victim; (*de animal*) prey; (*de agua*) dam.

presbítero [pres'βitero] *nm* priest.

prescindible [presθin'diβle] *a* dispensable.

prescindir [presθin'dir] *vi*: ~ **de** (*privarse de*) to do without, go without; (*descartar*) to dispense with.

prescribir [preskri'βir] *vt* to prescribe; **prescripción** *nf* prescription.

presencia [pre'senθja] *nf* presence; **presencial** *a*: **testigo presencial** eyewitness; **presenciar** *vt* to be present at; (*asistir a*) to attend; (*ver*) to see, witness.

presentación [presenta'θjon] *nf* presentation; (*introducción*) introduction.

presentador, a [presenta'ðor, a] *nm/f* compère.

presentar [presen'tar] *vt* to present; (*ofrecer*) to offer; (*mostrar*) to show, display; (*a una persona*) to introduce; ~ **se** *vr* (*llegar inesperadamente*) to appear, turn up; (*ofrecerse: como candidato*) to run, stand; (*aparecer*) to show, appear; (*solicitar empleo*) to apply.

presente [pre'sente] *a* present // *nm* present; **hacer** ~ to state, declare; **tener** ~ to remember, bear in mind.

presentimiento [presenti'mjento] *nm* premonition, presentiment; **presentir** *vt* to have a premonition of.

preservación [preserβa'θjon] *nf* protection, preservation; **preservar** *vt* to protect, preserve; **preservativo** *nm* sheath, condom.

presidencia [presi'ðenθja] *nf* presidency; (*de comité*) chairmanship; **presidente** *nm/f* president; chairman/woman.

presidiario [presi'ðjarjo] *nm* convict; **presidio** *nm* (*penitenciaría*) prison, penitentiary; (*trabajo forzoso*) hard labour; (*MIL*) garrison.

presidir [presi'ðir] *vt* (*dirigir*) to preside at, preside over; (: *comité*) to take the chair at; (*dominar*) to dominate, rule // *vi* to preside; to take the chair.

presión [pre'sjon] *nf* pressure; **presionar** *vt* to press; (*fig*) to press, put pressure on // *vi*: **presionar para** *o* **por** to press for.

preso, a ['preso, a] *nm/f* prisoner; **tomar** *o* **llevar** ~ **a uno** to arrest sb, take sb prisoner.

prestado, a [pres'taðo, a] *a* on loan; **pedir** ~ to borrow.

prestamista [presta'mista] *nm/f* moneylender.

préstamo ['prestamo] *nm* loan.

prestar [pres'tar] *vt* to lend, loan; (*atención*) to pay; (*ayuda*) to give // *vi* to give, stretch.

prestatario, a [presta'tarjo, a] *nm/f* borrower.

presteza [pres'teθa] *nf* speed, promptness.

prestigio [pres'tixjo] *nm* prestige; ~ **so, a** *a* (*honorable*) prestigious; (*famoso, renombrado*) renowned, famous.

presto, a ['presto, a] *a* (*rápido*) quick, prompt; (*dispuesto*) ready // *ad* at once, right away.

presumir [presu'mir] *vt* to presume // *vi* (*tener aires*) to be conceited; **según cabe** ~ as may be presumed, presumably; **presunción** *nf* presumption; **presunto, a** *a* (*supuesto*) supposed, presumed; (*así llamado*) so-called; **presuntuoso, a** *a* conceited, presumptuous.

presuponer [presupo'ner] *vt* to presuppose.

presupuesto [presu'pwesto] *nm* (*FINANZAS*) budget; (*estimación: de costo*) estimate.

presuroso, a [presu'roso, a] *a* (*rápido*) quick, speedy; (*que tiene prisa*) hasty.

pretencioso, a [preten'θjoso, a] *a* pretentious.

pretender [preten'der] *vt* (*intentar*) to try to, seek to; (*reivindicar*) to claim; (*buscar*) to seek, try for; (*cortejar*) to woo, court; ~ **que** to expect that; **pretendiente** *nm/f* (*candidato*) candidate, applicant; (*amante*) suitor; **pretensión** *nf* (*aspiración*) aspiration; (*reivindicación*) claim; (*orgullo*) pretension.

pretexto [pre'teksto] *nm* pretext; (*excusa*) excuse.

prevalecer [preβale'θer] *vi* to prevail; **prevaleciente** *a* prevailing, prevalent.

prevalerse [preβa'lerse] *vr*: ~ **de** to avail o.s. of.

prevención [preβen'θjon] *nf* (*preparación*) preparation; (*estado*) preparedness, readiness; (*el evitar*) prevention; (*previsión*) foresight, forethought; (*prejuicio*) bias, prejudice; (*precaución*) precaution.

prevenido, a [preβe'niðo, a] *a* prepared, ready; (*cauteloso*) cautious.

prevenir [preβe'nir] *vt* (*impedir*) to prevent; (*prever*) to foresee, anticipate; (*predisponer*) to prejudice, bias; (*avisar*) to warn; (*preparar*) to prepare, get ready; ~ **se** *vr* to get ready, prepare; ~ **se contra** to take precautions against; **preventivo, a** *a* preventive, precautionary.

prever [pre'βer] *vt* to foresee.

previo, a ['preβjo, a] *a* (*anterior*) previous; (*preliminar*) preliminary // *prep*: ~ **acuerdo de los otros** subject to the agreement of the others.

previsión [preβi'sjon] *nf* (*perspicacia*) foresight; (*predicción*) forecast; ~ **social** social security.

prieto, a ['prjeto, a] *a* (*oscuro*) dark; (*fig*) mean; (*comprimido*) tight, compressed.

prima ['prima] *nf ver* **primo.**

primacía [prima'θia] *nf* primacy.

primario, a [pri'marjo, a] *a* primary.

primavera [prima'ßera] *nf* (*temporada*) spring; (*período*) springtime.

primer, primero, a [pri'mer, pri'mero, a] *a* first; (*fig*) prime // *ad* first; (*más bien*) sooner, rather // *nf* (AUTO) first gear; (FERRO) first class; **de** ~**a** (*fam*) first-class, first-rate; ~**a plana** front page.

primitivo, a [primi'tißo, a] *a* primitive; (*original*) original.

primo, a ['primo, a] *nm/f* cousin; (*fam*) fool, dupe // *nf* (COM) bonus; ~ **hermano** first cousin; **materias** ~**as** raw materials.

primogénito, a [primo'xenito, a] *a* first-born.

primordial [primor'ðjal] *a* basic, fundamental.

primoroso, a [primo'roso, a] *a* exquisite, delicate.

princesa [prin'θesa] *nf* princess.

principal [prinθi'pal] *a* principal, main // *nm* (*jefe*) chief, principal.

príncipe ['prinθipe] *nm* prince.

principiante [prinθi'pjante] *nm/f* beginner; **principiar** *vt* to begin.

principio [prin'θipjo] *nm* (*comienzo*) beginning, start; (*origen*) origin; (*primera etapa*) rudiment, basic idea; (*moral*) principle; **a** ~**s de** at the beginning of; **tener** *o* **tomar en** ~ to start from, be based on.

pringue ['pringe] *nm* (*grasa*) grease, fat, dripping; (*mancha*) grease stain.

prioridad [priori'ðað] *nf* priority.

prisa ['prisa] *nf* (*apresuramiento*) hurry, haste; (*rapidez*) speed; (*urgencia*) (sense of) urgency; **a** *o* **de** ~ quickly; **correr** ~ to be urgent; **darse** ~ to hurry up; **estar de** *o* **tener** ~ to be in a hurry.

prisión [pri'sjon] *nf* (*cárcel*) prison; (*período de cárcel*) imprisonment; **prisionero, a** *nm/f* prisoner.

prismáticos [pris'matikos] *nmpl* binoculars.

privación [prißa'θjon] *nf* deprivation; (*falta*) want, privation.

privado, a [pri'ßaðo, a] *a* private.

privar [pri'ßar] *vt* to deprive; (*prohibir*) to forbid // *vi* (*gozar de favor*) to be in favour; (*prevalecer*) to prevail; **privativo, a** *a* exclusive.

privilegiado, a [prißile'xjaðo, a] *a* privileged; (*memoria*) very good; **privilegiar** *vt* to grant a privilege to; (*favorecer*) to favour.

privilegio [prißi'lexjo] *nm* privilege; (*concesión*) concession; ~ **de invención** patent.

pro [pro] *nm o f* profit, advantage // *prep*: **asociación** ~ **ciegos** association for the blind // *pref*: ~ **soviético/americano** pro-Soviet/American; **en** ~ **de** on behalf of, for; **los** ~**s y los contras** the pros and cons.

probabilidad [proßaßili'ðað] *nf* probability, likelihood; (*oportunidad, posibilidad*) chance, prospect; **probable** *a* probable, likely.

probanza [pro'ßanθa] *nf* proof, evidence.

probar [pro'ßar] *vt* (*demostrar*) to prove; (*someter a prueba*) to test, try out; (*ropa*) to try on; (*comida*) to taste // *vi* to try; ~**se un traje** to try on a suit.

probeta [pro'ßeta] *nf* test tube.

problema [pro'ßlema] *nm* problem.

procaz [pro'kaθ] *a* insolent, impudent.

procedente [proθe'ðente] *a* (*razonable*) reasonable; (*conforme a derecho*) proper, fitting; ~ **de** coming from, originating in.

proceder [proθe'ðer] *vi* (*avanzar*) to proceed; (*actuar*) to act; (*ser correcto*) to be right (and proper), be fitting // *nm* (*acción*) course of action; (*comportamiento*) behaviour, conduct; **procedimiento** *nm* procedure; (*proceso*) process; (*método*) means, method.

procesado, a [proθe'saðo, a] *nm/f* accused (person); **procesar** *vt* to try, put on trial.

procesión [proθe'sjon] *nf* procession.

proceso [pro'θeso] *nm* process; (JUR) trial; (*lapso*) course (of time).

proclama [pro'klama] *nf* (*acto*) proclamation; (*cartel*) poster; **proclamar** *vt* to proclaim.

procreación [prokrea'θjon] *nf* procreation; **procrear** *vt, vi* to procreate.

procurador, a [prokura'ðor, a] *nm/f* attorney.

procurar [proku'rar] *vt* (*intentar*) to try, endeavour; (*conseguir*) to get, obtain; (*asegurar*) to secure; (*producir*) to produce.

prodigio [pro'ðixjo] *nm* prodigy; (*milagro*) wonder, marvel; ~**so, a** *a* prodigious, marvellous.

pródigo, a ['proðixo, a] *a*: **hijo** ~ prodigal son.

producción [proðuk'θjon] *nf* production; (*suma de productos*) output; (*producto*) product; ~ **en serie** mass production.

producir [proðu'θir] *vt* to produce; (*generar*) to cause, bring about; ~**se** *vr* (*gen*) to come about, happen; (*hacerse*) to be produced, be made; (*estallar*) to break out.

productividad [proðuktißi'ðað] *nf* productivity; **productivo, a** *a* productive; (*provechoso*) profitable.

producto [pro'ðukto] *nm* product; (*producción*) production.

productor, a [proðuk'tor, a] *a* productive, producing // *nm/f* producer.

proeza [pro'eθa] *nf* exploit, feat.

profanar [profa'nar] *vt* to desecrate, profane; **profano, a** *a* profane // *nm/f* layman/woman.

profecía [profe'θia] *nf* prophecy.

proferir [profe'rir] *vt* (*palabra, sonido*) to utter; (*injuria*) to hurl, let fly.

profesar [profe'sar] *vt* (*declarar*) to profess; (*practicar*) to practise.

profesión [profe'sjon] *nf* profession; **profesional** *a* professional.
profesor, a [profe'sor, a] *nm/f* teacher; ~**ado** *nm* teaching profession.
profeta [pro'feta] *nm/f* prophet; **profetizar** *vt, vi* to prophesy.
prófugo, a ['profuxo, a] *nm/f* fugitive; (*desertor*) deserter.
profundidad [profundi'ðað] *nf* depth; **profundizar** *vt* (*fig*) to go deeply into; **profundo, a** *a* deep; (*misterio, pensador*) profound.
progenie [pro'xenje] *nf* offspring.
progenitor [proxeni'tor] *nm* ancestor; ~**es** *nmpl* (*fam*) parents.
programa [pro'xrama] *nm* programme; ~**ción** *nf* programming; ~**dor, a** *nm/f* programmer; **programar** *vt* to programme.
progresar [proxre'sar] *vi* to progress, make progress; **progresista** *a, nm/f* progressive; **progresivo, a** *a* progressive; (*gradual*) gradual; (*continuo*) continuous; **progreso** *nm* progress.
prohibición [proiβi'θjon] *nf* prohibition, ban; **prohibir** *vt* to prohibit, ban, forbid; **se prohibe fumar** no smoking.
prohijar [proi'xar] *vt* to adopt.
prójimo, a ['proximo, a] *nm/f* fellow man, neighbour.
proletariado [proleta'rjaðo] *nm* proletariat; **proletario, a** *a, nm/f* proletarian.
proliferación [prolifera'θjon] *nf* proliferation; **proliferar** *vi* to proliferate; **prolífico, a** *a* prolific.
prolijo, a [pro'lixo, a] *a* long-winded, tedious.
prólogo ['proloxo] *nm* prologue.
prolongación [prolonga'θjon] *nf* extension; **prolongado, a** *a* (*largo*) long; (*alargado*) lengthy; **prolongar** *vt* (*gen*) to extend; (*en el tiempo*) to prolong; (*calle, tubo*) to make longer, extend.
promedio [pro'meðjo] *nm* average; (*de distancia*) middle, mid-point.
promesa [pro'mesa] *nf* promise.
prometer [prome'ter] *vt* to promise // *vi* to show promise; ~**se** *vr* (*dos personas*) to get engaged; **prometido, a** *a* promised; engaged // *nm/f* fiancé/fiancée.
prominente [promi'nente] *a* prominent.
promiscuo, a [pro'miskwo, a] *a* (*mezclado*) mixed(-up), in disorder; (*ambiguo*) ambiguous.
promoción [promo'θjon] *nf* promotion.
promotor [promo'tor] *nm* promoter; (*instigador*) instigator.
promover [promo'ßer] *vt* to promote; (*causar*) to cause; (*instigar*) to instigate, stir up.
promulgar [promul'xar] *vt* to promulgate; (*fig*) to proclaim.
pronosticar [pronosti'kar] *vt* to predict, foretell, forecast; **pronóstico** *nm* prediction, forecast.
prontitud [pronti'tuð] *nf* speed, quickness;

(*de ingenio*) quickness, sharpness.
pronto, a ['pronto, a] *a* (*rápido*) prompt, quick; (*preparado*) ready; (*astuto*) quick, sharp // *ad* quickly, promptly; (*en seguida*) at once, right away; (*dentro de poco*) soon; (*temprano*) early // *nm*: **tener ~s de enojo** to be quick-tempered; **al ~** at first; **de ~** suddenly; **por lo ~** meanwhile, for the present.
pronunciación [pronunθja'θjon] *nf* pronunciation; **pronunciar** *vt* to pronounce; (*discurso*) to make, deliver; **pronunciarse** *vr* to revolt, rise, rebel; (*declararse*) to declare o.s.
propagación [propaxa'θjon] *nf* propagation.
propaganda [propa'xanda] *nf* (*política*) propaganda; (*comercial*) advertising.
propagar [propa'xar] *vt* to propagate.
propensión [propen'sjon] *nf* inclination, propensity; **propenso, a** *a* inclined to; **ser propenso a** to be inclined to, have a tendency to.
propiamente [propja'mente] *ad* properly; (*realmente*) really, exactly.
propicio, a [pro'piθjo, a] *a* favourable, propitious.
propiedad [propje'ðað] *nf* (*gen*) property; (*posesión*) possession, ownership; ~ **industrial** patent rights *pl*; ~ **literaria** copyright; ~ **particular** private property.
propietario, a [propje'tarjo, a] *nm/f* owner, proprietor.
propina [pro'pina] *nf* tip.
propio, a ['propjo, a] *a* own, of one's own; (*característico*) characteristic, typical; (*conveniente*) proper; (*mismo*) selfsame, very; **el ~ ministro** the minister himself; **¿tienes casa ~a?** have you a house of your own?
proponer [propo'ner] *vt* to propose, put forward; (*problema*) to pose; ~**se** *vr* to propose, plan, intend.
proporción [propor'θjon] *nf* proportion; (*MAT*) ratio; (*oportunidad*) chance, opportunity; **proporciones** *nfpl* dimensions; (*fig*) size *sg*; **proporcionado, a** *a* proportionate; (*regular*) medium, middling; (*justo*) just right; **proporcionar** *vt* (*dar*) to give, supply, provide; (*adaptar*) to adjust, adapt.
proposición [proposi'θjon] *nf* proposition; (*propuesta*) proposal.
propósito [pro'posito] *nm* purpose; (*intento*) aim, intention // *a*: **a ~** appropriate, suitable // *ad*: **a ~** by the way, incidentally; **a ~ de** about, with regard to; **de ~** on purpose, deliberately.
propuesta [pro'pwesta] *nf* proposal.
propulsar [propul'sar] *vt* to drive, propel; (*fig*) to promote, encourage; **propulsión** *nf* propulsion; **propulsión a chorro** *o* **por reacción** jet propulsion.
prórroga ['prorroxa] *nf* (*gen*) extension; (*JUR*) stay; (*COM*) deferment; **prorrogar** *vt*

(*período*) to extend; (*decisión*) to defer, postpone.

prorrumpir [prorrum'pir] *vi* to burst forth, break out.

prosa ['prosa] *nf* prose.

proscribir [proskri'ßir] *vt* to prohibit, ban; (*desterrar*) to exile, banish; (*partido*) to proscribe; **proscripción** *nf* prohibition, ban; banishment; proscription.

prosecución [proseku'θjon] *nf* continuation; (*persecución*) pursuit.

proseguir [prose'xir] *vt* to continue, carry on, proceed with // *vi* to continue, go on.

prospección [prospek'θjon] *nf* exploration; (*del petróleo, del oro*) prospecting.

prospecto [pros'pekto] *nm* prospectus.

prosperar [prospe'rar] *vi* to prosper, thrive, flourish; **prosperidad** *nf* prosperity; (*éxito*) success; **próspero, a** *a* prosperous, thriving, flourishing; (*que tiene éxito*) successful.

prostíbulo [pros'tißulo] *nm* brothel.

prostitución [prostitu'θjon] *nf* prostitution; **prostituir** *vt* to prostitute; **prostituirse** *vr* to prostitute o.s., become a prostitute; **prostituta** *nf* prostitute.

protagonista [protaxo'nista] *nm/f* protagonist.

protección [protek'θjon] *nf* protection.

protector, a [protek'tor, a] *a* protective, protecting // *nm/f* protector.

proteger [prote'xer] *vt* to protect; **protegido, a** *nm/f* protégé/ protégée.

proteína [prote'ina] *nf* protein.

protesta [pro'testa] *nf* protest; (*declaración*) protestation.

protestante [protes'tante] *a* Protestant.

protestar [protes'tar] *vt* to protest, declare; (*fe*) to protest // *vi* to protest.

protocolo [proto'kolo] *nm* protocol.

prototipo [proto'tipo] *nm* prototype.

provecho [pro'ßetʃo] *nm* advantage, benefit; (*FINANZAS*) profit; **¡buen** ~! bon appétit!; **en** ~ **de** to the benefit of; **sacar** ~ **de** to benefit from, profit by.

proveer [proße'er] *vt* to provide, supply; (*preparar*) to provide, get ready; (*vacante*) to fill; (*negocio*) to transact, dispatch // *vi:* ~ **a** to provide for.

provenir [proße'nir] *vi:* ~ **de** to come from, stem from.

proverbio [pro'ßerßjo] *nm* proverb.

providencia [proßi'ðenθja] *nf* providence; (*previsión*) foresight; ~**s** *nfpl* measures, steps.

provincia [pro'ßinθja] *nf* province; ~**no,** **a** *a* provincial; (*del campo*) country *cpd*.

provisión [proßi'sjon] *nf* provision; (*abastecimiento*) provision, supply; (*medida*) measure, step.

provisional [proßisjo'nal] *a* provisional.

provocación [proßoka'θjon] *nf* provocation; **provocar** *vt* to provoke; (*alentar*) to tempt, invite; (*causar*) to bring about, lead to; (*promover*) to promote;

(*estimular*) to rouse, stir, stimulate; **provocativo, a** *a* provocative.

próximamente [proksima'mente] *ad* shortly, soon.

proximidad [proksimi'ðað] *nf* closeness, proximity; **próximo, a** *a* near, close; (*vecino*) neighbouring; (*el que viene*) next.

proyectar [projek'tar] *vt* (*objeto*) to hurl, throw; (*luz*) to cast, shed; (*CINE*) to screen, show; (*planear*) to plan.

proyectil [projek'til] *nm* projectile, missile; (*MIL*) missile.

proyecto [pro'jekto] *nm* plan; (*estimación de costo*) detailed estimate.

proyector [projek'tor] *nm* (*CINE*) projector; (*MIL*) searchlight; (*de teatro*) spotlight.

prudencia [pru'ðenθja] *nf* (*sabiduría*) wisdom, prudence; (*cautela*) care; **prudente** *a* sensible, wise, prudent; (*conductor*) careful.

prueba ['prweßa] *nf* proof; (*ensayo*) test, trial; (*saboreo*) testing, sampling; (*de ropa*) fitting; ~**s** *nfpl* trials; **a** ~ on trial; **a** ~ **de** proof against; **a** ~ **de agua/fuego** waterproof/fireproof; **sala de** ~**s** fitting room; **someter a** ~ to put to the test.

prurito [pru'rito] *nm* itch; (*de bebé*) nappy rash.

psico... [siko] *pref* psycho...; ~**análisis** *nm* psychoanalysis; ~**logía** *nf* psychology; ~**lógico, a** *a* psychological; **psicólogo, a** *nm/f* psychologist; **psicópata** *nm/f* psychopath; ~**sis** *nf inv* psychosis.

psiquiatra [si'kjatra] *nm/f* psychiatrist; **psiquiátrico, a** *a* psychiatric.

psíquico, a ['sikiko, a] *a* psychic(al).

PSOE *abr de* **Partido Socialista Obrero Español.**

púa ['pua] *nf* sharp point; (*para guitarra*) plectrum; **alambre de** ~ barbed wire.

pubertad [pußer'tað] *nf* puberty.

publicación [pußlika'θjon] *nf* publication; **publicar** *vt* (*editar*) to publish; (*hacer público*) to publicize; (*vulgarizar*) to make public, divulge.

publicidad [pußliθi'ðað] *nf* publicity; (*COM*) advertising; **publicitario, a** *a* publicity *cpd*; advertising *cpd*.

público, a ['pußliko, a] *a* public // *nm* public; (*TEATRO etc*) audience.

puchero [pu'tʃero] *nm* stew; **hacer** ~**s** to pout.

pude *etc vb ver* **poder.**

púdico, a ['puðiko, a] *a* modest.

pudiera *etc vb ver* **poder.**

pudor [pu'ðor] *nm* modesty.

pudrir [pu'ðrir] *vt* to rot; (*fam*) to upset, annoy; ~**se** *vr* to rot, decay.

pueblo ['pweßlo] *nm* people; (*nación*) nation; (*aldea*) village.

puedo *etc vb ver* **poder.**

puente ['pwente] *nm* (*gen*) bridge; ~ **aéreo** airlift; ~ **colgante** suspension bridge; **hacer el** ~ (*fam*) to take an extra day off work between 2 public holidays.

puerco, a ['pwerko, a] *nm/f* pig/sow // *a*

(*sucio*) dirty, filthy; (*obsceno*) disgusting; ~ **de mar** porpoise; ~ **marino** dolphin.

pueril [pwe'ril] *a* childish.

puerro ['pwerro] *nm* leek.

puerta ['pwerta] *nf* door; (*de jardín*) gate; (*portal*) doorway; (*fig*) gateway; (*gol*) goal; **a ~ cerrada** behind closed doors; ~ **giratoria** swing door, revolving door.

puertaventana [pwertaßen'tana] *nf* shutter.

puerto ['pwerto] *nm* port; (*paso*) pass; (*fig*) haven, refuge.

Puerto Rico [pwerto'riko] *nm* Puerto Rico; **puertorriqueño, a** *a* Puerto Rican.

pues [pwes] *ad* (*entonces*) then; (*¡entonces!*) well, well then; (*así que*) so // *conj* (*ya que*) since; *¡~!* (*sí*) yes!, certainly!

puesto, a ['pwesto, a] *pp de* **poner** // *a* dressed // *nm* (*lugar, posición*) place; (*trabajo*) post, job; (*COM*) stall // *conj*: ~ **que** since, as // *nf* (*apuesta*) bet, stake; ~**a en marcha** starting; ~**a del sol** sunset.

púgil ['puxil] *nm* boxer.

pugna ['puxna] *nf* battle, conflict; ~**cidad** *nf* pugnacity, aggressiveness; **pugnar** *vi* (*luchar*) to struggle, fight; (*pelear*) to fight.

pulcro, a ['pulkro, a] *a* neat, tidy; (*bello*) exquisite.

pulga ['pulxa] *nf* flea.

pulgada [pul'xaða] *nf* inch.

pulgar [pul'xar] *nm* thumb.

pulir [pu'lir], **pulimentar** [pulimen'tar] *vt* to polish; (*alisar*) to smooth; (*fig*) to polish up, touch up.

pulmón [pul'mon] *nm* lung; **pulmonía** *nf* pneumonia.

pulpa ['pulpa] *nf* pulp; (*de fruta*) flesh, soft part.

púlpito ['pulpito] *nm* pulpit.

pulpo ['pulpo] *nm* octopus.

pulsación [pulsa'θjon] *nf* beat, pulsation; (*ANAT*) throb(bing).

pulsador [pulsa'ðor] *nm* button, push button.

pulsar [pul'sar] *vt* (*tecla*) to touch, tap; (*MUS*) to play; (*botón*) to press, push // *vi* to pulsate; (*latir*) to beat, throb; (*MED*): ~ **a uno** to take sb's pulse.

pulsera [pul'sera] *nf* bracelet.

pulso ['pulso] *nm* (*ANAT*) pulse; (: *muñeca*) wrist; (*fuerza*) strength; (*firmeza*) steadiness, steady hand; (*tacto*) tact, good sense.

pulverizador [pulßeriθa'ðor] *nm* spray, spray gun; **pulverizar** *vt* to pulverize; (*líquido*) to spray.

pulla ['puʎa] *nf* cutting remark; (*expresión grosera*) obscene remark.

pungir [pun'xir] *vt* to puncture, prick, pierce; (*fig*) to cause suffering to.

punición [puni'θjon] *nf* punishment; **punitivo, a** *a* punitive.

punta ['punta] *nf* point, tip; (*extremidad*) end; (*fig*) touch, trace; **horas** ~**s** peak hours, rush hours; **sacar** ~ **a** to sharpen; **estar de** ~ to be edgy.

puntada [pun'taða] *nf* (*COSTURA*) stitch; (*fam*) hint; **no ha dado** ~ he hasn't done a stroke.

puntal [pun'tal] *nm* prop, support.

puntapié [punta'pje] *nm* kick.

puntear [punte'ar] *vt* (*marcar*) to tick, mark; (*coser*) to stitch (up).

puntería [punte'ria] *nf* (*de arma*) aim, aiming; (*destreza*) marksmanship.

puntiagudo, a [puntja'xuðo, a] *a* sharp, pointed.

puntilla [pun'tiʎa] *nf* (*de pluma*) point, nib; (**andar**) **de** ~**s** (to walk) on tiptoe.

punto ['punto] *nm* (*gen*) point; (*señal diminuta*) spot, dot; (*lugar*) spot, place; (*momento*) point, moment; **a** ~ ready; **estar a** ~ **de** to be on the point of *or* about to; **en** ~ on the dot; ~ **de arranque** starting point; ~ **muerto** dead centre; (*AUTO*) neutral (gear); ~ **y coma** semicolon; ~ **de interrogación** question mark.

puntuación [puntwa'θjon] *nf* punctuation; (*puntos: en examen*) mark(s) (*pl*); (: *DEPORTE*) score.

puntual [pun'twal] *a* (*a tiempo*) punctual; (*exacto*) exact, accurate; (*seguro*) reliable; ~**idad** *nf* punctuality; exactness, accuracy; reliability; ~**izar** *vt* to fix, specify; (*en la memoria*) to fix in one's mind/memory.

punzante [pun'θante] *a* (*dolor*) shooting, sharp; (*herramienta*) sharp; **punzar** *vt* to prick, pierce // *vi* to shoot, stab.

puñado [pu'ɲaðo] *nm* handful.

puñal [pu'ɲal] *nm* dagger; ~**ada** *nf* stab; ~**ada de misericordia** coup de grâce.

puñetazo [puɲe'taθo] *nm* punch.

puño ['puɲo] *nm* (*ANAT*) fist; (*cantidad*) fistful, handful; (*COSTURA*) cuff; (*de herramienta*) handle.

pupila [pu'pila] *nf* pupil.

pupitre [pu'pitre] *nm* desk.

puré [pu're] *nm* puree; (*sopa*) (thick) soup; ~ **de patatas** mashed potatoes.

pureza [pu'reθa] *nf* purity.

purga ['purxa] *nf* purge; **purgante** *a, nm* purgative; **purgar** *vt* to purge.

purgatorio [purxa'torjo] *nm* purgatory.

purificar [purifi'kar] *vt* to purify; (*refinar*) to refine.

puritano, a [puri'tano, a] *a* (*actitud*) puritanical; (*iglesia, tradición*) puritan // *nm/f* puritan.

puro, a ['puro, a] *a* pure; (*cielo*) clear; (*verdad*) simple, plain // *ad*: **de** ~ **cansado** out of sheer tiredness // *nm* cigar.

púrpura ['purpura] *nf* purple; **purpúreo, a** *a* a purple.

puse, pusiera *etc vb ver* **poner.**

pústula ['pustula] *nf* pimple, sore.

puta ['puta] *nf* whore, prostitute.

putrefacción [putrefak'θjon] *nf* rotting, putrefaction.

pútrido, a ['putriðo, a] *a* rotten.

Q

q.e.p.d. *abr de* **que en paz descanse.**
q.e.s.m. *abr de* **que estrecha su mano.**
que [ke] *pron (sujeto)* who, that; (: *cosa*) which, that; *(complemento)* whom, that; (: *cosa*) which, that // *conj* that; **el momento en ~ llegó** the moment he arrived; **lo ~ digo** what I say; **dar ~ hablar** to give cause to talk, cause talk; **le ruego ~ se calle** I'm asking you to keep quiet; **te digo ~ sí** I'm telling you, I assure you; **yo ~ tú** if I were you.
qué [ke] *a* what?, which? // *pron* what?; ¡~ **divertido!** how funny!; ¿~ **edad tiene Ud?** how old are you?; ¿**de ~ me hablas?** what are you saying to me?; ¿~ **tal?** how are you?, how are things?; ¿~ **hay (de nuevo)?** what's new?
quebrada [ke'βraða] *nf ver* **quebrado.**
quebradizo, a [keβra'ðiθo, a] *a* fragile; *(persona)* frail.
quebrado, a [ke'βraðo, a] *a (roto)* broken; *(pálido)* pale; *(COM)* bankrupt // *nm/f* bankrupt // *nf* ravine.
quebradura [keβra'ðura] *nf (fisura)* fissure; *(GEO)* gorge; *(MED)* rupture.
quebrantadura [keβranta'ðura] *nf*, **quebrantamiento** [keβranta'mjento] *nm (acto)* breaking; *(estado)* exhaustion.
quebrantar [keβran'tar] *vt (romper)* to break; *(infringir)* to violate, transgress; **~se** *vr (persona)* to fail in health; *(deshacerse)* to break.
quebranto [ke'βranto] *nm* damage, harm; *(decaimiento)* exhaustion; *(debilidad)* weakness; *(dolor)* grief, pain.
quebrar [ke'βrar] *vt* to break, smash; *(interrumpir)* to interrupt // *vi* to go bankrupt; **~se** *vr* to break, get broken; *(MED)* to be ruptured.
quedar [ke'ðar] *vi (permanecer)* to stay; *(seguir siendo)* to remain; *(encontrarse)* to be; *(restar)* to remain, be left; **~se** *vr* to remain, stay (behind); **~se con** to keep; **~ en** *(acordar)* to agree on/to; *(acabar siendo)* to end up as; **~ por hacer** to be still to be done; **~ ciego/mudo** to be left blind/dumb; **no te queda bien ese vestido** that dress doesn't suit you; **quedamos a las seis** we agreed to meet at six.
quedo, a ['keðo, a] *a* still // *ad* softly, gently.
quehacer [kea'θer] *nm* task, job; *(doméstico)* chore.
queja ['kexa] *nf* complaint; **quejarse** *vr (enfermo)* to moan, groan; *(protestar)* to complain; **quejido** *nm* moan; **quejoso, a** *a* complaining.
quemado, a [ke'maðo, a] *a* burnt.
quemadura [kema'ðura] *nf* burn, scald.
quemar [ke'mar] *vt* to burn; *(fig)* to burn up, squander // *vi* to be burning hot; **~se** *vr* to burn (up); *(del sol)* to get sunburnt.

quemarropa [kema'rropa]: **a ~** *ad* point-blank.
quemazón [kema'θon] *nf* burn; *(calor)* intense heat; *(sensación)* itch.
quepo *etc vb ver* **caber.**
querella [ke'reʎa] *nf (JUR)* charge; *(disputa)* dispute.
querer [ke'rer] *vt (desear)* to want, wish; *(amar a)* to love; **~ hacer algo** to want to do sth; **querido, a** *a* dear // *nm/f* darling // *nf* mistress.
quesería [kese'ria] *nf* dairy, cheese factory.
queso ['keso] *nm* cheese; **~ crema** cream cheese; **~ helado** ice-cream brick.
quicio ['kiθjo] *nm* hinge; **sacar a uno de ~** to get on sb's nerves.
quiebra ['kjeβra] *nf* break, split; *(COM)* bankruptcy; *(ECON)* slump.
quiebro ['kjeβro] *nm (del cuerpo)* swerve.
quien [kjen] *pron* who; **hay ~ piensa que** there are those who think that; **no hay ~ lo haga** no-one will do it.
quién [kjen] *pron* who, whom; ¿~ **es?** who's there?
quienquiera [kjen'kjera] *(pl* **quienesquiera)** *pron* whoever.
quiero *etc vb ver* **querer.**
quieto, a ['kjeto, a] *a* still; *(carácter)* placid; **quietud** *nf* stillness.
quijada [ki'xaða] *nf* jaw, jawbone.
quilate [ki'late] *nm* carat.
quimera [ki'mera] *nf* chimera; **quimérico, a** *a* fantastic.
químico, a ['kimiko, a] *a* chemical // *nm/f* chemist // *nf* chemistry.
quincalla [kin'kaʎa] *nf* hardware, ironmongery.
quince ['kinθe] *num* fifteen; **~na** *nf* fortnight; *(pago)* fortnightly pay; **~nal** *a* fortnightly.
quiniela [ki'njela] *nf* pools coupon; **~s** *nfpl* football pools.
quinientos [ki'njentos] *num* five hundred.
quinina [ki'nina] *nf* quinine.
quinqui ['kinki] *nm* gangster.
quinto, a ['kinto, a] *a* fifth // *nf* country house; *(MIL)* call-up, draft.
quiosco ['kjosko] *nm (de música)* bandstand; *(de periódicos)* news stand.
quirúrgico, a [ki'rurxiko, a] *a* surgical.
quise, quisiera *etc vb ver* **querer.**
quisquilloso, a [kiski'ʎoso, a] *a* touchy; *(fam)* pernickety.
quiste ['kiste] *nm* cyst.
quita ['kita] *nf* remission of debt; **de ~ y pon** detachable.
quitaesmalte [kitaes'malte] *nm* nail-polish remover.
quitamanchas [kita'mantʃas] *nm inv* stain remover.
quitar [ki'tar] *vt* to remove, take away; *(ropa)* to take off; *(dolor)* to kill, stop; **¡quita de ahí!** get away!; **~se** *vr* to

withdraw; **se quitó el sombrero** he took off his hat.
quitasol [kita'sol] *nm* sunshade.
quite ['kite] *nm* (*esgrima*) parry; (*evasión*) dodge.
quizá(s) [ki'θa(s)] *ad* perhaps, maybe.

R

rábano ['raβano] *nm* radish; **me importa un** ~ I don't give a damn.
rabia ['raβja] *nf* (*MED*) rabies; (*fig*) fury, rage; **rabiar** *vi* to have rabies; to rage, be furious; **rabiar por algo** to be dying for *or* long for sth.
rabieta [ra'βjeta] *nf* tantrum, fit of temper.
rabino [ra'βino] *nm* rabbi.
rabioso, a [ra'βjoso, a] *a* rabid; (*fig*) furious.
rabo ['raβo] *nm* tail.
racial [ra'θjal] *a* racial, race *cpd*.
racimo [ra'θimo] *nm* bunch.
raciocinio [raθjo'θinjo] *nm* reason.
ración [ra'θjon] *nf* portion; **raciones** *nfpl* rations.
racional [raθjo'nal] *a* (*razonable*) reasonable; (*lógico*) rational; ~**izar** *vt* to rationalize.
racionar [raθjo'nar] *vt* to ration (out).
racismo [ra'θismo] *nm* racialism, racism; **racista** *a, nm/f* racist.
racha ['ratʃa] *nf* gust of wind.
radar [ra'ðar] *nm* radar.
radiador [raðja'ðor] *nm* radiator.
radiante [ra'ðjante] *a* radiant.
radical [raði'kal] *a, nm/f* radical.
radicar [raði'kar] *vi* to take root; ~ **en** to lie *or* consist in; ~**se** *vr* to establish o.s., put down (one's) roots.
radio ['raðjo] *nf* radio; (*aparato*) radio (set) // *nm* (*MAT*) radius; (*QUÍMICA*) radium; ~**activo, a** *a* radioactive; ~**difusión** *nf* broadcasting; ~**emisora** *nf* transmitter, radio station; ~**escucha** *nm/f* listener; ~**grafía** *nf* X-ray; ~**grafiar** *vt* to X-ray; ~**terapia** *nf* radiotherapy; **radioyente** *nm/f* listener.
raer [ra'er] *vt* to scrape (off).
ráfaga ['rafaxa] *nf* gust; (*de luz*) flash; (*de tiros*) burst.
raído, a [ra'iðo, a] *a* (*ropa*) threadbare; (*persona*) shameless.
raigambre [rai'xambre] *nf* (*BOT*) roots *pl*; (*fig*) tradition.
raíz [ra'iθ] (*pl* **raíces**) *nf* root; ~ **cuadrada** square root; **a** ~ **de** as a result of.
raja ['raxa] *nf* (*de melón etc*) slice; (*grieta*) crack; **rajar** *vt* to split; (*fam*) to slash; (*fruta etc*) to slice; **rajarse** *vr* to split, crack; (*AM*) to quit.
rajatabla [raxa'taβla]: **a** ~ *ad* (*estrictamente*) strictly, to the letter; (*cueste lo que cueste*) at all costs.
ralo, a ['ralo, a] *a* thin, sparse.

rallado, a [ra'ʎaðo, a] *a* grated; **rallador** *nm* grater; **rallar** *vt* to grate.
rama ['rama] *nf* branch; ~ **da** *nf*, ~**je** *nm* branches *pl*, foliage; **ramal** *nm* (*de cuerda*) strand; (*FERRO*) branch line; (*AUTO*) branch (road).
rambla ['rambla] *nf* (*de agua*) stream; (*avenida*) avenue.
ramera [ra'mera] *nf* whore.
ramificación [ramifika'θjon] *nf* ramification; **ramificarse** *vr* to branch out.
ramillete [rami'ʎete] *nm* bouquet; (*fig*) select group.
ramo ['ramo] *nm* branch; (*COM*) department, section.
rampa ['rampa] *nf* (*MED*) cramp; (*plano*) ramp.
ramplón, ona [ram'plon, ona] *a* uncouth, coarse.
rana ['rana] *nf* frog; ~ **toro** bullfrog; **salto de** ~ leapfrog.
rancio, a ['ranθjo, a] *a* rancid; (*vino*) aged, mellow; (*fig*) ancient.
rancho ['rantʃo] *nm* grub (*fam*); (*AM*) farm.
rango ['rango] *nm* rank, standing.
ranura [ra'nura] *nf* groove; (*de teléfono*) slot.
rapacidad [rapaθi'ðað] *nf* rapacity.
rapar [ra'par] *vt* to shave; (*los cabellos*) to crop; (*fam*) to pinch, nick (*fam*).
rapaz [ra'paθ] *a* (*ladrón*) thieving; (*ZOOL*) predatory.
rapaz, a [ra'paθ, a] *nm/f* young boy/girl.
rape ['rape] *nm* quick shave; **al** ~ cropped.
rapé [ra'pe] *nm* snuff.
rapidez [rapi'ðeθ] *nf* speed, rapidity; **rápido, a** *a* rapid, fast, quick // *ad* quickly // *nm* (*tren*) express; **rápidos** *nmpl* rapids.
rapiña [ra'piɲa] *nm* robbery; **ave de** ~ bird of prey.
raptar [rap'tar] *vt* to kidnap; **rapto** *nm* kidnapping; (*impulso*) sudden impulse; (*éxtasis*) ecstasy, rapture.
raqueta [ra'keta] *nf* racquet.
raquítico, a [ra'kitiko, a] *a* stunted; (*fig*) poor, inadequate; **raquitismo** *nm* rickets *sg*.
rareza [ra'reθa] *nf* rarity; (*fig*) eccentricity.
raro, a ['raro, a] *a* (*poco común*) rare; (*extraño*) odd, strange; (*excepcional*) remarkable.
ras [ras] *nm*: **a** ~ **de** level with; **a** ~ **de tierra** at ground level.
rasar [ra'sar] *vt* (*igualar*) to level; (*frotar*) to graze.
rascacielos [raska'θjelos] *nm inv* skyscraper.
rascar [ras'kar] *vt* (*con las uñas*) to scratch; (*raspar*) to scrape; ~**se** *vr* to scratch (o.s.).
rasgadura [rasxa'ðura] *nf* tear, rip; **rasgar** *vt* to tear, rip (up).
rasgo ['rasxo] *nm* stroke; ~**s** *nmpl*

features, characteristics; **a grandes ~s** in outline, broadly.

rasguñar [rasɣu'ɲar] *vt* to scratch; **rasguño** *nm* scratch.

raso, a ['raso, a] *a* (*liso*) flat, level; (*a baja altura*) very low // *nm* satin; **cielo ~** clear sky; **soldado ~** private.

raspador [raspa'ðor] *nm* scraper.

raspadura [raspa'ðura] *nf* scrape; (*marca*) scratch; **~s** *nfpl* scrapings; **raspar** *vt* to scrape; (*arañar*) to scratch; (*limar*) to file.

rastra ['rastra] *nf* (*huella*) track; (*AGR*) rake; **a ~s** by dragging; (*fig*) unwillingly; **pescar a la ~** to trawl.

rastreador [rastrea'ðor] *nm* tracker; (*NAUT*) trawler; **~ de minas** minesweeper; **rastrear** *vt* to track; (*laguna, río*) to dredge, drag.

rastrero, a [ras'trero, a] *a* creeping; (*vestido*) trailing; (*fig*) despicable, mean.

rastrillar [rastri'ʎar] *vt* to rake; **rastrillo** *nm* rake.

rastro ['rastro] *nm* (*AGR*) rake; (*pista*) track, trail; (*curso*) course; (*vestigio*) trace; (*matadero*) slaughterhouse; **el R~** the Madrid fleamarket.

rastrojo [ras'troxo] *nm* stubble.

rasurador [rasura'ðor] *nm*, **rasuradora** [rasura'ðora] *nf* electric shaver; **rasurarse** *vr* to shave.

rata ['rata] *nf* rat.

ratear [rate'ar] *vt* (*robar*) to steal; (*distribuir*) to share out.

ratería [rate'ria] *nf* petty theft.

ratero, a [ra'tero, a] *a* light-fingered // *nm/f* pickpocket.

ratificar [ratifi'kar] *vt* to ratify.

rato ['rato] *nm* while, short time; **a ~s** at times; **hay para ~** there's still a long way to go; **pasar el ~** to kill time; **pasar un buen/mal ~** to have a good/rough time.

ratón [ra'ton] *nm* mouse; **ratonera** *nf* mousetrap.

raudal [rau'ðal] *nm* torrent; **a ~es** in abundance.

raya ['raja] *nf* line; (*marca*) scratch; (*en tela*) stripe; (*de pelo*) parting; (*límite*) boundary; **tener a ~** to keep in check; **rayar** *vt* to line; to scratch; (*talón*) to cross; (*subrayar*) to underline // *vi*: **rayar en o con** to border on.

rayo ['rajo] *nm* (*del sol*) ray, beam; (*de luz*) shaft; (*en una tormenta*) lightning, flash of lightning; **~s X** X-rays.

rayón [ra'jon] *nm* rayon.

raza ['raθa] *nf* race; **~ humana** human race.

razón [ra'θon] *nf* (*gen*) reason; (*justicia*) right, justice; (*razonamiento*) reasoning; (*motivo*) cause; (*MAT*) ratio; **a ~ de 10 cada día** at the rate of 10 a day; **'~: ...'** "inquiries to ..."; **en ~ de** with regard to; **dar ~ a uno** to agree that sb is right; **tener ~** to be right; **~ directa/inversa** direct/inverse proportion; **~ de ser**

raison d'être; **razonable** *a* reasonable; (*justo, moderado*) fair; **razonamiento** *nm* (*juicio*) judgement; (*argumento*) reasoning; **razonar** *vt* to reason, argue; (*cuenta*) to itemize // *vi* to reason, argue.

reabastecer [reaβaste'θer] *vt* to refuel.

reabrir [rea'βrir] *vt* to reopen.

reacción [reak'θjon] *nf* reaction; **avión a ~** jet plane; **~ en cadena** chain reaction; **reaccionar** *vi* to react; **reaccionario, a** *a* reactionary.

reacio, a [re'aθjo, a] *a* stubborn.

reactor [reak'tor] *nm* reactor.

readaptación [reaðapta'θjon] *nf*: **~ profesional** industrial retraining.

reafirmar [reafir'mar] *vt* to reaffirm.

reagrupar [reaɣru'par] *vt* to regroup.

reajuste [rea'xuste] *nm* readjustment.

real [re'al] *a* real; (*del rey, fig*) royal.

realce [re'alθe] *nm* (*TEC*) embossing; (*lustre, fig*) splendour; (*ARTE*) highlight; **poner de ~** to emphasize.

realidad [reali'ðað] *nf* reality, fact; (*verdad*) truth.

realista [rea'lista] *nm/f* realist.

realización [realiθa'θjon] *nf* fulfilment; (*COM*) sale, selling-up.

realizador, a [realiθa'ðor, a] *nm/f* (*TV etc*) producer.

realizar [reali'θar] *vt* (*objetivo*) to achieve; (*plan*) to carry out; (*viaje*) to make, undertake; (*COM*) to sell up; **~se** *vr* to come about, come true.

realmente [real'mente] *ad* really, actually.

realzar [real'θar] *vt* (*TEC*) to raise; (*embellecer*) to enhance; (*acentuar*) to highlight.

reanimar [reani'mar] *vt* to revive; (*alentar*) to encourage; **~se** *vr* to revive.

reanudar [reanu'ðar] *vt* (*renovar*) to renew; (*retomar*) to resume.

reaparición [reapari'θjon] *nf* reappearance.

rearme [re'arme] *nm* rearmament.

reata [re'ata] *nf* rope, rein; **de ~** in single file.

rebaja [re'βaxa] *nf* (*COM*) reduction; (*menoscabo*) lessening; **rebajar** *vt* (*bajar*) to lower; (*reducir*) to reduce; (*disminuir*) to lessen; (*humillar*) to humble.

rebanada [reβa'naða] *nf* slice.

rebaño [re'βaɲo] *nm* herd; (*de ovejas*) flock.

rebasar [reβa'sar] *vt* (*también ~ de*) to exceed; (*AUTO*) to overtake.

rebatir [reβa'tir] *vt* to refute; (*descontar*) to deduct.

rebato [re'βato] *nm* alarm; (*ataque*) surprise attack.

rebelarse [reβe'larse] *vr* to rebel, revolt.

rebelde [re'βelde] *a* rebellious; (*indócil*) unruly // *nm/f* rebel; **rebeldía** *nf* rebelliousness; (*desobediencia*) disobedience; **rebelión** *nf* rebellion.

reblandecer [reβlande'θer] *vt* to soften.

rebosante [reβo'sante] a overflowing; **rebosar** vi to overflow; (abundar) to abound, be plentiful.

rebotar [reβo'tar] vt to bounce; (rechazar) to repel; ~**se** vr (pelota) to rebound; (bala) to ricochet; **rebote** nm rebound; **de rebote** on the rebound.

rebozar [reβo'θar] vt to wrap up; (CULIN) to fry in batter; **rebozo** nm muffler; (AM) shawl; **decir algo sin rebozo** to call a spade a spade.

rebuscado, a [reβus'kaðo, a] a affected.

rebuscar [reβus'kar] vt to search carefully; (objeto) to search for carefully.

rebuznar [reβuθ'nar] vi to bray.

recabar [reka'βar] vt to manage to get.

recado [re'kaðo] nm errand; (mensaje) message; **tomar un** ~ (TELEC) to take a message.

recaer [reka'er] vi to relapse; ~ **en** to fall to or on; **recaída** nf relapse.

recalcar [rekal'kar] vt (fig) to stress, emphasize.

recalcitrante [rekalθi'trante] a recalcitrant.

recalcitrar [rekalθi'trar] vi (echarse atrás) to step back; (resistir) to resist, be stubborn.

recalentar [rekalen'tar] vt (volver a calentar) to reheat; (demasiado) to overheat.

recambio [re'kambjo] nm spare; (de pluma) refill.

recapacitar [rekapaθi'tar] vt to think over // vi to reflect.

recargado, a [rekar'xaðo, a] a overloaded; **recargar** vt to overload; (batería) to recharge; **recargar los precios** to increase prices; **recargo** nm surcharge; (aumento) increase.

recatado, a [reka'taðo, a] a modest, demure; (prudente) cautious.

recatar [reka'tar] vt to hide; ~**se** vr to hide o.s.

recato [re'kato] nm modesty, demureness; (cautela) caution.

recaudación [rekauða'θjon] nf collection; (suma) takings pl; (en deporte) gate; **recaudador** nm tax collector.

recelar [reθe'lar] vt: ~ **que** (sospechar) to suspect that; (temer) to fear that // vi, ~**se** vr: ~**(se) de** to distrust; **recelo** nm distrust, suspicion; **receloso, a** a distrustful, suspicious.

recepción [reθep'θjon] nf reception; **recepcionista** nm/f receptionist.

receptáculo [reθep'takulo] nm receptacle.

receptivo, a [reθep'tiβo, a] a receptive.

receptor, a [reθep'tor, a] nm/f recipient // nm receiver.

recesión [reθe'sjon] nf recession.

receta [re'θeta] nf (CULIN) recipe; (MED) prescription.

recibidor, a [reθiβi'ðor, a] nm/f receiver, recipient.

recibimiento [reθiβi'mjento] nm

(recepción) reception; (acogida) welcome.

recibir [reθi'βir] vt (gen) to receive; (dar la bienvenida) to welcome // vi to entertain; ~**se** vr: ~**se de** to qualify as; **recibo** nm receipt.

reciedumbre [reθje'ðumbre] nf strength; (vigor) vigour.

recién [re'θjen] ad recently, newly; **el** ~ **llegado** the newcomer; **el** ~ **nacido** the newborn child.

reciente [re'θjente] a recent; (fresco) fresh.

recinto [re'θinto] nm (gen) enclosure; (área) area, place.

recio, a ['reθjo, a] a strong, tough; (voz) loud; (tiempo) harsh // ad hard; loud(ly).

recipiente [reθi'pjente] nm receptacle.

reciprocidad [reθiproθi'ðað] nf reciprocity; **recíproco, a** a reciprocal.

recital [reθi'tal] nm (MUS) recital; (LITERATURA) reading; **recitar** vt to recite.

reclamación ⸤[reklama'θjon] nf claim, demand; (queja) complaint.

reclamar [rekla'mar] vt to claim, demand // vi: ~ **contra** to complain about; ~ **en justicia** to take to court; **reclamo** nm (anuncio) advertisement; (tentación) attraction.

reclinar [rekli'nar] vt to recline, lean; ~**se** vr to lean back.

recluir [reklu'ir] vt to intern, confine.

reclusión [reklu'sjon] nf (prisión) prison; (refugio) seclusion; ~ **perpetua** life imprisonment.

recluta [re'kluta] nm/f recruit // nf recruitment.

reclutamiento [rekluta'mjento] nm recruitment.

recobrar [reko'βrar] vt (recuperar) to recover; (rescatar) to get back; ~**se** vr to recover.

recodo [re'koðo] nm (de río, camino) bend.

recogedor, a [rekoxe'ðor, a] nm/f picker, harvester.

recoger [reko'xer] vt (gen) to collect; (AGR) to harvest; (levantar) to pick up; (juntar) to gather; (pasar a buscar) to come for, fetch; (dar asilo) to give shelter to; (faldas) to gather up; (pelo) to put up; ~**se** vr (retirarse) to retire; **recogido, a** a (lugar) quiet, secluded; (persona) modest, retiring; (pequeño) small // nf (del correo) collection; (AGR) harvest.

recolección [rekolek'θjon] nf (de las mieses) harvesting; (colecta) collection.

recomendación [rekomenda'θjon] nf (sugerencia) suggestion, recommendation; (elogio) praise; **recomendar** vt to suggest, recommend; to praise; (confiar) to entrust.

recompensa [rekom'pensa] nf reward, recompense; **recompensar** vt to reward, recompense; (por pérdidas) to compensate.

recomponer [rekompo'ner] vt to mend; ~**se** vr (fam) to doll up.

reconciliación [rekonθilja'θjon] nf reconciliation; **reconciliar** vt to reconcile; **reconciliarse** *vr* to become reconciled.

reconfortar [rekonfor'tar] *vt* to comfort; ~**se** *vr*: ~**se con** to fortify o.s. with.

reconocer [rekono'θer] *vt* to recognize; (*registrar*) to search; (*MED*) to examine; **reconocido, a** *a* recognized; (*agradecido*) grateful; **reconocimiento** *nm* recognition; search; examination; gratitude; (*confesión*) admission.

reconquista [rekon'kista] *nf* reconquest.

reconstituyente [rekonstitu'jente] *nm* tonic.

reconstruir [rekonstru'ir] *vt* to reconstruct.

recopilación [rekopila'θjon] *nf* (*sumario*) summary; (*compendio*) compilation; **recopilar** *vt* to compile.

récord ['rekorð] *a inv, nm* record.

recordar [rekor'ðar] *vt* (*acordarse de*) to remember; (*acordar a otro*) to remind // *vi* to remember.

recorrer [reko'rrer] *vt* (*país*) to cross, travel through; (*distancia*) to cover; (*repasar*) to go over, look over; **recorrido** *nm* run, journey; **tren de largo recorrido** main-line train.

recortado, a [rekor'taðo, a] *a* uneven, irregular.

recortar [rekor'tar] *vt* to cut out; **recorte** *nm* (*acción*) cutting; (*de prensa*) cutting, clipping; (*de telas, chapas*) trimming.

recostado, a [rekos'taðo, a] *a* leaning; **estar** ~ to be lying down.

recostar [rekos'tar] *vt* to lean; ~**se** *vr* to lie down.

recoveco [reko'βeko] *nm* bend; (*en casa*) cubby hole.

recreación [rekrea'θjon] *nf* recreation; (*TEATRO, CINE*) interval, intermission.

recrear [rekre'ar] *vt* (*entretener*) to entertain; (*volver a crear*) to recreate; **recreativo, a** *a* recreational; **recreo** *nm* recreation; (*ESCOL*) break, playtime.

recriminar [rekrimi'nar] *vt* to reproach // *vi* to recriminate; ~**se** *vr* to reproach each other.

recrudecer [rekruðe'θer] *vt, vi,* ~**se** *vr* to worsen.

recrudecimiento [rekruðeθi'mjento] *nm*, **recrudescencia** [rekruðes'θenθja] *nf* upsurge.

recta ['rekta] *nf ver* **recto**.

rectángulo, a [rek'tangulo, a] *a* rectangular // *nm* rectangle.

rectificar [rektifi'kar] *vt* to rectify; (*volverse recto*) to straighten // *vi* to correct o.s.

rectitud [rekti'tuð] *nf* (*exactitud*) correctness; (*fig*) rectitude.

recto, a ['rekto, a] *a* straight; (*persona*) honest, upright // *nm* rectum // *nf* straight line.

rector, a [rek'tor, a] *a* governing.

recua ['rekwa] *nf* mule train.

recuento [re'kwento] *nm* inventory; **hacer el** ~ **de** to count *or* reckon up.

recuerdo [re'kwerðo] *nm* souvenir; ~**s** *nmpl* memories; ¡~**s a tu madre!** give my regards to your mother.

recular [reku'lar] *vi* to fall back; (*fig*) to back down.

recuperable [rekupe'raβle] *a* recoverable; **recuperación** *nf* recovery.

recuperar [rekupe'rar] *vt* to recover; (*tiempo*) to make up; ~**se** *vr* to recuperate.

recurrir [reku'rrir] *vi* (*JUR*) to appeal; ~ **a** to resort to; (*persona*) to turn to; **recurso** *nm* resort; (*medios*) means *pl*, resources *pl*; (*JUR*) appeal.

recusar [reku'sar] *vt* to reject, refuse.

rechazar [retʃa'θar] *vt* to repel, drive back; (*idea*) to reject; (*oferta*) to turn down.

rechazo [re'tʃaθo] *nm* (*retroceso*) recoil; (*rebote*) rebound; (*negación*) rebuff.

rechifla [re'tʃifla] *nf* hissing, booing; (*fig*) derision; **rechiflar** *vt* to hiss, boo; **rechiflarse** *vr* to take things as a joke.

rechinar [retʃi'nar] *vi* to creak; (*gruñir*) to grumble; (*dientes*) to grind.

rechoncho, a [re'tʃontʃo, a] *a* (*fam*) chubby, thickset.

red [reð] *nf* net, mesh; (*de ferrocarriles etc*) network; (*trampa*) trap.

redacción [reðak'θjon] *nf* editing; (*oficina*) newspaper office; (*personal*) editorial staff.

redactar [reðak'tar] *vt* to draw up, draft; (*periódico*) to edit.

redada [re'ðaða] *nf*: ~ **policíaca** police raid, round-up.

rededor [reðe'ðor] *nm*: **al** *o* **en** ~ around, round about.

redención [reðen'θjon] *nf* redemption; **redentor, a** *a* redeeming.

redescubrir [reðesku'ßrir] *vt* to rediscover.

redicho, a [re'ðitʃo, a] *a* affected, stilted.

redil [re'ðil] *nm* sheepfold.

redimir [reði'mir] *vt* to redeem.

rédito ['reðito] *nm* interest, yield.

redoblar [reðo'ßlar] *vt* to redouble; (*plegar*) to fold back // *vi* (*tambor*) to play a roll on the drums.

redomado, a [reðo'maðo, a] *a* sly, crafty.

redonda [re'ðonda] *nf ver* **redondo**.

redondear [reðonde'ar] *vt* to round, round off; ~**se** *vr* to become wealthy.

redondel [reðon'del] *nm* (*círculo*) circle; (*TAUR*) bullring, arena.

redondo, a [re'ðondo, a] *a* (*circular*) round; (*directo*) straight; (*completo*) complete // *nf*: **a la** ~**a** around, round about.

reducción [reðuk'θjon] *nf* reduction; (*MED*) setting.

reducido, a [reðu'ðiðo, a] *a* reduced; (*limitado*) limited; (*pequeño*) small; **reducir** *vt* to reduce; to limit; (*MED*) to set a bone; **reducirse** *vr* to diminish.

redundancia 155 registro

redundancia [reðun'danθja] *nf* redundancy.
reembolsar [reembol'sar] *vt* to reimburse; (*depósito*) to refund; **reembolso** *nm* reimbursement; refund.
reemplazar [reempla'θar] *vt* to replace; **reemplazo** *nm* replacement; **de reemplazo** (*MIL*) reserve.
refacción [refak'θjon] *nf* (*AM*) repair(s) (*pl*).
refajo [re'faxo] *nm* (*enagua*) flannel underskir'; (*falda*) short skirt.
referencia [refe'renθja] *nf* reference; (*informe*) report; **con ~ a** with reference to.
referente [refe'rente] *a*: **~ a** concerning, relating to.
referir [refe'rir] *vt* (*contar*) to tell, recount; (*relacionar*) to refer, relate; **~se** *vr*: **~se a** to refer to.
refilón [refi'lon]: **de ~** *ad* obliquely, aslant.
refinado, a [refi'naðo, a] *a* refined; **refinamiento** *nm* refinement; **refinar** *vt* to refine; (*fig*) to perfect, polish.
reflejar [refle'xar] *vt* (*gen*) to reflect; **reflejo, a** *a* reflected; (*movimiento*) reflex // *nm* reflection; (*ANAT*) reflex.
reflexión [reflek'sjon] *nf* reflection; **reflexionar** *vt* to reflect on // *vi* to reflect; (*detenerse*) to pause (to think).
reflexivo, a [reflek'siβo, a] *a* thoughtful; (*LING, fig*) reflexive.
reflujo [re'fluxo] *nm* ebb.
refocilar [refoθi'lar] *vt* to cheer up.
reforma [re'forma] *nf* reform; (*ARQ etc*) repair; **~ agraria** agrarian reform.
reformar [refor'mar] *vt* (*modificar*) to change, alter; (*formar de nuevo*) to reform; (*ARQ*) to repair; **~se** *vr* to mend one's ways.
reformatorio [reforma'torjo] *nm* reformatory.
reforzar [refor'θar] *vt* (*gen*) to strengthen; (*ARQ*) to reinforce; (*fig*) to encourage.
refractario, a [refrak'tarjo, a] *a* stubborn; (*TEC*) heat-resistant.
refrán [re'fran] *nm* proverb, saying.
refregar [refre'xar] *vt* to scrub.
refrenar [refre'nar] *vt* to check, restrain.
refrendar [refren'dar] *vt* (*firma*) to endorse, countersign; (*pasaporte*) to stamp; (*ley*) to approve.
refrescar [refres'kar] *vt* (*gen*) to refresh // *vi* to cool down; **~se** *vr* to get cooler; (*tomar aire fresco*) to go out for a breath of fresh air.
refresco [re'fresko] *nm* soft drink, cool drink; "**~s**" "refreshments".
refriega [re'frjexa] *nf* scuffle, brawl.
refrigeración [refrixera'θjon] *nf* refrigeration; (*de casa*) air-conditioning; **refrigerador** *nm* refrigerator; **refrigerar** *vt* to refrigerate; to air-condition.

refuerzo [re'fwerθo] *nm* reinforcement; (*TEC*) support.
refugiado, a [refu'xjaðo, a] *nm/f* refugee; **refugiarse** *vr* to take refuge, shelter; **refugio** *nm* refuge; (*protección*) shelter.
refulgencia [reful'xenθja] *nf* brilliance; **refulgir** *vi* to shine, be dazzling.
refundición [refundi'θjon] *nf* recasting, revision; **refundir** *vt* to recast.
refunfuñar [refunfu'ɲar] *vi* to grunt, growl; (*quejarse*) to grumble.
refutación [refuta'θjon] *nf* refutation; **refutar** *vt* to refute.
regadera [rexa'ðera] *nf* watering can.
regadío [rexa'ðio] *nm* irrigated land.
regalado, a [rexa'laðo, a] *a* comfortable, luxurious; (*gratis*) free, for nothing; (*pey*) soft.
regalar [rexa'lar] *vt* (*dar*) to give, present; (*entregar*) to give away; (*mimar*) to pamper, make a fuss of.
regalía [rexa'lia] *nf* privilege, prerogative; (*COM*) bonus; (*de autor*) royalty.
regaliz [rexa'liθ] *nm*, **regaliza** [rexa'liθa] *nf* liquorice.
regalo [re'xalo] *nm* (*obsequio*) gift, present; (*gusto*) pleasure; (*comodidad*) comfort.
regalón, ona [rexa'lon, ona] *a* spoiled, pampered.
regañadientes [rexaɲa'ðjentes]: **a ~** *ad* reluctantly.
regañar [rexa'ɲar] *vt* to scold // *vi* to grumble; **regaño** *nm* scolding, telling-off; (*queja*) grumble; **regañón, ona** *a* grumbling; (*mujer*) nagging.
regar [re'xar] *vt* to water, irrigate; (*fig*) to scatter, sprinkle.
regatear [rexate'ar] *vt* to bargain over; (*guardar*) to be mean with // *vi* to bargain, haggle; (*DEPORTE*) to dribble; **regateo** *nm* bargaining; dribbling; (*del cuerpo*) swerve, dodge.
regazo [re'xaθo] *nm* lap.
regeneración [rexenera'θjon] *nf* regeneration; **regenerar** *vt* to regenerate.
regentar [rexen'tar] *vt* to direct, manage; **regente** *nm* manager; (*POL*) regent.
régimen ['reximen] (*pl* **regímenes**) *nm* regime; (*MED*) diet.
regimiento [rexi'mjento] *nm* regiment; (*organización*) administration.
regio, a ['rexjo, a] *a* royal, regal; (*fig: suntuoso*) splendid.
región [re'xjon] *nf* region; **regionalista** *nm/f* regionalist.
regir [re'xir] *vt* to govern, rule; (*dirigir*) to manage, run // *vi* to apply, be in force.
registrador [rexistra'ðor] *nm* registrar, recorder.
registrar [rexis'trar] *vt* (*buscar en cajón*) to look through, search; (*inspeccionar*) to inspect; (*anotar*) to register, record; **~se** *vr* to register; (*ocurrir*) to happen.
registro [re'xistro] *nm* registration; (*MUS, libro*) register; (*inspección*) inspection,

search; ~ **civil** registry office.
regla ['reʂla] nf (ley) rule, regulation; (de medir) ruler, rule; **la ~** (MED) periods pl; **salir de ~** to step out of line.
reglamentación [reʂlamenta'θjon] nf (acto) regulation; (lista) rules pl; **reglamentar** vt to regulate; **reglamentario, a** a statutory; **reglamento** nm rules pl, regulations pl.
reglar [re'ʂlar] vt (papel) to rule; (actos) to regulate.
regocijado, a [reʂoθi'xaðo, a] a merry; **regocijar** vt to cheer up, gladden; **regocijarse** vr to have a good time, make merry; (alegrarse) to rejoice; **regocijo** nm joy, happiness.
regodearse [reʂoðe'arse] vr to be glad, be delighted; **regodeo** nm delight.
regresar [reʂre'sar] vi to come/go back, return; **regresivo, a** a backward; (fig) regressive; **regreso** nm return.
reguero [re'ʂero] nm irrigation ditch.
regulador [reʂula'ðor] nm (gen) regulator; (de radio etc) knob, control.
regular [reʂu'lar] a (gen) regular; (normal) normal, usual; (común) ordinary; (organizado) regular, orderly; (mediano) average; (fam) not bad, so-so // ad so-so, alright // vt (controlar) to control, regulate; (TEC) to adjust; **por lo ~** as a rule; **~idad** nf regularity; **~izar** vt to regularize.
regusto [re'ʂusto] nm aftertaste.
rehabilitación [reaβilita'θjon] nf rehabilitation; (ARQ) restoration; **rehabilitar** vt to rehabilitate; to restore; (reintegrar) to reinstate.
rehacer [rea'θer] vt (reparar) to mend, repair; (volver a hacer) to redo, repeat; **~se** vr (MED) to recover; (dominarse) to pull o.s. together.
rehén [re'en] nm hostage.
rehilete [rei'lete] nm (dardo) dart; (DEPORTE) badminton, shuttlecock.
rehuir [reu'ir] vt to avoid, shun.
rehusar [reu'sar] vt, vi to refuse.
reina ['reina] nf queen; **~do** nm reign; **reinante** a (fig) prevailing; **reinar** vi to reign.
reincidir [reinθi'ðir] vi to relapse.
reincorporarse [reinkorpo'rarse] vr: ~ **a** to rejoin.
reino ['reino] nm kingdom; **el R ~ Unido** the United Kingdom.
reintegrar [reinte'ʂrar] vt (reconstituir) to reconstruct; (persona) to reinstate; (dinero) to return, pay back; **~se** vr: **~se a** to return to.
reír [re'ir] vi, **~se** vr to laugh; **~se de** to laugh at.
reiterar [reite'rar] vt to reiterate.
reivindicación [reiβindika'θjon] nf (demanda) claim, demand; (justificación) vindication; **reivindicar** vt to claim; (restaurar) to restore.
reja ['rexa] nf (de ventana) grille, bars pl;

(en la calle) grating; (del arado) ploughshare.
rejilla [re'xiʎa] nf (de ventana) grille; (de silla) wickerwork; (de ventilación) vent; (de coche) luggage rack.
rejoneador [rexonea'ðor] nm mounted bullfighter.
rejuvenecer [rexuβene'θer] vt, vi to rejuvenate; **~se** vr to be rejuvenated.
relación [rela'θjon] nf relation, relationship; (MAT) ratio; (informe) report; **relaciones públicas** public relations; **con ~ a** o **en ~ con** in relation to; **relacionar** vt to relate, connect; **relacionarse** vr to be connected, be linked.
relajación [relaxa'θjon] nf relaxation; **relajado, a** a (disoluto) loose; (cómodo) relaxed; (MED) ruptured; **relajar** vt, **relajarse** vr to relax.
relamer [rela'mer] vt to lick (repeatedly); **~se** vr to lick one's lips.
relamido, a [rela'miðo, a] a (pulcro) overdressed; (afectado) affected.
relámpago [re'lampaʂo] nm flash of lightning; **visita/huelga ~** lightning visit/strike; **relampaguear** vi to flash.
relatar [rela'tar] vt to tell, relate.
relativo, a [rela'tiβo, a] a relative; **en lo ~ a** concerning.
relato [re'lato] nm (narración) story, tale; (informe) report.
relegar [rele'ʂar] vt to relegate.
relevante [rele'βante] a eminent, outstanding.
relevar [rele'βar] vt (sustituir) to relieve; **~se** vr to relay; **~ a uno de un cargo** to relieve sb of his post.
relevo [re'leβo] nm relief; **carrera de ~s** relay race.
relieve [re'ljeβe] nm (ARTE, TEC) relief; (fig) prominence, importance; **~s** nmpl left-overs; **bajo ~** bas-relief.
religión [reli'xjon] nf religion; **religiosidad** nf religiosity; **religioso, a** a religious // nm/f monk/nun // nm cleric.
relinchar [relin'tʃar] vi to neigh; **relincho** nm neigh; (acto) neighing.
reliquia [re'likja] nf relic; **~ de familia** family heirloom.
reloj [re'lo(x)] nm watch; (de iglesia etc) clock; **~ de pulsera** wristwatch; **~ despertador** alarm clock; **~ero, a** nm/f watchmaker; clockmaker.
reluciente [relu'θjente] a brilliant, shining; **relucir** vi to shine; (fig) to excel.
relumbrante [relum'brante] a dazzling; **relumbrar** vi to dazzle, shine brilliantly.
rellano [re'ʎano] nm (ARQ) landing.
rellenar [reʎe'nar] vt (llenar) to fill up; (CULIN) to stuff; (COSTURA) to pad; **relleno, a** a full up; stuffed // nm stuffing; (de tapicería) padding.
remachar [rema'tʃar] vt to rivet; (fig) to hammer home, drive home; **remache** nm rivet.
remanente [rema'nente] nm remainder;

(*COM*) balance; (*de producto*) surplus.
remanso [re'manso] *nm* pool; (*fig*) quiet place.
remar [re'mar] *vi* to row.
rematado, a [rema'taðo, a] *a* complete, utter.
rematar [rema'tar] *vt* to finish off; (*COM*) to sell off cheap // *vi* to end, finish off.
remate [re'mate] *nm* end, finish; (*punta*) tip; (*DEPORTE*) shot; (*COM*) auction sale; **de o para ~** to crown it all.
remedar [reme'ðar] *vt* to imitate.
remediar [reme'ðjar] *vt* (*gen*) to remedy; (*subsanar*) to make good, repair; (*ayudar*) to help; (*evitar*) to avoid.
remedio [re'meðjo] *nm* remedy; (*alivio*) relief, help; (*JUR*) recourse, remedy; **poner ~ a** to correct, stop; **no tener más ~** to have no alternative; **¡qué ~!** there's no choice; **sin ~** hopeless, incurable.
remedo [re'meðo] *nm* imitation; (*pey*) parody.
remendar [remen'dar] *vt* to repair; (*con parche*) to patch.
remesa [re'mesa] *nf* remittance; (*COM*) shipment; **remesar** *vt* to remit, send.
remiendo [re'mjendo] *nm* (*gen*) mend; (*con parche*) patch; (*cosido*) darn.
remilgado, a [remil'xaðo, a] *a* prim; (*afectado*) affected; **remilgo** *nm* primness; affectation.
reminiscencia [reminis'θenθja] *nf* reminiscence.
remisión [remi'sjon] *nf* (*acto*) sending, shipment.
remiso, a [re'miso, a] *a* remiss.
remitir [remi'tir] *vt* to remit, send; (*perdonar*) to pardon; (*posponer*) to postpone // *vi* to slacken; (*en carta*): **remite: X** sender: X; **remitente** *nm/f* sender.
remo ['remo] *nm* (*de barco*) oar; (*deporte*) rowing.
remoción [remo'θjon] *nf* removal.
remojar [remo'xar] *vt* to steep, soak; (*galleta etc*) to dip.
remojo [re'moxo] *nm*: **dejar la ropa a ~** to leave clothes to soak.
remolacha [remo'latʃa] *nf* beet, beetroot.
remolcador [remolka'ðor] *nm* (*NAUT*) tug; (*AUTO*) breakdown lorry.
remolinar [remoli'nar] *vi* to whirl, eddy; **remolino** *nm* (*gen*) eddy; (*de agua*) whirlpool; (*de viento*) whirlwind; (*de gente*) throng.
remolque [re'molke] *nm* tow, towing; (*cuerda*) towrope; **llevar a ~** to tow.
remontar [remon'tar] *vt* to mend; **~se** *vr* to soar; **~se a** (*COM*) to amount to; **~ el vuelo** to soar.
rémora ['remora] *nf* hindrance.
remorder [remor'ðer] *vt* to distress, disturb; **~se** *vr* to suffer remorse; **~se la conciencia** to have a troubled conscience; **remordimiento** *nm* remorse.
remoto, a [re'moto, a] *a* remote.

remover [remo'ßer] *vt* to stir; (*tierra*) to turn over; (*objetos*) to move around; (*quitar*) to remove.
remozar [remo'θar] *vt* to rejuvenate; **~se** *vr* to be rejuvenated, look younger.
remuneración [remunera'θjon] *nf* remuneration; **remunerar** *vt* to remunerate; (*premiar*) to reward.
renacer [rena'θer] *vi* to be reborn; (*fig*) to revive; **renacimiento** *nm* rebirth; **el Renacimiento** the Renaissance.
renal [re'nal] *a* renal, kidney *cpd*.
rencilla [ren'θiʎa] *nf* quarrel.
rencor [ren'kor] *nm* rancour, bitterness; **~oso, a** *a* spiteful.
rendición [rendi'θjon] *nf* surrender.
rendido, a [ren'diðo, a] *a* (*sumiso*) submissive; (*cansado*) worn-out.
rendimiento [rendi'mjento] *nm* (*MIL*) surrender; (*producción*) output; (*agotamiento*) exhaustion; (*TEC, COM*) efficiency.
rendir [ren'dir] *vt* (*vencer*) to defeat; (*producir*) to produce; (*dar beneficio*) to yield; (*agotar*) to exhaust; (*dominar*) to dominate // *vi* to pay; **~se** *vr* (*someterse*) to surrender; (*cansarse*) to wear o.s. out; **~ homenaje o culto a** to pay homage to.
renegado, a [rene'xaðo, a] *a, nm/f* renegade.
renegar [rene'xar] *vi* (*renunciar*) to renounce; (*blasfemar*) to blaspheme; (*fam*) to curse; (*quejarse*) to complain.
RENFE *nf abr de* **Red Nacional de los Ferrocarriles Españoles.**
renglón [ren'glon] *nm* (*línea*) line; (*COM*) item, article; **a ~ seguido** immediately after.
reniego [re'njexo] *nm* curse, oath; (*queja*) grumble, complaint.
renombrado, a [renom'braðo, a] *a* renowned; **renombre** *nm* renown.
renovación [renoßa'θjon] *nf* (*de contrato*) renewal; (*ARQ*) renovation; **renovar** *vt* to renew; to renovate.
renta ['renta] *nf* (*ingresos*) income; (*beneficio*) profit; (*alquiler*) rent; **~ vitalicia** annuity; **rentable** *a* profitable; **rentar** *vt* to produce, yield.
rentero, a [ren'tero, a] *nm/f* tenant farmer.
rentista [ren'tista] *nm/f* stockholder.
renuencia [re'nwenθja] *nf* reluctance; **renuente** *a inv* reluctant.
renuncia [re'nunθja] *nf* (*gen*) resignation.
renunciar [renun'θjar] *vt* to renounce // *vi* to resign; **~ a hacer algo** to give up doing sth.
reñido, a [re'niðo, a] *a* (*batalla*) bitter, hard-fought; **estar ~ con uno** to be on bad terms with sb.
reñir [re'nir] *vt* (*regañar*) to scold // *vi* (*estar peleado*) to quarrel, fall out; (*combatir*) to fight.
reo ['reo] *nm/f* culprit, offender; **~ de muerte** prisoner condemned to death.
reojo [re'oxo]: **de ~** *ad* out of the corner of one's eye; (*fig*) askance.

reorganizar [reorɣani'θar] vt to reorganize.

reorientar [reorjen'tar] vt to reorientate; (reajustar) to readjust.

reparación [repara'θjon] nf (acto) mending, repairing; (TEC) repair; (fig) amends, reparation; reparar vt to repair; to make amends for; (suerte) to retrieve; (observar) to observe // vi: reparar en (darse cuenta de) to notice; (poner atención en) to pay attention to.

reparo [re'paro] nm (reparación) repair; (advertencia) observation; (duda) doubt; (dificultad) difficulty; (resguardo) defence.

reparón, ona [repa'ron, ona] a carping.

repartición [reparti'θjon] nf distribution; (división) division; repartidor, a nm/f distributor.

repartir [repar'tir] vt to distribute, share out; (correo) to deliver; reparto nm distribution; delivery; (TEATRO, CINE) cast.

repasar [repa'sar] vt (sitio) to pass by again; (lección) to revise; (MECÁNICA) to check; repaso nm revision; overhaul, checkup; (de ropa) mending.

repatriar [repa'trjar] vt to repatriate.

repecho [re'petʃo] nm steep incline; a ~ uphill.

repelente [repe'lente] a repellent, repulsive; repeler vt to repel.

repensar [repen'sar] vt to reconsider.

repente [re'pente] nm: de ~ suddenly; un ~ de ira a fit of anger.

repentino, a [repen'tino, a] a sudden.

repercusión [reperku'sjon] nf repercussion.

repercutir [reperku'tir] vi to rebound; (sonido) to echo; ~se vr to reverberate; ~ en to have repercussions on.

repertorio [reper'torjo] nm list; (TEATRO) repertoire.

repetición [repeti'θjon] nf repetition; repetir vt to repeat; (plato) to have a second helping // vi to repeat; repetirse vr (volver sobre tema) to repeat o.s.; (sabor) to come back.

repicar [repi'kar] vt (desmenuzar) to chop up finely; (campanas) to ring; ~se vr to boast.

repique [re'pike] nm pealing, ringing; ~teo nm pealing; (de tambor) drumming.

repisa [re'pisa] nf ledge, shelf; ~ de chimenea mantelpiece.

repito etc vb ver repetir.

replegar [reple'xar] vt to fold over; ~se vr to fall back, retreat.

repleto, a [re'pleto, a] a replete, full up.

réplica ['replika] nf answer; (ARTE) replica.

replicar [repli'kar] vi to answer; (objetar) to argue, answer back.

repliegue [re'pljexe] nm (MIL) withdrawal.

repoblación [repoβla'θjon] nf repopulation; (de río) restocking; ~ forestal reafforestation; repoblar vt to repopulate; to reafforest.

repollo [re'poʎo] nm cabbage.

reponer [repo'ner] vt to replace, put back; (TEATRO) to revive; ~se vr to recover; ~ que to reply that.

reportaje [repor'taxe] nm report, article.

reposacabezas [reposaka'βeθas] nm inv headrest.

reposado, a [repo'saðo, a] a (descansado) restful; (tranquilo) calm; reposar vi to rest, repose.

reposición [reposi'θjon] nf replacement; (CINE) remake.

repositorio [reposi'torjo] nm repository.

reposo [re'poso] nm rest.

repostar [repos'tar] vt to replenish; (AUTO) to fill up (with petrol).

repostería [reposte'ria] nf confectioner's (shop); (depósito) pantry, larder; repostero, a nm/f confectioner.

reprender [repren'der] vt to reprimand; reprensión nf rebuke, reprimand.

represa [re'presa] nf dam; (lago artificial) lake, pool.

represalia [repre'salja] nf reprisal.

representación [representa'θjon] nf representation; (TEATRO) performance; representante nm/f representative; performer.

representar [represen'tar] vt to represent; (TEATRO) to play; (edad) to look; ~se vr to imagine; representativo, a a representative.

represión [repre'sjon] nf repression.

reprimir [repri'mir] vt to repress.

reprobar [repro'βar] vt to censure, reprove.

réprobo, a ['reproβo, a] nm/f reprobate.

reprochar [repro'tʃar] vt to reproach; reproche nm reproach.

reproducción [reproðuk'θjon] nf reproduction.

reproducir [reproðu'θir] vt to reproduce; ~se vr to breed; (situación) to recur.

reptil [rep'til] nm reptile.

república [re'puβlika] nf republic; republicano, a a, nm/f republican.

repudiar [repu'ðjar] vt to repudiate; (fe) to renounce; repudio nm repudiation.

repuesto [re'pwesto] nm (pieza de recambio) spare (part); (abastecimiento) supply; rueda de ~ spare wheel.

repugnancia [repuɣ'nanθja] nf repugnance; repugnante a repugnant, repulsive.

repugnar [repuɣ'nar] vt to disgust // vi, ~se vr (contradecirse) to conflict; (dar asco) to be disgusting.

repujar [repu'xar] vt to emboss.

repulgar [repul'xar] vt to hem.

repulido, a [repu'liðo, a] a (gen) polished; (persona) dressed up, dolled up.

repulsa [re'pulsa] nf rebuff; (fig) reprimand.

repulsión [repul'sjon] nf repulsion, aversion; repulsivo, a a repulsive.

reputación [reputa'θjon] nf reputation.

reputar [repu'tar] *vt* to consider, deem.

requemado, a [reke'maðo, a] *a* (*quemado*) scorched; (*bronceado*) tanned.

requerimiento [rekeri'mjento] *nm* request; (*JUR*) summons.

requerir [reke'rir] *vt* (*rogar*) to ask, request; (*exigir*) to require; (*llamar*) to send for, summon.

requesón [reke'son] *nm* cottage cheese.

requete... [re'kete] *pref* extremely.

réquiem ['rekjem] *nm* requiem.

requisa [re'kisa] *nf* (*inspección*) survey, inspection; (*MIL*) requisition.

requisito [reki'sito] *nm* requirement, requisite.

res [res] *nf* beast, head of cattle.

resabio [re'saßjo] *nm* (*maña*) vice, bad habit; (*dejo*) aftertaste.

resaca [re'saka] *nf* (*en el mar*) undertow, undercurrent; (*fig*) backlash; (*fam*) hangover.

resalado, a [resa'laðo, a] *a* (*fam*) lively.

resaltar [resal'tar] *vi* to project, stick out; (*persona*) to stand out, be conspicuous.

resarcimiento [resarθi'mjento] *nm* compensation; **resarcir** *vt* to compensate; **resarcirse** *vr* to make up for.

resbaladero [resßala'ðero] *nm* (*gen*) slippery place; (*en parque infantil*) slide.

resbaladizo, a [resßala'ðiθo, a] *a* slippery.

resbalar [resßa'lar] *vi*, **~se** *vr* to slip, slide; (*fig*) to slip (up).

rescatar [reska'tar] *vt* (*heridos*) to save, rescue; (*objeto*) to get back, recover; (*cautivos*) to ransom.

rescate [res'kate] *nm* rescue, recovery; **pagar un ~** to pay a ransom.

rescindir [resθin'dir] *vt* to rescind.

rescisión [resθi'sjon] *nf* cancellation.

rescoldo [res'koldo] *nm* embers *pl*; (*fig*) scruple.

resecar [rese'kar] *vt* to dry thoroughly; (*MED*) to remove; **~se** *vr* to dry up.

reseco, a [re'seko, a] *a* very dry; (*fig*) skinny.

resentido, a [resen'tiðo, a] *a* resentful; **resentimiento** *nm* resentment, bitterness.

resentirse [resen'tirse] *vr* (*debilitarse: persona*) to suffer; **~ con** to resent; **~ de** (*consecuencias*) to feel the effects of.

reseña [re'seɲa] *nf* (*cuenta*) account; (*informe*) report; (*LITERATURA*) review; **reseñar** *vt* to describe; to review.

reserva [re'serßa] *nf* (*gen*) reserve; (*reservación*) reservation; **a ~ de** except for; **con toda ~** in strictest confidence.

reservado, a [reser'ßaðo, a] *a* reserved; (*retraído*) cold, distant // *nm* private room.

reservar [reser'ßar] *vt* (*guardar*) to keep; (*habitación, entrada*) to reserve; (*callar*) to keep to o.s.; **~se** *vr* to save o.s.

resfriado [resfri'aðo] *nm* cold; **resfriarse** *vr* to cool; (*MED*) to catch (a) cold.

resguardar [resɣwar'ðar] *vt* to protect,

shield; **~se** *vr*: **~se de** to guard against; **resguardo** *nm* defence; (*custodia*) protection; (*garantía*) guarantee; (*vale*) voucher.

residencia [resi'ðenθja] *nf* residence.

residente [resi'ðente] *a, nm/f* resident.

residir [resi'ðir] *vi* to reside, live; **~ en** to reside in, lie in.

residuo [re'siðwo] *nm* residue.

resignación [resiɣna'θjon] *nf* resignation; **resignar** *vt* to resign; **resignarse** *vr*: **resignarse a** *o* **con** to resign o.s. to, be resigned to.

resistencia [resis'tenθja] *nf* (*dureza*) endurance, strength; (*oposición, eléctrica*) resistance; **resistente** *a* strong, hardy; resistant.

resistir [resis'tir] *vt* (*soportar*) to bear; (*oponerse a*) to resist, oppose; (*aguantar*) to put up with // *vi* to resist; (*aguantar*) to last, endure; **~se** *vr*: **~se a** to refuse to, resist.

resma ['resma] *nf* ream.

resol [re'sol] *nm* glare of the sun.

resolución [resolu'θjon] *nf* (*gen*) resolution; (*decisión*) decision; **resoluto, a** *a* resolute.

resolver [resol'ßer] *vt* to resolve; (*solucionar*) to solve, resolve; (*decidir*) to decide, settle; **~se** *vr* to make up one's mind.

resollar [reso'ʎar] *vi* to breathe noisily, wheeze.

resonancia [reso'nanθja] *nf* (*del sonido*) resonance; (*repercusión*) repercussion; **resonante** *a* resonant, resounding; (*fig*) tremendous; **resonar** *vi* to ring, echo.

resoplar [reso'plar] *vi* to snort; **resoplido** *nm* heavy breathing.

resorte [re'sorte] *nm* (*pieza*) spring; (*elasticidad*) elasticity; (*fig*) lever.

respaldar [respal'dar] *vt* to endorse; (*fig*) to back (up), support; **~se** *vr* to lean back; **~se con** *o* **en** to take one's stand on; **respaldo** *nm* (*de cama*) headboard; (*de sillón*) back; (*fig*) support, backing.

respectivo, a [respek'tißo, a] *a* respective; **en lo ~ a** with regard to.

respecto [res'pekto] *nm*: **al ~** on this matter; **con ~ a, ~ de** with regard to, in relation to.

respetable [respe'taßle] *a* respectable; **respetar** *vt* to respect; **respeto** *nm* respect; (*acatamiento*) deference; **respetos** *nmpl* respects; **respetuoso, a** *a* respectful.

respingar [respin'gar] *vi* to shy; **respingo** *nm* start, jump; (*fig*) gesture of disgust.

respiración [respira'θjon] *nf* breathing; (*MED*) respiration; (*ventilación*) ventilation; **respirar** *vi* to breathe; (*inhalar*) to inhale; **respiratorio, a** *a* respiratory; **respiro** *nm* breathing; (*fig*) respite.

resplandecer [resplande'θer] *vi* to shine; **resplandeciente** *a* resplendent, shining;

resplandor *nm* brilliance, brightness; (*del fuego*) blaze.

responder [respon'der] *vt* to answer // *vi* to answer; (*fig*) to respond; (*pey*) to answer back; ∼ **de** *o* **por** to answer for.

responsabilidad [responsaβili'ðað] *nf* responsibility; **responsable** *a* responsible.

respuesta [res'pwesta] *nf* answer, reply.

resquebrajar [reskeβra'xar] *vt,* ∼**se** *vr* to crack, split.

resquemor [reske'mor] *nm* resentment.

resquicio [res'kiθjo] *nm* chink; (*hendedura*) crack.

restablecer [restaβle'θer] *vt* to re-establish, restore; ∼**se** *vr* to recover.

restallar [resta'ʎar] *vi* to crack.

restante [res'tante] *a* remaining; **lo** ∼ the remainder.

restar [res'tar] *vt* (*MAT*) to subtract; (*fig*) to take away // *vi* to remain, be left.

restauración [restaura'θjon] *nf* restoration.

restaurán [restau'ran], **restaurante** [restau'rante] *nm* restaurant.

restaurar [restau'rar] *vt* to restore.

restitución [restitu'θjon] *nf* return, restitution.

restituir [restitu'ir] *vt* (*devolver*) to return, give back; (*rehabilitar*) to restore; ∼**se** *vr:* ∼**se a** to rejoin.

resto ['resto] *nm* (*residuo*) rest, remainder; (*apuesta*) stake; ∼**s** *nmpl* remains.

restregar [restre'xar] *vt* to scrub, rub.

restricción [restrik'θjon] *nf* restriction.

restrictivo, a [restrik'tiβo, a] *a* restrictive.

restringir [restrin'xir] *vt* to restrict, limit.

resucitar [resuθi'tar] *vt, vi* to resuscitate, revive.

resuelto, a [re'swelto, a] *pp de* **resolver** // *a* resolute, determined.

resuello [re'sweʎo] *nm* breath.

resultado [resul'taðo] *nm* (*conclusión*) outcome; (*consecuencia*) result, consequence; **resultante** *a* resulting, resultant.

resultar [resul'tar] *vi* (*llegar a ser*) to turn out to be; (*salir bien*) to turn out well; (*COM*) to amount to; ∼ **de** to stem from; **me resulta difícil hacerlo** it's difficult for me to do it.

resumen [re'sumen] *nm* summary, résumé; **en** ∼ in short.

resumir [resu'mir] *vt* to sum up; (*cortar*) to abridge, cut down.

retablo [re'taβlo] *nm* altarpiece.

retaguardia [reta'ɣwarðja] *nf* rearguard.

retahíla [reta'ila] *nf* series, string.

retal [re'tal] *nm* remnant.

retama [re'tama] *nf* (*AM*) broom.

retar [re'tar] *vt* (*gen*) to challenge; (*desafiar*) to defy, dare.

retardar [retar'ðar] *vt* (*demorar*) to delay; (*hacer más lento*) to slow down; (*retener*) to hold back; **retardo** *nm* delay.

retazo [re'taθo] *nm* snippet.

rete... ['rete] *pref* very, extremely.

retén [re'ten] *nm* (*TEC*) catch; (*reserva*) store, reserve.

retener [rete'ner] *vt* (*guardar*) to retain, keep; (*intereses*) to withhold.

retina [re'tina] *nf* retina.

retintín [retin'tin] *nm* jangle.

retirada [reti'raða] *nf* (*MIL, refugio*) retreat; (*de dinero*) withdrawal; (*de embajador*) recall; **retirado, a** *a* (*distante*) remote; (*tranquilo*) quiet; (*jubilado*) retired.

retirar [reti'rar] *vt* to withdraw; (*quitar*) to remove; (*jubilar*) to retire, pension off; ∼**se** *vr* to retreat, withdraw; to retire; (*acostarse*) to retire, go to bed; **retiro** *nm* retreat; retirement; (*pago*) pension.

reto ['reto] *nm* dare, challenge.

retocar [reto'kar] *vt* (*fotografía*) to touch up, retouch.

retoño [re'toɲo] *nm* sprout, shoot; (*fig*) offspring, child.

retoque [re'toke] *nm* retouching; (*MED*) symptom.

retorcer [retor'θer] *vt* (*gen*) to twist; (*manos, lavado*) to wring; ∼**se** *vr* to become twisted; (*mover el cuerpo*) to writhe.

retorcimiento [retorθi'mjento] *nm* twist, twisting; (*fig*) deviousness.

retórica [re'torika] *nf* rhetoric; (*fig*) affectedness.

retornar [retor'nar] *vt* to return, give back // *vi* to return, go/come back; **retorno** *nm* return.

retortijón [retorti'xon] *nm* twist, twisting.

retozar [reto'θar] *vi* (*juguetear*) to frolic, romp; (*saltar*) to gambol; **retozón, ona** *a* playful.

retracción [retrak'θjon], **retractación** [retrakta'θjon] *nf* retraction.

retractar [retrak'tar] *vt* to retract; ∼**se** *vr* to retract; **me retracto** I take that back.

retraer [retra'er] *vt* to dissuade; ∼**se** *vr* to retreat, withdraw; **retraído, a** *a* shy, retiring; **retraimiento** *nm* (*gen*) retirement; (*timidez*) shyness; (*lugar*) retreat.

retransmisión [retransmi'sjon] *nf* repeat (broadcast); **retransmitir** *vt* (*mensaje*) to relay; (*TV etc*) to retransmit; (: *en vivo*) to broadcast live.

retrasado, a [retra'saðo, a] *a* late; (*MED*) mentally retarded; (*país etc*) backward, underdeveloped; **retrasar** *vt* (*demorar*) to postpone, put off; (*retardar*) to slow down // *vi,* **retrasarse** *vr* (*atrasarse*) to be late; (*reloj*) to be slow; (*producción*) to fall (away); (*quedarse atrás*) to lag behind.

retraso [re'traso] *nm* (*demora*) delay; (*lentitud*) slowness; (*tardanza*) lateness; (*atraso*) backwardness; **llegar con** ∼ to arrive late; ∼ **mental** mental deficiency.

retratar [retra'tar] *vt* (*ARTE*) to paint the portrait of; (*fotografiar*) to photograph; (*fig*) to depict; ∼**se** *vr* to have one's portrait painted; to have one's photograph taken; **retrato** *nm* portrait; (*fig*) likeness; **retrato-robot** *nm* identikit picture.

retreta [re'treta] *nf* retreat.

retrete [re'trete] *nm* toilet, lavatory.

retribución [retriβu'θjon] *nf* (*recompensa*) reward; (*pago*) pay, payment; **retribuir** *vt* to reward; to pay.

retro... [retro] *pref* retro... .

retroactivo, a [retroak'tiβo, a] *a* retroactive, retrospective.

retroceder [retroθe'δer] *vi* (*echarse atrás*) to move back(wards); (*tropas*) to fall back, retreat; (*arma de fuego*) to recoil; (*fig*) to back down.

retroceso [retro'θeso] *nm* backward movement; (*MIL*) withdrawal, retreat; (*MED*) relapse; (*fig*) backing down.

retrógrado, a [re'troxraδo, a] *a* (*atrasado*) retrograde; (*POL*) reactionary.

retropropulsión [retropropul'sjon] *nf* jet propulsion.

retrospectivo, a [retrospek'tiβo, a] *a* retrospective.

retrovisor [retroβi'sor] *nm* driving *or* rear-view mirror.

retumbante [retum'bante] *a* resounding; **retumbar** *vi* to echo, resound.

reuma ['reuma] *nm* rheumatism; **reumático, a** *a* rheumatic; **reumatismo** *nm* rheumatism.

reunificar [reunifi'kar] *vt* to reunify.

reunión [reu'njon] *nf* (*asamblea*) meeting; (*fiesta*) party; (*reencuentro*) reunion.

reunir [reu'nir] *vt* (*juntar*) to reunite, join; (*recoger*) to gather; (*personas*) to assemble; (*cualidades*) to combine; **~se** *vr* to meet, gather.

revalidar [reβali'δar] *vt* to confirm, ratify.

revalorar [reβalo'rar] *vt* to revalue, reassess.

revancha [re'βantʃa] *nf* revenge.

revelación [reβela'θjon] *nf* revelation.

revelado [reβe'laδo] *nm* developing.

revelar [reβe'lar] *vt* to reveal; (*FOTO*) to develop.

revendedor, a [reβende'δor, a] *nm/f* retailer; (*pey*) ticket tout.

reventar [reβen'tar] *vt* to burst, explode; (*fam: plan*) to ruin // *vi*, **~se** *vr* (*estallar*) to burst, explode; (*fam: morirse*) to kick the bucket (*fam*); **~ por** to be bursting to.

reventón [reβen'ton] *nm* burst, explosion; (*AUTO*) blow-out, puncture.

reverberación [reβerβera'θjon] *nf* reverberation; **reverberar** *vi* to reverberate; **reverbero** *nm* reverberation.

reverdecer [reβerδe'θer] *vi* (*fig*) to revive, come to life again.

reverencia [reβe'renθja] *nf* reverence; **reverenciar** *vt* to revere.

reverendo, a [reβe'renδo, a] *a* reverend; **reverente** *a* reverent.

reversión [reβer'sjon] *nf* reversion.

reverso [re'βerso] *nm* back, wrong side; (*de moneda*) reverse.

revertir [reβer'tir] *vi* to revert.

revés [re'βes] *nm* back, wrong side; (*fig*) reverse, setback; (*DEPORTE*) backhand; **hacer al ~** to do sth the wrong way round; **volver algo al ~** to turn sth round; (*ropa*) to turn sth inside out.

revestir [reβes'tir] *vt* to put on; (*cubrir*) to cover, coat; **~ con** *o* **de** to invest with.

revisar [reβi'sar] *vt* (*examinar*) to check; (*rever*) to revise; **revisión** *nf* revision.

revisor, a [reβi'sor, a] *nm/f* inspector; (*FERRO*) ticket collector.

revista [re'βista] *nf* magazine, review; (*TEATRO*) revue; (*inspección*) inspection; **pasar ~ a** to review, inspect.

revivir [reβi'βir] *vi* to revive.

revocación [reβoka'θjon] *nf* repeal; **revocar** *vt* to revoke.

revolcar [reβol'kar] *vt* to knock down, send flying; **~se** *vr* to roll about.

revolotear [reβolote'ar] *vi* to flutter; **revoloteo** *nm* fluttering.

revoltijo [reβol'tixo] *nm* mess, jumble.

revoltoso, a [reβol'toso, a] *a* (*travieso*) naughty, unruly; (*rebelde*) rebellious.

revolución [reβolu'θjon] *nf* revolution; **revolucionar** *vt* to revolutionize; **revolucionario, a** *a*, *nm/f* revolutionary.

revólver [re'βolβer] *nm* revolver.

revolver [reβol'βer] *vt* (*desordenar*) to disturb, mess up; (*mover*) to move about; (*poner al revés*) to turn over; (*investigar*) to look through; (*adentrarse en*) to go into; (*POL*) to stir up; (*hacer paquete*) to wrap up // *vi*: **~ en** to go through, rummage (about) in; **~se** *vr* to turn round; (*por dolor*) to writhe; (*volver contra*) to turn on *or* against.

revuelco [re'βwelko] *nm* fall, tumble.

revuelo [re'βwelo] *nm* fluttering; (*fig*) commotion.

revuelto, a [re'βwelto, a] *pp de* **revolver** // *a* (*mezclado*) mixed-up; (*huevos*) scrambled; (*descontento*) discontented; (*travieso*) mischievous // *nf* (*motín*) revolt; (*conmoción*) commotion.

revulsivo [reβul'siβo] *nm* enema.

rey [rei] *nm* king.

reyerta [re'jerta] *nf* quarrel, brawl.

rezagado, a [reθa'xaδo, a] *nm/f* straggler.

rezagar [reθa'xar] *vt* (*dejar atrás*) to leave behind; (*retrasar*) to delay, postpone.

rezar [re'θar] *vi* to pray; **~ con** (*fam*) to concern, have to do with; **rezo** *nm* prayer.

rezongar [reθon'gar] *vi* to grumble.

rezumar [reθu'mar] *vt* to ooze // *vi* to leak; **~se** *vr* to leak out.

ría ['ria] *nf* estuary.

riada [ri'aδa] *nf* flood.

ribera [ri'βera] *nf* (*de río*) bank; (: *área*) riverside; (*del mar*) shore.

ribete [ri'βete] *nm* (*de vestido*) border; (*fig*) addition; **~ar** *vt* to edge, border.

rico, a ['riko, a] *a* (*gen*) rich; (*adinerado*)

wealthy; (*lujoso*) luxurious; (*comida*) tasty, delicious // *nm/f* rich person.

rictus ['riktus] *nm* (*mueca*) sneer, grin.

ridiculez [riðiku'leθ] *nf* absurdity; **ridiculizar** *vt* to ridicule.

ridículo, a [ri'ðikulo, a] *a* ridiculous; **hacer el** ~ to make o.s. ridiculous; **poner a uno en** ~ to ridicule sb.

riego ['rjexo] *nm* (*aspersión*) watering; (*irrigación*) irrigation.

riel [rjel] *nm* rail.

rienda ['rjenda] *nf* rein; **dar** ~ **suelta a** to give free rein to.

riente ['rjente] *a* laughing.

riesgo ['rjesxo] *nm* risk; **correr el** ~ **de** to run the risk of.

rifa ['rifa] *nf* (*lotería*) raffle; (*disputa*) quarrel; **rifar** *vt* to raffle // *vi* to quarrel; **rifarse** *vr*: **rifarse algo** to fight over sth.

rifle ['rifle] *nm* rifle.

rigidez [rixi'ðeθ] *nf* rigidity, stiffness; (*fig*) strictness; **rígido, a** *a* rigid, stiff; strict, inflexible.

rigor [ri'xor] *nm* strictness, rigour; (*inclemencia*) harshness; **de** ~ **de** rigueur, essential; **riguroso, a** *a* rigorous; harsh; (*severo*) severe.

rimar [ri'mar] *vi* to rhyme.

rimbombante [rimbom'bante] *a* resounding; (*fig*) pompous.

rincón [rin'kon] *nm* (inside) corner.

rinoceronte [rinoθe'ronte] *nm* rhinoceros.

riña ['riɲa] *nf* (*disputa*) argument; (*pelea*) brawl.

riñón [ri'ɲon] *nm* (*gen*) kidney; **tener riñones** to have guts.

río *etc vb ver* **reír** // ['rio] *nm* river; (*fig*) torrent, stream; ~ **abajo/arriba** downstream/upstream.

rioplatense [riopla'tense] *a* of the River Plate region.

ripio ['ripjo] *nm* (*residuo*) refuse, waste; (*cascotes*) rubble, debris.

riqueza [ri'keθa] *nf* wealth, riches *pl*; (*cualidad*) richness.

risa ['risa] *nf* (*una* ~) laugh; (*gen*) laughter.

risco ['risko] *nm* crag, cliff; ~**so, a** *a* steep.

risible [ri'siβle] *a* (*ridículo*) ludicrous; (*jocoso*) laughable.

risotada [riso'taða] *nf* guffaw.

ristra ['ristra] *nf* string.

risueño, a [ri'sweɲo, a] *a* (*sonriente*) smiling; (*contento*) cheerful.

ritmo ['ritmo] *nm* rhythm; **a** ~ **lento** slowly; **trabajar a** ~ **lento** to go slow.

rito ['rito] *nm* rite.

ritual [ri'twal] *a, nm* ritual.

rival [ri'βal] *a, nm/f* rival; ~**idad** *nf* rivalry; ~**izar** *vi*: ~**izar con** to rival, vie with.

rizado, a [ri'θaðo, a] *a* curly // *nm* curls *pl*; **rizar** *vt* to curl; **rizarse** *vr* (*el pelo*) to

curl; (*el mar*) to ripple; **rizo** *nm* curl; ripple.

RNE *nf abr de* **Radio Nacional de España.**

robar [ro'βar] *vt* to rob; (*objeto*) to steal; (*casa etc*) to break into; (*NAIPES*) to draw.

roble [ro'βle] *nm* oak; ~**do**, ~**dal** *nm* oakwood.

roblón [ro'βlon] *nm* rivet.

robo ['roβo] *nm* robbery, theft; ~ **relámpago** smash-and-grab raid.

robot [ro'βo(t)] *nm* robot.

robustecer [roβuste'θer] *vt* to strengthen.

robusto, a [ro'βusto, a] *a* robust, strong.

roca ['roka] *nf* rock.

rocalla [ro'kaʎa] *nf* pebbles *pl*.

roce ['roθe] *nm* (*caricia*) brush; (*TEC*) friction; (*en la piel*) graze; **tener** ~ **con** to be in close contact with.

rociada [ro'θjaða] *nf* (*aspersión*) sprinkling; (*fig*) hail, shower; **rociar** *vt* to spray.

rocín [ro'θin] *nm* nag, hack.

rocío [ro'θio] *nm* dew.

rocoso, a [ro'koso, a] *a* rocky.

rodado, a [ro'ðaðo, a] *a* (*con ruedas*) wheeled; (*redondo*) round // *nf* rut.

rodaja [ro'ðaxa] *nf* (*raja*) slice; (*rueda*) small wheel.

rodaje [ro'ðaxe] *nm* (*TEC*) wheels *pl*, set of wheels; (*CINE*) shooting, filming; (*AUTO*): **en** ~ running in.

rodar [ro'ðar] *vt* (*vehículo*) to wheel; (*escalera*) to roll down; (*viajar por*) to travel (over) // *vi* to roll; (*coche*) to go, run; (*CINE*) to shoot, film.

rodear [roðe'ar] *vt* to surround // *vi* to go round; ~**se** *vr*: ~**se de amigos** to surround o.s. with friends.

rodeo [ro'ðeo] *nm* (*ruta indirecta*) detour; (*evasión*) evasion; (*AM*) rodeo; **hablar sin** ~**s** to come to the point, speak plainly.

rodilla [ro'ðiʎa] *nf* knee; **de** ~**s** kneeling.

rodillo [ro'ðiʎo] *nm* roller; (*CULIN*) rolling-pin; ~ **apisonador** *o* **de vapor** steamroller.

rododendro [roðo'ðendro] *nm* rhododendron.

roedor, a [roe'ðor, a] *a* gnawing // *nm* rodent.

roer [ro'er] *vt* (*masticar*) to gnaw; (*corroer, fig*) to corrode.

rogar [ro'xar] *vt, vi* (*pedir*) to ask for; (*suplicar*) to beg, plead; **se ruega no fumar** please do not smoke.

rojete [ro'xete] *nm* rouge.

rojizo, a [ro'xiθo, a] *a* reddish.

rojo, a ['roxo, a] *a, nm* red; **al** ~ **vivo** red-hot; ~ **de labios** lipstick.

rol [rol] *nm* list, roll; (*AM: papel*) role.

rollizo, a [ro'ʎiθo, a] *a* (*objeto*) cylindrical; (*persona*) plump.

rollo ['roʎo] *nm* (*gen*) roll; (*de cuerda*) coil; (*madera*) log; (*fam*) bore; **¡qué** ~**!** what a carry-on!

Roma ['roma] *n* Rome.

romance [ro'manθe] nm Romance language; (LITERATURA) ballad; **hablar en ~** to speak plainly.

romántico, a [ro'mantiko, a] a romantic.

romería [rome'ria] nf (REL) pilgrimage; (excursión) trip, outing.

romero, a [ro'mero, a] nm/f pilgrim // nm rosemary.

romo, a ['romo, a] a blunt; (fig) dull.

rompecabezas [rompeka'βeθas] nm inv riddle, puzzle; (juego) jigsaw.

rompehuelgas [rompe'welɣas] nm inv strikebreaker, blackleg.

rompeolas [rompe'olas] nm inv breakwater.

romper [rom'per] vt (gen) to break; (hacer pedazos) to smash; (papel etc) to tear, rip // vi (olas) to break; (sol, diente) to break through; **~ un contrato** to break a contract; **~ a** to start (suddenly) to; **~ en llanto** to burst into tears; **~ con uno** to fall out with sb.

rompimiento [rompi'mjento] nm breaking; (fig) break; (quiebra) crack; **~ de hostilidades** outbreak of hostilities.

ron [ron] nm rum.

roncar [ron'kar] vi to snore.

ronco, a ['ronko, a] a (sin voz) hoarse; (áspero) raucous.

roncha ['rontʃa] nf weal; (contusión) bruise.

ronda ['ronda] nf (gen) round; (partrulla) patrol; **rondar** vt to patrol // vi to patrol; (fig) to prowl round.

rondón [ron'don]: **de ~** ad unexpectedly.

ronquear [ronke'ar] vi to be hoarse; **ronquedad** nf hoarseness.

ronquido [ron'kiðo] nm snore, snoring.

ronronear [ronrone'ar] vi to purr; **ronroneo** nm purr.

ronzal [ron'θal] nm halter.

roña ['roɲa] nf scab; (mugre) crust (of dirt).

roñoso, a [ro'ɲoso, a] a (mugriento) filthy; (inútil) useless; (tacaño) mean.

ropa ['ropa] nf clothes pl, clothing; **~ blanca** linen; **~ de cama** bed linen; **~ interior** underwear; **~je** nm gown, robes pl; **~vejero, a** nm/f second-hand clothes dealer.

ropero [ro'pero] nm linen cupboard; (guardarropa) wardrobe.

roque ['roke] nm rook, castle.

roquedal [roke'ðal] nm rocky place.

rosa ['rosa] a inv pink // nf rose; (ANAT) red birthmark; **~ de los vientos** the compass; **~s** nfpl popcorn sg.

rosado, a [ro'saðo, a], **rosáceo, a** [ro'saθeo, a] a pink // nm rosé.

rosal [ro'sal] nm rosebush.

rosario [ro'sarjo] nm (REL) rosary; **rezar el ~** to say the rosary.

rosca ['roska] nf (de tornillo) thread; (de humo) coil, spiral; (pan, postre) ring-shaped roll/pastry.

rosetón [rose'ton] nm rosette; (ARQ) rose

window; (AUTO) cloverleaf (junction).

rostro ['rostro] nm (cara) face.

rotación [rota'θjon] nf rotation; **~ de cultivos** crop rotation.

rotativo, a [rota'tiβo, a] a rotary.

roto, a ['roto, a] pp de **romper** // a broken; (disipado) debauched.

rótula ['rotula] nf kneecap; (TEC) ball-and-socket joint.

rotular [rotu'lar] vt (titular, encabezar) to head, entitle; (etiquetar) to label; **rótulo** nm heading, title; label.

rotundo, a [ro'tundo, a] a round; (enfático) emphatic.

rotura [ro'tura] nf (rompimiento) breaking; (quiebra) crack; (MED) fracture.

roturar [rotu'rar] vt to plough.

rozado, a [ro'θaðo, a] a worn.

rozadura [roθa'ðura] nf abrasion, graze.

rozar [ro'θar] vt (frotar) to rub; (arañar) to scratch; (arrugar) to crumple; (AGR) to graze; (tocar ligeramente) to shave, touch lightly; **~se** vr to rub (together); (trabarse) to trip over one's own feet; **~ con** (fam) to rub shoulders with.

roznar [roθ'nar] vi to bray.

rte abr de **remite, remitente** sender.

rubí [ru'βi] nm ruby.

rubicundo, a [ruβi'kundo, a] a ruddy; (de salud) rosy with health.

rubio, a ['ruβjo, a] a fair-haired // nm/f blond/blonde; **tabaco ~** Virginia tobacco.

rubor [ru'βor] nm (timidez) bashfulness; (sonrojo) blush; **~izarse** vr to blush; **~oso, a** a blushing.

rúbrica ['ruβrika] nf title, heading; (de la firma) flourish; **rubricar** vt (firmar) to sign with a flourish; (concluir) to sign and seal.

rucio, a ['ruθjo, a] a grey.

rudeza [ru'ðeθa] nf (tosquedad) coarseness; (sencillez) simplicity.

rudimento [ruði'mento] nm rudiment.

rudo, a ['ruðo, a] a (sin pulir) unpolished; (tosco) coarse; (violento) violent; (vulgar) common; (estúpido) stupid.

rueda ['rweða] nf (gen) wheel; (círculo) ring, circle; (rodaja) slice, round; **~ delantera/trasera/de repuesto** front/back/spare wheel; **~ de prensa** press conference.

ruedo ['rweðo] nm (contorno) edge, border; (de vestido) hem; (círculo) circle; (TAUR) arena, bullring.

ruego etc vb ver **rogar** // ['rweɣo] nm request.

rufián [ru'fjan] nm scoundrel.

rugby ['ruɣβi] nm rugby.

rugido [ru'xiðo] nm roar; **rugir** vi to roar.

rugoso, a [ru'ɣoso, a] a (arrugado) wrinkled; (áspero) rough; (desigual) ridged.

ruibarbo [rui'βarβo] nm rhubarb.

ruido ['rwiðo] nm (gen) noise; (sonido) sound; (alboroto) racket, row; (escándalo)

commotion, rumpus; ~**so, a** *a* noisy, loud; (*fig*) sensational.
ruin [ru'in] *a* contemptible, mean.
ruina ['rwina] *nf* (*gen*) ruin; (*colapso*) collapse; (*de persona*) ruin, downfall; (*de imperio*) decline.
ruindad [rwin'daθ] *nf* lowness, meanness; (*acto*) low or mean act.
ruinoso, a [rui'noso, a] *a* ruinous; (*destartalado*) dilapidated, tumbledown; (*COM*) disastrous.
ruiseñor [rwise'ɲor] *nm* nightingale.
rula ['rula], **ruleta** [ru'leta] *nf* roulette.
Rumania [ru'manja] *nf* Rumania.
rumba ['rumba] *nf* rumba.
rumbo ['rumbo] *nm* (*ruta*) route, direction; (*ángulo de dirección*) course, bearing; (*fig*) course of events.
rumboso, a [rum'boso, a] *a* generous.
rumiante [ru'mjante] *nm* ruminant.
rumiar [rumi'nar] *vt* to chew; (*fig*) to chew over // *vi* to chew the cud.
rumor [ru'mor] *nm* (*ruido sordo*) low sound; (*murmuración*) murmur, buzz; ~**earse** *vr*: **se ~ea que** it is rumoured that; ~**eo** *nm* murmur.
rupestre [ru'pestre] *a* rock *cpd*.
ruptura [rup'tura] *nf* (*MED*) fracture; (*fig*) rupture.
rural [ru'ral] *a* rural.
Rusia ['rusja] *nf* Russia; **ruso, a** *a*, *nm/f* Russian.
rústico, a ['rustiko, a] *a* rustic; (*ordinario*) coarse, uncouth // *nm/f* yokel // *nf*: **libro en ~ a** paperback.
ruta ['ruta] *nf* route.
rutina [ru'tina] *nf* routine; ~**rio, a** *a* routine.

S

S *abr de* **santo, a; sur.**
s. *abr de* **siglo; siguiente.**
sábado ['saβaðo] *nm* Saturday.
sábana ['saβana] *nf* sheet.
sabandija [saβan'dixa] *nf* bug, insect.
sabañón [saβa'ɲon] *nm* chilblain.
sabelotodo [saβelo'toðo] *nm/f inv* know-all.
saber [sa'βer] *vt* to know; (*llegar a conocer*) to find out, learn; (*tener capacidad de*) to know how to // *vi*: ~ **a** to taste of, taste like // *nm* knowledge, learning; a ~ namely; **¿sabes nadar?** can you swim?; **¿sabes ir?** do you know the way?
sabiduría [saβiðu'ria] *nf* (*conocimientos*) wisdom; (*instrucción*) knowledge, learning.
sabiendas [sa'βjendas]: **a ~** *ad* knowingly.
sabio, a ['saβjo,a] *a* (*docto*) learned; (*prudente*) wise, sensible.
sabor [sa'βor] *nm* taste, flavour; ~**ear** *vt* to savour, relish; (*dar ~ a*) to flavour.
sabotaje [saβo'taxe] *nm* sabotage; **sabotear** *vt* to sabotage.
sabré *etc vb ver* **saber.**

sabroso, a [sa'βroso, a] *a* tasty; (*fig: fam*) racy, salty.
sacacorchos [saka'kortʃos] *nm inv* corkscrew.
sacapuntas [saka'puntas] *nm inv* pencil sharpener.
sacar [sa'kar] *vt* (*gen*) to take out; (*fig*) to get (out); (*quitar*) to remove, get out; (*hacer salir*) to bring out; (*conclusión*) to draw; (*novela etc*) to publish, bring out; (*ropa*) to take off; (*obra*) to make; (*FOTO*) to take; (*premio*) to receive; (*entradas*) to get; ~ **adelante** to bring up; ~ **a alguien a bailar** to get sb up to dance; ~ **apuntes** to take notes; ~ **la cara por alguien** to stick up for sb; ~ **la lengua** to stick out one's tongue.
sacarina [saka'rina] *nf* saccharin(e).
sacerdote [saθer'ðote] *nm* priest.
saco ['sako] *nm* (*gen*) bag; (*grande*) sack; (*su contenido*) bagful; (*AM*) jacket; ~ **de dormir** sleeping bag.
sacramento [sakra'mento] *nm* sacrament.
sacrificar [sakrifi'kar] *vt* to sacrifice; **sacrificio** *nm* sacrifice.
sacrilegio [sakri'lexjo] *nm* sacrilege; **sacrílego, a** *a* sacrilegious.
sacristía [sakris'tia] *nf* sacristy.
sacro, a ['sakro, a] *a* sacred.
sacudida [saku'ðiða] *nf* (*zarandeada*) shake, shaking; (*sacudimiento*) jolt, bump; ~ **eléctrica** electric shock; **sacudir** *vt* to shake; (*golpear*) to hit.
sádico, a ['saðiko, a] *a* sadistic; **sadismo** *nm* sadism.
saeta [sa'eta] *nf* (*flecha*) arrow; (*de reloj*) hand; (*brújula*) magnetic needle.
sagacidad [saxaθi'ðaθ] *nf* shrewdness, cleverness; **sagaz** *a* shrewd, clever; (*astuto*) astute.
sagrado, a [sa'xraðo, a] *a* sacred, holy // *nm* sanctuary, asylum.
Sáhara ['saara] *nm*: **el ~** the Sahara (desert).
sahumar [sau'mar] *vt* to fumigate.
sal [sal] *vb ver* **salir** // *nf* salt; ~ **de la Higuera** Epsom salts.
sala ['sala] *nf* (*cuarto grande*) large room; (~ *de estar*) living room; (*TEATRO*) house, auditorium; (*de hospital*) ward; ~ **de apelación** court; ~ **de espera** waiting room.
salado, a [sa'laðo, a] *a* salty; (*fig*) witty, amusing; **agua** ~**a** salt water; **salar** *vt* to salt, add salt to.
salario [sa'larjo] *nm* wage, pay.
salchicha [sal'tʃitʃa] *nf* pork sausage; **salchichón** *nm* (salami-type) sausage.
saldar [sal'dar] *vt* to pay; (*vender*) to sell off; (*fig*) to settle, resolve; **saldo** *nm* (*pago*) settlement; (*de una cuenta*) balance; (*lo restante*) remnant(s) (*pl*), remainder.
saldré *etc vb ver* **salir.**
salero [sa'lero] *nm* salt cellar.
salgo *etc vb ver* **salir.**

salida [sa'liða] *nf* exit, way out, (*acto*) leaving, going out; (*de tren*, *AVIAT*) departure; (*TEC*) output, production; (*fig*) way out; (*COM*) opening; (*GEO, válvula*) outlet; (*de gas, aire*) escape, leak; **calle sin** ~ cul-de-sac; ~ **de emergencia** emergency exit.

saliente [sa'ljente] *a* (*ARQ*) projecting; (*que se retira*) outgoing, retiring; (*el sol*) rising; (*fig*) outstanding.

salir [sa'lir] *vi* (*gen*) to come/go out; (*resultar*) to turn out; (*partir*) to leave, depart; (*aparecer*) to appear; (*sobresalir*) to project, jut out; ~**se** *vr* (*vasija*) to leak; (*animal*) to escape, get out; ~ **con** to go out with; ~ **a la superficie** to come to the surface; ~ **caro/barato** to work out expensive/cheap.

saliva [sa'liβa] *nf* saliva.

salmantino, a [salman'tino, a] *a* of Salamanca.

salmo ['salmo] *nm* psalm.

salmón [sal'mon] *nm* salmon.

salmuera [sal'mwera] *nf* pickle, brine.

salón [sa'lon] *nm* (*de casa*) living-room, lounge; (*muebles*) lounge suite; ~ **de belleza** beauty parlour; ~ **de pintura** art gallery; ~ **de baile** dance hall.

salpicadero [salpika'ðero] *nm* dashboard.

salpicar [salpi'kar] *vt* (*rociar*) to sprinkle, spatter; (*esparcir*) to scatter.

salsa ['salsa] *nf* sauce; (*con carne asada*) gravy; (*fig*) spice.

saltamontes [salta'montes] *nm inv* grasshopper.

saltar [sal'tar] *vt* to jump (over), leap (over); (*dejar de lado*) to skip, miss out // *vi* to jump, leap; (*pelota*) to bounce; (*al aire*) to fly up; (*quebrarse*) to break; (*al agua*) to dive; (*fig*) to explode, blow up.

saltear [salte'ar] *vt* (*robar*) to rob (in a holdup); (*asaltar*) to assault, attack; (*CULIN*) to sauté.

saltimbanqui [saltim'banki] *nm/f* acrobat.

salto ['salto] *nm* jump, leap; (*al agua*) dive; (*DEPORTE*) jump; ~ **de agua** waterfall.

saltón, ona [sal'ton, ona] *a* (*ojos*) bulging, popping; (*dientes*) protruding.

salubre [sa'luβre] *a* healthy, salubrious.

salud [sa'luð] *nf* health; ¡(**a su**) ~! good health!; ~**able** *a* (*de buena* ~) healthy; (*provechoso*) good, beneficial.

saludar [salu'ðar] *vt* to greet; (*MIL*) to salute; **saludo** *nm* greeting; **saludos** (*en carta*) best wishes, regards, greetings.

salvación [salβa'θjon] *nf* (*gen*) salvation; (*rescate*) rescue.

salvaguardar [salβaxwar'ðar] *vt* to safeguard.

salvaje [sal'βaxe] *a* wild; (*tribú*) savage; **salvajismo** *nm*, **salvajez** *nf* savagery.

salvar [sal'βar] *vt* (*rescatar*) to save, rescue; (*resolver*) to overcome, resolve; (*cubrir distancias*) to cover, travel; (*hacer excepción*) to except, exclude; (*un barco*) to salvage.

salvavidas [salβa'βiðas] *nm inv* lifebelt // *a*: **bote/chaleco/cinturón** ~ lifeboat/jacket/belt.

salvia ['salβja] *nf* sage.

salvo, a ['salβo, a] *a* safe // *ad* except (for), save; **a** ~ out of danger; ~ **que** unless; ~ **conducto** *nm* safe-conduct.

san [san] *a* saint; ~ **Juan** St. John.

sanar [sa'nar] *vt* (*herida*) to heal; (*persona*) to cure // *vi* (*persona*) to get well, recover; (*herida*) to heal.

sanatorio [sana'torjo] *nm* sanatorium.

sanción [san'θjon] *nf* sanction; **sancionar** *vt* to sanction.

sandalia [san'dalja] *nf* sandal.

sandía [san'dia] *nf* watermelon.

sandwich ['sandwitʃ] *nm* sandwich.

saneamiento [sanea'mjento] *nm* sanitation; (*de la tierra*) drainage; (*indemnización*) compensation; (*fig*) remedy; **sanear** *vt* to drain; to compensate; to remedy, repair; (*garantizar*) to guarantee; (*asegurar*) to insure.

sangrar [san'grar] *vt, vi* to bleed; **sangre** *nf* blood.

sangría [san'gria] *nf* sangria, *sweetened drink of red wine with fruit.*

sangriento, a [san'grjento, a] *a* (*herido*) bleeding; (*batalla*) bloody.

sanguinario, a [sangi'narjo, a] *a* bloodthirsty.

sanguíneo, a [san'gineo, a] *a* blood *cpd.*

sanidad [sani'ðað] *nf* sanitation; (*calidad de sano*) health, healthiness; ~ **pública** public health.

sanitario, a [sani'tarjo, a] *a* sanitary; (*de la salud*) health *cpd.*

sano, a ['sano, a] *a* healthy; (*sin daños*) sound; (*comida*) good; (*entero*) whole, intact; ~ **y salvo** safe and sound.

santidad [santi'ðað] *nf* holiness, sanctity; **santificar** *vt* to sanctify, make holy.

santiguar [santi'xwar] *vt* (*fig*) to slap, hit; ~**se** *vr* to make the sign of the cross.

santo, a ['santo, a] *a* holy; (*fig*) wonderful, miraculous // *nm/f* saint // *nm* saint's day; ~ **y seña** password.

santuario [san'twarjo] *nm* sanctuary, shrine.

saña ['saɲa] *nf* rage, fury.

sapo ['sapo] *nm* toad.

saque ['sake] *nm* (*TENIS*) service, serve; (*FÚTBOL*) throw-in; ~ **de esquina** corner (kick).

saquear [sake'ar] *vt* (*MIL*) to sack; (*robar*) to loot, plunder; (*fig*) to ransack; **saqueo** *nm* sacking; looting, plundering; ransacking.

sarampión [saram'pjon] *nm* measles *sg.*

sarcasmo [sar'kasmo] *nm* sarcasm; **sarcástico, a** *a* sarcastic.

sardina [sar'ðina] *nf* sardine.

sardónico, a [sar'ðoniko, a] *a* sardonic; (*irónico*) ironical, sarcastic.

sargento [sar'xento] *nm* sergeant.

sarna ['sarna] nf itch; (MED) scabies.
sartén [sar'ten] nf frying pan.
sastre ['sastre] nm tailor; ~**ría** nf (arte) tailoring; (tienda) tailor's (shop).
satélite [sa'telite] nm satellite.
sátira ['satira] nf satire.
satisfacción [satisfak'θjon] nf satisfaction; **satisfacer** vt to satisfy; (gastos) to meet; (pérdida) to make good; **satisfacerse** vr to satisfy o.s., be satisfied; (vengarse) to take revenge; **satisfecho, a** a satisfied; (contento) content(ed), happy; (vanidoso) self-satisfied, smug.
saturar [satu'rar] vt to saturate.
sauce ['sauθe] nm willow; ~ **llorón** weeping willow.
sauna ['sauna] nf sauna.
savia ['saßja] nf sap.
saxofón [sakso'fon], **saxófono** [sak-'sofono] nm saxophone.
sayo ['sajo] nm smock.
sazonado, a [saθo'naðo, a] a (fruta) ripe; (CULIN) flavoured, seasoned; **sazonar** vt to ripen; to flavour, season.
se [se] pron reflexivo oneself; (sg: m) himself; (: f) herself; (: de una cosa) itself; (: de Ud) yourself; (pl) themselves; (: de Uds) yourselves; (de uno) oneself; ~ **mira en el espejo** he looks at himself in the mirror; (recíproco) each other, one another; ~ **ayudan** they help each other; ~ **miraron (el uno al otro)** they looked at one another; (uso impersonal): ~ **compró hace 3 años** it was bought 3 years ago; **en esa parte** ~ **habla francés** in that area French is spoken or people speak French; (dativo): ~ **lo daré** I'll give it to him/her/you; **él** ~ **ha comprado un sombrero** he has bought himself a hat.
SE abr de **sudeste**.
sé vb ver **saber, ser**.
sea etc vb ver **ser**.
sebo ['seßo] nm fat, grease.
seca ['seka] nf ver **seco**.
secador [seka'ðor] nm: ~ **de cabello** o **para el pelo** hair-dryer.
secadora [seka'ðora] nf wringer; ~ **centrífuga** spin-dryer.
secar [se'kar] vt to dry; ~**se** vr to dry (off); (río, planta) to dry up.
sección [sek'θjon] nf section.
seco, a ['seko, a] a dry; (carácter) cold; (respuesta) sharp, curt; (coñac) straight // nf drought; **vivir a pan** ~ to live by bread alone; **habrá pan a** ~**as** there will be just bread; **decir algo a** ~**as** to say sth curtly; **parar en** ~ to stop dead.
secretaría [sekreta'ria] nf secretariat; **secretario, a** nm/f secretary.
secreto, a [se'kreto, a] a secret; (persona) secretive // nm secret; (calidad) secrecy.
secta ['sekta] nf sect; ~**rio, a** a sectarian.
sector [sek'tor] nm sector.
secuela [se'kwela] nf consequence.
secuestrar [sekwes'trar] vt to kidnap; (bienes) to seize, confiscate; **secuestro**

nm kidnapping; seizure, confiscation.
secular [seku'lar] a secular.
secundar [sekun'dar] vt to second, support.
secundario, a [sekun'darjo, a] a secondary.
sed [seð] nf thirst; **tener** ~ to be thirsty.
seda ['seða] nf silk.
sedal [se'ðal] nm fishing line.
sedante [se'ðante], **sedativo** [seða'tißo] nm sedative.
sede ['seðe] nf (de gobierno) seat; (de compañía) headquarters pl; **Santa S**~ Holy See.
sediento, a [se'ðjento, a] a thirsty.
sedimentar [seðimen'tar] vt to deposit; ~**se** vr to settle; **sedimento** nm sediment.
seducción [seðuk'θjon] nf seduction; **seducir** vt to seduce; (sobornar) to bribe; (cautivar) to charm, fascinate; **seductor, a** a seductive; charming, fascinating; (engañoso) deceptive, misleading // nm/f seducer.
segadora-trilladora [seɣa'ðora triʎa-'ðora] nf combine harvester.
seglar [se'ɣlar] a secular, lay.
segregación [seɣreɣa'θjon] nf segregation; ~ **racial** racial segregation; **segregar** vt to segregate, separate.
seguido, a [se'ɣiðo, a] a (continuo) continuous, unbroken; (recto) straight; ~**s** consecutive, successive // ad (directo) straight (on); (después) after // nf: **en** ~**a** at once, right away; **5 días** ~**s** 5 days running, 5 days in a row.
seguimiento [seɣi'mjento] nm chase, pursuit; (continuación) continuation.
seguir [se'ɣir] vt (gen) to follow; (venir después) to follow on, come after; (proseguir) to continue; (perseguir) to chase, pursue // vi (gen) to follow; (continuar) to continue, carry or go on; ~**se** vr to follow; **sigo sin comprender** I still don't understand; **sigue lloviendo** it's still raining.
según [se'ɣun] prep according to // ad according to circumstances; ~ **y conforme** it all depends; ~ **esté el tiempo** depending on the weather.
segundo, a [se'ɣundo, a] a second // nm second // nf second meaning; **de** ~**a mano** second hand.
segur [se'ɣur] nf (hacha) axe; (hoz) sickle.
seguramente [seɣura'mente] ad surely; (con certeza) for sure, with certainty.
seguridad [seɣuri'ðað] nf (gen) safety; (del estado, de casa etc) security; (certidumbre) certainty; (confianza) confidence; (estabilidad) stability; ~ **social** social security.
seguro, a [se'ɣuro, a] a (cierto) sure, certain; (fiel) trustworthy; (libre del peligro) safe; (bien defendido, firme) secure // ad for sure, certainly // nm (COM) insurance; ~ **contra terceros/a todo riesgo** third party/comprehensive insurance; ~**s sociales** social security sg.

seis [seis] *num* six.

seismo ['seismo] *nm* tremor, earthquake.

selección [selek'θjon] *nf* selection; **seleccionar** *vt* to pick, choose, select; **selecto, a** *a* select, choice; (*escogido*) selected.

selva ['selßa] *nf* (*bosque*) forest, woods *pl*; (*jungla*) jungle.

sello ['seλo] *nm* stamp; (*medicinal*) capsule, pill.

semáforo [se'maforo] *nm* (*AUTO*) traffic lights *pl*; (*FERRO*) signal.

semana [se'mana] *nf* week; **entre ~** during the week; **semanal, semanario, a** *a* weekly.

semblante [sem'blante] *nm* face; (*fig*) face, appearance.

sembrar [sem'brar] *vt* to sow; (*objetos*) to sprinkle, scatter about; (*noticias*) to spread.

semejante [seme'xante] *a* (*parecido*) similar; **~s** alike, similar // *nm* fellow man, fellow creature; **no he dicho cosa ~** I have not said any such thing; **semejanza** *nf* similarity, resemblance.

semejar [seme'xar] *vi* to seem like, resemble; **~se** *vr* to look alike, be similar.

semen ['semen] *nm* semen; **~tal** *nm* stud.

semestral [semes'tral] *a* half-yearly, bi-annual.

semicírculo [semi'θirkulo] *nm* semicircle.

semiconsciente [semikons'θjente] *a* semiconscious.

semilla [se'miλa] *nf* seed.

seminario [semi'narjo] *nm* (*REL*) seminary; (*en universidad*) seminar.

sémola ['semola] *nf* semolina.

sempiterno, a [sempi'terno, a] *a* everlasting // *nf* evergreen.

Sena ['sena] *nm*: **el ~** the (river) Seine.

senado [se'naðo] *nm* senate; **senador, a** *nm/f* senator.

sencillez [senθi'λeθ] *nf* (*gen*) simplicity; (*naturalidad*) naturalness; **sencillo, a** *a* simple; natural, unaffected.

senda ['senda] *nf*, **sendero** [sen'dero] *nm* path, track.

sendos, as ['sendos, as] *apl*: **les dio ~ golpes** he hit both of them.

senil [se'nil] *a* senile.

seno ['seno] *nm* (*ANAT*) bosom, bust; (*fig*) bosom; (*vacío*) hollow; **~s** breasts.

sensación [sensa'θjon] *nf* (*gen*) sensation; (*sentido*) sense; (*sentimiento*) feeling.

sensato, a [sen'sato, a] *a* sensible.

sensible [sen'sible] *a* sensitive; (*apreciable*) perceptible, appreciable; (*pérdida*) considerable.

sensitivo, a [sensi'tiβo, a], **sensorio, a** [sen'sorjo, a], **sensorial** [senso'rjal] *a* sensory.

sensual [sen'swal] *a* sensual.

sentado, a [sen'taðo, a] *a* (*establecido*) settled; (*carácter*) sensible; **estar ~** to sit, be sitting (down) // *nf* sitting; **dar por ~** to take for granted, assume.

sentar [sen'tar] *vt* to sit, seat; (*fig*) to establish // *vi* (*vestido*) to suit; (*alimento*): **~ bien/mal a** to agree/disagree with; **~se** *vr* (*persona*) to sit, sit down; (*el tiempo*) to settle (down); (*los depósitos*) to settle.

sentencia [sen'tenθja] *nf* (*máxima*) maxim, saying; (*JUR*) sentence; **sentenciar** *vt* to sentence // *vi* to give one's opinion.

sentido, a [sen'tiðo, a] *a* (*pérdida*) regrettable; (*carácter*) sensitive // *nm* (*gen*) sense; (*sentimiento*) feeling; (*significado*) sense, meaning; (*dirección*) direction; **mi más ~ pésame** my deepest sympathy; **~ del humor** sense of humour; **~ único** one-way (street).

sentimental [sentimen'tal] *a* sentimental; **vida ~** love life.

sentimiento [senti'mjento] *nm* (*emoción*) feeling, emotion; (*sentido*) sense; (*pesar*) regret, sorrow.

sentir [sen'tir] *vt* (*gen*) to feel; (*percibir*) to perceive, sense; (*lamentar*) to regret, be sorry for // *vi* (*tener la sensación*) to feel; (*lamentarse*) to feel sorry // *nm* opinion, judgement; **~se bien/mal** to feel well/ill; **lo siento** I'm sorry.

seña ['sena] *nf* sign; (*MIL*) password; **~s** *nfpl* address *sg*; **~s personales** personal details.

señal [se'nal] *nf* (*gen*) sign; (*síntoma*) symptom; (*FERRO, TELEC*) signal; (*marca*) mark; (*COM*) deposit; **en ~ de** as a token of, as a sign of; **~ar** *vt* to mark; (*indicar*) to point out, indicate; (*fijar*) to fix, settle; **~arse** *vr* to make one's mark.

señor [se'nor] *nm* (*hombre*) man; (*caballero*) gentleman; (*dueño*) owner, master; (*trato: antes de nombre propio*) Mr; (: *directo*) sir; **muy ~ mío** Dear Sir; **el ~ alcalde/presidente** the mayor/president.

señora [se'nora] *nf* (*dama*) lady; (*trato*) Mrs; (*tratamiento de cortesía*) madam; (*fam*) wife; **Nuestra S~** Our Lady.

señorita [seno'rita] *nf* (*gen*) Miss; (*mujer joven*) young lady.

señuelo [se'nwelo] *nm* decoy.

sepa *etc vb ver* **saber.**

separación [separa'θjon] *nf* separation; (*división*) division; (*distancia*) gap, distance.

separar [sepa'rar] *vt* to separate; (*dividir*) to divide; **~se** *vr* (*parte*) to come away; (*partes*) to come apart; (*persona*) to leave, go away; (*matrimonio*) to separate; **separatismo** *nm* separatism.

sepia ['sepja] *nf* cuttlefish.

séptico, a ['septiko, a] *a* septic.

septiembre [sep'tjembre] *nm* September.

séptimo, a ['septimo, a] *a, nm* seventh.

sepultar [sepul'tar] *vt* to bury; **sepultura** *nf* (*acto*) burial; (*tumba*) grave, tomb; **sepulturero, a** *nm/f* gravedigger.

sequedad [seke'ðað] *nf* dryness; (*fig*) brusqueness, curtness.

sequía [se'kia] *nf* drought.
séquito ['sekito] *nm* followers *pl*, retinue.
ser [ser] *vi* (*gen*) to be; (*devenir*) to become // *nm* being; ~ **de** (*origen*) to be from, come from; (*hecho de*) to be (made) of; (*pertenecer a*) to belong to; **es la una** it is one o'clock; **es de esperar que** it is to be hoped that; **era de ver** it was worth seeing, you should have seen it; **a no** ~ **que** unless; **de no** ~ **así** if it were not so, were it not so; **o sea** that is to say; **sea como sea** be that as it may.
serenarse [sere'narse] *vr* to calm down.
sereno, a [se'reno, a] *a* (*persona*) calm, unruffled; (*el tiempo*) fine, settled; (*ambiente*) calm, peaceful // *nm* night watchman.
serie ['serje] *nf* series; (*cadena*) sequence, succession; **fuera de** ~ out of order; **fabricación en** ~ mass production.
seriedad [serje'ðað] *nf* seriousness; (*formalidad*) reliability; (*de crisis*) gravity, seriousness; **serio, a** *a* serious; reliable, dependable; grave, serious; **en serio** *ad* seriously.
sermón [ser'mon] *nm* (*REL*) sermon.
serpentear [serpente'ar] *vi* to wriggle; (*fig*) to wind, snake.
serpentina [serpen'tina] *nf* streamer.
serpiente [ser'pjente] *nf* snake; ~ **boa** boa constrictor; ~ **pitón** python; ~ **de cascabel** rattlesnake.
serranía [serra'nia] *nf* mountainous area; **serrano, a** *a* highland *cpd*, hill *cpd* // *nm/f* highlander.
serrar [se'rrar] *vt* = **aserrar.**
serrín [se'rrin] *nm* = **aserrín.**
serrucho [se'rrutʃo] *nm* saw.
servicio [ser'ßiθjo] *nm* service; ~**s** toilet(s).
servidor, a [serßi'ðor, a] *nm/f* servant; **su seguro** ~ (**s.s.s.**) yours faithfully; **servidumbre** *nf* (*sujeción*) servitude; (*criados*) servants *pl*, staff.
servil [ser'ßil] *a* servile.
servilleta [serßi'ʎeta] *nf* serviette, napkin.
servir [ser'ßir] *vt* to serve // *vi* to serve; (*tener utilidad*) to be of use, be useful; ~**se** *vr* to serve or help o.s.; ~**se de algo** to make use of sth, use sth; **sírvase pasar** please come in.
sesenta [se'senta] *num* sixty.
sesgado, a [ses'xaðo, a] *a* slanted, slanting; **sesgo** *nm* slant; (*fig*) slant, twist.
sesión [se'sjon] *nf* (*POL*) session, sitting; (*CINE*) showing.
seso ['seso] *nm* brain; **sesudo, a** *a* sensible, wise.
seta ['seta] *nf* mushroom.
setenta [se'tenta] *num* seventy.
seudo... ['seuðo] *pref* pseudo... .
seudónimo [seu'ðonimo] *nm* pseudonym.
severidad [seßeri'ðað] *nf* severity; **severo, a** *a* severe.
Sevilla [se'ßiʎa] *n* Seville.

sexo ['sekso] *nm* sex.
sexto, a ['seksto, a] *a*, *nm* sixth.
sexual [sek'swal] *a* sexual; **vida** ~ sex life.
si [si] *conj* if; **me pregunto** ~... I wonder if or whether... .
sí [si] *ad* yes // *nm* consent // *pron* (*gen*) oneself; (*sg: m*) himself; (: *f*) herself; (: *de cosa*) itself; (*de usted*) yourself; (*pl*) themselves; (*de ustedes*) yourselves; (*recíproco*) each other; **él no quiere pero yo** ~ he doesn't want to but I do; **ella** ~ **vendrá** she will certainly come, she is sure to come; **claro que** ~ of course; **creo que** ~ I think so.
siderúrgico, a [siðe'rurxico, a] *a* iron and steel *cpd* // *nf*: **la** ~**a** the iron and steel industry.
sidra ['siðra] *nf* cider.
siembra ['sjembra] *nf* sowing.
siempre ['sjempre] *ad* (*gen*) always; (*todo el tiempo*) all the time; ~ **que** *conj* (*cada vez*) whenever; (*dado que*) provided that; **para** ~ for ever.
sien [sjen] *nf* temple.
siento *etc vb ver* **sentar, sentir.**
sierra ['sjerra] *nf* (*TEC*) saw; (*cadena de montañas*) mountain range.
siervo, a ['sjerßo, a] *nm/f* slave.
siesta ['sjesta] *nf* siesta, nap.
siete ['sjete] *num* seven.
sífilis ['sifilis] *nf* syphilis.
sifón [si'fon] *nm* syphon; **whisky con** ~ whisky and soda.
sigla ['sixla] *nf* symbol.
siglo ['sixlo] *nm* century; (*fig*) age.
significación [sixnifika'θjon] *nf* significance.
significado [sixnifi'kaðo] *nm* significance; (*de palabra*) meaning.
significar [sixnifi'kar] *vt* to mean, signify; (*notificar*) to make known, express; ~**se** *vr* to become known, make a name for o.s.; **significativo, a** *a* significant.
signo ['sixno] *nm* sign; ~ **de admiración** *o* **exclamación** exclamation mark; ~ **de interrogación** question mark.
sigo *etc vb ver* **seguir.**
siguiente [si'xjente] *a* next, following.
siguió *etc vb ver* **seguir.**
sílaba ['silaßa] *nf* syllable.
silbar [sil'ßar] *vt*, *vi* to whistle; **silbato** *nm* whistle; **silbido** *nm* whistle, whistling.
silenciador [silenθja'ðor] *nm* silencer.
silenciar [silen'θjar] *vt* (*persona*) to silence; (*escándalo*) to hush up; **silencio** *nm* silence, quiet; **silencioso, a** *a* silent, quiet.
silicio [si'liθjo] *nm* silicon.
silueta [si'lweta] *nf* silhouette; (*de edificio*) outline; (*figura*) figure.
silvestre [sil'ßestre] *a* rustic, rural; (*salvaje*) wild.
silla ['siʎa] *nf* (*asiento*) chair; (*de jinete*) saddle.

sillón [si'ʎon] *nm* armchair, easy chair; ~ **de ruedas** wheelchair.
simbólico, a [sim'boliko, a] *a* symbolic(al); **símbolo** *nm* symbol.
simetría [sime'tria] *nf* symmetry.
simiente [si'mjente] *nf* seed.
similar [simi'lar] *a* similar.
simio ['simjo] *nm* ape.
simpatía [simpa'tia] *nf* liking; (*afecto*) affection; (*amabilidad*) kindness; (*solidaridad*) mutual support, solidarity; **simpático, a** *a* nice, pleasant; kind; **simpatizante** *nm/f* sympathiser; **simpatizar** *vi:* **simpatizar con** to get on well with.
simple ['simple] *a* (*gen*) simple; (*elemental*) simple, easy; (*mero*) mere; (*puro*) pure, sheer // *nm/f* simpleton; ~**za** *nf* simpleness; (*necedad*) silly thing; **simplicidad** *nf* simplicity; **simplificar** *vt* to simplify.
simular [simu'lar] *vt* to simulate.
simultáneo, a [simul'taneo, a] *a* simultaneous.
sin [sin] *prep* without; **la ropa está** ~ **lavar** the clothes are unwashed; ~ **que** *conj* without; ~ **embargo** however, still.
sinagoga [sina'xoxa] *nf* synagogue.
sinceridad [sinθeri'ðað] *nf* sincerity; **sincero, a** *a* sincere.
sincronizar [sinkroni'θar] *vt* to synchronize.
sindical [sindi'kal] *a* union *cpd*, trade-union *cpd*; ~**ista** *nm/f* trade-unionist; **sindicato** *nm* (*de trabajadores*) trade(s) union; (*de negociantes*) syndicate.
sinfín [sin'fin] *nm:* **un** ~ **de** a great many, no end of.
sinfonía [sinfo'nia] *nf* symphony.
singular [singu'lar] *a* singular; (*fig*) outstanding, exceptional; (*pey*) peculiar, odd; ~**idad** *nf* singularity, peculiarity; ~**izar** *vt* to single out; ~**izarse** *vr* to distinguish o.s., stand out.
siniestro, a [si'njestro, a] *a* left; (*fig*) sinister.
sinnúmero [sin'numero] *nm* = **sinfín.**
sino ['sino] *nm* fate, destiny // *conj* (*pero*) but; (*salvo*) except, save.
sinónimo [si'nonimo] *nm* synonym.
sinrazón [sinra'θon] *nf* wrong, injustice.
síntesis ['sintesis] *nf* synthesis; **sintético, a** *a* synthetic; **sintetizar** *vt* to synthesize.
sintió *vb ver* **sentir.**
síntoma ['sintoma] *nm* symptom.
sinvergüenza [sinßer'xwenθa] *nm/f* shameless person.
sionismo [sjo'nismo] *nm* Zionism.
siquiera [si'kjera] *conj* even if, even though // *ad* at least; **ni** ~ not even.
sirena [si'rena] *nf* siren.
sirviente, a [sir'ßjente, a] *nm/f* servant.
sirvo *etc vb ver* **servir.**
sisear [sise'ar] *vt, vi* to hiss.
sismógrafo [sis'moxrafo] *nm* seismograph.

sistema [sis'tema] *nm* system; (*método*) method; **sistemático, a** *a* systematic.
sitiar [si'tjar] *vt* to beseige, lay seige to.
sitio ['sitjo] *nm* (*lugar*) place; (*espacio*) room, space; (*MIL*) siege.
situación [sitwa'θjon] *nf* situation, position; (*estatus*) position, standing.
situar [si'twar] *vt* to place, put; (*edificio*) to locate, situate.
slip [slip] *nm* pants *pl*, briefs *pl*.
smoking ['smokin] (*pl* ~**s**) *nm* dinner jacket.
so [so] *prep* under.
SO *abr de* **sudoeste.**
sobaco [so'ßako] *nm* armpit.
soberanía [soßera'nia] *nf* sovereignty; **soberano, a** *a* sovereign; (*fig*) supreme // *nm/f* sovereign.
soberbio, a [so'ßerßjo, a] *a* (*orgulloso*) proud; (*altivo*) haughty, arrogant; (*fig*) magnificent, superb // *nf* pride; haughtiness, arrogance; magnificence; (*cólera*) anger.
sobornar [soßor'nar] *vt* to bribe; **soborno** *nm* bribe.
sobra ['soßra] *nf* excess, surplus; ~**s** *nfpl* left-overs, scraps; **de** ~ surplus, extra; **tengo de** ~ I've more than enough; ~**do**, **a** *a* (*de* ~) more than enough; (*excesivo*) excessive // *ad* too, exceedingly; **sobrante** *a* remaining, extra // *nm* surplus, remainder; **sobrar** *vt* to exceed, surpass // *vi* (*tener de más*) to be more than enough; (*quedar*) to remain, be left (over).
sobre ['soßre] *prep* (*gen*) on; (*encima*) on (top of); (*por encima de, arriba de*) over, above; (*más que*) more than; (*además*) in addition to, besides; (*alrededor de, tratando de*) about // *nm* envelope.
sobrecama [soßre'kama] *nf* bedspread.
sobrecargar [soßrekar'xar] *vt* (*camión*) to overload; (*COM*) to surcharge.
sobrehumano, a [soßreu'mano, a] *a* superhuman.
sobrellevar [soßreʎe'ßar] *vt* (*fig*) to bear, endure.
sobremarcha [soßre'martʃa] *nf* (*AUTO*) overdrive.
sobrenatural [soßrenatu'ral] *a* supernatural.
sobrepasar [soßrepa'sar] *vt* to exceed, surpass.
sobreponer [soßrepo'ner] *vt* (*poner encima*) to put on top; (*añadir*) to add; ~**se** *vr:* ~**se a** to win through, pull through.
sobreprecio [soßre'preθjo] *nm* surcharge.
sobresaliente [soßresa'ljente] *a* projecting; (*fig*) outstanding, excellent; **sobresalir** *vi* to project, jut out; to stand out, excel.
sobresaltar [soßresal'tar] *vt* (*asustar*) to scare, frighten; (*sobrecoger*) to startle; **sobresalto** *nm* (*movimiento*) start; (*susto*) scare; (*turbación*) sudden shock; **de sobresalto** suddenly.

sobrescrito [soβres'krito] *nm* address.
sobretodo [soβre'toðo] *nm* overcoat.
sobreviviente [soβreβi'βjente] *a* surviving // *nm/f* survivor; **sobrevivir** *vi* to survive.
sobriedad [soβrje'ðað] *nf* sobriety, soberness; (*moderación*) moderation, restraint.
sobrino, a [so'βrino, a] *nm/f* nephew/niece.
sobrio, a ['soβrjo, a] *a* sober; (*moderado*) moderate, restrained.
socarrón, ona [soka'rron, ona] *a* (*sarcástico*) sarcastic, ironic(al); (*astuto*) crafty, cunning.
sociable [so'θjaβle] *a* (*persona*) sociable, friendly; (*animal*) social.
social [so'θjal] *a* social; (*COM*) company *cpd*.
socialdemócrata [soθjalde'mokrata] *nm/f* social democrat.
socialista [soθja'lista] *a, nm/f* socialist.
socializar [soθjali'θar] *vt* to socialize.
sociedad [soθje'ðað] *nf* (*gen*) society; (*COM*) company; ~ **anónima (SA)** limited company.
socio, a ['soθjo, a] *nm/f* (*miembro*) member; (*COM*) partner; ~ **comandatario** sleeping partner.
sociología [soθjolo'xia] *nf* sociology.
socorrer [soko'rrer] *vt* to help; **socorro** *nm* (*ayuda*) help, aid; (*MIL*) relief; **¡socorro!** help!
soda ['soða] *nf* (*sosa*) soda; (*bebida*) soda water.
sofá [so'fa] (*pl* ~**s**) *nm* sofa, settee; ~**-cama** *nm* studio couch.
sofisticación [sofistika'θjon] *nf* sophistication.
sofocar [sofo'kar] *vt* to suffocate; (*apagar*) to smother, put out; ~**se** *vr* to suffocate; (*fig*) to blush, feel embarrassed; **sofoco** *nm* suffocation; embarrassment.
soga ['soɣa] *nf* rope.
sois *vb ver* **ser**.
sojuzgar [soxuɣ'xar] *vt* to subdue, rule despotically.
sol [sol] *nm* sun; (*luz*) sunshine, sunlight; **hace** ~ it is sunny.
solamente [sola'mente] *ad* only, just.
solapa [so'lapa] *nf* (*de ropa*) lapel; (*de libro*) jacket.
solar [so'lar] *a* solar, sun *cpd*.
solaz [so'laθ] *nm* recreation, relaxation; (*alivio*) solace; ~**ar** *vt* (*divertir*) to amuse; (*aliviar*) to console.
soldada [sol'daða] *nf* pay.
soldado [sol'daðo] *nm* soldier.
soldador [solda'ðor] *nm* soldering iron; (*persona*) welder; **soldar** *vt* to solder, weld; (*unir*) to join, unite.
soledad [sole'ðað] *nf* solitude; (*estado infeliz*) loneliness; (*nostalgia*) grieving, mourning.
solemne [so'lemne] *a* solemn; **solemnidad** *nf* solemnity.

soler [so'ler] *vi* to be in the habit of, be accustomed to.
solfa ['solfa] *nf*, **solfeo** [sol'feo] *nm* solfa; (*conjunto de signos*) musical notation.
solicitación [soliθita'θjon] *nf* request; (*de votos*) canvassing; **solicitar** *vt* (*permiso*) to ask for, seek; (*puesto*) to apply for; (*votos*) to canvass; (*atención*) to attract; (*persona*) to pursue, chase after.
solícito, a [so'liθito, a] *a* (*diligente*) diligent; (*cuidadoso*) careful; **solicitud** *nf* (*calidad*) great care; (*petición*) request; (*memorial*) petition; (*a un puesto*) application.
solidaridad [soliðari'ðað] *nf* solidarity; **solidario, a** *a* (*participación*) joint, common; (*compromiso*) mutually binding.
solidez [soli'ðeθ] *nf* solidity; **sólido, a** *a* solid.
soliloquio [soli'lokjo] *nm* soliloquy, monologue.
solista [so'lista] *nm/f* soloist.
solitario, a [soli'tarjo, a] *a* lonely, solitary // *nm/f* recluse; (*en la sociedad*) loner // *nm* solitaire.
soliviar [soli'βjar] *vt* to lift.
solo, a ['solo, a] *a* (*único*) single, sole; (*sin compañía*) alone; (*solitario*) lonely; **hay una** ~**a dificultad** there is just one difficulty; **a** ~**as** alone, by o.s.
sólo ['solo] *ad* only, just.
solomillo [solo'miʎo] *nm* sirloin.
soltar [sol'tar] *vt* (*dejar ir*) to let go of; (*desprender*) to unfasten, loosen; (*librar*) to release, set free; (*estornudo, risa*) to let out.
soltero, a [sol'tero, a] *a* single, unmarried // *nm* bachelor // *nf* single woman, spinster.
soltura [sol'tura] *nf* looseness, slackness; (*de los miembros*) agility, ease of movement; (*en el hablar*) fluency, ease; (*MED*) diarrhoea.
soluble [so'luβle] *a* (*QUÍMICA*) soluble; (*problema*) solvable.
solución [solu'θjon] *nf* solution; **solucionar** *vt* (*problema*) to solve; (*asunto*) to settle.
solventar [solβen'tar] *vt* (*pagar*) to settle, pay; (*resolver*) to resolve.
sollozar [soʎo'θar] *vi* to sob; **sollozo** *nm* sob.
sombra ['sombra] *nf* shadow; (*como protección*) shade; ~**s** *nfpl* darkness *sg*; **tener buena/mala** ~ to be lucky/unlucky.
sombreador [sombrea'ðor] *nm*: ~ **de ojos** eyeshadow.
sombrero [som'brero] *nm* hat.
sombrilla [som'briʎa] *nf* parasol, sunshade.
sombrío, a [som'brio, a] *a* (*oscuro*) dark; (*sombreado*) shaded; (*fig*) sombre, sad; (*persona*) gloomy.
somero, a [so'mero, a] *a* superficial.
someter [some'ter] *vt* (*país*) to conquer; (*persona*) to subject to one's will; (*informe*) to present, submit; ~**se** *vr* to give in,

yield, submit; ~ **a** to subject to.

somnambulismo [somnambu'lismo] *nm* sleepwalking; **somnámbulo, a** *nm/f* sleepwalker.

somnífero [som'nifero] *nm* sleeping pill.

somos *vb ver* **ser.**

son [son] *vb ver* **ser** // *nm* sound; **en ~ de broma** as a joke.

sonar [so'nar] *vt* to ring // *vi* to sound; (*hacer ruido*) to make a noise; (*pronunciarse*) to be sounded, be pronounced; (*ser conocido*) to sound familiar; (*campana*) to ring; (*reloj*) to strike, chime; **~se** *vr*: **~se (las narices)** to blow one's nose; **me suena ese nombre** that name rings a bell.

sonda ['sonda] *nf* (NAUT) sounding; (TEC) bore, drill; (MED) probe; **sondear** *vt* to sound; to bore (into), drill; to probe, sound; (*fig*) to sound out; **sondeo** *nm* sounding; boring, drilling; (*fig*) poll, enquiry.

sónico, a ['soniko, a] *a* sonic, sound *cpd.*

sonido [so'niðo] *nm* sound.

sonoro, a [so'noro, a] *a* sonorous; (*resonante*) loud, resonant.

sonreír [sonre'ir] *vi*, **~se** *vr* to smile; **sonriente** *a* smiling; **sonrisa** *nf* smile.

sonrojo [son'roxo] *nm* blush.

soñador, a [soɲa'ðor, a] *nm/f* dreamer; **soñar** *vt*, *vi* to dream; **soñar con** to dream about, dream of.

soñoliento, a [soɲo'ljento, a] *a* sleepy, drowsy.

sopa ['sopa] *nf* soup.

soplador [sopla'ðor] *nm* fan, ventilator.

soplar [so'plar] *vt* (*polvo*) to blow away, blow off; (*inflar*) to blow up; (*vela*) to blow out // *vi* to blow; **~se** *vr* (*fam: ufanarse*) to get conceited; **soplo** *nm* blow, puff; (*de viento*) puff, gust.

soporífero [sopo'rifero] *nm* sleeping pill.

soportable [sopor'taβle] *a* bearable; **soportar** *vt* to bear, carry; (*fig*) to bear, put up with; **soporte** *nm* support; (*fig*) pillar, support.

soprano [so'prano] *nf* soprano.

sorber [sor'βer] *vt* (*chupar*) to sip; (*inhalar*) to inhale; (*tragar*) to swallow (up); (*absorber*) to soak up, absorb.

sorbete [sor'βete] *nm* iced fruit drink.

sorbo ['sorβo] *nm* (*trago*) gulp, swallow; (*chupada*) sip.

sordera [sor'ðera] *nf* deafness.

sórdido, a ['sorðiðo, a] *a* dirty, squalid; (*palabra*) nasty, dirty; (*fig*) mean.

sordo, a ['sorðo, a] *a* (*persona*) deaf; (*máquina*) quiet // *nm/f* deaf person; **a ~as** on the quiet; **~mudo, a** *a* deaf and dumb.

sorprendente [sorpren'dente] *a* surprising; **sorprender** *vt* to surprise; **sorpresa** *nf* surprise.

sortear [sorte'ar] *vt* to draw lots for; (*objeto*) to raffle; (*dificultad*) to avoid; **sorteo** *nm* drawing lots; raffle.

sosegado, a [sose'xaðo, a] *a* quiet, calm; **sosegar** *vt* to quieten, calm; (*el ánimo*) to

reassure // *vi* to rest; **sosiego** *nm* quiet(ness), calm(ness).

soslayo [sos'lajo]: **al o de ~** *ad* obliquely, sideways.

soso, a ['soso, a] *a* (CULIN) tasteless; (*fig*) dull, uninteresting.

sospecha [sos'petʃa] *nf* suspicion; **sospechar** *vt* to suspect; **sospechoso, a** *a* suspicious; (*testimonio, opinión*) suspect // *nm/f* suspect.

sostén [sos'ten] *nm* (*apoyo*) support; (*prenda femenina*) bra, brassière; (*alimentación*) sustenance, food.

sostener [soste'ner] *vt* to support; (*mantener*) to keep up, maintain; (*alimentar*) to sustain, keep going; **~se** *vr* to support o.s.; (*seguir*) to continue, remain; **sostenido, a** *a* continuous, sustained; (*prolongado*) prolonged.

sótano ['sotano] *nm* basement.

soterrar [sote'rrar] *vt* to bury.

soviético, a [so'βjetiko, a] *a* Soviet.

soy *vb ver* **ser.**

sport [sport] *nm* sport.

Sr *abr de* **Señor.**

Sra *abr de* **Señora.**

S.R.C. *abr de* **se ruega contestación** R.S.V.P.

Sta *abr de* **Santa; Señorita.**

status ['status] *nm inv* status.

Sto *abr de* **Santo.**

su [su] *pron* (*de él*) his; (*de ella*) her; (*de una cosa*) its; (*de ellos, ellas*) their; (*de usted, ustedes*) your.

suave ['swaβe] *a* gentle; (*superficie*) smooth; (*trabajo*) easy; (*música, voz*) soft, sweet; **suavidad** *nf* gentleness; smoothness; softness, sweetness; **suavizar** *vt* to soften; (*quitar la aspereza*) to smooth (out).

subalimentado, a [suβalimen'taðo, a] *a* undernourished.

subasta [su'βasta] *nf* auction; **subastar** *vt* to auction (off).

subconsciencia [suβkons'θjenθja] *nf* subconscious; **subconsciente** *a* subconscious.

subdesarrollado, a [suβðesarro'ʎaðo, a] *a* underdeveloped; **subdesarrollo** *nm* underdevelopment.

súbdito, a ['suβðito, a] *nm/f* subject.

subdividir [suβðiβi'ðir] *vt* to subdivide.

subestimar [suβesti'mar] *vt* to underestimate, underrate; (*propiedad*) to undervalue.

subexpuesto, a [suβeks'pwesto, a] *a* underexposed.

subido, a [su'βiðo, a] *a* (*color*) bright, strong; (*precio*) high // *nf* (*gen*) ascent, climb; (*de precio*) rise, increase; (*camino*) way up; (*pendiente*) slope, hill.

subir [su'βir] *vt* (*objeto*) to raise, lift up; (*cuesta, calle*) to go up; (*montaña*) to climb; (*precio*) to raise, put up // *vi* to go/come up; (*a un coche*) to get in; (*a un autobús*) to get on; (*precio*) to rise, go up; (*río*) to rise; **~se** *vr* to get up, climb.

súbito, a ['suβito, a] *a* (*repentino*) sudden; (*imprevisto*) unexpected; (*precipitado*) hasty, rash // *ad*: **(de)** ~ suddenly.
sublevación [suβleβa'θjon] *nf* revolt, rising.
sublime [su'βlime] *a* sublime.
submarino, a [suβma'rino, a] *a* underwater // *nm* submarine.
subordinado, a [suβorði'naðo, a] *a, nm/f* subordinate.
subrayar [suβra'jar] *vt* to underline.
subrepticio, a [suβrep'tiθjo, a] *a* surreptitious.
subsanar [suβsa'nar] *vt* (*reparar*) to make good; (*perdonar*) to excuse; (*sobreponerse a*) to overcome.
subscribir [suβskri'βir] *vt* = **suscribir.**
subsidiario, a [suβsi'ðjarjo, a] *a* subsidiary.
subsidio [suβ'siðjo] *nm* (*ayuda*) aid, financial help; (*subvención*) subsidy, grant; (*de enfermedad, paro etc*) benefit.
subsistencia [suβsis'tenθja] *nf* subsistence; **subsistir** *vi* (*gen*) to subsist; (*vivir*) to live; (*sobrevivir*) to survive, endure.
subterráneo, a [suβte'rraneo, a] *a* underground, subterranean // *nm* underpass, underground passage.
suburbano, a [suβur'βano, a] *a* suburban.
suburbio [su'βurβjo] *nm* (*barrio*) slum quarter; (*afueras*) suburbs *pl.*
subvencionar [suββenθjo'nar] *vt* to subsidize.
subversión [suββer'sjon] *nf* subversion; **subversivo, a** *a* subversive.
subyugar [suβju'xar] *vt* (*país*) to subjugate, subdue; (*enemigo*) to overpower; (*voluntad*) to dominate.
suceder [suθe'ðer] *vt, vi* to happen; (*seguir*) to succeed, follow; **lo que sucede es que...** the fact is that...; **sucesión** *nf* succession; (*serie*) sequence, series.
sucesivamente [suθesiβa'mente] *ad*: **y así** ~ and so on.
sucesivo, a [suθe'siβo, a] *a* successive, following; **en lo** ~ in future, from now on.
suceso [su'θeso] *nm* (*hecho*) event, happening; (*incidente*) incident; (*resultado*) outcome.
suciedad [suθje'ðað] *nf* (*estado*) dirtiness; (*mugre*) dirt, filth.
sucinto, a [su'θinto, a] *a* succinct, concise.
sucio, a ['suθjo, a] *a* dirty.
suculento, a [suku'lento, a] *a* succulent.
sucumbir [sukum'bir] *vi* to succumb.
sucursal [sukur'sal] *nf* branch (office).
sudamericano, a [suðameri'kano, a] *a* South American.
sudar [su'ðar] *vt, vi* to sweat.
sudeste [su'ðeste] *nm* south-east; **sudoeste** *nm* south-west.
sudor [su'ðor] *nm* sweat; ~**oso, a, sudoso, a,** ~**iento, a** *a* sweaty, sweating.
Suecia ['sweθja] *nf* Sweden; **sueco, a** *a* Swedish // *nm/f* Swede.

suegro, a ['sweɣro, a] *nm/f* father-/mother-in-law.
suela ['swela] *nf* sole.
sueldo ['sweldo] *nm* pay, wage(s) (*pl*); **el** ~ **mínimo** the minimum wage.
suele *etc vb ver* **soler.**
suelo ['swelo] *nm* (*tierra*) ground; (*de casa*) floor.
suelto, a ['swelto, a] *a* loose; (*libre*) free; (*separado*) detached, individual; (*ágil*) quick, agile; (*corriente*) fluent, flowing // *nm* (loose) change, small change.
sueño *etc vb ver* **soñar** // ['sweɲo] *nm* sleep; (*somnolencia*) sleepiness, drowsiness; (*lo soñado, fig*) dream; **tener** ~ to be sleepy.
suero ['swero] *nm* serum.
suerte ['swerte] *nf* (*fortuna*) luck; (*azar*) chance; (*destino*) fate, destiny; (*condición*) lot; (*género*) sort, kind; **tener** ~ to be lucky; **de otra** ~ otherwise, if not; **de** ~ **que** so that, in such a way that.
suéter ['sweter] *nm* sweater.
suficiente [sufi'θjente] *a* enough, sufficient; (*capaz*) capable.
sufragio [su'fraxjo] *nm* (*voto*) vote; (*derecho de voto*) suffrage; (*ayuda*) help, aid.
sufrimiento [sufri'mjento] *nm* (*dolor*) suffering; (*paciencia*) patience; (*tolerancia*) tolerance.
sufrir [su'frir] *vt* (*padecer*) to suffer; (*soportar*) to bear, stand, put up with; (*apoyar*) to hold up, support // *vi* to suffer.
sugerencia [suxe'renθja] *nf* suggestion; **sugerir** *vt* to suggest; (*sutilmente*) to hint.
sugestión [suxes'tjon] *nf* suggestion; (*sutil*) hint; **sugestionar** *vt* to influence.
sugestivo, a [suxes'tiβo, a] *a* stimulating; (*fascinante*) fascinating.
suicida [sui'θiða] *a* suicidal // *nm/f* suicidal person; (*muerto*) suicide, person who has committed suicide; **suicidio** *nm* suicide.
Suiza ['swiθa] *nf* Switzerland; **suizo, a** *a a, nm/f* Swiss.
sujeción [suxe'θjon] *nf* subjection.
sujetador [suxeta'ðor] *nm* fastener, clip; (*de papeles*) paper clip.
sujetar [suxe'tar] *vt* (*fijar*) to fasten; (*detener*) to hold down; (*fig*) to subject, subjugate; ~**se** *vr* to subject o.s.; **sujeto, a** *a* fastened, secure // *nm* subject; (*individuo*) individual; **sujeto a** subject to.
suma ['suma] *nf* (*cantidad*) total, sum; (*de dinero*) sum; (*acto*) adding (up), addition; (*resumen*) summary; (*esencia*) essence; **en** ~ in short; ~**dora** *nf* adding machine.
sumamente [suma'mente] *ad* extremely, exceedingly.
sumar [su'mar] *vt* to add (up); (*reunir*) to collect, gather; (*abreviar*) to summarize, sum up // *vi* to add up.
sumario, a [su'marjo, a] *a* brief, concise // *nm* summary.
sumergir [sumer'xir] *vt* to submerge; (*hundir*) to sink; (*bañar*) to immerse, dip;

sumersión *nf* submersion; *(fig)* absorption.

sumidero [sumi'ðero] *nm* drain; *(TEC)* sump.

suministrador, a [suministra'ðor, a] *nm/f* supplier; **suministrar** *vt* to supply, provide; **suministro** *nm* supply; *(acto)* supplying, providing.

sumir [su'mir] *vt* to sink, submerge; *(fig)* to plunge.

sumisión [sumi'sjon] *nf (acto)* submission; *(calidad)* submissiveness, docility; **sumiso, a** *a* submissive, docile.

sumo, a ['sumo, a] *a* great, extreme; *(mayor)* highest, supreme.

supe *etc vb ver* **saber.**

super... [super] *pref* super..., over... // *nm* high-grade fuel.

superar [supe'rar] *vt (sobreponerse a)* to overcome; *(rebasar)* to surpass, do better than; *(pasar)* to go beyond; **~se** *vr* to excel o.s.

superávit [supe'raßit] *nm* surplus.

supercarburante [superkarßu'rante] *nm* high-grade fuel.

superestructura [superestruk'tura] *nf* superstructure.

superficial [superfi'θjal] *a* superficial; *(medida)* surface *cpd,* of the surface.

superficie [super'fiθje] *nf* surface; *(área)* area.

superfluo, a [su'perflwo, a] *a* superfluous.

superintendente [superinten'dente] *nm/f* supervisor, superintendent.

superior [supe'rjor] *a (piso, clase)* upper; *(temperatura, número, nivel)* higher; *(mejor: calidad, producto)* superior, better // *nm/f* superior; **~idad** *nf* superiority.

supermercado [supermer'kaðo] *nm* supermarket.

supersónico, a [super'soniko, a] *a* supersonic.

superstición [supersti'θjon] *nf* superstition; **supersticioso, a** *a* superstitious.

supervisor, a [superßi'sor, a] *nm/f* supervisor.

supervivencia [superßi'ßenθja] *nf* survival.

supiera *etc vb ver* **saber.**

suplementario, a [suplemen'tarjo, a] *a* supplementary; **suplemento** *nm* supplement.

suplente [su'plente] *a, nm/f* substitute.

súplica ['suplika] *nf* request; *(REL)* supplication.

suplicante [supli'kante] *nm/f* applicant.

suplicar [supli'kar] *vt (cosa)* to beg (for), plead for; *(persona)* to beg, plead with.

suplicio [su'pliθjo] *nm* torture.

suplir [su'plir] *vt (compensar)* to make good, make up for; *(reemplazar)* to replace, substitute // *vi:* **~ a o por** to take the place of, substitute for.

suponer [supo'ner] *vt* to suppose // *vi* to have authority; **suposición** *nf* supposition; *(autoridad)* authority.

supremacía [suprema'θia] *nf* supremacy.

supremo, a [su'premo, a] *a* supreme.

supresión [supre'sjon] *nf* suppression; *(de derecho)* abolition; *(de dificultad)* removal; *(de palabra)* deletion; *(de restricción)* cancellation, lifting.

suprimir [supri'mir] *vt* to suppress; *(derecho, costumbre)* to abolish; *(dificultad)* to remove; *(palabra)* to delete; *(restricción)* to cancel, lift.

supuesto, a [su'pwesto, a] *a (hipotético)* supposed; *(falso)* false // *nm* assumption, hypothesis; **~ que** *conj* since; **por ~** of course.

sur [sur] *nm* south.

surcar [sur'kar] *vt* to plough, furrow; *(superficie)* to cut, score; **surco** *nm* groove; *(AGR)* furrow.

surgir [sur'xir] *vi* to arise, emerge; *(dificultad)* to come up, crop up.

surtido, a [sur'tiðo, a] *a* mixed, assorted // *nm (gen)* selection, assortment; *(abastecimiento)* supply, stock.

surtir [sur'tir] *vt* to supply, provide // *vi* to spout, spurt.

susceptible [susθep'tißle] *a* susceptible; *(sensible)* sensitive; **~ de** capable of.

suscitar [susθi'tar] *vt* to cause, provoke; *(interés)* to arouse.

suscribir [suskri'ßir] *vt (firmar)* to sign; *(respaldar)* to subscribe to; endorse; **~se** *vr* to subscribe; **suscripción** *nf* subscription.

suspender [suspen'der] *vt (objeto)* to hang (up), suspend; *(trabajo)* to stop, suspend; *(a estudiante)* to fail; **suspensión** *nf* suspension; *(fig)* stoppage, suspension.

suspenso, a [sus'penso, a] *a* hanging, suspended; *(estudiante)* failed; *(admirado)* astonished, amazed // *nm:* **quedar** *o* **estar en ~** to be pending.

suspicacia [suspi'kaθja] *nf* suspicion, mistrust; **suspicaz** *a* suspicious, distrustful.

suspirar [suspi'rar] *vi* to sigh; **suspiro** *nm* sigh.

sustancia [sus'tanθja] *nf* substance.

sustentar [susten'tar] *vt (alimentar)* to sustain, nourish; *(objeto)* to hold up, support; *(idea, teoría)* to maintain, uphold; *(fig)* to sustain, keep going; **sustento** *nm* support; *(alimento)* sustenance, food.

sustituir [sustitu'ir] *vt* to substitute, replace; **sustituto, a** *nm/f* substitute, replacement.

susto ['susto] *nm* fright, scare.

sustraer [sustra'er] *vt* to remove, take away; *(MAT)* to subtract; **~se** *vr (evitar)* to avoid; *(retirarse)* to withdraw.

susurrar [susu'rrar] *vi* to whisper; **susurro** *nm* whisper.

sutil [su'til] *a* subtle; *(tenue)* thin; **~eza** *nf* subtlety; thinness.

suyo, a ['sujo, a] *a (con artículo o después del verbo ser: de él)* his; *(: de ella)* hers; *(: de ellos, ellas)* theirs; *(: de Ud, Uds)* yours; *(después de un nombre: de él)* of his; *(: de* *ella*) of hers; (: *de ellos, ellas*) of theirs; (: *de Ud, Uds*) of yours.

T

t *abr de* **tonelada.**

taba [ˈtaβa] *nf* (ANAT) ankle bone; (*juego*) jacks *sg.*

tabaco [taˈβako] *nm* tobacco; (*fam*) cigarettes *pl.*

taberna [taˈβerna] *nf* bar; **tabernero, a** *nm/f* (*encargado*) publican; (*camarero*) barman.

tabique [taˈβike] *nm* (*pared*) thin wall; (*para dividir*) partition.

tabla [ˈtaβla] *nf* (*de madera*) plank; (*estante*) shelf; (*de anuncios*) board; (*lista, catálogo*) list; (*mostrador*) counter; (*de vestido*) pleat; (ARTE) panel; ~**s** (TAUR, TEATRO) boards; **hacer** ~**s** to draw; ~**do** *nm* (*plataforma*) platform; (*suelo*) plank floor; (TEATRO) stage.

tablero [taˈβlero] *nm* (*de madera*) plank, board; (*pizarra*) blackboard; (*de ajedrez, damas*) board; (AUTO) dashboard.

tablilla [taˈβliʎa] *nf* small board; (MED) splint.

tablón [taˈβlon] *nm* (*de suelo*) plank; (*de techo*) beam; (*de anuncios*) notice board.

tabú [taˈβu] *nm* taboo.

tabular [taβuˈlar] *vt* to tabulate.

taburete [taβuˈrete] *nm* stool.

tacaño, a [taˈkaɲo, a] *a* (*avaro*) mean; (*astuto*) crafty.

tácito, a [ˈtaθito, a] *a* tacit.

taciturno, a [taθiˈturno, a] *a* (*callado*) silent; (*malhumorado*) sullen.

taco [ˈtako] *nm* (BILLAR) cue; (*libro de billetes*) book; (*manojo de billetes*) wad; (AM) heel; (*tarugo*) peg; (*fam*: *bocado*) snack; (: *palabrota*) swear word; (: *trago de vino*) swig.

tacón [taˈkon] *nm* heel; **de** ~ **alto** high heeled; **taconeo** *nm* (heel) stamping.

táctico, a [ˈtaktiko, a] *a* tactical // *nf* tactics *pl.*

tacto [ˈtakto] *nm* touch; (*acción*) touching.

tacha [ˈtatʃa] *nf* flaw; (TEC) stud; **poner** ~ **a** to find fault with; **tachar** *vt* (*borrar*) to cross out; (*corregir*) to correct; (*criticar*) to criticize; **tachar de** to accuse of.

tafetán [tafeˈtan] *nm* taffeta; **tafetanes** *nmpl* (*fam*) frills; ~ **adhesivo** *o* **inglés** sticking plaster.

tafilete [tafiˈlete] *nm* morocco leather.

tahona [taˈona] *nf* (*panadería*) bakery; (*molino*) flourmill.

tahur [taˈur] *nm* gambler; (*pey*) cheat.

taimado, a [taiˈmaðo, a] *a* (*astuto*) sly; (*resentido*) sullen.

taja [ˈtaxa] *nf* (*corte*) cut; (*repartición*) division; ~**da** *nf* slice; ~**dera** *nf* (*instrumento*) chopper; (*madera*) chopping block; **tajante** *a* sharp.

tajar [taˈxar] *vt* to cut; **tajo** *nm* (*corte*) cut; (*filo*) cutting edge; (GEO) cleft.

tal [tal] *a* such; ~ **vez** perhaps // *pron* (*persona*) someone, such a one; (*cosa*) something, such a thing; ~ **como** such as; ~ **para cual** tit for tat; (*dos iguales*) two of a kind // *ad*: ~ **como** (*igual*) just as; ~ **cual** (*como es*) just as it is; ~ **el padre, cual el hijo** like father, like son; ¿**qué** ~? how are things?; ¿**qué** ~ **te gusta**? how do you like it? // *conj*: **con** ~ **de que** provided that.

talabartero [talaβarˈtero] *nm* saddler.

taladrar [talaˈðrar] *vt* to drill; **taladro** *nm* (*gen*) drill; (*hoyo*) drill hole; **taladro neumático** pneumatic drill.

talante [taˈlante] *nm* (*humor*) mood; (*voluntad*) will, willingness.

talar [taˈlar] *vt* to fell, cut down; (*fig*) to devastate.

talco [ˈtalko] *nm* (*polvos*) talcum powder; (MINEROLOGÍA) talc.

talego [taˈleɣo] *nm*, **talega** [taˈleɣa] *nf* sack.

talento [taˈlento] *nm* talent; (*capacidad*) ability; (*don*) gift.

talidomida [taliðoˈmiða] *nm* thalidomide.

talismán [talisˈman] *nm* talisman.

talmente [talˈmente] *ad* (*de esta forma*) in such a way; (*hasta tal punto*) to such an extent; (*exactamente*) exactly.

talón [taˈlon] *nm* (*gen*) heel; (COM) counterfoil.

talonario [taloˈnarjo] *nm* (*de cheques*) chequebook; (*de billetes*) book of tickets; (*de recibos*) receipt book.

talud [taˈluð] *nm* slope.

talla [ˈtaʎa] *nf* (*estatura, fig,* MED) height, stature; (*palo*) measuring rod; (ARTE) carving.

tallado, a [taˈʎaðo, a] *a* carved // *nm* carving; **tallar** *vt* (*trabajar*) to work, carve; (*grabar*) to engrave; (*medir*) to measure; (*repartir*) to deal // *vi* to deal.

tallarín [taʎaˈrin] *nm* noodle.

talle [ˈtaʎe] *nm* (ANAT) waist; (*medida*) size; (*física*) build; (: *de mujer*) figure; (*fig*) appearance.

taller [taˈʎer] *nm* (TEC) workshop; (*de artista*) studio.

tallo [ˈtaʎo] *nm* (*de planta*) stem; (*de hierba*) blade; (*brote*) shoot; (*col*) cabbage; (CULIN) candied peel.

tamaño [taˈmaɲo] *a such* a (big/small) // *nm* size; **de** ~ **natural** full-size.

tamarindo [tamaˈrindo] *nm* tamarind.

tambalearse [tambaleˈarse] *vr* (*persona*) to stagger; (*vehículo*) to sway.

también [tamˈbjen] *ad* (*igualmente*) also, too, as well; (*además*) besides.

tambor [tamˈbor] *nm* drum; (ANAT) eardrum; ~ **del freno** brake drum.

tamiz [taˈmiθ] *nm* sieve; ~**ar** *vt* to sieve.

tamo [ˈtamo] *nm* fluff.

tampoco [tamˈpoko] *ad* nor, neither; **yo** ~ **lo compré** I didn't buy it either.

tampón [tamˈpon] *nm* plug; (MED) tampon.

tan [tan] *ad* so; ~ **es así que** so much so that.

tanda ['tanda] *nf* (*gen*) series; (*juego*) set; (*turno*) shift; (*grupo*) gang.

tangente [tan'xente] *nf* tangent.

Tánger ['tanxer] *n* Tangier(s).

tangible [tan'xiβle] *a* tangible.

tanque ['tanke] *nm* (*gen*) tank; (*AUTO, NAUT*) tanker.

tantear [tante'ar] *vt* (*calcular*) to reckon (up); (*medir*) to take the measure of; (*probar*) to test, try out; (*tomar la medida*: *persona*) to take the measurements of; (*considerar*) to weigh up // *vi* (*DEPORTE*) to score; **tanteo** *nm* (*cálculo*) (rough) calculation; (*prueba*) test, trial; (*DEPORTE*) scoring; (*adivinanzas*) guesswork; **al tanteo** by trial and error.

tanto, a ['tanto, a] *a* (*cantidad*) so much, as much; ~**s** so many, as many; **20 y** ~**s** 20-odd // *ad* (*cantidad*) so much, as much; (*tiempo*) so long, as long; ~ **tú como yo** both you and I; ~ **como eso** it's not as bad as that; ~ **más ... cuanto que** it's all the more ... because; ~ **mejor/peor** so much the better/the worse; ~ **si viene como si va** whether he comes or whether he goes; ~ **es así que** so much so that; **por** *o* **por lo** ~ therefore; **me he vuelto ronco de** *o* **con** ~ **hablar** I have become hoarse with so much talking // *conj*: **con** ~ **que** provided (that); **en** ~ **que** while; **hasta** ~ **(que)** until such time as // *nm* (*suma*) certain amount; (*proporción*) so much; (*punto*) point; (*gol*) goal; **al** ~ up to date; **un** ~ **perezoso** somewhat lazy; **al** ~ **de que** because of the fact that // *pron*: **cada uno paga** ~ each one pays so much; **a** ~**s de agosto** on such and such a day in August.

tapar [ta'par] *vt* (*cubrir*) to cover; (*envolver*) to wrap *or* cover up; (*la vista*) to obstruct; (*persona, falta*) to conceal; (*AM*) to fill; ~**se** *vr* to wrap o.s. up.

taparrabo [tapa'rraβo] *nm* (*bañador*) (bathing *or* swimming) trunks *pl*.

tapete [ta'pete] *nm* table cover.

tapia ['tapja] *nf* (garden) wall; **tapiar** *vt* to wall in.

tapicería [tapiθe'ria] *nf* tapestry; (*para muebles*) upholstery; (*tienda*) upholsterer's (shop); **tapiz** *nm* (*alfombra*) carpet; (*tela tejida*) tapestry; **tapizar** *vt* (*pared*) to wallpaper; (*suelo*) to carpet; (*muebles*) to upholster.

tapón [ta'pon] *nm* (*corcho*) stopper; (*TEC*) plug; (*MED*) tampon; ~ **de rosca** *o* **de tuerca** screw-top.

taquigrafía [takixra'fia] *nf* shorthand; **taquígrafo, a** *nm/f* shorthand writer.

taquilla [ta'kiλa] *nf* (*donde se compra*) booking office; (*suma recogida*) takings *pl*; **taquillero, a** *a*: **función taquillera** box office success // *nm/f* ticket clerk.

taquímetro [ta'kimetro] *nm* speedometer; (*de control*) tachymeter.

tara ['tara] *nf* (*defecto*) defect; (*COM*) tare.

tarántula [ta'rantula] *nf* tarantula.

tararear [tarare'ar] *vi* to hum.

tardanza [tar'ðanθa] *nf* (*demora*) delay; (*lentitud*) slowness.

tardar [tar'ðar] *vi* (*tomar tiempo*) to take a long time; (*llegar tarde*) to be late; (*demorar*) to delay; **¿tarda mucho el tren?** does the train take long?; **a más** ~ at the latest; **no tardes en venir** come soon, come before long.

tarde ['tarðe] *ad* (*hora*) late; (*después de tiempo*) too late // *nf* (*de día*) afternoon; (*al anochecer*) evening; **de** ~ **en** ~ from time to time; **¡buenas** ~**s!** (*de día*) good afternoon!; (*de noche*) good evening!; **a** *o* **por la** ~ in the afternoon; in the evening.

tardío [tar'ðio] *a* (*retrasado*) late; (*lento*) slow (to arrive).

tardo, a ['tarðo, a] *a* (*lento*) slow; (*torpe*) dull.

tarea [ta'rea] *nf* task; (*ESCOL*) homework; ~ **de ocasión** chore.

tarifa [ta'rifa] *nf* (*lista de precios*) price list; (*COM*) tariff; ~ **completa** all-in cost.

tarima [ta'rima] *nf* (*plataforma*) platform; (*taburete*) stool; (*litera*) bunk.

tarjeta [tar'xeta] *nf* card; ~ **postal/de crédito/de Navidad** postcard/credit card/Christmas card.

tarro ['tarro] *nm* jar, pot.

tarta ['tarta] *nf* (*pastel*) cake; (*torta*) tart.

tartamudear [tartamuðe'ar] *vi* to stammer; **tartamudo, a** *a* stammering // *nm/f* stammerer.

tartana [tar'tana] *nf* (*barco*) dinghy.

tartárico, a [tar'tariko, a] *a*: **ácido** ~ tartaric acid.

tártaro ['tartaro] *a, nm* Tartar.

tasa ['tasa] *nf* (*precio*) (fixed) price, rate; (*valoración*) valuation; (*medida, norma*) measure, standard; ~ **de interés** rate of interest; ~**ción** *nf* (*gen*) valuation; (*de oro etc*) appraisal; ~**dor** *nm* valuer.

tasajo [ta'saxo] *nm* dried beef.

tasar [ta'sar] *vt* (*arreglar el precio*) to fix a price for; (*valorar*) to value, assess; (*limitar*) to limit.

tasca ['taska] *nf* (*fam*) pub.

tatarabuelo [tatara'βwelo] *nm* great-great-grandfather.

tatuaje [ta'twaxe] *nm* (*dibujo*) tattoo; (*acto*) tattooing; **tatuar** *vt* to tattoo.

taumaturgo [tauma'turxo] *nm* miracle-worker.

taurino, a [tau'rino, a] *a* bullfighting *cpd*.

Tauro ['tauro] *nm* Taurus.

tauromaquia [tauro'makja] *nf* tauromachy.

tautología [tautolo'xia] *nf* tautology.

taxi ['taksi] *nm* taxi.

taxidermia [taksi'ðermja] *nf* taxidermy.

taxista [tak'sista] *nm/f* taxi driver.

taza ['taθa] *nf* cup; (*de retrete*) bowl; ~ **para café** coffee cup; **tazón** *nm* (~ *grande*) large cup; (*escudilla*) basin.

te [te] *pron* (*complemento de objeto*) you; (*complemento indirecto*) (to) you; (*reflexivo*) (to) yourself; **¿**~ **duele**

mucho el brazo? does your arm hurt a lot?; ~ **equivocas** you're wrong; ¡cáima~! calm yourself!

té [te] *nm* tea.

tea ['tea] *nf* torch.

teatral [tea'tral] *a* theatre *cpd*; (*fig*) theatrical; **teatro** *nm* (*gen*) theatre; (*LITERATURA*) plays *pl*, drama.

tebeo [te'βeo] *nm* children's comic.

tecla ['tekla] *nf* key; ~**do** *nm* keyboard; **teclear** *vi* to strum; (*fam*) to drum; **tecleo** *nm* (*MUS; sonido*) strumming; (*forma de tocar*) fingering; (*fam*) drumming.

técnico, a ['tekniko, a] *a* technical // *nm* technician; (*experto*) expert // *nf* (*procedimientos*) technique; (*arte, oficio*) craft.

tecnócrata [tek'nokrata] *nm/f* technocrat.

tecnología [teknolo'xia] *nf* technology; **tecnológico, a** *a* technological; **tecnólogo** *nm* technologist.

techo ['tetʃo] *nm* (*externo*) roof; (*interno*) ceiling; **techumbre** *nf* roof.

tedio ['teðjo] *nm* (*aburrimiento*) boredom; (*apatía*) apathy; (*fastidio*) depression; ~**so, a** *a* boring; (*cansado*) wearisome, tedious.

teja ['texa] *nf* (*azulejo*) tile; (*BOT*) lime (tree); ~**do** *nm* (tiled) roof.

tejanos [te'xanos] *nmpl* jeans.

tejemaneje [texema'nexe] *nm* (*bullicio*) bustle; (*lío*) fuss; (*aspaviento*) to-do; (*intriga*) intrigue.

tejer [te'xer] *vt* to weave; (*AM*) to knit; (*fig*) to fabricate; **tejido** *nm* fabric; (*telaraña*) web; (*estofa, tela*) (knitted) material; (*ANAT*) tissue; (*textura*) texture.

tel, teléf *abr de* **teléfono.**

tela ['tela] *nf* (*material*) material; (*telaraña*) web; (*de fruta, en líquido*) skin; (*del ojo*) film; **telar** *nm* (*máquina*) loom; (*de teatro*) gridiron; **telares** *nmpl* textile mill *sg*.

telaraña [tela'raɲa] *nf* cobweb.

tele ['tele] *nf* (*fam*) TV.

tele... [tele] *pref* tele...; ~**comunicación** *nf* telecommunication; ~**control** *nm* remote control; ~**diario** *nm* television news; ~**difusión** *nf* (television) broadcast; ~**dirigido, a** *a* remote-controlled; ~**férico** *nm* (*tren*) cable-railway; (*de esquí*) ski-lift; ~**fonear** *vi* to telephone; ~**fónico, a** *a* telephone *cpd*; ~**fonista** *nm/f* telephonist; **teléfono** *nm* telephone; ~**foto** *nf* telephoto; ~**grafía** *nf* telegraphy; **telégrafo** *nm* telegraph; (*fam: persona*) telegraph boy; ~**grama** *nm* telegram; ~**impresor** *nm* teleprinter; **telémetro** *nm* rangefinder; ~**objetivo** *nm* telephoto lens; ~**pático, a** *a* telepathic; ~**scópico, a** *a* telescopic; ~**scopio** *nm* telescope; ~**silla** *nf* chairlift; ~**spectador, a** *nm/f* viewer; ~**squí** *nm* ski-lift; ~**tipista** *nm/f* teletypist; ~**tipo** *nm* teletype; ~**vidente** *nm/f* viewer; ~**visar** *vt* to televise;

~**visión** *nf* television; ~**visión en colores** colour television; ~**visor** *nm* television set.

telex [te'leks] *nm* telex.

telón [te'lon] *nm* curtain; ~ **de boca/seguridad** front/safety curtain; ~ **de acero** (*POL*) iron curtain; ~ **de fondo** backcloth, background.

tema ['tema] *nm* (*asunto*) subject, topic; (*MUS*) theme // *nf* (*obsesión*) obsession; (*manía*) ill-will; **tener** ~ **a uno** to have a grudge against sb; **temático, a** *a* thematic.

tembladera [tembla'ðera] *nf* shaking; (*AM*) quagmire.

temblar [tem'blar] *vi* to shake, tremble; (*de frío*) to shiver; **tembleque** *a* shaking // *nm* = **tembladera; temblón, ona** *a* shaking; **temblor** *nm* trembling; (*AM: de tierra*) earthquake; **tembloroso, a** *a* trembling.

temer [te'mer] *vt* to fear // *vi* to be afraid; **temo que llegue tarde** I am afraid he may be late.

temerario, a [teme'rarjo, a] *a* (*descuidado*) reckless; (*arbitrario*) hasty; **temeridad** *nf* (*imprudencia*) rashness; (*audacia*) boldness.

temeroso, a [teme'roso, a] *a* (*miedoso*) fearful; (*que inspira temor*) frightful.

temible [te'mißle] *a* fearsome.

temor [te'mor] *nm* (*miedo*) fear; (*duda*) suspicion.

témpano ['tempano] *nm* (*MUS*) kettledrum; ~ **de hielo** ice-flow; ~ **de tocino** flitch of bacon.

temperamento [tempera'mento] *nm* temperament.

temperatura [tempera'tura] *nf* temperature.

temperie [tem'perje] *nf* state of the weather.

tempestad [tempes'tað] *nf* storm; **tempestuoso, a** *a* stormy.

templado, a [tem'plaðo, a] *a* (*moderado*) moderate; (: *en el comer*) frugal; (: *en el beber*) abstemious; (*agua*) lukewarm; (*clima*) mild; (*MUS*) well-tuned; **templanza** *nf* moderation; abstemiousness; mildness.

templar [tem'plar] *vt* (*moderar*) to moderate; (*furia*) to restrain; (*calor*) to reduce; (*solución*) to dilute; (*afinar*) to tune (up); (*acero*) to temper; (*tuerca*) to tighten up // *vi* to moderate; ~**se** *vr* to be restrained; **temple** *nm* (*humor*) mood; (*ajuste*) tempering; (*afinación*) tuning; (*clima*) temperature; (*pintura*) tempera.

templete [tem'plete] *nm* bandstand.

templo ['templo] *nm* (*iglesia*) church; (*pagano etc*) temple.

temporada [tempo'raða] *nf* time, period; (*estación*) season.

temporal [tempo'ral] *a* (*no permanente*) temporary; (*REL*) temporal // *nm* storm.

tempranero, a [tempra'nero, a] *a* (*BOT*) early; (*persona*) early-rising.

temprano, a [tem'prano, a] *a* early;

(*demasiado pronto*) too soon, too early.
ten *vb ver* **tener.**
tenacidad [tena θi'ðað] *nf* (*gen*) tenacity; (*dureza*) toughness; (*terquedad*) stubbornness.
tenacillas [tena'θiʎas] *nfpl* (*gen*) tongs; (*para el pelo*) curling tongs; (*MED*) forceps.
tenaz [te'naθ] *a* (*material*) tough; (*persona*) tenacious; (*pegajoso*) sticky; (*terco*) stubborn.
tenaza(s) [te'naθa(s)] *nf(pl)* (*MED*) forceps; (*TEC*) pliers; (*ZOOL*) pincers.
tendal [ten'dal] *nm* awning.
tendedero [tende'ðero] *nm* (*para ropa*) drying-place; (*cuerda*) clothes line.
tendencia [ten'denθja] *nf* tendency; (*proceso*) trend; **tener ~ a** to tend *or* have a tendency to; **tendencioso, a** *a* tendentious.
tender [ten'der] *vt* (*extender*) to spread out; (*colgar*) to hang out; (*vía férrea, cable*) to lay; (*cuerda*) to stretch // *vi* to tend; **~se** *vr* to lie down; (*fig: dejarse llevar*) to let o.s. go; (: *dejar ir*) to let things go; **~ la cama/la mesa** (*AM*) to make the bed/lay the table.
ténder ['tender] *nm* tender.
tenderete [tende'rete] *nm* (*puesto*) stall; (*carretilla*) barrow; (*exposición*) display of goods; (*jaleo*) mess.
tendero, a [ten'dero, a] *nm/f* shopkeeper.
tendido, a [ten'diðo, a] *a* (*acostado*) lying down, flat; (*colgado*) hanging // *nm* (*ropa*) washing; (*TAUR*) front rows of seats; (*colocación*) laying; (*ARQ. enyesado*) coat of plaster; **a galope ~** flat out.
tendón [ten'don] *nm* tendon.
tendré *etc vb ver* **tener.**
tenducho [ten'dutʃo] *nm* small dirty shop.
tenebroso, a [tene'ßroso, a] *a* (*oscuro*) dark; (*fig*) gloomy; (*siniestro*) sinister.
tenedor [tene'ðor] *nm* (*CULIN*) fork; (*poseedor*) holder; **~ de libros** bookkeeper.
teneduría [teneðu'ria] *nf* keeping; **~ de libros** book-keeping.
tenencia [te'nenθja] *nf* (*de casa*) tenancy; (*de oficio*) tenure; (*de propiedad*) possession.
tener [te'ner] *vt* (*poseer*) to have; (*en la mano*) to hold; (*caja*) to hold, contain; (*considerar*) to consider; **~ suerte** to be lucky; **~ permiso** to have permission; **tiene 10 años** he is 10 years old; **¿cuántos años tienes?** how old are you?; **~ sed/hambre/frío/calor** to be thirsty/hungry/cold/hot; **~ ganas (de)** to want (to); **~ celos** to be jealous; **~ cuidado** to be careful; **~ razón** to be right; **~ un metro de ancho/de largo** to be one metre wide/long; **~ a bien** to see fit to; **~ en cuenta** to bear in mind, take into account; **~ a menos** to consider it beneath o.s.; **~ a uno en más (estima)** to think all the more of sb; **~ a uno por...** to think sb...; **~ por seguro** to be sure; **~ presente** to remember, bear in mind; **~**

que (*obligación*) to have to; **tiene que ser así** it has to be this way; **nos tiene preparada una sorpresa** he has prepared a surprise for us; **¿qué tiene?** what's the matter with him?; **¿ésas tenemos?** what's all this?; **tiene un mes de muerto** he has been dead for a month; **~se** *vr* (*erguirse*) to stand; (*apoyarse*) to lean (on); (*fig*) to control o.s.; (*considerarse*) to consider o.s.
tenería [tene'ria] *nf* tannery.
tengo *etc vb ver* **tener.**
tenia ['tenja] *nf* tapeworm.
teniente [te'njente] *nm* (*rango*) lieutenant; (*ayudante*) deputy.
tenis ['tenis] *nm* tennis; **~ta** *nm/f* tennis player.
tenor [te'nor] *nm* (*tono*) tone; (*sentido*) meaning; (*MUS*) tenor; **a ~ de** on the lines of.
tensar [ten'sar] *vt* to tauten; (*arco*) to draw.
tensión [ten'sjon] *nf* (*gen*) tension; (*TEC*) stress; (*MED*): **~ arterial** blood pressure; **tener la ~ alta** to have high blood pressure; **tenso, a** *a* tense.
tentación [tenta'θjon] *nf* temptation.
tentáculo [ten'takulo] *nm* tentacle.
tentador, a [tenta'ðor, a] *a* tempting // *nm/f* tempter/temptress.
tentar [ten'tar] *vt* (*tocar*) to touch, feel; (*seducir*) to tempt; (*atraer*) to attract; (*probar*) to try (out); (*lanzarse a*) to venture; (*MED*) to probe; **tentativa** *nf* attempt; **tentativa de asesinato** attempted murder.
tentempié [tentem'pje] *nm* (*fam*) snack.
tenue ['tenwe] *a* (*delgado*) thin, slender; (*alambre*) fine; (*insustancial*) tenuous; (*sonido*) faint; (*neblina*) light; (*lazo, vínculo*) slight; **tenuidad** *nf* thinness; fineness; (*ligereza*) lightness; (*sencillez*) simplicity.
teñir [te'ɲir] *vt* to dye; (*fig*) to tinge; **~se** *vr* to dye; **~se el pelo** to dye one's hair.
teología [teolo'xia] *nf* theology.
teorema [teo'rema] *nm* theorem.
teoría [teo'ria] *nf* theory; **en ~** in theory; **teóricamente** *ad* theoretically; **teórico, a** *a* theoretic(al) // *nm/f* theoretician, theorist; **teorizar** *vi* to theorize.
terapéutico, a [tera'peutiko, a] *a* therapeutic.
terapia [te'rapja] *nf* therapy; **~ laboral** occupational therapy.
tercer [ter'θer] *a ver* **tercero.**
tercería [terθe'ria] *nf* (*mediación*) mediation; (*arbitraje*) arbitration.
tercero, tercer, a [ter'θero, ter'θer, a] *a* third // *nm* (*árbitro*) mediator; (*JUR*) third party.
terceto [ter'θeto] *nm* trio.
terciado, a [ter'θjaðo, a] *a* slanting; **azúcar ~** brown sugar.
terciar [ter'θjar] *vt* (*MAT*) to divide into three; (*inclinarse*) to slope; (*llevar*) to wear (across the shoulder) // *vi* (*participar*) to take part; (*hacer de árbitro*) to mediate;

~**se** *vr* to come up; ~**io, a** *a* tertiary.
tercio ['terθjo] *nm* third.
terciopelo [terθjo'pelo] *nm* velvet.
terco, a ['terko, a] *a* obstinate; (*material*) tough.
tergiversación [terxiβersa'θjon] *nf* (*deformación*) distortion; (*evasivas*) prevarication; **tergiversar** *vt* to distort // *vi* to prevaricate.
termas ['termas] *nfpl* hot springs.
terminación [termina'θjon] *nf* (*final*) end; (*conclusión*) conclusion, ending; **terminal** *a, nm, nf* terminal; **terminante** *a* (*final*) final, definitive; (*tajante*) categorical; **terminar** *vt* (*completar*) to complete, finish; (*concluir*) to end // *vi* (*llegar a su fin*) to end; (*parar*) to stop; (*acabar*) to finish; **terminarse** *vr* to come to an end; **terminar por hacer algo** to end up (by) doing sth; **término** *nm* end, conclusion; (*parada*) terminus; (*límite*) boundary; **término medio** average; (*fig*) middle way; **en último término** (*a fin de cuentas*) in the last analysis; (*como último recurso*) as a last resort; **en términos de** in terms of.
terminología [terminolo'xia] *nf* terminology.
termodinámico, a [termoði'namiko, a] *a* thermodynamic.
termómetro [ter'mometro] *nm* thermometer.
termonuclear [termonukle'ar] *a* thermonuclear.
termo(s) ['termo(s)] *nm* thermos.
termostato [termo'stato] *nm* thermostat.
ternero, a [ter'nero, a] *nm/f* (*animal*) calf // *nf* (*carne*) veal.
terneza [ter'neθa] *nf* tenderness.
terno ['terno] *nm* (*traje*) three-piece suit; (*conjunto*) set of three.
ternura [ter'nura] *nf* (*trato*) tenderness; (*palabra*) endearment; (*cariño*) fondness.
terquedad [terke'ðað] *nf* obstinacy; (*dureza*) harshness.
terrado [te'rraðo] *nm* terrace.
terraplén [terra'plen] *nm* (*AGR*) terrace; (*FERRO*) embankment; (*MIL*) rampart; (*cuesta*) slope.
terrateniente [terrate'njente] *nm* landowner.
terraza [te'rraθa] *nf* (*balcón*) balcony; (*techo*) flat roof; (*AGR*) terrace.
terremoto [terre'moto] *nm* earthquake.
terrenal [terre'nal] *a* earthly.
terreno [te'rreno] *nm* (*tierra*) land; (*parcela*) plot; (*suelo*) soil; (*fig*) field; **un** ~ a piece of land.
terrero, a [te'rrero, a] *a* (*de la tierra*) earthly; (*vuelo*) low; (*fig*) humble.
terrestre [te'rrestre] *a* terrestrial; (*ruta*) land *cpd*.
terrible [te'rriβle] *a* (*espantoso*) terrible; (*aterrador*) dreadful; (*tremendo*) awful.
territorio [terri'torjo] *nm* territory.
terrón [te'rron] *nm* (*de azúcar*) lump; (*de tierra*) clod, lump; **terrones** *nmpl* land *sg*.

terror [te'rror] *nm* terror; ~**ífico, a** *a* terrifying; ~**ista** *a, nm/f* terrorist.
terroso, a [te'rroso, a] *a* earthy.
terruño [te'rruɲo] *nm* (*pedazo*) clod; (*parcela*) plot; (*fig*) native soil.
terso, a ['terso, a] *a* (*liso*) smooth; (*pulido*) polished; (*fig: estilo*) flowing; **tersura** *nf* smoothness; (*brillo*) shine.
tertulia [ter'tulja] *nf* (*reunión informal*) social gathering; (*grupo*) group, circle; (*sala*) clubroom.
tesar [te'sar] *vt* to tighten up.
tesis ['tesis] *nf inv* thesis.
tesón [te'son] *nm* (*firmeza*) firmness; (*tenacidad*) tenacity.
tesorero, a [teso'rero, a] *nm/f* treasurer; **tesoro** *nm* (*gen*) treasure; (*FIN, POL*) treasury.
testaferro [testa'ferro] *nm* figurehead.
testamentaría [testamenta'ria] *nf* execution of a will.
testamentario, a [testamen'tarjo, a] *a* testamentary // *nm/f* executor/executrix; **testamento** *nm* will; **testar** *vi* to make a will.
testarudo, a [testa'ruðo, a] *a* stubborn.
testero, a [tes'tero, a] *nm/f* (*gen*) front // *nm* (*ARQ*) front wall.
testes ['testes] *nmpl* testes.
testículo [tes'tikulo] *nm* testicle.
testificar [testifi'kar] *vt* to testify; (*fig*) to attest // *vi* to give evidence.
testigo [tes'tixo] *nm/f* witness; ~ **de cargo/descargo** witness for the prosecution/defence; ~ **ocular** eye witness.
testimoniar [testimo'njar] *vt* to testify to; (*fig*) to show; **testimonio** *nm* testimony.
teta ['teta] *nf* (*de biberón*) teat; (*ANAT*) nipple; (*fam*) breast.
tétanos ['tetanos] *nm* tetanus.
tetera [te'tera] *nf* teapot.
tetilla [te'tiʎa] *nf* (*ANAT*) nipple; (*de biberón*) teat.
tétrico, a ['tetriko, a] *a* gloomy, dismal.
textil [teks'til] *a* textile; ~**es** *nmpl* textiles.
texto ['teksto] *nm* text; **textual** *a* textual.
textura [teks'tura] *nf* (*de tejido*) texture; (*de mineral*) structure.
tez [teθ] *nf* (*cutis*) complexion; (*color*) colouring.
ti [ti] *pron* you; (*reflexivo*) yourself.
tía ['tia] *nf* (*pariente*) aunt; (*mujer cualquiera*) girl, bird (*col*); (*fam: pej: vieja*) old bag; (: *prostituta*) whore.
tibia ['tiβja] *nf* tibia.
tibieza [ti'βjeθa] *nf* (*temperatura*) tepidness; (*fig*) coolness; **tibio, a** *a* lukewarm.
tiburón [tiβu'ron] *nm* shark.
tic [tik] *nm* (*ruido*) click; (*de reloj*) tick; (*MED*): ~ **nervioso** nervous tic.
tictac [tik'tak] *nm* (*de reloj*) tick tock.
tiempo ['tjempo] *nm* (*gen*) time; (*época, período*) age, period; (*METEOROLOGÍA*) weather; (*LING*) tense; (*edad*) age; (*de*

juego) half; **a** ~ in time; **a un** *o* **al mismo** ~ at the same time; **al poco** ~ very soon (after); **de** ~ **en** ~ from time to time; **hace buen/mal** ~ the weather is fine/bad; **estar a** ~ to be in time; **hace** ~ some time ago; **hacer** ~ to while away the time; **motor de 2** ~**s** two-stroke engine.

tienda ['tjenda] *nf* (*gen*) shop; (*más grande*) store; (*NAUT*) awning; ~ **de campaña** tent.

tienes *etc vb ver* **tener.**

tienta ['tjenta] *nf* (*MED*) probe; (*fig*) tact; **andar a** ~**s** to grope one's way along.

tiento ['tjento] *nm* (*tacto*) touch; (*precaución*) wariness; (*pulso*) steady hand; (*ZOOL*) feeler; (*de ciego*) blind man's stick.

tierno, a ['tjerno, a] *a* (*blando, dulce*) tender; (*fresco*) fresh.

tierra ['tjerra] *nf* earth; (*suelo*) soil; (*mundo*) world; (*país*) country, land; ~ **adentro** inland.

tieso, a ['tjeso, a] *a* (*rígido*) rigid; (*duro*) stiff; (*fig: testarudo*) stubborn; (*fam: orgulloso*) conceited // *ad* strongly.

tiesto ['tjesto] *nm* flowerpot; (*pedazo*) piece of pottery.

tiesura [tje'sura] *nf* rigidity; (*fig*) stubbornness; (*fam*) conceit.

tifo ['tifo] *nm* typhus.

tifoidea [tifoi'ðea] *nf* typhoid.

tifón [ti'fon] *nm* (*huracán*) typhoon; (*de mar*) tidal wave.

tifus ['tifus] *nm* typhus.

tigre ['tixre] *nm* tiger.

tijera [ti'xera] *nf* (*AM*) scissors *pl*; (*ZOOL*) claw; (*persona*) gossip; **de** ~ folding; ~**s** *nfpl* scissors; (*para plantas*) shears; **tijeretear** *vt* to snip // *vi* (*fig*) to meddle.

tildar [til'dar] *vt*: ~ **de** to brand as.

tilde ['tilde] *nf* (*defecto*) defect; (*trivialidad*) triviality; (*TIPOGRAFÍA*) tilde.

tilín [ti'lin] *nm* tinkle.

tilo ['tilo] *nm* lime tree.

timar [ti'mar] *vt* (*robar*) to steal; (*estafar*) to swindle; ~**se** *vr* (*fam*) to make eyes (*con uno* at sb).

timbal [tim'bal] *nm* small drum.

timbrar [tim'brar] *vt* to stamp.

timbre ['timbre] *nm* (*sello*) stamp; (*campanilla*) bell; (*tono*) timbre; (*COM*) stamp duty.

timidez [timi'ðeθ] *nf* shyness; **tímido, a** *a* shy.

timo ['timo] *nm* swindle.

timón [ti'mon] *nm* helm, rudder; **timonel** *nm* helmsman.

tímpano ['timpano] *nm* (*ANAT*) eardrum; (*MUS*) small drum.

tina ['tina] *nf* tub; (*baño*) bathtub; **tinaja** *nf* large jar.

tinglado [tin'glaðo] *nm* (*cobertizo*) shed; (*fig: truco*) trick; (*intriga*) intrigue.

tinieblas [ti'njeßlas] *nfpl* (*gen*) darkness *sg*; (*sombras*) shadows.

tino ['tino] *nm* (*habilidad*) skill; (*MIL*) marksmanship; (*juicio*) insight; (*moderación*) moderation.

tinta ['tinta] *nf* ink; (*TEC*) dye; (*ARTE*) colour.

tinte ['tinte] *nm* (*acto*) dyeing; (*carácter*) tinge; (*barniz*) veneer.

tinterillo [tinte'riʎo] *nm* penpusher.

tintero [tin'tero] *nm* inkwell.

tintinear [tintine'ar] *vt* to tinkle.

tinto, a ['tinto, a] *a* (*teñido*) dyed; (*manchado*) stained // *nm* red wine.

tintorera [tinto'rera] *nf* shark.

tintorería [tintore'ria] *nf* dry cleaner's.

tintura [tin'tura] *nf* (*acto*) dyeing; (*QUÍMICA*) dye; (*farmacéutico*) tincture.

tío ['tio] *nm* (*pariente*) uncle; (*fam: viejo*) old fellow; (: *individuo*) bloke, chap.

tiovivo [tio'ßißo] *nm* roundabout.

típico, a ['tipiko, a] *a* typical.

tiple ['tiple] *nm* soprano (voice) // *nf* soprano.

tipo ['tipo] *nm* (*clase*) type, kind; (*norma*) norm; (*patrón*) pattern; (*hombre*) fellow; (*ANAT*) build; (: *de mujer*) figure; (*IMPRENTA*) type; ~ **bancario/de descuento/de interés/de cambio** bank/discount/interest/exchange rate.

tipografía [tipoxra'fia] *nf* (*tipo*) printing; (*lugar*) printing press; **tipográfico, a** *a* printing; **tipógrafo, a** *nm/f* printer.

tiquismiquis [tikis'mikis] *nm* fussy person // *nmpl* (*querellas*) squabbling *sg*; (*escrúpulos*) silly scruples.

tira ['tira] *nf* strip; (*fig*) abundance; ~ **y afloja** give and take.

tirabuzón [tiraßu'θon] *nm* corkscrew.

tirado, a [ti'raðo, a] *a* (*barato*) dirt-cheap; (*fam: fácil*) very easy // *nf* (*acto*) cast, throw; (*distancia*) distance; (*serie*) series; (*TIPOGRAFÍA*) printing, edition; **de una** ~**a** at one go.

tirador [tira'ðor] *nm* (*mango*) handle; (*ELEC*) flex.

tiranía [tira'nia] *nf* tyranny; **tirano, a** *a* tyrannical // *nm/f* tyrant.

tirante [ti'rante] *a* (*cuerda*) tight, taut; (*relaciones*) strained // *nm* (*ARQ*) brace; (*TEC*) stay; (*correa*) shoulder strap; ~**s** *nmpl* braces; **tirantez** *nf* tightness; (*fig*) tension.

tirar [ti'rar] *vt* (*aventar*) to throw; (*dejar caer*) to drop; (*volcar*) to upset; (*derribar*) to knock down *or* over; (*jalar*) to pull; (*desechar*) to throw out *or* away; (*disipar*) to squander; (*imprimir*) to print; (*dar: golpe*) to deal // *vi* (*disparar*) to shoot; (*jalar*) to pull; (*fig*) to draw; (*fam: andar*) to go; (*tender a, buscar realizar*) to tend to; (*DEPORTE*) to shoot; ~**se** *vr* to throw o.s.; (*fig*) to cheapen o.s.; ~ **abajo** to bring down, destroy; **tira más a su padre** he takes more after his father; **ir tirando** to manage; **a todo** ~ at the most.

tirita [ti'rita] *nf* (sticking) plaster.

tiritar [tiri'tar] *vi* to shiver.

tiro ['tiro] *nm* (*lanzamiento*) throw;

(*disparo*) shot; (*disparar*) shooting; (*DEPORTE*) drive; (*alcance*) range; (*de escalera*) flight (of stairs); (*golpe*) blow; (*engaño*) hoax; ~ **al blanco** target practice; **caballo de** ~ cart-horse; **andar de** ~**s largos** to be all dressed up; **al** ~ (*AM*) at once.

tirón [ti'ron] *nm* (*sacudida*) pull, tug; **de un** ~ in one go.

tirotear [tirote'ar] *vt* to shoot at; ~**se** *vr* to exchange shots; **tiroteo** *nm* exchange of shots, shooting.

tísico, a ['tisiko, a] *a* consumptive.

títere ['titere] *nm* puppet.

titilar [titi'lar] *vi* (*luz, estrella*) to twinkle; (*parpado*) to flutter.

titiritero, a [titiri'tero, a] *nm/f* puppeteer.

titubeante [tituβe'ante] *a* (*inestable*) shaky, tottering; (*farfullante*) stammering; (*dudoso*) hesitant; **titubear** *vi* to stagger; (*fig*) to hesitate; **titubeo** *nm* staggering; stammering; hesitation.

titulado, a [titu'laðo, a] *a* (*libro*) entitled; (*persona*) titled; **titular** *a* titular // *nm/f* occupant // *nm* headline // *vt* to title; **titularse** *vr* to be entitled; **título** *nm* (*gen*) title; (*de diario*) headline; (*certificado*) professional qualification; (*universitario*) university degree; (*fig*) right; **a título de** in the capacity of.

tiza ['tiθa] *nf* chalk.

tizna ['tiθna] *nf* grime; **tiznar** *vt* to blacken; (*fig*) to tarnish.

tizón [ti'θon], **tizo** ['tiθo] *nm* brand; (*fig*) stain.

toalla [to'aʎa] *nf* towel.

tobillo [to'βiʎo] *nm* ankle.

tobogán [toβo'ɣan] *nm* toboggan; (*montaña rusa*) switchback; (*resbaladilla*) chute, slide.

toca ['toka] *nf* headdress.

tocadiscos [toka'ðiskos] *nm inv* record player.

tocado, a [to'kaðo, a] *a* rotten; (*fam*) touched // *nm* headdress.

tocador [toka'ðor] *nm* (*mueble*) dressing table; (*cuarto*) boudoir; (*neceser*) toilet case; (*fam*) ladies' toilet.

tocante [to'kante]: ~ **a** *prep* with regard to.

tocar [to'kar] *vt* to touch; (*MUS*) to play; (*topar con*) to run into, strike; (*referirse a*) to allude to; (*padecer*) to suffer; (*el pelo*) to do // *vi* (*a la puerta*) to knock (on or at the door); (*ser de turno*) to fall to, be the turn of; (*ser hora*) to be due; (*barco, avión*) to call at; (*atañer*) to concern; ~**se** *vr* (*cubrirse la cabeza*) to cover one's head; (*tener contacto*) to touch (each other); **por lo que a mí me toca** as far as I am concerned; **esto toca en la locura** this verges on madness.

tocayo, a [to'kajo, a] *nm/f* namesake.

tocino [to'θino] *nm* bacon.

todavía [toða'βia] *ad* (*aun*) still; (*aún*) yet; ~ **más** yet more; ~ **no** not yet.

todo, a ['toðo, a] *a* all; (*cada*) every;

(*entero*) whole; (*sentido negativo*): **en** ~ **el día lo he visto** I haven't seen him all day; ~**as las semanas**/~**s los martes** every week/Tuesday // *ad* all, completely // *nm* everything // *pron*: ~**s**/~**as** everyone; **a** ~**a velocidad** at full speed; **estaba** ~ **ojos** he was all eyes; **puede ser** ~ **lo honesto que quiera** he can be as honest as he likes; **ante** ~ above all; **en un** ~ as a whole; **corriendo y** ~, **no llegaron a tiempo** even though they ran, they still didn't arrive in time; **con** ~ still, even so; **del** ~ completely.

todopoderoso, a [toðopoðe'roso, a] *a* all powerful; (*REL*) almighty.

toga ['toɣa] *nf* toga; (*ESCOL*) gown.

Tokio ['tokjo] *n* Tokyo.

toldo ['toldo] *nm* (*para el sol*) sunshade; (*tienda*) marquee; (*fig*) pride.

tole ['tole] *nm* (*fam*) commotion.

tolerable [tole'raβle] *a* tolerable; **tolerancia** *nf* tolerance; **tolerar** *vt* to tolerate; (*resistir*) to endure.

toma ['toma] *nf* (*gen*) taking; (*MED*) dose.

tomar [to'mar] *vt* (*gen*) to take; (*aspecto*) to take on; (*beber*) to drink // *vi* to take; (*AM*) to drink; ~**se** *vr* to take; ~**se por** to consider o.s. to be; ~ **a bien/a mal** to take well/badly; ~ **en serio** to take seriously; ~ **el pelo a alguien** to pull sb's leg; ~**la con uno** to pick a quarrel with sb.

tomate [to'mate] *nm* tomato; ~**ra** *nf* tomato plant.

tomillo [to'miʎo] *nm* thyme.

tomo ['tomo] *nm* (*libro*) volume; (*tamaño*) size; (*fig*) importance.

ton [ton] *abr de* **tonelada** // *nm*: **sin** ~ **ni son** without rhyme or reason.

tonada [to'naða] *nf* tune.

tonalidad [tonali'ðað] *nf* tone.

tonel [to'nel] *nm* barrel.

tonelada [tone'laða] *nf* ton; **tonelaje** *nm* tonnage.

tonelero [tone'lero] *nm* cooper.

tónico, a [to'niko, a] *a* tonic // *nm* (*MED*) tonic // *nf* (*MUS*) tonic; (*fig*) keynote.

tonificar [tonifi'kar] *vt* to tone up.

tonillo [to'niʎo] *nm* monotonous voice.

tono ['tono] *nm* tone; **fuera de** ~ inappropriate; **darse** ~ to put on airs.

tontería [tonte'ria] *nf* (*estupidez*) foolishness; (*una* ~) stupid remark; ~**s** *nfpl* rubbish *sg*, nonsense *sg*.

tonto, a ['tonto, a] *a* stupid; (*sentimental*) silly // *nm/f* fool; (*payaso*) clown.

topacio [to'paθjo] *nm* topaz.

topar [to'par] *vt* (*tropezar*) to bump into; (*encontrar*) to find, come across; (*ZOOL*) to butt // *vi*: ~ **contra** *o* **en** to run into; ~ **con** to run up against; **el problema topa en eso** that's where the problem lies.

tope ['tope] *a* maximum // *nm* (*fin*) end; (*límite*) limit; (*riña*) quarrel; (*FERRO*) buffer; (*AUTO*) bumper; **al** ~ end to end.

tópico, a ['topiko, a] *a* topical // *nm* platitude.

topo ['topo] *nm* (*ZOOL*) mole; (*fig*) blunderer.

topografía [topoɣra'fia] *nf* topography; **topógrafo, a** *nm/f* topographer.

toque ['toke] *nm* touch; (*MUS*) beat; (*de campana*) peal; (*fig*) crux; **dar un ~ a** to test; **~ de queda** curfew; **~ tear** *vt* to handle.

toquilla [to'kiʎa] *nf* (*bufanda*) headscarf; (*chal*) shawl.

torbellino [torbe'ʎino] *nm* whirlwind; (*fig*) whirl.

torcedura [torθe'ðura] *nf* twist; (*MED*) sprain.

torcer [tor'θer] *vt* to twist; (*la esquina*) to turn; (*MED*) to sprain; (*cuerda*) to plait; (*ropa, manos*) to wring; (*persona*) to corrupt // *vi* (*desviar*) to turn off; (*pelota*) to spin; **~se** *vr* (*ladearse*) to bend; (*desviarse*) to go astray; (*fracasar*) to go wrong; **torcido, a** *a* twisted; (*fig*) crooked // *nm* curl.

tordo, a ['torðo, a] *a* dappled // *nm* thrush.

torear [tore'ar] *vt* (*fig*: *evadir*) to avoid; (*jugar con*) to tease // *vi* to fight bulls; **toreo** *nm* bullfighting; **torero, a** *nm/f* bullfighter.

tormenta [tor'menta] *nf* storm; (*fig*: *confusión*) turmoil; (*desgracia*) misfortune.

tormento [tor'mento] *nm* torture; (*fig*) anguish.

tornar [tor'nar] *vt* (*devolver*) to return, give back; (*transformar*) to transform // *vi* to go back; **~se** *vr* (*ponerse*) to become; (*volver*) to return.

tornasol [torna'sol] *nm* sunflower; **papel de ~** litmus paper; **~ado, a** *a* (*brillante*) iridescent; (*reluciente*) shimmering.

torneo [tor'neo] *nm* tournament.

tornero, a [tor'nero, a] *nm/f* machinist.

tornillo [tor'niʎo] *nm* screw.

torniquete [torni'kete] *nm* (*puerta*) turnstile; (*MED*) tourniquet.

torno ['torno] *nm* (*TEC*) winch; (*tambor*) drum; **en ~ (a)** round, about.

toro ['toro] *nm* bull; (*fam*) he-man; **los ~s** bullfighting.

toronja [to'ronxa] *nf* grapefruit.

torpe ['torpe] *a* (*poco hábil*) clumsy, awkward; (*necio*) dim; (*lento*) slow; (*indecente*) crude; (*no honrado*) dishonest.

torpedo [tor'peðo] *nm* torpedo.

torpeza [tor'peθa] *nf* (*falta de agilidad*) clumsiness; (*lentitud*) slowness; (*rigidez*) stiffness; (*error*) mistake; (*crudeza*) obscenity.

torre ['torre] *nf* tower; (*de petróleo*) derrick.

torrente [to'rrente] *nm* torrent.

tórrido, a [to'rriðo, a] *a* torrid.

torrija [to'rrixa] *nf* fried bread; **~s** French toast *sg*.

torsión [tor'sjon] *nf* twisting.

torso ['torso] *nm* torso.

torta ['torta] *nf* cake; (*fam*) slap.

tortícolis [tor'tikolis] *nm* stiff neck.

tortilla [tor'tiʎa] *nf* omelette; (*AM*) maize pancake; **~ francesa/española** plain/potato omelette.

tórtola ['tortola] *nf* turtledove.

tortuga [tor'tuxa] *nf* tortoise.

tortuoso, a [tor'twoso, a] *a* winding.

tortura [tor'tura] *nf* torture; **torturar** *vt* to torture.

tos [tos] *nf* cough; **~ ferina** whooping cough.

tosco, a ['tosko, a] *a* coarse.

toser [to'ser] *vi* to cough.

tostado, a [tos'taðo, a] *a* toasted; (*por el sol*) dark brown; (*piel*) tanned // *nf* tan; **tostador** *nm* toaster; **tostar** *vt* to toast; (*café*) to roast; (*al sol*) to tan; **tostarse** *vr* to get brown.

total [to'tal] *a* total // *ad* in short; (*al fin y al cabo*) when all is said and done // *nm* total; **~ que** to cut a long story short.

totalidad [totali'ðað] *nf* whole.

totalitario, a [totali'tarjo, a] *a* totalitarian.

tóxico, a ['toksiko, a] *a* toxic // *nm* poison.

tozudo, a [to'θuðo, a] *a* obstinate.

traba ['traβa] *nf* bond, tie; (*cadena*) fetter.

trabajador, a [traβaxa'ðor, a] *nm/f* worker // *a* hard-working.

trabajar [traβa'xar] *vt* to work; (*arar*) to till; (*empeñarse en*) to work at; (*empujar*: *persona*) to push; (*convencer*) to persuade // *vi* to work; (*esforzarse*) to strive; **trabajo** *nm* work; (*tarea*) task; (*POL*) labour; (*fig*) effort; **tomarse el trabajo de** to take the trouble to; **trabajo por turno/a destajo** shift work/ piecework; **trabajoso, a** *a* hard; (*MED*) pale.

trabalenguas [traβa'lengwas] *nm inv* tongue twister.

trabar [tra'βar] *vt* (*juntar*) to join, unite; (*atar*) to tie down, fetter; (*agarrar*) to seize; (*amistad*) to strike up; **~se** *vr* to become entangled; (*reñir*) to squabble; **trabazón** *nf* (*TEC*) joining, assembly; (*fig*) bond, link.

trabucar [traβu'kar] *vt* (*confundir*) to confuse, mix up; (*palabras*) to misplace.

tracción [trak'θjon] *nf* traction; **~ delantera/trasera** front-wheel/rear-wheel drive.

tractor [trak'tor] *nm* tractor.

tradición [traði'θjon] *nf* tradition; **tradicional** *a* traditional.

traducción [traðuk'θjon] *nf* translation; **traducir** *vt* to translate; **traductor, a** *nm/f* translator.

traer [tra'er] *vt* (*gen*) to bring; (*llevar*) to carry; (*ropa*) to wear; (*imán*) to draw; (*incluir*) to carry; (*fig*) to cause; **~se** *vr*: **~se algo** to be up to sth; **~se bien/mal** to dress well/badly.

traficar [trafi'kar] *vi* to trade.

tráfico ['trafiko] *nm* (*COM*) trade; (*AUTO*) traffic.

tragaluz [traɣa'luθ] *nm* skylight.

tragamonedas [traɣamo'neðas] *nm inv*,

tragaperras [traχa'perras] *nm inv* slot machine.

tragar [tra'χar] *vt* to swallow; (*devorar*) to devour, bolt down; ~**se** *vr* to swallow.

tragedia [tra'χeðja] *nf* tragedy; **trágico, a** *a* tragic.

trago ['traχo] *nm* (*líquido*) drink; (*comido de golpe*) gulp; (*fam: de bebida*) swig; (*desgracia*) blow.

traición [trai'θjon] *nf* treachery; (*JUR*) treason; (*una* ~) act of treachery; **traicionar** *vt* to betray; **traidor, a, traicionero, a** *a* treacherous // *nm/f* traitor.

traigo *etc vb ver* **traer.**

traje ['traxe] *vb ver* **traer** // *nm* (*gen*) dress; (*de hombre*) suit; (*vestimenta típica*) costume; (*fig*) garb; ~ **de baño** swimsuit; ~ **de luces** bullfighter's costume.

trajera *etc vb ver* **traer.**

trajín [tra'xin] *nm* haulage; (*fam: movimiento*) bustle; **trajines** *nmpl* goings-on; **trajinar** *vt* (*llevar*) to carry, transport // *vi* (*moverse*) to bustle about; (*viajar*) to travel around.

trama ['trama] *nf* (*fig*) link; (: *intriga*) plot; (*de tejido*) weft; **tramar** *vt* to plot; (*TEC*) to weave.

tramitar [trami'tar] *vt* (*asunto*) to transact; (*negociar*) to negotiate; (*manejar*) to handle; **trámite** *nm* (*paso*) step; (*JUR*) transaction; **trámites** *nmpl* (*burocracia*) paperwork *sg*, procedures; (*JUR*) proceedings.

tramo ['tramo] *nm* (*de tierra*) plot; (*de escalera*) flight; (*de vía*) section.

tramoya [tra'moja] *nf* (*TEATRO*) piece of stage machinery; (*fig*) trick; **tramoyista** *nm/f* scene shifter; (*fig*) trickster.

trampa ['trampa] *nf* (*gen*) trap; (*en el suelo*) trapdoor; (*prestidigitación*) conjuring trick; (*engaño*) trick; (*fam*) fiddle; (*de pantalón*) fly; **trampear** *vt, vi* to cheat; **trampista** *nm/f* = **tramposo.**

trampolín [trampo'lin] *nm* trampoline; (*de piscina etc*) diving board.

tramposo, a [tram'poso, a] *a* crooked, cheating // *nm/f* crook, cheat.

tranca ['tranka] *nf* (*palo*) stick; (*viga*) beam; (*de puerta, ventana*) bar; **trancar** *vt* to bar // *vi* to stride along.

trance ['tranθe] *nm* (*momento difícil*) difficult moment; (*situación crítica*) critical situation; (*estado hipnotizado*) trance.

tranco ['tranko] *nm* stride.

tranquilidad [trankili'ðað] *nf* (*calma*) calmness, stillness; (*paz*) peacefulness; **tranquilizar** *vt* (*calmar*) to calm (down); (*asegurar*) to reassure; **tranquilo, a** *a* (*calmado*) calm; (*apacible*) peaceful; (*mar*) calm; (*mente*) untroubled.

transacción [transak'θjon] *nf* transaction.

transar [tran'sar] *vt* = **transigir.**

transbordador [transßorða'ðor] *nm* ferry.

transbordar [transßor'ðar] *vt* to transfer; ~**se** *vr* to change; **transbordo** *nm* transfer; **hacer transbordo** to change (trains).

transcurrir [transku'rrir] *vi* (*tiempo*) to pass; (*hecho*) to turn out.

transcurso [trans'kurso] *nm*: ~ **del tiempo** lapse (of time).

transeúnte [transe'unte] *a* transient // *nm/f* passer-by.

transferencia [transfe'renθja] *nf* transference; (*COM*) transfer; **transferir** *vt* to transfer; (*de tiempo*) to postpone.

transfigurar [transfiχu'rar] *vt* to transfigure.

transformador [transforma'ðor] *nm* transformer.

transformar [transfor'mar] *vt* to transform; (*convertirse*) to convert.

tránsfuga ['transfuχa] *nm/f* (*MIL*) deserter; (*POL*) turncoat.

transgresión [transχre'sjon] *nf* transgression.

transición [transi'θjon] *nf* transition.

transido, a [tran'siðo, a] *a* overcome.

transigir [transi'xir] *vi* to compromise, make concessions.

transistor [transis'tor] *nm* transistor.

transitar [transi'tar] *vi* to go (from place to place); **tránsito** *nm* transit; (*AUTO*) traffic; (*parada*) stop; **transitorio, a** *a* transitory.

transmisión [transmi'sjon] *nf* (*TEC*) transmission; (*transferencia*) transfer; ~ **en directo/exterior** live/outside broadcast; **transmitir** *vt* (*gen*) to transmit; (*RADIO, TV*) to broadcast.

transparencia [transpa'renθja] *nf* transparency; (*claridad*) clearness, clarity; (*foto*) slide; **transparentar** *vt* to reveal // *vi* to be transparent; **transparente** *a* transparent; clear; (*ligero*) diaphanous // *nm* curtain.

transpirar [transpi'rar] *vi* to perspire; (*fig*) to transpire.

transponer [transpo'ner] *vt* to transpose; (*cambiar de sitio*) to change the place of // *vi* (*desaparecer*) to disappear; (*ir más allá*) to go beyond; ~**se** *vr* to change places; (*ocultarse*) to hide; (*sol*) to go down.

transportación [transporta'θjon] *nf* transportation; **transportar** *vt* to transport; (*llevar*) to carry; **transporte** *nm* transport; (*COM*) haulage.

tranvía [tran'ßia] *nm* tram.

trapecio [tra'peθjo] *nm* trapeze; **trapecista** *nm/f* trapeze artist.

trapero, a [tra'pero, a] *nm/f* ragman.

trapicheos [trapi'tʃeos] *nmpl* (*fam*) schemes, fiddles.

trapisonda [trapi'sonda] *nf* (*jaleo*) row; (*estafa*) swindle.

trapo ['trapo] *nm* (*tela*) rag; (*de cocina*) cloth.

traqueteo [trake'teo] *nm* (*crujido*) crack; (*golpeteo*) rattling.

tras [tras] *prep* (*detrás*) behind; (*después*) after; ~ **de** besides.

trascendencia [trasθen'denθja] *nf*

(*importancia*) importance; (*filosofía*) transcendence; **trascendental** *a* important; transcendental; **trascender** *vi* (*oler*) to smell; (*evocar*) to evoke, suggest; (*noticias*) to come out; (*suceso*) to have a wide effect; **trascender a** to smack of.

trasegar [trase'ɣar] *vt* (*moverse*) to move about; (*vino*) to decant.

trasero, a [tra'sero, a] *a* back // *nm* (ANAT) bottom; ~s *nmpl* ancestors.

trasfondo [tras'fondo] *nm* background.

trasgredir [trasɣre'ðir] *vt* to contravene.

trashumante [trasu'mante] *a* migrating.

trasladar [trasla'ðar] *vt* (*gen*) to move; (*persona*) to transfer; (*postergar*) to postpone; (*copiar*) to copy; (*interpretar*) to interpret; **traslado** *nm* (*gen*) move; (*mudanza*) move, removal; (*copia*) copy.

traslucir [traslu'θir] *vt* to show; ~se *vr* to be translucent; (*fig*) to be revealed.

trasluz [tras'luθ] *nm* reflected light; **al** ~ against *or* up to the light.

trasnochar [trasno'tʃar] *vi* (*acostarse tarde*) to stay up late; (*no dormir*) to have a sleepless night; (*pasar la noche*) to stay the night.

traspasar [traspa'sar] *vt* (*bala*) to pierce, go through; (*propiedad*) to sell, transfer; (*calle*) to cross over; (*límites*) to go beyond; (*ley*) to break; **traspaso** *nm* transfer; (*fig*) anguish.

traspié [tras'pje] *nm* (*caída*) stumble; (*tropezón*) trip; (*fig*) blunder.

trasplantar [trasplan'tar] *vt* to transplant.

traste ['traste] *nm* (MUS) fret; **dar al** ~ **con algo** to ruin sth.

trastienda [tras'tjenda] *nf* backshop; **obtener algo por la** ~ to get sth by underhand means.

trasto ['trasto] *nm* (*mueble*) piece of furniture; (*tarro viejo*) old pot; (*pey: cosa*) piece of junk; (: *persona*) dead loss; ~s *nmpl* (TEATRO) scenery *sg*.

trastornado, a [trastor'naðo, a] *a* (*loco*) mad; (*agitado*) crazy; **trastornar** *vt* to overturn, upset; (*fig: ideas*) to confuse; (: *nervios*) to shatter; (: *persona*) to drive crazy; **trastornarse** *vr* (*plan*) to fall through; **trastorno** *nm* (*acto*) overturning; (*confusión*) confusion.

trasunto [tra'sunto] *nm* copy.

tratable [tra'taßle] *a* friendly.

tratado [tra'taðo] *nm* (POL) treaty; (COM) agreement.

tratamiento [trata'mjento] *nm* treatment.

tratar [tra'tar] *vt* (*ocuparse de*) to treat; (*manejar*, TEC) to handle; (MED) to treat; (*dirigirse a: persona*) to address // *vi:* ~ **de** (*hablar sobre*) to deal with, be about; (*intentar*) to try to; ~ **con** (COM) to trade in; (*negociar*) to negotiate with; (*tener contactos*) to have dealings with; ~se *vr* to treat each other; **trato** *nm* dealings *pl*; (*relaciones*) relationship; (*comportamiento*)

manner; (COM) agreement; (*título*) (form of) address.

trauma ['trauma] *nm* trauma.

través [tra'ßes] *nm* (*fig*) reverse; **al** ~ *ad* across, crossways; **a** ~ **de** *prep* across; (*sobre*) over; (*por*) through.

travesaño [traße'saɲo] *nm* (ARQ) crossbeam; (DEPORTE) crossbar.

travesía [traße'sia] *nf* (*calle*) cross-street; (NAUT) crossing.

travesura [traße'sura] *nf* (*broma*) prank; (*ingenio*) wit; **travieso, a** *a* (*niño*) naughty; (*adulto*) restless; (*ingenioso*) witty // *nf* crossing; (ARQ) crossbeam.

trayecto [tra'jekto] *nm* (*ruta*) road, way; (*viaje*) journey; (*tramo*) stretch; (*curso*) course; ~**ria** *nf* trajectory; (*fig*) path.

traza ['traθa] *nf* (ARQ) plan, design; (*aspecto*) looks *pl*; (*señal*) sign; (*engaño*) trick; (*habilidad*) skill; ~**do, a** *a*: **bien** ~**do** shapely, well-formed // *nm* (ARQ) plan, design; (*fig*) outline; **trazar** *vt* (ARQ) to plan; (ARTE) to sketch; (*fig*) to trace; (*plan*) to follow; **trazo** *nm* (*línea*) line; (*bosquejo*) sketch.

trébol ['treßol] *nm* (BOT) clover.

trece ['treθe] *num* thirteen.

trecho ['tretʃo] *nm* (*distancia*) distance; (*de tiempo*) while; (*fam*) piece; **de** ~ **en** ~ at intervals.

tregua ['treɣwa] *nf* (MIL) truce; (*fig*) lull.

treinta ['treinta] *num* thirty.

tremendo, a [tre'mendo, a] *a* (*terrible*) terrible; (*imponente: cosa*) imposing; (*fam: fabuloso*) tremendous; (*divertido*) entertaining.

trémulo, a ['tremulo, a] *a* quivering.

tren [tren] *nm* train; ~ **de aterrizaje** undercarriage.

trenza ['trenθa] *nf* (*de pelo*) plait; **trenzar** *vt* (*el pelo*) to plait // *vi* (*en baile*) to weave in and out; **trenzarse** *vr* (AM) to become involved with.

trepadora [trepa'ðora] *nf* (BOT) climber; **trepar** *vt, vi* to climb; (TEC) to drill.

trepidación [trepiða'θjon] *nf* shaking, vibration; **trepidar** *vi* to shake, vibrate.

tres [tres] *num* three.

tresillo [tre'siʎo] *nm* three-piece suite; (MUS) triplet.

treta ['treta] *nf* (COM *etc*) gimmick; (*fig*) trick.

triángulo ['trjangulo] *nm* triangle.

tribu ['trißu] *nf* tribe.

tribuna [tri'ßuna] *nf* (*plataforma*) platform; (DEPORTE) stand; (*fig*) public speaking.

tribunal [trißu'nal] *nm* (*juicio*) court; (*comisión*, *fig*) tribunal.

tributar [trißu'tar] *vt* to pay; (*las gracias*) to give; (*cariño*) to show; **tributo** *nm* (COM) tax.

trigal [tri'ɣal] *nm* wheat field; **trigo** *nm* wheat; **trigos** *nmpl* wheat field(s) (*pl*).

trigueño, a [tri'ɣeɲo, a] *a* (*pelo*) corn-coloured; (*piel*) olive-skinned.

trillado, a [tri'ʎaðo, a] *a* threshed; (*fig*)

trite, hackneyed; **trilladora** *nf* threshing machine; **trillar** *vt* (*fig*) to frequent; (*AGR*) to thresh.

trimestral [trimes'tral] *a* quarterly; (*ESCOL*) termly; **trimestre** *nm* (*ESCOL*) term.

trincar [trin'kar] *vt* (*atar*) to tie up; (*NAUT*) to lash; (*agarrar*) to pinion.

trinchar [trin'tʃar] *vt* to carve.

trinchera [trin'tʃera] *nf* (*fosa*) trench; (*para vía*) cutting; (*impermeable*) trench-coat.

trineo [tri'neo] *nm* sledge.

trinidad [trini'ðað] *nf* trio; (*REL*): **la T~** the Trinity.

trino ['trino] *nm* trill.

trinquete [trin'kete] *nm* (*TEC*) pawl; (*NAUT*) foremast.

tripa ['tripa] *nf* (*ANAT*) intestine; (*fam*) insides *pl*.

triple ['triple] *a* triple.

triplicado [tripli'kaðo] *a*: **por ~** in triplicate.

tripulación [tripula'θjon] *nf* crew; **tripulante** *nm/f* crewman/woman; **tripular** *vt* (*barco*) to man; (*AUTO*) to drive.

triquiñuela [triki'ɲwela] *nf* trick.

tris [tris] *nm* crack; **en un ~** in an instant.

triste ['triste] *a* (*afligido*) sad; (*sombrío*) melancholy, gloomy; (*desolado*) desolate; (*lamentable*) sorry, miserable; (*viejo*) old; **~za** *nf* (*aflicción*) sadness; (*melancolía*) melancholy.

triturar [tritu'rar] *vt* (*moler*) to grind; (*mascar*) to chew.

triunfar [trjun'far] *vi* (*tener éxito*) to triumph; (*ganar*) to win; **triunfo** *nm* triumph.

trivial [tri'βjal] *a* trivial; **~izar** *vt* to minimize, play down.

triza ['triθa] *nf* bit, piece; **hacer ~s** to smash to bits; **trizar** *vt* to smash to bits.

trocar [tro'kar] *vt* (*COM*) to exchange; (*dinero, de lugar*) to change; (*palabras*) to exchange; (*confundir*) to confuse; (*vomitar*) to vomit.

trocha ['trotʃa] *nf* (*sendero*) by-path; (*atajo*) short cut.

troche ['trotʃe]: **a ~ y moche** *ad* helter-skelter, pell-mell.

trofeo [tro'feo] *nm* (*premio*) trophy; (*éxito*) success.

troj(e) ['trox(e)] *nf* granary.

tromba ['tromba] *nf* whirlwind.

trombón [trom'bon] *nm* trombone.

trombosis [trom'bosis] *nf* thrombosis.

trompa ['trompa] *nf* horn; (*trompo*) humming top; (*hocico*) snout; (*fam*): **cogerse una ~** to get tight.

trompeta [trom'peta] *nf* trumpet; (*clarín*) bugle.

trompo ['trompo] *nm* spinning top.

trompón [trom'pon] *nm* bump.

tronado, a [tro'naðo, a] *a* broken-down.

tronar [tro'nar] *vt* (*AM*) to shoot // *vi* to thunder; (*fig*) to rage; (*fam*) to go broke.

tronco ['tronko] *nm* (*de árbol, ANAT*) trunk; (*de planta*) stem.

tronchar [tron'tʃar] *vt* (*árbol*) to chop down; (*fig: vida*) to cut short; (*esperanza*) to shatter; (*persona*) to tire out; **~se** *vr* to fall down.

tronera [tro'nera] *nf* (*MIL*) loophole; (*ARQ*) small window.

trono ['trono] *nm* throne.

tropa ['tropa] *nf* (*MIL*) troop; (*soldados*) soldiers *pl*; (*gentío*) mob.

tropel [tro'pel] *nm* (*muchedumbre*) crowd; (*prisa*) rush; (*montón*) throng.

tropelía [trope'lia] *nm* outrage.

tropezar [trope'θar] *vi* to trip, stumble; (*fig*) to slip up; **~ con** (*encontrar*) to run into; (*topar con*) to bump into; (*reñir*) to fall out with; **tropezón** *nm* tripe; (*fig*) blunder.

tropical [tropi'kal] *a* tropical; **trópico** *nm* tropic.

tropiezo [tro'pjeθo] *nm* (*error*) slip, blunder; (*desgracia*) misfortune; (*obstáculo*) snag; (*discusión*) quarrel.

trotamundos [trota'mundos] *nm* *inv* globetrotter.

trotar [tro'tar] *vi* to trot; **trote** *nm* trot; (*fam*) travelling; **de mucho trote** hard-wearing.

trozo [tro'θo] *nm* bit, piece.

truco ['truko] *nm* (*habilidad*) knack; (*engaño*) trick; **~s** *nmpl* billiards *sg*.

trucha ['trutʃa] *nf* (*pez*) trout; (*TEC*) crane.

trueno ['trweno] *nm* (*gen*) thunder; (*estampido*) boom; (*de arma*) bang.

trueque ['trweke] *nm* exchange; (*COM*) barter.

trufa ['trufa] *nf* (*BOT*) truffle; (*fig: fam*) fib.

truhán, ana [tru'an, ana] *nm/f* rogue.

truncado, a [trun'kaðo, a] *a* truncated; **truncar** *vt* (*cortar*) to truncate; (*la vida etc*) to cut short; (*el desarrollo*) to stunt.

tu [tu] *a* your.

tú [tu] *pron* you.

tubérculo [tu'βerkulo] *nm* (*BOT*) tuber.

tuberculosis [tußerku'losis] *nf* tuberculosis.

tubería [tuße'ria] *nf* pipes *pl*; (*conducto*) pipeline; **tubo** *nm* tube, pipe; **tubo de ensayo** test-tube; **tubo de escape** exhaust (pipe).

tuerca ['twerka] *nf* nut.

tuerto, a ['twerto, a] *a* (*torcido*) twisted; (*ciego*) blind in one eye // *nm* one-eyed person; (*ofensa*) wrong; **a ~as** upside-down.

tuétano ['twetano] *nm* (*gen*) marrow; (*BOT*) pith.

tufo ['tufo] *nm* vapour; (*fig: pey*) stench.

tul [tul] *nm* tulle.

tulipán [tuli'pan] *nm* tulip.

tullido, a [tu'ʎiðo, a] *a* crippled; (*cansado*) exhausted.

tumba ['tumba] *nf* (*sepultura*) tomb; (*sacudida*) shake; (*voltereta*) somersault.

tumbar [tum'bar] *vt* to knock down; (*doblar*) to knock over; (*fam: suj: olor*) to overpower // *vi* to fall down; ~**se** *vr* (*echarse*) to lie down; (*extenderse*) to stretch out.

tumbo ['tumbo] *nm* (*caída*) fall; (*de vehículo*) jolt; (*momento crítico*) critical moment.

tumido, a [tu'miðo, a] *a* swollen.

tumor [tu'mor] *nm* tumour.

tumulto [tu'multo] *nm* turmoil.

tuna ['tuna] *nf ver* **tuno.**

tunante [tu'nante] *a* rascally.

tunda ['tunda] *nf* (*de tela*) shearing; (*golpeo*) beating; **tundir** *vt* (*tela*) to shear; (*hierba*) to mow; (*fig*) to exhaust; (*fam: golpear*) to beat.

túnel ['tunel] *nm* tunnel.

Túnez ['tuneθ] *nm* Tunisia; (*ciudad*) Tunis.

tuno, a ['tuno, a] *nm/f* (*fam*) rogue // *nf* (*BOT*) prickly pear; (*MUS*) student music group.

tuntún [tun'tun]: **al** ~ *ad* thoughtlessly.

tupido, a [tu'piðo, a] *a* (*denso*) dense; (*fig*) dim; (*tela*) close-woven.

turba ['turβa] *nf* crowd.

turbación [turβa'θjon] *nf* (*molestia*) disturbance; (*preocupación*) worry; **turbado, a** *a* (*molesto*) disturbed; (*preocupado*) worried; **turbar** *vt* (*molestar*) to disturb; (*incomodar*) to upset; **turbarse** *vr* to be disturbed.

turbina [tur'βina] *nf* turbine.

turbio, a ['turβjo, a] *a* cloudy; (*lenguaje*) confused // *ad* indistinctly.

turbión [tur'βjon] *nf* (*fig*) shower.

turbohélice [turβo'eliθe] *nm* turboprop.

turbulencia [turβu'lenθja] *nf* turbulence; (*fig*) restlessness; **turbulento, a** *a* turbulent; (*fig: intranquilo*) restless; (: *ruidoso*) noisy.

turco, a ['turko, a] *a* Turkish.

turismo [tu'rismo] *nm* tourism; (*coche*) saloon car; **turista** *nm/f* tourist; **turístico, a** *a* tourist *cpd.*

turnar [tur'nar] *vi*, ~ **se** *vr* to take (it in) turns; **turno** *nm* (*INDUSTRIA*) shift; (*oportunidad, orden de prioridad*) opportunity; (*DEPORTE etc*) turn.

turquesa [tur'kesa] *nf* turquoise.

Turquía [tur'kia] *nf* Turkey.

turrón [tu'rron] *nm* (*dulce*) nougat; (*fam*) sinecure.

tutear [tute'ar] *vt* to address as familiar 'tú'; ~ **se** *vr* to be on familiar terms.

tutela [tu'tela] *nf* (*legal*) guardianship; (*instrucción*) guidance; **tutelar** *a* tutelary // *vt* to protect.

tutor, a [tu'tor, a] *nm/f* (*legal*) guardian; (*ESCOL*) tutor.

tuve, tuviera *etc vb ver* **tener.**

tuyo, a ['tujo, a] *a* yours, of yours // *pron* yours; **los** ~ **s** (*fam*) your relations, your family.

TVE *nf abr de* **Televisión Española.**

U

u [u] *conj* or.

ubérrimo, a [u'βerrimo, a] *a* very rich, fertile.

ubicar [uβi'kar] *vt* (*AM*) to place, situate; (: *fig*) to install in a post; ~ **se** *vr* to lie, be located.

ubicuo, a [u'βikwo, a] *a* ubiquitous.

ubre ['uβre] *nf* udder.

U.C.D. *abr de* **Unión del Centro Democrático.**

Ud(s) *abr de* **usted(es).**

ufanarse [ufa'narse] *vr* to boast; ~ **de** to pride o.s. on; **ufano, a** *a* (*arrogante*) arrogant; (*presumido*) conceited.

U.G.T. *abr de* **Unión General de Trabajadores.**

ujier [u'xjer] *nm* usher; (*portero*) doorkeeper.

úlcera ['ulθera] *nf* ulcer; **ulcerar** *vt* to make sore; **ulcerarse** *vr* to ulcerate.

ulterior [ulte'rjor] *a* (*más allá*) farther, further; (*subsecuente, siguiente*) subsequent; ~ **mente** *ad* later, subsequently.

últimamente [ultima'mente] *ad* (*recientemente*) lately, recently; (*finalmente*) finally; (*como último recurso*) as a last resort.

ultimar [ulti'mar] *vt* to finish; (*finalizar*) to finalize; (*AM: rematar*) to finish off.

último, a ['ultimo, a] *a* last; (*más reciente*) latest, most recent; (*más bajo*) bottom; (*más alto*) top; (*fig*) final, extreme; **en las** ~ **as** on one's last legs; **por** ~ finally.

ultra ['ultra] *a* ultra // *nm/f* extreme right-winger.

ultrajar [ultra'xar] *vt* (*escandalizar*) to outrage; (*insultar*) to insult, abuse; **ultraje** *nm* outrage; insult.

ultramar [ultra'mar] *nm*: **de** *o* **en** ~ abroad, overseas; ~ **ino, a** *a* overseas, foreign; ~ **inos** *nmpl* groceries; **tienda de** ~ **inos** grocer's (shop).

ultranza [ul'tranθa]: **a** ~ *ad* to the death; (*a todo trance*) at all costs; (*completo*) outright.

ultrasónico, a [ultra'soniko, a] *a* ultrasonic.

ulular [ulu'lar] *vi* to howl; (*búho*) to hoot.

umbral [um'bral] *nm* (*gen*) threshold.

umbroso, a [um'broso, a], **umbrío, a** [um'brio, a] *a* shady.

un, una [un, 'una] *det a* // *num* one; *ver* **uno.**

unánime [u'nanime] *a* unanimous; **unanimidad** *nf* unanimity.

unción [un'θjon] *nf* anointing; **extrema** ~ Extreme Unction.

undécimo, a [un'deθimo, a] *a* eleventh.

undular [undu'lar] *vi ver* **ondular.**

ungir [un'xir] *vt* to rub with ointment; (*REL*) to anoint.

ungüento [un'gwento] *nm* ointment; (*fig*) salve, balm.

únicamente ['unikamente] *ad* solely; (*solamente*) only; **único, a** *a* only; (*solo*) sole, single; (*sin par*) unique.

unidad [uni'ðað] *nf* unity; (*TEC*) unit.

unido, a [u'niðo, a] *a* joined, linked; (*fig*) united.

unificar [unifi'kar] *vt* to unite, unify.

uniformar [unifor'mar] *vt* to make uniform, level up; (*persona*) to put into uniform; **uniforme** *a* uniform, equal; (*superficie*) even // *nm* uniform; **uniformidad** *nf* uniformity; (*llaneza*) levelness, evenness.

unilateral [unilate'ral] *a* unilateral.

unión [u'njon] *nf* (*gen*) union; (*acto*) uniting, joining; (*calidad*) unity; (*fig*) closeness, togetherness; **la U~ Soviética** the Soviet Union.

unir [u'nir] *vt* (*juntar*) to join, unite; (*atar*) to tie, fasten; (*combinar*) to combine // *vi* to mix well; **~se** *vr* to join together, unite; (*empresas*) to merge.

unísono [u'nisono] *nm*: **al ~** in unison.

universal [uniβer'sal] *a* universal; (*mundial*) world *cpd.*

universidad [uniβersi'ðað] *nf* university.

universo [uni'βerso] *nm* universe.

uno ['uno] *num, det one* // *pron* one; (*alguien*) someone, somebody; **~s** some, a few; **~ a ~,** **~ por ~** one by one; **cada ~** each *or* every one; **estar en ~** to be at one; **~ que otro** some, a few; **~s y otros** all of them; **~ y otro** both.

untar [un'tar] *vt* (*gen*) to rub; (*engrasar*) to grease, oil; (*MED*) to rub with ointment; (*fig*) to bribe; **~se** *vr* to be crooked; **unto** *nm* animal fat; (*MED*) ointment; (*fam*) slush fund.

uña ['uɲa] *nf* (*ANAT*) nail; (*garra*) claw; (*casco*) hoof; (*arrancaclavos*) claw.

uranio [u'ranjo] *nm* uranium.

urbanidad [urβani'ðað] *nf* courtesy, politeness.

urbanismo [urβa'nismo] *nm* town planning.

urbanización [urβaniθa'θjon] *nf* housing scheme.

urbano, a [ur'βano, a] *a* (*de ciudad*) urban; (*cortés*) courteous, polite.

urbe ['urβe] *nf* large city.

urdimbre [ur'ðimbre] *nf* (*de tejido*) warp; (*intriga*) intrigue; **urdir** *vt* to warp; (*fig*) to plot, contrive.

urgencia [ur'xenθja] *nf* urgency; (*prisa*) haste, rush; **servicios de ~** emergency services; **urgente** *a* urgent; (*insistente*) insistent; **urgir** *vi* to be urgent.

urinario, a [uri'narjo, a] *a* urinary // *nm* urinal.

urna ['urna] *nf* urn; (*POL*) ballot box.

urraca [u'rraka] *nf* magpie.

URSS *nf*: **la ~** the USSR.

Uruguay [uru'xwai] *nm*: **el ~** Uruguay; **uruguayo, a** *a, nm/f* Uruguayan.

usado, a [u'saðo, a] *a* (*gen*) used; (*ropa etc*) worn.

usanza [u'sanθa] *nf* custom, usage.

usar [u'sar] *vt* to use; (*ropa*) to wear; (*tener costumbre*) to be in the habit of; **~se** *vr* to be used; **uso** *nm* use; wear; (*costumbre*) usage, custom; (*moda*) fashion; **al uso** in keeping with custom; **al uso de** in the style of.

usted [us'teð] *pron* you.

usual [u'swal] *a* usual.

usuario, a [usu'arjo, a] *nm/f* user.

usura [u'sura] *nf* usury; **usurero, a** *nm/f* usurer.

usurpar [usur'par] *vt* to usurp.

utensilio [uten'siljo] *nm* tool; (*CULIN*) utensil.

útero ['utero] *nm* uterus, womb.

útil ['util] *a* useful // *nm* tool; **utilidad** *nf* usefulness; (*COM*) profit; **utilizar** *vt* to use, utilize.

utopía [uto'pia] *nf* Utopia; **utópico, a** *a* Utopian.

uva ['uβa] *nf* grape.

V

v *abr de* **voltio.**

va *vb ver* **ir.**

vaca ['baka] *nf* (*animal*) cow; (*carne*) beef; (*cuero*) cowhide.

vacaciones [baka'θjones] *nfpl* holidays.

vacante [ba'kante] *a* vacant, empty // *nf* vacancy.

vacar [ba'kar] *vi* to fall vacant; **~ a** *o* **en** to devote o.s. to.

vaciado, a [ba'θjaðo, a] *a* (*hecho en molde*) cast in a mould; (*hueco*) hollow // *nm* cast.

vaciar [ba'θjar] *vt* to empty out; (*ahuecar*) to hollow out; (*moldear*) to cast // *vi* (*río*) to flow (*en into*); **~se** *vr* to empty; (*fig*) to blab, spill the beans.

vaciedad [baθje'ðað] *nf* emptiness.

vacilación [baθila'θjon] *nf* hesitation; **vacilante** *a* unsteady; (*habla*) faltering; (*fig*) hesitant; **vacilar** *vi* to be unsteady; to falter; to hesitate, waver; (*persona*) to stagger, stumble; (*memoria*) to fail.

vacío, a [ba'θio, a] *a* empty; (*puesto*) vacant; (*desocupado*) idle; (*vano*) vain // *nm* emptiness; (*FÍSICA*) vacuum; (*un ~*) (empty) space.

vacuna [ba'kuna] *nf* vaccine; **vacunar** *vt* to vaccinate.

vacuno, a [ba'kuno, a] *a* bovine.

vacuo, a ['bakwo, a] *a* empty.

vadear [baðe'ar] *vt* (*río*) to ford; (*problema*) to overcome; (*persona*) to sound out; **vado** *nm* ford; (*solución*) solution; (*descanso*) respite.

vagabundo, a [baxa'βundo, a] *a* wandering; (*pey*) vagrant // *nm* tramp.

vagamente [baxa'mente] *ad* vaguely.

vagancia [ba'xanθja] *nf* vagrancy; **vagar** *vi* (*gen*) to wander; (*no hacer nada*) to idle // *nm* leisure.

vagido [ba'xiðo] *nm* wail.
vagina [ba'xina] *nf* vagina.
vago, a ['baxo, a] *a* vague; (*perezoso*) lazy; (*ambulante*) wandering // *nm/f* (*vagabundo*) tramp; (*flojo*) lazybones *sg*, idler.
vagón [ba'von] *nm* (*de pasajeros*) carriage; (*de mercancías*) wagon.
vaguedad [baxe'ðað] *nf* vagueness.
vaho ['bao] *nm* (*vapor*) vapour, steam; (*olor*) smell; (*respiración*) breath.
vaina ['baina] *nf* sheath.
vainilla [bai'niʎa] *nf* vanilla.
vais *vb ver* **ir.**
vaivén [bai'ßen] *nm* to-and-fro movement; (*de tránsito*) coming and going; **vaivenes** *nmpl* (*fig*) ups and downs.
vajilla [ba'xiʎa] *nf* crockery, dishes *pl.*
val, valdré *etc vb ver* **valer.**
vale ['bale] *nm* voucher; (*recibo*) receipt; (*pagaré*) I.O.U.
valedero, a [bale'ðero, a] *a* valid.
valenciano, a [balen'θjano, a] *a* Valencian.
valentía [balen'tia] *nf* courage, bravery; (*pey*) boastfulness; (*acción*) heroic deed; **valentón, ona** *a* blustering.
valer [ba'ler] *vt* to aid, protect; (*MAT*) to equal // *vi* to be worth; (*costar*) to cost; (*ser útil*) to be useful; (*ser válido*) to be valid; **~se** *vr* to defend o.s.; **~se de** to make use of, take advantage of // *nm* worth, value; **~ la pena** to be worthwhile; **¿vale?** O. K.?
valgo *etc vb ver* **valer.**
validar [bali'ðar] *vt* to validate; **validez** *nf* validity; **válido, a** *a* valid.
valiente [ba'ljente] *a* brave, valiant; (*pey*) boastful // *nm* hero.
valija [ba'lixa] *nf* case; (*mochila*) satchel.
valioso, a [ba'ljoso, a] *a* valuable; (*rico*) wealthy.
valor [ba'lor] *nm* value, worth; (*precio*) price; (*valentía*) valour, courage; (*importancia*) importance; **~es** *nmpl* (*COM*) securities; **~ación** *nf* valuation; **~ar** *vt* to value.
vals [bals] *nm* waltz.
válvula ['balßula] *nf* valve.
valla ['baʎa] *nf* fence; (*DEPORTE*) hurdle; (*fig*) barrier; **vallar** *vt* to fence in.
valle ['baʎe] *nm* valley, vale.
vamos *vb ver* **ir.**
vampiro, resa [bam'piro, i'resa] *nm/f* vampire.
van *vb ver* **ir.**
vanagloriarse [banaxlo'rjarse] *vr* to boast.
vándalo, a ['bandalo, a] *nm/f* vandal; **vandalismo** *nm* vandalism.
vanguardia [ban'gwardja] *nf* vanguard; (*ARTE*) avant-garde.
vanidad [bani'ðað] *nf* vanity; (*irrealidad*) unreality; **vanidoso, a** *a* vain, conceited.
vano, a ['bano, a] *a* (*irreal*) unreal; (*irracional*) unreasonable; (*inútil*) useless;

(*persona*) vain, conceited; (*frívolo*) frivolous.
vapor [ba'por] *nm* vapour; (*vaho*) steam; (*neblina*) mist; **~es** *nmpl* (*MED*) hysterics; **al ~** (*CULIN*) steamed; **~izar** *vt* to vaporize; **~oso, a** *a* vaporous; (*vahoso*) steamy.
vaquero, a [ba'kero, a] *a* cattle *cpd* // *nm* cowboy; **~s** *nmpl* jeans.
vara ['bara] *nf* stick, wand; (*TEC*) rod.
varear [bare'ar] *vt* to hit, beat.
variable [ba'rjaßle] *a, nf* variable; **variación** *nf* variation; **variar** *vt* to vary; (*modificar*) to modify; (*cambiar de posición*) to switch around // *vi* to vary; **variedad** *nf* variety.
varilla [ba'riʎa] *nf* stick; (*BOT*) twig; (*TEC*) rod; (*de rueda*) spoke.
vario, a ['barjo, a] *a* (*variado*) varied; (*multicolor*) motley; (*cambiable*) changeable; **~s** various, several.
varón [ba'ron] *nm* male, man; **varonil** *a* manly.
Varsovia [bar'soßja] *n* Warsaw.
vas *vb ver* **ir.**
vascongado, a [baskon'xaðo, a], **vascuence** [bas'kwenθe], **vasco, a** ['basko, a] *a* Basque; **las Vascongadas** the Basque Country.
vaselina [base'lina] *nf* vaseline.
vasija [ba'sixa] *nf* container, vessel.
vaso ['baso] *nm* glass, tumbler; (*ANAT*) vessel.
vástago ['bastaxo] *nm* (*BOT*) shoot; (*TEC*) rod; (*fig*) offspring.
vasto, a ['basto, a] *a* vast, huge.
Vaticano [bati'kano] *nm*: **el ~** the Vatican.
vaticinio [bati'θinjo] *nm* prophecy.
vatio ['batjo] *nm* (*ELEC*) watt.
vaya *etc vb ver* **ir.**
Vd(s) *abr de* **usted(es).**
ve *vb ver* **ir, ver.**
vecindad [beθin'dað] *nf*, **vecindario** [beθin'darjo] *nm* neighbourhood; (*habitantes*) residents *pl*; **vecino, a** *a* neighbouring // *nm/f* neighbour; (*residente*) resident.
veda ['beða] *nf* prohibition.
vedado [be'ðaðo] *nm* preserve.
vedar [be'ðar] *vt* (*prohibir*) to ban, prohibit; (*impedir*) to stop, prevent.
vegetación [bexeta'θjon] *nf* vegetation.
vegetal [bexe'tal] *a, nm* vegetable.
vehemencia [bee'menθja] *nf* (*insistencia*) vehemence; (*pasión*) passion; (*fervor*) fervour; (*violencia*) violence; **vehemente** *a* vehement; passionate; fervent.
vehículo [be'ikulo] *nm* vehicle; (*MED*) carrier.
veía *etc vb ver* **ver.**
veinte ['beinte] *num* twenty.
vejación [bexa'θjon] *nf* vexation; (*humillación*) humiliation.
vejamen [be'xamen] *nm* satire.

vejar [be'xar] *vt* (*irritar*) to annoy, vex; (*humillar*) to humiliate.

vejez [be'xeθ] *nf* old age.

vejiga [be'xixa] *nf* (ANAT) bladder.

vela ['bela] *nf* (*de cera*) candle; (NAUT) sail; (*insomnio*) sleeplessness; (*vigilia*) vigil; (MIL) sentry duty; (*fam*) snot; **estar a dos** ~**s** (*fam*) to be skint (*fam*).

velado, a [be'laðo, a] *a* veiled; (*sonido*) muffled; (FOTO) blurred // *nf* soirée.

velador [bela'ðor] *nm* watchman; (*candelero*) candlestick.

velar [be'lar] *vt* (*hacer guardia*) to keep watch over; (*cubrir*) to veil // *vi* to stay awake; ~ **por** to watch over, look after.

veleidad [belei'ðað] *nf* (*ligereza*) fickleness; (*capricho*) whim.

velero [be'lero] *nm* (NAUT) sailing ship; (AVIAT) glider.

veleta [be'leta] *nf* weather vane.

velo ['belo] *nm* veil.

velocidad [beloθi'ðað] *nf* speed; (TEC, AUTO) gear.

velocímetro [beloθimetro] *nm* speedometer.

velódromo [be'loðromo] *nm* cycle track.

veloz [be'loθ] *a* fast.

vello ['beʎo] *nm* down, fuzz; **vellón** *nm* fleece; ~**so, a** *a* fuzzy; **velludo, a** *a* shaggy // *nm* plush, velvet.

ven *vb ver* **venir.**

vena ['bena] *nf* vein.

venablo [be'naβlo] *nm* javelin.

venado [be'naðo] *nm* deer.

venal [be'nal] *a* (ANAT) venous; (*pey*) venal; ~**idad** *nf* venality.

vencedor, a [benθe'ðor, a] *a* victorious // *nm/f* victor, winner.

vencer [ben'θer] *vt* (*dominar*) to defeat, beat; (*derrotar*) to vanquish; (*superar, controlar*) to overcome, master // *vi* (*triunfar*) to win (through), triumph; (*plazo*) to expire; **vencido, a** *a* (*derrotado*) defeated, beaten; (COM) due // *ad*: **pagar vencido** to pay in arrears; **vencimiento** *nm* collapse; (COM) maturity.

venda ['benda] *nf* bandage; ~**je** *nm* bandage, dressing; **vendar** *vt* to bandage; **vendar los ojos** to blindfold.

vendaval [benda'βal] *nm* (*viento*) gale; (*huracán*) hurricane.

vendedor, a [bende'ðor, a] *nm/f* seller.

vender [ben'der] *vt* to sell; ~ **al contado/al por mayor/al por menor** to sell for cash/wholesale/retail.

vendimia [ben'dimja] *nf* grape harvest.

vendré *etc vb ver* **venir.**

veneno [be'neno] *nm* poison, venom; ~**so, a** *a* poisonous.

venerable [bene'raβle] *a* venerable; **veneración** *nf* veneration; **venerar** *vt* (*reconocer*) to venerate; (*adorar*) to worship.

venéreo, a [be'nereo, a] *a* venereal.

venero [be'nero] *nm* (*veta*) seam, lode; (*fuente*) spring.

venezolano, a [beneθo'lano, a] *a* Venezuelan.

Venezuela [bene'θwela] *nf* Venezuela.

venganza [ben'ganθa] *nf* vengeance, revenge; **vengar** *vt* to avenge; **vengarse** *vr* to take revenge; **vengativo, a** *a* (*persona*) vindictive.

vengo *etc vb ver* **venir.**

venia ['benja] *nf* (*perdón*) pardon; (*permiso*) consent.

venial [be'njal] *a* venial.

venida [be'niða] *nf* (*llegada*) arrival; (*regreso*) return; (*fig*) rashness.

venidero, a [beni'ðero, a] *a* coming, future.

venir [be'nir] *vi* to come; (*llegar*) to arrive; (*fig*) to stem from; (*ocurrir*) to happen; ~ **bien/mal** to be suitable/unsuitable; **el año que viene** next year; ~**se abajo** to collapse.

venta ['benta] *nf* (COM) sale; ~ **a plazos** hire purchase; ~ **al contado/al por mayor/al por menor** *o* **al detalle** cash sale/ wholesale/retail; ~ **de liquidación** clearance sale.

ventaja [ben'taxa] *nf* advantage; **ventajoso, a** *a* advantageous.

ventana [ben'tana] *nf* window; ~ **de guillotina/salediza** sash/bay window; **ventanilla** *nf* (*de taquilla*) window (*of booking office etc*).

ventear [bente'ar] *vt* (*ropa*) to hang out to dry; (*oler*) to sniff // *vi* (*investigar*) to investigate; (*soplar*) to blow; ~**se** *vr* (*romperse*) to crack; (ANAT) to break wind.

ventilación [bentila'θjon] *nf* ventilation; (*corriente*) draught; **ventilar** *vt* to ventilate; (*a secar*) to put out to dry; (*fig*) to air, discuss.

ventisca [ben'tiska] *nf*, **ventisquero** [bentis'kero] *nm* blizzard; (*nieve amontonada*) snowdrift.

ventosear [bentose'ar] *vi* to break wind.

ventoso, a [ben'toso, a] *a* windy.

ventrílocuo, a [ben'trilokwo, a] *nm/f* ventriloquist; **ventriloquia** *nf* ventriloquism.

ventura [ben'tura] *nf* (*felicidad*) happiness; (*buena suerte*) luck; (*destino*) fortune; **a la (buena)** ~ at random; **venturoso, a** *a* happy; (*afortunado*) lucky, fortunate.

veo *etc vb ver* **ver.**

ver [ber] *vt, vi* to see; (*mirar*) to look at, watch; (*investigar*) to look into; ~**se** *vr* (*encontrarse*) to meet; (*dejarse* ~) to be seen; (*hallarse: en un apuro*) to find o.s., be // *nm* looks *pl*, appearance; **a** ~ let's see; **dejarse** ~ to become apparent; **no tener nada que** ~ **con** to have nothing to do with; **a mi modo de** ~ as I see it.

vera ['bera] *nf* edge, verge; (*de río*) bank.

veracidad [beraθi'ðað] *nf* truthfulness.

veranear [berane'ar] *vi* to spend the summer; **veraneo** *nm* summer holiday; **veraniego, a** *a* summer *cpd*; **verano** *nm* summer.

veras ['beras] *nfpl* truth *sg*; **de** ~ really, truly.

veraz [be'raθ] *a* truthful.

verbal [ber'βal] *a* verbal.

verbena [ber'βena] *nf* street party.

verbigracia [berβi'xraθja] *ad* for example.

verbo ['berβo] *nm* verb; ~**so, a** *a* verbose.

verdad [ber'ðað] *nf* (*lo verídico*) truth; (*fiabilidad*) reliability // *ad* really; **de** ~ *a* real, proper; **a decir** ~ to tell the truth; ~**ero, a** *a* (*veraz*) true, truthful; (*fiable*) reliable; (*fig*) real.

verde ['berðe] *a* green; (*sucio*) blue, dirty // *nm* green; **viejo** ~ dirty old man; ~**ar,** ~**cer** *vi* to turn green; **verdor** *nm* (*lo* ~) greenness; (*BOT*) verdure; (*fig*) youthful vigour.

verdugo [ber'ðuxo] *nm* executioner; (*BOT*) shoot; (*cardenal*) weal.

verdulero, a [berðu'lero, a] *nm/f* greengrocer.

verdura [ber'ðura] *nf* greenness; ~**s** *nfpl* (*CULIN*) greens.

vereda [be'reða] *nf* path.

veredicto [bere'ðikto] *nm* verdict.

vergonzoso, a [berxon'θoso, a] *a* shameful; (*tímido*) timid, bashful.

vergüenza [ber'xwenθa] *nf* shame, sense of shame; (*timidez*) bashfulness; (*pudor*) modesty.

verídico, a [be'riðiko, a] *a* true, truthful.

verificar [berifi'kar] *vt* to check; (*corroborar*) to verify; (*llevar a cabo*) to carry out; ~**se** *vr* to occur, happen.

verja ['berxa] *nf* grating.

vermut [ber'mut] *nm* vermouth.

verosímil [bero'simil] *a* likely, probable; (*relato*) credible.

verruga [be'rruxa] *nf* wart.

versado, a [ber'saðo, a] *a*: ~ **en** versed in.

versar [ber'sar] *vi* to go round, turn.

versátil [ber'satil] *a* versatile.

versión [ber'sjon] *nf* version; (*traducción*) translation.

verso ['berso] *nm* (*gen*) verse; **un** ~ a line of poetry.

vértebra ['berteβra] *nf* vertebra.

verter [ber'ter] *vt* (*vaciar*) to empty, pour (out); (*tirar*) to dump // *vi* to flow.

vertical [berti'kal] *a* vertical.

vértice ['bertiθe] *nm* vertex, apex.

vertiente [ber'tjente] *nf* slope.

vertiginoso, a [bertixi'noso, a] *a* giddy, dizzy; **vértigo** *nm* vertigo; (*mareo*) dizziness.

vesícula [be'sikula] *nf* blister.

vespertino, a [besper'tino, a] *a* evening *cpd*.

vestíbulo [bes'tiβulo] *nm* hall; (*de teatro*) foyer.

vestido [bes'tiðo] *nm* (*ropa*) clothes *pl*, clothing; (*de mujer*) dress, frock.

vestigio [bes'tixjo] *nm* (*trazo*) trace; (*señal*) sign; ~**s** *nmpl* remains.

vestimenta [besti'menta] *nf* clothing.

vestir [bes'tir] *vt* (*poner: ropa*) to put on; (*llevar: ropa*) to wear; (*cubrir*) to clothe, cover; (*pagar: la ropa*) to pay for the clothing of; (*sastre*) to make clothes for // *vi* (*ponerse: ropa*) to dress; (*verse bien*) to look good; ~**se** *vr* to get dressed, dress o.s.

vestuario [bes'twarjo] *nm* clothes *pl*, wardrobe; (*TEATRO*) dressing room; (*DEPORTE*) changing room.

veta ['beta] *nf* (*vena*) vein, seam; (*raya*) streak; (*de madera*) grain.

vetar [be'tar] *vt* to veto.

veterano, a [bete'rano, a] *a, nm* veteran.

veterinario, a [beteri'narjo, a] *nm/f* vet(erinary surgeon) // *nf* veterinary science.

veto ['beto] *nm* veto.

vetusto, a [be'tusto, a] *a* ancient.

vez [beθ] *nf* time; (*turno*) turn; **a la** ~ **que** at the same time as; **a su** ~ in its turn; **cada** ~ **más/menos** more and more/less and less; **una** ~ once; **de una** ~ in one go; **de una** ~ **para siempre** once and for all; **en** ~ **de** instead of; **a veces** sometimes; **una y otra** ~ repeatedly; **de** ~ **en cuando** from time to time; **7 veces 9** 7 times 9; **hacer las veces de** to stand in for; **tal** ~ perhaps.

v. g., v. gr. *abr de* **verbigracia.**

vía ['bia] *nf* track, route; (*FERRO*) line; (*fig*) way; (*ANAT*) passage, tube // *prep* via, by way of; **por** ~ **judicial** by legal means; **por** ~ **oficial** through official channels; **por** ~ **de** by way of; **en** ~**s de** in the process of; ~ **aérea** airway.

viaducto [bja'ðukto] *nm* viaduct.

viajante [bja'xante] *nm* commercial traveller.

viajar [bja'xar] *vi* to travel; **viaje** *nm* journey; (*gira*) tour; (*NAUT*) voyage; **estar de viaje** to be on a journey; **viaje de ida y vuelta** round trip; **viaje de novios** honeymoon; **viajero, a** *a* travelling; (*ZOOL*) migratory // *nm/f* (*quien viaja*) traveller; (*pasajero*) passenger.

vial [bjal] *a* road *cpd*, traffic *cpd*.

víbora ['biβora] *nf* viper.

vibración [biβra'θjon] *nf* vibration; **vibrador** *nm* vibrator; **vibrante** *a* vibrant; **vibrar** *vt, vi* to vibrate.

vicario [bi'karjo] *nm* curate.

vicepresidente [biθepresi'ðente] *nm/f* vice president.

viciado, a [bi'θjaðo, a] *a* (*corrompido*) corrupt; (*contaminado*) foul, contaminated; **viciar** *vt* (*pervertir*) to pervert; (*adulterar*) to adulterate; (*falsificar*) to falsify; (*JUR*) to nullify; (*estropear*) to spoil; (*sentido*) to twist; **viciarse** *vr* to become corrupted.

vicio ['biθjo] *nm* (*libertinaje*) vice; (*mala costumbre*) bad habit; (*mimo*) spoiling; (*alabeo*) warp, warping; ~**so, a** *a* (*muy malo*) vicious; (*corrompido*) depraved; (*mimado*) spoiled // *nm/f* depraved person.

vicisitud [biθisi'tuð] *nf* vicissitude.

víctima ['biktima] *nf* victim.
victoria [bik'torja] *nf* victory; **victorioso, a** *a* victorious.
vicuña [bi'kuɲa] *nf* vicuna.
vid [bið] *nf* vine.
vida ['biða] *nf* (*gen*) life; (*duración*) lifetime; **de por** ~ for life; **en la/mi** ~ never; **estar con** ~ to be still alive; **ganarse la** ~ to earn one's living.
vidriero, a [bi'ðrjero, a] *nm/f* glazier // *nf* (*ventana*) stained-glass window; (*puerta*) glass door.
vidrio ['biðrjo] *nm* glass; ~**so, a** *a* glassy; (*frágil*) fragile, brittle; (*resbaladizo*) slippery.
viejo, a ['bjexo, a] *a* old // *nm/f* old man/woman.
vienes *etc vb ver* **venir.**
vienés, esa [bje'nes, esa] *a* Viennese.
viento ['bjento] *nm* wind; (*olfato*) scent.
vientre ['bjentre] *nm* belly; (*matriz*) womb; ~**s** *nmpl* bowels.
viernes ['bjernes] *nm inv* Friday.
Vietnam [bjet'nam] *nm*: **el** ~ Vietnam; **vietnamita** *a* Vietnamese.
viga ['biɣa] *nf* beam, rafter.
vigencia [bi'xenθja] *nf* validity; **estar en** ~ to be in force; **vigente** *a* valid, in force; (*imperante*) prevailing.
vigésimo, a [bi'xesimo, a] *a* twentieth.
vigía [bi'xia] *nm* look-out // *nf* (*atalaya*) watchtower; (*acción*) watching.
vigilancia [bixi'lanθja] *nf* vigilance; **vigilar** *vt* to watch over // *vi* (*gen*) to be vigilant; (*hacer guardia*) to keep watch.
vigilia [vi'xilja] *nf* wakefulness, being awake; (*REL*) fast; **comer de** ~ to fast.
vigor [bi'xor] *nm* vigour, vitality; **en** ~ in force; **entrar/poner en** ~ to take/put into effect; ~**oso, a** *a* vigorous.
vil [bil] *a* vile, low; ~**eza** *nf* vileness; (*acto*) base deed.
vilipendiar [bilipen'djar] *vt* to vilify, revile.
vilo ['bilo]: **en** ~ *ad* in the air, suspended.
villa ['biʎa] *nf* (*pueblo*) small town; (*municipalidad*) municipality.
villorrio [bi'ʎorrjo] *nm* one-horse town, dump (*fam*).
vinagre [bi'naɣre] *nm* vinegar.
vinculación [binkula'θjon] *nf* (*lazo*) link, bond; (*acción*) linking; **vincular** *vt* to link, bind; **vínculo** *nm* link, bond.
vindicar [bindi'kar] *vt* to vindicate; (*vengar*) to avenge; (*JUR*) to claim.
vine *etc vb ver* **venir.**
vinicultura [binikul'tura] *nf* wine growing.
viniera *etc vb ver* **venir.**
vino ['bino] *nm* wine.
viña ['biɲa] *nf*, **viñedo** [bi'ɲeðo] *nm* vineyard.
violación [bjola'θjon] *nf* violation; ~ **(sexual)** rape; **violar** *vt* to violate; to rape.
violencia [bjo'lenθja] *nf* (*fuerza*) violence,

force; (*embarazo*) embarrassment; (*acto injusto*) unjust act; **violentar** *vt* to force; (*casa*) to break into; (*agredir*) to assault; (*violar*) to violate; **violento, a** *a* violent; (*furioso*) furious; (*situación*) embarrassing; (*acto*) forced, unnatural; (*difícil*) awkward.
violeta [bjo'leta] *nf* violet.
violín [bjo'lin] *nm* violin.
violón [bjo'lon] *nm* double bass.
viraje [bi'raxe] *nm* turn; (*de vehículo*) swerve; (*de carretera*) bend; (*fig*) change of direction; **virar** *vt, vi* to change direction.
virgen ['birxen] *a, nf* virgin.
Virgo ['birxo] *nm* Virgo.
viril [bi'ril] *a* virile; ~**idad** *nf* virility.
virtualmente [birtwal'mente] *ad* virtually.
virtud [bir'tuð] *nf* virtue; **virtuoso, a** *a* virtuous // *nm/f* virtuoso.
viruela [bi'rwela] *nf* smallpox; ~**s** *nfpl* pockmarks; ~**s locas** chickenpox.
virulento, a [biru'lento, a] *a* virulent.
virus ['birus] *nm* virus.
visado [bi'saðo] *nm* visa.
viscoso, a [bis'koso, a] *a* viscous.
visera [bi'sera] *nf* visor.
visibilidad [bisiβili'ðað] *nf* visibility; **visible** *a* visible; (*fig*) obvious.
visión [bi'sjon] *nf* (*ANAT*) vision, (eye)sight; (*fantasía*) vision, fantasy; (*panorama*) view; **visionario, a** *a* (*que preve*) visionary; (*alucinado*) deluded // *nm/f* visionary; (*chalado*) lunatic.
visita [bi'sita] *nf* call, visit; (*persona*) visitor; **visitar** *vt* to visit, call on; (*inspeccionar*) to inspect.
vislumbrar [bislum'brar] *vt* to glimpse, catch a glimpse of; **vislumbre** *nf* glimpse; (*centelleo*) gleam; (*idea vaga*) glimmer.
viso ['biso] *nm* (*del metal*) glint, gleam; (*de tela*) sheen; (*aspecto*) appearance.
visón [bi'son] *nm* mink.
visor [bi'sor] *nm* (*FOTO*) viewfinder.
víspera ['bispera] *nf* eve, day before.
vista ['bista] *nf* sight, vision; (*capacidad de ver*) (eye)sight; (*mirada*) look(s) (*pl*) // *nm* customs officer; **a primera** ~ at first glance; **hacer la** ~ **gorda** to turn a blind eye; **volver la** ~ to look back; **está a la** ~ **que** it's obvious that; **en** ~ **de** in view of; **en** ~ **de que** in view of the fact that; **¡hasta la** ~! so long!, see you!; **con** ~**s a** with a view to; ~**zo** *nm* glance; **dar** *o* **echar un** ~**zo a** to glance at.
visto *etc vb ver* **vestir.**
visto, a ['bisto, a] *pp de* **ver** // *a* seen; (*considerado*) considered // *nm*: ~ **bueno** approval; '~ **bueno'** approved; **por lo** ~ evidently; **está** ~ **que** it's clear that; **está bien/mal** ~ it's acceptable/unacceptable; ~ **que** *conj* since, considering.
vistoso, a [bis'toso, a] *a* colourful; (*alegre*) gay; (*pey*) gaudy.
vital [bi'tal] *a* life *cpd*, living *cpd*; (*fig*) vital; (*persona*) lively, vivacious; ~**Icio, a** *a* for life.

vitamina [bita'mina] *nf* vitamin.
viticultor, a [bitikul'tor. a] *nm/f* vine grower; **viticultura** *nf* vine growing.
vitorear [bitore'ar] *vt* to cheer, acclaim.
vítreo, a ['bitreo, a] *a* vitreous.
vitrina [bi'trina] *nf* glass case.
vituperar [bitupe'rar] *vt* to condemn; **vituperio** *nm* (*condena*) condemnation; (*censura*) censure; (*insulto*) insult.
viudo, a ['bjuðo, a] *a* *nm/f* widower/widow; **viudez** *nf* widowhood.
vivacidad [biβaθi'ðað] *nf* (*vigor*) vigour; (*vida*) vivacity.
vivaracho, a [biβa'ratʃo, a] *a* jaunty, lively; (*ojos*) bright, twinkling.
vivaz [bi'βaθ] *a* (*que dura*) enduring; (*vigoroso*) vigorous; (*vivo*) lively.
víveres ['biβeres] *nmpl* provisions.
viveza [bi'βeθa] *nf* liveliness; (*agudeza*) sharpness.
vivienda [bi'βjenda] *nf* (*alojamiento*) housing; (*morada*) dwelling.
0A**viviente** [bi'βjente] *a* living.
vivificar [biβifi'kar] *vt* to give life to.
vivir [bi'βir] *vt*, *vi* to live // *nm* life, living.
vivo, a ['biβo, a] *a* living, live, alive; (*fig*) vivid; (*astuto*) smart, clever; **llegar a lo ~** to cut to the quick.
vocablo [bo'kaβlo] *nm* (*palabra*) word; (*término*) term.
vocabulario [bokaβu'larjo] *nm* vocabulary.
vocación [boka'θjon] *nf* vocation.
vocal [bo'kal] *a* vocal // *nf* vowel; **~izar** *vt* to vocalize.
vocear [boθe'ar] *vt* (*para vender*) to cry; (*aclamar*) to acclaim; (*fig*) to proclaim // *vi* to yell; **vocerío** *nm*, **vocería** *nf* shouting.
vocero [bo'θero] *nm/f* spokesman/woman.
vociferar [boθife'rar] *vt* to shout; (*jactarse*) to proclaim boastfully // *vi* to yell.
vocinglero, a [boθin'glero, a] *a* vociferous; (*gárrulo*) garrulous; (*fig*) blatant.
vodka ['boðka] *nf* vodka.
vol *abr de* **volumen**.
volador, a [bola'ðor, a] *a* flying.
volante [bo'lante] *a* flying // *nm* (*de máquina, coche*) steering wheel; (*de reloj*) balance.
volar [bo'lar] *vt* (*demoler*) to blow up, demolish // *vi* to fly.
volátil [bo'latil] *a* volatile; (*fig*) changeable.
volcán [bol'kan] *nm* volcano; **~ico, a** *a* volcanic.
volcar [bol'kar] *vt* to upset, overturn; (*tumbar, derribar*) to knock over; (*vaciar*) to empty out // *vi* to overturn; **~se** *vr* to tip over.
volibol [boli'βol] *nm* volleyball.
volición [boli'θjon] *nf* volition.
voltaje [bol'taxe] *nm* voltage.
volteador, a [boltea'ðor, a] *nm/f* acrobat.

voltear [bolte'ar] *vt* to turn over; (*volcar*) to turn upside down; (*doblar*) to peal // *vi* to roll over.
voltio ['boltjo] *nm* volt.
voluble [bo'luβle] *a* fickle.
volumen [bo'lumen] *nm* volume; **voluminoso, a** *a* voluminous; (*enorme*) massive.
voluntad [bolun'tað] *nf* will, willpower; (*deseo*) desire, wish; (*afecto*) fondness.
voluntario, a [bolun'tarjo, a] *a* voluntary // *nm/f* volunteer.
voluntarioso, a [bolunta'rjoso, a] *a* headstrong.
voluptuoso, a [bolup'twoso, a] *a* voluptuous.
volver [bol'βer] *vt* (*gen*) to turn; (*dar vuelta*) to turn (over); (*voltear*) to turn round, turn upside down; (*poner al revés*) to turn inside out; (*devolver*) to return; (*transformar*) to change, transform // *vi* to return, go/come back; **~se** *vr* to turn round; (*llegar a ser*) to become; **~ la espalda** to turn one's back; **~ bien por mal** to return good for evil; **~ a hacer** to do again; **~ en sí** to come to; **~se loco** to go mad.
vomitar [bomi'tar] *vt*, *vi* to vomit; **vómito** *nm* (*acto*) vomiting; (*resultado*) vomit.
voraz [bo'raθ] *a* voracious; (*fig*) fierce.
vórtice ['bortiθe] *nm* whirlpool; (*de aire*) whirlwind.
vosotros [bo'sotros] *pron* you.
votación [bota'θjon] *nf* (*acto*) voting; (*voto*) vote; **votar** *vi* to vote; **voto** *nm* vote; (*promesa*) vow; (*maldición*) oath, curse; **votos** (*good*) wishes.
voy *vb ver* **ir**.
voz [boθ] *nf* voice; (*grito*) shout; (*chisme*) rumour; (*LING*) word; **dar voces** to shout, yell; **a media ~** in a low voice; **a ~ en cuello** *o* **en grito** at the top of one's voice; **de viva ~** verbally; **en ~ alta** aloud; **~ de mando** command.
vuelco ['bwelko] *nm* spill, overturning; (*fig*) collapse.
vuelo ['bwelo] *vb ver* **volar** // *nm* flight; (*encaje*) lace, frill; (*fig*) importance; **coger al ~** to catch in flight.
vuelta ['bwelta] *nf* (*gen*) turn; (*curva*) bend, curve; (*regreso*) return; (*revolución*) revolution; (*paseo*) stroll; (*circuito*) lap; (*de papel, tela*) reverse; (*cambio*) change; **V~ de Francia** Tour de France; **~ cerrada** hairpin bend; **a la ~** on one's return; **a ~ de correo** by return of post; **dar ~s** to turn, revolve; **dar ~s a una idea** to turn over an idea in (one's head); **estar de ~** (*fam*) to be back; **dar una ~** to go for a walk.
vuelto *pp de* **volver**.
vuelvo *etc vb ver* **volver**.
vuestro, a ['bwestro, a] *a* your; **un amigo ~** a friend of yours // *pron*: **el ~/la ~/a/los ~s/las ~s** as yours.
vulgar [bul'xar] *a* (*ordinario*) vulgar; (*común*) common; **~idad** *nf* commonness; (*acto*) vulgarity; (*expresión*) coarse

expression; ~idades *nfpl* banalities;
~izar *vt* to popularize.
vulgo ['bulxo] *nm* common people.
vulnerable [bulne'raßle] *a* vulnerable.
vulnerar [bulne'rar] *vt* to harm, damage.
vulpino, a [bul'pino, a] *a* vulpine; (*fig*)
foxy.

W

wáter ['bater] *nm* lavatory.
wátman ['watman] *a inv* (*fam*) cool.
whisky ['wiski] *nm* whisky.

X

xenofobia [kseno'foßja] *nf* xenophobia.
xilófono [ksi'lofono] *nm* xylophone.

Y

y [i] *conj* and.
ya [ja] *ad* (*gen*) already; (*ahora*) now; (*en
seguida*) at once; (*pronto*) soon // *excl* all
right! // *conj* (*ahora que*) now that; ~ **lo
sé** I know; ~ **dice que sí,** ~ **dice que
no** first he says yes, then he says no; ~
que since.
yacer [ja'θer] *vi* to lie.
yacimiento [jaθi'mjento] *nm* bed, deposit.
yanqui ['janki] *a* Yankee.
yate ['jate] *nm* yacht.
yazco *etc vb ver* **yacer.**
yedra ['jeðra] *nf* ivy.
yegua ['jeɣwa] *nf* mare.
yema ['jema] *nf* (*del huevo*) yoke; (*BOT*)
leaf bud; (*fig*) best part; ~ **del dedo**
fingertip.
yergo *etc vb ver* **erguir.**
yermo, a ['jermo, a] *a* uninhabited // *nm*
waste land.
yerno ['jerno] *nm* son-in-law.
yerro *etc vb ver* **errar.**
yerto, a ['jerto, a] *a* stiff.
yesca ['jeska] *nf* tinder.
yeso ['jeso] *nm* (*GEO*) gypsum; (*ARQ*)
plaster.
yodo ['joðo] *nm* iodine.
yugo ['juxo] *nm* yoke.
Yugoslavia [juxos'laßja] *nf* Yugoslavia.
yugular [juxu'lar] *a* jugular.
yunque ['junke] *nm* anvil.
yunta ['junta] *nf* yoke; **yuntero** *nm*
ploughman.
yute ['jute] *nm* jute.
yuxtaponer [jukstapo'ner] *vt* to
juxtapose; **yuxtaposición** *nf* juxta-
position.

Z

zafar [θa'far] *vt* (*soltar*) to untie;
(*superficie*) to clear; ~**se** *vr* (*escaparse*) to
escape; (*ocultarse*) to hide o.s. away; (*TEC*)
to slip off.
zafio, a ['θafjo, a] *a* coarse.

zafiro [θa'firo] *nm* sapphire.
zaga ['θaɣa] *nf* rear; **a la** ~ behind, in the
rear.
zagal, a [θa'xal, a] *nm/f* boy/girl, lad/lass.
zaguán [θa'ɣwan] *nm* hallway.
zahareño, a [θaa'reɲo, a] *a* (*salvaje*) wild;
(*arisco*) unsociable.
zaherir [θae'rir] *vt* (*criticar*) to criticize;
(*fig: herir*) to wound.
zahorí [θao'ri] *nm* clairvoyant.
zaino, a ['θaino, a] *a* (*color de caballo*)
chestnut; (*pérfido*) treacherous; (*animal*)
vicious.
zalameria [θala'merja] *nf* flattery;
zalamero, a *a* flattering; (*relamido*)
suave.
zamarra [θa'marra] *nf* (*piel*) sheepskin;
(*saco*) sheepskin jacket.
zambra ['θambra] *nf* gypsy dance.
zambullirse [θambu'ʎirse] *vr* to dive;
(*ocultarse*) to hide o.s.
zampar [θam'par] *vt* (*esconder*) to hide *or*
put away (hurriedly); (*comer*) to gobble;
(*arrojar*) to hurl // *vi* to eat voraciously;
~**se** *vr* (*chocar*) to bump; (*fig*) to
gatecrash.
zanahoria [θana'orja] *nf* carrot.
zancada [θan'kaða] *nf* stride.
zancadilla [θanka'ðiʎa] *nf* trip; (*fig*)
stratagem.
zancajo [θan'kaxo] *nm* (*ANAT*) heel; (*fig*)
dwarf.
zanco ['θanko] *nm* stilt.
zancudo, a [θan'kuðo, a] *a* long-legged //
nm (*AM*) mosquito.
zángano ['θangano] *nm* drone.
zanja ['θanxa] *nf* (*fosa*) ditch; (*tumba*)
grave; **zanjar** *vt* (*fosa*) to ditch, trench;
(*problema*) to surmount; (*conflicto*) to
resolve.
zapapico [θapa'piko] *nm* pick, pickaxe.
zapata [θa'pata] *nf* half-boot; (*MECÁNICA*)
shoe.
zapatear [θapate'ar] *vt* (*tocar*) to tap with
one's foot; (*patear*) to kick; (*fam*) to ill-
treat // *vi* to tap with one's feet.
zapatería [θapate'ria] *nf* (*oficio*)
shoemaking; (*tienda*) shoe-shop; (*fábrica*)
shoe factory; **zapatero, a** *nm/f*
shoemaker.
zapatilla [θapa'tiʎa] *nf* slipper.
zapato [θa'pato] *nm* shoe.
zarabanda [θara'ßanda] *nf* saraband; (*fig*)
whirl.
zaranda [θa'randa] *nf* sieve; **zarandear** *vt*
to sieve; (*fam*) to shake vigorously.
zarcillo [θar'θiʎo] *nm* earring.
zarpa ['θarpa] *nf* (*garra*) claw.
zarpar [θar'par] *vi* to weigh anchor.
zarza ['θarθa] *nf* (*BOT*) bramble; **zarzal** *nm*
(*matorral*) bramble patch.
zarzamora [θarθa'mora] *nf* blackberry.
zarzuela [θar'θwela] *nf* Spanish light
opera.
zigzag [θiɣ'θaɣ] *a* zigzag; **zigzaguear** *vi* to
zigzag.

zinc [θink] *nm* zinc.
zócalo ['θokalo] *nm* (ARQ) plinth, base.
zona ['θona] *nf* zone; ~ **fronteriza** border area.
zoología [θoolo'xia] *nf* zoology; **zoológico, a** *a* zoological // *nm* zoo; **zoólogo, a** *nm/f* zoologist.
zopilote [θopi'lote] *nm* (AM) buzzard.
zoquete [θo'kete] *nm* (*madera*) block; (*pan*) crust; (*fam*) blockhead.
zorro, a ['θorro, a] *a* crafty // *nm/f* fox/vixen.
zozobra [θo'θoβra] *nf* (*fig*) anxiety; **zozobrar** *vi* (*hundirse*) to capsize; (*fig*) to fail.
zueco ['θweko] *nm* clog.

zumbar [θum'bar] *vt* (*burlar*) to tease; (*golpear*) to hit // *vi* to buzz; (*fam*) to be very close; ~**se** *vr*: ~**se de** to tease; **zumbido** *nm* buzzing; (*fam*) punch.
zumo ['θumo] *nm* juice; (*ganancia*) profit.
zurcir [θur'θir] *vt* (*coser*) to darn; (*fig*) to put together.
zurdo, a ['θurðo, a] *a* (*mano*) left; (*persona*) left-handed.
zurrar [θu'rrar] *vt* (TEC) to dress; (*fam*: *pegar duro*) to wallop; (: *aplastar*) to flatten; (: *criticar*) to criticize harshly.
zurriago [θu'rrjaɣo] *nm* whip, lash.
zurrón [θu'rron] *nm* pouch.
zutano, a [θu'tano, a] *nm/f* so-and-so.

ENGLISH - SPANISH
INGLÉS - ESPAÑOL

A

a, an [eɪ, ə, æn, ən, n] *det* un(a); **3 a day/week** 3 por día/semana; **10 km an hour** 10 km por hora.

A.A. *n abbr of* **Automobile Association; Alcoholics Anonymous.**

aback [əˈbæk] *ad*: **to be taken ~** quedar desconcertado.

abandon [əˈbændən] *vt* abandonar; (*renounce*) renunciar a // *n* abandono; (*wild behaviour*) desenfreno.

abashed [əˈbæʃt] *a* avergonzado, confuso.

abate [əˈbeɪt] *vi* moderarse; (*lessen*) disminuir; (*calm down*) calmarse.

abattoir [ˈæbətwɑ:*] *n* matadero.

abbey [ˈæbɪ] *n* monasterio.

abbot [ˈæbət] *n* abad *m*.

abbreviate [əˈbri:vɪeɪt] *vt* abreviar; **abbreviation** [-ˈeɪʃən] *n* (*short form*) abreviatura; (*act*) abreviación *f*.

abdicate [ˈæbdɪkeɪt] *vt, vi* abdicar; **abdication** [-ˈkeɪʃən] *n* abdicación *f*.

abdomen [ˈæbdəmən] *n* abdomen *m*.

abduct [æbˈdʌkt] *vt* raptar, secuestrar; **~ion** [-ˈdʌkʃən] *n* rapto, secuestro.

aberration [æbəˈreɪʃən] *n* aberración *f*.

abet [əˈbet] *vt* (*incite*) incitar; (*aid*) ser cómplice de.

abeyance [əˈbeɪəns] *n*: **in ~** (*law*) en desuso; (*matter*) en suspenso.

abhor [əbˈhɔ:*] *vt* aborrecer, abominar (de); **~rent** *a* aborrecible, detestable.

abide [əˈbaɪd], *pt, pp* **abode** *or* **abided** *vt* aguantar, soportar; **to ~ by** *vt fus* atenerse a.

ability [əˈbɪlɪtɪ] *n* habilidad *f*, capacidad *f*; (*talent*) talento.

ablaze [əˈbleɪz] *a* en llamas, ardiendo.

able [ˈeɪbl] *a* capaz; (*skilled*) hábil; **to be ~ to do sth** poder hacer algo; **~-bodied** *a* sano; **ably** *ad* hábilmente.

abnormal [æbˈnɔ:məl] *a* anormal; **~ity** [-ˈmælɪtɪ] *n* anormalidad *f*.

aboard [əˈbɔ:d] *ad* a bordo // *prep* a bordo de.

abode [əˈbəud] *pt, pp of* **abide** // *n* domicilio.

abolish [əˈbɒlɪʃ] *vt* suprimir, abolir; **abolition** [æbəuˈlɪʃən] *n* supresión *f*, abolición *f*.

abominable [əˈbɒmɪnəbl] *a* abominable.

aborigine [æbəˈrɪdʒɪnɪ] *n* aborigen *m*.

abort [əˈbɔ:t] *vt* abortar; **~ion** [əˈbɔ:ʃən] *n* aborto (provocado); **to have an ~ion** abortarse, hacerse abortar; **~ive** *a* fracasado.

abound [əˈbaund] *vi* abundar.

about [əˈbaut] *prep* (*subject*) acerca de, sobre; (*place*) alrededor de, por // *ad* casi, más o menos, a eso de; **to walk ~ the town** andar por la ciudad; **it takes ~ 10 hours** es cosa de 10 horas más o menos; **at ~ 2 o'clock** a eso de las 2; **to be ~ to** estar a punto de; **what** *or* **how ~ doing this?** ¿qué tal si hacemos esto?; **~ turn** *n* media vuelta.

above [əˈbʌv] *ad* encima, por encima, arriba // *prep* encima de; **mentioned ~** susodicho; **~ all** sobre todo; **~ board** *a* legítimo.

abrasion [əˈbreɪʒən] *n* (*on skin*) abrasión *f*; **abrasive** [əˈbreɪzɪv] *a* abrasivo.

abreast [əˈbrest] *ad* de frente; **to keep ~ of** mantenerse al corriente de.

abridge [əˈbrɪdʒ] *vt* abreviar.

abroad [əˈbrɔ:d] *ad* (*to be*) en el extranjero; (*to go*) al extranjero.

abrupt [əˈbrʌpt] *a* (*sudden*) brusco; (*gruff*) áspero.

abscess [ˈæbsɪs] *n* absceso.

abscond [əbˈskɒnd] *vi* fugarse.

absence [ˈæbsəns] *n* ausencia.

absent [ˈæbsənt] *a* ausente; **~ee** [-ˈti:] *n* ausente *m/f*; **~eeism** [-ˈti:ɪzəm] *n* absentismo; **~-minded** *a* distraído.

absolute [ˈæbsəlu:t] *a* absoluto; **~ly** [-ˈlu:tlɪ] *ad* absolutamente.

absolve [əbˈzɒlv] *vt*: **to ~ sb (from)** absolver a alguien (de).

absorb [əbˈzɔ:b] *vt* absorber; **to be ~ed in a book** estar absorto en un libro; **~ent** *a* absorbente; **~ing** *a* absorbente.

abstain [əbˈsteɪn] *vi*: **to ~ (from)** abstenerse (de).

abstention [əbˈstenʃən] *n* abstención *f*.

abstinence [ˈæbstɪnəns] *n* abstinencia.

abstract [ˈæbstrækt] *a* abstracto.

absurd [əbˈsɔ:d] *a* absurdo; **~ity** *n* absurdo.

abundance [əˈbʌndəns] *n* abundancia; **abundant** [-dənt] *a* abundante.

abuse [əˈbju:s] *n* (*insults*) improperios *mpl*, injurias *fpl*; (*misuse*) abuso // *vt* [əˈbju:z] (*ill-treat*) maltratar; (*take advantage of*) abusar de; **abusive** *a* ofensivo.

abysmal [əˈbɪzməl] *a* abismal; (*ignorance etc*) profundo.

abyss [əˈbɪs] *n* abismo.

academic [ækəˈdemɪk] *a* académico, universitario; (*pej: issue*) puramente teórico.

academy [əˈkædəmɪ] *n* (*learned body*) academia; (*school*) instituto, colegio.

accede [ækˈsi:d] *vi*: **to ~ to** (*request*) consentir en; (*throne*) subir a.

accelerate [æk'sɛləreit] vt acelerar // vi acelerarse; **acceleration** [-'reiʃən] n aceleración f; **accelerator** n acelerador m.

accent ['æksɛnt] n acento.

accept [ək'sɛpt] vt aceptar; (approve) aprobar; (permit) admitir; ~**able** a aceptable; admisible; ~**ance** n aceptación f; aprobación f.

access ['æksɛs] n acceso; **to have** ~ **to** tener libre acceso a; ~**ible** [-'sɛsəbl] a accesible.

accessory [æk'sɛsərɪ] n accesorio; **toilet accessories** npl artículos mpl de tocador.

accident ['æksɪdənt] n accidente m; (chance) casualidad f; **by** ~ (unintentionally) sin querer; (by coincidence) por casualidad; ~**al** [-'dɛntl] a accidental, fortuito; ~**ally** [-'dɛntəlɪ] ad sin querer; por casualidad; ~-**prone** a con tendencia a sufrir/causar accidentes.

acclaim [ə'kleɪm] vt aclamar, aplaudir // n aclamación f, aplausos mpl.

acclimatize [ə'klaɪmətaɪz] vt: **to become** ~**d** aclimatarse.

accommodate [ə'kɔmədeɪt] vt alojar, hospedar; (reconcile) componer; (oblige, help) complacer; (adapt): **to** ~ **one's plans** to acomodar sus proyectos a; **accommodating** a servicial, complaciente.

accommodation [əkɔmə'deɪʃən] n alojamiento; (space) sitio.

accompaniment [ə'kʌmpənɪmənt] n acompañamiento; **accompany** [-nɪ] vt acompañar.

accomplice [ə'kʌmplɪs] n cómplice m/f.

accomplish [ə'kʌmplɪʃ] vt (finish) acabar, alcanzar; (achieve) realizar, llevar a cabo; ~**ed** a experto, hábil; ~**ment** n (ending) conclusión f; (bringing about) realización f; (skill) talento.

accord [ə'kɔːd] n acuerdo // vt concordar; **of his own** ~ espontáneamente; ~**ance** n: **in** ~**ance with** de acuerdo con; ~**ing to** prep según; (in accordance with) conforme a; ~**ingly** ad (thus) por consiguiente.

accordion [ə'kɔːdɪən] n acordeón m.

accost [ə'kɔst] vt abordar, dirigirse a.

account [ə'kaunt] n (COMM) cuenta, factura; (report) informe m; **of little** ~ de poca importancia; **on** ~ a cuenta; **on no** ~ de ninguna manera, bajo ningún concepto; **on** ~ **of** a causa de, por motivo de; **to take into** ~, **take** ~ **of** tomar o tener en cuenta; **to** ~ **for** vt (answer for) responder de; (explain) dar cuenta o razón de; ~**able** a responsable.

accountancy [ə'kauntənsɪ] n contabilidad f; **accountant** [-tənt] n contador/a m/f.

accumulate [ə'kjuːmjuleit] vt acumular // vi acumularse; **accumulation** [-'leiʃən] n acumulación f.

accuracy ['ækjurəsɪ] n exactitud f, precisión f; **accurate** [-rɪt] a (number) exacto; (answer) acertado; (shot) certero.

accusation [ækju'zeɪʃən] n acusación f; **accuse** [ə'kjuːz] vt acusar; (blame) echar la culpa a; **accused** [ə'kjuːzd] n acusado/a.

accustom [ə'kʌstəm] vt acostumbrar; ~**ed** a: ~**ed to** acostumbrado a.

ace [eɪs] n as m.

ache [eɪk] n dolor m // vi doler; **my head** ~**s** me duele la cabeza.

achieve [ə'tʃiːv] vt (reach) alcanzar; (realize) llevar a cabo; (victory, success) lograr, conseguir; ~**ment** n (completion) realización f; (success) éxito.

acid ['æsɪd] a ácido; (bitter) agrio // n ácido; ~**ity** [ə'sɪdɪtɪ] n acidez f; (MED) acedía.

acknowledge [ək'nɔlɪdʒ] vt (letter) acusar recibo de; (fact) reconocer; ~**ment** n acuse m de recibo; reconocimiento.

acne ['æknɪ] n acné m.

acorn ['eɪkɔːn] n bellota.

acoustic [ə'kuːstɪk] a acústico; ~**s** n, npl acústica sg.

acquaint [ə'kweɪnt] vt: **to** ~ **sb with sth** (warn) avisar a uno de algo; (inform) poner a uno al corriente de algo; **to be** ~**ed with** (person) conocer; (fact) estar al corriente de; ~**ance** n conocimiento; (person) conocido/a.

acquiesce [ækwɪ'ɛs] vt: **to** ~ **in** consentir en, conformarse con.

acquire [ə'kwaɪə*] vt adquirir; (achieve) conseguir; **acquisition** [ækwɪ'zɪʃən] n adquisición f; **acquisitive** [ə'kwɪzɪtɪv] a codicioso.

acquit [ə'kwɪt] vt absolver, exculpar; **to** ~ **o.s. well** defenderse, salir con éxito; ~**tal** n absolución f, exculpación f.

acre ['eɪkə*] n acre m.

acrimonious [ækrɪ'məunɪəs] a (remark) mordaz; (argument) reñido.

acrobat ['ækrəbæt] n acróbata m/f; ~**ics** [ækrəu'bætɪks] n, npl acrobacia sg.

across [ə'krɔs] prep (on the other side of) al otro lado de, del otro lado de; (crosswise) a través de // ad de un lado a otro, de una parte a otra; a través, al través; **to run/swim** ~ atravesar corriendo/nadando; ~ **from** enfrente de.

act [ækt] n acto, acción f; (THEATRE) acto; (in music-hall etc) número; (LAW) decreto, ley f // vi (machine) funcionar, marchar; (person) actuar, comportarse; (THEATRE) actuar, trabajar; (pretend) fingir; (take action) obrar // vt (part) hacer el papel de, representar; **to** ~ **as** actuar o hacer de; ~**ing** a suplente // n: **to do some** ~**ing** ser actor/actriz.

action ['ækʃən] n acción f, acto; (MIL) acción f, batalla; (LAW) proceso, demanda; **to take** ~ tomar medidas.

activate ['æktɪveɪt] vt (mechanism) activar.

active ['æktɪv] a activo, enérgico; (volcano) en actividad; **activity** [-'tɪvɪtɪ] n actividad f.

actor ['æktə*] n actor m; **actress** [-trɪs] n actriz f.
actual ['æktjuəl] a verdadero, real; ~**ly** ad realmente, en realidad.
acupuncture ['ækjupʌŋktʃə*] n acupuntura.
acute [ə'kjuːt] a (gen) agudo.
ad [æd] n abbr of **advertisement.**
A.D. ad abbr of **Anno Domini** A.C. (año de Cristo).
Adam ['ædəm] n Adán; ~'s **apple** n nuez f de la garganta.
adamant ['ædəmənt] a firme, inflexible.
adapt [ə'dæpt] vt adaptar; (reconcile) acomodar // vi: **to** ~ **(to)** adaptarse (a), ajustarse (a); ~**able** a (device) adaptable; (person) que se adapta; ~**ation** [ædæp-'teɪʃən] n adaptación f; ~**er** n (ELEC) adaptador m.
add [æd] vt añadir, agregar; (figures: also: ~ **up)** sumar // vi: **to** ~ **to** (increase) aumentar, acrecentar; **it doesn't** ~ **up** no tiene sentido.
adder ['ædə*] n víbora.
addict ['ædɪkt] n (enthusiast) entusiasta m/f; (to drugs etc) adicto/a; ~**ed** [ə'dɪktɪd] a: **to be** ~**ed** to ser aficionado de; ser adicto a; **addiction** [ə'dɪkʃən] n (enthusiasm) afición f; (dependence) hábito morboso.
adding machine ['ædɪŋməʃiːn] n calculadora.
addition [ə'dɪʃən] n (adding up) adición f; (thing added) añadidura, añadido; **in** ~ además, por añadidura; **in** ~ **to** además de; ~**al** a adicional.
additive ['ædɪtɪv] n aditivo.
address [ə'dres] n dirección f, señas fpl; (speech) discurso // vt (letter) dirigir; (speak to) dirigirse a, dirigir la palabra a; ~**ee** [ædre'siː] n destinatario/a.
adenoids ['ædɪnɔɪdz] npl vegetaciones fpl adenoideas.
adept ['ædept] a: ~ **at** experto o hábil en.
adequate ['ædɪkwɪt] a (apt) adecuado; (enough) suficiente.
adhere [əd'hɪə*] vi: **to** ~ **to** pegarse a; (fig: abide by) observar; (: hold to) adherirse a; **adherent** n partidario/a.
adhesive [əd'hiːzɪv] a, n adhesivo.
adjacent [ə'dʒeɪsənt] a: ~ **to** contiguo a, inmediato a.
adjective ['ædʒektɪv] n adjetivo.
adjoining [ə'dʒɔɪnɪŋ] a contiguo, vecino.
adjourn [ə'dʒɜːn] vt aplazar; (session) suspender, levantar // vi suspenderse.
adjudicate [ə'dʒuːdɪkeɪt] vi sentenciar; **adjudicator** n juez m, árbitro.
adjust [ə'dʒʌst] vt (change) modificar; (arrange) arreglar; (machine) ajustar // vi: **to** ~ **(to)** adaptarse (a); ~**able** a ajustable; ~**ment** n modificación f; arreglo; (of prices, wages) ajuste m.
adjutant ['ædʒətənt] n ayudante m.
ad-lib [æd'lɪb] vt, vi improvisar; **ad lib** ad a voluntad, a discreción.
administer [əd'mɪnɪstə*] vt proporcionar;

(justice) administrar; **administration** [-'treɪʃən] n administración f; (government) gobierno; **administrative** [-trətɪv] a administrativo; **administrator** [-treɪtə*] n administrador/a m/f.
admirable ['ædmərəbl] a admirable.
admiral ['ædmərəl] n almirante m; **A**~**ty** n Ministerio de Marina, Almirantazgo.
admiration [ædmə'reɪʃən] n admiración f.
admire [əd'maɪə*] vt admirar; **admirer** n admirador/a m/f; (suitor) pretendiente m.
admission [əd'mɪʃən] n (entry) entrada; (enrolment) ingreso; (confession) confesión f.
admit [əd'mɪt] vt dejar entrar, dar entrada a; (permit) admitir; (acknowledge) reconocer; (accept) aceptar; **to** ~ **to** confesarse culpable de; ~**tance** n entrada; ~**tedly** ad de acuerdo que.
admonish [əd'mɔnɪʃ] vt amonestar; (advise) aconsejar.
ado [ə'duː] n: **without (any) more** ~ sin más (ni más).
adolescence [ædəu'lɛsns] n adolescencia; **adolescent** [-'lɛsnt] a, n adolescente m/f.
adopt [ə'dɔpt] vt adoptar; ~**ion** [ə'dɔpʃən] n adopción f; ~**ed** a adoptivo.
adore [ə'dɔː*] vt adorar.
adorn [ə'dɔːn] vt adornar.
adrenalin [ə'drɛnəlɪn] n adrenalina.
Adriatic [eɪdrɪ'ætɪk] n: **the** ~ **(Sea)** el (Mar) Adriático.
adrift [ə'drɪft] ad a la deriva; **to come** ~ desprenderse.
adult ['ædʌlt] n (gen) adulto.
adulterate [ə'dʌltəreɪt] vt adulterar.
adultery [ə'dʌltərɪ] n adulterio.
advance [əd'vɑːns] n (gen) adelanto, progreso; (money) anticipo, préstamo; (MIL) avance m // vt avanzar, adelantar; anticipar, prestar // vi avanzar, adelantarse; **in** ~ por adelantado; ~**d** a avanzado; (SCOL: studies) adelantado; ~**d in years** entrado en años; ~**ment** n progreso; (in rank) ascenso.
advantage [əd'vɑːntɪdʒ] n (also TENNIS) ventaja; **to take** ~ **of** (use) aprovecharse de; (gain by) sacar partido de; ~**ous** [ædvən'teɪdʒəs] a ventajoso, provechoso.
advent ['ædvənt] n advenimiento; **A**~ Adviento.
adventure [əd'vɛntʃə*] n aventura; **adventurous** [-tʃərəs] a aventurero.
adverb ['ædvɜːb] n adverbio.
adversary ['ædvəsərɪ] n adversario, contrario.
adverse ['ædvɜːs] a adverso, contrario; ~ **to** adverso a.
adversity [əd'vɜːsɪtɪ] n infortunio.
advert ['ædvɜːt] n abbr of **advertisement.**
advertise ['ædvətaɪz] vi hacer propaganda; (in newspaper etc) poner un anuncio // vt anunciar; ~**ment** [əd-'vɜːtɪsmənt] n (COMM) anuncio; **advertising** n publicidad f, propaganda; anuncios mpl.

advice [əd'vaɪs] n consejo, consejos mpl; (notification) aviso; **to take legal** ~ consultar a un abogado.

advisable [əd'vaɪzəbl] a aconsejable, conveniente.

advise [əd'vaɪz] vt aconsejar; (inform) avisar; **adviser** n consejero; (business adviser) asesor m; **advisory** a consultivo.

advocate ['ædvəkeɪt] vt (argue for) abogar por; (give support to) ser partidario de // n [-kɪt] abogado.

aerial ['ɛərɪəl] n antena // a aéreo.

aeroplane ['ɛərəpleɪn] n avión m.

aerosol ['ɛərəsɔl] n aerosol m.

aesthetic [iːs'θɛtɪk] a estético.

afar [ə'fɑ:*] ad: **from** ~ desde lejos.

affable ['æfəbl] a afable.

affair [ə'fɛə*] n asunto; (also: **love** ~) aventura o relación f (amorosa).

affect [ə'fɛkt] vt afectar, influir en; (move) conmover; ~**ation** [æfɛk'teɪʃən] n afectación f; ~**ed** a afectado.

affection [ə'fɛkʃən] n afecto, cariño; ~**ate** a afectuoso, cariñoso.

affiliated [ə'fɪlɪeɪtɪd] a afiliado.

affinity [ə'fɪnɪtɪ] n afinidad f.

affirmation [æfə'meɪʃən] n afirmación f.

affirmative [ə'fəːmətɪv] a afirmativo.

affix [ə'fɪks] vt (signature) poner, añadir; (stamp) pegar.

afflict [ə'flɪkt] vt afligir; ~**ion** [ə'flɪkʃən] n enfermedad f, aflicción f.

affluence ['æfluəns] n opulencia, riqueza; **affluent** [-ənt] a opulento, acaudalado.

afford [ə'fɔːd] vt (provide) dar, proporcionar; **can we** ~ **it?** ¿tenemos bastante dinero para comprarlo?

affront [ə'frʌnt] n afrenta, ofensa.

afield [ə'fiːld] ad: **far** ~ muy lejos.

afloat [ə'fləut] ad (floating) a flote; (at sea) en el mar.

afoot [ə'fut] ad: **there is something** ~ algo se está tramando.

aforesaid [ə'fɔːsɛd] a susodicho.

afraid [ə'freɪd] a: **to be** ~ **of** (person) tener miedo a; (thing) tener miedo de; **to be** ~ **to** tener miedo de, temer; **I am** ~ **that** me temo que.

afresh [ə'frɛʃ] ad de nuevo, otra vez.

Africa ['æfrɪkə] n África; ~**n** a, n africano/a.

aft [ɑːft] ad (to be) en popa; (to go) a popa.

after ['ɑːftə*] prep (time) después de; (place, order) detrás de, tras // ad después // conj después (de) que; **what/who are you** ~? ¿qué/a quién busca Usted?; **to ask** ~ **sb** preguntar por alguien; ~ **all** después de todo, al fin y al cabo; ~ **you!** ¡pase Usted!; ~**birth** n secundinas fpl; ~**-effects** npl consecuencias fpl, efectos mpl; ~**life** n vida futura; ~**math** n consecuencias fpl, resultados mpl; ~**noon** n tarde f; ~**-shave (lotion)** n loción f para después del afeitado; ~**thought** n ocurrencia (tardía); ~**wards** ad después, más tarde.

again [ə'gɛn] ad otra vez, de nuevo; **to do sth** ~ volver a hacer algo; ~ **and** ~ una y otra vez; **now and** ~ de vez en cuando.

against [ə'gɛnst] prep (opposed) contra, en contra de; (close to) contra, junto a.

age [eɪdʒ] n (gen) edad f; (old ~) vejez f; (period) época // vi envejecer(se) // vt envejecer; **to come of** ~ llegar a la mayoría de edad; **it's been** ~**s since** hace muchísimo tiempo que; ~**d** a ['eɪdʒɪd] viejo, anciano // a [eɪdʒd]: ~**d 10** de 10 años de edad; ~ **group** n: **to be in the same** ~ **group** tener la misma edad; ~**less** a (eternal) eterno; (ever young) siempre joven; ~ **limit** n edad mínima/máxima.

agency ['eɪdʒənsɪ] n agencia; **through** or **by the** ~ **of** por medio de.

agenda [ə'dʒɛndə] n orden m del día.

agent ['eɪdʒənt] n (gen) agente m/f; (representative) representante m/f, delegado/a.

aggravate ['ægrəveɪt] vt agravar; (annoy) irritar, exasperar; **aggravation** [-'veɪʃən] n agravación f.

aggregate ['ægrɪgeɪt] n (whole) conjunto; (collection) agregado.

aggression [ə'grɛʃən] n agresión f; **aggressive** [ə'grɛsɪv] a agresivo; (zealous) enérgico.

aggrieved [ə'griːvd] a ofendido, agraviado.

aghast [ə'gɑːst] a horrorizado; **to be** ~ pasmarse.

agile ['ædʒaɪl] a ágil.

agitate ['ædʒɪteɪt] vt (shake) agitar; (trouble) inquietar; **to** ~ **for** hacer campaña pro o en favor de; **agitator** n agitador/a m/f.

ago [ə'gəu] ad: **2 days** ~ hace 2 días; **not long** ~ hace poco; **how long** ~? ¿hace cuánto tiempo?

agog [ə'gɔg] a (anxious) ansiado; (excited) emocionado.

agonizing ['ægənaɪzɪŋ] a (pain) atroz, agudo; (suspense) angustioso.

agony ['ægənɪ] n (pain) dolor m agudo; (distress) angustia; **to be in** ~ sufrir atrozmente.

agree [ə'griː] vt (price) acordar, quedar en // vi (statements etc) coincidir, concordar; **to** ~ **(with)** (person) estar de acuerdo (con), ponerse de acuerdo (con); **to** ~ **to do** aceptar hacer; **to** ~ **to sth** consentir en algo; **to** ~ **that** (admit) estar de acuerdo en que; **garlic doesn't** ~ **with me** el ajo no me sienta bien; ~**able** a agradable; (person) simpático; (willing) de acuerdo, conforme; ~**d** a (time, place) convenido; ~**ment** n acuerdo; (comm) contrato; **in** ~**ment** de acuerdo, conforme.

agricultural [ægrɪ'kʌltʃərəl] a agrícola; **agriculture** ['ægrɪkʌltʃə*] n agricultura.

aground [ə'graund] ad: **to run** ~ encallar, embarrancar.

ahead [ə'hɛd] ad delante; ~ **of** delante de;

(*fig: schedule etc*) antes de; ~ **of time** antes de la hora; **to be** ~ **of sb** (*fig*) llevar la ventaja a alguien; **go right** *or* **straight** ~ ¡siga adelante!

aid [eɪd] *n* ayuda, auxilio // *vt* ayudar, auxiliar; **in** ~ **of** a beneficio de; **to** ~ **and abet** (LAW) ser cómplice de.

aide [eɪd] *n* (*person*) edecán *m*.

ailment ['eɪlmənt] *n* enfermedad *f*, achaque *m*.

aim [eɪm] *vt* (*gun, camera*) apuntar; (*missile, remark*) dirigir; (*blow*) asestar // *vi* (*also:* **take** ~) apuntar // *n* puntería; (*objective*) propósito, meta; **to** ~ **at** (*objective*) aspirar a, pretender; **to** ~ **to do** tener la intención de hacer; ~**less** *a* sin propósito, sin objeto; ~**lessly** *ad* a la ventura, a la deriva.

air [εə*] *n* aire *m*; (*appearance*) aspecto // *vt* ventilar; (*grievances, ideas*) airear // *cpd* (*currents, attack etc*) aéreo, aeronáutico; ~**borne** *a* (*in the air*) en el aire; (MIL) aerotransportado; ~**-conditioned** *a* con aire acondicionado; ~ **conditioning** *n* aire acondicionado; ~**craft** *n*, *pl inv* avión *m*; ~**craft carrier** *n* porta(a)viones *m inv*; **A**~ **Force** *n* Fuerzas Aéreas *fpl*, aviación *f*; ~**gun** *n* escopeta de aire comprimido; ~ **hostess** *n* azafata; ~ **letter** *n* carta aérea; ~**lift** *n* puente *m* aéreo; ~**line** *n* línea aérea; ~**liner** *n* avión *m* de pasajeros; ~**lock** *n* esclusa de aire; ~**mail** *n*: **by** ~**mail** por avión; ~**port** *n* aeropuerto; ~ **raid** *n* ataque *m* aéreo; ~**sick** *a*: **to be** ~**sick** marearse (en un avión); ~**strip** *n* pista de aterrizaje; ~**tight** *a* hermético; ~**y** *a* (*room*) bien ventilado; (*manners*) ligero.

aisle [aɪl] *n* (*of church*) nave *f*; (*of theatre*) pasillo.

ajar [ə'dʒɑː*] *a* entreabierto.

akin [ə'kɪn] *a*: ~ **to** relacionado con.

alarm [ə'lɑːm] *n* alarma; (*anxiety*) inquietud *f* // *vt* asustar, inquietar; ~ **clock** *n* despertador *m*.

Albania [æl'beɪnɪə] *n* Albania.

album ['ælbəm] *n* álbum *m*; (*L.P.*) elepé *m*.

alcohol ['ælkəhɔl] *n* alcohol *m*; ~**ic** [-'hɔlɪk] *a*, *n* alcohólico/a; ~**ism** *n* alcoholismo.

alcove ['ælkəuv] *n* nicho, hueco.

alderman ['ɔːldəmən] *n*, *pl* **-men** concejal *m*.

ale [eɪl] *n* cerveza.

alert [ə'lɜːt] *a* alerta; (*sharp*) despierto, despabilado // *n* alerta *m*, alarma // *vt* poner sobre aviso; **to be on the** ~ estar alerta *o* sobre aviso.

algebra ['ældʒɪbrə] *n* álgebra.

Algeria [æl'dʒɪərɪə] *n* Argelia; ~**n** *a*, *n* argelino/a.

alias ['eɪlɪəs] *ad* alias, por otro nombre // *n* alias *m*.

alibi ['ælɪbaɪ] *n* coartada.

alien ['eɪlɪən] *n* extranjero/a // *a*: ~ **to** distinto de, ajeno a; ~**ate** *vt* enajenar, alejar; ~**ation** [-'neɪʃən] *n* enajenación *f*.

alight [ə'laɪt] *a* ardiendo, quemando // *vi* apearse, bajar.

align [ə'laɪn] *vt* alinear; ~**ment** *n* alineación *f*.

alike [ə'laɪk] *a* semejantes, iguales // *ad* igualmente, del mismo modo; **to look** ~ parecerse.

alimony ['ælɪmənɪ] *n* (*payment*) alimentos *mpl*.

alive [ə'laɪv] *a* (*gen*) vivo; (*lively*) activo, enérgico.

alkali ['ælkəlaɪ] *n* álcali *m*.

all [ɔːl] *a* todo; (*pl*) todos(as) // *pron* todo; (*pl*) todos(as) // *ad* completamente, del todo; ~ **alone** completamente solo; **at** ~ en absoluto, del todo; ~ **the time/his life** todo el tiempo/toda su vida; ~ **five** todos los cinco; ~ **of them** todos (ellos); ~ **of us went** fuimos todos; **not as hard as** ~ **that** no tan difícil; ~ **in** ~ con todo, así y todo.

allay [ə'leɪ] *vt* (*fears*) aquietar; (*pain*) aliviar.

allegation [ælɪ'geɪʃən] *n* aseveración *f*, alegación *f*.

allege [ə'ledʒ] *vt* afirmar, pretender.

allegiance [ə'liːdʒəns] *n* lealtad *f*.

allegory ['ælɪgərɪ] *n* alegoría.

allergic [ə'lɜːdʒɪk] *a*: ~ **to** alérgico a; **allergy** ['ælədʒɪ] *n* alergia.

alleviate [ə'liːvɪeɪt] *vt* aliviar, mitigar.

alley ['ælɪ] *n* (*street*) callejuela; (*in garden*) paseo.

alliance [ə'laɪəns] *n* alianza *f*, **allied** ['ælaɪd] *a* aliado; (*related*) relacionado.

alligator ['ælɪgeɪtə*] *n* caimán *m*.

all-in ['ɔːlɪn] *a* (*also ad: charge*) todo incluido; ~ **wrestling** *n* lucha libre.

alliteration [əlɪtə'reɪʃən] *n* aliteración *f*.

all-night ['ɔːl'naɪt] *a* (*café*) abierto toda la noche; (*party*) que dura toda la noche.

allocate ['æləkeɪt] *vt* (*share out*) repartir, distribuir; (*devote*) asignar; **allocation** [-'keɪʃən] *n* (*of money*) ración *f*, cuota; (*distribution*) reparto.

allot [ə'lɔt] *vt* asignar; ~**ment** *n* ración *f*, porción *f*; (*garden*) parcela.

all-out ['ɔːlaut] *a* (*effort etc*) máximo; **all out** *ad* con todas sus fuerzas; (*speed*) a máxima velocidad.

allow [ə'lau] *vt* (*practice, behaviour*) permitir, dejar; (*sum to spend etc*) pagar, dar; (*a claim*) admitir; (*sum, time estimated*) dar, conceder; (*concede*): **to** ~ **that** reconocer que; **to** ~ **sb to do** permitir a alguien hacer; **to** ~ **for** *vt fus* tener en cuenta, tomar en consideración; ~**ance** *n* (*gen*) concesión *f*; (*payment*) subvención *f*, pensión *f*; (*discount*) descuento, rebaja; **family** ~**ance** subsidio familiar; **to make** ~**ances for** ser indulgente con; tener en cuenta.

alloy ['ælɔɪ] *n* (*mix*) mezcla.

all: ~ **right** *ad* (*well*) bien; (*correct*) correcto; (*as answer*) ¡conforme!, ¡está bien!; ~**-round** *a* (*gen*) completo; (*view*) amplio; (*person*) que hace de todo;

~-**time** a (*record*) de todos los tiempos.
allude [ə'luːd] *vi*: **to ~ to** aludir a.
alluring [ə'ljuəriŋ] a seductor(a), atractivo.
allusion [ə'luːʒən] n referencia, alusión f.
ally ['ælai] n aliado/a // *vr* [ə'lai]: **to ~ o.s. with** aliarse con.
almighty [ɔːl'maiti] a todopoderoso, omnipotente.
almond ['ɑːmənd] n (*fruit*) almendra; (*tree*) almendro.
almost ['ɔːlməust] *ad* casi, por poco.
alms [ɑːmz] *npl* limosna *sg*.
aloft [ə'lɔft] *ad* arriba, en alto.
alone [ə'ləun] a solo // *ad* sólo, solamente; **to leave sb ~** dejar a uno solo o en paz; **to leave sth ~** no tocar algo, dejar algo sin tocar; **let ~** sin hablar de.
along [ə'lɔŋ] *prep* a lo largo de, por // *ad*: **is he coming ~ with us?** ¿nos acompaña?; **he was limping ~** iba cojeando; **~ with** junto con, además de; ~**side** *prep* junto a, al lado de // *ad* (*NAUT*) al costado.
aloof [ə'luːf] a reservado // *ad*: **to stand ~** mantenerse a distancia.
aloud [ə'laud] *ad* en voz alta.
alphabet ['ælfəbet] n alfabeto; ~**ical** [-'betikəl] a alfabético.
alpine ['ælpain] a alpino, alpestre.
Alps [ælps] *npl*: **the ~** los Alpes.
already [ɔːl'redi] *ad* ya.
alright [ɔːl'rait] *ad* = **all right**.
also ['ɔːlsəu] *ad* también, además.
altar ['ɔltə*] n altar m.
alter ['ɔltə*] *vt* cambiar, modificar // *vi* cambiarse, mudarse; (*worsen*) alterarse; ~**ation** [ɔltə'reiʃən] n cambio, modificación f; alteración f.
alternate [ɔl'tɔːnit] a alterno, alternativo // *vi* [ɔl'tɔːneit] alternarse; **on ~ days** un día sí y otro no; ~**ly** *ad* alternativamente, por turno; **alternating** [-'neitiŋ] a (*current*) alterno.
alternative [ɔl'tɔːnətiv] a alternativo // n alternativa; ~**ly** *ad*: ~**ly one could...** por otra parte se podría... .
alternator ['ɔltɔːneitə*] n (*AUT*) alternador m.
although [ɔːl'ðəu] *conj* aunque; (*given that*) si bien.
altitude ['æltitjuːd] n altitud f, altura.
alto ['æltəu] n (*female*) contralto f; (*male*) alto.
altogether [ɔːltə'geðə*] *ad* enteramente, del todo; (*on the whole, in all*) en total, en conjunto.
aluminium [ælju'miniəm], **aluminum** [ə'luːminəm] (*US*) n aluminio.
always ['ɔːlweiz] *ad* siempre.
am [æm] *vb see* **be**.
a.m. *ad abbr of* **ante meridiem** de la mañana, antes de mediodía.
amalgamate [ə'mælgəmeit] *vi* amalgamarse, unirse // *vt* amalgamar,

unir; **amalgamation** [-'meiʃən] n (*COMM*) amalgamación f, unión f.
amass [ə'mæs] *vt* amontonar, acumular.
amateur ['æmətə*] n aficionado/a, amateur m/f.
amaze [ə'meiz] *vt* asombrar, pasmar; ~**ment** n asombro, sorpresa.
Amazon ['æməzən] n (*GEO*) Amazonas m.
ambassador [æm'bæsədə*] n embajador m.
amber ['æmbə*] n ámbar m; **at ~** (*AUT*) en el amarillo.
ambidextrous [æmbi'dekstrəs] a ambidextro.
ambiguity [æmbi'gjuiti] n ambigüedad f; (*of meaning*) doble sentido; **ambiguous** [-'bigjuəs] a ambiguo.
ambition [æm'biʃən] n ambición f; **ambitious** [-ʃəs] a ambicioso; (*plan*) grandioso.
ambivalent [æm'bivələnt] a ambivalente; (*pej*) equívoco.
amble ['æmbl] *vi* (*gen*: ~ **along**) deambular, andar sin prisa.
ambulance ['æmbjuləns] n ambulancia.
ambush ['æmbuʃ] n emboscada // *vt* tender una emboscada a; (*fig*) coger por sorpresa.
amenable [ə'miːnəbl] a: ~ **to** (*advice etc*) sensible a.
amend [ə'mend] *vt* (*law, text*) enmendar; (*habits*) corregir, mejorar; **to make ~s** compensar, dar satisfacción por; ~**ment** n enmienda.
amenities [ə'miːnitiz] *npl* conveniencias *fpl*, comodidades *fpl*.
America [ə'merikə] n Estados Unidos *mpl*; ~ **n** a, n norteamericano/a.
amiable ['eimiəbl] a (*kind*) amable, simpático; (*hearty*) bonachón(ona).
amicable ['æmikəbl] a amistoso, amigable.
amid(st) [ə'mid(st)] *prep* entre, en medio de.
amiss [ə'mis] *ad*: **to take sth ~** tomar algo a mal.
ammonia [ə'məuniə] n amoníaco.
ammunition [æmju'niʃən] n municiones *fpl*.
amnesia [æm'niːziə] n amnesia.
amnesty ['æmnisti] n amnistía.
amok [ə'mɔk] *ad*: **to run ~** enloquecerse, desbocarse.
among(st) [ə'mʌŋ(st)] *prep* entre, en medio de.
amoral [æ'mɔrəl] a amoral.
amorous ['æmərəs] a amoroso; (*in love*) enamorado.
amount [ə'maunt] n (*gen*) cantidad f; (*of bill etc*) suma, importe m // *vi*: **to ~ to** (*reach*) alcanzar; (*total*) sumar; (*be same as*) equivaler a, significar.
amp(ère) ['æmp(eə*)] n amperio.
amphibian [æm'fibiən] n anfibio; **amphibious** [-biəs] a anfibio.
amphitheatre ['æmfiθiətə*] n anfiteatro.

ample ['æmpl] a (*spacious*) amplio, ancho; (*abundant*) abundante; (*enough*) bastante, suficiente.

amplifier ['æmplɪfaɪə*] n amplificador m.

amplify ['æmplɪfaɪ] vt amplificar, aumentar; (*explain*) explicar.

amputate ['æmpjuteɪt] vt amputar.

amuck [ə'mʌk] ad = **amok.**

amuse [ə'mju:z] vt divertir; (*distract*) distraer, entretener; ~**ment** n diversión f; (*pastime*) pasatiempo; (*laughter*) risa.

an [æn, ɔn, n] det see **a.**

anaemia [ə'ni:mɪə] n anemia; **anaemic** [-mɪk] a anémico; (*fig*) soso, insípido.

anaesthetic [ænɪs'θɛtɪk] n anestesia; **anaesthetist** [æ'ni:sθɪtɪst] n anestesista m/f.

analgesic [ænæl'dʒi:sɪk] a, n analgésico.

analogy [ə'nælədʒɪ] n análogo.

analyse ['ænəlaɪz] vt analizar; **analysis** [ə'næləsɪs], pl -**ses** [-si:z] n análisis m inv; **analyst** [-lɪst] n (*US*) analista m/f; **analytic(al)** [-'lɪtɪk(əl)] a analítico.

anarchist ['ænəkɪst] a, n anarquista m/f; **anarchy** [-kɪ] n anarquía, desorden m.

anatomy [ə'nætəmɪ] n anatomía.

ancestor ['ænsɪstə*] n antepasado; **ancestry** [-trɪ] n ascendencia, abolengo.

anchor ['æŋkə*] n ancla, áncora // vi anclar // vt (*fig*) sujetar, asegurar; **to weigh** ~ levar anclas; ~**age** n ancladero.

anchovy ['æntʃəvɪ] n anchoa.

ancient ['eɪnʃənt] a antiguo.

and [ænd] conj y; (*before i, hi*) e; ~ **so on** etcétera, y así sucesivamente; **try** ~ **come** procure o intente venir; **better** ~ **better** cada vez mejor.

Andes ['ændi:z] npl: **the** ~ los Andes.

anecdote ['ænɪkdəut] n anécdota.

anew [ə'nju:] ad de nuevo, otra vez.

angel ['eɪndʒəl] n ángel m.

anger ['æŋgə*] n cólera, ira // vt enojar, provocar.

angina [æn'dʒaɪnə] n angina (de pecho).

angle ['æŋgl] n ángulo; **from their** ~ desde su punto de vista.

angler ['æŋglə*] n pescador/a m/f (de caña).

Anglican ['æŋglɪkən] a, n anglicano/a.

angling ['æŋglɪŋ] n pesca con caña.

Anglo- [æŋgləu] pref anglo... .

angrily ['æŋgrɪlɪ] ad con enojo, airadamente.

angry ['æŋgrɪ] a enfadado, enojado; **to be** ~ **with sb/at sth** estar enfadado con alguien/por algo; **to get** ~ enfadarse, enojarse.

anguish ['æŋgwɪʃ] n (*physical*) dolor m agudo; (*mental*) angustia.

angular ['æŋgjulə*] a (*shape*) angular; (*features*) anguloso.

animal ['ænɪməl] n animal m, bestia; (*insect*) bicho // a animal.

animate ['ænɪmeɪt] vt (*enliven*) animar; (*encourage*) estimular, alentar; ~**d** a vivo, animado.

animosity [ænɪ'mɔsɪtɪ] n animosidad f, rencor m.

aniseed ['ænɪsi:d] n anís m.

ankle ['æŋkl] n tobillo m.

annex ['ænɛks] n (*also:* **annexe**) (*edificio*) anexo, dependencia // vt [æ'nɛks] (*territory*) anexar; (*document*) adjuntar.

annihilate [ə'naɪəleɪt] vt aniquilar.

anniversary [ænɪ'və:sərɪ] n aniversario.

annotate ['ænəuteɪt] vt anotar, comentar.

announce [ə'nauns] vt comunicar, anunciar; ~**ment** n anuncio, aviso, declaración f; **announcer** n (*RADIO, TV*) locutor/a m/f.

annoy [ə'nɔɪ] vt molestar, fastidiar, irritar; **don't get** ~**ed!** ¡no se enfade!; ~**ance** n enojo; (*thing*) molestia; ~**ing** a molesto, fastidioso; (*person*) pesado.

annual ['ænjuəl] a anual // n (*BOT*) anual m; (*book*) anuario; ~**ly** ad anualmente, cada año.

annuity [ə'nju:ɪtɪ] n renta o pensión f vitalicia.

annul [ə'nʌl] vt anular, cancelar; (*law*) revocar; ~**ment** n anulación f, cancelación f.

annum ['ænəm] n see **per.**

anoint [ə'nɔɪnt] vt untar.

anomaly [ə'nɔməlɪ] n anomalía.

anonymity [ænə'nɪmɪtɪ] n anonimato; **anonymous** [ə'nɔnɪməs] a anónimo.

anorak ['ænəræk] n anorak m.

anorexia [ænə'rɛksɪə] n (*MED*) anorexia.

another [ə'nʌðə*] a: ~ **book** (*one more*) otro libro; (*a different one*) un libro distinto // pron otro; *see also* **one.**

answer ['ɑ:nsə*] n contestación f, respuesta; (*to problem*) solución f // vi contestar, responder // vt (*reply to*) contestar a, responder a; (*problem*) resolver; **to** ~ **the phone** contestar el teléfono; **in** ~ **to your letter** contestando o en contestación a su carta; **to** ~ **the bell** or **the door** acudir a la puerta; **to** ~ **back** vi replicar, ser respondón(ona); **to** ~ **for** vi fus responder de o por; **to** ~ **to** vt fus (*description*) corresponder a; (*needs*) satisfacer; ~**able** a: ~**able to sb for sth** responsable ante uno de algo.

ant [ænt] n hormiga.

antacid [ænt'æsɪd] a antiácido.

antagonist [æn'tægənɪst] n antagonista m/f, adversario/a; ~**ic** [-'nɪstɪk] a antagónico; (*opposed*) contrario, opuesto; **antagonize** [-naɪz] vt enemistarse con.

Antarctic [ænt'ɑ:ktɪk] n: **the** ~ el Antártico; ~**a** n Antártida.

antelope ['æntɪləup] n antílope m.

antenatal ['æntɪ'neɪtl] a antenatal, prenatal; ~ **clinic** n clínica prenatal.

antenna [æn'tɛnə], pl ~**e** [-ni:] n antena.

anthem ['ænθəm] n: **national** ~ himno nacional.

anthology [æn'θɔlədʒɪ] n antología.

anthropologist [ænθrə'pɔlədʒɪst] *n* antropólogo; **anthropology** [-dʒɪ] *n* antropología.

anti... [ænti] *pref* anti...; ~**-aircraft** *a* antiaéreo.

antibiotic [æntibai'ɔtik] *a, n* antibiótico.

anticipate [æn'tisipeit] *vt (foresee)* prever; *(expect)* esperar, contar con; *(forestall)* anticiparse a, adelantarse a; *(look forward to)* prometerse; **anticipation** [-'peiʃən] *n* previsión *f*; esperanza; anticipación *f*, prevención *f*.

anticlimax [ænti'klaimæks] *n* decepción *f*.

anticlockwise [ænti'klɔkwaiz] *ad* en dirección contraria a la de las agujas del reloj.

antics ['æntiks] *npl* payasadas *fpl*; *(of child)* travesuras *fpl*.

anticyclone [ænti'saiklǝun] *n* anticiclón *m*.

antidote ['æntidǝut] *n* antídoto.

antifreeze ['æntifri:z] *n* anticongelante *m*, solución *f* anticongelante.

antihistamine [ænti'histǝmi:n] *n* antihistamínico.

antiquated ['æntikweitid] *a* anticuado.

antique [æn'ti:k] *n* antigüedad *f*, antigualla // *a* antiguo, anticuado; ~ **dealer** *n* anticuario; ~ **shop** *n* tienda de antigüedades.

antiquity [æn'tikwiti] *n* antigüedad *f*.

antiseptic [ænti'septik] *a, n* antiséptico.

antisocial [ænti'sǝuʃǝl] *a* antisocial.

antlers ['æntlǝz] *npl* cuernas *fpl*.

anus ['einǝs] *n* ano.

anvil ['ænvil] *n* yunque *m*.

anxiety [æŋ'zaiǝti] *n (worry)* inquietud *f*; *(eagerness)* ansia, anhelo; *(MED)* ansiedad *f*.

anxious ['æŋkʃǝs] *a (worried)* inquieto; *(keen)* deseoso; ~**ly** *ad* con inquietud, de manera angustiada.

any ['eni] *a (in negative and interrogative sentences = some)* algún, alguno, alguna; *(negative sense)* ningún, ninguno, ninguna; *(no matter which)* cualquier(a); *(each and every)* todo; **I haven't** ~ **money/books** no tengo dinero/libros; **have you** ~ **butter/children?** ¿tiene mantequilla/hijos?; **at** ~ **moment** en cualquier momento; **in** ~ **case** de todas formas, de todas maneras; **at** ~ **rate** de todas formas, sea como sea // *pron* alguno; ninguno; *(anybody)* cualquiera; *(in negative and interrogative sentences)*: **I haven't** ~ no tengo ninguno; **have you got** ~? ¿tiene algunos?; **can** ~ **of you sing?** ¿alguno de Ustedes sabe cantar? // *ad (in negative sentences)* nada; *(in interrogative and conditional constructions)* algo; **I can't hear him** ~ **more** no le oigo más; **do you want** ~ **more soup?** ¿quiere más sopa?; ~**body** *pron* cualquiera, cualquier persona; *(in interrogative sentences)* alguien; *(in negative sentences)*: **I don't see** ~**body** no veo a nadie; ~**how** *ad* de todos modos, de todas maneras;

(carelessly) de cualquier manera; ~**one** = ~**body**; ~**thing** *pron (see* ~**body)** algo, cualquier cosa; algo; *(in negative sentences)* nada; *(everything)* todo; ~**time** *ad (at any moment)* en cualquier momento, de un momento a otro; *(whenever)* no importa cuándo, cuando quiera; ~**way** *ad* de todas maneras; de cualquier modo; ~**where** *ad (see* ~**body)** dondequiera; en algún sitio; *(negative sense)* en ningún sitio; *(everywhere)* en *or* por todas partes; **I don't see him** ~**where** no le veo en ningún sitio.

apart [ǝ'pɑ:t] *ad* aparte, separadamente; **10 miles** ~ separados por 10 millas; ~ **from** *prep* aparte de.

apartheid [ǝ'pɑ:teit] *n* apartheid *m*.

apartment [ǝ'pɑ:tmǝnt] *n (US)* piso, apartamento; *(room)* cuarto.

apathetic [æpǝ'θetik] *a* apático, indiferente; **apathy** ['æpǝθi] *n* apatía, indiferencia.

ape [eip] *n* mono // *vt* imitar, remedar.

aperitif [ǝ'peritiv] *n* aperitivo.

aperture ['æpǝtʃjuǝ*] *n* rendija, resquicio; *(PHOT)* abertura.

apex ['eipeks] *n* ápice *m*; *(fig)* cumbre *f*.

aphrodisiac [æfrǝu'diziæk] *a, n* afrodisíaco.

apiece [ǝ'pi:s] *ad* cada uno.

apologetic [ǝpɔlǝ'dʒetik] *a (tone, letter)* lleno de disculpas.

apologize [ǝ'pɔlǝdʒaiz] *vi*: **to** ~ **(for sth to sb)** disculparse (con alguien de algo); **apology** [-dʒi] *n* disculpa, excusa.

apostle [ǝ'pɔsl] *n* apóstol *m/f*.

apostrophe [ǝ'pɔstrǝfi] *n* apóstrofe *m*.

appal [ǝ'pɔ:l] *vt* horrorizar, espantar; ~**ling** *a* espantoso; *(awful)* pésimo.

apparatus [æpǝ'reitǝs] *n* aparato.

apparent [ǝ'pærǝnt] *a* aparente; *(obvious)* manifiesto, claro; ~**ly** *ad* por lo visto, al parecer.

apparition [æpǝ'riʃǝn] *n* aparición *f*; *(ghost)* fantasma *m*.

appeal [ǝ'pi:l] *vi (LAW)* apelar // *n (LAW)* apelación *f*; *(request)* llamamiento; *(plea)* súplica, ruego; *(charm)* atractivo, encanto; **to** ~ **for** suplicar, reclamar; **to** ~ **to** *(subj: person)* rogar a, suplicar a; *(subj: thing)* atraer, interesar; **to** ~ **to sb for mercy** rogarle misericordia a alguien; **it doesn't** ~ **to me** no me atrae, no me llama la atención; ~**ing** *a (nice)* atrayente, atractivo; *(touching)* conmovedor(a), emocionante.

appear [ǝ'piǝ*] *vi* aparecer, presentarse; *(LAW)* comparecer; *(publication)* salir (a luz), publicarse; *(seem)* parecer; **it would** ~ **that** parecería que; ~**ance** *n* aparición *f*; *(look, aspect)* apariencia, aspecto.

appease [ǝ'pi:z] *vt (pacify)* apaciguar; *(satisfy)* satisfacer, saciar.

appendicitis [ǝpendi'saitis] *n* apendicitis *f*.

appendix [ǝ'pendiks], *pl* -**dices** [-disi:z] *n* apéndice *m*.

appetite ['æpɪtaɪt] *n* apetito; (*fig*) deseo, anhelo.

appetizing ['æpɪtaɪzɪŋ] *a* apetitoso.

applaud [ə'plɔːd] *vt, vi* aplaudir; **applause** [-ɔːz] *n* aplausos *mpl*.

apple ['æpl] *n* manzana; ~ **tree** *n* manzano.

appliance [ə'plaɪəns] *n* aparato.

applicable [ə'plɪkəbl] *a* aplicable, pertinente.

applicant ['æplɪkənt] *n* candidato/a, solicitante *m/f*.

application [æplɪ'keɪʃən] *n* aplicación *f*; (*for a job, a grant etc*) solicitud *f*, petición *f*; ~ **form** *n* formulario.

apply [ə'plaɪ] *vt*: to ~ **(to)** aplicar (a); (*fig*) emplear (para) // *vi*: **to ~ to** (*ask*) presentarse a, ser candidato a; (*be suitable for*) ser aplicable a; (*be relevant to*) tener que ver con; to ~ **for** (*permit, grant, job*) solicitar; **to ~ the brakes** aplicar los frenos; **to ~ o.s. to** aplicarse a, dedicarse a.

appoint [ə'pɔɪnt] *vt* (*to post*) nombrar; (*date, place*) fijar, señalar; ~**ment** *n* (*engagement*) cita; (*date*) compromiso; (*act*) nombramiento; (*post*) puesto.

apportion [ə'pɔːʃən] *vt* repartir, distribuir; (*blame*) dar.

appraisal [ə'preɪzl] *n* tasación *f*, valoración *f*.

appreciable [ə'priːʃəbl] *a* sensible.

appreciate [ə'priːʃɪeɪt] *vt* (*like*) apreciar, tener en mucho; (*be grateful for*) agradecer; (*assess*) valorar, apreciar; (*be aware of*) comprender, percibir // *vi* (*comm*) aumentar(se) en valor, subir; **appreciation** [-'eɪʃən] *n* aprecio; reconocimiento, agradecimiento; aumento en valor.

appreciative [ə'priːʃɪətɪv] *a* (*person*) agradecido; (*comment*) elogioso.

apprehend [æprɪ'hɛnd] *vt* percibir, comprender; (*arrest*) detener.

apprehension [æprɪ'hɛnʃən] *n* (*fear*) recelo, aprensión *f*; **apprehensive** [-'hɛnsɪv] *a* aprensivo.

apprentice [ə'prɛntɪs] *n* aprendiz/a *m/f*; ~**ship** *n* aprendizaje *m*.

approach [ə'prəʊtʃ] *vi* acercarse // *vt* acercarse a; (*be approximate*) aproximarse a; (*ask, apply to*) dirigirse a // *n* acercamiento; aproximación *f*; (*access*) acceso; (*proposal*) proposición *f*; ~**able** *a* (*person*) abordable; (*place*) accesible.

appropriate [ə'prəʊprɪeɪt] *vt* (*take*) apropiarse; (*allot*): **to ~ sth for** destinar algo a // *a* [-rɪɪt] (*apt*) apropiado, conveniente; (*relevant*) competente.

approval [ə'pruːvəl] *n* aprobación *f*, visto bueno; **on** ~ (*comm*) a prueba.

approve [ə'pruːv] *vt* aprobar; ~**d school** *n* correccional *m*.

approximate [ə'prɒksɪmɪt] *a* aproximado // *vt* [-meɪt] aproximarse a, acercarse a;

approximation [-'meɪʃən] *n* aproximación *f*.

apricot ['eɪprɪkɔt] *n* albaricoque *m*.

April ['eɪprəl] *n* abril *m*; ~ **Fool's Day** *n* Día *m* de los Inocentes.

apron ['eɪprən] *n* delantal *m*.

apt [æpt] *a* (*suitable*) acertado, oportuno; (*appropriate*) conveniente; (*likely*): ~ **to do** con tendencia a hacer.

aptitude ['æptɪtjuːd] *n* aptitud *f*, capacidad *f*.

aqualung ['ækwəlʌŋ] *n* aparato de buceo autónomo.

aquarium [ə'kwɛərɪəm] *n* acuario.

Aquarius [ə'kwɛərɪəs] *n* Acuario.

aquatic [ə'kwætɪk] *a* acuático.

aqueduct ['ækwɪdʌkt] *n* acueducto.

Arab ['ærəb] *n* árabe *m/f*.

Arabia [ə'reɪbɪə] *n* Arabia; ~**n** *a* árabe.

Arabic ['ærəbɪk] *n* árabe *m*.

arable ['ærəbl] *a* cultivable.

arbitrary ['ɑːbɪtrərɪ] *a* arbitrario.

arbitrate ['ɑːbɪtreɪt] *vi* arbitrar; **arbitration** [-'treɪʃən] *n* arbitraje *m*; **arbitrator** *n* juez *m* árbitro.

arc [ɑːk] *n* arco.

arcade [ɑː'keɪd] *n* arcada; (*round a square*) soportales *mpl*; (*passage with shops*) galería, pasaje *m*.

arch [ɑːtʃ] *n* arco; (*vault*) bóveda; (*of foot*) empeine *m* // *vt* arquear.

archaeologist [ɑːkɪ'ɔlədʒɪst] *n* arqueólogo; **archaeology** [-dʒɪ] *n* arqueología.

archaic [ɑː'keɪɪk] *a* arcaico.

archbishop [ɑːtʃ'bɪʃəp] *n* arzobispo.

arch-enemy ['ɑːtʃ'ɛnɪmɪ] *n* enemigo jurado.

archer ['ɑːtʃə*] *n* arquero; ~**y** *n* tiro con arco.

archetype ['ɑːkɪtaɪp] *n* arquetipo.

archipelago [ɑːkɪ'pɛlɪgəu] *n* archipiélago.

architect ['ɑːkɪtɛkt] *n* arquitecto; ~**ural** [-'tɛktʃərəl] *a* arquitectónico; ~**ure** *n* arquitectura.

archives ['ɑːkaɪvz] *npl* archivo *sg*.

archway ['ɑːtʃweɪ] *n* arco, arcada.

Arctic ['ɑːktɪk] *a* ártico // *n*: **the** ~ el Ártico.

ardent ['ɑːdənt] *a* (*passionate*) ardiente, apasionado; (*fervent*) fervoroso; **ardour** ['ɑːdə*] *n* ardor *m*; fervor *m*.

arduous ['ɑːdjuəs] *a* (*gen*) arduo; (*journey*) penoso.

are [ɑː*] *vb see* **be**.

area ['ɛərɪə] *n* (*gen*) área; (*math etc*) superficie *f*, extensión *f*; (*zone*) región *f*, zona.

arena [ə'riːnə] *n* arena; (*of circus*) pista; (*for bullfight*) plaza, ruedo.

aren't [ɑːnt] = **are not**.

Argentina [ɑːdʒən'tiːnə] *n* Argentina; **Argentinian** [-'tɪnɪən] *a, n* argentino/a.

argue ['ɑːgjuː] *vi* (*quarrel*) discutir; (*reason*) argüir, discurrir; **to ~ that** sostener que; **argument** *n* (*reasons*)

argumento; (*quarrel*) discusión *f*; (*debate*) debate *m*, disputa; **argumentative** [-mɛntətɪv] *a* discutidor(a).
aria ['ɑːrɪə] *n* (*MUS*) aria.
arid ['ærɪd] *a* árido.
Aries ['ɛərɪz] *n* Aries *m*.
arise [ə'raɪz], *pt* **arose**, *pp* **arisen** [ə'rɪzn] *vi* (*rise up*) levantarse, alzarse; (*emerge*) surgir, presentarse; **to ~ from** resultar de.
aristocracy [ærɪs'tɔkrəsɪ] *n* aristocracia; **aristocrat** ['ærɪstəkræt] *n* aristócrata *m/f*.
arithmetic [ə'rɪθmətɪk] *n* aritmética.
ark [ɑːk] *n*: Noah's A ~ Arca de Noé.
arm [ɑːm] *n* (*ANAT*) brazo; (*weapon, MIL: branch*) arma // *vt* armar; **~s** *npl* (*weapons*) armas *fpl*; (*HERALDRY*) escudo *sg*; **~s race** carrera de armamentos; **~ in ~** cogidos del brazo; **~band** *n* brazalete *m*; **~chair** *n* sillón *m*; **~ed** *a* armado; **~ed robbery** *n* robo a mano armada; **~ful** *n* brazado, brazada.
armistice ['ɑːmɪstɪs] *n* armisticio.
armour ['ɑːmə*] *n* (*MIL*) armadura; **~ed car** *n* coche *m* blindado; **~y** *n* armería, arsenal *m*.
armpit ['ɑːmpɪt] *n* sobaco, axila.
army ['ɑːmɪ] *n* ejército.
aroma [ə'rəumə] *n* aroma *m*, fragancia; **~tic** [ærə'mætɪk] *a* aromático, fragante.
arose [ə'rəuz] *pt of* **arise**.
around [ə'raund] *ad* alrededor; (*in the area*) a la redonda // *prep* alrededor de, en torno de; (*fig: about*) alrededor de.
arouse [ə'rauz] *vt* despertar.
arrange [ə'reɪndʒ] *vt* arreglar, ordenar; (*programme*) organizar; **~ment** *n* arreglo; (*agreement*) acuerdo; **~ments** *npl* (*plans*) planes *mpl*, medidas *fpl*; (*preparations*) preparativos *mpl*.
arrears [ə'rɪəz] *npl* atrasos *mpl*; **to be in ~ with one's rent** atrasarse en el arriendo.
arrest [ə'rɛst] *vt* detener; (*sb's attention*) llamar // *n* detención *f*; **under ~** detenido.
arrival [ə'raɪvəl] *n* llegada; **new ~** recién llegado.
arrive [ə'raɪv] *vi* llegar.
arrogance ['ærəgəns] *n* arrogancia; **arrogant** [-gənt] *a* arrogante.
arrow ['ærəu] *n* flecha.
arsenal ['ɑːsɪnl] *n* arsenal *m*.
arsenic ['ɑːsnɪk] *n* arsénico.
arson ['ɑːsn] *n* delito de incendiar.
art [ɑːt] *n* arte *m*; (*craft*) artes *fpl* y oficios *mpl*; (*skill*) destreza; (*technique*) técnica; **A~s** *npl* (*SCOL*) Letras *fpl*; **~ gallery** *n* museo de bellas artes; (*small and private*) galería de arte.
artery ['ɑːtərɪ] *n* (*MED*) arteria; (*fig*) vía principal.
arthritis [ɑː'θraɪtɪs] *n* artritis *f*.
artichoke ['ɑːtɪtʃəuk] *n* alcachofa; **Jerusalem ~** aguaturma.
article ['ɑːtɪkl] *n* artículo, objeto, cosa; (*in*

newspaper) artículo; (*LAW: training*): **~s** *npl* contrato *sg* de aprendizaje.
articulate [ɑː'tɪkjulɪt] *a* claro *o* distinto en el hablar // *vt* [-leɪt] articular; **~d lorry** *n* camión *m* articulado.
artificial [ɑːtɪ'fɪʃəl] *a* artificial; (*teeth etc*) postizo; **~ respiration** *n* respiración *f* artificial.
artillery [ɑː'tɪlərɪ] *n* artillería.
artisan ['ɑːtɪzæn] *n* artesano.
artist ['ɑːtɪst] *n* artista *m/f*; (*MUS*) intérprete *m/f*; **~ic** [ɑː'tɪstɪk] *a* artístico; **~ry** *n* arte *m*, habilidad *f* artística.
artless ['ɑːtlɪs] *a* (*innocent*) natural, sencillo; (*clumsy*) desmañado.
as [æz, əz] *conj* (*cause*) como, ya que; (*time: moment*) como, cuando; (: *duration*) mientras; (*manner*) como, lo mismo que, tal como; (*in the capacity of*) como; **~ big ~** tan grande como; **twice ~ big ~** dos veces más grande que; **~ she said** como ella dijo; **~ if** *or* **though** como si; **~ for** *or* **to that** en cuanto a eso, en lo que a eso se refiere; **~ or so long ~** *conj* mientras (que); **~ much/many ~** tanto(s)... como; **~ soon ~** *conj* tan pronto como; **~ such** *ad* como tal; **~ well** *ad* también, además; **~ well ~** *conj* así como; *see also* **such.**
asbestos [æz'bɛstəs] *n* asbesto, amianto.
ascend [ə'sɛnd] *vt* subir; **~ancy** *n* ascendiente *m*, dominio.
ascent [ə'sɛnt] *n* subida; (*slope*) cuesta, pendiente *m*; (*promotion*) ascenso.
ascertain [æsə'teɪn] *vt* averiguar, determinar.
ascetic [ə'sɛtɪk] *a* ascético.
ascribe [ə'skraɪb] *vt*: **to ~ sth to** atribuir algo a.
ash [æʃ] *n* ceniza; (*tree*) fresno.
ashamed [ə'ʃeɪmd] *a* avergonzado; **to be ~ of** avergonzarse de.
ashen ['æʃn] *a* ceniciento, pálido.
ashore [ə'ʃɔː*] *ad* en tierra.
ashtray ['æʃtreɪ] *n* cenicero.
Asia ['eɪʃə] *n* Asia; **~n, ~tic** [eɪsɪ'ætɪk] *a*, *n* asiático/a.
aside [ə'saɪd] *ad* aparte, a un lado.
ask [ɑːsk] *vt* (*question*) preguntar; (*demand*) pedir; (*invite*) invitar; **to ~ sb sth/to do sth** preguntar algo a alguien/pedir a alguien que haga algo; **to ~ sb about sth** preguntar algo a alguien; **to ~ (sb) a question** hacer una pregunta (a alguien); **to ~ sb out to dinner** invitar a comer a uno; **to ~ for** *vt fus* pedir.
askance [ə'skɑːns] *ad*: **to look ~ at sb** mirar con recelo a uno.
askew [ə'skjuː] *ad* sesgado, ladeado, oblicuamente.
asleep [ə'sliːp] *a* dormido; **to fall ~** dormirse, quedarse dormido.
asparagus [əs'pærəgəs] *n* espárragos *mpl*.
aspect ['æspɛkt] *n* aspecto, apariencia; (*direction in which a building etc faces*) orientación *f*.

aspersions [əs'pə:ʃənz] npl: **to cast** ~ **on** difamar a, calumniar a.

asphalt ['æsfælt] n asfalto; (place) pista asfaltada.

asphyxiate [æs'fɪksɪeɪt] vt asfixiar // vi asfixiarse; **asphyxiation** [-'eɪʃən] n asfixia.

aspiration [æspə'reɪʃən] n (fig) anhelo, deseo, ambición f.

aspire [əs'paɪə*] vi: **to** ~ **to** aspirar a, ambicionar.

aspirin ['æsprɪn] n aspirina.

ass [æs] n asno, burro; (col) imbécil m.

assailant [ə'seɪlənt] n asaltador/a m/f, agresor/a m/f.

assassin [ə'sæsɪn] n asesino; ~**ate** vt asesinar; ~**ation** [-'neɪʃən] n asesinato.

assault [ə'sɔ:lt] n (gen: attack) asalto, ataque m // vt asaltar, atacar; (sexually) violar.

assemble [ə'sɛmbl] vt reunir, juntar; (TECH) montar // vi reunirse, juntarse.

assembly [ə'sɛmblɪ] n (meeting) reunión f, asamblea; (people) concurrencia; (construction) montaje m; ~ **line** n línea de producción.

assent [ə'sɛnt] n asentimiento, aprobación f // vi consentir, asentir.

assert [ə'sə:t] vt afirmar; (claim etc) hacer valer; ~**ion** [ə'sə:ʃən] n afirmación f.

assess [ə'sɛs] vt valorar, calcular; (tax, damages) fijar; (property etc: for tax) gravar; ~**ment** n valoración f; gravamen m; ~**or** n asesor/a m/f; (of tax) tasador/a m/f.

asset ['æsɛt] n posesión f; (quality) ventaja sg; ~**s** npl (funds) activo sg, fondos mpl.

assiduous [ə'sɪdjuəs] a asiduo.

assign [ə'saɪn] vt (date) fijar; (task) asignar; (resources) destinar; (property) traspasar; ~**ment** n asignación f; (task) tarea.

assimilate [ə'sɪmɪleɪt] vt asimilar.

assist [ə'sɪst] vt ayudar; (progress etc) fomentar; ~**ance** n ayuda, auxilio; (welfare) subsidio; ~**ant** n ayudante m/f, auxiliar m/f; (also: **shop** ~**ant**) dependiente/a m/f.

assizes [ə'saɪzɪz] npl sesión f de un tribunal.

associate [ə'səuʃɪɪt] a asociado // n asociado, colega m; (in crime) cómplice m/f; (member) miembro // (vb: [-ʃeɪt]) vt asociar, relacionar // vi: **to** ~ **with sb** tratar con alguien.

association [əsəusɪ'eɪʃən] n asociación f; (COMM) sociedad f.

assorted [ə'sɔ:tɪd] a surtido, variado.

assortment [ə'sɔ:tmənt] n surtido.

assume [ə'sju:m] vt (suppose) suponer, dar por sentado; (responsibilities etc) asumir; (attitude, name) adoptar, tomar.

assumption [ə'sʌmpʃən] n (supposition) suposición f, presunción f; (act) asunción f.

assurance [ə'ʃuərəns] n garantía, promesa; (confidence) confianza, aplomo; (certainty) certeza; (insurance) seguro.

assure [ə'ʃuə*] vt asegurar.

asterisk ['æstərɪsk] n asterisco.

astern [ə'stə:n] ad a popa, por la popa.

asteroid ['æstərɔɪd] n asteroide m.

asthma ['æsmə] n asma; ~**tic** [æs'mætɪk] a, n asmático/a.

astonish [ə'stɔnɪʃ] vt asombrar, pasmar; ~**ment** n asombro, sorpresa.

astound [ə'staund] vt asombrar, pasmar.

astray [ə'streɪ] ad: **to go** ~ extraviarse; **to lead** ~ llevar por mal camino.

astride [ə'straɪd] ad a horcajadas // prep a caballo o horcajadas sobre.

astrologer [əs'trɔlədʒə*] n astrólogo; **astrology** [-dʒɪ] n astrología.

astronaut ['æstrənɔ:t] n astronauta m/f.

astronomer [əs'trɔnəmə*] n astrónomo; **astronomical** [æstrə'nɔmɪkəl] a astronómico; (fig) tremendo, enorme; **astronomy** [-mɪ] n astronomía.

astute [əs'tju:t] a astuto.

asunder [ə'sʌndə*] ad: **to tear** ~ romper en dos, hacer pedazos.

asylum [ə'saɪləm] n (refuge) asilo; (hospital) manicomio.

at [æt] prep en, a; ~ **the top** en la cumbre; ~ **4 o'clock** a las cuatro; ~ **£1 a kilo** a libra el kilo; ~ **night** de noche, por la noche; ~ **a stroke** de un golpe; **two** ~ **a time** de dos en dos; ~ **times** a veces.

ate [eɪt] pt of **eat**.

atheist ['eɪθɪɪst] n ateo/a.

Athens ['æθɪnz] n Atenas f.

athlete ['æθli:t] n atleta m/f.

athletic [æθ'lɛtɪk] a atlético; ~**s** n atletismo.

Atlantic [ət'læntɪk] n: **the** ~ **(Ocean)** el (Océano) Atlántico.

atlas ['ætləs] n atlas m.

atmosphere ['ætməsfɪə*] n atmósfera; (fig) ambiente m.

atom ['ætəm] n átomo; ~**ic** [ə'tɔmɪk] a atómico; ~**(ic) bomb** n bomba atómica; ~**izer** ['ætəmaɪzə*] n atomizador m.

atone [ə'təun] vi: **to** ~ **for** expiar.

atrocious [ə'trəuʃəs] a (very bad) atroz; (fig) horrible, infame.

atrocity [ə'trɔsɪtɪ] n atrocidad f.

attach [ə'tætʃ] vt (gen) sujetar, pegar; (document, letter) adjuntar; **to be** ~**ed to sb/sth** (to like) tener cariño a alguien/algo.

attaché [ə'tæʃeɪ] n agregado; ~ **case** n maletín m.

attachment [ə'tætʃmənt] n (tool) accesorio; (love): ~ **(to)** cariño (a).

attack [ə'tæk] vt (MIL) atacar; (criminal) agredir, asaltar; (task etc) emprender // n ataque m, asalto; (on sb's life) atentado; **heart** ~ ataque al corazón o cardíaco; ~**er** n agresor/a m/f, asaltante m/f.

attain [ə'teɪn] vt (also: ~ **to**) alcanzar; (achieve) lograr, conseguir; ~**ments** npl dotes fpl, talento sg.

attempt [ə'tɛmpt] n tentativa, intento; (attack) atentado // vt intentar, tratar de.

attend [ə'tɛnd] *vt* asistir a; (*patient*) atender; **to ~ to** *vt fus* (*needs, affairs etc*) ocuparse de; (*speech etc*) prestar atención a; (*customer*) atender a; **~ance** *n* asistencia, presencia; (*people present*) concurrencia; **~ant** *n* sirviente/a *m/f*, mozo/a; (*THEATRE*) acomodador/a *m/f* // *a* concomitante.

attention [ə'tɛnʃən] *n* atención *f* // *excl* (*MIL*) ¡firme(s)!; **for the ~ of...** (*ADMIN*) atención... .

attentive [ə'tɛntɪv] *a* atento; (*polite*) cortés.

attest [ə'tɛst] *vi*: **to ~ to** dar fe de.

attic ['ætɪk] *n* desván *m*, ático.

attitude ['ætɪtjuːd] *n* (*gen*) actitud *f*; (*disposition*) disposición *f*.

attorney [ə'təːnɪ] *n* (*lawyer*) abogado; (*having proxy*) apoderado; **A~ General** *n* (*Brit*) fiscal *m* de la corona; (*US*) procurador *m* general.

attract [ə'trækt] *vt* atraer; (*attention*) llamar; **attraction** [ə'trækʃən] *n* (*gen pl*) encantos *mpl*; (*amusements*) diversiones *fpl*; (*PHYSICS*) atracción *f*; (*fig: towards sth*) atractivo; **~ive** *a* atractivo; (*interesting*) atrayente; (*pretty*) guapo, mono.

attribute ['ætrɪbjuːt] *n* atributo // *vt* [ə'trɪbjuːt]: **to ~ sth to** atribuir *o* achacar algo a.

aubergine ['əubəʒiːn] *n* berenjena.

auburn ['ɔːbən] *a* castaño rojizo.

auction ['ɔːkʃən] *n* (*also: sale by ~*) subasta // *vt* subastar; **~eer** [-'nɪə*] *n* subastador/a *m/f*.

audacious [ɔː'deɪʃəs] *a* audaz, atrevido; (*pej*) descarado; **audacity** [ɔː'dæsɪtɪ] *n* audacia, atrevimiento; (*pej*) descaro.

audible ['ɔːdɪbl] *a* audible, que se puede oír.

audience ['ɔːdɪəns] *n* auditorio, público; (*interview*) audiencia.

audio-visual [ɔːdɪəu'vɪzjuəl] *a* audiovisual.

audit ['ɔːdɪt] *vt* revisar, intervenir.

audition [ɔː'dɪʃən] *n* audición *f*.

auditor ['ɔːdɪtə*] *n* interventor/a *m/f*, censor/a *m/f* de cuentas.

auditorium [ɔːdɪ'tɔːrɪəm] *n* auditorio.

augment [ɔːg'mɛnt] *vt* aumentar // *vi* aumentarse.

augur ['ɔːgə*] *vi*: **it ~s well** es de buen agüero.

August ['ɔːgəst] *n* agosto.

aunt [ɑːnt] *n* tía; **~ie, ~y** *n diminutive of* **aunt**.

au pair ['əu'pɛə*] *n* (*also: ~ girl*) au pair *f*.

aura ['ɔːrə] *n* emanación *f*; (*atmosphere*) ambiente *m*.

auspices ['ɔːspɪsɪz] *npl*: **under the ~ of** bajo los auspicios de.

auspicious [ɔːs'pɪʃəs] *a* propicio, de buen augurio.

austere [ɔs'tɪə*] *a* austero; (*manner*) adusto; **austerity** [ɔs'stɛrɪtɪ] *n* austeridad *f*.

Australia [ɔs'treɪlɪə] *n* Australia; **~n** *a*, *n* australiano/a.

Austria ['ɔstrɪə] *n* Austria; **~n** *a*, *n* austríaco/a.

authentic [ɔː'θɛntɪk] *a* auténtico.

author ['ɔːθə] *n* autor/a *m/f*.

authoritarian [ɔːθɔrɪ'tɛərɪən] *a* autoritario.

authoritative [ɔː'θɔrɪtətɪv] *a* autorizado; (*manner*) autoritario.

authority [ɔː'θɔrɪtɪ] *n* autoridad *f*; **the authorities** *npl* las autoridades.

authorize ['ɔːθəraɪz] *vt* autorizar.

auto ['ɔːtəu] *n* (*US*) coche *m*, automóvil *m*.

autobiography [ɔːtəbaɪ'ɔgrəfɪ] *n* autobiografía.

autocratic [ɔːtə'krætɪk] *a* autocrático.

autograph ['ɔːtəgrɑːf] *n* autógrafo // *vt* firmar; (*photo etc*) dedicar.

automatic [ɔːtə'mætɪk] *a* automático // *n* (*gun*) pistola automática.

automation [ɔːtə'meɪʃən] *n* automatización *f*.

automaton [ɔː'tɔmətən], *pl* **-mata** [-tə] *n* autómata *m/f*.

automobile ['ɔːtəməbiːl] *n* (*US*) coche *m*, automóvil *m*.

autonomous [ɔː'tɔnəməs] *a* autónomo.

autopsy ['ɔːtɔpsɪ] *n* autopsia.

autumn ['ɔːtəm] *n* otoño.

auxiliary [ɔːg'zɪlɪərɪ] *a* auxiliar.

Av. *abbr of* **avenue**.

avail [ə'veɪl] *vt*: **to ~ o.s. of** aprovechar(se) de, valerse de // *n*: **to no ~** en vano, sin resultado.

availability [əveɪlə'bɪlɪtɪ] *n* disponibilidad *f*.

available [ə'veɪləbl] *a* disponible; (*usable*) asequible.

avalanche ['ævəlɑːnʃ] *n* alud *m*, avalancha.

avant-garde ['ævãŋ'gɑːd] *a* de vanguardia.

avaricious [ævə'rɪʃəs] *a* avaro, avariento.

Ave. *abbr of* **avenue**.

avenge [ə'vɛndʒ] *vt* vengar.

avenue ['ævənjuː] *n* avenida; (*path*) camino.

average ['ævərɪdʒ] *n* promedio, término medio // *a* (*mean*) medio, de término medio; (*ordinary*) regular, corriente // *vt* calcular el promedio de, prorratear; **on ~** por regla general; **to ~ out** *vi*: **to ~ out at** resultar por promedio, ser por regla general.

averse [ə'vəːs] *a*: **to be ~ to sth/doing** sentir aversión *o* antipatía por algo/por hacer; **aversion** [ə'vəːʃən] *n* aversión *f*, repugnancia.

avert [ə'vəːt] *vt* prevenir; (*blow*) desviar; (*one's eyes*) apartar.

aviary ['eɪvɪərɪ] *n* pajarera, avería.

aviation [eɪvɪ'eɪʃən] *n* aviación *f*.

avid ['ævɪd] *a* ávido, ansioso.

avocado [ævə'kɑːdəu] *n* (*also: ~ pear*) aguacate *m*.

avoid [ə'vɔɪd] *vt* evitar, eludir; **~able** *a*

evitable, eludible; ~**ance** *n* el evitar, evitación *f.*

await [ɔ'weɪt] *vt* esperar, aguardar.

awake [ɔ'weɪk] *a* despierto // (*vb: pt* **awoke**, *pp* **awoken** *or* **awaked**) *vt* despertar // *vi* despertarse; ~**ning** *n* el despertar.

award [ɔ'wɔ:d] *n* (*prize*) premio, condecoración *f*; (LAW) fallo, sentencia; (*act*) concesión *f* // *vt* (*prize*) otorgar, conceder; (LAW: *damages*) adjudicar, decretar.

aware [ɔ'weɔ*] *a* consciente; (*awake*) despierto; (*informed*) enterado; **to become** ~ **of** darse cuenta de, enterarse de; ~**ness** *n* conciencia, conocimiento.

awash [ɔ'wɔʃ] *a* inundado.

away [ɔ'weɪ] *ad* (*gen*) fuera; (*far* ~) lejos; **two kilometres** ~ a dos kilómetros de distancia; **two hours** ~ **by car** a dos horas en coche; **the holiday was two weeks** ~ faltaba dos semanas para las vacaciones; ~ **from** lejos de, fuera de; **he's** ~ **for a week** estará ausente una semana; **to take** ~ *vt* llevar(se); **to work/pedal** ~ seguir trabajando/pedaleando; **to fade** ~ desvanecerse; (*sound*) apagarse; ~ **match** *n* (SPORT) partido de fuera.

awe [ɔ:] *n* pavor *m*, respeto, temor *m* reverencial; ~**-inspiring**, ~**some** *a* imponente, pasmoso; ~**struck** *a* pasmado.

awful ['ɔ:fɔl] *a* tremendo, terrible, pasmoso; ~**ly** *ad* (*very*) terriblemente.

awhile [ɔ'waɪl] *ad* durante un rato, un rato, algún tiempo.

awkward ['ɔ:kwɔd] *a* (*clumsy*) desmañado, torpe; (*shape*) incómodo; (*problem*) difícil; (*embarrassing*) delicado, desagradable.

awning ['ɔ:nɪŋ] *n* (*of shop*) toldo; (*of window etc*) marquesina.

awoke [ɔ'wɔuk], **awoken** [-kɔn] *pt, pp of* **awake**.

awry [ɔ'raɪ] *ad*: **to be** ~ estar de través *o* al sesgo; **to go** ~ salir mal, fracasar.

axe, ax (US) [æks] *n* hacha // *vt* (*employee*) despedir; (*project etc*) parar, cortar; (*jobs*) reducir.

axiom ['æksɪɔm] *n* axioma *m.*

axis ['æksɪs], *pl* **axes** [-si:z] *n* eje *m.*

axle ['æksl] *n* eje *m*, árbol *m.*

ay(e) [aɪ] *excl* (*yes*) sí; **the ayes** *npl* los que votan a favor.

Aztec ['æztɛk] *n* azteca *m/f.*

B

B.A. *abbr of* **Bachelor of Arts** licenciado en letras.

babble ['bæbl] *vi* barbullar.

baboon [bɔ'bu:n] *n* mandril *m.*

baby ['beɪbɪ] *n* nene/a *m/f*; ~ **carriage** *n* (US) cochecito; ~**ish** *a* infantil; ~**sit** *vi* hacer de canguro; ~**-sitter** *n* canguro *m/f.*

bachelor ['bætʃɔlɔ*] *n* soltero.

back [bæk] *n* (*of person*) espalda; (*of animal*) lomo; (*of hand*) dorso; (*of house, car, train*) parte *f* de atrás; (*of chair*) respaldo; (*of page*) reverso; (FOOTBALL) defensa *m* // *vt* (*candidate: also:* ~ **up**) respaldar, apoyar; (*horse: at races*) apostar a; (*car*) dar marcha atrás a *o* con // *vi* (*car etc*) dar marcha atrás // a (*in compounds*) tras; ~ **seats/wheels** (AUT) asientos *mpl*/ruedas *fpl* de atrás; ~ **payments** pagos *mpl* con efecto retroactivo; ~ **rent** renta atrasada // ad (*not forward*) (hacia) atrás; (*returned*): **he's** ~ está de vuelta, ha vuelto; **he ran** ~ retrocedió corriendo; (*restitution*): **throw the ball** ~ devuelve la pelota; **can I have it** ~? ¿me lo devuelve?; (*again*): **he called** ~ llamó de nuevo; **to** ~ **down** *vi* echarse atrás; **to** ~ **out** *vi* (*of promise*) volverse atrás.

back: ~**ache** *n* dolor *m* de espalda; ~**bencher** *n* miembro del parlamento sin portafolio; ~**biting** *n* murmuración *f*; ~**bone** *n* columna vertebral; ~**-cloth** *n* telón *m* de foro; ~**date** *vt* (*letter*) poner fecha atrasada a; ~**dated pay rise** alza de sueldo con efecto retroactivo; ~**er** *n* partidario; (COMM) promotor *m*; ~**fire** *vi* (AUT) petardear; (*plans*) fallar, salir al revés; ~**gammon** *n* backgammon *m*; ~**ground** *n* fondo; (*of events*) antecedentes *mpl*; (*basic knowledge*) bases *fpl*; (*experience*) conocimientos *mpl*, educación *f*; **family** ~**ground** origen *m*, antecedentes *mpl*; ~**hand** *n* (TENNIS: *also*: ~**hand stroke**) revés *m*; ~**handed** *a* (*fig*) ambiguo, equívoco; ~**hander** *n* (*bribe*) soborno; ~**ing** *n* (*fig*) apoyo, respaldo; ~**lash** *n* reacción *f*, resaca; ~**log** *n*: ~**log of work** atrasos *mpl*; ~**number** *n* (*of magazine etc*) número atrasado; ~**pay** *n* pago atrasado; ~**side** *n* (*col*) trasero, culo; ~**stage** *ad* entre bastidores; ~**stroke** *n* braza de espaldas; ~**ward** *a* (*movement*) hacia atrás; (*person, country*) atrasado; (*shy*) tímido; ~**wards** *ad* (*move, go*) hacia atrás; (*read a list*) al revés; (*fall*) de espaldas; ~**water** *n* (*fig*) lugar *m* atrasado *o* apartado; ~**yard** *n* traspatio.

bacon ['beɪkɔn] *n* tocino.

bacteria [bæk'tɪɔrɪɔ] *npl* bacteria *sg.*

bad [bæd] *a* malo; (*serious*) grave; (*meat, food*) podrido, pasado; **to go** ~ echarse a perder.

badge [bædʒ] *n* insignia; (*of policeman*) chapa, placa.

badger ['bædʒɔ*] *n* tejón *m.*

badly ['bædlɪ] *ad* (*work, dress etc*) mal; ~ **wounded** gravemente herido; **he needs it** ~ le hace gran falta; **to be** ~ **off (for money)** andar mal de dinero.

badminton ['bædmɪntɔn] *n* badminton *m.*

bad-tempered ['bæd'tɛmpɔd] *a* de mal genio *o* carácter; (*temporary*) de mal humor.

baffle ['bæfl] *vt* (*puzzle*) desconcertar, confundir.

bag [bæg] *n* bolsa, saco; (*handbag*) bolso; (*satchel*) mochila; (*case*) maleta; (*of hunter*) caza // *vt* (*col: take*) coger, pescar; ~**ful** *n* saco (lleno); ~**gage** *n* equipaje *m*; ~**gy** *a* que hace bolsas; ~**pipes** *npl* gaita *sg*.

bail [beɪl] *n* fianza, caución *f* // *vt* (*prisoner: gen*: **give** ~ **to**) poner en libertad bajo fianza; (*boat: also*: ~ **out**) achicar; **to** ~ **sb out** obtener la libertad de uno bajo fianza; *see also* **bale**.

bailiff ['beɪlɪf] *n* alguacil *m*.

bait [beɪt] *n* cebo // *vt* cebar, poner el cebo en.

bake [beɪk] *vt* cocer (al horno) // *vi* (*cook*) cocerse; (*be hot*) hacer un calor terrible; ~**d beans** *npl* judías *fpl* en salsa de tomate; **baking** *n* panadero; ~**ry** *n* (*for bread*) panadería; (*for cakes*) pastelería; **baking** *n* (*act*) cocción *f*; (*batch*) hornada; **baking powder** *n* polvos *mpl* de levadura.

balaclava [bælə'klɑ:və] *n* (*also*: ~ **helmet**) pasamontañas *m inv*.

balance ['bæləns] *n* equilibrio; (*COMM: sum*) balance *m*; (*remainder*) resto; (*scales*) balanza // *vt* equilibrar; (*budget*) nivelar; (*account*) saldar; (*compensate*) contrapesar; ~ **of trade/payments** balanza de comercio/pagos; ~**d** *a* (*personality, diet*) equilibrado; ~ **sheet** *n* balance *m*.

balcony ['bælkənɪ] *n* (*open*) balcón *m*; (*closed*) galería.

bald [bɔːld] *a* calvo; ~**ness** *n* calvicie *f*.

bale [beɪl] *n* (*AGR*) paca, fardo; **to** ~ **out** (*of a plane*) lanzarse en paracaídas; **to** ~ **sb out of a difficulty** sacar a uno de un problema.

baleful ['beɪlful] *a* (*look*) triste; (*sinister*) funesto, siniestro.

ball [bɔːl] *n* bola; (*football*) balón *m*; (*for tennis, golf*) pelota; (*dance*) baile *m*.

ballad ['bæləd] *n* balada, romance *m*.

ballast ['bæləst] *n* lastre *m*.

ballerina [bælə'riːnə] *n* bailarina.

ballet ['bæleɪ] *n* ballet *m*, baile *m*; ~ **dancer** *n* bailarín/ina *m/f*.

balloon [bə'luːn] *n* globo; ~**ist** *n* ascensionista *m/f*.

ballot ['bælət] *n* votación *f*; ~ **box** *n* urna (electoral); ~ **paper** *n* papeleta.

ball-point pen ['bɔːlpɔɪnt'-] *n* bolígrafo.

ballroom ['bɔːlrum] *n* salón *m* de baile.

balmy ['bɑːmɪ] *a* (*breeze, air*) suave, fragante; (*col*) = **barmy**.

Baltic ['bɔːltɪk] *n*: **the** ~ (**Sea**) el (Mar) Báltico.

balustrade ['bæləstreɪd] *n* barandilla.

bamboo [bæm'buː] *n* bambú *m*.

ban [bæn] *n* prohibición *f*, proscripción *f* // *vt* prohibir, proscribir; (*exclude*) excluir.

banal [bə'nɑːl] *a* banal, vulgar.

banana [bə'nɑːnə] *n* plátano.

band [bænd] *n* (*group*) banda; (*gang*) pandilla; (*strip*) faja, tira; (*at a dance*) orquesta; (*MIL*) banda; **to** ~ **together** *vi* juntarse, asociarse.

bandage ['bændɪdʒ] *n* venda, vendaje *m* // *vt* vendar.

bandit ['bændɪt] *n* bandido; **one-armed** ~ máquina tragaperras.

bandstand ['bændstænd] *n* quiosco.

bandwagon ['bændwægən] *n*: **to jump on the** ~ (*fig*) seguir la corriente o la moda.

bandy ['bændɪ] *vt* (*jokes, insults*) cambiar.

bandy-legged ['bændɪ'lɛgd] *a* estevado.

bang [bæŋ] *n* estallido; (*of door*) portazo; (*blow*) golpe *m* // *vt* hacer estallar; (*door*) cerrar de golpe // *vi* estallar.

banger ['bæŋəʳ] *n* (*car: gen*: **old** ~) chatarra.

bangle ['bæŋgl] *n* ajorca.

banish ['bænɪʃ] *vt* desterrar.

banister(s) ['bænɪstə(z)] *n(pl)* pasamanos *m inv*.

banjo ['bændʒəʊ], *pl* ~**es** *or* ~**s** *n* banjo.

bank [bæŋk] *n* (*COMM*) banco; (*of river, lake*) ribera, orilla; (*of earth*) terraplén *m* // *vi* (*AVIAT*) ladearse; **to** ~ **on** *vt fus* contar con; **to** ~ **with** tener la cuenta con; ~ **account** *n* cuenta de banco; ~**er** *n* banquero; **B**~ **holiday** *n* día *m* festivo; ~**ing** *n* banca; ~**note** *n* billete *m* de banco; ~ **rate** *n* tipo de interés bancario.

bankrupt ['bæŋkrʌpt] *n* quebrado/a // *a* quebrado, insolvente; **to go** ~ quebrar; **to be** ~ estar en quiebra; ~**cy** *n* quiebra; (*fraudulent*) bancarrota.

banner ['bænəʳ] *n* bandera; (*in demonstration*) pancarta.

banns [bænz] *npl* amonestaciones *fpl*.

banquet ['bæŋkwɪt] *n* banquete *m*.

baptism ['bæptɪzəm] *n* bautismo.

baptize [bæp'taɪz] *vt* bautizar.

bar [bɑːʳ] *n* barra; (*of window etc*) tranca; (*of soap*) pastilla; (*fig: hindrance*) obstáculo; (*prohibition*) proscripción *f*; (*pub*) bar *m*; (*counter: in pub*) mostrador *m*; (*MUS*) barra // *vt* (*road*) obstruir; (*window*) atrancar; (*person*) excluir; (*activity*) prohibir; **behind** ~**s** en la cárcel; **the B**~ (*LAW*) (*profession*) la abogacía; (*people*) el cuerpo de abogados; ~ **none** sin excepción.

barbaric [bɑː'bærɪk] *a* bárbaro.

barbarous ['bɑːbərəs] *a* bárbaro.

barbecue ['bɑːbɪkjuː] *n* barbacoa.

barbed wire ['bɑːbd-] *n* alambre *m* de púas.

barber ['bɑːbəʳ] *n* peluquero, barbero.

barbiturate [bɑː'bɪtjurɪt] *n* barbitúrico.

bare [bɛəʳ] *a* desnudo; (*head*) descubierto // *vt* desnudar; **to** ~ **one's teeth** enseñar los dientes; ~**back** *ad* sin montura; ~**faced** *a* descarado; ~**foot** *a*, *ad* descalzo; ~**ly** *ad* apenas.

bargain ['bɑːgɪn] *n* pacto, negocio; (*good buy*) ganga // *vi* negociar; (*haggle*) regatear; **into the** ~ además, por añadidura.

barge [bɑːdʒ] *n* barcaza; **to** ~ **in** *vi*

irrumpir, entrar sin permiso; **to ~ into** vt fus dar contra.

baritone ['bærɪtəun] n barítono.

bark [bɑːk] n (of tree) corteza; (of dog) ladrido // vi ladrar.

barley ['bɑːlɪ] n cebada.

barmaid ['bɑːmeɪd] n camarera.

barman ['bɑːmən] n camarero, barman m.

barmy ['bɑːmɪ] a (col) chiflado, lelo.

barn [bɑːn] n granero.

barnacle ['bɑːnəkl] n percebe m.

barometer [bə'rɔmɪtə*] n barómetro.

baron ['bærən] n barón m; **~ess** n baronesa.

barracks ['bærəks] npl cuartel m.

barrage ['bærɑːʒ] n (MIL) descarga, bombardeo; (dam) presa.

barrel ['bærəl] n tonel m, barril m; (of gun) cañón m.

barren ['bærən] a estéril, árido.

barricade [bærɪ'keɪd] n barricada // vt levantar barricadas.

barrier ['bærɪə*] n barrera.

barring ['bɑːrɪŋ] prep excepto, salvo.

barrister ['bærɪstə*] n abogado m/f.

barrow ['bærəu] n (cart) carretilla (de mano).

bartender ['bɑːtendə*] n (US) camarero, barman m.

barter ['bɑːtə*] vt: **to ~ sth for sth** trocar algo por algo.

base [beɪs] n base f // vt: **to ~ sth on** basar o fundar algo en // a bajo, infame; **~ball** n béisbol m; **~ment** n sótano.

bash [bæʃ] vt (col) golpear.

bashful ['bæʃful] a tímido, vergonzoso.

bashing ['bæʃɪŋ] n (col) tunda.

basic ['beɪsɪk] a básico; **~ally** ad fundamentalmente, en el fondo.

basil ['bæzl] n albahaca.

basin ['beɪsn] n (vessel) cuenco, tazón m; (GEO) cuenca; (also: **wash~**) palangana, jofaina.

basis ['beɪsɪs] n, pl **-ses** [-siːz] n base f.

bask [bɑːsk] vi: **to ~ in the sun** tomar el sol.

basket ['bɑːskɪt] n cesta, cesto; (with handle) canasta; **~ball** n baloncesto; **~work** n cestería.

Basque [bæsk] a, n vasco/a; **~ Country** Euskadi m, País m Vasco.

bass [beɪs] n (MUS) contrabajo.

bassoon [bə'suːn] n bajón m.

bastard ['bɑːstəd] n bastardo.

baste [beɪst] vt (CULIN) pringar.

bastion ['bæstɪən] n baluarte m.

bat [bæt] n (ZOOL) murciélago; (for ball games) palo; (for cricket, baseball) bate m; (for table tennis) raqueta; **he didn't ~ an eyelid** ni pestañeó.

batch [bætʃ] n (of bread) hornada; (of papers) colección f, lote m.

bated ['beɪtɪd] a: **with ~ breath** sin respiración.

bath [bɑːθ, pl bɑːðz] n (~tub) baño, bañera; (also: **~s** pl) baño, piscina // vt bañar; **to**

have a ~ bañarse, tomar un baño; **~chair** n silla de ruedas.

bathe [beɪð] vi bañarse // vt bañar; **bather** n bañista m/f.

bathing ['beɪðɪŋ] n el bañarse; **~ cap** n gorro de baño; **~ costume** n traje m de baño; **~ trunks** npl bañador m.

bath: **~mat** n estera de baño; **~room** n (cuarto de) baño; **~s** npl piscina sg; **~ towel** n toalla de baño.

baton ['bætən] n (MUS) batuta.

battalion [bə'tælɪən] n batallón m.

batter ['bætə*] vt apalear, azotar // n batido; **~ed** a (hat, pan) estropeado.

battery ['bætərɪ] n batería; (of torch) pila.

battle ['bætl] n batalla; (fig) lucha // vi luchar; **~field** n campo m de batalla; **~ments** npl almenas fpl; **~ship** n acorazado.

bawdy ['bɔːdɪ] a indecente; (joke) verde.

bawl [bɔːl] vi chillar, gritar.

bay [beɪ] n (GEO) bahía; (BOT) laurel m // vi aullar; **to hold sb at ~** mantener a alguien a raya.

bayonet ['beɪənɪt] n bayoneta.

bay window ['beɪ-] n ventana salediza.

bazaar [bə'zɑː*] n bazar m.

bazooka [bə'zuːkə] n bazuca.

b. & b., B. & B. abbr of **bed and breakfast** cama y desayuno.

BBC n abbr of **British Broadcasting Corporation.**

B.C. ad abbr of **before Christ** a. de J.C. (antes de Jesucristo).

be [biː] pt **was, were**, pp **been** vi (of state) ser; (of place, temporary condition) estar; **I am English** soy inglés; **I am tired** estoy cansado; **how are you?** ¿cómo está Usted?; **who is it?** ¿quién es?; **it is raining** está lloviendo; **I am warm** tengo calor; **it is cold** hace frío; **how much is it?** ¿cuánto es o cuesta?; **he is four (years old)** tiene cuatro años; **2 and 2 are 4** dos más dos son cuatro; **where have you been?** ¿dónde has estado?, ¿de dónde vienes?

beach [biːtʃ] n playa // vt varar.

beacon ['biːkən] n (lighthouse) faro; (marker) guía.

bead [biːd] n cuenta, abalorio; (of sweat) gota.

beak [biːk] n pico.

beaker ['biːkə*] n jarra.

beam [biːm] n (ARCH) viga, travesaño; (of light) rayo, haz m de luz // vi brillar; (smile) sonreír; **~ing** a (sun, smile) radiante.

bean [biːn] n judía; **runner/broad ~** habichuela/haba; **coffee ~** grano de café.

bear [bɛə*] n oso // (vb: pt **bore**, pp **borne**) vt (weight etc) llevar; (cost) pagar; (responsibility) tener; (endure) soportar, aguantar; (stand up to) resistir a; (children) parir // vi: **to ~ right/left** torcer a la derecha/izquierda; **~able** a soportable.

beard [bɪəd] n barba; **~ed** a barbado.

bearing ['bɛərɪŋ] n porte m, comportamiento; (connection) relación f; (ball) ~s npl cojinetes mpl a bolas; to take a ~ marcarse; to find one's ~s orientarse.

beast [bi:st] n bestia; (col) bruto, salvaje m; ~ly a bestial; (awful) horrible.

beat [bi:t] n (of heart) latido; (mus) ritmo, compás m; (of policeman) ronda // (vb: pt **beat,** pp **beaten**) vt (hit) golpear; (eggs) batir; (defeat) vencer, derrotar; (better) sobrepasar; (drum) tocar; (rhythm) marcar // vi (heart) latir; **to ~ about the bush** ir por rodeos; **to ~ it** largarse; **to ~ off** vt rechazar; **to ~ up** vt (col: person) dar una paliza a; ~**er** n (for eggs, cream) batidora; ~**ing** n golpeo.

beautiful ['bju:tɪful] a hermoso, bello; ~**ly** ad maravillosamente; **beautify** [-faɪ] vt embellecer.

beauty ['bju:tɪ] n belleza, hermosura; (person) belleza; ~ **salon** n salón m de belleza; ~ **spot** n lunar m postizo; (tourism) lugar m de excepcional belleza.

beaver ['bi:və*] n castor m.

becalmed [bɪ'kɑ:md] a encalmado.

became [bɪ'keɪm] pt of **become.**

because [bɪ'kɔz] conj porque; ~ **of** prep debido a, a causa de.

beck [bɛk] n: **to be at the ~ and call of** estar a disposición de.

beckon ['bɛkən] vt (also: ~ **to**) llamar con señas.

become [bɪ'kʌm] (irg: like **come**) vt (suit) favorecer, sentar a // vi (+ noun) hacerse, llegar a ser; (+ adj) ponerse, volverse; **to ~ fat** engordarse.

becoming [bɪ'kʌmɪŋ] a (behaviour) decoroso; (clothes) favorecedor(a).

bed [bɛd] n cama; (of flowers) macizo; (of coal, clay) capa; **to go to ~** acostarse; **single/double ~** cama individual/matrimonial; ~**clothes** npl ropa sg de cama; ~**ding** n ropa de cama.

bedlam ['bɛdləm] n confusión f.

bedraggled [bɪ'drægld] a mojado, ensuciado.

bed: ~**ridden** a postrado (en cama); ~**room** n dormitorio, alcoba; ~**side** n: **at sb's ~side** a la cabecera de alguien; ~**sit(ter)** n apartamento, alojamiento; ~**spread** n sobrecama m, colcha.

bee [bi:] n abeja.

beech [bi:tʃ] n haya.

beef [bi:f] n carne f de vaca; **roast ~** rosbif m.

bee: ~**hive** n colmena; ~**line** n: **to make a ~line for** ir derecho a.

been [bi:n] pp of **be.**

beer [bɪə*] n cerveza.

beetle ['bi:tl] n escarabajo.

beetroot ['bi:tru:t] n remolacha.

before [bɪ'fɔ:*] prep (of time) antes de; (of space) delante de // conj antes (de) que // ad (time) antes, anteriormente; (space) delante, adelante; **the week ~** la semana

anterior; **I've never seen it ~** no lo he visto nunca.

befriend [bɪ'frɛnd] vt ofrecer amistad a, ayudar.

beg [bɛg] vi pedir, rogar; (as beggar) pedir limosna // vt pedir, rogar; (entreat) suplicar.

began [bɪ'gæn] pt of **begin.**

beggar ['bɛgə*] n mendigo.

begin [bɪ'gɪn] pt **began,** pp **begun** vt, vi empezar, comenzar; ~**ner** n principiante m/f; ~**ning** n principio, comienzo.

begrudge [bɪ'grʌdʒ] vt: **to ~ sb sth** tenerle envidia a alguien por algo.

begun [bɪ'gʌn] pp of **begin.**

behalf [bɪ'hɑ:f] n: **on ~ of** en nombre de, por.

behave [bɪ'heɪv] vi (person) portarse, comportarse; (thing) funcionar; (well: also: ~ **o.s.**) portarse bien; **behaviour, behavior** (US) n comportamiento, conducta.

behind [bɪ'haɪnd] prep detrás de // ad detrás, por detrás, atrás // n trasero; ~ **time** atrasado.

behold [bɪ'həuld] (irg: like **hold**) vt contemplar.

beige [beɪʒ] a beige.

being ['bi:ɪŋ] n ser m; **to come into ~** nacer, aparecer.

belated [bɪ'leɪtɪd] a atrasado, tardío.

belch [bɛltʃ] vi eructar // vt (gen: ~ **out:** smoke etc) arrojar.

belfry ['bɛlfrɪ] n campanario.

Belgian ['bɛldʒən] a, n belga m/f.

Belgium ['bɛldʒəm] n Bélgica.

belie [bɪ'laɪ] vt desmentir, contradecir.

belief [bɪ'li:f] n (opinion) opinión f; (trust, faith) fe f; (acceptance as true) creencia.

believable [bɪ'li:vəbl] a creíble.

believe [bɪ'li:v] vt, vi creer; **believer** n creyente m/f, fiel m/f; (pol) partidario/a.

belittle [bɪ'lɪtl] vt minimizar, despreciar.

bell [bɛl] n campana; (small) campanilla; (on door) timbre m; (animal's) cencerro; (on toy etc) cascabel m.

belligerent [bɪ'lɪdʒərənt] a (at war) beligerante; (fig) agresivo.

bellow ['bɛləu] vi bramar; (person) rugir // vt (orders) gritar, vociferar.

bellows ['bɛləuz] npl fuelle m.

belly ['bɛlɪ] n barriga, panza.

belong [bɪ'lɔŋ] vi: **to ~ to** pertenecer a; (club etc) ser socio de; ~**ings** npl pertenencias fpl.

beloved [bɪ'lʌvɪd] a, n querido/a, amado/a.

below [bɪ'ləu] prep bajo, debajo de // ad abajo, (por) debajo; **see ~** véase más abajo.

belt [bɛlt] n cinturón m; (med) faja; (tech) correa, cinta // vt (thrash) golpear con correa.

bench [bɛntʃ] n banco; **the B~** (law) tribunal m; (people) judicatura.

bend [bɛnd], pt, pp **bent** vt doblar, inclinar;

(*leg, arm*) torcer // *vi* doblarse, inclinarse // *n* (*in road*) recodo, vuelta; (*in pipe, river*) ángulo, curva; **to ~ down** *vi* inclinar, doblar; **to ~ over** *vi* inclinarse.

beneath [bɪˈniːθ] *prep* bajo, debajo de; (*unworthy of*) indigno de // *ad* abajo, (por) debajo.

benefactor [ˈbɛnɪfæktəˌ] *n* bienhechor *m*.

beneficial [bɛnɪˈfɪʃəl] *a* provechoso, beneficioso.

benefit [ˈbɛnɪfɪt] *n* beneficio, provecho; (*profit*) utilidad *f*; (*money*) subsidio // *vt* beneficiar, aprovechar // *vi*: **he'll ~ from it** le sacará provecho.

Benelux [ˈbɛnɪlʌks] *n* Benelux *m*.

benevolent [bɪˈnɛvələnt] *a* benévolo.

bent [bɛnt] *pt, pp* of **bend** // *n* inclinación *f* // *a*: **to be ~ on** estar empeñado en.

bequeath [bɪˈkwiːð] *vt* legar.

bequest [bɪˈkwɛst] *n* legado.

bereaved [bɪˈriːvd] *n*: **the ~** los afligidos *mpl*; **bereavement** [-ˈriːvmənt] *n* aflicción *f*.

beret [ˈbɛreɪ] *n* boina.

berry [ˈbɛrɪ] *n* baya.

berserk [bəˈsɜːk] *a*: **to go ~** perder los estribos.

berth [bɜːθ] *n* (*bed*) litera; (*cabin*) camarote *m*; (*for ship*) amarradero // *vi* atracar, amarrar.

beseech [bɪˈsiːtʃ], *pt, pp* **besought** [-ˈsɔːt] *vt* suplicar.

beset [bɪˈsɛt] *pt, pp* **beset** *vt* rodear; (*person*) acosar.

beside [bɪˈsaɪd] *prep* junto a, al lado de; **to be ~ o.s. (with anger)** estar fuera de sí.

besides [bɪˈsaɪdz] *ad* además // *prep* (*as well as*) además de; (*except*) fuera de, excepto.

besiege [bɪˈsiːdʒ] *vt* (*town*) sitiar; (*fig*) asediar.

best [bɛst] *a* (el/la) mejor // *ad* (lo) mejor; **the ~ part of** (*quantity*) la mayor parte de; **at ~** en el mejor de los casos; **to make the ~ of sth** sacar el mejor partido de algo; **to the ~ of my knowledge** que yo sepa; **to the ~ of my ability** como mejor puedo; **~ man** *n* padrino de boda.

bestow [bɪˈstəu] *vt* otorgar; (*affection*) ofrecer.

bestseller [ˈbɛstˈsɛləˌ] *n* éxito de librería, bestseller *m*.

bet [bɛt] *n* apuesta // *vt, vi, pt, pp* **bet** or **betted** apostar, jugar.

betray [bɪˈtreɪ] *vt* traicionar; (*denounce*) delatar; **~al** *n* traición *f*.

better [ˈbɛtəˌ] *a* mejor // *ad* mejor // *vt* mejorar; (*go above*) superar // *n*: **to get the ~ of** quedar por encima de alguien; **you had ~ do it** más vale que lo haga; **he thought ~ of it** cambió de parecer; **to get ~** mejorar(se); (*MED*) reponerse; **~ off** a más acomodado.

betting [ˈbɛtɪŋ] *n* juego, el apostar; **~ shop** *n* agencia de apuestas.

between [bɪˈtwiːn] *prep* entre // *ad* en medio.

beverage [ˈbɛvərɪdʒ] *n* bebida.

bevy [ˈbɛvɪ] *n*: **a ~ of** una bandada de.

beware [bɪˈwɛəˌ] *vi*: **to ~ (of)** precaverse de, tener cuidado con // *excl* ¡cuidado!

bewildered [bɪˈwɪldəd] *a* aturdido, perplejo.

bewitching [bɪˈwɪtʃɪŋ] *a* hechicero, encantador(a).

beyond [bɪˈjɔnd] *prep* (*in space*) más allá de; (*exceeding*) además de, fuera de; (*above*) superior a // *ad* más allá, más lejos; **~ doubt** fuera de toda duda; **~ repair** irreparable.

bias [ˈbaɪəs] *n* (*prejudice*) prejuicio, pasión *f*; (*preference*) predisposición *f*; **~(s)ed** *a* (*against*) con prejuicios; (*towards*) partidario.

bib [bɪb] *n* babero.

Bible [ˈbaɪbl] *n* Biblia.

bibliography [bɪblɪˈɔɡrəfɪ] *n* bibliografía.

bicker [ˈbɪkəˌ] *vi* reñir.

bicycle [ˈbaɪsɪkl] *n* bicicleta.

bid [bɪd] *n* (*at auction*) oferta, postura; (*attempt*) tentativa, conato // (*vb: pt* **bade** [bæd] *or* **bid**, *pp* **bidden** [ˈbɪdn] *or* **bid**) *vi* hacer una oferta // *vt* mandar, ordenar; **to ~ sb good day** dar a uno los buenos días; **~der** *n*: **the highest ~der** el mejor postor; **~ding** *n* (*at auction*) ofertas *fpl*; (*order*) orden *f*, mandato.

bide [baɪd] *vt*: **to ~ one's time** esperar el momento adecuado.

bidet [ˈbiːdeɪ] *n* bidet *m*.

bier [bɪəˌ] *n* féretro.

big [bɪɡ] *a* grande.

bigamy [ˈbɪɡəmɪ] *n* bigamía.

bigheaded [ˈbɪɡˈhɛdɪd] *a* engreído.

bigot [ˈbɪɡət] *n* fanático, intolerante *m/f*; **~ed** *a* fanático, intolerante; **~ry** *n* fanatismo, intolerancia.

bike [baɪk] *n* bici *f*.

bikini [bɪˈkiːnɪ] *n* bikini *m*.

bile [baɪl] *n* bilis *f*.

bilingual [baɪˈlɪŋɡwəl] *a* bilingüe.

bill [bɪl] *n* (*account*) cuenta; (*invoice*) factura; (*POL*) proyecto de ley; (*US: banknote*) billete *m*; (*of bird*) pico; **stick no ~s** prohibido fijar carteles.

billet [ˈbɪlɪt] *n* alojamiento.

billfold [ˈbɪlfəuld] *n* (*US*) cartera.

billiards [ˈbɪlɪədz] *n* billar *m*.

billion [ˈbɪlɪən] *n* (*Brit*) billón *m*; (*US*) mil millones.

billy goat [ˈbɪlɪ-] *n* macho cabrío.

bin [bɪn] *n* (*gen*) cubo; **bread/litter ~** nasa/papelera.

bind [baɪnd], *pt, pp* **bound** *vt* atar, liar; (*wound*) vendar; (*book*) encuadernar; (*oblige*) obligar; **~ing** *a* (*contract*) obligatorio.

binge [bɪndʒ] *n* borrachera, juerga.

bingo [ˈbɪŋɡəu] *n* bingo *m*.

binoculars [bɪˈnɔkjuləz] *npl* gemelos *mpl*, prismáticos *mpl*.

bio... [baɪə] *pref:* ~**chemistry** *n* bioquímica; ~**graphy** [baɪˈɔɡrəfɪ] *n* biografía; ~**logical** *a* biológico; ~**logy** [baɪˈɔlədʒɪ] *n* biología.

birch [bəːtʃ] *n* abedul *m*; (*cane*) vara.

bird [bəːd] *n* ave *f*, pájaro; (*col: girl*) chica; ~**cage** *n* jaula; ~**'s eye view** *n* vista de pájaro; ~ **watcher** *n* ornitólogo.

birth [bəːθ] *n* nacimiento; (*MED*) parto; **to give** ~ **to** parir, dar a luz; ~ **certificate** *n* partida de nacimiento; ~ **control** *n* control *m* de natalidad; (*methods*) métodos *mpl* anticonceptivos; ~**day** *n* cumpleaños *m*; ~**place** *n* lugar *m* de nacimiento; ~**rate** *n* (tasa de) natalidad *f*.

biscuit [ˈbɪskɪt] *n* galleta.

bisect [baɪˈsɛkt] *vt* bisecar.

bishop [ˈbɪʃəp] *n* obispo.

bit [bɪt] *pt of* **bite** // *n* trozo, pedazo, pedacito; (*of horse*) freno, bocado; **a** ~ **of** un poco de; **a** ~ **mad** algo loco; ~ **by** ~ poco a poco.

bitch [bɪtʃ] *n* (*dog*) perra.

bite [baɪt], *pt* **bit**, *pp* **bitten** *vt, vi* morder; (*insect etc*) picar // *n* mordedura; (*insect* ~) picadura; (*mouthful*) bocado; **let's have a** ~ **(to eat)** comamos algo.

biting [ˈbaɪtɪŋ] *a* penetrante, cortante; (*sharp*) mordaz.

bitten [ˈbɪtn] *pp of* **bite.**

bitter [ˈbɪtə*] *a* amargo; (*wind, criticism*) cortante, penetrante; (*battle*) encarnizado // *n* (*beer*) cerveza clara; ~**ness** *n* amargura; (*anger*) rencor *m*.

bizarre [bɪˈzaː*] *a* raro, estrafalario.

blab [blæb] *vi* chismear, soplar // *vt* (*also:* ~ **out**) revelar, contar.

black [blæk] *a* (*colour*) negro; (*dark*) oscuro // *n* negro; (*colour*) color *m* negro // *vt* (*shoes*) lustrar; (*INDUSTRY*) boicotear; **to give sb a** ~ **eye** darle a uno una bofetada (en el ojo); ~ **and blue** *a* amoratado; ~**berry** *n* zarzamora; ~**bird** *n* mirlo; ~**board** *n* pizarra; ~**currant** *n* grosella negra; ~**en** *vt* ennegrecer; (*fig*) denigrar; ~**leg** *n* esquirol *m*, rompehuelgas *m inv*; ~**list** *n* lista negra; ~**mail** *n* chantaje *m* // *vt* chantajear; ~**mailer** *n* chantajista *m/f*; ~ **market** *n* mercado negro; ~**out** *n* apagón *m*; (*fainting*) desmayo, pérdida de conocimiento; ~**smith** *n* herrero.

bladder [ˈblædə*] *n* vejiga.

blade [bleɪd] *n* hoja; (*cutting edge*) filo; **a** ~ **of grass** una brizna de hierba.

blame [bleɪm] *n* culpa // *vt:* **to** ~ **sb for sth** echar a uno la culpa de algo; **to be to** ~ tener la culpa de; ~**less** *a* (*person*) inocente.

bland [blænd] *a* suave; (*taste*) soso.

blank [blæŋk] *a* en blanco; (*shot*) sin bala; (*look*) sin expresión // *n* blanco, espacio en blanco; cartucho sin bala *o* de fogueo.

blanket [ˈblæŋkɪt] *n* manta // *vt* envolver.

blare [blɛə*] *vi* (*brass band, horns, radio*) resonar.

blasé [ˈblaːzeɪ] *a* hastiado.

blasphemy [ˈblæsfɪmɪ] *n* blasfemia.

blast [blaːst] *n* (*of wind*) ráfaga, soplo; (*of whistle*) toque *m*; (*of explosive*) carga explosiva; (*force*) choque *m* // *vt* (*blow up*) volar; (*blow open*) abrir con carga explosiva; ~ **-off** *n* (*SPACE*) lanzamiento.

blatant [ˈbleɪtənt] *a* descarado.

blaze [bleɪz] *n* (*fire*) fuego; (*flames*) llamarada; (*fig*) arranque *m* // *vi* (*fire*) arder en llamas; (*fig*) brillar // *vt:* **to** ~ **a trail** (*fig*) abrir (un) camino.

blazer [ˈbleɪzə*] *n* chaqueta ligera.

bleach [bliːtʃ] *n* (*also:* **household** ~) lejía // *vt* (*linen*) blanquear; ~**ed** *a* (*hair*) decolorado.

bleak [bliːk] *a* (*countryside*) desierto; (*prospect*) poco prometedor(a).

bleary-eyed [ˈblɪərɪˈaɪd] *a* de ojos legañosos.

bleat [bliːt] *vi* balar.

bleed [bliːd], *pt, pp* **bled** [blɛd] *vt, vi* sangrar.

blemish [ˈblɛmɪʃ] *n* mancha, tacha.

blend [blɛnd] *n* mezcla // *vt* mezclar // *vi* (*colours etc*) combinarse, mezclarse.

bless [blɛs], *pt, pp* **blessed** *or* **blest** [blɛst] *vt* bendecir; ~**ing** *n* bendición *f*; (*advantage*) beneficio, ventaja.

blew [bluː] *pt of* **blow.**

blight [blaɪt] *vt* (*hopes etc*) frustrar, arruinar.

blimey [ˈblaɪmɪ] *excl* (*col*) ¡caray!

blind [blaɪnd] *a* ciego // *n* (*for window*) persiana // *vt* cegar; (*dazzle*) deslumbrar; ~ **alley** *n* callejón *m* sin salida; ~ **corner** *n* esquina escondida; ~**fold** *n* venda // *a, ad* con los ojos vendados // *vt* vendar los ojos a; ~**ly** *ad* a ciegas, ciegamente; ~**ness** *n* ceguera; ~ **spot** *n* mácula.

blink [blɪŋk] *vi* parpadear, pestañear; (*light*) oscilar; ~**ers** *npl* anteojeras *fpl.*

blinking [ˈblɪŋkɪŋ] *a* (*col*): **this** ~... este condenado... .

bliss [blɪs] *n* felicidad *f*; (*fig*) éxtasis *m.*

blister [ˈblɪstə*] *n* (*on skin*) ampolla // *vi* (*paint*) ampollarse; ~**ing** *a* (*heat*) abrasador(a).

blithe [blaɪð] *a* alegre.

blithering [ˈblɪðərɪŋ] *a* (*col*): **this** ~ **idiot** este tonto perdido.

blitz [blɪts] *n* bombardeo aéreo.

blizzard [ˈblɪzəd] *n* ventisca.

bloated [ˈbləʊtɪd] *a* hinchado.

blob [blɔb] *n* (*drop*) gota; (*stain, spot*) mancha.

block [blɔk] *n* bloque *m*; (*in pipes*) obstáculo; (*of buildings*) manzana // *vt* (*gen*) obstruir, cerrar; (*progress*) estorbar; ~**ade** [-ˈkeɪd] *n* bloqueo // *vt* bloquear; ~**age** *n* estorbo, obstrucción *f*; ~ **of flats** *n* bloque *m* de pisos; ~ **letters** *npl* letras *fpl* de molde.

bloke [bləʊk] *n* (*col*) tipo, tío.

blond(e) [blɔnd] *a, n* rubio/a.

blood [blʌd] *n* sangre *f*; ~ **donor** *n*

donador/a m/f de sangre; ~ **group** n grupo sanguíneo; ~ **hound** n sabueso; ~ **pressure** n presión f sanguínea; ~**shed** n matanza; ~**shot** a inyectado en sangre; ~**stained** a manchado de sangre; ~**stream** n corriente f sanguínea; ~**thirsty** a sanguinario; ~ **transfusion** n transfusión f de sangre; ~**y** a sangriento; (col!): **this** ~**y...** este condenado/puñetero...; ~**y strong/ good** (col!) terriblemente fuerte/ bueno; ~**y-minded** a (col) malintencionado.

bloom [blu:m] n floración f; (fig) perfección f, plenitud f // vi florecer; ~**ing** a (col): **this** ~**ing...** este condenado... .

blossom ['blɔsəm] n flor f // vi florecer; (fig) desarrollarse.

blot [blɔt] n borrón m // vt secar; (ink) manchar; **to** ~ **out** vt (view) oscurecer, hacer desaparecer.

blotchy ['blɔtʃi] a (complexion) enrojecido, lleno de manchas.

blotting paper ['blɔtɪŋ-] n papel m secante.

blouse [blauz] n blusa.

blow [bləu] n golpe m // (vb: pt **blew**, pp **blown** [bləun]) vi soplar // vt (glass) soplar; (fuse) quemar; (instrument) tocar; **to** ~ **one's nose** sonarse; **to** ~ **away** vt llevarse, arrancar; **to** ~ **down** vt derribar; **to** ~ **off** vt arrebatar; **to** ~ **out** vi apagarse; **to** ~ **over** vi pasar, quedar olvidado; **to** ~ **up** vi estallar // vt volar; (tyre) inflar; (PHOT) ampliar; ~**lamp** n soplete m, lámpara de soldar; ~**-out** n (of tyre) pinchazo.

blubber ['blʌbə*] n grasa de ballena // vi (pej) lloriquear.

blue [blu:] a azul; ~ **film/joke** film/chiste verde; **to have the** ~**s** estar melancólico; ~**bell** n campanilla, campánula azul; ~**bottle** n moscarda, mosca azul; ~ **jeans** npl bluejean m inv, vaqueros mpl; ~**print** n (fig) anteproyecto.

bluff [blʌf] vi hacer un bluff, farolear // n bluff m, farol m.

blunder ['blʌndə*] n error m garrafal, metedura de pata // vi cometer un error, meter la pata.

blunt [blʌnt] a embotado, desafilado; (person) franco, directo // vt embotar, desafilar; ~**ness** n (of person) franqueza, brusquedad f.

blur [blə:*] n aspecto borroso // vt hacer borroso, desdibujar.

blurt [blə:t]: ~ **out** vt (say) descolgarse con, dejar escapar.

blush [blʌʃ] vi ruborizarse, ponerse colorado // n rubor m.

blustering ['blʌstərɪŋ] a (person) fanfarrón(ona).

blustery ['blʌstərɪ] a (weather) tempestuoso, tormentoso.

board [bɔ:d] n tabla, tablero; (on wall) tablón m; (for chess etc) tablero; (committee) junta, consejo; (in firm) mesa o junta

directiva // vt (ship) embarcarse en; (train) subir a; **full** ~ pensión f completa; **to go by the** ~ (fig) ser abandonado/olvidado; **to** ~ **up** vt (door) entablar, enmaderar; ~ **and lodging** n pensión f; ~**er** n huésped/a m/f; (SCOL) interno; ~**ing house** n casa de huéspedes; ~**ing school** n internado; ~ **room** n sala de juntas.

boast [bəust] vi jactarse, presumir // vt ostentar // n alarde m, baladronada; ~**ful** a presumido, jactancioso.

boat [bəut] n barco, buque m; (small) barca, bote m; ~**er** n (hat) sombrero de paja; ~**ing** n canotaje m; ~**man** n barquero; ~**swain** ['bəusn] n contramaestre m.

bob [bɔb] vi (boat, cork on water: also: ~ **up and down**) menearse, balancearse; **to** ~ **up** vi aparecer, levantarse // n (col) = **shilling.**

bobbin ['bɔbɪn] n (of sewing machine) carrete m, bobina.

bobby ['bɔbɪ] n (col) poli m/f.

bobsleigh ['bɔbsleɪ] n bob m.

bodice ['bɔdɪs] n corpiño.

bodily ['bɔdɪlɪ] a (corpóreo, corporal // ad (in person) en persona; (lift) en peso.

body ['bɔdɪ] n cuerpo; (corpse) cadáver m; (of car) caja, carrocería; (fig: society) conjunto; (fig: quantity) parte f principal; **in a** ~ en bloque, en conjunto; ~**guard** n guardaespaldas m inv; ~**work** n carrocería.

bog [bɔg] n pantano, ciénaga // vt: **to get** ~**ged down** (fig) empantanarse, atascarse.

boggie ['bɔgl] vi: **the mind** ~**s** le deja boquiabierto a uno.

bogus ['bəugəs] a falso, fraudulento; (person) fingido.

boil [bɔɪl] vt cocer; (eggs) pasar por agua // vi hervir // n (MED) furúnculo, divieso; **to come to the** ~ comenzar a hervir; **to** ~ **down to** (fig) reducirse a; ~**er** n caldera; ~**er suit** n mono; ~**ing point** n punto de ebullición f.

boisterous ['bɔɪstərəs] a (noisy) bullicioso; (excitable) exuberante; (crowd) tumultuoso.

bold [bəuld] a (brave) valiente, audaz; (excessively) atrevido; (pej) descarado; (outline, colour) fuerte; ~**ness** n valor m, audacia; (cheek) descaro.

Bolivia [bə'lɪvɪə] n Bolivia.

bollard ['bɔləd] n (col) poste m.

bolster ['bəulstə*] n travesero, cabezal m; **to** ~ **up** vt reforzar; (fig) alentar.

bolt [bəult] n (lock) cerrojo; (with nut) perno, tornillo // vt (door) echar el cerrojo a; (food) engullir // vi fugarse; (horse) desbocarse.

bomb [bɔm] n bomba // vt bombardear; ~**ard** [-'bɑ:d] vt bombardear; (fig) asediar; ~**ardment** [-'bɑ:dmənt] n bombardeo.

bombastic [bɔm'bæstɪk] a rimbombante; (*person*) farolero.

bomb: ~ **disposal** n desmontaje m de explosivos; ~**er** n (AVIAT) bombardero; ~**shell** n obús m, granada; (*fig*) bomba.

bona fide ['bəunə'faɪdɪ] a genuino, auténtico.

bond [bɔnd] n (*binding promise*) fianza; (FINANCE) bono; (*link*) vínculo, lazo.

bondage [bɔndɪdʒ] n esclavitud f.

bone [bəun] n hueso; (*of fish*) espina // vt deshuesar; quitar las espinas a; ~**-dry** a completamente seco; ~ **idle** a gandul.

bonfire ['bɔnfaɪə*] n hoguera, fogata.

bonnet ['bɔnɪt] n gorra; (*Brit: of car*) capó m.

bonus ['bəunəs] n sobrepaga, prima.

bony ['bəunɪ] a (*arm, face, MED: tissue*) huesudo; (*meat*) lleno de huesos; (*fish*) lleno de espinas.

boo [bu:] vt abuchear, rechiflar.

booby trap ['bu:bɪ-] n trampa explosiva.

book [buk] n libro; (*notebook*) libreta; (*of stamps etc*) librito; (COMM): ~**s** las cuentas, el balance // vt (*ticket*) sacar; (*seat, room*) reservar; (*driver*) fichar; ~**case** n librería, estante m para libros; ~**ing office** n (RAIL) despacho de billetes; (THEATRE) taquilla; ~**-keeping** n teneduría de libros; ~**let** n folleto; ~**maker** n corredor m de apuestas; ~**seller** n librero; ~**shop** n librería; ~**stall** n quiosco de libros.

boom [bu:m] n (*noise*) trueno, estampido; (*in prices etc*) alza rápida; (ECON) boom m, prosperidad f repentina.

boomerang ['bu:məræŋ] n bumerang m.

boon [bu:n] n favor m, beneficio.

boost [bu:st] n estímulo, empuje m // vt estimular, empujar; ~**er** n (MED) reinyección f.

boot [bu:t] n bota; (*Brit: of car*) maleta, maletero // vt dar un puntapié a; **to** ~ (*in addition*) además, por añadidura.

booth [bu:ð] n (*at fair*) barraca; (*telephone* ~, *voting* ~) cabina.

booty ['bu:tɪ] n botín m.

booze [bu:z] (*col*) n bebida, trago // vi emborracharse.

border ['bɔ:də*] n borde m, margen m, orilla; (*of a country*) frontera // a fronterizo; **the B**~**s** región fronteriza entre Escocia e Inglaterra; **to** ~ **on** vt fus lindar con; (*fig*) rayar en; ~**line** n (*fig*) frontera.

bore [bɔ:*] pt of **bear** // vt (*hole*) taladrar, agujerear; (*person*) aburrir // n (*person*) pelmazo, pesado; (*of gun*) calibre m; ~**dom** n aburrimiento.

boring ['bɔ:rɪŋ] a aburrido.

born [bɔ:n] a: **to be** ~ nacer; **I was** ~ **in 1960** nací en 1960.

borne [bɔ:n] pp of **bear**.

borough ['bʌrə] n municipio.

borrow ['bɔrəu] vt: **to** ~ **sth (from sb)** pedir algo prestado a alguien.

borstal ['bɔ:stl] n reformatorio (de menores).

bosom ['buzəm] n pecho; (*fig*) seno; ~ **friend** n amigo del alma o íntimo.

boss [bɔs] n jefe m; (*employer*) patrón/ona m/f; (*political etc*) cacique m // vt regentar, dar órdenes a; ~**y** a mandón(ona).

bosun ['bəusn] n contramaestre m.

botanist ['bɔtənɪst] n botanista m/f; **botany** [-nɪ] n botánica.

botch [bɔtʃ] vt (*also*: ~ **up**) arruinar, estropear.

both [bəuθ] a, pron ambos(as), los dos; ~ **of us went, we** ~ **went** fuimos los dos, ambos fuimos // ad: ~ **A and B** tanto A como B.

bother ['bɔðə*] vt (*worry*) preocupar; (*disturb*) molestar, fastidiar // vi (*gen*: ~ **o.s.**) molestarse; **to** ~ **doing** tomarse la molestia de hacer // n: **what a** ~! ¡qué lata!

bottle ['bɔtl] n botella; (*small*) frasco; (*baby's*) biberón m // vt embotellar; **to** ~ **up** vt embotellar, contener; ~**neck** n embotellamiento; ~**-opener** n destapador m, abrebotellas m inv.

bottom ['bɔtəm] n (*of box, sea*) fondo; (*buttocks*) trasero, culo; (*of page, list*) pie m // a (*low*) inferior, más bajo; (*last*) último; ~**less** a sin fondo, insondable.

bough [bau] n rama.

bought [bɔ:t] pt, pp of **buy**.

boulder ['bəuldə*] n canto rodado.

bounce [bauns] vi (*ball*) (re)botar; (*cheque*) ser rechazado o incobrable // vt hacer (re)botar // n (*rebound*) (re)bote m.

bound [baund] pt, pp of **bind** // n (*leap*) salto; (*gen pl: limit*) límite m // vi (*leap*) saltar // a: ~ **by** (*limited by*) rodeado de, confinado con; **to be** ~ **to do sth** (*obliged*) tener el deber de hacer algo; (*likely*) estar seguro de hacer algo; **out of** ~**s** prohibido el paso; ~ **for** con destino a.

boundary ['baundrɪ] n límite m, lindero.

boundless ['baundlɪs] a ilimitado.

bouquet ['bukeɪ] n (*of flowers*) ramo; (*of wine*) aroma m.

bout [baut] n (*of malaria etc*) ataque m; (BOXING etc) combate m, encuentro.

bow [bəu] n (*knot*) lazo; (*weapon, MUS*) arco // n [bau] (*of the head*) reverencia; (NAUT) proa // vi [bau] inclinarse, hacer una reverencia; (*yield*): **to** ~ **to** o **before** ceder ante, someterse a.

bowels [bauəlz] npl intestinos mpl, vientre m.

bowl [bəul] n tazón m, cuenco; (*for washing*) palangana, jofaina; (*ball*) bola // vi (CRICKET) arrojar la pelota; ~**s** n juego de las bochas, bolos mpl.

bow-legged ['bəulɛgid] a estevado.

bowler ['bəulə*] n (CRICKET) lanzador m (de la pelota); (*also*: ~ **hat**) hongo, bombín m.

bowling ['bəulɪŋ] n (*game*) bochas fpl, bolos mpl; ~ **alley** n bolera; ~ **green** n pista para bochas.

bow tie ['bəu-] n corbata de lazo.
box [bɔks] n (also: **cardboard** ~) caja, cajón m; (for jewels) estuche m; (for money) cofre m; (THEATRE) palco // vt encajonar // vi (SPORT) boxear; ~**er** n (person) boxeador m; (dog) boxer m; ~**ing** n (SPORT) boxeo; **B**~**ing Day** n Día de San Esteban, 26 de diciembre; ~**ing gloves** npl guantes mpl de boxeo; ~**ing ring** n ring m, cuadrilátero; ~ **office** n taquilla; ~**room** n trastero.
boy [bɔɪ] n (young) niño; (older) muchacho; (servant) criado.
boycott ['bɔɪkɔt] n boicot m // vt boicotear.
boyfriend ['bɔɪfrɛnd] n novio.
boyish ['bɔɪɪʃ] a muchachil.
B.R. abbr of **British Rail.**
bra [brɑː] n sostén m.
brace [breɪs] n refuerzo, abrazadera; (on teeth) aparato; (tool) berbiquí m // vt asegurar, reforzar; ~**s** npl tirantes mpl; **to** ~ **o.s.** (fig) fortalecer el ánimo.
bracelet ['breɪslɪt] n pulsera, brazalete m.
bracing ['breɪsɪŋ] a vigorizante, tónico.
bracken ['brækən] n helecho.
bracket ['brækɪt] n (TECH) soporte m, puntal m; (group) clase f, categoría; (also: **brace** ~) soporte m, abrazadera; (also: **round** ~) paréntesis m inv; (gen: **square** ~) corchete m // vt (group) agrupar.
brag [bræg] vi jactarse.
braid [breɪd] n (trimming) galón m; (of hair) trenza.
Braille [breɪl] n Braille m.
brain [breɪn] n cerebro; ~**s** npl sesos mpl; ~**child** n parto del ingenio; ~**wash** vt lavar el cerebro a; ~**wave** n idea luminosa; ~**y** a muy listo o inteligente.
braise [breɪz] vt cocer a fuego lento.
brake [breɪk] n (on vehicle) freno // vt, vi frenar; ~ **drum** n tambor m de freno; ~ **fluid** n líquido para freno.
bramble ['bræmbl] n zarza.
branch [brɑːntʃ] n rama; (fig) ramo; (road) ramal m; (COMM) sucursal f // vi (also: ~ **out**) ramificarse; (: fig) extenderse.
brand [brænd] n marca; (iron) hierro de marcar // vt (cattle) marcar con hierro candente.
brandish ['brændɪʃ] vt blandir.
brand-new ['brænd'njuː] a flamante, completamente nuevo.
brandy ['brændɪ] n coñac m, brandy m.
brash [bræʃ] a (rough) tosco; (cheeky) descarado.
brass [brɑːs] n latón m; ~ **band** n banda de metal.
brassière ['bræsɪə*] n sostén m.
brat [bræt] n (pej) mocoso.
bravado [brə'vɑːdəu] n baladronada.
brave [breɪv] a valiente, valeroso // n valiente m // vt (challenge) desafiar; (resist) aguantar; ~**ry** n valor m, valentía.
brawl [brɔːl] n pendencia, reyerta // vi pelearse.

brawn [brɔːn] n fuerza; (meat) carne f en gelatina; ~**y** a fornido, musculoso.
bray [breɪ] n rebuzno // vi rebuznar.
brazen ['breɪzn] a descarado, cínico // vt: **to** ~ **it out** defenderse con descaro.
brazier ['breɪzɪə*] n brasero.
Brazil [brə'zɪl] n (el) Brasil; ~**ian** a, n brasileño/a.
breach [briːtʃ] vt abrir brecha en // n (gap) brecha; (breaking): ~ **of contract** infracción f de contrato; ~ **of the peace** perturbación f del órden público.
bread [brɛd] n pan m; ~ **and butter** n pan m con mantequilla; (fig) pan (de cada día) // a común y corriente; ~**crumbs** npl migajas fpl; (CULIN) pan molido.
breadth [brɛtθ] n anchura; (fig) amplitud f.
breadwinner ['brɛdwɪnə*] n sostén m de la familia.
break [breɪk], pt **broke**, pp **broken** vt (gen) romper; (promise) faltar a; (fall) amortiguar; (journey) interrumpir; (law) violar, infringir; (record) batir; (news) comunicar // vi romperse, quebrarse; (storm) estallar // n (gap) abertura; (crack) grieta; (fracture) fractura; (breakdown) ruptura, rompimiento; (rest) descanso; (time) intérvalo; (: at school) (período de) recreo; (chance) oportunidad f, (escape) evasión f, fuga; **to** ~ **down** vt (figures, data) analizar, descomponer; (undermine) acabar con // vi estropearse; (MED) sufrir un colapso; (AUT) averiarse; (person) romper a llorar; **to** ~ **even** vi salir sin ganar ni perder; **to** ~ **free or loose** vi abrirse paso; **to** ~ **in** vt (horse etc) domar // vi (burglar) forzar una entrada; **to** ~ **into** vt fus (house) forzar; **to** ~ **off** vi (speaker) pararse, detenerse; (branch) partir; **to** ~ **open** vt (door etc) abrir por la fuerza, forzar; **to** ~ **out** vi estallar; **to** ~ **out in spots** salir a uno granos; **to** ~ **up** vi romperse // vt romper, intervenir en; ~**able** a quebradizo; ~**age** n rotura; ~**down** n (AUT) avería; (in communications) interrupción f; (MED: also: **nervous** ~**down**) colapso, crisis f nerviosa; ~**down lorry** n grúa, camión m grúa; ~**er** n rompiente m, ola grande.
breakfast ['brɛkfəst] n desayuno.
break: ~**through** n ruptura; (fig) avance m, adelanto; ~**water** n rompeolas m inv.
breast [brɛst] n (of woman) pecho, seno; (chest) pecho; (of bird) pechuga; ~**-stroke** n braza de pecho.
breath [brɛθ] n aliento, respiración f; **out of** ~ sin aliento, sofocado; ~**alyser** n prueba de alcohol por el aliento.
breathe [briːð] vt, vi respirar; (noisily) resollar; **breather** n respiro.
breath: ~**less** a sin aliento, jadeante; ~**taking** a imponente, pasmoso.
breed [briːd], pt, pp **bred** [brɛd] vt criar, engendrar // vi reproducirse, procrear // n raza, casta; ~**er** n (person) criador/a m/f; ~**ing** n (of person) educación f.

breeze [briːz] n brisa.

breezy ['briːzɪ] a de mucho viento, ventoso; (*person*) despreocupado.

brevity ['brɛvɪtɪ] n brevedad f.

brew [bruː] vt (*tea*) hacer; (*beer*) elaborar // vi hacerse, prepararse; (*fig*) amenazar; ~**er** n cervecero; ~**ery** n fábrica de cerveza.

bribe [braɪb] n soborno // vt sobornar, cohechar; ~**ry** n soborno, cohecho.

brick [brɪk] n ladrillo; ~**layer** n albañil m; ~**works** n ladrillar m.

bridal ['braɪdl] a nupcial.

bride [braɪd] n novia; ~**groom** n novio; **bridesmaid** n dama de honor.

bridge [brɪdʒ] n puente m; (*NAUT*) puente m de mando; (*of nose*) caballete m; (*CARDS*) bridge m // vt (*river*) tender un puente sobre; ~**head** n cabeza de puente.

bridle ['braɪdl] n brida, freno // vt poner la brida a; (*fig*) reprimir, refrenar; ~ **path** n camino de herradura.

brief [briːf] a breve, corto // n (*LAW*) escrito // vt (*inform*) informar; (*instruct*) dar órdenes a; ~**s** npl (*for men*) calzoncillos mpl; (*for women*) bragas fpl; ~**case** n cartera; ~**ing** n (*PRESS*) informe m.

brigade [brɪ'geɪd] n (*MIL*) brigada.

brigadier [brɪgə'dɪə*] n general m de brigada.

bright [braɪt] a claro, luminoso; (*weather*) de sol; (*person: clever*) listo, inteligente; (: *lively*) alegre, animado; (*colour*) vivo; ~**en** vt (*room*) hacer más alegre // vi (*weather*) despejarse; (*person: gen*: ~**en up**) animarse, alegrarse.

brilliance ['brɪljəns] n brillo, brillantez f; **brilliant** [-ənt] a brillante; (*clever*) genial.

brim [brɪm] n borde m; (*of hat*) ala; ~**ful** a lleno hasta el borde; (*fig*) rebosante (de).

brine [braɪn] n (*CULIN*) salmuera.

bring [brɪŋ], *pt, pp* **brought** vt (*thing*) traer; (*person*) conducir; **to** ~ **about** vt ocasionar, producir; **to** ~ **back** vt volver a traer; (*return*) devolver; **to** ~ **down** vt bajar; (*price*) rebajar; **to** ~ **forward** vt adelantar; **to** ~ **in** vt (*harvest*) recoger; **to** ~ **off** vt (*task, plan*) lograr, conseguir; **to** ~ **out** vt (*object*) sacar; **to** ~ **round** vt (*unconscious person*) hacer volver en sí; (*convince*) convencer, ganar; **to** ~ **up** vt (*person*) educar, criar; (*carry up*) subir; (*question*) sacar a colación.

brink [brɪŋk] n borde m.

brisk [brɪsk] a enérgico, vigoroso; (*speedy*) rápido; (*trade*) activo.

brisket ['brɪskɪt] n carne f de vaca para asar.

bristle ['brɪsl] n cerda // vi erizarse.

Britain ['brɪtən] n Gran Bretaña.

British ['brɪtɪʃ] a británico; **the** ~ npl los británicos; **the** ~ **Isles** npl las Islas Británicas.

Briton ['brɪtən] n británico/a.

brittle ['brɪtl] a quebradizo, frágil.

broach [brəutʃ] vt (*subject*) abordar.

broad [brɔːd] a ancho, amplio; (*accent*) cerrado; **in** ~ **daylight** en pleno día; ~**cast** n emisión f // (*vb*: *pt, pp* ~**cast**) vt (*RADIO*) emitir; (*TV*) transmitir // vi hablar o tocar por la radio; ~**casting** n radiodifusión f, difusión f; ~**en** vt ensanchar // vi ensancharse; ~**ly** ad en general; ~**-minded** a tolerante, liberal.

brochure ['brəuʃuə*] n folleto.

broke [brəuk] *pt of* **break** // a (*col*) pelado, sin blanca.

broken ['brəukən] *pp of* **break** // a: ~ **leg** pierna rota; **in** ~ **English** en un inglés imperfecto; ~**-hearted** con el corazón partido.

broker ['brəukə*] n agente m/f, bolsista m/f.

bronchitis [brɔŋ'kaɪtɪs] n bronquitis f.

bronze [brɔnz] n bronce m.

brooch [brəutʃ] n prendedor m.

brood [bruːd] n camada, cría; (*children*) progenie f; (: *pej*) prole f // vi (*hen*) empollar; (*obsessively*) darle vueltas (a).

brook [bruk] n arroyo.

broom [brum] n escoba; (*BOT*) retama; ~**stick** n palo de escoba.

Bros. *abbr of* **Brothers.**

broth [brɔθ] n caldo.

brothel ['brɔθl] n burdel m.

brother ['brʌðə*] n hermano; ~**-in-law** n cuñado.

brought [brɔːt] *pt, pp of* **bring.**

brow [brau] n ceja; (*forehead*) frente m; (*of hill*) cumbre f.

brown [braun] a moreno; (*hair*) castaño; (*tanned*) bronceado // n (*colour*) color m moreno o pardo // vt poner moreno; (*tan*) broncear; (*CULIN*) dorar; ~**ie** n niña Girl Guide.

browse [brauz] vi (*among books*) hojear libros.

bruise [bruːz] n cardenal m, contusión f // vt magullar.

brunette [bruː'nɛt] n morena.

brunt [brʌnt] n: **the** ~ **of** lo más fuerte de, lo peor de.

brush [brʌʃ] n cepillo; (*large*) escoba; (*for painting, shaving etc*) brocha; (*artist's*) pincel m; (*BOT*) maleza; (*quarrel*) escaramuza, encuentro // vt cepillar; (*gen*: ~ **past**, ~ **against**) rozar al pasar; **to** ~ **aside** vt rechazar, no hacer caso a; **to** ~ **up** vt (*knowledge*) repasar, refrescar; ~**wood** n (*bushes*) maleza; (*sticks*) leña.

brusque [bruːsk] a brusco, áspero.

Brussels ['brʌslz] n Bruselas; ~ **sprout** n colecilla de Bruselas.

brutal ['bruːtl] a brutal; ~**ity** [-'tælɪtɪ] n brutalidad f.

brute [bruːt] n bruto; (*person*) bestia.

B.Sc. *abbr of* **Bachelor of Science** licenciado en ciencias.

bubble ['bʌbl] n burbuja, ampolla // vi burbujear, borbotar; ~ **gum** n chicle m de globo.

buck [bʌk] n macho; (*US: col*) dólar m // vi

corcovear; **to pass the** ~ **(to sb)** echar (a uno) el muerto; **to** ~ **up** vi (cheer up) animarse, cobrar ánimo.

bucket ['bʌkɪt] n cubo, balde m.

buckle ['bʌkl] n hebilla // vt abrochar con hebilla // vi torcerse, combarse.

bud [bʌd] n brote m, yema; (of flower) capullo // vi brotar, echar brotes; (fig) florecer.

Buddhism ['budɪzm] n Budismo.

budding ['bʌdɪŋ] a en ciernes, en embrión.

buddy ['bʌdɪ] n (US) compañero, compinche m.

budge [bʌdʒ] vt mover; (fig) hacer ceder // vi moverse.

budgerigar ['bʌdʒərɪgɑ:*] n periquito.

budget ['bʌdʒɪt] n presupuesto.

budgie ['bʌdʒɪ] n = **budgerigar.**

buff [bʌf] a (colour) color m de ante // n (enthusiast) entusiasta m/f.

buffalo ['bʌfələu], pl ~ or ~es n búfalo.

buffer ['bʌfə*] n amortiguador m.

buffet ['bufeɪ] n (bar) bar m, cafetería; (food) buffet m // vt ['bʌfɪt] (strike) abofetear; (wind etc) golpear; ~ **car** n coche-comedor m.

buffoon [bə'fu:n] n bufón m.

bug [bʌg] n (insect) chinche m; (: gen) bicho, sabandija; (: fig: germ) microbio, bacilo; (spy device) micrófono oculto; (tap) intervención f; (machine for tapping) aparato de intervención // vt (fam) fastidiar; (spy on) poner micrófono oculto en.

bugle ['bju:gl] n corneta, clarín m.

build [bɪld] n (of person) talle m, tipo // vt, pt, pp **built** construir, edificar; ~**er** n constructor m; (contractor) contratista m/f; ~**ing** n (act of) construcción f; (habitation, offices) edificio; ~**ing society** n sociedad f inmobiliaria, cooperativa de construcciones; **to** ~ **up** vt (MED) fortalecer; (stocks) acumular.

built [bɪlt] pt, pp of **build** // a: ~-**in** (cupboard) empotrado; (device) interior, incorporado; ~-**up** (area) urbanizado.

bulb [bʌlb] n (BOT) bulbo; (ELEC) bombilla.

Bulgaria [bʌl'gɛərɪə] n Bulgaria; ~**n** a, n búlgaro/a.

bulge [bʌldʒ] n bombeo, pandeo // vi bombearse, pandearse; (pocket etc) hacer bulto.

bulk [bʌlk] n (mass) bulto, volumen m; (major part) grueso; **in** ~ (COMM) a granel; **the** ~ **of** la mayor parte de; ~**head** n mamparo; ~**y** a voluminoso, abultado.

bull [bul] n toro; ~**dog** n dogo.

bulldozer ['buldəuzə*] n aplanadora, motoniveladora.

bullet ['bulɪt] n bala; ~**proof** a a prueba de balas; ~ **wound** n balazo.

bulletin ['bulɪtɪn] n anuncio, parte m.

bullfight ['bulfaɪt] n corrida de toros; ~**er** n torero; ~**ing** n los toros mpl, el toreo; (art of ~ing) tauromaquia.

bullion ['buljən] n oro o plata en barras.

bullock ['bulək] n novillo.

bull's-eye ['bulzaɪ] n centro del blanco.

bully ['bulɪ] n valentón m, matón m // vt intimidar, tiranizar.

bum [bʌm] n (col: backside) culo, trasero; (tramp) vagabundo.

bumblebee ['bʌmblbi:] n (ZOOL) abejorro.

bump [bʌmp] n (blow) tope m, choque m; (jolt) sacudida; (on road etc, on head) bollo, abolladura // vt (strike) chocar contra, topetar // vi dar sacudidas; **to** ~ **into** vt fus chocar contra, tropezar con; (person) topar; ~**er** n (Brit) parachoques m inv // a: ~**er crop/harvest** cosecha abundante.

bumpy ['bʌmpɪ] a (road) lleno de baches; (journey) zarandeado.

bun [bʌn] n bollo; (of hair) moño.

bunch [bʌntʃ] n (of flowers) ramo; (of keys) manojo; (of bananas) piña; (of people) grupo; (pej) pandilla.

bundle ['bʌndl] n (gen) bulto, fardo; (of sticks) haz f; (of papers) legajo // vt (also: ~ **up**) atar, envolver; (put): **to** ~ **sth/sb into** meter algo/a alguien precipitadamente en.

bung [bʌŋ] n tapón m, bitoque m // vt (throw: gen: ~ **into**) arrojar.

bungalow ['bʌŋgələu] n bungalow m, chalé m.

bungle ['bʌŋgl] vt chapucear.

bunion ['bʌnjən] n juanete m.

bunk [bʌŋk] n tonterías fpl; ~ **beds** npl literas fpl.

bunker ['bʌŋkə*] n (coal store) carbonera; (MIL) refugio; (GOLF) bunker m.

bunny ['bʌnɪ] n (also: ~ **rabbit**) conejito.

bunting ['bʌntɪŋ] n empavesada, banderas fpl.

buoy [bɔɪ] n boya; **to** ~ **up** vt mantener a flote; (fig) animar; ~**ant** a boyante.

burden ['bɜ:dn] n carga // vt cargar.

bureau [bjuə'rəu], pl ~**x** [-z] n (furniture) escritorio, buró m; (office) oficina, agencia.

bureaucracy [bjuə'rɔkrəsɪ] n burocracia; **bureaucrat** ['bjuərəkræt] n burócrata m/f.

burglar ['bɜ:glə*] n ladrón/ona m/f; ~ **alarm** n alarma f de ladrones; ~**y** n robo con allanamiento, robo de una casa; **burgle** ['bɜ:gl] vt robar (con allanamiento).

burial ['berɪəl] n entierro; ~ **ground** n cementerio.

burlesque [bɜ:'lɛsk] n parodia.

burly ['bɜ:lɪ] a fornido, membrudo.

Burma ['bɜ:mə] n Birmania.

burn [bɜ:n], pt, pp **burned** or **burnt** vt quemar; (house) incendiar // vi quemarse, arder; incendiarse; (sting) escocer // n quemadura; **to** ~ **down** vt incendiar; ~**er** n (gas) quemador m, fuego; ~**ing** a ardiente.

burp [bɜ:p] (col) n eructo // vi eructar.

burrow ['bʌrəu] n madriguera // vt hacer una madriguera.

bursar ['bɔ:sə*] *n* tesorero; (*student*) becario; ~**y** *n* beca.

burst [bɔ:st], *pt, pp* **burst** *vt* (*balloon, pipe*) reventar; (*banks etc*) romper // *vi* reventarse; romperse; (*tyre*) pincharse; (*bomb*) estallar // *n* (*gen*) reventón *m*; (*explosion*) estallido; (*shots*) ráfaga de tiros; **a** ~ **of energy** una explosión *f* de energía; **to** ~ **into flames** estallar en llamas; **to** ~ **into laughter** soltar la carcajada; **to** ~ **into tears** deshacerse en lágrimas; **to be** ~**ing with** reventar por *o* de; **to** ~ **into** *vt fus* (*room etc*) irrumpir en; **to** ~ **open** *vi* abrirse de golpe.

bury ['bɛrɪ] *vt* enterrar; (*body*) enterrar, sepultar.

bus [bʌs] *n* autobús *m*.

bush [buʃ] *n* arbusto; (*scrub land*) monte *m*; **to beat about the** ~ ir por rodeos; ~**y** *a* (*thick*) espeso, poblado.

busily ['bɪzɪlɪ] *ad* atareadamente, afanosamente.

business ['bɪznɪs] *n* (*matter*) negocio; (*trading*) comercio, negocios *mpl*; (*firm*) empresa, casa; (*occupation*) oficio; (*affair*) asunto; **it's my** ~ **to...** me toca *o* corresponde...; **it's none of my** ~ yo no tengo nada que ver; **he means** ~ habla en serio; ~**like** *a* formal, metódico; ~**man** *n* hombre *m* de negocios.

bus-stop ['bʌsstɔp] *n* parada de autobús.

bust [bʌst] *n* (*ANAT*) pecho // *a* (*broken*) roto, estropeado; **to go** ~ quebrarse.

bustle ['bʌsl] *n* bullicio, movimiento // *vi* menearse, apresurarse; **bustling** *a* (*town*) animado, bullicioso.

busy ['bɪzɪ] *a* ocupado, atareado; (*shop, street*) concurrido, animado // *vr*: **to** ~ **o.s. with** ocuparse en; ~**body** *n* entrometido.

but [bʌt] *conj* pero // *prep* excepto, menos; **nothing** ~ nada más que; ~ **for** a no ser por, si no fuera por; **all** ~ **finished** casi terminado.

butane ['bju:teɪn] *n* butano.

butcher ['butʃə*] *n* carnicero // *vt* hacer una carnicería con; (*cattle etc for meat*) matar; ~**'s (shop)** *n* carnicería.

butler ['bʌtlə*] *n* mayordomo.

butt [bʌt] *n* (*cask*) tonel *m*; (*for rain*) tina; (*thick end*) cabo, extremo; (*of gun*) culata; (*of cigarette*) colilla; (*fig: target*) blanco // *vt* dar cabezadas contra, topetar.

butter ['bʌtə*] *n* mantequilla // *vt* untar con mantequilla; ~ **bean** *n* judía blanca; ~**cup** *n* ranúnculo.

butterfly ['bʌtəflaɪ] *n* mariposa.

buttocks ['bʌtəks] *npl* nalgas *fpl*.

button ['bʌtn] *n* botón *m* // *vt* abotonar, abrochar // *vi* abrocharse; ~**hole** *n* ojal *m*; (*flower*) flor *f* que se lleva en el ojal // *vt* obligar a escuchar.

buttress ['bʌtrɪs] *n* contrafuerte *m*; (*fig*) apoyo, sostén *m*.

buxom ['bʌksəm] *a* (*baby*) rollizo; (*woman*) frescachona.

buy [baɪ], *pt, pp* **bought** *vt* comprar // *n* compra; **to** ~ **sb sth/sth from sb** comprar algo para alguien/comprarle algo a alguien; ~**er** *n* comprador/a *m/f*.

buzz [bʌz] *n* zumbido; (*col: phone call*) llamada (por teléfono) // *vi* zumbar.

buzzard ['bʌzəd] *n* águila ratonera.

buzzer ['bʌzə*] *n* zumbador *m*, vibrador *m*.

by [baɪ] *prep* por; (*beside*) junto a, cerca de; (*according to*) según, de acuerdo con; (*before*): ~ **4 o'clock** para las cuatro // *ad* **see pass, go** *etc*; ~ **bus/car** en autobús/coche; **paid** ~ **the hour** pagado por horas; ~ **night/day** de noche/día; **(all)** ~ **oneself** (completamente) solo; ~ **the way** a propósito, por cierto; ~ **and large** en general; ~ **and** ~ luego, más tarde.

bye(-bye) ['baɪ('baɪ)] *excl* adiós, hasta luego.

by(e)-law ['baɪlɔ:] *n* ordenanza municipal.

by-election ['baɪɪlɛkʃən] *n* elección *f* parcial.

bygone ['baɪgɔn] *a* pasado, del pasado // *n*: **let** ~**s be** ~**s** lo pasado, pasado está.

bypass ['baɪpɑ:s] *n* carretera de circunvalación // *vt* evitar.

by-product ['baɪprɔdʌkt] *n* subproducto, derivado.

bystander ['baɪstændə*] *n* espectador/a *m/f*.

byword ['baɪwɔ:d] *n*: **to be a** ~ **for** ser conocidísimo por.

C

C. *abbr of* **centigrade.**

C.A. *abbr of* **chartered accountant.**

cab [kæb] *n* taxi *m*; (*of truck*) cabina.

cabaret ['kæbəreɪ] *n* cabaret *m*.

cabbage ['kæbɪdʒ] *n* col *m*, berza.

cabin ['kæbɪn] *n* cabaña; (*on ship*) camarote *m*; ~ **cruiser** *n* yate *m* de motor.

cabinet ['kæbɪnɪt] *n* (*POL*) consejo de ministros; (*furniture*) armario; (*also*: **display** ~) vitrina; ~**-maker** *n* ebanista *m*.

cable ['keɪbl] *n* cable *m* // *vt* cablegrafiar; ~**-car** *n* coche *m* de teleférico, tren *m* aéreo.

cackle ['kækl] *vi* cacarear.

cactus ['kæktəs], *pl* -**ti** [-taɪ] *n* cacto.

caddie ['kædɪ] *n* cadi *m*.

cadet [kə'dɛt] *n* (*MIL*) cadete *m*.

cadge [kædʒ] *vt* gorronear; **cadger** *n* gorrón/ona *m/f*.

Caesarean (section) [si:'zɛərɪən] *n* cesárea.

café ['kæfeɪ], **cafeteria** [kæfɪ'tɪərɪə] *n* café *m*.

caffein(e) ['kæfi:n] *n* cafeína.

cage [keɪdʒ] *n* jaula // *vt* enjaular.

cagey ['keɪdʒɪ] *a* (*col*) cauteloso, reservado.

Cairo ['kaɪərəu] *n* el Cairo.

cajole [kə'dʒəul] vt engatusar.

cake [keɪk] n (large) pastel m; (small) pasta, bizcocho; (of soap) pastilla; ~**d with** cubierto de.

calamitous [kə'læmɪtəs] a calamitoso; **calamity** [-ɪtɪ] n calamidad f.

calcium ['kælsɪəm] n calcio.

calculate ['kælkjuleɪt] vt calcular; **calculating** a (clever) astuto; (devious) calculador(a); **calculation** [-'leɪʃən] n cálculo, cómputo; **calculator** n calculadora.

calculus ['kælkjuləs] n cálculo.

calendar ['kæləndə*] n calendario; ~ **month/year** mes m/año civil.

calf [kɑːf], pl **calves** n (of cow) ternero, becerro; (of other animals) cría; (also: ~**skin**) piel m de becerro; (ANAT) pantorrilla.

calibre, caliber (US) ['kælɪbə*] n calibre m.

call [kɔːl] vt (gen, also TEL) llamar // vi (shout) llamar; (telephone) llamar por teléfono; (visit: also: ~ **in**, ~ **round**) hacer una visita // n (shout, TEL) llamada; (of bird) canto; (appeal) llamamiento; **to** ~ **for** vt fus (demand) pedir, exigir; (fetch) venir por; **to** ~ **off** vt suspender; (cancel) cancelar; **to** ~ **on** vt fus (visit) visitar; (turn to) acudir a; **to** ~ **out** vi gritar, dar voces; **to** ~ **up** vt (MIL) llamar al servicio militar; ~**box** n cabina telefónica; ~**er** n visita m/f; (TEL) usuario; ~ **girl** n prostituta; ~**ing** n vocación f, profesión f.

callous ['kæləs] a insensible, cruel.

calm [kɑːm] n calma, tranquilidad f // vt calmar, tranquilizar // a (gen) tranquilo; (sea) liso, en calma; ~**ly** ad tranquilamente, con calma; ~**ness** n calma; **to** ~ **down** vi calmarse, tranquilizarse // vt calmar, tranquilizar.

calorie ['kælɔrɪ] n caloría.

calve [kɑːv] vi parir.

calves [kɑːvz] pl of **calf.**

camber ['kæmbə*] n (of road) combadura, comba.

Cambodia [kæm'bəudjə] n Camboya.

came [keɪm] pt of **come.**

camel ['kæməl] n camello.

cameo ['kæmɪəu] n camafeo.

camera ['kæmərə] n máquina fotográfica; (CINEMA, TV) cámara; **in** ~ en secreto; ~**man** n cámaraman m, cámara m/f.

camouflage ['kæməflɑːʒ] n camuflaje m // vt camuflar.

camp [kæmp] n campo, campamento // vi acampar // a afectado, afeminado.

campaign [kæm'peɪn] n (MIL, POL etc) campaña // vi hacer campaña.

camp: ~**bed** n cama de campaña; ~**er** n campista m/f; (vehicle) caravana; ~**ing** n camping m; **to go** ~**ing** hacer camping; ~**site** n camping m.

campus ['kæmpəs] n ciudad f universitaria.

can [kæn] auxiliary vb (gen) poder; (know

how to) saber; **I** ~ **swim** sé nadar // n (of oil, water) lata, bote m // vt enlatar; (preserve) conservar en lata.

Canada ['kænədə] n el Canadá; **Canadian** [kə'neɪdɪən] a, n canadiense m/f.

canal [kə'næl] n canal m.

canary [kə'neərɪ] n canario; **C**~ **Islands** npl las (Islas) Canarias fpl.

cancel ['kænsəl] vt cancelar; (train) suprimir; (appointment) anular; (cross out) tachar, borrar; ~**lation** [-'leɪʃən] n cancelación f; supresión f.

cancer ['kænsə*] n cáncer m; **C**~ (ASTRO) Cáncer m.

candid ['kændɪd] a franco, abierto.

candidate ['kændɪdeɪt] n candidato.

candle ['kændl] n vela; (in church) cirio; ~**stick** n (also: ~ **holder**) (single) candelero; (low) palmatoria; (bigger, ornate) candelabro.

candour ['kændə*] n franqueza.

candy ['kændɪ] n azúcar m cande; (US) dulce m, caramelo.

cane [keɪn] n (BOT) caña; (stick) vara, palmeta // vt (SCOL) castigar (con palmeta).

canine ['kænaɪn] a canino.

canister ['kænɪstə*] n bote m, lata.

cannabis ['kænəbɪs] n cáñamo, marijuana.

canned [kænd] a en lata, de lata.

cannibal ['kænɪbəl] n caníbal m/f; ~**ism** n canibalismo.

cannon ['kænən], pl ~ or ~**s** n cañón m; ~**ball** n bala (de cañón).

cannot ['kænɔt] = **can not.**

canny ['kænɪ] a astuto.

canoe [kə'nuː] n canoa; (SPORT) piragua; ~**ing** n (SPORT) piragüismo; ~**ist** n piragüista m/f.

canon ['kænən] n (clergyman) canónigo; (standard) canon m.

canonize ['kænənaɪz] vt canonizar.

can opener ['kænəupnə*] n abrelatas m inv.

canopy ['kænəpɪ] n dosel m, toldo; (ARCH) baldaquín m.

can't [kænt] = **can not.**

cantankerous [kæn'tæŋkərəs] a arisco, malhumorado.

canteen [kæn'tiːn] n cantina; (bottle) cantimplora; (of cutlery) juego (de cubiertos).

canter ['kæntə*] n medio galope // vi ir a medio galope.

canvas ['kænvəs] n (gen) lona; (painting) lienzo; (NAUT) velas fpl; **under** ~ (camping) bajo lona.

canvass ['kænvəs] vt (POL) solicitar votos de.

canyon ['kænjən] n cañón m.

cap [kæp] n gorra; (of pen) capuchón m; (of bottle) tapa, cápsula; (MED) diafragma m // vt coronar, poner remate a; (outdo) superar; (FOOTBALL) seleccionar (para el equipo nacional).

capability [keɪpə'bɪlɪtɪ] n capacidad f; **capable** ['keɪpəbl] a capaz.

capacity [kə'pæsɪtɪ] n capacidad f; (position) calidad f.

cape [keɪp] n capa; (GEO) cabo.

caper ['keɪpə*] n (CULIN: gen: ~s) alcaparra; (prank) travesura.

capital ['kæpɪtl] n (also: ~ city) capital f; (money) capital m; (also: ~ letter) mayúscula; ~**ism** n capitalismo; ~**ist** a, n capitalista m/f; ~ **punishment** n pena de muerte.

capitulate [kə'pɪtjuleɪt] vi capitular, rendirse; **capitulation** [-'leɪʃən] n capitulación f, rendición f.

capricious [kə'prɪʃəs] a caprichoso.

Capricorn ['kæprɪkɔːn] n Capricornio.

capsize [kæp'saɪz] vt volcar, hacer zozobrar // vi volcarse, zozobrar.

capstan ['kæpstən] n cabrestante m.

capsule ['kæpsjuːl] n cápsula.

captain ['kæptɪn] n capitán m // vt capitanear, ser el capitán de.

caption ['kæpʃən] n (heading) título; (to picture) leyenda.

captivate ['kæptɪveɪt] vt cautivar, encantar.

captive ['kæptɪv] a, n cautivo/a; **captivity** [-'tɪvɪtɪ] n cautiverio.

capture ['kæptʃə*] vt prender, apresar; (place) tomar; (attention) captar, llamar // n apresamiento; toma; (thing taken) presa.

car [kɑː*] n coche m, automóvil m; (RAIL) vagón m.

carafe [kə'ræf] n garrafa.

caramel ['kærəməl] n caramelo.

carat ['kærət] n quilate m.

caravan ['kærəvæn] n caravana, rulota; (of camels) caravana.

caraway ['kærəweɪ] n: ~ **seed** carvi m.

carbohydrate [kɑːbəu'haɪdreɪt] n hidrato de carbono; (food) fécula.

carbon ['kɑːbən] n carbono; ~ **copy** n copia al carbón; ~ **paper** n papel m carbón.

carburettor [kɑːbju'rɛtə*] n carburador m.

carcass ['kɑːkəs] n cadáver m de animal.

card [kɑːd] n carta, naipe m; (visiting ~, post~ etc) tarjeta; ~**board** n cartón m, cartulina; ~ **game** n juego de naipes.

cardiac ['kɑːdɪæk] a cardíaco.

cardigan ['kɑːdɪgən] n rebeca.

cardinal ['kɑːdɪnl] a cardinal // n cardenal m.

card index n fichero.

care [kɛə*] n (gen) cuidado; (worry) inquietud f, solicitud f; (charge) cargo, custodia // vi: **to ~ about** preocuparse de, tener interés en; **in sb's ~** a cargo de alguien; **to take ~ to** cuidarse o tener cuidado de; **to take ~ of** vt cuidar; n ~ **for** vt fus cuidar a; (like) querer; **I don't ~** no me importa.

career [kə'rɪə*] n carrera // vi (also: ~ **along**) correr a toda velocidad.

carefree ['kɛəfriː] a despreocupado.

careful ['kɛəful] a cuidadoso; (cautious) cauteloso; **(be) ~!** ¡tenga cuidado!; ~**ly** ad con cuidado, cuidadosamente.

careless ['kɛəlɪs] a descuidado; (heedless) poco atento; ~**ly** ad sin cuidado, a la ligera; ~**ness** n descuido, falta de atención.

caress [kə'rɛs] n caricia // vt acariciar.

caretaker ['kɛəteɪkə*] n portero, conserje m/f.

car-ferry ['kɑːfɛrɪ] n transbordador m para coches.

cargo ['kɑːgəu], pl ~**es** n cargamento, carga.

Caribbean [kærɪ'biːən] n: **the ~ (Sea)** el Caribe.

caricature ['kærɪkətjuə*] n caricatura.

carnal ['kɑːnl] a carnal.

carnation [kɑː'neɪʃən] n clavel m.

carnival ['kɑːnɪvəl] n fiesta, feria, carnaval m.

carnivore ['kɑːnɪvɔː*] n carnívoro.

carol ['kærəl] n: **(Christmas) ~** villancico.

carp [kɑːp] n (fish) carpa; **to ~ at** vt fus quejarse de.

car park n aparcamiento, parking m.

carpenter ['kɑːpɪntə*] n carpintero; **carpentry** [-trɪ] n carpintería.

carpet ['kɑːpɪt] n alfombra // vt alfombrar; ~ **slippers** npl zapatillas fpl.

carriage ['kærɪdʒ] n coche m; (RAIL) vagón m; (for goods) transporte m; (bearing) porte m; ~**way** n (part of road) carretera; **dual ~way** carretera de doble calzada.

carrier ['kærɪə*] n trajinista m/f; (company) empresa de transportes; ~ **bag** n bolsa (de papel).

carrot ['kærət] n zanahoria.

carry ['kærɪ] vt (gen) llevar; (transport) transportar; (a motion, bill) aprobar; (involve: responsibilities etc) entrañar, implicar // vi (sound) oírse; **to ~ on** vi (continue) seguir (adelante), continuar; (fam: complain) quejarse, protestar // vt proseguir, continuar; **to ~ out** vt (orders) cumplir; (investigation) llevar a cabo, realizar.

cart [kɑːt] n carro, carreta // vt acarrear, llevar (en carro).

cartilage ['kɑːtɪlɪdʒ] n cartílago.

cartographer [kɑː'tɔgrəfə*] n cartógrafo.

carton ['kɑːtən] n (box) caja (de cartón); (of yogurt) pote m.

cartoon [kɑː'tuːn] n (PRESS) caricatura; (comic strip) tira cómica; (film) dibujos mpl animados; ~**ist** n caricaturista m/f; dibujante m/f.

cartridge [kɑː'trɪdʒ] n cartucho.

carve [kɑːv] vt (meat) trinchar; (wood, stone) cincelar, esculpir; (on tree) grabar; **to ~ up** dividir, repartir; **carving** n (in wood etc) escultura, (obra de) talla; **carving knife** n trinchante m.

car wash n lavado de coches.
cascade [kæs'keɪd] n salto de agua, cascada; (fig) chorro // vi caer a chorros o en forma de cascada.
case [keɪs] n (container) caja; (MED) caso; (for jewels etc) estuche m; (LAW) causa, proceso; (also: **suit**~) maleta; **in ~ (of)** en caso de (que), por si; **in any ~** en todo caso; **just in ~** por si acaso; **to make a good ~** tener buenos argumentos.
cash [kæʃ] n (dinero en) efectivo, dinero contante // vt cobrar, hacer efectivo; **to pay (in) ~** pagar al contado; **~ on delivery** cóbrese al entregar; **~book** n libro de caja; **~desk** n caja.
cashew [kæ'ʃuː] n (also: ~ **nut**) anacardo.
cashier [kæ'ʃɪə*] n cajero.
cashmere [kæʃ'mɪə*] n casimir m, cachemira.
cash register n caja.
casing [ˈkeɪsɪŋ] n envoltura; (of boiler etc) revestimiento.
casino [kəˈsiːnəu] n casino.
cask [kɑːsk] n tonel m, barril m.
casket [ˈkɑːskɪt] n cofre m, estuche m; (US: coffin) ataúd m.
casserole [ˈkæsərəul] n cacerola; (food) cazuela.
cassette [kæ'sɛt] n cassette m; ~ **player** n tocacassettes m inv.
cassock [ˈkæsək] n sotana.
cast [kɑːst], pt, pp **cast** vt (throw) echar, arrojar, lanzar; (skin) mudar, perder; (metal) fundir; (THEATRE) hacer el reparto de // vi (FISHING) lanzar // n (THEATRE) reparto; (mould) forma, molde m; (also: **plaster** ~) vaciado; **to ~ away** vt desechar; **to ~ down** vt derribar; **to ~ loose** soltar; **to ~ one's vote** dar el voto; **to ~ off** vi (NAUT) desamarrar.
castanets [kæstə'nɛts] npl castañuelas fpl.
castaway [ˈkɑːstəwɔɪ] n náufrago.
caste [kɑːst] n casta.
casting vote [ˈkɑːstɪŋ-] n voto decisivo.
cast iron n hierro fundido.
castle [ˈkɑːsl] n castillo; (CHESS) torre f.
castor [ˈkɑːstə*] n (wheel) ruedecilla; ~ **oil** n aceite m de ricino; ~ **sugar** n azúcar m extrafino.
castrate [kæs'treɪt] vt castrar.
casual [ˈkæʒjul] a (by chance) fortuito; (irregular: work etc) eventual, temporero; (unconcerned) despreocupado; (informal: clothes) de sport; ~**ly** ad por casualidad; de manera despreocupada.
casualty [ˈkæʒjultɪ] n víctima m/f, herido; (dead) muerto; (MIL) baja; **casualties** npl pérdidas fpl.
cat [kæt] n gato.
Catalan [ˈkætəlæn] a, n Catalán/ana m/f.
catalogue, catalog (US) [ˈkætəlɔg] n catálogo // vt catalogar.
Catalonia [kætə'ləunɪə] n Cataluña.
catalyst [ˈkætəlɪst] n catalizador m.
catapult [ˈkætəpʌlt] n tirador m.

cataract [ˈkætərækt] n (also MED) catarata.
catarrh [kə'tɑː*] n catarro.
catastrophe [kə'tæstrəfɪ] n catástrofe m; **catastrophic** [kætə'strɔfɪk] a catastrófico.
catch [kætʃ], pt, pp **caught** vt (gen) coger; (arrest) detener; (grasp) asir; (breath) suspender; . (person: by surprise) sorprender; (attract: attention) ganar; (MED) contagiarse de, coger; (also: ~ **up**) alcanzar // vi (fire) encenderse; (in branches etc) enredarse // n (fish etc) pesca; (act of catching) cogida; (trick) trampa; (of lock) pestillo, cerradura; **to ~ on** vi (understand) caer en la cuenta; (grow popular) hacerse popular; **to ~ sight of** divisar; **to ~ up** vi (fig) ponerse al día.
catch: ~**ing** a (MED) contagioso; ~**ment area** n zona de captación; ~ **phrase** n lema m, slogan m; ~**y** a (tune) pegadizo.
catechism [ˈkætɪkɪzəm] n (REL) catequismo.
categoric(al) [kætɪ'gɔrɪk(əl)] a categórico, terminante.
categorize [ˈkætɪgəraɪz] vt clasificar; **category** [-rɪ] n categoría, clase f.
cater [ˈkeɪtə*] vi: **to ~ for** abastecer a; (needs) atender a; (consumers) proveer a; ~**er** n abastecedor m, proveedor m; ~**ing** n servicio de comidas; (trade) abastecimiento.
caterpillar [ˈkætəpɪlə*] n oruga, gusano; ~ **track** n rodado de oruga.
cathedral [kə'θiːdrəl] n catedral f.
catholic [ˈkæθəlɪk] a católico; **C~** a, n (REL) católico/a.
cattle [ˈkætl] npl ganado sg.
catty [ˈkætɪ] a malicioso, rencoroso.
Caucasus [ˈkɔːkəsəs] n Cáucaso.
caught [kɔːt] pt, pp of **catch**.
cauliflower [ˈkɔlɪflauə*] n coliflor f.
cause [kɔːz] n causa, motivo, razón f // vt causar; (provoke) provocar.
causeway [ˈkɔːzweɪ] n (road) carretera elevada; (embankment) terraplén m.
caustic [ˈkɔːstɪk] a cáustico; (fig) mordaz.
caution [ˈkɔːʃən] n cautela, prudencia; (warning) advertencia, amonestación f // vt amonestar.
cautious [ˈkɔːʃəs] a cauteloso, prudente, precavido; ~**ly** ad con cautela; ~**ness** n cautela.
cavalier [kævə'lɪə*] a arrogante, desdeñoso.
cavalry [ˈkævəlrɪ] n caballería.
cave [keɪv] n cueva, caverna; **to ~ in** vi (roof etc) derrumbarse, hundirse; ~**man** n cavernícola m/f, troglodita m/f.
cavern [ˈkævən] n caverna.
caviar(e) [ˈkævɪɑː*] n caviar m.
cavity [ˈkævɪtɪ] n hueco, cavidad f.
cavort [kə'vɔːt] vi dar cabriolas.
caw [kɔː] vi graznar.
CBI n abbr of **Confederation of British Industries.**

cc *abbr of* **cubic centimetres; carbon copy.**

cease [si:s] *vt, vi* cesar; ~**fire** *n* cese *m* de hostilidades *o* fuego; ~**less** *a* incesante; ~**lessly** *ad* sin cesar.

cedar ['si:də*] *n* cedro.

cede [si:d] *vt* ceder.

ceiling ['si:lɪŋ] *n* techo; (*fig*) límite *m.*

celebrate ['sɛlɪbreɪt] *vt* celebrar; (*marriage*) solemnizar // *vi* divertirse; ~**d** *a* célebre; **celebration** [-'breɪʃən] *n* fiesta, celebración *f.*

celebrity [sɪ'lɛbrɪtɪ] *n* celebridad *f.*

celery ['sɛlərɪ] *n* apio.

celestial [sɪ'lɛstɪəl] *a* (*of sky*) celeste; (*divine*) celestial.

celibacy ['sɛlɪbəsɪ] *n* celibato.

cell [sɛl] *n* celda; (*BIOL*) célula; (*ELEC*) elemento.

cellar ['sɛlə*] *n* sótano; (*for wine*) bodega.

'cello ['tʃɛləʊ] *n* violoncelo.

cellophane ['sɛləfeɪn] *n* celofán *m.*

cellular ['sɛljʊlə*] *a* celular.

cellulose ['sɛljʊləʊs] *n* celulosa.

Celt [kɛlt, sɛlt] *a,* celta *m/f;* ~**ic** *a* celta.

cement [sə'mɛnt] *n* cemento // *vt* cementar; (*fig*) cimentar, fortalecer.

cemetery ['sɛmɪtrɪ] *n* cementerio.

cenotaph ['sɛnətɑ:f] *n* cenotafio.

censor ['sɛnsə*] *n* censor // *vt* (*cut*) tachar, suprimir; ~**ship** *n* censura.

censure ['sɛnʃə*] *vt* censurar.

census ['sɛnsəs] *n* censo.

cent [sɛnt] *n* (*US: coin*) centavo, céntimo; *see also* **per.**

centenary [sɛn'ti:nərɪ] *n* centenario.

centi... [sɛntɪ] *pref:* ~**grade** *a* centígrado; ~**litre** *n* centilitro; ~**metre** *n* centímetro; ~**pede** *n* ciempiés *m.*

central ['sɛntrəl] *a* central; (*of town*) céntrico; **C**~ **American** *a* centroamericano; ~ **heating** *n* calefacción *f* central; ~**ize** *vt* centralizar.

centre ['sɛntə*] *n* centro; ~ **forward** *n* (*SPORT*) delantero centro; ~-**half** *n* (*SPORT*) medio centro.

century ['sɛntjʊrɪ] *n* siglo; **20th** ~ siglo veinte.

ceramic [sɪ'ræmɪk] *a* cerámico; ~**s** *n* cerámica.

cereal ['si:rɪəl] *n* cereal *m.*

ceremony ['sɛrɪmənɪ] *n* ceremonia.

certain ['sə:tən] *a* (*gen*) seguro; (*correct*) cierto; (*person*) seguro; (*a particular*) cierto; **for** ~ a ciencia cierta; ~**ly** *ad* desde luego, por cierto; ~**ty** *n* certeza, certidumbre *f,* seguridad *f.*

certificate [sə'tɪfɪkɪt] *n* certificado.

certify ['sə:tɪfaɪ] *vt* certificar.

cervix ['sə:vɪks] *n* cerviz *f.*

cessation [sə'seɪʃən] *n* cesación *f,* suspensión *f.*

cf. *abbr* = **compare** cfr.

chafe [tʃeɪf] *vt* (*rub*) rozar; (*wear*) desgastar; (*irritate*) irritar.

chaffinch ['tʃæfɪntʃ] *n* pinzón *m* vulgar.

chagrin ['ʃægrɪn] *n* disgusto, desazón *f.*

chain [tʃeɪn] *n* (*gen*) cadena // *vt* (*also:* ~ **up**) encadenar; ~ **reaction** *n* reacción *f* en cadena; ~ **store** *n* tienda de una cadena.

chair [tʃɛə*] *n* silla; (*armchair*) sillón *m;* (*of university*) cátedra // *vt* (*meeting*) presidir; ~**lift** *n* telesilla; ~**man** *n* presidente *m.*

chalet ['ʃæleɪ] *n* chalet *m.*

chalice ['tʃælɪs] *n* cáliz *m.*

chalk [tʃɔ:k] *n* (*GEO*) creta; (*for writing*) tiza.

challenge ['tʃælɪndʒ] *n* desafío, reto // *vt* desafiar, retar; (*statement, right*) poner en duda, cuestionar; **to** ~ **sb to do sth** retar a uno a que haga algo; **challenger** *n* (*SPORT*) contricante *m/f;* **challenging** *a* desafiante; (*tone*) de desafío.

chamber ['tʃeɪmbə*] *n* cámara, sala; ~ **of commerce** cámara de comercio; ~**maid** *n* camarera; ~ **music** *n* música de cámara.

chamois ['ʃæmwɑ:] *n* gamuza.

champagne [ʃæm'peɪn] *n* champaña, champán *m.*

champion ['tʃæmpɪən] *n* campeón/ona *m/f;* ~**ship** *n* campeonato.

chance [tʃɑ:ns] *n* (*luck*) casualidad *f,* suerte *f;* (*fate*) azar *m;* (*opportunity*) ocasión *f,* oportunidad *f;* (*likelihood*) posibilidad *f;* (*risk*) riesgo // *vt* arriesgar, probar // *a* fortuito, casual; **to** ~ **it** aventurarse, arriesgarse; **to take a** ~ arriesgarse; **by** ~ por casualidad.

chancel ['tʃɑ:nsəl] *n* coro y presbiterio.

chancellor ['tʃɑ:nsələ*] *n* canciller *m;* **C**~ **of the Exchequer** *n* Ministro de Hacienda.

chandelier [ʃændə'lɪə*] *n* araña (de luces).

change [tʃeɪndʒ] *vt* (*gen*) cambiar; (*replace*) reemplazar; (*gear, clothes, house*) cambiar de, mudar de; (*exchange*) trocar; (*transform*) transformar // *vi* (*gen*) cambiar(se), mudar; (*trains*) hacer transbordo; **to** ~ **into** transformarse en // *n* cambio, modificación *f,* transformación *f;* (*coins*) moneda suelta, suelto; (*money returned*) vuelta; **for a** ~ para variar; ~**able** *a* (*weather*) cambiable, mudable; ~**less** *a* inmutable; ~**over** *n* (*to new system*) cambio.

changing ['tʃeɪndʒɪŋ] *a* cambiante; ~ **room** *n* vestuario.

channel ['tʃænl] *n* (*TV*) canal *m;* (*of river*) cauce *m;* (*of sea*) estrecho; (*groove, fig: medium*) conducto, medio // *vt* canalizar, encauzar; **the (English) C**~ el Canal (de la Mancha); **the C**~ **Islands** las Islas Normandas *fpl.*

chant [tʃɑ:nt] *n* canto // *vt* cantar; (*fig*) recitar en tono monótono.

chaos ['keɪɔs] *n* caos *m;* **chaotic** [keɪ'ɔtɪk] *a* caótico, desordenado.

chap [tʃæp] *n* (*col: man*) tío, tipo // *vi* (*skin*) agrietarse.

chapel ['tʃæpəl] n capilla.
chaperon ['ʃæpərəun] n carabina.
chaplain ['tʃæplɪn] n capellán m.
chapter ['tʃæptə*] n capítulo.
char [tʃɑ:*] vt (burn) carbonizar, chamuscar // n = **charlady.**
character ['kærɪktə*] n carácter m, naturaleza, índole f, calidad f; (in novel, film) personaje m; (role) papel m; ~**istic** [-'rɪstɪk] a característico // a característica; ~**ize** vt caracterizar.
charade [ʃə'rɑ:d] n charada.
charcoal ['tʃɑ:kəul] n carbón m vegetal; (ART) carboncillo.
charge [tʃɑ:dʒ] n carga; (LAW) cargo, acusación f; (cost) precio, coste m; (responsibility) cargo; (task) encargo // vt (LAW) acusar (with de); (gun, battery, MIL: enemy) cargar; (price) pedir; (customer) cobrar; (sb with task) encargar // vi cargar, precipitarse; (make pay) cobrar; ~**s** npl: **bank** ~**s** suplemento cobrado por el banco; **free of** ~ gratis; **to reverse the** ~**s** (TEL) poner una conferencia por cobrar; **to take** ~ **of** hacerse cargo de, encargarse de; **to be in** ~ **of** estar a cargo de o encargado de; **how much do you** ~? ¿cuánto cobra Usted?; **to** ~ **an expense (up) to sb's account** cargar algo a cuenta de alguien.
charitable ['tʃærɪtəbl] a caritativo.
charity ['tʃærɪtɪ] n (gen) caridad f; (sympathy) compasión f; (organization) sociedad f benéfica.
charlady ['tʃɑ:leɪdɪ] n mujer f de la limpieza.
charm [tʃɑ:m] n encanto, atractivo; (spell) hechizo; (object) amuleto // vt encantar; hechizar; ~**ing** a encantador(a), simpático.
chart [tʃɑ:t] n cuadro; (graph) gráfica; (map) carta de navegación // vt (course) trazar.
charter ['tʃɑ:tə*] vt (plane) alquilar; (ship) fletar // n (document) carta; ~**ed accountant** n perito contable; ~ **flight** n vuelo charter.
charwoman ['tʃɑ:wumən] n = **charlady.**
chase [tʃeɪs] vt (follow) perseguir; (hunt) cazar // n persecución f; caza; **to** ~ **after** correr tras.
chasm ['kæzəm] n abismo.
chassis ['ʃæsɪ] n chasis m.
chaste [tʃeɪst] a casto; **chastity** ['tʃæstɪtɪ] n castidad f.
chat [tʃæt] vi (also: **have a** ~) charlar // n charla.
chatter ['tʃætə*] vi (person) charlar; (teeth) castañetear // n (of birds) parloteo; (of people) charla, cháchara; ~**box** n parlanchín/ina m/f.
chatty ['tʃætɪ] a (style) familiar; (person) hablador(a), locuaz.
chauffeur ['ʃəufə*] n chófer m.
cheap [tʃi:p] a barato; (trick) malo; (poor quality) barato, de poca calidad // ad barato; ~**en** vt rebajar el precio,

abaratar; **to** ~**en o.s.** rebajarse; ~**ly** ad barato, a bajo precio.
cheat [tʃi:t] vi hacer trampa // vt defraudar, timar // n trampa, fraude m; (person) tramposo; ~**ing** n trampa, fraude m.
check [tʃek] vt (examine) controlar; (facts) comprobar; (count) contar; (halt) parar, detener; (restrain) refrenar, restringir // n (inspection) control m, inspección f; (curb) freno; (bill) nota, cuenta; (obstacle) impedimento, estorbo; (token) ficha; (pattern: gen pl) cuadro; **to** ~ **in** vi (in hotel, airport) registrarse // vt (luggage) facturar; **to** ~ **out** vi (of hotel) pagar la cuenta y marcharse; **to** ~ **up** vi: **to** ~ **up on sth** comprobar algo; **to** ~ **up on sb** investigar a una persona; ~**mate** n jaque m mate; ~**out** n caja; ~**point** n (punto de) control m; ~**up** n (MED) reconocimiento general; (of machine) repaso.
cheek [tʃi:k] n mejilla; (impudence) descaro; ~**bone** n pómulo; ~**y** a fresco, descarado.
cheer [tʃɪə*] vt vitorear, aplaudir; (gladden) alegrar, animar // vi aplaudir, gritar con entusiasmo // n grito (de entusiasmo); ~**s** npl aplausos mpl; ~**s!** ¡salud!; **to** ~ **up** vi animarse, cobrar ánimos // vt alegrar, animar; ~**ful** a alegre; ~**fulness** n alegría; **cheerio** excl ¡hasta luego!; ~**less** a triste, sombrío.
cheese [tʃi:z] n queso.
chef [ʃef] n jefe/a m/f de cocina.
chemical ['kemɪkəl] a químico // n elemento químico.
chemist ['kemɪst] n farmacéutico; (scientist) químico; ~**ry** n química; ~**'s (shop)** n farmacia.
cheque [tʃek] n cheque m; ~**book** n libro de cheques, chequera.
chequered ['tʃekəd] a (fig) variado, accidentado.
cherish ['tʃerɪʃ] vt (love) querer, apreciar; (protect) cuidar; (hope etc) abrigar.
cherry ['tʃerɪ] n cereza.
chess [tʃes] n ajedrez m; ~**board** n tablero (de ajedrez); ~**man** n pieza, trebejo.
chest [tʃest] n (ANAT) pecho; (box) cofre m, cajón m; ~ **of drawers** n cómoda.
chestnut ['tʃesnʌt] n castaña; ~ **(tree)** n castaño.
chew [tʃu:] vt mascar, masticar; ~**ing gum** n chicle m.
chic [ʃi:k] a elegante.
chick [tʃɪk] n pollito, polluelo; (fam) chica.
chicken ['tʃɪkɪn] n gallina, pollo; (food) pollo; ~**pox** n varicela.
chickpea ['tʃɪkpi:] n garbanzo.
chicory ['tʃɪkərɪ] n (for coffee) achicoria; (salad) escarola.
chief [tʃi:f] n jefe/a m/f // a principal; ~**ly** ad principalmente.
chiffon ['ʃɪfɔn] n gasa.
chilblain ['tʃɪlbleɪn] n sabañón m.

child [tʃaɪld], pl ~**ren** ['tʃɪldrən] n niño/a; (offspring) hijo/a; ~**birth** n parto; ~**hood** n niñez f, infancia; ~**ish** a pueril, aniñado; ~**like** a como (de) niño; ~ **minder** n cuidadora de niños.
Chile ['tʃɪlɪ] n Chile m; ~**an** a, n chileno/a.
chill [tʃɪl] n frío; (MED) escalofrío, resfriado // a enfriar; (CULIN) congelar; ~**y** a frío.
chime [tʃaɪm] n (peal) repique m, campanada // vi repicar, sonar.
chimney ['tʃɪmnɪ] n chimenea; ~ **sweep** n deshollinador m.
chimpanzee [tʃɪmpæn'ziː] n chimpancé m.
chin [tʃɪn] n barba, barbilla.
china ['tʃaɪnə] n porcelana; (gen) loza.
China ['tʃaɪnə] n China; **Chinese** [tʃaɪ'niːz] a chino // n chino/a; (LING) el chino.
chink [tʃɪŋk] n (opening) grieta, hendedura; (noise) tintineo.
chip [tʃɪp] n (gen pl: CULIN) patata frita; (of wood) astilla; (of glass, stone) lasca; (at poker) ficha // vt (cup, plate) astillar; **to ~ in** vi interrumpir; (contribute) compartir los gastos.
chiropodist [kɪ'rɔpədɪst] n pedicuro.
chirp [tʃəːp] vi gorjear, piar; (cricket) chirriar.
chisel ['tʃɪzl] n (for wood) formón m; (for stone) cincel m.
chit [tʃɪt] n nota.
chitchat ['tʃɪttʃæt] n chismes mpl, habladurías fpl.
chivalrous ['ʃɪvəlrəs] a caballeroso; **chivalry** [-rɪ] n caballerosidad f.
chives [tʃaɪvz] npl cebollino sg.
chlorine ['klɔːriːn] n cloro.
chock [tʃɔk]: ~-**a-block**, ~-**full** a de bote en bote, atestado.
chocolate ['tʃɔklɪt] n chocolate m.
choice [tʃɔɪs] n elección f, selección f; (preference) preferencia // a selecto, elegido.
choir ['kwaɪə*] n coro; ~**boy** n corista m.
choke [tʃəuk] vi sofocarse; (on food) atragantarse // vt ahogar, sofocar; (block) obstruir // n (AUT) estrangulador m; **choker** n (necklace) gargantilla.
cholera ['kɔlərə] n cólera m.
choose [tʃuːz], pt **chose**, pp **chosen** vt escoger, elegir; (team) seleccionar.
chop [tʃɔp] vt (wood) cortar, tajar; (CULIN: also: ~ **up**) desmenuzar; (meat) picar // n golpe m cortante; (CULIN) chuleta; ~**s** npl (jaws) boca sg, labios mpl; ~**py** a (sea) picado, agitado; ~**sticks** npl palillos mpl.
choral ['kɔːrəl] a coral.
chord [kɔːd] n (MUS) acorde m.
chore [tʃɔː*] n faena, tarea; (routine task) trabajo rutinario.
choreographer [kɔrɪ'ɔgrəfə*] n coreógrafo.
chorister ['kɔrɪstə*] n corista m/f.
chortle ['tʃɔːtl] vi reír entre dientes.
chorus ['kɔːrəs] n coro; (repeated part of song) estribillo.

chose [tʃəuz], **chosen** ['tʃəuzn] pt, pp of **choose**.
Christ [kraɪst] n Cristo.
christen ['krɪsn] vt bautizar; ~**ing** n bautizo.
Christian ['krɪstɪən] a, n cristiano/a; ~**ity** [-'ænɪtɪ] n cristianismo; ~ **name** n nombre m de pila.
Christmas ['krɪsməs] n Navidad f; **Merry** ~! ¡Felices Pascuas!; ~ **Eve** n Nochebuena.
chrome [krəum], **chromium** ['krəumɪəm] n cromo.
chromosome ['krəuməsəum] n cromosoma m.
chronic ['krɔnɪk] a crónico.
chronicle ['krɔnɪkl] n crónica.
chronological [krɔnə'lɔdʒɪkəl] a cronológico.
chrysanthemum [krɪ'sænθəməm] n crisantemo.
chubby ['tʃʌbɪ] a rechoncho.
chuck [tʃʌk] vt lanzar, arrojar; **to ~ out** vt echar (fuera), tirar; **to ~ (up)** vt abandonar.
chuckle ['tʃʌkl] vi reírse entre dientes.
chug [tʃʌg] vi resoplar; **to ~ along** vi (fig) ir tirando.
chum [tʃʌm] n compinche m, compañero.
chunk [tʃʌŋk] n pedazo, trozo.
church [tʃəːtʃ] n iglesia; ~**yard** n campo santo.
churlish ['tʃəːlɪʃ] a grosero, hosco.
churn [tʃəːn] n (for butter) mantequera; (for milk) lechera // vt revolver, agitar.
chute [ʃuːt] n (also: **rubbish** ~) vertedero; (children's slide) tobogán m.
chutney ['tʃʌtnɪ] n salsa picante.
CID n abbr of **Criminal Investigation Department** B.I.C. (Brigada de Investigación Criminal).
cider ['saɪdə*] n sidra.
cigar [sɪ'gaː*] n puro.
cigarette [sɪgə'rɛt] n cigarrillo; (fam) pitillo; ~ **case** n pitillera; ~ **end** n colilla; ~ **holder** n boquilla.
Cinderella [sɪndə'rɛlə] n la Cenicienta.
cinders ['sɪndəz] npl cenizas fpl.
cine [sɪnɪ]: ~-**camera** n cámara cinematográfica; ~-**film** n película cinematográfica.
cinema ['sɪnəmə] n cine m.
cinnamon ['sɪnəmən] n canela.
cipher ['saɪfə*] n cifra.
circle ['səːkl] n círculo; (in cinema) anfiteatro // vi dar vueltas // vt (surround) rodear, cercar; (move round) dar la vuelta a.
circuit ['səːkɪt] n circuito; (tour) gira; (track) pista; (lap) vuelta; ~**ous** [səː'kjuɪtəs] a tortuoso, indirecto.
circular ['səːkjulə*] a circular // n circular f.
circulate ['səːkjuleɪt] vi circular // vt poner en circulación, hacer circular;

circulation [-'leɪʃən] n circulación f; (of newspaper) tirada.
circumcise ['sə:kəmsaɪz] vt circuncidar.
circumference [sə'kʌmfərəns] n circunferencia.
circumspect ['sə:kəmspɛkt] a circunspecto, prudente.
circumstances ['sə:kəmstənsɪz] npl circunstancias fpl; (financial condition) situación f económica.
circus ['sə:kəs] n circo; (roundabout) glorieta.
cistern ['sɪstən] n tanque m, depósito; (in toilet) cisterna.
cite [saɪt] vt citar.
citizen ['sɪtɪzn] n (POL) ciudadano/a; (resident) vecino/a, habitante m/f; ~ship n ciudadanía.
citrus fruit ['sɪtrəs-] n agrios mpl.
city ['sɪtɪ] n ciudad f; the C~ centro financiero de Londres.
civic ['sɪvɪk] a cívico, municipal.
civil ['sɪvɪl] a civil; (polite) atento, cortés; (defence) pasivo; (well-bred) educado; ~ **engineer** n ingeniero civil; C~ **Service** administración f pública; ~**ian** [sɪ'vɪlɪən] a civil, de paisano // n civil m/f, paisano.
civilization [sɪvɪlaɪ'zeɪʃən] n civilización f.
civilized ['sɪvɪlaɪzd] a civilizado.
claim [kleɪm] vt exigir, reclamar; (rights etc) reivindicar; (assert) pretender // vi (for insurance) reclamar // n reclamación f; (LAW) demanda; (pretension) pretensión f; ~**ant** n (ADMIN, LAW) demandante m/f.
clairvoyant [klɛə'vɔɪənt] n clarividente m/f.
clam [klæm] n almeja.
clamber ['klæmbə*] vi subir gateando, trepar.
clammy ['klæmɪ] a (cold) frío y húmedo; (sticky) pegajoso.
clamp [klæmp] n abrazadera, grapa // vt afianzar (con abrazadera); **to ~ down on** vt fus suprimir, restringir.
clan [klæn] n clan m.
clang [klæŋ] n sonido metálico // vi sonar, hacer estruendo.
clap [klæp] vi aplaudir // vt (hands) batir; (put) poner // n (of hands) palmada; (of thunder) estampido (de trueno); ~**ping** n aplausos mpl.
claret ['klærət] n clarete m.
clarification [klærɪfɪ'keɪʃən] n aclaración f; **clarify** ['klærɪfaɪ] vt aclarar.
clarinet [klærɪ'nɛt] n clarinete m.
clarity ['klærɪtɪ] n claridad f.
clash [klæʃ] n estruendo; (fig) choque m // vi (meet) encontrarse; (battle) chocar; (disagree) estar en desacuerdo.
clasp [klɑ:sp] n broche m; (on jewels) cierre m // vt abrochar; (hand) apretar, estrechar; (embrace) abrazar.
class [klɑ:s] n (gen) clase f // a clasista, de clase // vt clasificar.
classic ['klæsɪk] a clásico // n (work) obra clásica; ~**al** a clásico.

classification [klæsɪfɪ'keɪʃən] n clasificación f; **classify** ['klæsɪfaɪ] vt clasificar.
class: ~mate n compañero de clase; ~**room** n aula.
clatter ['klætə*] n ruido, estruendo; (of hooves) trápala // vi hacer ruido o estruendo.
clause [klɔ:z] n cláusula; (LING) oración f.
claustrophobia [klɔ:strə'fəubɪə] n claustrofobia.
claw [klɔ:] n (of cat) uña; (of bird of prey) garra; (of lobster) pinza; (TECH) garfio // vt: **to ~ at** arañar; (tear) desgarrar.
clay [kleɪ] n arcilla.
clean [kli:n] a limpio; (clear) neto, bien definido // vt limpiar; **to ~ out** vt limpiar; **to ~ up** vt limpiar, asear; ~**-cut** a (person) de buen parecer; (clear) nítido; ~**er** n (person) asistenta; ~**ing** n (gen) limpieza; (clothes) limpieza en seco; ~**liness** ['klɛnlɪnɪs] n limpieza; ~**-shaven** a sin barba, lampiño.
cleanse [klɛnz] vt limpiar; **cleanser** n agente m de limpieza; (for face) desmaquillador m; **cleansing department** n departamento de limpieza.
clear [klɪə*] a claro; (road, way) limpio, libre; (complete) completo // vt (space) despejar, limpiar; (LAW: suspect) absolver; (obstacle) salvar, saltar por encima de; (debt) liquidar // vi (gen) aclararse; (fog etc) despejarse // ad: ~ **of** a distancia de; **to ~ up** vt limpiar; (mystery) aclarar, resolver; ~**ance** n (removal) despeje m; (permission) acreditación f; ~**-cut** a bien definido, nítido; ~**ing** n (in wood) claro; ~**ing bank** n cámara de compensación; ~**ly** ad claramente; ~**way** n (Brit) carretera donde no se puede aparcar.
cleaver ['kli:və] n cuchilla (de carnicero).
clef [klɛf] n (MUS) clave f.
clemency ['klɛmənsɪ] n clemencia.
clench [klɛntʃ] vt apretar, cerrar.
clergy ['klə:dʒɪ] n clero; ~**man** n clérigo.
clerical ['klɛrɪkəl] a oficinista; (REL) clerical.
clerk [klɑ:k, (US) klɑ:rk] n empleado, oficinista m/f.
clever ['klɛvə*] a (mentally) inteligente, listo; (deft, crafty) hábil; (device, arrangement) ingenioso.
cliché ['kli:ʃeɪ] n cliché m, frase f hecha.
click [klɪk] vt (tongue) chasquear; (heels) taconear.
client ['klaɪənt] n cliente m/f; ~**ele** [kli:ɑ:n'tɛl] n clientela.
cliff [klɪf] n acantilado.
climate ['klaɪmɪt] n clima m; (fig) ambiente m.
climax ['klaɪmæks] n colmo, punto culminante; (sexual) clímax m.
climb [klaɪm] vi subir, trepar // vt (stairs) subir; (tree) trepar a; (hill) escalar // n subida; ~**er** n alpinista m/f, montañista m/f; ~**ing** n alpinismo.

clinch [klıntʃ] vt (deal) cerrar; (argument) remachar.

cling [klıŋ], pt, pp **clung** [klʌŋ] vi: **to ~ to** pegarse a, quedar pegado a; (of clothes) ajustarse a.

clinic ['klınık] n clínica; ~**al** a clínico.

clink [klıŋk] vi tintinar.

clip [klıp] n (for hair) prendido; (also: **paper ~**) sujetapapeles m inv; (clamp) grapa // vt (cut) cortar; (shorten) acortar; (clamp) sujetar; ~**pers** npl (for gardening) tijeras fpl; (for hair) maquinilla sg; (for nails) cortauñas m inv; ~**ping** n recorte m.

clique [kliːk] n camarilla, pandilla.

cloak [kləuk] n capa, manto // vt (fig) encubrir, disimular; ~**room** n guardarropa; (in station) consigna; (WC) lavabo, aseos mpl.

clock [klɔk] n reloj m; (in taxi) taxímetro; (fam) cara; ~**wise** ad en el sentido de las agujas del reloj; ~**work** n aparato de relojería // a de cuerda.

clog [klɔg] n zueco, chanclo // vt atascar // vi atascarse.

cloister ['klɔıstə*] n claustro.

close a, ad and derivatives [kləus] a cercano, próximo; (print, weave) tupido, compacto; (friend) íntimo; (connection) estrecho; (examination) detallado, minucioso; (weather) bochornoso; (atmosphere) sofocante; (room) mal ventilado // ad cerca // vb and derivatives [kləuz] vt (shut) cerrar; (end) concluir, terminar // vi (shop etc) cerrarse; (end) concluirse, terminarse // n (end) fin m, final m, conclusión f; **to ~ down** vi cerrarse definitivamente; **to ~ up** vi (crowd) arrimarse; ~**d** a (shop etc) cerrado; ~**d shop** n acuerdo de emplear sólo trabajadores sindicados; ~**ly** ad (exactly) fielmente; (carefully) atentamente.

closet ['klɔzıt] n (cupboard) armario; (WC) lavabo.

close-up ['kləusʌp] n primer plano.

closure ['kləuʒə*] n (close-down) cierre m, clausura; (end) fin m.

clot [klɔt] n (gen: **blood ~**) embolia; (fam: idiot) imbécil m/f // vi (blood) cuajarse, coagularse.

cloth [klɔθ] n (material) tela, paño; (rag) trapo.

clothe [kləuð] vt vestir; (fig) revestir; ~**s** npl ropa sg; ~**s brush** n cepillo (para la ropa); ~**s line** n cuerda (para tender la ropa); ~**s peg** n pinza; **clothing** n = **clothes.**

cloud [klaud] n nube f; (storm~) nubarrón m; ~**burst** n chaparrón m; ~**y** a nublado, nubloso; (liquid) turbio.

clout [klaut] vt dar un tortazo a.

clove [kləuv] n clavo; ~ **of garlic** diente m de ajo.

clover ['kləuvə*] n trébol m.

clown [klaun] n payaso // vi (also: ~ **about, ~ around**) hacer el payaso.

club [klʌb] n (society) club m; (weapon)

porra, cachiporra; (also: **golf ~**) palo // vt aporrear // vi: **to ~ together** hacer una colecta; ~**s** npl (CARDS) tréboles mpl; ~**house** n sala de reunión.

cluck [klʌk] vi cloquear.

clue [kluː] n pista; (in crosswords) indicación f; **I haven't a ~** no tengo idea.

clump [klʌmp] n (of trees) grupo.

clumsy ['klʌmzı] a (person) torpe, desmañado; (movement) pesado.

cluster ['klʌstə*] n grupo; (BOT) racimo // vi agruparse, apiñarse.

clutch [klʌtʃ] n (grip, grasp) apretón m, agarro; (AUT) embrague m; (pedal) pedal m de embrague // vt sujetar, empuñar.

clutter ['klʌtə*] vt atestar, llenar desordenadamente.

Co. abbr of **county; company.**

c/o abbr of **care of** c/a (en casa de), a/c (cuidado de).

coach [kəutʃ] n (bus) autocar m; (horse-drawn) coche m; (of train) vagón m, coche m; (SPORT) entrenador m, instructor m // vt (SPORT) entrenar; (student) preparar, enseñar.

coagulate [kəu'ægjuleıt] vi coagularse.

coal [kəul] n carbón m; ~ **face** n frente m de carbón; ~**field** n yacimiento de carbón.

coalition [kəuə'lıʃən] n coalición f.

coal: ~**man,** ~ **merchant** n carbonero; ~**mine** n mina de carbón.

coarse [kɔːs] a basto, burdo; (vulgar) grosero, ordinario.

coast [kəust] n costa, litoral m // vi (AUT) ir en punto muerto; ~**al** a costero, costanero; ~**er** n buque m costero, barco de cabotaje; ~**guard** n guardacostas m inv; ~**line** n litoral m.

coat [kəut] n (jacket) chaqueta; (overcoat) abrigo; (of animal) pelo, lana; (of paint) mano f, capa // vt cubrir, revestir; ~ **of arms** n escudo de armas; ~ **hanger** n percha; ~**ing** n capa, baño.

coax [kəuks] vt engatusar.

cob [kɔb] n see **corn.**

cobbler ['kɔblə] n zapatero remendón.

cobbles ['kɔblz], **cobblestones** ['kɔblstəunz] npl guijarros mpl.

cobra ['kəubrə] n cobra.

cobweb ['kɔbweb] n telaraña.

cocaine [kə'keın] n cocaína.

cock [kɔk] n (rooster) gallo; (male bird) macho // vt (gun) amartillar; ~**atoo** n cacatúa; ~**erel** n gallito.

cockle ['kɔkl] n berberecho.

cockney ['kɔknı] n habitante m/f de ciertos barrios bajos de Londres.

cockpit ['kɔkpıt] n (in aircraft) carlinga, cabina.

cockroach ['kɔkrəutʃ] n cucaracha.

cocktail ['kɔkteıl] n combinado, coctel m; ~ **cabinet** n mueble-bar m; ~ **party** n coctel m, cóctel m.

cocoa ['kəukəu] n cacao; (drink) chocolate m.

coconut ['kəukənʌt] n coco.

cocoon [kə'ku:n] n capullo.

cod [kɔd] n bacalao.

code [kəud] n código; (cipher) clave f; codify vt codificar.

coerce [kəu'ə:s] vt forzar, obligar; coercion [-'ɔ:ʃən] n coacción f.

coexistence ['kəuɪg'zɪstəns] n coexistencia.

coffee ['kɔfɪ] n café m; ~ bean n grano de café; ~ grounds npl heces fpl de café; ~pot n cafetera.

coffin ['kɔfɪn] n ataúd m.

cog [kɔg] n diente m; ~wheel n rueda dentada.

cognac ['kɔnjæk] n coñac m.

coherent [kəu'hɪərənt] a coherente.

coil [kɔɪl] n rollo; (rope) adujada; (ELEC) bobina, carrete m; (contraceptive) espiral f // vi enrollarse, arrollarse.

coin [kɔɪn] n moneda // vt (word) inventar, idear; ~age n moneda; ~-box n caja de monedas.

coincide [kəuɪn'saɪd] vi coincidir; (agree) estar de acuerdo; coincidence [kəu-'ɪnsɪdəns] n casualidad f.

coke [kəuk] n (coal) coque m; (drink) Coca Cola f.

colander ['kɔləndə*] n colador m, escurridor m.

cold [kəuld] a frío // n frío; (MED) resfriado; it's ~ hace frío; to be ~ tener frío; to catch ~ resfriarse, acatarrarse; to ~-shoulder tratar con frialdad; ~ly a fríamente; ~ sore n herpes m labial.

coleslaw ['kəulslɔ:] n ensalada de col.

colic ['kɔlɪk] n cólico.

collaborate [kə'læbəreɪt] vi colaborar; collaboration [-'reɪʃən] n colaboración f.

collage [kɔ'lɑ:ʒ] n collage m.

collapse [kə'læps] vi (gen) hundirse, derrumbarse; (MED) sufrir colapso // n (gen) hundimiento; (MED) colapso; collapsible a plegable.

collar ['kɔlə*] n (of coat, shirt) cuello; ~bone n clavícula.

collate [kɔ'leɪt] vt cotejar.

colleague ['kɔli:g] n colega m/f.

collect [kə'lɛkt] vt reunir; (as a hobby) coleccionar; (call and pick up) recoger; (wages) cobrar; (debts) recaudar; (donations, subscriptions) colectar // vi reunirse; coleccionar; ~ion [kə'lɛkʃən] n colección f; cobro; (of people) grupo; (of donations) recaudación f; (of post) recogida.

collective [kə'lɛktɪv] a colectivo.

collector [kə'lɛktə*] n coleccionista m/f; (of taxes etc) recaudador m.

college ['kɔlɪdʒ] n colegio.

collide [kə'laɪd] vi chocar.

collie ['kɔlɪ] n perro pastor.

collision [kə'lɪʒən] n choque m.

colloquial [kə'ləukwɪəl] a familiar, coloquial.

colon ['kəulən] n (sign) dos puntos; (MED) colón m.

colonel ['kə:nl] n coronel m.

colonial [kə'ləunɪəl] a colonial.

colonize ['kɔlənaɪz] vt colonizar.

colony ['kɔlənɪ] n colonia.

colossal [kə'lɔsl] a colosal.

colour, color (US) ['kʌlə*] n color m // vt color(e)ar; (with crayons) pintar; (dye) teñir // vi (blush) sonrojarse; ~s npl (of party, club) colores mpl; ~-blind a daltoniano; ~ed a de color; (photo) a colores; ~eds npl gente f de color; ~ film n película en colores; ~ful a lleno de color; (personality) animado; ~ing n colorido; ~less a incoloro, sin color; ~ scheme n combinación f de colores; ~ television n televisión f en color(es).

colt [kəult] n potro.

column ['kɔləm] n columna; ~ist ['kɔləmnɪst] n columnista m/f.

coma ['kəumə] n coma m.

comb [kəum] n peine m; (ornamental) peineta // vt (hair) peinar; (area) registrar.

combat ['kɔmbæt] n combate m // vt combatir.

combination [kɔmbɪ'neɪʃən] n (gen) combinación f.

combine [kəm'baɪn] vt combinar; (qualities) reunir // vi combinarse // ['kɔmbaɪn] (ECON) asociación f; (pej) monopolio; ~ (harvester) n cosechadora.

combustion [kəm'bʌstʃən] n combustión f.

come [kʌm], pt came, pp come vi venir; to ~ about vi suceder, ocurrir; to ~ across vt fus (person) topar; (thing) dar con; to ~ away vi marcharse; to ~ back vi volver; to ~ by vt fus (acquire) conseguir; to ~ down vi bajar; (plane) aterrizarse; (crash) estrellarse; (buildings) desplomarse; to ~ forward vi presentarse; to ~ in vi entrar; (train) llegar; (fashion) ponerse de moda; to ~ in for vt fus (criticism etc) merecer; to ~ into vt fus (money) heredar; to ~ off vi (button) soltarse, desprenderse; (attempt) tener lugar; to ~ on vi (pupil, undertaking) crecer, desarrollarse // vt (find) encontrar; ~ on! ¡vamos!; to ~ out vi salir, aparecer; (be revealed) salir a luz; to ~ out for/against declararse por/contra; to ~ to vi volver en sí; (total) sumar; to ~ up vi subir; (sun) salir; (problem) surgir; to ~ up against vt fus (resistance, difficulties) tropezar con; to ~ up with vt fus (idea) sugerir, proponer; to ~ upon vt fus dar o topar con; ~back n (THEATRE) reaparición f.

comedian [kə'mi:dɪən] n cómico; comedienne [-'ɛn] n cómica.

comedown ['kʌmdaun] n (fam) revés m, bajón m.

comedy ['kɔmɪdɪ] n comedia.

comet ['kɔmɪt] n cometa m.

comfort ['kʌmfət] n comodidad f, confort

m; (*well-being*) bienestar m; (*solace*) consuelo; (*relief*) alivio // vt consolar; aliviar; ~able a cómodo.

comic ['kɔmɪk] a (*also*: ~al) cómico // n (*magazine*) tebeo; ~ **strip** n tira cómica.

coming ['kʌmɪŋ] n venida, llegada // a que viene; ~(**s**) **and going(s)** n(*pl*) ir y venir m, ajetreo.

comma ['kɔmə] n coma.

command [kə'mɑːnd] n orden f, mandato; (*MIL*: *authority*) mando; (*mastery*) dominio // vt (*troops*) mandar; (*give orders to*) mandar, ordenar; (*dispose of*) disponer de; (*deserve*) merecer; ~**eer** [kɔmən'dɪə*] vt requisar; ~**er** n (*MIL*) comandante m/f, jefe/a m/f.

commando [kə'mɑːndəu] n comando.

commemorate [kə'meməreɪt] vt conmemorar; **commemoration** [-'reɪʃən] n conmemoración f; **commemorative** [-rətɪv] a conmemorativo.

commence [kə'mens] vt, vi comenzar, empezar.

commend [kə'mend] vt (*praise*) elogiar, alabar; (*recommend*) recomendar; (*entrust*) encomendar; ~**ation** [kɔmen'deɪʃən] n elogio, encomio; recomendación f.

commensurate [kə'menʃərɪt] a equivalente (*with* a).

comment ['kɔment] n comentario // vi hacer comentarios; ~**ary** ['kɔməntərɪ] n comentario; ~**ator** ['kɔmənteɪtə*] n comentador m.

commerce ['kɔmə:s] n comercio.

commercial [kə'mə:ʃəl] a comercial // n (*TV*) anuncio (comercial); ~ **break** n emisión f publicitaria; ~**ize** vt comercializar.

commiserate [kə'mɪzəreɪt] vi: to ~ with compadecerse de, condolerse de.

commission [kə'mɪʃən] n (*fee*) comisión f; (*act*) perpetración f // vt (*MIL*) nombrar; (*work of art*) encargar; **out of** ~ inutilizado; ~**aire** [kɔmɪʃə'nɛə*] n portero; ~**er** n comisario; (*POLICE*) jefe/a m/f de policía.

commit [kə'mɪt] vt (*act*) cometer; (*to sb's care*) entregar; **to** ~ **o.s.** (**to do**) comprometerse (a hacer); **to** ~ **suicide** suicidarse; ~**ment** n compromiso.

committee [kə'mɪtɪ] n comité m.

commodity [kə'mɔdɪtɪ] n mercancía.

common ['kɔmən] a (*gen*) común; (*pej*) ordinario // n campo común; **the C** ~ **s** npl (la Cámara de) los Comunes; **in** ~ en común; ~**er** n plebeyo; ~ **law** n ley f consuetudinaria; ~**ly** ad comúnmente; **C** ~ **Market** n Mercado Común; ~**place** a vulgar, trivial; ~**room** n salón m común; ~ **sense** n sentido común; **the C** ~ **wealth** n la Mancomunidad.

commotion [kə'məuʃən] n tumulto, confusión f.

communal ['kɔmju:nl] a comunal.

commune ['kɔmju:n] n (*group*) comuna //

vi [kə'mju:n]: **to** ~ **with** comulgar o conversar con.

communicate [kə'mju:nɪkeɪt] vt comunicar // vi: **to** ~ (**with**) comunicarse (con).

communication [kəmju:nɪ'keɪʃən] n comunicación f; ~ **cord** n timbre m de alarma.

communion [kə'mju:nɪən] n (*also*: **Holy C**~) comunión f.

communiqué [kə'mju:nɪkeɪ] n comunicado, parte m.

communism ['kɔmjunɪzəm] n comunismo; **communist** a, n comunista m/f.

community [kə'mju:nɪtɪ] n comunidad f; (*large group*) colectividad f; (*locals*) vecindario; ~ **centre** n centro social.

commute [kə'mju:t] vi viajar a diario // vt conmutar; **commuter** n persona que viaja a menudo.

compact [kəm'pækt] a compacto; (*style*) conciso; (*packed*) apretado // n ['kɔmpækt] (*pact*) pacto; (*for powder*) polvera.

companion [kəm'pænɪən] n compañero; ~**ship** n compañerismo.

company ['kʌmpənɪ] n (*gen*) compañía; (*COMM*) sociedad f, compañía; **to keep sb** ~ acompañar a uno; **limited** ~ sociedad f anónima.

comparable ['kɔmpərəbl] a comparable.

comparative [kəm'pærətɪv] a relativo.

compare [kəm'pɛə*] vt comparar; (*set side by side*) cotejar // vi: **to** ~ (**with**) compararse (con); **comparison** [-'pærɪsn] n comparación f; cotejo; **in comparison (with**) en comparación (con).

compartment [kəm'pɑ:tmənt] n (*also RAIL*) departamento.

compass ['kʌmpəs] n brújula; ~**es** npl compás m.

compassion [kəm'pæʃən] n compasión f; ~**ate** a compasivo.

compatible [kəm'pætɪbl] a compatible.

compel [kəm'pel] vt obligar; ~**ling** a (*fig*: *argument*) convincente.

compendium [kəm'pendɪəm] n compendio.

compensate ['kɔmpənseɪt] vt compensar // vi: **to** ~ **for** compensar; **compensation** [-'seɪʃən] n (*for loss*) indemnización f.

compère ['kɔmpɛə*] n presentador m.

compete [kəm'pi:t] vi (*take part*) tomar parte, concurrir; (*vie with*) competir, hacer competencia.

competence ['kɔmpɪtəns] n capacidad f, aptitud f; **competent** [-ənt] a competente, capaz.

competition [kɔmpɪ'tɪʃən] n (*contest*) concurso; (*ECON*) competencia; (*rivalry*) competencia.

competitive [kəm'petɪtɪv] a (*ECON*) competitivo; (*spirit*) competidor(a), de competencia.

competitor [kəm'petɪtə*] n (*rival*)

competidor/a *m/f;* (*participant*) concursante *m/f.*

compile [kəm'paıl] *vt* recopilar, compilar.

complacency [kəm'pleısnsı] *n* satisfacción *f* de sí mismo; **complacent** [-sənt] *a* complacido.

complain [kəm'pleın] *vi* (*gen*) quejarse; ~**t** *n* (*gen*) queja; (*JUR*) demanda, querella; (*MED*) enfermedad *f.*

complement ['kɔmplımənt] *n* complemento; (*esp ship's crew*) dotación *f;* ~**ary** [kɔmplı'mɛntərı] *a* complementario.

complete [kəm'pli:t] *a* (*full*) completo; (*finished*) acabado // *vt* (*fulfil*) completar; (*finish*) acabar; (*a form*) llenar; ~**ly** *ad* completamente; **completion** *n* (*gen*) conclusión *f,* terminación *f;* (*of contract etc*) realización *f.*

complex ['kɔmplɛks] *a* complejo // *n* (*gen*) complejo.

complexion [kəm'plɛkʃən] *n* (*of face*) tez *f,* cutis *m;* (*fig*) aspecto.

complexity [kəm'plɛksıtı] *n* complejidad *f.*

compliance [kəm'plaıəns] *n* (*submission*) sumisión *f;* (*agreement*) conformidad *f;* **in ~ with** de acuerdo con; **compliant** [-ənt] *a* sumiso; conforme.

complicate ['kɔmplıkeıt] *vt* complicar; ~**d** *a* complicado; **complication** [-'keıʃən] *n* complicación *f.*

compliment *n* ['kɔmplımənt] (*formal*) cumplido; (*lovers'*) piropo; ~**s** *npl* saludos *mpl;* **to pay sb a** ~ (*amorously*) piropear, echar piropos a alguien; ~**ary** [-'mɛntərı] *a* lisonjero; (*free*) de favor.

comply [kəm'plaı] *vi:* **to** ~ **with** cumplir con.

component [kəm'pəunənt] *a* componente // *n* (*TECH*) pieza.

compose [kəm'pəuz] *vt* componer; **to be** ~**d of** componerse de, constar de; **to** ~ **o.s.** tranquilizarse; ~**d** *a* sosegado; **composer** *n* (*MUS*) compositor *m.*

composite ['kɔmpəzıt] *a* compuesto.

composition [kɔmpə'zıʃən] *n* composición *f.*

compost ['kɔmpɔst] *n* abono compuesto.

composure [kəm'pəuʒə*] *n* serenidad *f,* calma.

compound ['kɔmpaund] *n* (*CHEM, LING*) compuesto; (*enclosure*) recinto // *a* (*gen*) compuesto; (*fracture*) complicado.

comprehend [kɔmprı'hɛnd] *vt* comprender; **comprehension** [-'hɛnʃən] *n* comprensión *f.*

comprehensive [kɔmprı'hɛnsıv] *a* (*broad*) extenso; (*general*) de conjunto; (*INSURANCE*) contra todo riesgo; ~ (**school**) *n* integrado.

compress [kəm'prɛs] *vt* comprimir // *n* ['kɔmprɛs] (*MED*) compresa; ~**ion** [-'prɛʃən] *n* compresión *f.*

comprise [kəm'praız] *vt* (*also:* **be** ~**d of**) comprender, constar de.

compromise ['kɔmprəmaız] *n*

(*agreement*) componenda, arreglo; (*midpoint*) término medio // *vt* comprometer // *vi* transigir.

compulsion [kəm'pʌlʃən] *n* obligación *f.*

compulsive [kəm'pʌlsıv] *a* compulsivo; (*PSYCH*) empedernido.

compulsory [kəm'pʌlsərı] *a* obligatorio.

computer [kəm'pju:tə*] *n* ordenador *m,* computador *m,* computadora; ~**ize** *vt* computerizar; ~ **programmer** *n* programador/a *m/f;* ~ **programming** *n* programación *f;* ~ **science** *n* ciencia de computadoras.

comrade ['kɔmrıd] *n* camarada *m/f;* ~**ship** *n* camaradería, compañerismo.

con [kɔn] *vt* estafar // *n* estafa.

concave ['kɔn'keıv] *a* cóncavo.

conceal [kən'si:l] *vt* ocultar.

concede [kən'si:d] *vt* conceder // *vi* ceder, darse por vencido.

conceit [kən'si:t] *n* presunción *f;* ~**ed** *a* presumido.

conceivable [kən'si:vəbl] *a* concebible.

conceive [kən'si:v] *vt, vi* concebir.

concentrate ['kɔnsəntreıt] *vi* concentrarse // *vt* concentrar.

concentration [kɔnsən'treıʃən] *n* concentración *f;* ~ **camp** *n* campo de concentración.

concept ['kɔnsɛpt] *n* concepto.

conception [kən'sɛpʃən] *n* (*idea*) concepto, idea; (*BIOL*) concepción *f.*

concern [kən'sɔ:n] *n* (*matter*) asunto; (*COMM*) empresa; (*anxiety*) preocupación *f* // *vt* tener que ver con; **to be** ~**ed** (**about**) interesarse (por), preocuparse (por); ~**ing** *prep* sobre, acerca de.

concert ['kɔnsət] *n* concierto; ~ **hall** *n* sala de conciertos.

concertina [kɔnsə'ti:nə] *n* concertina.

concerto [kən'tʃɛːtəu] *n* concierto.

concession [kən'sɛʃən] *n* concesión *f;* **tax** ~ privilegio fiscal.

conciliation [kənsılı'eıʃən] *n* conciliación *f;* **conciliatory** [-'sılıətrı] *a* conciliador(a).

concise [kən'saıs] *a* conciso.

conclude [kən'klu:d] *vt* (*finish*) concluir; (*treaty etc*) firmar; (*agreement*) llegar a; (*decide*) llegar a la conclusión de; **conclusion** [-'klu:ʒən] *n* conclusión *f;* **conclusive** [-'klu:sıv] *a* decisivo, concluyente.

concoct [kən'kɔkt] *vt* (*gen*) confeccionar; (*plot*) tramar.

concrete ['kɔnkri:t] *n* hormigón *m* // *a* concreto.

concur [kən'kɔ:*] *vi* estar de acuerdo, asentir.

concurrently [kən'kʌrntlı] *ad* al mismo tiempo.

concussion [kən'kʌʃən] *n* conmoción *f* cerebral.

condemn [kən'dɛm] *vt* condenar; ~**ation** [kɔndɛm'neıʃən] *n* (*gen*) condenación *f;* (*blame*) censura.

condensation [kɔndɛn'seɪʃən] *n* condensación *f.*

condense [kən'dɛns] *vi* condensarse // *vt* condensar, abreviar; ~**d milk** *n* leche *f* condensada.

condescend [kɔndɪ'sɛnd] *vi* condescender, dignarse; ~**ing** *a* condescendiente.

condition [kən'dɪʃən] *n* condición *f* // *vt* condicionar; **on** ~ **that** a condición (de) que.

condolences [kən'dəulənsɪz] *npl* pésame *m.*

condone [kən'dəun] *vt* condonar.

conducive [kən'djuːsɪv] *a:* ~ **to** conducente a.

conduct ['kɔndʌkt] *n* conducta, comportamiento // *vt* [kən'dʌkt] (*lead*) conducir; (*manage*) llevar, dirigir; (*MUS*) dirigir // *vi* (*MUS*) llevar la batuta; **to** ~ **o.s.** comportarse; ~**or** *n* (*of orchestra*) director *m*; (*on bus*) cobrador *m*; (*ELEC*) conductor *m*; ~**ress** *n* (*on bus*) cobradora.

cone [kəun] *n* cono; (*for ice-cream*) barquillo.

confectioner [kən'fɛkʃənə*] *n* pastelero; ~'**s (shop)** *n* pastelería; (*sweet shop*) confitería; ~**y** *n* (*cakes*) pasteles *mpl*; (*sweets*) dulces *mpl.*

confederation [kɔnfɛdə'reɪʃən] *n* confederación *f.*

confer [kən'fəː*] *vt* otorgar (*on* a) // *vi* conferenciar.

conference ['kɔnfərns] *n* (*meeting*) congreso.

confess [kən'fɛs] *vt* confesar // *vi* confesarse; ~**ion** [-'fɛʃən] *n* confesión *f*; ~**ional** [-'fɛʃənl] *n* confesionario; ~**or** *n* confesor *m.*

confetti [kən'fɛtɪ] *n* confeti *m.*

confide [kən'faɪd] *vi*: **to** ~ **in** confiar en, fiarse de.

confidence ['kɔnfɪdns] *n* (*gen*) confianza; (*secret*) confidencia; ~ **trick** *n* timo; **confident** *a* seguro de sí mismo; **confidential** [kɔnfɪ'dɛnʃəl] *a* confidencial; (*secretary*) de confianza.

confine [kən'faɪn] *vt* (*limit*) limitar; (*shut up*) encerrar; ~**d** *a* (*space*) reducido; ~**ment** *n* (*prison*) prisión *f*; (*enclosure*) encierro; (*MED*) parto, sobreparto; ~**s** ['kɔnfaɪnz] *npl* confines *mpl.*

confirm [kən'fəːm] *vt* confirmar; ~**ation** [kɔnfə'meɪʃən] *n* confirmación *f*; ~**ed** *a* empedernido.

confiscate ['kɔnfɪskeɪt] *vt* confiscar; **confiscation** [-'keɪʃən] *n* incautación *f.*

conflict ['kɔnflɪkt] *n* conflicto // *vi* [kən'flɪkt] (*opinions*) chocar; ~**ing** *a* contrario.

conform [kən'fɔːm] *vi* conformarse; **to** ~ **to** ajustarse a, cuadrar con; ~**ist** *n* conformista *m/f.*

confound [kən'faund] *vt* confundir; ~**ed** *a* condenado.

confront [kən'frʌnt] *vt* (*problems*) encararse con; (*enemy, danger*) enfrentarse con; ~**ation** [kɔnfrən'teɪʃən] *n* enfrentamiento.

confuse [kən'fjuːz] *vt* (*perplex*) aturdir, desconcertar; (*mix up*) confundir; ~**d** *a* confuso; (*person*) perplejo, despistado; **confusing** *a* confuso; **confusion** [-'fjuːʒən] *n* confusión *f.*

congeal [kən'dʒiːl] *vi* (*freeze*) congelarse; (*coagulate*) coagularse.

congenial [kən'dʒiːnɪəl] *a* simpático, agradable.

congenital [kən'dʒɛnɪtl] *a* congénito.

congested [kən'dʒɛstɪd] *a* (*gen*) lleno; (*area*) superpoblado; **congestion** [-'dʒɛstʃən] *n* congestión *f.*

conglomeration [kənglɔmə'reɪʃən] *n* conglomeración *f.*

congratulate [kən'grætjuleɪt] *vt* felicitar; **congratulations** [-'leɪʃənz] *npl* felicidades *fpl.*

congregate ['kɔngrɪgeɪt] *vi* congregarse; **congregation** [-'geɪʃən] *n* (*in church*) fieles *mpl*; (*assembly*) reunión *f.*

congress ['kɔngrɛs] *n* congreso; ~**man** *n* (*US*) diputado.

conical ['kɔnɪkl] *a* cónico.

conifer ['kɔnɪfə*] *n* conífera; ~**ous** [kə'nɪfərəs] *a* (*forest*) conífero.

conjecture [kən'dʒɛktʃə*] *n* conjetura.

conjugal ['kɔndʒugl] *a* conyugal.

conjugate ['kɔndʒugeɪt] *vt* conjugar.

conjunction [kən'dʒʌŋkʃən] *n* conjunción *f.*

conjure ['kʌndʒə*] *vi* hacer juegos de manos; **to** ~ **up** *vt* (*ghost, spirit*) hacer aparecer; (*memories*) evocar; **conjurer** *n* ilusionista *m/f*; **conjuring trick** *n* ilusionismo, juego de manos.

conk [kɔŋk]: ~ **out** *vi* (*col*) estropearse.

con man ['kɔn-] *n* timador *m.*

connect [kə'nɛkt] *vt* juntar, unir; (*ELEC*) conectar; (*fig*) relacionar, asociar // *vi*: **to** ~ **with** (*train*) enlazar con; ~**ion** [-ʃən] *n* juntura, unión *f*; (*ELEC*) conexión *f*; (*RAIL*) correspondencia; (*TEL*) comunicación *f*; (*fig*) relación *f.*

connive [kə'naɪv] *vi*: **to** ~ **at** hacer la vista gorda a.

connoisseur [kɔnɪ'sə*] *n* experto, entendido.

connotation [kɔnə'teɪʃən] *n* connotación *f.*

conquer ['kɔŋkə*] *vt* (*gen*) conquistar; (*enemy*) vencer; (*feelings*) dominar; ~**or** *n* conquistador *m.*

conquest ['kɔŋkwɛst] *n* conquista.

cons [kɔnz] *npl see* **pro.**

conscience ['kɔnʃəns] *n* conciencia.

conscientious [kɔnʃɪ'ɛnʃəs] *a* concienzudo; (*objection*) de conciencia.

conscious ['kɔnʃəs] *a* consciente; ~**ness** *n* conciencia; (*MED*) conocimiento.

conscript ['kɔnskrɪpt] *n* recluto *m/f*; ~**ion** [kən'skrɪpʃən] *n* servicio militar (obligatorio).

consecrate ['kɔnsɪkreɪt] *vt* consagrar.

consecutive [kən'sɛkjutɪv] a sucesivo, seguido.

consensus [kən'sɛnsəs] n consenso.

consent [kən'sɛnt] n consentimiento // vi: **to ~ to** consentir en.

consequence ['kɔnsɪkwəns] n consecuencia.

consequently ['kɔnsɪkwəntlɪ] ad por consiguiente.

conservation [kɔnsə'veɪʃən] n conservación f.

conservative [kən'sɔːvətɪv] a conservador(a); (cautious) cauteloso; **C~** a, n conservador/a m/f.

conservatory [kən'sɔːvətrɪ] n (greenhouse) invernadero.

conserve [kən'sɔːv] vt conservar // n conserva.

consider [kən'sɪdə*] vt (gen) considerar; (take into account) tomar en cuenta; (study) estudiar, examinar; **~able** a considerable; (sum) importante.

considerate [kən'sɪdərɪt] a considerado; **consideration** [-'reɪʃən] n consideración f; (reward) retribución f.

considering [kən'sɪdərɪŋ] prep en consideración a.

consign [kən'saɪn] vt consignar; **~ment** n envío.

consist [kən'sɪst] vi: **to ~ of** consistir en.

consistency [kən'sɪstənsɪ] n (of person etc) consecuencia; (thickness) consistencia.

consistent [kən'sɪstənt] a (person) consecuente; (even) constante.

consolation [kɔnsə'leɪʃən] n consuelo.

console [kən'səul] vt consolar // n ['kɔnsəul] consola.

consolidate [kən'sɔlɪdeɪt] vt consolidar.

consommé [kən'sɔmeɪ] n consomé m, caldo.

consonant ['kɔnsənənt] n consonante f.

consortium [kən'sɔːtɪəm] n consorcio.

conspicuous [kən'spɪkjuəs] a (visible) visible; (garish etc) llamativo; (outstanding) notable.

conspiracy [kən'spɪrəsɪ] n conjura, complot m.

conspire [kən'spaɪə*] vi conspirar.

constable ['kʌnstəbl] n policía m/f; **chief ~** jefe m de policía.

constabulary [kən'stæbjulərɪ] n policía.

constant ['kɔnstənt] a (gen) constante; (loyal) leal, fiel.

constellation [kɔnstə'leɪʃən] n constelación f.

consternation [kɔnstə'neɪʃən] n consternación f.

constipated ['kɔnstɪpeɪtəd] a estreñido.

constituency [kən'stɪtjuənsɪ] n (POL) distrito electoral; **constituent** [-ənt] n (POL) elector/a m/f; (part) componente m.

constitute ['kɔnstɪtjuːt] vt constituir.

constitution [kɔnstɪ'tjuːʃən] n constitución f; **~al** a constitucional.

constrain [kən'streɪn] vt obligar; **~ed** a:

to feel ~ed to... sentirse en la necesidad de...; **~t** n (force) fuerza; (confinement) encierro; (shyness) reserva.

constrict [kən'strɪkt] vt apretar, estrechar.

construct [kən'strʌkt] vt construir; **~ion** [-ʃən] n construcción f; **~ive** a constructivo.

construe [kən'struː] vt interpretar.

consul ['kɔnsl] n cónsul m/f; **~ate** ['kɔnsjulɪt] n consulado.

consult [kən'sʌlt] vt, vi consultar; **~ant** n (MED) especialista m/f; (other specialist) asesor m; **~ation** [kɔnsəl'teɪʃən] n consulta; **~ing room** n consultorio.

consume [kən'sjuːm] vt (eat) comerse; (drink) beberse; (fire etc, COMM) consumir; **consumer** n consumidor/a m/f; **consumer goods** npl bienes mpl de consumo; **consumer society** n sociedad f de consumo.

consummate ['kɔnsʌmeɪt] vt consumar.

consumption [kən'sʌmpʃən] n consumo.

cont. abbr of **continued**.

contact ['kɔntækt] n contacto; (pej) enchufe m // vt ponerse en contacto con; **he has good ~s** tiene buenas relaciones; **~ lenses** npl lentes fpl de contacto, microlentillas fpl.

contagious [kən'teɪdʒəs] a contagioso.

contain [kən'teɪn] vt contener; **to ~ o.s.** contenerse; **~er** n recipiente m; (for shipping etc) contenedor m.

contaminate [kən'tæmɪneɪt] vt contaminar; **contamination** [-'neɪʃən] n contaminación f.

cont'd abbr of **continued**.

contemplate ['kɔntəmpleɪt] vt (gen) contemplar; (expect) contar con; (intend) pensar; **contemplation** [-'pleɪʃən] n contemplación f.

contemporary [kən'tɛmpərərɪ] a, n contemporáneo/a.

contempt [kən'tɛmpt] n desprecio; **~ible** a despreciable; **~uous** a despectivo, desdeñoso.

contend [kən'tɛnd] vt (argue) afirmar // vi (struggle) luchar; **~er** n contendiente m/f.

content [kən'tɛnt] a (happy) contento; (satisfied) satisfecho // vt contentar; satisfacer // n ['kɔntɛnt] contento; satisfacción f; **~s** npl contenido sg; **~ed** a contento; satisfecho.

contention [kən'tɛnʃən] n contienda; (argument) argumento.

contentment [kən'tɛntmənt] n contento.

contest ['kɔntɛst] n contienda; (competition) concurso // vt [kən'tɛst] (dispute) impugnar; (legal case) defender; (POL) ser candidato en; **~ant** [kən'tɛstənt] n concursante m/f; (in fight) contendiente m/f.

context ['kɔntɛkst] n contexto.

continent ['kɔntɪnənt] n continente m; **the C~** el continente europeo; **~al** [-'nɛntl] a continental.

contingency [kən'tındʒənsı] *n* contingencia; **contingent** [-ənt] *n* contingente *m*.

continual [kən'tınjuəl] *a* continuo; ~**ly** *ad* constantemente.

continuation [kəntınju'eıʃən] *n* prolongación *f*; (*after interruption*) continuación *f*.

continue [kən'tınju:] *vi* seguir, continuar // *vt* seguir, continuar; (*start again*) proseguir.

continuity [kəntı'njuıtı] *n* continuidad *f*.

continuous [kən'tınjuəs] *a* continuo.

contort [kən'tɔ:t] *vt* retorcer; ~**ion** [-'tɔːʃən] *n* contorsión *f*; ~**ionist** [-'tɔːʃənıst] *n* contorsionista *m/f*.

contour ['kɒntuə*] *n* contorno; (*also:* ~ **line**) curva de nivel.

contraband ['kɒntrəbænd] *n* contrabando.

contraception [kɒntrə'sepʃən] *n* contracepción *f*; **contraceptive** [-'septıv] *a, n* anticonceptivo.

contract ['kɒntrækt] *n* contrato // (*vb:* [kən'trækt]) *vi* (*COMM*): **to ~ to do sth** comprometerse por contrato a hacer algo; (*become smaller*) contraerse, encogerse // *vt* contraer; ~**ion** [-ʃən] *n* contracción *f*; ~**or** *n* contratista *m/f*.

contradict [kɒntrə'dıkt] *vt* (*deny*) desmentir; (*be contrary to*) contradecir; ~**ion** [-ʃən] *n* contradicción *f*.

contralto [kən'træltəu] *n* contralto.

contraption [kən'træpʃən] *n* (*pej*) armatoste *m*.

contrary ['kɒntrərı] *a, n* contrario.

contrast ['kɒntrɑ:st] *n* contraste *m* // *vt* [kən'trɑːst] comparar; ~**ing** *a* opuesto.

contravene [kɒntrə'viːn] *vt* oponerse a; (*law*) contravenir.

contribute [kən'trıbjuːt] *vi* contribuir // *vt*: **to ~ to** (*gen*) contribuir a; (*newspaper*) escribir para; **contribution** [kɒntrı'bjuːʃən] *n* (*money*) aportación *f*; (*to debate*) intervención *f*; (*to journal*) colaboración *f*; **contributor** *n* (*to newspaper*) colaborador *m*.

contrive [kən'traıv] *vt* (*invent*) idear; (*carry out*) efectuar; (*plot*) tramar // *vi*: **to ~ to do** lograr hacer.

control [kən'trəul] *vt* (*gen*) controlar; (*traffic etc*) dirigir; (*machinery*) regular; (*temper*) dominar // *n* (*command*) control *m*; (*of car*) conducción *f*; (*check*) freno; ~**s** *npl* mando *sg*; ~ **panel** *n* tablero de instrumentos; ~ **room** *n* sala de mando; ~ **tower** *n* (*AVIAT*) torre *f* de control.

controversial [kɒntrə'vəːʃl] *a* discutible; **controversy** ['kɒntrəvəːsı] *n* controversia.

convalesce [kɒnvə'les] *vi* convalecer; **convalescence** *n* convalecencia; **convalescent** *a, n* convaleciente *m/f*.

convector [kən'vektə*] *n* (*heater*) calentador *m* de convección.

convene [kən'viːn] *vt* convocar // *vi* reunirse.

convenience [kən'viːnıəns] *n* (*comfort*) comodidad *f*; (*advantage*) ventaja; **at your**

~ cuando le sea conveniente; **public** ~ aseos públicos *mpl*; **convenient** [-ənt] *a* cómodo; (*useful*) útil; (*place*) accesible; (*time*) oportuno, conveniente.

convent ['kɒnvənt] *n* convento; ~ **school** *n* colegio de monjas.

convention [kən'venʃən] *n* convención *f*; (*meeting*) asamblea; ~**al** *a* convencional.

converge [kən'vəːdʒ] *vi* converger.

conversant [kən'vəːsnt] *a*: **to be ~ with** ser enterado de.

conversation [kɒnvə'seıʃən] *n* conversación *f*; ~**al** *a* (*familiar*) familiar; (*talkative*) locuaz.

converse ['kɒnvəːs] *n* inversa // *vi* [kən'vəːs] conversar; ~**ly** [-'vəːslı] *ad* a la inversa.

conversion [kən'vəːʃən] *n* conversión *f*; ~ **table** *n* tabla de conversión.

convert [kən'vəːt] *vt* (*REL, COMM*) convertir; (*alter*) transformar // *n* ['kɒnvəːt] converso/a; ~**ible** *a* convertible // *n* descapotable *m*.

convex ['kɒn'veks] *a* convexo.

convey [kən'veı] *vt* (*gen*) llevar; (*thanks*) comunicar; (*idea*) expresar; ~**or belt** *n* cinta transportadora.

convict [kən'vıkt] *vt* (*gen*) condenar; (*sentence*) declarar culpable // *n* ['kɒnvıkt] presidiario; ~**ion** [-ʃən] *n* condena; (*belief*) creencia, convicción *f*.

convince [kən'vıns] *vt* convencer; **convincing** *a* convincente.

convoy ['kɒnvɔı] *n* convoy *m*.

convulse [kən'vʌls] *vt* convulsionar; (*laughter*) hacer morir de la risa; **convulsion** [-'vʌlʃən] *n* convulsión *f*; (*laughter*) paroxismo.

coo [kuː] *vi* arrullar.

cook [kuk] *vt* (*gen*) cocinar; (*stew etc*) guisar; (*meal*) preparar // *vi* cocer; (*person*) cocinar // *n* cocinero; ~**er** *n* cocina; ~**ery** *n* (*dishes*) cocina; (*art*) arte *m* de cocinar; ~**ery book** *n* libro de cocina; ~**ie** *n* (*US*) bizcocho; ~**ing** *n* cocina.

cool [kuːl] *a* fresco; (*not hot*) tibio; (*not afraid*) tranquilo; (*unfriendly*) frío // *vt* enfriar // *vi* enfriarse; ~**ness** *n* frescura; tranquilidad *f*; (*hostility*) frialdad *f*; (*indifference*) falta de entusiasmo.

coop [kuːp] *n* gallinero // *vt*: **to ~ up** (*fig*) encerrar.

co-op ['kəuɒp] *n* abbr of **Cooperative (Society)**.

cooperate [kəu'ɒpəreıt] *vi* cooperar, colaborar; **cooperation** [-'reıʃən] *n* cooperación *f*, colaboración *f*; **cooperative** [-rətıv] *a* cooperativo // *n* cooperativa.

coordinate [kəu'ɔːdıneıt] *vt* coordinar; **coordination** [-'neıʃən] *n* coordinación *f*.

cop [kɒp] *n* (*col*) poli *m*.

cope [kəup] *vi*: **to ~ with** poder con; (*problem*) hacer frente a.

co-pilot ['kəu'paılət] *n* copiloto.

copious ['kəupıəs] *a* copioso, abundante.

copper ['kɔpə*] n (metal) cobre m; (col: policeman) poli m; ~s npl monedas fpl de poco valor.

coppice ['kɔpɪs], **copse** [kɔps] n bosquecillo.

copulate ['kɔpjuleɪt] vi copularse; **copulation** [-'leɪʃən] n cópula.

copy ['kɔpɪ] n copia; (of book etc) ejemplar m; (of writing) original m // vt copiar; ~**right** n derechos mpl de autor.

coral ['kɔrəl] n coral m; ~ **reef** n arrecife m (de coral).

cord [kɔːd] n cuerda; (ELEC) cordón m; (fabric) pana.

cordial ['kɔːdɪəl] a afectuoso // n cordial m.

cordon ['kɔːdn] n cordón m; **to ~ off** vt acordonar.

corduroy ['kɔːdərɔɪ] n pana.

core [kɔː*] n (gen) centro, núcleo; (of fruit) corazón m // vt quitar el corazón de.

coriander [kɔrɪ'ændə*] n culantro.

cork [kɔːk] n corcho; (tree) alcornoque m; ~**screw** n sacacorchos m inv.

cormorant ['kɔːmərnt] n cormorán m grande.

corn [kɔːn] n (wheat) trigo; (US: maize) maíz m; (cereals) granos mpl; (on foot) callo; ~ **on the cob** (CULIN) maíz en la mazorca.

corned beef ['kɔːnd-] n carne f de vaca acecinada.

corner ['kɔːnə*] n (gen) ángulo; (outside) esquina; (inside) rincón m; (in road) curva; (FOOTBALL) córner m // vt (trap) arrinconar; (COMM) acaparar // vi (in car) tomar una curva; ~**stone** n piedra angular.

cornet ['kɔːnɪt] n (MUS) corneta; (of ice-cream) barquillo.

cornflour ['kɔːnflauə*] n harina de maíz.

Cornwall ['kɔːnwəl] n Cornualles m.

corny ['kɔːnɪ] a (col) viejo, gastado.

corollary [kə'rɔlərɪ] n corolario.

coronary ['kɔrənərɪ] n: ~ **(thrombosis)** trombosis f coronaria.

coronation [kɔrə'neɪʃən] n coronación f.

coroner ['kɔrənə*] n juez m de primera instancia.

coronet ['kɔrənɪt] n corona.

corporal ['kɔːpərl] n cabo // a corporal.

corporate ['kɔːpərɪt] a corporativo.

corporation [kɔːpə'reɪʃən] n (of town) ayuntamiento; (COMM) corporación f.

corps [kɔː*], pl **corps** [kɔːz] n cuerpo.

corpse [kɔːps] n cadáver m.

corpuscle ['kɔːpʌsl] n corpúsculo.

corral [kə'rɑːl] n corral m.

correct [kə'rɛkt] a (accurate) justo, exacto; (proper) correcto // vt corregir; (exam) calificar; ~**ion** [-ʃən] n rectificación f; (erasure) tachadura.

correlate ['kɔrɪleɪt] vt correlacionar.

correspond [kɔrɪs'pɔnd] vi (write) escribirse; (be equal to) corresponder; ~**ence** n correspondencia; ~**ence**

course n curso por correspondencia; ~**ent** n corresponsal m/f; ~**ing** a correspondiente.

corridor ['kɔrɪdɔː*] n pasillo.

corroborate [kə'rɔbəreɪt] vt corroborar.

corrode [kə'rəud] vt corroer // vi corroerse; **corrosion** [-'rəuʒən] n corrosión f.

corrugated ['kɔrəgeɪtɪd] a ondulado; ~ **iron** n chapa ondulada.

corrupt [kə'rʌpt] a corrompido; (person) venal // vt corromper; (bribe) sobornar; ~**ion** [-ʃən] n corrupción f.

corset ['kɔːsɪt] n faja.

Corsica ['kɔːsɪkə] n Córcega.

cortège [kɔː'teːʒ] n cortejo, desfile m.

cortisone ['kɔːtɪzəun] n cortisona.

cosh [kɔʃ] n cachiporra.

cosiness ['kəuzɪnɪs] n comodidad f; (atmosphere) lo holgado.

cos lettuce [kɔs-] n lechuga cos.

cosmetic [kɔz'mɛtɪk] n cosmético.

cosmic ['kɔzmɪk] a cósmico.

cosmonaut ['kɔzmənɔːt] n cosmonauta m/f.

cosmopolitan [kɔzmə'pɔlɪtn] a cosmopolita.

cosmos ['kɔzmɔs] n cosmos m.

cost [kɔst] n (gen) coste m, costo; (price) precio; ~**s** npl costes mpl // vi, pt, pp **cost** costar, valer // vt preparar el presupuesto de; **at the ~ of** a costa de; **how much does it ~?** ¿cuánto cuesta?

co-star ['kəustɑː*] n colega m/f de reparto.

Costa Rican ['kɔstə'riːkən] a costarriqueño.

costly ['kɔstlɪ] a (expensive) costoso; (valuable) suntuoso.

cost price n precio de coste.

costume ['kɔstjuːm] n traje m; (also: **swimming ~**) traje de baño.

cosy ['kəuzɪ] a cómodo; (atmosphere) acogedor(a); (life) holgado.

cot [kɔt] n (child's) cuna.

cottage ['kɔtɪdʒ] n casita de campo; (rustic) barraca; ~ **cheese** n requesón m.

cotton ['kɔtn] n algodón m; (thread) hilo; **to ~ on to** vt (col) caer en la cuenta de; ~ **wool** n algodón m (hidrófilo).

couch [kautʃ] n sofá m.

cough [kɔf] vi toser // n tos f; **to ~ up** vt escupir; ~ **drop** n pastilla para la tos.

could [kud] pt of **can**; ~**n't = could not.**

council ['kaunsl] n consejo; **city** or **town** ~ consejo municipal; ~ **estate** n polígono de renta limitada; ~ **house** n vivienda de renta limitada; ~**lor** n concejal m/f.

counsel ['kaunsl] n (advice) consejo; (lawyer) abogado // vt aconsejar; ~**lor** n consejero.

count [kaunt] vt (gen) contar; (include) incluir // vi contar // n (gen) cuenta; (of votes) escrutinio; (nobleman) conde m; (sum) total m, suma; **to ~ on** vt fus contar con; **that doesn't ~!** ¡eso no vale!;

~**down** n cuenta hacia atrás.

counter ['kauntə*] n (in shop) mostrador m; (in games) ficha // vt contrarrestar; (blow) parar; (attack) contestar a // ad: ~ **to** contrario a; ~**act** vt contrarrestar; ~**attack** n contrataque m // vi contratacar; ~**balance** n contrapeso; ~**-espionage** n contraespionaje m.

counterfeit ['kauntəfɪt] n moneda falsa // vt falsificar // a falso, falsificado.

counterfoil ['kauntəfɔɪl] n talón m.

counterpart ['kauntəpɑːt] n (of person) colega m/f.

counter-revolution [kauntərɛvə'luːʃən] n contrarrevolución f.

countersign ['kauntəsaɪn] vt refrendar.

countess ['kauntɪs] n condesa.

countless ['kauntlɪs] a incontable.

country ['kʌntrɪ] n país m; (native land) patria; (as opposed to town) campo; (region) región f, tierra; ~ **dancing** n baile m regional; ~ **house** n quinta, finca; ~**side** n campo.

county ['kauntɪ] n condado; ~ **town** n cabeza de partido.

coup [kuː], pl ~**s** [-z] n golpe m; ~ **d'état/de grâce** golpe de estado/de gracia.

coupé ['kuːpeɪ] n cupé m.

couple ['kʌpl] n (of things) par m; (of people) pareja; (married ~) matrimonio // vt (ideas, names) unir, juntar; (machinery) acoplar; **a** ~ **of** un par de.

coupling ['kʌplɪŋ] n (RAIL) enganche m.

coupon ['kuːpɔn] n cupón m; (pools ~) boleto.

courage ['kʌrɪdʒ] n valor m, valentía; ~**ous** [kə'reɪdʒəs] a valiente.

courier ['kurɪə*] n estafeta; (diplomatic) correo; (for tourists) agente m/f de turismo.

course [kɔːs] n (direction) dirección f; (of river, ESCOL) curso; (of ship) rumbo, derrota; (of bullet) trayectoria; (fig) proceder m; (GOLF) campo; (part of meal) plato; **of** ~ ad desde luego, naturalmente; **of** ~! ¡claro!; **in due** ~ en el momento oportuno.

court [kɔːt] n (royal) corte m; (LAW) tribunal m, juzgado; (TENNIS) pista, cancha // vt (woman) cortejar, hacer la corte a; (danger etc) buscar; **to take to** ~ demandar.

courteous ['kɔːtɪəs] a cortés.

courtesan [kɔːtɪ'zæn] n cortesana.

courtesy ['kɔːtəsɪ] n cortesía; **by** ~ **of** con permiso de.

court-house ['kɔːthaus] n (US) palacio de justicia.

courtier ['kɔːtɪə*] n cortesano.

court: ~**-martial**, pl ~**s-martial** n consejo de guerra // vt someter a consejo de guerra; ~**room** n sala de justicia; ~**yard** n patio.

cousin ['kʌzn] n primo/a; **first** ~ primo carnal.

cove [kəuv] n cala, ensenada.

covenant ['kʌvənənt] n convenio.

cover ['kʌvə*] vt (gen) cubrir; (with lid) tapar; (chairs etc) revestir; (distance) recorrer; (include) abarcar; (protect) abrigar; (journalist) investigar; (issues) tratar // n (gen) cubierta; (lid) tapa; (for chair etc) funda; (for bed) cobertor m; (envelope) sobre m; (for book) forro; (of magazine) portada; (shelter) abrigo; (insurance) cobertura; **under** ~ (indoors) bajo techo; **under** ~ **of** al abrigo de; (fig) so capa de; **to** ~ **up for sb** encubrir a uno; ~**age** n alcance m; ~ **charge** n precio del cubierto; ~**ing** n cubierta, envoltura; ~**ing letter** n carta explicatoria.

covet ['kʌvɪt] vt codiciar.

cow [kau] n vaca // vt intimidar.

coward ['kauəd] n cobarde m/f; ~**ice** [-ɪs] n cobardía; ~**ly** a cobarde.

cowboy ['kaubɔɪ] n vaquero.

cower ['kauə*] vi encogerse (de miedo).

cowshed ['kauʃed] n establo.

coxswain ['kɔksn] n (abbr: **cox**) timonel m/f.

coy [kɔɪ] a tímido.

coyote [kɔɪ'əutɪ] n coyote m.

crab [kræb] n cangrejo; ~ **apple** n manzana silvestre.

crack [kræk] n grieta; (noise) crujido; (: of whip) chasquido; (fam) chiste m // vt agrietar, romper; (nut) cascar; (safe) forzar; (whip etc) chasquear; (knuckles) crujir; (joke) contar // a (expert) experto; **to** ~ **up** vi (MED) sufrir un colapso nervioso; ~**er** n (biscuit) cracker m; (Christmas cracker) sorpresa.

crackle ['krækl] vi crepitar; **crackling** n (of fire) crepitación f; (of leaves etc) crujido; (of pork) chicharrón m.

cradle ['kreɪdl] n cuna.

craft [krɑːft] n (skill) arte m; (trade) oficio; (cunning) astucia; (boat) barco. ~**ship** n artesanía.

craftsman ['krɑːftsmən] n artesano; ~**ship** n artesanía.

crafty ['krɑːftɪ] a astuto.

crag [kræg] n peñasco; ~**gy** a escarpado.

cram [kræm] vt (fill) llenar, henchir; ~**med** a atestado.

cramp [kræmp] n (MED) calambre m; (TECH) grapa // vt (limit) restringir; (annoy) estorbar; ~**ed** a apretado, estrecho.

crampon ['kræmpɔn] n crampón m.

cranberry ['krænbərɪ] n arándano agrio.

crane [kreɪn] n (TECH) grúa; (bird) grulla.

crank [kræŋk] n manivela; (person) chiflado; ~**shaft** n eje m del cigüeñal.

cranky ['kræŋkɪ] a (eccentric) maniático; (bad-tempered) irritable.

cranny ['krænɪ] n see **nook**.

crash [kræʃ] n (noise) estruendo; (of cars etc) choque m; (of plane) accidente m de avión; (COMM) quiebra // vt (plane) estrellar // vi (plane) estrellarse; (two cars) chocar; (fall noisily) caer con estrépito; ~ **course** n curso acelerado; ~

helmet n casco (protector); ~ **landing** n aterrizaje m forzoso.
crate [kreɪt] n cajón m de embalaje; (fam) armatoste m.
crater ['kreɪtə*] n cráter m.
cravat(e) [krə'væt] n pañuelo.
crave [kreɪv] vt: **to ~ for** ansiar, anhelar; **craving** n (of pregnant woman) antojo.
crawl [krɔ:l] vi (gen) arrastrarse; (child) andar a gatas, gatear; (vehicle) avanzar a paso de tortuga // n (SWIMMING) crol m.
crayfish ['kreɪfɪʃ] n, pl inv langostino.
crayon ['kreɪən] n pastel m, lápiz m de color.
craze [kreɪz] n manía; (fashion) moda.
crazy ['kreɪzɪ] a (person) loco; (idea) disparatado.
creak [kri:k] vi chirriar, rechinar; (door etc) crujir.
cream [kri:m] n (of milk) nata; (gen) crema; (fig) flor y nata // a (colour) color m (de) crema; ~ **cake** n pastel m de nata; ~ **cheese** n queso de nata; ~y a cremoso.
crease [kri:s] n (fold) pliegue m; (in trousers) raya; (wrinkle) arruga // vt (fold) doblar, plegar; (wrinkle) arrugar // vi (wrinkle up) arrugarse.
create [kri:'eɪt] vt crear; **creation** [-ʃən] n creación f; **creative** a creador(a); **creator** n creador m.
creature ['kri:tʃə*] n (animal) animal m, bicho; (living thing) criatura.
crèche, creche [krɛʃ] n guardería infantil.
credentials [krɪ'dɛnʃlz] npl credenciales fpl.
credibility [krɛdɪ'bɪlɪtɪ] n credibilidad f.
credible ['krɛdɪbl] a creíble.
credit ['krɛdɪt] n (gen) crédito; (merit) honor m, mérito // vt (COMM) abonar; (believe) creer, prestar fe a // a crediticio; ~s npl (CINEMA) fichas técnicas; ~**able** a estimable, digno de elogio; ~ **card** n tarjeta de crédito; ~**or** n acreedor m.
credulity [krɪ'dju:lɪtɪ] n credulidad f.
creed [kri:d] n credo.
creek [kri:k] n cala, ensenada; (US) riachuelo.
creep [kri:p], pt, pp **crept** vi (animal) deslizarse; (gen) arrastrarse; (plant) trepar; ~**er** n enredadera; ~**y** a (frightening) horripilante.
cremate [krɪ'meɪt] vt incinerar; **cremation** [-ʃən] n incineración f.
crematorium [krɛmə'tɔ:rɪəm], pl **-ria** [-rɪə] n (horno) crematorio.
creosote ['krɪəsəut] n creosota.
crêpe [kreɪp] n (fabric) crespón m; (rubber) crepé m; ~ **bandage** n venda de crepé.
crept [krɛpt] pt, pp of **creep.**
crescent ['krɛsnt] n media luna; (street) calle f en semicírculo.
cress [krɛs] n mastuerzo.
crest [krɛst] n (of bird) cresta; (of hill)

cima, cumbre f; (of helmet) cimera; (of coat of arms) blasón m; ~**fallen** a alicaído.
Crete [kri:t] n Creta.
crevasse [krɪ'væs] n grieta.
crevice ['krɛvɪs] n grieta, hendedura.
crew [kru:] n (of ship etc) tripulación f; (gang) banda; (MIL) dotación f; ~-**cut** n corte m al rape; ~-**neck** n cuello plano.
crib [krɪb] n pesebre m // vt (col) plagiar.
crick [krɪk] n (in neck) tortícolis m.
cricket ['krɪkɪt] n (insect) grillo; (game) críquet m.
crime [kraɪm] n crimen m; (less serious) delito; **criminal** ['krɪmɪnl] n criminal m, delincuente m // a criminal, delictivo; (law) penal; **the Criminal Investigation Department (CID)** Brigada de Investigación Criminal (B.I.C.).
crimson ['krɪmzn] a carmesí.
cringe [krɪndʒ] vi agacharse, encogerse.
crinkle ['krɪŋkl] vt arrugar.
cripple ['krɪpl] n lisiado, mutilado // vt lisiar, tullir.
crisis ['kraɪsɪs], pl **-ses** [-si:z] n crisis f.
crisp [krɪsp] a fresco; (cooked) tostado; (hair) crespo; (manner) seco; ~**s** npl papas fritas fpl.
criss-cross ['krɪskrɔs] a entrelazado.
criterion [kraɪ'tɪərɪən], pl **-ria** [-rɪə] n criterio.
critic ['krɪtɪk] n (gen) criticón/ona m/f; (paper) crítico; ~**al** a (gen) crítico; (illness) grave; ~**ally** ad (ill) gravemente; ~**ism** ['krɪtɪsɪzm] n crítica; ~**ize** ['krɪtɪsaɪz] vt criticar.
croak [krəuk] vi (frog) croar; (raven) graznar // n graznido.
crochet ['krəuʃeɪ] n ganchillo.
crockery ['krɔkərɪ] n laza, vajilla.
crocodile ['krɔkədaɪl] n cocodrilo.
crocus ['krəukəs] n azafrán m.
croft [krɔft] n granja pequeña; ~**er** n pequeño granjero.
croissant ['krwasɑ̃] n croissant m, medialuna.
crone [krəun] n bruja.
crony ['krəunɪ] n compinche m/f.
crook [kruk] n (fam) maleante m/f; (of shepherd) cayado; (of arm) pliegue m; ~**ed** ['krukɪd] a torcido; (path) tortuoso; (action) poco limpio.
crop [krɔp] n (species) cultivo; (quantity) cosecha // vt cortar, recortar; **to ~ up** vi surgir, presentarse.
croquet ['krəukeɪ] n croquet m.
croquette [krə'kɛt] n croqueta.
cross [krɔs] n cruz f // vt (street etc) cruzar, atravesar // a de mal humor, malhumorado; **to ~ o.s.** santiguarse; **to ~ out** vt tachar; **to ~ over** vi cruzar; ~**bar** n travesaño; (SPORT) larguero; ~**country (race)** n carrera a campo traviesa, cross m; ~**-examination** n repregunta, interrogatorio; ~**-examine** vt repreguntar; ~**-eyed** a bizco; ~**ing** n

(*road*) cruce *m*; (*rail*) paso a nivel; (*sea-passage*) travesía; (*also:* **pedestrian ~ing**) paso para peatones; **~ purposes** *npl*: **to be at ~ purposes** malentenderse uno a otro; **~-reference** *n* contra-rreferencia; **~roads** *n* cruce *m*, encrucijada; **~ section** *n* corte *m* transversal; (*of population*) sección *f* representativa; **~wind** *n* viento de costado; **~word** *n* crucigrama *m*.
crotch [krɔtʃ] *n* (*of garment*) entrepierna.
crotchet [ˈkrɔtʃit] *n* (*MUS*) negra.
crotchety [ˈkrɔtʃiti] *a* (*person*) arisco.
crouch [krautʃ] *vi* agacharse, acurrucarse.
croupier [ˈkruːpiə] *n* crupier *m/f*.
crow [krəu] *n* (*bird*) cuervo; (*of cock*) canto, cacareo // *vi* (*cock*) cantar, cacarear.
crowbar [ˈkrəubɑː*] *n* palanca.
crowd [kraud] *n* muchedumbre *f*; (*SPORT*) público; (*unruly*) tropel *m*; (*common herd*) vulgo // *vt* (*gather*) amontonar; (*fill*) llenar // *vi* (*gather*) reunirse; (*pile up*) amontonarse; **~ed** *a* (*full*) atestado; (*well-attended*) concurrido.
crown [kraun] *n* corona; (*of head*) coronilla; (*of hat*) copa; (*of hill*) cumbre *f* // *vt* coronar; **~ jewels** *npl* joyas *fpl* reales; **~ prince** *n* príncipe *m* heredero.
crucial [ˈkruːʃl] *a* decisivo.
crucifix [ˈkruːsifiks] *n* crucifijo; **~ion** [-ˈfikʃən] *n* crucifixión *f*; **crucify** [-fai] *vt* crucificar.
crude [kruːd] *a* (*materials*) bruto; (*fig: basic*) tosco; (: *vulgar*) ordinario; **~ (oil)** *n* aceite *m* crudo.
cruel [ˈkruəl] *a* cruel; **~ty** *n* crueldad *f*.
cruet [ˈkruːit] *n* angarillas *fpl*.
cruise [kruːz] *n* crucero, viaje *m* por mar // *vi* (*ship*) hacer un crucero; (*car*) circular lentamente; **cruiser** *n* crucero.
crumb [krʌm] *n* miga, migaja.
crumble [ˈkrʌmbl] *vt* desmenuzar // *vi* (*gen*) desmenuzarse; (*building*) desmoronarse; **crumbly** *a* desmenuzable.
crumpet [ˈkrʌmpit] *n* bollo blando.
crumple [ˈkrʌmpl] *vt* (*paper*) estrujar; (*material*) arrugar.
crunch [krʌntʃ] *vt* (*food etc*) mascar; (*underfoot*) hacer crujir // *n* (*fig*) crisis *f*; **~y** *a* crujiente.
crusade [kruːˈseid] *n* cruzada.
crush [krʌʃ] *n* (*people*) agolpamiento; (*crowd*) aglomeración *f*; (*drink*): **lemon ~** limonada // *vt* (*gen*) aplastar; (*paper*) estrujar; (*cloth*) arrugar; (*fruit*) exprimir; **~ing** *a* aplastante; (*burden*) agobiador(a).
crust [krʌst] *n* corteza; (*MED*) costra.
crutch [krʌtʃ] *n* muleta.
crux [krʌks] *n* lo esencial.
cry [krai] *vi* llorar; (*shout*) gritar // *n* grito.
crypt [kript] *n* cripta.
cryptic [ˈkriptik] *a* enigmático, secreto.
crystal [ˈkristl] *n* cristal *m*; **~-clear** *a* transparente, claro como el agua; **crystallize** *vt* cristalizar // *vi* cristalizarse.

cub [kʌb] *n* cachorro.
Cuba [ˈkjuːbə] *n* Cuba; **~n** *a, n* cubano/a.
cubbyhole [ˈkʌbihəul] *n* chiribitil *m*.
cube [kjuːb] *n* cubo; (*of sugar*) terrón *m* // *vt* (*MATH*) cubicar; **~ root** *n* raíz *f* cúbica; **cubic** *a* cúbico.
cubicle [ˈkjuːbikl] *n* (*at pool*) caseta; (*for bed*) camarilla.
cuckoo [ˈkukuː] *n* cuco; **~ clock** *n* reloj *m* de cuclillo.
cucumber [ˈkjuːkʌmbə*] *n* pepino.
cuddle [ˈkʌdl] *vt* abrazar amorosamente // *vi* abrazarse; **cuddly** *a* mimoso.
cue [kjuː] *n* (*snooker*) taco; (*THEATRE etc*) entrada, apunte *m*.
cuff [kʌf] *n* (*of shirt, coat etc*) puño; (*blow*) bofetada; **off the ~** *ad* de improviso; **~links** *npl* gemelos *mpl*.
cuisine [kwiˈziːn] *n* cocina.
cul-de-sac [ˈkʌldəsæk] *n* callejón *m* sin salida.
culinary [ˈkʌlinəri] *a* culinario.
cull [kʌl] *vt* (*flowers*) coger; (*select*) entresacar.
culminate [ˈkʌlmineit] *vi*: **to ~ in** terminar en; **culmination** [-ˈneiʃən] *n* culminación *f*, colmo.
culpable [ˈkʌlpəbl] *a* culpable.
culprit [ˈkʌlprit] *n* (*persona*) culpable, delincuente *m/f*.
cult [kʌlt] *n* culto.
cultivate [ˈkʌltiveit] *vt* (*also fig*) cultivar; **cultivation** [-ˈveiʃən] *n* cultivo; (*fig*) cultura.
cultural [ˈkʌltʃərəl] *a* cultural.
culture [ˈkʌltʃə*] *n* (*also fig*) cultura; **~d** *a* culto.
cumbersome [ˈkʌmbəsəm] *a* molesto, incómodo.
cumulative [ˈkjuːmjulətiv] *a* cumulativo.
cunning [ˈkʌniŋ] *n* astucia // *a* astuto.
cup [kʌp] *n* taza; (*prize, event*) copa.
cupboard [ˈkʌbəd] *n* armario; (*on wall*) alacena.
Cupid [ˈkjuːpid] *n* Cupido.
cupola [ˈkjuːpələ] *n* cúpula.
cup-tie [ˈkʌptai] *n* partido de copa.
cur [kəː] *n* perro de mala raza; (*person*) canalla *m/f*.
curable [ˈkjuərəbl] *a* curable.
curate [ˈkjuərit] *n* cura *m*.
curator [kjuəˈreitə*] *n* director *m*.
curb [kəːb] *vt* refrenar // *n* freno.
curdle [ˈkəːdl] *vi* cuajarse.
curds [kəːdz] *npl* requesón *m*.
cure [kjuə*] *vt* curar // *n* cura, curación *f*.
curfew [ˈkəːfjuː] *n* toque *m* de queda.
curio [ˈkjuəriəu] *n* curiosidad *f*.
curiosity [kjuəriˈɔsiti] *n* curiosidad *f*; **curious** [ˈkjuəriəs] *a* curioso.
curl [kəːl] *n* rizo, bucle *m* // *vt* (*hair*) rizar; (*paper*) arrollar; (*lip*) fruncir // *vi* rizarse; arrollarse; **to ~ up** *vi* arrollarse; (*person*) hacer un ovillo; (*fam*) morirse de risa; **~er** *n* bigudí *m*, chincho; **~y** *a* rizado.

currant ['kʌrnt] n pasa; (black, red) grosella.
currency ['kʌrnsɪ] n moneda.
current ['kʌrnt] n corriente f // a corriente, actual; ~ **account** n cuenta corriente; ~ **affairs** npl actualidades fpl; ~ly ad actualmente.
curriculum [kə'rɪkjuləm], pl ~**s** or **-la** [-lə] n plan m de estudios; ~ **vitae** n currículum m.
curry ['kʌrɪ] n curry m // vt: **to** ~ **favour with** buscar favores con; ~ **powder** n polvos mpl de curry.
curse [kɜːs] vi echar pestes // vt maldecir, echar pestes de // n maldición f; (swearword) palabrota.
cursory ['kɜːsərɪ] a rápido, superficial.
curt [kɜːt] a corto, seco.
curtail [kɜː'teɪl] vt (visit etc) acortar; (expenses etc) restringir.
curtain ['kɜːtn] n cortina; (THEATRE) telón m; ~ **ring** n anilla.
curts(e)y ['kɜːtsɪ] n reverencia // vi hacer una reverencia.
curve [kɜːv] n curva // vt encorvar, torcer // vi encorvarse, torcerse; (road) hacer (una) curva.
cushion ['kuʃən] n cojín m; (SNOOKER) banda // vt (seat) acolchar; (shock) amortiguar.
custard ['kʌstəd] n (for pouring) natilla.
custodian [kʌs'təudɪən] n custodio.
custody ['kʌstədɪ] n custodia; **to take into** ~ detener.
custom ['kʌstəm] n costumbre f; (COMM) clientela; ~**ary** a acostumbrado.
customer ['kʌstəmə*] n cliente m/f.
custom-made ['kʌstəm'meɪd] a hecho a la medida.
customs ['kʌstəmz] npl aduana sg; ~ **duty** n derechos mpl de aduana; ~ **officer** n aduanero.
cut [kʌt], pt, pp **cut** vt cortar; (price) rebajar; (record) grabar; (reduce) reducir // vi cortar; (intersect) cruzarse // n (gen) corte m; (in skin) cortadura; (with sword) tajo; (of knife) cuchillada; (in salary etc) rebaja; (of meat) tajada; **power** ~ apagón m; **to** ~ **a tooth** salirle a uno un diente; **to** ~ **down** vt (tree) derribar; (reduce) reducir; **to** ~ **off** vt (gen) cortar; (retreat) impedir; (troops) cercar; **to** ~ **out** vt (shape) recortar; (delete) suprimir; **to** ~ **through** vi abrirse camino; ~**back** n reducción f.
cute [kjuːt] a lindo; (shrewd) listo.
cuticle ['kjuːtɪkl] n cutícula.
cutlery ['kʌtlərɪ] n cubiertos mpl.
cutlet ['kʌtlɪt] n chuleta.
cut: ~**out** n recortable m; ~-**price** a a precio reducido; ~**throat** n asesino // a intenso.
cutting ['kʌtɪŋ] a (gen) cortante; (remark) mordaz // n (PRESS) recorte m; (RAIL) desmonte m.
cwt abbr of **hundredweight(s).**
cyanide ['saɪənaɪd] n cianuro.

cyclamen ['sɪkləmən] n ciclamen m.
cycle ['saɪkl] n ciclo; (bicycle) bicicleta // vi ir en bicicleta; **cycling** n ciclismo; **cyclist** n ciclista m/f.
cyclone ['saɪkləun] n ciclón m.
cygnet ['sɪgnɪt] n pollo de cisne.
cylinder ['sɪlɪndə*] n cilindro; ~ **block** n bloque m de cilindros; ~ **capacity** n cilindrada; ~ **head** n culata de cilindro; ~-**head gasket** n junta de culata.
cymbals ['sɪmblz] npl platillos mpl.
cynic ['sɪnɪk] n cínico; ~**al** a cínico; ~**ism** ['sɪnɪsɪzəm] n cinismo.
cypress ['saɪprɪs] n ciprés m.
Cypriot ['sɪprɪət] a, n chipriota m/f.
Cyprus ['saɪprəs] n Chipre f.
cyst [sɪst] n quiste m; ~**itis** n cistitis f.
czar [zɑː*] n zar m.
Czech [tʃɛk] a, n checo/a.
Czechoslovakia [tʃɛkəslə'vækɪə] n Checoslovaquia.

D

dab [dæb] vt (eyes, wound) tocar (ligeramente); (paint, cream) mojar ligeramente // n (of paint) brochazo; (of liquid) gota; (amount) pequeña cantidad f.
dabble ['dæbl] vi: **to** ~ **in** interesarse por.
dad [dæd], **daddy** ['dædɪ] n papá m; **daddy-long-legs** n típula.
daffodil ['dæfədɪl] n narciso trompón.
daft [dɑːft] a estúpido, tonto.
dagger ['dægə*] n puñal m, daga; **to look** ~**s at sb** apuñalar a alguien con la mirada.
daily ['deɪlɪ] a diario, cotidiano // n (paper) diario; (domestic help) asistenta // ad a diario, cada día.
dainty ['deɪntɪ] a delicado; (tasteful) elegante, primoroso.
dairy ['dɛərɪ] n (shop) lechería; (on farm) vaquería // a lechero; ~ **farm** n granja; ~ **produce** n productos mpl lácteos.
daisy ['deɪzɪ] n margarita.
dale [deɪl] n valle m.
dam [dæm] n presa // vt represar.
damage ['dæmɪdʒ] n daño, perjuicio; (to machine) avería // vt dañar, perjudicar; averiar; ~**s** npl (LAW) daños y perjuicios.
damn [dæm] vt condenar; (curse) maldecir // n (col): **I don't give a** ~ me trae sin cuidado // a (col) maldito; ~ **(it)!** ¡mecachis!; ~**ing** a (evidence) irrecusable.
damp [dæmp] a húmedo, mojado // n humedad f // vt (also: ~**en**) (cloth, rag) mojar; (enthusiasm etc) desalentar; ~**ness** n humedad f.
damson ['dæmzən] n ciruela damascena.
dance [dɑːns] n baile m // vi bailar; ~ **hall** n salón m de baile; **dancer** n bailador/a m/f; (professional) bailarín/ina m/f; **dancing** n baile m.
dandelion ['dændɪlaɪən] n diente m de león.

dandruff ['dændrəf] *n* caspa.
Dane [deɪn] *n* danés/esa *m/f*.
danger ['deɪndʒə*] *n* peligro; (*risk*) riesgo; ~! (*on sign*) ¡peligro de muerte!; **to be in** ~ **of** correr riesgo de; ~**ous** *a* peligroso; ~**ously** *ad* peligrosamente.
dangle ['dæŋgl] *vt* colgar // *vi* pender, estar colgado.
Danish ['deɪnɪʃ] *a*, *n* danés/esa *m/f*.
dare [dɛə*] *vt*: **to** ~ **sb to do** desafiar a uno a hacer algo // *vi*: **to** ~ (**to**) **do sth** atreverse a hacer algo; ~**devil** *n* temerario, atrevido; **daring** *a* atrevido, osado // *n* atrevimiento, osadía.
dark [dɑːk] *a* (*gen*) oscuro; (*hair, complexion*) moreno; (*cheerless*) triste, sombrío; (*fig*) secreto, escondido // *n* (*gen*) oscuridad *f*; (*night*) tinieblas *fpl*; **to be left in the** ~ **about** (*fig*) quedar sin saber nada de; **after** ~ después del anochecer; ~**en** *vt* oscurecer; (*colour*) hacer más oscuro // *vi* oscurecerse; (*sky*) anublarse; ~ **glasses** *npl* gafas *fpl* oscuras; ~**ness** *n* oscuridad *f*, tinieblas *fpl*; ~ **room** *n* cuarto oscuro.
darling ['dɑːlɪŋ] *a*, *n* querido/a.
darn [dɑːn] *vt* zurcir.
dart [dɑːt] *n* dardo; (*in game*) rehilete *m*; (*in sewing*) sisa // *vi* precipitarse; **to** ~ **away/along** irse/seguir precipitado; ~**board** *n* blanco; ~**s** *n* juego de rehiletes.
dash [dæʃ] *n* (*sign*) guión *m*; (: *long*) raya; (*rush*) carrera // *vt* (*break*) romper, estrellar; (*hopes*) defraudar // *vi* precipitarse, ir de prisa; **to** ~ **away** *or* **off** *vi* marcharse apresuradamente; ~**board** *n* tablero de instrumentos; ~**ing** *a* gallardo.
data ['deɪtə] *npl* datos *mpl*; ~ **processing** *n* procesamiento de datos.
date [deɪt] *n* (*day*) fecha; (*with friend*) cita; (*fruit*) dátil *m*; (*tree*) palmera // *vt* fichar; citar; **to** ~ *ad* hasta la fecha; **out of** ~ fuera de moda; **up to** ~ moderno, al día; ~**d** *a* anticuado.
daub [dɔːb] *vt* manchar.
daughter ['dɔːtə*] *n* hija; ~**-in-law** *n* nuera, hija política.
daunting ['dɔːntɪŋ] *a* desalentador(a).
dawdle ['dɔːdl] *vi* (*waste time*) perder el tiempo; (*go slow*) andar muy despacio.
dawn [dɔːn] *n* alba, amanecer *m* // *vi* (*day*) amanecer; (*fig*): **it** ~**ed on him that...** cayó en la cuenta de que... .
day [deɪ] *n* día *m*; (*working* ~) jornada; **the** ~ **before** el día anterior; **the following** ~ el día siguiente; **by** ~ de día; ~**break** *n* amanecer *m*; ~**dream** *n* ensueño // *vi* soñar despierto; ~**light** *n* luz *f* (del día); ~**time** *n* día *m* // *a* de día.
daze [deɪz] *vt* (*stun*) aturdir // *n*: **in a** ~ aturdido.
dazzle ['dæzl] *vt* deslumbrar; **dazzling** *a* deslumbrante.
dead [dɛd] *a* (*gen*) muerto; (*deceased*) difunto; (*telephone*) cortado; (*ELEC*) sin

corriente // *ad* (*gen*) totalmente; (*exactly*) justo; ~ **tired** muerto de cansancio; **to stop** ~ parar en seco; **the** ~ los muertos; ~**en** *vt* (*blow, sound*) amortiguar; (*make numb*) calmar, aliviar; ~ **end** *n* callejón *m* sin salida; ~ **heat** *n* (*SPORT*) empate *m*; ~**line** *n* fecha *o* hora tope; ~**lock** *n* punto muerto; ~**ly** *a* mortal, fatal; ~**pan** *a* sin expresión.
deaf [dɛf] *a* sordo; ~**-aid** *n* audífono; ~**en** *vt* ensordecer; ~**ening** *a* ensordecedor(a); ~**ness** *n* sordera; ~**-mute** *n* sordomudo/a.
deal [diːl] *n* (*agreement*) pacto, convenio; (*business*) negocio, trato; (*CARDS*) reparto // *vt*, *pt*, *pp* **dealt** [dɛlt] (*gen*) dar; **a great** ~ (**of**) bastante, mucho; **to** ~ **in** tratar en, comerciar en; **to** ~ **with** *vt fus* (*people*) tratar con; (*problem*) ocuparse de; (*subject*) tratar de; (*punish*) castigar; ~**er** *n* comerciante *m*, tratante *m*; (*CARDS*) mano *f*; ~**ings** *npl* transacciones *fpl*; (*relations*) relaciones *fpl*.
dear [dɪə*] *a* querido; (*expensive*) caro // *n*: **my** ~ mi querido/a // *excl*: ~ **me!** ¡Dios mío!; **D**~ **Sir/Madam** (*in letter*) Muy Señor Mío, estimado Señor/estimada Señora; ~**ly** *ad* (*love*) tiernamente; (*pay*) caro.
death [dɛθ] *n* muerte *f*; ~**bed** *n* lecho de muerte; ~ **certificate** *n* partida de defunción; ~ **duties** *npl* (*Brit*) derechos *mpl* de herencia; ~**ly** *a* mortal; (*silence*) profundo; ~ **penalty** *n* pena de muerte; ~ **rate** *n* mortalidad *f*.
debar [dɪ'bɑː*] *vt* (*exclude*) excluir.
debase [dɪ'beɪs] *vt* degradar.
debate [dɪ'beɪt] *n* debate *m* // *vt* discutir.
debauchery [dɪ'bɔːtʃərɪ] *n* libertinaje *m*.
debit ['dɛbɪt] *n* debe *m* // *vt*: **to** ~ **a sum to sb** *or* **to sb's account** cargar una suma en cuenta a alguien.
debris ['dɛbriː] *n* escombros *mpl*.
debt [dɛt] *n* deuda; **to be in** ~ tener deudas; ~**or** *n* deudor/a *m/f*.
début ['deɪbjuː] *n* presentación *f*.
decade ['dɛkeɪd] *n* decenio.
decadence ['dɛkədəns] *n* decadencia.
decay [dɪ'keɪ] *n* decadencia; (*of building*) desmoronamiento; (*fig*) deterioro; (*rotting*) pudrición *f*; (*of tooth*) caries *f* // *vi* (*rot*) pudrirse; (*fig*) decaer.
deceased [dɪ'siːst] *a* difunto.
deceit [dɪ'siːt] *n* engaño; ~**ful** *a* engañoso.
deceive [dɪ'siːv] *vt* engañar.
decelerate [diː'sɛləreɪt] *vt* moderar la marcha de // *vi* decelerar.
December [dɪ'sɛmbə*] *n* diciembre *m*.
decency ['diːsənsɪ] *n* decencia.
decent ['diːsənt] *a* (*proper*) decente; (*person*) amable, bueno.
decentralize [diː'sɛntrəlaɪz] *vt* descentralizar.
deception [dɪ'sɛpʃən] *n* engaño; **deceptive** [-tɪv] *a* engañoso.
decibel ['dɛsɪbɛl] *n* decibel(io) *m*.
decide [dɪ'saɪd] *vt* (*person*) decidir;

(*question, argument*) resolver // *vi* decidir; **to ~ on sth** decidir por algo; **~d** *a* (*resolute*) decidido; (*clear, definite*) indudable; **~dly** [-dıdlı] *ad* decididamente.

deciduous [dı'sıdjuəs] *a* de hoja caduca.

decimal ['desıməl] *a* decimal // *n* decimal *f*; **~ point** *n* coma de decimales.

decimate ['desımeıt] *vt* diezmar.

decipher [dı'saıfə*] *vt* descifrar.

decision [dı'sıʒən] *n* decisión *f*.

decisive [dı'saısıv] *a* decisivo; (*conclusive*) terminante; (*manner*) tajante.

deck [dek] *n* (*NAUT*) cubierta; (*of bus*) piso; (*of cards*) baraja; **~chair** *n* tumbona, hamaca.

declaration [deklə'reıʃən] *n* declaración *f*; **declare** [dı'kleə*] *vt* (*gen*) declarar.

decline [dı'klaın] *n* decaimiento, decadencia; (*lessening*) disminución *f* // *vt* rehusar // *vi* decaer; disminuir; (*fall*) bajar.

declutch ['di:'klʌtʃ] *vi* desembragar.

decode [di:'kəud] *vt* descifrar.

decompose [di:kəm'pəuz] *vi* descomponerse; **decomposition** [di:kɔmpə'zıʃən] *n* descomposición *f*.

decontaminate [di:kən'tæmıneıt] *vt* descontaminar.

décor ['deıkɔ:*] *n* decoración *f*; (*THEATRE*) decorado.

decorate ['dekəreıt] *vt* adornar, decorar; (*paint*) pintar; (*paper*) empapelar; **decoration** [-'reıʃən] *n* adorno; (*act*) decoración *f*; (*medal*) condecoración *f*; **decorator** *n* (*painter*) pintor *m*.

decoy ['di:kɔı] *n* señuelo.

decrease ['di:kri:s] *n* disminución *f* // (*vb*: [di:'kri:s]) *vt* disminuir, reducir // *vi* reducirse.

decree [dı'kri:] *n* decreto; **~ nisi** *n* orden *f* provisional de divorcio.

decrepit [dı'krepıt] *a* decrépito.

dedicate ['dedıkeıt] *vt* dedicar; **dedication** [-'keıʃən] *n* (*devotion*) dedicación *f*; (*in book*) dedicatoria.

deduce [dı'dju:s] *vt* deducir.

deduct [dı'dʌkt] *vt* restar; (*from wage etc*) descontar; **~ion** [dı'dʌkʃən] *n* descuento; (*conclusion*) deducción *f*, conclusión *f*.

deed [di:d] *n* hecho, acto; (*feat*) hazaña; (*LAW*) escritura.

deem [di:m] *vt* juzgar.

deep [di:p] *a* (*gen*) profundo; (*voice*) bajo; (*breath*) profundo, a pleno pulmón; (*person*) insondable // *ad*: **the spectators stood 20 ~** los espectadores se formaron de 20 en fondo; **to be 4 metres ~** tener 4 metros de profundo; **~en** *vt* ahondar, profundizar // *vi* (*darkness*) intensificarse; **~-freeze** *n* congeladora; **~-fry** *vt* freír en aceite abundante; **~-sea diving** *n* buceo de altura; **~-seated** *a* (*beliefs*) (profundamente) arraigado; **~-set** *a* (*eyes*) hundido.

deer [dıə*] *n, pl inv* ciervo; **~skin** *n* gamuza, piel *f* de ciervo.

deface [dı'feıs] *vt* desfigurar, mutilar.

defamation [defə'meıʃən] *n* difamación *f*.

default [dı'fɔ:lt] *vi* no pagar; (*SPORT*) dejar de presentarse // *n*: **by ~** (*LAW*) en rebeldía; (*SPORT*) por no presentarse el adversario; **~er** *n* (*in debt*) moroso/a.

defeat [dı'fi:t] *n* derrota // *vt* derrotar, vencer; (*fig: efforts*) frustrar; **~ist** *a, n* derrotista *m/f*.

defect ['di:fekt] *n* defecto // *vi* [dı'fekt] desertar; **~ive** [dı'fektıv] *a* (*gen*) defectuoso; (*person*) anormal.

defence [dı'fens] *n* defensa; **~less** *a* indefenso.

defend [dı'fend] *vt* defender; **~ant** *n* acusado/a; (*in civil case*) demandado/a; **~er** *n* defensor *m*.

defensive [dı'fensıv] *a* defensivo; **on the ~** a la defensiva.

defer [dı'fə:*] *vt* (*postpone*) aplazar; **to ~ to** diferir a; **~ence** ['defərəns] *n* deferencia, respeto.

defiance [dı'faıəns] *n* desafío; **in ~ of** en contra de; **defiant** [-ənt] *a* (*insolent*) insolente; (*challenging*) retador(a).

deficiency [dı'fıʃənsı] *n* (*lack*) falta; (*defect*) defecto; **deficient** [-ənt] *a* (*lacking*) insuficiente; (*incomplete*) incompleto; (*defective*) defectuoso; (*mentally*) anormal; **deficient in** falto de.

deficit ['defısıt] *n* déficit *m*.

defile [dı'faıl] *vt* manchar, deshonrar.

define [dı'faın] *vt* definir.

definite ['defınıt] *a* (*fixed*) determinado; (*clear, obvious*) claro, categórico; **he was ~ about it** no dejó lugar a dudas (sobre ello); **~ly** *ad* claramente.

definition [defı'nıʃən] *n* definición *f*.

definitive [dı'fınıtıv] *a* definitivo.

deflate [di:'fleıt] *vt* (*gen*) desinflar; (*person*) quitar los humos a.

deflect [dı'flekt] *vt* desviar.

deform [dı'fɔ:m] *vt* deformar; **~ed** *a* deformado; **~ity** *n* deformación *f*.

defraud [dı'frɔ:d] *vt* estafar; **to ~ sb of sth** estafar algo a uno.

defrost [di:'frɔst] *vt* (*fridge*) deshelar, descongelar.

deft [deft] *a* diestro, hábil.

defunct [dı'fʌŋkt] *a* difunto.

defuse [di:'fju:z] *vt* quitar el fusible a.

defy [dı'faı] *vt* (*resist*) oponerse resueltamente a; (*challenge*) desafiar; (*order*) contravenir.

degenerate [dı'dʒenəreıt] *vi* degenerar // *a* [dı'dʒenərıt] degenerado.

degradation [degrə'deıʃən] *n* degradación *f*; **degrading** [dı'greıdıŋ] *a* degradante.

degree [dı'gri:] *n* grado; (*SCOL*) título; **~ in maths** licencia en matemáticas.

dehydrated [di:haı'dreıtıd] *a* deshidratado; (*milk*) en polvo.

de-ice [di:'aıs] *vt* (*windscreen*) deshelar.

deign [deın] *vi*: **to ~ to do** dignarse hacer.

deity ['di:ıtı] *n* deidad *f*, divinidad *f*.

dejected [dı'dʒektıd] *a* abatido,

desanimado; (face) cariacontecido; **dejection** [-ˈʃən] n abatimiento.

delay [dɪˈleɪ] vt demorar, aplazar; (person) entretener; (trains) retrasar // vi tardar // n (gen) dilación f; (a ~) demora, retraso; **without** ~ en seguida, sin tardar.

delegate [ˈdɛlɪgɪt] n delegado/a // vt [ˈdɛlɪgeɪt] delegar; **delegation** [-ˈgeɪʃən] n delegación f.

delete [dɪˈliːt] vt suprimir, tachar.

deliberate [dɪˈlɪbərɪt] a (intentional) intencionado; (slow) pausado, lento // vi [dɪˈlɪbəreɪt] deliberar; ~**ly** ad (on purpose) a propósito; (slowly) pausadamente.

delicacy [ˈdɛlɪkəsɪ] n delicadeza; (choice food) golosina.

delicate [ˈdɛlɪkɪt] a (gen) delicado; (fragile) frágil; (skilled) fino.

delicatessen [dɛlɪkəˈtɛsn] n tienda especializada en comida exótica.

delicious [dɪˈlɪʃəs] a delicioso, rico.

delight [dɪˈlaɪt] n (feeling) placer m, deleite m; (object) encanto, delicia // vi encantar, deleitar; **to take** ~ **in** deleitarse con; ~**ful** a encantador(a), delicioso.

delinquency [dɪˈlɪŋkwənsɪ] n delincuencia; **delinquent** [-ənt] a, n delincuente m/f.

delirious [dɪˈlɪrɪəs] a delirante; **delirium** [-ɪəm] n delirio.

deliver [dɪˈlɪvə*] vt (distribute) repartir; (hand over) entregar; (message) comunicar; (speech) pronunciar; (blow) lanzar, dar; (MED): **to be** ~**ed** dar a luz; ~**y** n reparto; entrega; (distribution) distribución f; (of speaker) modo de expresarse; (MED) parto, alumbramiento; (saving) liberación f; **to take** ~**y of** recibir.

delta [ˈdɛltə] n delta m.

delude [dɪˈluːd] vt engañar.

deluge [ˈdɛljuːdʒ] n diluvio // vt inundar.

delusion [dɪˈluːʒən] n ilusión f, engaño.

de luxe [dəˈlʌks] a de lujo.

delve [dɛlv] vi: **to** ~ **into** ahondar en.

demand [dɪˈmɑːnd] vt (gen) exigir; (rights) reclamar // n (gen) exigencia; (claim) reclamación f; (ECON) demanda; **to be in** ~ ser muy solicitado; **on** ~ a solicitud; ~**ing** a (boss) exigente; (work) absorbente.

demarcation [diːmɑːˈkeɪʃən] n demarcación f.

demean [dɪˈmiːn] vt: **to** ~ **o.s.** rebajarse.

demeanour [dɪˈmiːnə*] n porte m, conducta.

demented [dɪˈmɛntɪd] a demente.

demister [dɪˈmɪstə*] n (AUT) de(s)fumidador m de vapores.

democracy [dɪˈmɔkrəsɪ] n democracia; **democrat** [ˈdɛmɔkræt] n demócrata m/f; **democratic** [dɛmɔˈkrætɪk] a democrático.

demolish [dɪˈmɔlɪʃ] vt derribar, demoler; **demolition** [dɛməˈlɪʃən] n derribo, demolición f.

demonstrate [ˈdɛmənstreɪt] vt demostrar

// vi manifestarse; **demonstration** [-ˈstreɪʃən] n (POL) manifestación f; (proof) prueba, demostración f; **demonstrator** n (POL) manifestante m/f.

demoralize [dɪˈmɔrəlaɪz] vt desmoralizar.

demote [dɪˈməut] vt degradar.

demure [dɪˈmjuə*] a recatado.

den [dɛn] n (of animal) guarida; (study) estudio.

denial [dɪˈnaɪəl] n (refusal) negativa; (of report etc) desmentimiento; **self-**~ abnegación f.

denim [ˈdɛnɪm] n dril m; ~**s** npl vaqueros mpl.

Denmark [ˈdɛnmɑːk] n Dinamarca.

denomination [dɪnɔmɪˈneɪʃən] n valor m; (REL) confesión f.

denominator [dɪˈnɔmɪneɪtə*] n denominador m.

denote [dɪˈnəut] vt indicar, significar.

denounce [dɪˈnauns] vt denunciar.

dense [dɛns] a (thick) espeso; (: foliage etc) tupido; (stupid) torpe, duro de mollera; ~**ly** ad: ~**ly populated** con gran densidad de población.

density [ˈdɛnsɪtɪ] n densidad f.

dent [dɛnt] n abolladura // vt (also: **make a** ~ **in**) abollar.

dental [ˈdɛntl] a dental; ~ **surgeon** n odontólogo.

dentist [ˈdɛntɪst] n dentista m/f; ~**ry** n odontología.

dentures [ˈdɛntʃəz] npl dentadura sg (postiza).

deny [dɪˈnaɪ] vt (gen) negar; (charge) rechazar; (report) desmentir; **to** ~ **o.s.** privarse (de).

deodorant [diːˈəudərənt] n desodorante m.

depart [dɪˈpɑːt] vi irse, marcharse; (train) salir; **to** ~ **from** (fig: differ from) apartarse de.

department [dɪˈpɑːtmənt] n (COMM) sección f; (SCOL) ramo; (POL) ministerio; ~ **store** n gran almacén m.

departure [dɪˈpɑːtʃə*] n partida, ida; (of train) salida; **a new** ~ un nuevo rumbo.

depend [dɪˈpɛnd] vi: **to** ~ **on** depender de; (rely on) contar con; **it** ~**s** ¡depende!, ¡según!; ~**able** a (person) formal, serio; ~**ence** n dependencia; ~**ant**, ~**ent** n dependiente m/f.

depict [dɪˈpɪkt] vt (in picture) pintar; (describe) representar.

depleted [dɪˈpliːtɪd] a reducido.

deplorable [dɪˈplɔːrəbl] a lamentable, deplorable; **deplore** [dɪˈplɔː*] vt lamentar, deplorar.

deploy [dɪˈplɔɪ] vt desplegar.

depopulation [ˈdiːpɔpjuˈleɪʃən] n despoblación f.

deport [dɪˈpɔːt] vt deportar; ~**ation** [-ˈteɪʃən] n deportación f; ~**ment** n comportamiento.

depose [dɪˈpəuz] vt deponer.

deposit [dɪˈpɔzɪt] n (gen) depósito; (CHEM) sedimento; (of ore, oil) yacimiento // vt (*gen*) depositar; ~ **account** *n* cuenta de ahorros; ~**or** *n* cuentacorrentista *m/f.*

depot ['dɛpəu] *n* (*storehouse*) depósito; (*for vehicles*) parque *m.*

depraved [dɪ'preɪvd] *a* depravado, vicioso; **depravity** [-'prævɪtɪ] *n* depravación *f,* vicio.

depreciate [dɪ'pri:ʃɪeɪt] *vi* depreciarse, perder valor; **depreciation** [-'eɪʃən] *n* depreciación *f.*

depress [dɪ'prɛs] *vt* deprimir; (*press down*) presionar; ~**ed** *a* deprimido; ~**ing** *a* deprimente; ~**ion** [dɪ'prɛʃən] *n* depresión *f.*

deprivation [dɛprɪ'veɪʃən] *n* privación *f;* (*loss*) pérdida.

deprive [dɪ'praɪv] *vt:* **to** ~ **sb of** privar a alguien de; ~**d** *a* pobre.

depth [dɛpθ] *n* (*gen*) profundidad *f;* (*of room etc*) fondo; **in the** ~**s of** en lo más hondo de.

deputation [dɛpju'teɪʃən] *n* delegación *f.*

deputize ['dɛpjutaɪz] *vi:* **to** ~ **for sb** sustituir por uno.

deputy ['dɛpjutɪ] *a:* ~ **head** subdirector/a *m/f //* *n* sustituto/a, suplente *m;* (*POL*) diputado; (*agent*) representante *m.*

derail [dɪ'reɪl] *vt:* **to be** ~**ed** descarrilarse; ~**ment** *n* descarrilamiento.

deranged [dɪ'reɪndʒd] *a* (*person*) vuelto loco, trastornado (mentalmente).

derelict ['dɛrɪlɪkt] *a* abandonado.

deride [dɪ'raɪd] *vt* ridiculizar, mofarse de; **derision** [-'rɪʒən] *n* irrisión *f,* mofas *fpl.*

derivative [dɪ'rɪvətɪv] *n* derivado *// a* derivado; (*work*) poco original.

derive [dɪ'raɪv] *vt* derivar *//* *vi:* **to** ~ **from** derivarse de.

dermatitis [dɔ:mə'taɪtɪs] *n* dermatitis *f;* **dermatology** [-'tɔlədʒɪ] *n* dermatología.

derogatory [dɪ'rɔgətərɪ] *a* despectivo.

derrick ['dɛrɪk] *n* torre *f* de perforación.

descend [dɪ'sɛnd] *vt, vi* descender, bajar; **to** ~ **from** descender de; ~**ant** *n* descendiente *m/f.*

descent [dɪ'sɛnt] *n* descenso; (*GEO*) pendiente *m,* declive *m;* (*origin*) descendencia.

describe [dɪs'kraɪb] *vt* describir; **description** [-'krɪpʃən] *n* descripción *f;* (*sort*) clase *f,* género; **descriptive** [-'krɪptɪv] *a* descriptivo.

desecrate ['dɛsɪkreɪt] *vt* profanar.

desert ['dɛzət] *n* desierto *//* (*vb:* [dɪ'zɜ:t]) *vt* abandonar, desamparar *//* *vi* (*MIL*) desertar; ~**er** *n* desertor *m;* ~**ion** [dɪ'zɜ:ʃən] *n* deserción *f.*

deserve [dɪ'zɜ:v] *vt* merecer, ser digno de; **deserving** *a* (*person*) digno; (*action, cause*) meritorio.

design [dɪ'zaɪn] *n* (*sketch*) bosquejo; (*layout, shape*) diseño; (*pattern*) dibujo; (*intention*) propósito, intención *f //* *vt* (*gen*) diseñar; (*plan*) proyectar.

designate ['dɛzɪgneɪt] *vt* (*point to*) señalar; (*appoint*) nombrar; (*destine*)

designar *//* *a* ['dɛzɪgnɪt] designado; **designation** [-'neɪʃən] *n* (*appointment*) nombramiento; (*name*) denominación *f.*

designer [dɪ'zaɪnə*] *n* (*ART*) dibujante *m;* (*TECH*) diseñador *m;* (*fashion* ~) modista *m/f.*

desirable [dɪ'zaɪərəbl] *a* (*proper*) deseable; (*attractive*) atractivo.

desire [dɪ'zaɪə*] *n* deseo *//* *vt* desear.

desk [dɛsk] *n* (*in office*) escritorio; (*for pupil*) pupitre *m;* (*in hotel, at airport*) recepción *f.*

desolate ['dɛsəlɪt] *a* (*place*) desierto; (*person*) afligido; **desolation** [-'leɪʃən] *n* (*of place*) desolación *f;* (*of person*) aflicción *f.*

despair [dɪs'pɛə*] *n* desesperación *f //* *vi:* **to** ~ **of** desesperarse de.

despatch [dɪs'pætʃ] *n, vt* = **dispatch.**

desperate ['dɛspərɪt] *a* desesperado; (*fugitive*) peligroso; ~**ly** *ad* desesperadamente; (*very*) terriblemente, gravemente.

desperation [dɛspə'reɪʃən] *n* desesperación *f;* **in** ~ desesperado.

despicable [dɪs'pɪkəbl] *a* vil, despreciable.

despise [dɪs'paɪz] *vt* despreciar.

despite [dɪs'paɪt] *prep* a pesar de, pese a.

despondent [dɪs'pɔndənt] *a* deprimido, abatido.

dessert [dɪ'zɜ:t] *n* postre *m;* ~**spoon** *n* cuchara (de postre).

destination [dɛstɪ'neɪʃən] *n* destino.

destiny ['dɛstɪnɪ] *n* destino.

destitute ['dɛstɪtju:t] *a* desamparado, indigente.

destroy [dɪs'trɔɪ] *vt* (*gen*) destruir; (*finish*) acabar con; ~**er** *n* (*NAUT*) destructor *m.*

destruction [dɪs'trʌkʃən] *n* destrucción *f;* (*fig*) ruina; **destructive** [-tɪv] *a* destructivo, destructor(a).

detach [dɪ'tætʃ] *vt* separar; (*unstick*) despegar; ~**able** *a* separable; (*TECH*) desmontable; ~**ed** *a* (*attitude*) objetivo, imparcial; (*house*) independiente, solo; ~**ment** *n* (*gen*) separación *f;* (*MIL*) destacamento; (*fig*) objetividad *f,* imparcialidad *f.*

detail ['di:teɪl] *n* detalle *m //* *vt* (*gen*) detallar; (*MIL*) destacar; **in** ~ en detalle; ~**ed** *a* detallado.

detain [dɪ'teɪn] *vt* retener; (*in captivity*) detener.

detect [dɪ'tɛkt] *vt* (*gen*) descubrir; (*MED, POLICE*) identificar; (*MIL, RADAR, TECH*) detectar; ~**ion** [dɪ'tɛkʃən] *n* descubrimiento; identificación *f;* ~**ive** *n* detective *m;* ~**ive story** *n* novela policíaca; ~**or** *n* detector *m.*

détente [deɪ'tɑ:nt] *n* detente *f.*

detention [dɪ'tɛnʃən] *n* detención *f,* arresto.

deter [dɪ'tɜ:*] *vt* (*discourage*) desalentar; (*dissuade*) disuadir; (*prevent*) impedir.

detergent [dɪ'tɜ:dʒənt] *n* detergente.

deteriorate [dɪ'tɪərɪəreɪt] *vi* deteriorarse; **deterioration** [-'reɪʃən] *n* deterioro.

determination [dɪtə:mɪ'neɪʃən] *n* (*gen*)

determinación f; (*resolve*) resolución f.
determine [dı'tɔːmɪn] vt (*gen*) determinar; (*limits etc*) definir; (*dispute*) resolver; ~**d** a (*person*) resuelto.
deterrent [dı'tɛrənt] n fuerza de disuasión.
detest [dı'tɛst] vt aborrecer; ~**able** a aborrecible.
detonate ['dɛtəneıt] vi estallar // vt hacer detonar; **detonator** n detonador m, fulminante m.
detour ['diːtuə*] n rodeo.
detract [dı'trækt] vt: **to** ~ **from** quitar mérito a, desvirtuar.
detriment ['dɛtrımənt] n: **to the** ~ **of** en perjuicio de; ~**al** [dɛtrɪ'mɛntl] a perjudicial (*to* a).
devaluation [dıvæljuːeıʃən] n devaluación f; **devalue** [-'væljuː] vt devaluar.
devastate ['dɛvəsteıt] vt devastar; **he was** ~**d by the news** las noticias le dejaron desolado; **devastating** a devastador(a); (*fig*) arrollador(a).
develop [dı'vɛləp] vt (*gen*) desarrollar; (*PHOT*) revelar; (*disease*) coger; (*engine trouble*) empezar a tener // vi desarrollarse; (*advance*) progresar; (*appear*) aparecer; ~**ing country** país m en desarrollo; ~**ment** n desarrollo; (*advance*) progreso; (*of affair, case*) desenvolvimiento; (*of land*) urbanización f.
deviate ['diːvıeıt] vi desviarse; **deviation** [-'eıʃən] n desviación f.
device [dı'vaıs] n (*scheme*) estratagema f, recurso; (*apparatus*) aparato, mecanismo.
devil ['dɛvl] n diablo, demonio; ~**ish** a diabólico.
devious ['diːvıəs] a intricado, enrevesado; (*person*) taimado.
devise [dı'vaız] vt idear, inventar.
devoid [dı'vɔıd] a: ~ **of** desprovisto de.
devote [dı'vəut] vt: **to** ~ **sth to** dedicar algo a; ~**d** a (*loyal*) leal, fiel; **the book is** ~**d to politics** el libro trata de la política; **devotee** [dɛvəu'tiː] n devoto/a.
devotion [dı'vəuʃən] n dedicación f; (*REL*) devoción f.
devour [dı'vauə*] vt devorar.
devout [dı'vaut] a devoto.
dew [djuː] n rocío.
dexterity [dɛks'tɛrıtı] n destreza.
diabetes [daıə'biːtiːz] n diabetes f; **diabetic** [-'bɛtık] a, n diabético/a.
diagnose [daıəg'nəuz] vt diagnosticar; **diagnosis** [-'nəusıs], pl -**ses** [-'nəusiːz] n diagnóstico.
diagonal [daı'ægənl] a diagonal // n diagonal f.
diagram ['daıəgræm] n diagrama m, esquema m.
dial ['daıəl] n esfera, cuadrante m // vt (*number*) marcar; ~**ling tone** n tono de marcar.
dialect ['daıəlɛkt] n dialecto.
dialogue ['daıələg] n diálogo.
diameter [daı'æmıtə*] n diámetro.

diamond ['daıəmənd] n diamante m; ~**s** npl (*CARDS*) oros mpl.
diaper ['daıəpə*] n (*US*) pañal m.
diaphragm ['daıəfræm] n diafragma m.
diarrhoea, diarrhea (*US*) [daıə'rıːə] n diarrea.
diary ['daıərı] n (*daily account*) diario; (*book*) agenda m.
dice [daıs] n, pl inv dados mpl // vt (*CULIN*) cortar en cuadritos.
dictate [dık'teıt] vt dictar; ~**s** ['dıkteıts] npl dictados mpl; **dictation** [-'teıʃən] n dictado.
dictator [dık'teıtə*] n dictador m; ~**ship** n dictadura.
diction ['dıkʃən] n dicción f.
dictionary ['dıkʃənrı] n diccionario.
did [dıd] pt of **do.**
die [daı] vi morir; **to** ~ **away** vi (*sound, light*) extinguirse lentamente; **to** ~ **down** vi (*gen*) apagarse; (*wind*) amainar; **to** ~ **out** vi desaparecer. extinguirse.
diesel ['diːzəl]: ~ **engine** n motor m Diesel; ~ (**oil**) n gas-oil m.
diet ['daıət] n dieta; (*restricted food*) régimen m // vi (*also*: **be on a** ~) estar a dieta, hacer régimen.
differ ['dıfə*] vi (*be different*) ser distinto de, diferenciarse de; (*disagree*) discrepar; ~**ence** n diferencia; (*quarrel*) desacuerdo; ~**ent** a diferente, distinto; ~**entiate** [-'rɛnʃıeıt] vt distinguir // vi diferenciarse; **to** ~**entiate between** distinguir entre; ~**ently** ad de otro modo, en forma distinta.
difficult ['dıfıkəlt] a difícil; ~**y** n dificultad f.
diffidence ['dıfıdəns] n timidez f; **diffident** [-ənt] a tímido.
diffuse [dı'fjuːs] a difuso // vt [dı'fjuːz] difundir.
dig [dıg], pt, pp **dug** vt (*hole*) cavar; (*garden*) cultivar; (*coal*) extraer; (*nails etc*) hincar // n (*prod*) empujón m; (*archaeological*) excavación f; (*remark*) indirecta; **to** ~ **in** vi atrincherarse; **to** ~ **into** vt (*savings*) consumir; **to** ~ **out** vt (*hole*) excavar; (*fig*) sacar; **to** ~ **up** vt desenterrar; (*plant*) desarraigar.
digest [daı'dʒɛst] vt (*food*) digerir; (*facts*) asimilar // n ['daıdʒɛst] resumen m; ~**ion** [dı'dʒɛstʃən] n digestión f.
digital ['dıdʒıtəl] a digital.
dignified ['dıgnıfaıd] a grave, solemne; (*action*) decoroso.
dignity ['dıgnıtı] n dignidad f.
digress [daı'grɛs] vi: **to** ~ **from** apartarse de; ~**ion** [daı'grɛʃən] n digresión f.
digs [dıgz] npl (*Brit: col*) pensión f, alojamiento.
dilapidated [dı'læpıdeıtıd] a desmoronado, ruinoso.
dilate [daı'leıt] vt dilatar // vi dilatarse.
dilemma [daı'lɛmə] n dilema m.
diligent ['dılıdʒənt] a diligente.
dilute [daı'luːt] vt diluir // a diluido.

dim [dɪm] a (light) débil; (sight) turbio; (outline) indistinto; (stupid) lerdo; (room) oscuro // vt (light) bajar; (AUT) poner a media luz.

dime [daɪm] n (US) moneda de diez centavos.

dimension [dɪ'mɛnʃən] n dimensión f.

diminish [dɪ'mɪnɪʃ] vi disminuirse.

diminutive [dɪ'mɪnjutɪv] a diminuto // n (LING) diminutivo.

dimly ['dɪmlɪ] ad débilmente; (not clearly) indistintamente.

dimple ['dɪmpl] n hoyuelo.

din [dɪn] n estruendo, estrépito.

dine [daɪn] vi cenar; **diner** n (person) comensal m/f; (RAIL) = **dining car**.

dinghy ['dɪŋgɪ] n bote m; **rubber** ~ lancha (neumática).

dingy ['dɪndʒɪ] a (room) sombrío; (dirty) sucio; (dull) deslucido.

dining ['daɪnɪŋ]: ~ **car** n coche-comedor m; ~ **room** n comedor m.

dinner ['dɪnə*] n (evening meal) cena; (lunch) comida; (public) cena, banquete m; ~ **jacket** n smoking m; ~ **party** n cena; ~ **time** n hora de cenar o comer.

diocese ['daɪəsɪs] n diócesis f.

dip [dɪp] n (slope) pendiente m; (in sea) baño // vt (in water) mojar; (ladle etc) meter; (AUT: lights) poner a media luz // vi inclinarse hacia abajo.

diphtheria [dɪf'θɪərɪə] n difteria.

diploma [dɪ'pləumə] n diploma m.

diplomacy [dɪ'pləuməsɪ] n diplomacia; **diplomat** ['dɪpləmæt] n diplomático; **diplomatic** [dɪplə'mætɪk] a diplomático.

dipstick ['dɪpstɪk] n (AUT) varilla graduada, indicador m de nivel (del aceite).

dire [daɪə*] a calamitoso.

direct [daɪ'rɛkt] a (gen) directo // vt dirigir; **can you** ~ **me to...?** ¿puede indicarme dónde está...?

direction [dɪ'rɛkʃən] n dirección f; ~**s** npl (advice) órdenes fpl, instrucciones fpl; ~**s for use** modo de empleo.

directly [dɪ'rɛktlɪ] ad (in straight line) directamente; (at once) en seguida.

director [dɪ'rɛktə*] n director m; **managing** ~ director gerente.

directory [dɪ'rɛktərɪ] n (TEL) guía (telefónica).

dirt [dəːt] n suciedad f; ~**-cheap** a tirado, muy barato; ~**y** a sucio; (joke) verde // vt ensuciar; (stain) manchar; ~**y trick** n juego sucio.

disability [dɪsə'bɪlɪtɪ] n incapacidad f; **disabled** [dɪs'eɪbld] a disminuido, minusválido.

disadvantage [dɪsəd'vɑːntɪdʒ] n desventaja, inconveniente m.

disagree [dɪsə'griː] vi (differ) discrepar; (be against, think otherwise): **to** ~ **(with)** no estar de acuerdo (con); ~**able** a desagradable; ~**ment** n (gen) desacuerdo; (quarrel) riña.

disallow ['dɪsə'lau] vt (goal) anular.

disappear [dɪsə'pɪə*] vi desaparecer; ~**ance** n desaparición f.

disappoint [dɪsə'pɔɪnt] vt decepcionar; (hopes) defraudar; ~**ing** a decepcionante; ~**ment** n decepción f.

disapproval [dɪsə'pruːvəl] n desaprobación f.

disapprove [dɪsə'pruːv] vi: **to** ~ **of** desaprobar.

disarm [dɪs'ɑːm] vt desarmar; ~**ament** n desarme m; ~**ing** a encantador(a).

disaster [dɪ'zɑːstə*] n desastre m; **disastrous** a desastroso.

disband [dɪs'bænd] vt disolver // vi desbandarse.

disbelief [dɪsbə'liːf] n incredulidad f.

disc [dɪsk] n disco.

discard [dɪs'kɑːd] vt (old things) tirar; (fig) descartar.

discern [dɪ'səːn] vt percibir, discernir; ~**ing** a perspicaz.

discharge [dɪs'tʃɑːdʒ] vt (duties) cumplir, desempeñar; (ship etc) descargar; (patient) dar de alta; (employee) despedir; (soldier) licenciar; (defendant) poner en libertad // n ['dɪstʃɑːdʒ] (ELEC) descarga; (dismissal) despedida; (of duty) desempeño; (of debt) pago, descargo.

disciple [dɪ'saɪpl] n discípulo.

discipline ['dɪsɪplɪn] n disciplina // vt disciplinar.

disclaim [dɪs'kleɪm] vt negar.

disclose [dɪs'kləuz] vt revelar; **disclosure** [-'kləuʒə*] n revelación f.

disco ['dɪskəu] n abbr of **discothèque.**

discoloured [dɪs'kʌləd] a descolorado.

discomfort [dɪs'kʌmfət] n incomodidad f; (unease) inquietud f; (physical) malestar m.

disconcert [dɪskən'səːt] vt desconcertar.

disconnect [dɪskə'nɛkt] vt (gen) separar; (ELEC etc) desconectar.

discontent [dɪskən'tɛnt] n descontento; ~**ed** a descontento.

discontinue [dɪskən'tɪnjuː] vt interrumpir; (payments) suspender.

discord ['dɪskɔːd] n discordia; (MUS) disonancia; ~**ant** [dɪs'kɔːdənt] a disonante.

discothèque ['dɪskəutɛk] n discoteca.

discount ['dɪskaunt] n descuento // vt [dɪs-'kaunt] descontar.

discourage [dɪs'kʌrɪdʒ] vt desalentar; (oppose) oponerse a; **discouraging** a desalentador(a).

discourteous [dɪs'kəːtɪəs] a descortés.

discover [dɪs'kʌvə*] vt descubrir; ~**y** n descubrimiento.

discredit [dɪs'krɛdɪt] vt desacreditar.

discreet [dɪ'skriːt] a (tactful) discreto; (careful) circunspecto, prudente; ~**ly** ad discretamente.

discrepancy [dɪ'skrɛpənsɪ] n (difference) diferencia; (disagreement) discrepancia.

discretion [dɪ'skrɛʃən] n (tact) discreción f; (care) prudencia, circunspección f.

discriminate [dɪ'skrɪmɪneɪt] *vi*: **to ~ between** distinguir entre; **to ~ against** discriminar contra; **discriminating** *a* perspicaz; **discrimination** [-'neɪʃən] *n* (*discernment*) perspicacia; (*bias*) discriminación *f*.

discuss [dɪ'skʌs] *vt* (*gen*) discutir; (*a theme*) tratar; **~ion** [dɪ'skʌʃən] *n* discusión *f*.

disdain [dɪs'deɪn] *n* desdén *m* // *vt* desdeñar.

disease [dɪ'ziːz] *n* enfermedad *f*.

disembark [dɪsɪm'bɑːk] *vt, vi* desembarcar.

disengage [dɪsɪn'geɪdʒ] *vt* soltar; (*clutch*) desembragar.

disentangle [dɪsɪn'tæŋgl] *vt* desenredar.

disfigure [dɪs'fɪgə*] *vt* desfigurar.

disgrace [dɪs'greɪs] *n* ignominia; (*downfall*) caída; (*shame*) vergüenza, escándalo // *vt* deshonrar; **~ful** *a* vergonzoso; (*behaviour*) escandaloso.

disgruntled [dɪs'grʌntld] *a* disgustado, malhumorado.

disguise [dɪs'gaɪz] *n* disfraz *m* // *vt* disfrazar; **in ~** disfrazado.

disgust [dɪs'gʌst] *n* repugnancia // *vt* repugnar, dar asco a; **~ing** *a* repugnante, asqueroso.

dish [dɪʃ] *n* (*gen*) plato; **to do** *or* **wash the ~es** fregar los platos; **to ~ up** *vt* servir; **to ~ out** *vt* repartir; **~cloth** *n* paño de cocina, bayeta.

dishearten [dɪs'hɑːtn] *vt* desalentar.

dishevelled [dɪ'ʃevəld] *a* despeinado, desmelenado.

dishonest [dɪs'ɒnɪst] *a* (*person*) poco honrado, tramposo; (*means*) fraudulento; **~y** *n* falta de honradez.

dishonour [dɪs'ɒnə*] *n* deshonra; **~able** *a* deshonroso.

dishwasher ['dɪʃwɒʃə*] *n* lavaplatos *m inv*; (*person*) friegaplatos *m/f inv*.

disillusion [dɪsɪ'luːʒən] *vt* desilusionar.

disinfect [dɪsɪn'fekt] *vt* desinfectar; **~ant** *n* desinfectante *m*.

disintegrate [dɪs'ɪntɪgreɪt] *vi* disgregarse, desintegrarse.

disinterested [dɪs'ɪntrəstɪd] *a* desinteresado.

disjointed [dɪs'dʒɔɪntɪd] *a* inconexo.

disk [dɪsk] *n* = **disc.**

dislike [dɪs'laɪk] *n* antipatía, aversión *f* // *vt* tener antipatía a.

dislocate ['dɪsləkeɪt] *vt* dislocar.

dislodge [dɪs'lɒdʒ] *vt* sacar; (*enemy*) desalojar.

disloyal [dɪs'lɔɪəl] *a* desleal.

dismal ['dɪzml] *a* (*dark*) sombrío; (*depressing*) triste; (*depressed*) abatido; (*very bad*) fatal.

dismantle [dɪs'mæntl] *vt* desmontar, desarmar.

dismay [dɪs'meɪ] *n* consternación *f* // *vt* consternar.

dismiss [dɪs'mɪs] *vt* (*worker*) despedir;

(*official*) destituir; (*idea, LAW*) rechazar; (*possibility*) descartar // *vi* (*MIL*) romper filas; **~al** *n* despedida; destitución *f*.

dismount [dɪs'maʊnt] *vi* apearse.

disobedience [dɪsə'biːdɪəns] *n* desobediencia; **disobedient** [-ənt] *a* desobediente.

disobey [dɪsə'beɪ] *vt* desobedecer.

disorder [dɪs'ɔːdə*] *n* desorden *m*; (*rioting*) disturbio; (*MED*) trastorno; (*disease*) enfermedad *f*; **~ly** *a* (*untidy*) desordenado; (*meeting*) alborotado; (*conduct*) escandaloso.

disorganized [dɪs'ɔːgənaɪzd] *a* desorganizado.

disorientated [dɪs'ɔːrɪenteɪtəd] *a* desorientado.

disown [dɪs'əʊn] *vt* desconocer.

disparaging [dɪs'pærɪdʒɪŋ] *a* despreciativo.

disparity [dɪs'pærɪtɪ] *n* disparidad *f*.

dispatch [dɪs'pætʃ] *vt* enviar; (*kill*) despachar // *n* (*sending*) envío; (*speed*) prontitud *f*; (*PRESS*) informe *m*; (*MIL*) parte *m*.

dispel [dɪs'pel] *vt* disipar, dispersar.

dispensary [dɪs'pensərɪ] *n* dispensario, farmacia.

dispense [dɪs'pens] *vt* dispensar, repartir; **to ~ with** *vt fus* prescindir de; **dispenser** *n* (*container*) distribuidor *m* automático; **dispensing chemist** *n* farmacéutico.

dispersal [dɪs'pɔːsl] *n* dispersión *f*; **disperse** [-'pɔːs] *vt* dispersar // *vi* dispersarse.

displace [dɪs'pleɪs] *vt* (*shift*) sacar de su sitio; **~d person** *n* (*POL*) desplazado/a; **~ment** *n* cambio de sitio.

display [dɪs'pleɪ] *n* (*exhibition*) exposición *f*; (*MIL*) alarde *m*; (*of feeling*) manifestación *f*; (*pej*) aparato, pompa // *vt* exponer; manifestar; (*ostentatiously*) lucir.

displease [dɪs'pliːz] *vt* (*offend*) ofender; (*annoy*) enojar, enfadar; (*be unpleasant to*) desagradar; **~d with** disgustado con; **displeasure** [-'pleʒə*] *n* disgusto.

disposable [dɪs'pəʊzəbl] *a* para (usar y) tirar.

disposal [dɪs'pəʊzl] *n* (*sale*) venta; (*of house*) traspaso; (*arrangement*) colocación *f*; (*of rubbish*) destrucción *f*; **at one's ~** a disposición de uno.

dispose [dɪs'pəʊz] *vt*: **to ~ of** (*time, money*) disponer de; (*unwanted goods*) deshacerse de; (*throw away*) tirar; **~d a**: **~d to do** dispuesto a hacer; **disposition** [-'zɪʃən] *n* disposición *f*.

disproportionate [dɪsprə'pɔːʃənət] *a* desproporcionado.

disprove [dɪs'pruːv] *vt* refutar.

dispute [dɪs'pjuːt] *n* disputa; (*verbal*) discusión *f*; (*also*: **industrial ~**) conflicto (laboral) // *vt* (*argue*) disputar; (*question*) cuestionar.

disqualification [dɪskwɒlɪfɪ'keɪʃən] *n*

inhabilitación f; (SPORT, from driving) descalificación f.

disqualify [dɪs'kwɔlɪfaɪ] vt (SPORT) descalificar; **to ~ sb for sth/from doing sth** inhabilitar a alguien para algo/hacer algo.

disregard [dɪsrɪ'gɑːd] vt desatender; (ignore) no hacer caso de.

disrepair [dɪsrɪ'pɛə*] n: **to fall into ~** desmoronarse.

disreputable [dɪs'rɛpjutəbl] a (person) de mala fama; (behaviour) vergonzoso.

disrespectful [dɪsrɪ'spɛktful] a irrespetuoso.

disrupt [dɪs'rʌpt] vt (plans) desbaratar; (conversation) interrumpir; **~ion** [-'rʌpʃən] n trastorno; desbaratamiento; interrupción f.

dissatisfaction [dɪssætɪs'fækʃən] n disgusto, descontento; **dissatisfied** [-'sætɪsfaɪd] a insatisfecho.

dissect [dɪ'sɛkt] vt disecar.

dissent [dɪ'sɛnt] n disensión f.

disservice [dɪs'sɔːvɪs] n: **to do sb a ~** perjudicar a alguien.

dissident ['dɪsɪdnt] a, n disidente m/f.

dissipate ['dɪsɪpeɪt] vt disipar; (waste) desperdiciar.

dissociate [dɪ'səuʃɪeɪt] vt disociar.

dissolute ['dɪsəluːt] a disoluto.

dissolve [dɪ'zɔlv] vt disolver // vi disolverse.

dissuade [dɪ'sweɪd] vt: **to ~ sb (from)** disuadir a alguien (de).

distance ['dɪstns] n distancia; **in the ~** a lo lejos.

distant ['dɪstnt] a lejano; (manner) reservado, frío.

distaste [dɪs'teɪst] n repugnancia; **~ful** a repugnante, desagradable.

distil [dɪs'tɪl] vt destilar; **~lery** n destilería.

distinct [dɪs'tɪŋkt] a (different) distinto; (clear) claro; (unmistakeable) inequívoco; **as ~ from** a diferencia de; **~ion** [dɪs-'tɪŋkʃən] n distinción f; (in exam) sobresaliente m; **~ive** a distintivo; **~ly** ad claramente.

distinguish [dɪs'tɪŋgwɪʃ] vt distinguir; **~ed** a (eminent) distinguido; **~ing** a (feature) distintivo.

distort [dɪs'tɔːt] vt torcer, retorcer; **~ion** [dɪs'tɔːʃən] n deformación f; (of sound) distorsión f.

distract [dɪs'trækt] vt distraer; (attention) apartar; (bewilder) aturdir; **~ed** a distraído; **~ion** [dɪs'trækʃən] n distracción f; (confusion) aturdimiento; (amusement) diversión f.

distraught [dɪs'trɔːt] a turbado, enloquecido.

distress [dɪs'trɛs] n (anguish) angustia; (misfortune) desgracia; (want) miseria; (pain) dolor m; (danger) peligro // vt (cause anguish) apenar, afligir; (pain) doler; **~ing** a doloroso; **~ signal** n señal f de socorro.

distribute [dɪs'trɪbjuːt] vt (gen) distribuir; (share out) repartir; **distribution** [-'bjuːʃən] n distribución f; **distributor** n (AUT) distribuidor m; (COMM) distribuidora.

district ['dɪstrɪkt] n (of country) zona, región f; (of town) barrio; (ADMIN) distrito; **~ attorney** n (US) fiscal m/f; **~ nurse** n (Brit) enfermera que asiste a domicilio.

distrust [dɪs'trʌst] n desconfianza // vt desconfiar de.

disturb [dɪs'tɔːb] vt (gen) perturbar; (bother) molestar; (interrupt) interrumpir; (upset) trastornar; (disorganize) desordenar; **~ance** n (gen) perturbación f; (political etc) disturbio; (violence) alboroto; (of mind) trastorno; **~ing** a inquietante, perturbador(a).

disuse [dɪs'juːs] n: **to fall into ~** caer en desuso.

disused [dɪs'juːzd] a abandonado.

ditch [dɪtʃ] n zanja; (irrigation ~) acequia // vt (col) deshacerse de.

dither ['dɪðə*] vi vacilar.

ditto ['dɪtəu] ad ídem, lo mismo.

divan [dɪ'væn] n diván m.

dive [daɪv] n (from board) salto; (underwater) buceo; (of submarine) sumersión f; (AVIAT) picada // vi saltar; bucear; sumergirse; picar; **diver** n (SPORT) saltador/a m/f; (underwater) buzo.

diverge [daɪ'vɔːdʒ] vi divergir.

diverse [daɪ'vɔːs] a diversos(as), varios(as).

diversify [daɪ'vɔːsɪfaɪ] vt diversificar.

diversion [daɪ'vɔːʃən] n (AUT) desviación f; (distraction, MIL) diversión f.

diversity [daɪ'vɔːsɪtɪ] n diversidad f.

divert [daɪ'vɔːt] vt (turn aside) desviar; (amuse) divertir.

divest [daɪ'vɛst] vt: **to ~ sb of sth** despojar a alguien de algo.

divide [dɪ'vaɪd] vt dividir; (separate) separar // vi dividirse; (road) bifurcarse.

dividend ['dɪvɪdɛnd] n dividendo; (fig) beneficio.

divine [dɪ'vaɪn] a divino.

diving ['daɪvɪŋ] n (SPORT) salto; (underwater) buceo; **~ board** n trampolín m; **~ suit** n escafandra.

divinity [dɪ'vɪnɪtɪ] n divinidad f; (SCOL) teología.

division [dɪ'vɪʒən] n división f; (sharing out) repartimiento; (disagreement) discordia; (POL) votación f.

divorce [dɪ'vɔːs] n divorcio // vt divorciarse de; **~d** a divorciado; **divorcee** [-'siː] n divorciado/a.

divulge [daɪ'vʌldʒ] vt divulgar, revelar.

D.I.Y. a, n abbr of **do-it-yourself.**

dizziness ['dɪzɪnɪs] n vértigo.

dizzy ['dɪzɪ] a (person) mareado; (height) vertiginoso; **to feel ~** marearse, estar mareado.

DJ n abbr of **disc jockey.**

do [duː], pt **did**, pp **done** vt, vi (gen) hacer; (speed) ir a; (THEATRE) representar // n (col) fiesta; **he didn't laugh** no se rió; **she swims better than I** ~ nada mejor que yo; **he laughed, didn't he?** se rió ¿no?; **that will ~!** ¡basta!; **to make ~ with** contentarse con; ~ **you agree?** ¿está Usted de acuerdo?; **to ~ one's hair** (comb) peinarse; (style) arreglarse el pelo; **will it ~?** ¿sirve?, ¿conviene?; **to ~ well** prosperar, tener éxito; **to ~ without sth** prescindir de algo; **to ~ away with** vt fus (kill) exterminar; (suppress) suprimir; **to ~ up** vt (laces) liar, atar; (room) renovar.

docile ['dɔusaɪl] a dócil.

dock [dɔk] n (NAUT) muelle m; (LAW) banquillo (de los acusados); ~**s** npl muelles mpl, puerto // vi (arrive) llegar; (enter ~) atracar el muelle; (pay etc) rebajar; ~**er** n trabajador m portuario, estibador m; ~**yard** n astillero.

doctor ['dɔktə*] n médico; (Ph.D. etc) doctor/a m/f // vt (fig) arreglar, falsificar; (drink etc) adulterar.

doctrine ['dɔktrɪn] n doctrina.

document ['dɔkjumənt] n documento; ~**ary** [-'mɛntərɪ] a documental // n documental m; ~**ation** [-'teɪʃən] n documentación f.

dodge [dɔdʒ] n (of body) regate m; (fig) truco // vt (gen) evadir; (blow) esquivar.

dodgems ['dɔdʒəmz] npl coches mpl de choque.

dog [dɔg] n perro // vt seguir los pasos de; ~ **biscuits** npl galletas fpl de perro; ~ **collar** n collar m de perro; (fig) cuello de cura.

dogged ['dɔgɪd] a tenaz, obstinado.

dogma ['dɔgmə] n dogma m; ~**tic** [-'mætɪk] a dogmático.

doings ['duɪŋz] npl (events) sucesos mpl; (acts) hechos mpl.

do-it-yourself [duːɪtjɔː'sɛlf] n bricolaje m.

doldrums ['dɔldrəmz] npl: **to be in the ~** (person) estar abatido; (business) estar encalmado.

dole [dɔul] n (Brit) (payment) subsidio de paro; **on the ~** parado; **to ~ out** vt repartir.

doleful ['dɔulful] a triste, lúgubre.

doll [dɔl] n muñeca; **to ~ o.s. up** ataviarse.

dollar ['dɔlə*] n dólar m.

dolphin ['dɔlfɪn] n delfín m.

domain [də'meɪn] n campo, competencia; (empire) dominio.

dome [dɔum] n (ARCH) cúpula; (shape) bóveda.

domestic [də'mɛstɪk] a (gen) doméstico; (national) nacional; (home-loving) hogareño; (internal: trade) interior; (: strife) interno; ~**ated** a domesticado; (home-loving) casero, hogareño.

dominant ['dɔmɪnənt] a dominante.

dominate ['dɔmɪneɪt] vt dominar; **domination** [-'neɪʃən] n dominación f.

domineering [dɔmɪ'nɪərɪŋ] a dominante.

dominion [də'mɪnɪən] n dominio.

domino ['dɔmɪnəu], pl ~**es** n ficha de dominó; ~**es** n (game) dominó.

donate [də'neɪt] vt donar; **donation** [də'neɪʃən] n donativo.

done [dʌn] pp of **do.**

donkey ['dɔŋkɪ] n burro.

donor ['dɔunə*] n donante m/f.

don't [dɔunt] = **do not.**

doom [duːm] n (fate) suerte f; (death) muerte f // vt: **to be ~ed to failure** ser condenado al fracaso.

door [dɔː*] n puerta; (entry) entrada; **next ~** en la casa de al lado; ~ **bell** n timbre m; ~ **handle** n tirador m; (of car) manija; ~ **knocker** n aldaba; ~**man** n (in hotel) portero; ~**mat** n felpudo, estera; ~**step** n peldaño.

dope [dɔup] n (col: person) imbécil m/f // vt (horse etc) drogar.

dopey ['dɔupɪ] a (dizzy) mareado.

dormant ['dɔːmənt] a inactivo; (latent) latente.

dormitory ['dɔːmɪtrɪ] n dormitorio.

dormouse ['dɔːmaus], pl **-mice** [-maɪs] n lirón m.

dosage ['dɔusɪdʒ] n dósis f inv.

dose [dɔus] n dósis f inv // vt: **to ~ o.s.** medicinarse.

doss house ['dɔss-] n pensión f de mala muerte.

dot [dɔt] n punto; ~**ted with** salpicado de; **on the ~** en punto.

dote [dɔut]: **to ~ on** vt fus adorar, idolatrar.

double ['dʌbl] a doble // ad (twice): **to cost ~** costar el doble // n (gen) doble m // vt doblar; (efforts) redoblar // vi doblarse; **at the ~** corriendo; ~**s** n (TENNIS) juego de dobles; ~ **bass** n contrabajo; ~ **bed** n cama matrimonial; ~ **bend** n doble curva; ~-**breasted** a cruzado; ~**cross** vt (trick) engañar; (betray) traicionar; ~**decker** n autobús m de dos pisos; ~ **room** n cuarto para dos; **doubly** ad doblemente.

doubt [daut] n duda // vt dudar; (suspect) dudar de; **to ~ that** dudar que; **there is no ~ that** no cabe duda de que; ~**ful** a dudoso; (person) sospechoso; ~**less** ad sin duda.

dough [dɔu] n masa, pasta; ~**nut** n buñuelo.

dove [dʌv] n paloma; ~**tail** vi (fig) encajar.

dowdy ['daudɪ] a desaliñado; (inelegant) poco elegante.

down [daun] n (fluff) pelusa; (feathers) plumón m, flojel m // (~ wards) abajo, hacia abajo; (on the ground) por/en tierra // prep abajo // vt (col: drink) beberse; (: food) devorar; **the D~s** zona de colinas del sur de Inglaterra; ~ **with X!** ¡abajo X!; ~-**at-heel** a venido a menos; (appearance) desaliñado; ~**cast** a abatido; ~**fall** n caída, ruina; ~**hearted** a desanimado; ~**hill** ad: **to go ~hill** ir cuesta abajo; ~ **payment** n enganche m,

pago al contado; ~**pour** n aguacero;
~**right** a (clear) manifiesto; (out-and-out)
terminante, definitivo; ~**stairs** ad
(below) (en la casa) de abajo; (~wards)
escaleras abajo; ~**stream** ad aguas o río
abajo; ~**-to-earth** a práctico; ~**town** ad
en el centro de la ciudad; ~**ward** a, ad,
~**wards** ad hacia abajo.

dowry ['daurɪ] n dote f.

doz. abbr of **dozen.**

doze [dəuz] vi dormitar; **to** ~ **off** vi
quedarse medio dormido.

dozen ['dʌzn] n docena.

Dr. abbr of **doctor; drive.**

drab [dræb] a gris, monótono.

draft [drɑːft] n (first copy) borrador m;
(COMM) giro; (US: call-up) quinta // vt
(plan) redactar; (send) mandar;
(conscript) quintar; (write roughly) hacer
un borrador de; see also **draught.**

drag [dræg] vt arrastrar; (river) dragar,
rastrear // vi arrastrarse por el suelo // n
(col) lata; **to** ~ **on** vi ser interminable.

dragonfly ['drægənflaɪ] n libélula.

drain [dreɪn] n desaguadero; (in street)
sumidero; (source of loss) desagüe m; (loss)
pérdida; (on resources) sumidero // vt
(land, marshes) desaguar; (MED) drenar;
(reservoir) desecar; (fig) agotar // vi
escurrirse; ~**age** n (act) desagüe m;
(MED, AGR) drenaje m; (sewage)
alcantarillado; ~**ing board,** ~**board**
(US) n escurridera, escurridor m; ~**pipe**
n tubo de desagüe.

dram [dræm] n (drink) trago.

drama ['drɑːmə] n (art) teatro; (play)
drama m; ~**tic** [drə'mætɪk] a dramático;
~**tist** ['dræmətɪst] n dramaturgo.

drank [dræŋk] pt of **drink.**

drape [dreɪp] vt cubrir; ~**s** npl (US)
cortinas fpl; **draper** n pañero.

drastic ['dræstɪk] a (measure) severo;
(change) radical; (forceful) enérgico.

draught [drɑːft] n (of air) corriente f;
(drink) trago; (NAUT) calado; ~**s** n juego
de damas; **on** ~ (beer) de barril; ~**board**
n tablero de damas.

draughtsman ['drɑːftsmən] n proyectista
m, delineante m.

draw [drɔː], pt **drew**, pp **drawn** vt (pull)
tirar; (take out) sacar; (attract) atraer;
(picture) dibujar; (money) retirar // vi
(SPORT) empatar // n (SPORT) empate m;
(lottery) sorteo; (attraction) atracción f; **to**
~ **near** vi acercarse; **to** ~ **out** vi
(lengthen) alargar; **to** ~ **up** vi (stop)
pararse // vt (document) redactar;
~**back** n inconveniente m, desventaja;
~**bridge** n puente m levadizo.

drawer [drɔː*] n cajón m.

drawing ['drɔːɪŋ] n dibujo; ~ **board** n
tablero (de dibujante); ~ **pin** n chinche
m; ~ **room** n salón m.

drawl [drɔːl] n habla lenta y cansina.

drawn [drɔːn] pp of **draw.**

dread [drɛd] n pavor m, terror m // vt

temer, tener miedo o pavor a; ~**ful** a
espantoso.

dream [driːm] n sueño // vt, vi, pt, pp
dreamed or **dreamt** [drɛmt] soñar; ~**er**
n soñador/a m/f; ~**y** a (distracted)
soñador(a), distraído; (music) de sueño.

dreary ['drɪərɪ] a monótono, aburrido.

dredge [drɛdʒ] vt dragar; **dredger** n
(ship) draga; (also: **sugar dredger**)
espolvoreador m.

dregs [drɛgz] npl heces fpl.

drench [drɛntʃ] vt empapar; **to get** ~**ed**
mojarse hasta los huesos.

dress [drɛs] n vestido; (clothing) ropa // vt
vestir; (wound) vendar; (CULIN) aliñar // vi
vestirse; **to** ~ **up** vi vestirse de etiqueta;
(in fancy dress) disfrazarse; ~ **circle** n
principal m; ~**er** n (furniture) aparador
m; (: US) cómoda con espejo; ~**ing** n
(MED) vendaje m; (CULIN) aliño; ~**ing
gown** n bata; ~**ing room** n (THEATRE)
camarín m; (SPORT) vestidor m; ~**ing
table** n tocador m; ~**maker** n modista,
costurera; ~**making** n costura; ~
rehearsal n ensayo general; ~ **shirt** n
camisa de frac.

drew [druː] pt of **draw.**

dribble ['drɪbl] vi gotear, caer gota a gota;
(baby) babear // vt (ball) regatear.

dried [draɪd] a (gen) seco; (fruit) paso;
(milk) en polvo.

drift [drɪft] n (of current etc) velocidad f;
(of sand etc) montón m; (distance off
course) deriva; (meaning) significado // vi
(boat) ir a la deriva; (sand, snow)
amontonarse; ~**wood** n madera de
deriva.

drill [drɪl] n taladro; (bit) broca; (of dentist)
fresa; (for mining etc) perforadora,
barrena; (MIL) instrucción f // vt perforar,
taladrar // vi (for oil) perforar.

drink [drɪŋk] n bebida // vt, vi, pt **drank,**
pp **drunk** beber; **to have a** ~ tomar;
~**er** n bebedor/a m/f; ~**ing water** n
agua potable.

drip [drɪp] n (act) goteo; (one ~) gota;
(MED) gota a gota m // vi gotear, caer gota
a gota; ~**-dry** a (shirt) de lava y pon;
~**ping** n pringue m; ~**ping wet** a
calado.

drive [draɪv] n paseo (en coche); (journey)
viaje m; (also: ~**way**) entrada; (energy)
energía, vigor m; (PSYCH) impulso; (SPORT)
ataque m // (vb: pt **drove,** pp **driven**
['drɪvn]) vt (car) conducir; (urge) hacer
trabajar; (by power) mover; (nail) clavar;
(push) empujar; (TECH. motor) impulsar //
vi (AUT. at controls) conducir; (: travel)
pasearse en coche; **left-/right-hand** ~
conducción f a la izquierda/derecha.

driver ['draɪvə*] n conductor m; (of taxi,
bus) chofer m; ~**'s license** n (US)
permiso de conducir.

driving ['draɪvɪŋ] n el conducir,
automovilismo; ~ **instructor** n instructor
m de conducción; ~ **lesson** n clase f de
conducción; ~ **licence** n (Brit) permiso

de conducir; ~ **mirror** *n* retrovisor *m*; ~ **school** *n* autoescuela; ~ **test** *n* examen *m* de conducción.

drizzle ['drɪzl] *n* llovizna // *vi* lloviznar.

drone [drəun] *n* zumbido; (*male bee*) zángano.

drool [dru:l] *vi* babear; **to** ~ **over sth** extasiarse ante algo.

droop [dru:p] *vi* colgar; (*fig*) decaer, desanimarse.

drop [drɔp] *n* (*of water*) gota; (*lessening*) baja; (*fall*) caída; (*of cliff*) pendiente *m*, declive *m* // *vt* (*allow to fall*) dejar caer; (*voice, eyes, price*) bajar; (*set down from car*) dejar; (*omit*) omitir // *vi* caer; (*price, temperature*) bajar; (*wind*) amainar; **to** ~ **off** *vi* (*sleep*) dormirse // *vt* (*passenger*) bajar; **to** ~ **out** *vi* (*withdraw*) retirarse; ~**-out** *n* marginado; ~**per** *n* cuentagotas *m inv*; ~**pings** *npl* excremento *sg* (de animal).

drought [draut] *n* sequía.

drove [drəuv] *pt of* **drive.**

drown [draun] *vt* ahogar // *vi* ahogarse.

drowsy ['drauzi] *a* soñoliento; **to be** ~ tener sueño.

drudgery ['drʌdʒərɪ] *n* trabajo monótono.

drug [drʌg] *n* medicamento; (*narcotic*) droga // *vt* drogar; ~ **addict** *n* drogadicto/a; ~**gist** *n* (*US*) farmacéutico; ~**store** *n* (*US*) farmacia.

drum [drʌm] *n* tambor *m*; (*large*) bombo; (*for oil, petrol*) bidón *m* // ~**s** *npl* batería *sg* // *vi* tocar el tambor; (*with fingers*) tamborilear; ~**mer** *n* tambor *m*; ~**stick** *n* (*MUS*) palillo; (*of chicken*) muslo.

drunk [drʌŋk] *pp of* **drink** // *a* borracho // *n* (*also*: ~**ard**) borracho/a; ~**en** *a* borracho; ~**enness** *n* embriaguez *f*.

dry [draɪ] *a* seco; (*day*) sin lluvia; (*climate*) árido, seco // *vt* secar; (*tears*) enjugarse // *vi* secarse; **to** ~ **up** *vi* agotarse; (*in speech*) atascarse; ~**cleaner's** *n* tintorería; ~**-cleaning** *n* lavado en seco; ~**er** *n* lavadora; ~**ness** *n* sequedad *f*; ~ **rot** *n* putrefacción *f* fungoide.

dual ['djuəl] *a* doble; ~**-control** *a* de doble mando; ~ **nationality** *n* doble nacionalidad *f*; ~**-purpose** *a* de doble uso.

dubbed [dʌbd] *a* (*CINEMA*) doblado.

dubious ['dju:bɪəs] *a* dudoso; (*reputation, company*) sospechoso.

duchess ['dʌtʃɪs] *n* duquesa.

duck [dʌk] *n* pato // *vi* agacharse; ~**ling** *n* patito.

duct [dʌkt] *n* conducto, canal *m*.

dud [dʌd] *n* (*shell*) obús *m* que no estalla; (*object, tool*): **it's a** ~ es una filfa // *a*: ~ **cheque** cheque *m* sin fondos.

due [dju:] *a* (*proper*) debido; (*expected*) esperado; (*fitting*) conveniente, oportuno // *n* (*debt*) deuda; (*desert*) lo que merece uno // *ad*: ~ **north** derecho al norte; ~**s** *npl* (*for club, union*) cuota *sg*; (*in harbour*) derechos *mpl*; **in** ~ **course** a su debido tiempo; ~ **to** debido a.

duel ['djuəl] *n* duelo.

duet [dju:'ɛt] *n* dúo.

dug [dʌg] *pt, pp of* **dig.**

duke [dju:k] *n* duque *m*.

dull [dʌl] *a* (*light*) apagado; (*slow*) torpe; (*boring*) pesado; (*sound, pain*) sordo; (*weather, day*) gris // *vt* (*pain, grief*) aliviar; (*mind, senses*) entorpecer.

duly ['dju:lɪ] *ad* debidamente; (*on time*) a su debido tiempo.

dumb [dʌm] *a* mudo; (*stupid*) estúpido; ~**founded** [dʌm'faundɪd] *a* pasmado.

dummy ['dʌmɪ] *n* (*tailor's model*) maniquí *m*; (*for baby*) chupete *m* // *a* falso, postizo.

dump [dʌmp] *n* (*heap*) montón *m*; (*place*) basurero, vaciadero; (*col*) casucha; (*MIL*) depósito // *vt* (*put down*) verter, vaciar; (*get rid of*) deshacerse de; (*goods*) inundar el mercado con; ~**ing** *n* (*ECON*) dumping *m*; (*of rubbish*): **'no** ~**ing'** 'prohibido verter basura'.

dumpling ['dʌmplɪŋ] *n* bola de masa hervida.

dunce [dʌns] *n* zopenco.

dune [dju:n] *n* duna.

dung [dʌŋ] *n* estiércol *m*.

dungarees [dʌŋgə'ri:z] *npl* mono *sg*.

dungeon ['dʌndʒən] *n* calabozo.

dupe [dju:p] *n* (*victim*) víctima // *vt* engañar.

duplicate ['dju:plɪkət] *n* duplicado // *vt* ['dju:plɪkeɪt] duplicar; (*on machine*) multicopiar; **in** ~ por duplicado; ~**duplicator** *n* multicopista *m*.

durable ['djuərəbl] *a* duradero.

duration [djuə'reɪʃən] *n* duración *f*.

duress [djuə'rɛs] *n*: **under** ~ por compulsión.

during ['djuərɪŋ] *prep* durante.

dusk [dʌsk] *n* crepúsculo, anochecer *m*.

dust [dʌst] *n* polvo // *vt* (*furniture*) desempolvorar; (*cake etc*): **to** ~ **with** espolvorear de; ~**bin** *n* (*Brit*) cubo de la basura; ~**er** *n* paño, trapo, bayeta; (*feather* ~) plumero; ~ **jacket** *n* sobrecubierta; ~**man** *n* (*Brit*) basurero; ~**y** *a* polvoriento.

Dutch [dʌtʃ] *a* holandés(esa) // *n* (*LING*) holandés *m*; ~**man/woman** *n* holandés/esa *m/f*.

duty ['dju:tɪ] *n* deber *m*; (*tax*) derechos *mpl* de aduana; **on** ~ de servicio; (*at night etc*) de guardia; **off** ~ libre (de servicio); ~**-free** *a* libre de derechos de aduana.

dwarf [dwɔ:f], *pl* **dwarves** [dwɔ:vz] *n* enano // *vt* empequeñecer.

dwell [dwɛl], *pt, pp* **dwelt** [dwɛlt] *vi* morar; **to** ~ **on** *vt fus* explayarse en; ~**ing** *n* vivienda.

dwindle ['dwɪndl] *vi* menguar, disminuir.

dye [daɪ] *n* tinte *m* // *vt* teñir.

dying ['daɪɪŋ] *a* moribundo, agonizante; (*moments*) final; (*words*) último.

dynamic [daɪ'næmɪk] *a* dinámico; ~**s** *n*, *npl* dinámica *sg*.

dynamite ['daɪnəmaɪt] *n* dinamita.

dynamo ['daɪnəməu] n dinamo f.
dynasty ['dɪnəstɪ] n dinastía.

E

each [i:tʃ] det cada inv // pron cada uno; ~ other el uno al otro; **they hate** ~ **other** se odian (entre ellos o mutuamente); **they have 2 books** ~ tiene 2 libros por persona.
eager ['i:gə*] a (gen) impaciente; (hopeful) ilusionado; (ambitious) ambicioso; **to be** ~ **to do sth** ansiar hacer algo, impacientarse por hacer algo; **to be** ~ **for** ansiar, anhelar.
eagle ['i:gl] n águila.
ear [ɪə*] n oreja; (MUS) oído; (of corn) espiga; ~**ache** n dolor m de oídos; ~**drum** n tímpano.
earl [ə:l] n conde m.
early ['ə:lɪ] ad (gen) temprano; (before time) con tiempo, con anticipación // a (gen) temprano; (reply) pronto; (first) primero; (work) juvenil; **have an** ~ **night** acuéstate temprano; **in the** ~ or ~ **in the spring/19th century** a principios de primavera/del siglo diez y nueve; **as** ~ **as possible** cuánto antes, lo más pronto posible.
earmark ['ɪəmɑ:k] vt reservar (for para), destinar (for a).
earn [ə:n] vt (gen) ganar; (salary) percibir; (interest) devengar; (praise) merecerse.
earnest ['ə:nɪst] a serio, formal; **in** ~ ad en serio.
earnings ['ə:nɪŋz] npl (personal) sueldo, ingresos mpl; (company) ganancias fpl.
ear: ~**phones** npl auriculares mpl; ~**ring** n pendiente m, arete m; ~**shot** n: **within** ~**shot** al alcance del oído.
earth [ə:θ] n (gen) tierra; (ELEC) cable m de toma de tierra // vt (ELEC) conectar a tierra; ~**enware** n loza de barro; ~**quake** n terremoto; ~**y** a (fig: vulgar) grosero; (: sensual) sensual.
earwig ['ɪəwɪg] n tijereta.
ease [i:z] n (gen) facilidad f; (relief) alivio; (calm) tranquilidad f; (relaxed state) comodidad f // vt facilitar, aliviar; tranquilizar; (loosen) soltar; (relieve: pressure) aflojar; (weight) aligerar; (help pass): **to** ~ **sth in/out** meter/sacar con cuidado; **at** ~**!** (MIL) ¡descanso!; **to** ~ **off** or **up** vi (gen) suavizarse; (at work) dejar de trabajar tanto; (wind) amainar; (rain) moderarse.
easel ['i:zl] n caballete m.
east [i:st] n este m, oriente m // a del este, oriental // ad al este, hacia el este; **the E**~ el Oriente.
Easter ['i:stə*] n Pascua (de Resurrección).
easterly ['i:stəlɪ] a (to the east) al este; (from the east) del este.
eastern ['i:stən] a del este, oriental.
East Germany n Alemania Oriental.
eastward(s) ['i:stwəd(z)] ad hacia el este.

easy ['i:zɪ] a (gen) fácil; (simple) sencillo; (slow) lento, pausado; (comfortable) holgado, cómodo; (relaxed) natural, llano // ad: **to take it** or **things** ~ (not worry) tomarlo con calma; (go slowly) ir despacio; (rest) descansar; ~ **chair** n sillón m; ~ **going** a acomodadizo.
eat [i:t] pt **ate**, pp **eaten** ['i:tn] vt (gen) comer; (supper) cenar; **to** ~ **into, to** ~ **away at** vt fus corroer; ~**able** a comestible.
eau de Cologne [əudəkə'ləun] n (agua de) Colonia.
eaves [i:vz] npl alero sg.
eavesdrop ['i:vzdrɔp] vi escuchar a escondidas (on sb a uno).
ebb [ɛb] n reflujo // vi bajar; (fig: also: ~ away) decaer; ~ **tide** n marea menguante.
ebony ['ɛbənɪ] n ébano.
eccentric [ɪk'sɛntrɪk] a, n excéntrico/a.
ecclesiastical [ɪkli:zɪ'æstɪkəl] a eclesiástico.
echo ['ɛkəu], pl ~**es** n eco m // vt (sound) repetir // vi resonar, hacer eco.
eclipse [ɪ'klɪps] n eclipse m // vt eclipsar.
ecology [ɪ'kɔlədʒɪ] n ecología.
economic [i:kə'nɔmɪk] a económico; (business etc) rentable; ~**al** a económico; ~**s** n (la) economía; **economist** [ɪ'kɔnəmɪst] n economista m/f.
economize [ɪ'kɔnəmaɪz] vi economizar, ahorrar.
economy [ɪ'kɔnəmɪ] n economía.
ecstasy ['ɛkstəsɪ] n éxtasis m; **ecstatic** [-'tætɪk] a extático.
ecumenical [i:kju'mɛnɪkl] a ecuménico.
eczema ['ɛksɪmə] n eczema m.
edge [ɛdʒ] n (of knife etc) filo; (of object) borde m; (of lake etc) orilla // vt (SEWING) ribetear; **on** ~ (fig) = **edgy**; **to** ~ **away from** alejarse poco a poco; ~**ways** ad: **he couldn't get a word in** ~**ways** no pudo meter baza; **edging** n (SEWING) ribete m; (of path) borde m.
edgy ['ɛdʒɪ] a nervioso, inquieto.
edible ['ɛdɪbl] a comestible.
edict ['i:dɪkt] n edicto.
edifice ['ɛdɪfɪs] n edificio.
edit ['ɛdɪt] vt (be editor of) dirigir; (cut) cortar; ~**ion** [ɪ'dɪʃən] n (gen) edición f; (number printed) tirada; ~**or** n (of newspaper) director m; (of book) autor m de la edición; ~**orial** [-'tɔ:rɪəl] a editorial, de la dirección // n editorial m.
educate ['ɛdjukeɪt] vt (gen) educar; (instruct) instruir.
education [ɛdju'keɪʃən] n educación f; (schooling) enseñanza; (ESCOL) pedagogía; ~**al** a (policy etc) educacional; (teaching) docente; (instructive) educativo.
EEC n abbr of **European Economic Community** CEE (Comunidad Económica Europea).
eel [i:l] n anguila.
eerie ['ɪərɪ] a (strange) extraño; (mysterious) misterioso.

effect [ɪ'fɛkt] n efecto // vt efectuar, llevar a cabo; ~s npl efectos mpl; to take ~ (drug) surtir efecto; in ~ en realidad; ~ive a (gen) eficaz; (striking) impresionante; (real) efectivo; to become ~ive entrar en vigor; ~iveness n eficacia.

effeminate [ɪ'fɛmɪnɪt] a afeminado.

effervescent [ɛfə'vɛsnt] a efervescente.

efficiency [ɪ'fɪʃənsɪ] n (gen) eficiencia; (of machine) rendimiento.

efficient [ɪ'fɪʃənt] a eficiente.

effigy ['ɛfɪdʒɪ] n efigie f.

effort ['ɛfət] n esfuerzo; to make an ~ to esforzarse por; ~less a sin esfuerzo (alguno).

effrontery [ɪ'frʌntərɪ] n descaro.

effusive [ɪ'fjuːsɪv] a efusivo.

e.g. ad abbr of exempli gratia p. ej. (por ejemplo).

egg [ɛg] n huevo; hard-boiled/poached/soft-boiled ~ huevo duro/escalfado/pasado por agua; scrambled ~s huevos revueltos; to ~ on vt incitar; ~cup n huevera; ~shell n cáscara de huevo.

ego ['iːgəu] n ego; ~ism n egoísmo; ~ist n egoísta m/f.

Egypt ['iːdʒɪpt] n Egipto; ~ian [ɪ'dʒɪpʃən] a, n egipcio/a.

eiderdown ['aɪdədaun] n edredón m.

eight [eɪt] num ocho; eighteen num diez y ocho, dieciocho; eighth a, n octavo; ~y num ochenta.

Eire ['ɛərə] n Eire m.

either ['aɪðə*] det cualquier ... de los dos; (both, each) uno u otro; on ~ side en ambos lados // pron: ~ (of them) cualquiera (de los dos); I don't like ~ no me gusta ni uno ni otro // ad tampoco; no, I don't ~ no, yo tampoco // conj: ~ yes or no o sí o no.

eject [ɪ'dʒɛkt] vt echar; (tenant) desahuciar; ~or seat n asiento proyectable.

eke [iːk]: to ~ out vt (make last) escatimar; (add to) suplir las deficiencias de.

elaborate [ɪ'læbərɪt] a complicado; (decorated) rebuscado // (vb: [ɪ'læbəreɪt]) vt elaborar // vi explicarse con muchos detalles.

elapse [ɪ'læps] vi transcurrir.

elastic [ɪ'læstɪk] a, n elástico; ~ band n gomita.

elated [ɪ'leɪtɪd] a: to be ~ regocijarse; elation [ɪ'leɪʃən] n regocijo.

elbow ['ɛlbəu] n codo.

elder ['ɛldə*] a mayor // n (tree) saúco; (person) mayor; (of tribe) anciano; ~ly a de edad, mayor // n: the ~ly la gente mayor.

eldest ['ɛldɪst] a, n el/la mayor.

elect [ɪ'lɛkt] vt elegir; to ~ to do optar por hacer // a: the president ~ el presidente electo; ~ion [ɪ'lɛkʃən] n elección f; ~ioneering [ɪlɛkʃə'nɪərɪŋ] n campaña electoral; ~or n elector/a m/f;

~oral a electoral; ~orate n electorado.

electric [ɪ'lɛktrɪk] a eléctrico; ~al a eléctrico; ~ blanket n manta eléctrica; ~ chair n silla eléctrica; ~ cooker n cocina eléctrica; ~ fire n estufa eléctrica.

electrician [ɪlɛk'trɪʃən] n electricista m/f.

electricity [ɪlɛk'trɪsɪtɪ] n electricidad f.

electrify [ɪ'lɛktrɪfaɪ] vt (RAIL) electrificar; (audience) electrizar.

electro... [ɪlɛktrəu] pref: ~cute [-kjuːt] vt electrocutar; electrode [ɪ'lɛktrəud] n electrodo; ~magnetic a electromagnético.

electron [ɪ'lɛktrɔn] n electrón m.

electronic [ɪlɛk'trɔnɪk] a electrónico; ~s n electrónica.

elegance [ɛlɪgəns] n elegancia; elegant [-gənt] a elegante.

element ['ɛlɪmənt] n (gen) elemento; to brave the ~s salir a la intemperie; ~ary [-'mɛntərɪ] a (gen) elemental; (primitive) rudimentario; (school, education) de primera enseñanza.

elephant ['ɛlɪfənt] n elefante m.

elevate ['ɛlɪveɪt] vt (gen) elevar; (in rank) ascender.

elevation [ɛlɪ'veɪʃən] n elevación f; (rank) ascenso; (height) altura.

elevator ['ɛlɪveɪtə*] n (US) ascensor m.

eleven [ɪ'lɛvn] num once; ~ses npl las once; ~th a undécimo.

elf [ɛlf], pl elves [ɛlvz] n duende m.

elicit [ɪ'lɪsɪt] vt: to ~ (from) sacar (de).

eligible ['ɛlɪdʒəbl] a elegible; to be ~ for sth llenar los requisitos para algo.

eliminate [ɪ'lɪmɪneɪt] vt eliminar; (strike out) suprimir; (suspect) descartar; elimination [-'neɪʃən] n eliminación f; supresión f.

élite [eɪ'liːt] n élite f.

elm [ɛlm] n olmo.

elocution [ɛlə'kjuːʃən] n elocución f.

elongated ['iːlɔŋgeɪtɪd] a alargado, estirado.

elope [ɪ'ləup] vi fugarse con su amante; ~ment n fuga.

eloquence ['ɛləkwəns] n elocuencia; eloquent [-wənt] a elocuente.

else [ɛls] ad lo(s) demás; something ~ otra cosa; somewhere ~ en otra parte; everywhere ~ en todas partes (menos aquí); where ~? ¿dónde más?, ¿en qué otra parte?; there was little ~ to do apenas quedaba otra cosa que hacer; nobody ~ spoke no habló nadie más; ~where ad (be) en otra parte; (go) a otra parte.

elucidate [ɪ'luːsɪdeɪt] vt aclarar, elucidar.

elude [ɪ'luːd] vt (gen) eludir; (blow) esquivar; (pursuer) escaparse de, zafarse de.

elusive [ɪ'luːsɪv] a esquivo; (answer) difícil de encontrar.

emaciated [ɪ'meɪsɪeɪtɪd] a demacrado.

emanate ['ɛməneɪt] vi emanar, proceder.

emancipate [ɪ'mænsɪpeɪt] vt emancipar; ~d a liberado; **emancipation** [-'peɪʃən] n emancipación f, liberación f.

embalm [ɪm'baːm] vt embalsamar.

embankment [ɪm'bæŋkmənt] n terraplén m; (riverside) dique m.

embargo [ɪm'baːgəu], pl ~es n prohibición f.

embark [ɪm'baːk] vi embarcarse // vt embarcar; **to ~ on** (fig) emprender, lanzarse a; ~**ation** [embaː'keɪʃən] n (people) embarco; (goods) embarque m.

embarrass [ɪm'bærəs] vt desconcertar, azorar; (financially etc) poner en un aprieto; ~**ing** a embarazoso; ~**ment** n desconcierto, azoramiento; (financial) apuros mpl.

embassy ['ɛmbəsɪ] n embajada.

embed [ɪm'bɛd] vt (gen) empotrar; (teeth etc) clavar.

embellish [ɪm'bɛlɪʃ] vt embellecer; (fig) adornar.

embers ['ɛmbəz] npl rescoldo sg, ascua sg.

embezzle [ɪm'bɛzl] vt desfalcar, malversar; ~**ment** n desfalco, malversación f.

embitter [ɪm'bɪtə*] vt amargar; (fig) envenenar; ~**ed** a resentido, amargado.

emblem ['ɛmbləm] n emblema m.

embody [ɪm'bɔdɪ] vt (features) encarnar; (ideas) expresar.

embossed [ɪm'bɔst] a realzado; ~ **with** con grabado en relieve.

embrace [ɪm'breɪs] vt abrazar, dar un abrazo a; (include) abarcar; (adopt: idea) adherirse a // n abrazar // n abrazo.

embroider [ɪm'brɔɪdə*] vt bordar; (fig: story) adornar, embellecer; ~**y** n bordado.

embryo ['ɛmbrɪəu] n (also fig) embrión m.

emerald ['ɛmərəld] n esmeralda.

emerge [ɪ'məːdʒ] vi (gen) salir, aparecer; (arise) surgir; **emergence** n salida, aparición f; surgimiento.

emergency [ɪ'məːdʒənsɪ] n (event) emergencia; (crisis) crisis f; (need) necesidad f urgente; **in an ~** en caso de urgencia; **state of ~** estado de emergencia; ~ **exit** n salida de emergencia; ~ **landing** n aterrizaje m forzoso; ~ **meeting** n reunión f extraordinaria.

emery ['ɛmərɪ]: ~ **board** n lima de uñas; ~ **paper** n papel m de esmeril.

emetic [ɪ'mɛtɪk] n emético.

emigrant ['ɛmɪgrənt] n emigrante m/f.

emigrate ['ɛmɪgreɪt] vi emigrarse; **emigration** [-'greɪʃən] n emigración f.

eminence ['ɛmɪnəns] n eminencia; **eminent** [-ənt] a eminente.

emission [ɪ'mɪʃən] n emisión f.

emit [ɪ'mɪt] vt (gen) emitir; (smoke) arrojar; (smell) despedir; (sound) producir.

emotion [ɪ'məuʃən] n emoción f; ~**al** a (person) sentimental; (scene) conmovedor(a), emocionante; ~**ally** ad con emoción.

emotive [ɪ'məutɪv] a emotivo.

emperor ['ɛmpərə*] n emperador m.

emphasis ['ɛmfəsɪs], pl -**ses** [-siːz] n énfasis m inv.

emphasize ['ɛmfəsaɪz] vt (word, point) subrayar, recalcar; (feature) hacer resaltar.

emphatic [ɛm'fætɪk] a (strong) enérgico; (unambiguous, clear) enfático; ~**ally** ad con énfasis.

empire ['ɛmpaɪə*] n imperio.

empirical [ɛm'pɪrɪkl] a empírico.

employ [ɪm'plɔɪ] vt emplear; ~**ee** [-'iː] n empleado/a; ~**er** n patrón/ona m/f, empresario; ~**ment** n (gen) empleo; (work) trabajo; **full ~ment** pleno empleo; ~**ment agency** n agencia de colocaciones; ~**ment exchange** n bolsa de trabajo.

empower [ɪm'pauə*] vt: **to ~ sb to do sth** autorizar a uno a hacer algo.

empress ['ɛmprɪs] n emperatriz f.

emptiness ['ɛmptɪnɪs] n (gen) vacío; (of life etc) vaciedad f.

empty ['ɛmptɪ] a vacío; (place) desierto; (house) desocupado; (threat) vano // n (bottle) envase m // vt vaciar; (place) dejar vacío // vi vaciarse; (house) quedar desocupado; (place) quedar desierto; ~-**handed** a con las manos vacías.

emulate ['ɛmjuleɪt] vt emular.

emulsion [ɪ'mʌlʃən] n emulsión f.

enable [ɪ'neɪbl] vt: **to ~ sb to do sth** (allow) permitir a uno hacer algo; (prepare) capacitar a uno para hacer algo.

enact [ɪn'ækt] vt (law) promulgar; (play) representar; (role) hacer.

enamel [ɪ'næməl] n esmalte m.

enamoured [ɪ'næməd] a: **to be ~ of** (person) estar enamorado de; (activity etc) tener gran afición a; (idea) aferrarse a.

encased [ɪn'keɪst] a: ~ **in** (enclosed) encerrado en; (covered) revestido de.

enchant [ɪn'tʃaːnt] vt encantar; ~**ing** a encantador(a).

encircle [ɪn'səːkl] vt (gen) rodear; (waist) ceñir.

encl. abbr of **enclosed** adj. (adjunto).

enclose [ɪn'kləuz] vt (land) cercar; (with letter etc) adjuntar; (in receptacle) encerrar; **please find ~d** le adjunto.

enclosure [ɪn'kləuʒə*] n cercado, recinto; (COMM) carta adjunta.

encore [ɔŋ'kɔː*] excl ¡otra!, ¡bis! // n bis m.

encounter [ɪn'kauntə*] n encuentro // vt encontrar, encontrarse con; (difficulty) tropezar con.

encourage [ɪn'kʌrɪdʒ] vt alentar, animar; (growth) estimular; ~**ment** n estímulo; (of industry) fomento.

encroach [ɪn'krəutʃ] vi: **to ~ (up)on** (gen) invadir; (time) ocupar.

encrusted [ɪn'krʌstəd] a: ~ **with** incrustado de.

encumber [ɪn'kʌmbə*] vt: **to be ~ed with** (carry) tener que cargar con; (debts) estar gravado de.

encyclop(a)edia [ɛnsaɪklou'piːdɪə] *n* enciclopedia.

end [ɛnd] *n* (*gen, also aim*) fin *m*; (*of table*) extremo; (*of street*) final *m*; (*SPORT*) lado // *vt* terminar, acabar; (*also*: **bring to an ~**, **put an ~ to**) acabar con // *vi* terminar, acabar; **in the ~** al fin, por fin, finalmente; **on ~** (*object*) de punta, de cabeza; **to stand on ~** (*hair*) erizarse; **for hours on ~** horas seguidas; **to ~ up** *vi*: **to ~ up in** terminar en; (*place*) ir a parar en.

endanger [ɪn'deɪndʒə*] *vt* poner en peligro.

endear [ɪn'dɪə*] *vr*: **to ~ o.s. to** hacerse querer de; **~ing** *a* simpático, atractivo; **~ment** *n* cariño, palabra cariñosa.

endeavour [ɪn'dɛvə*] *n* esfuerzo; (*attempt*) tentativa; (*striving*) empeño // *vi*: **to ~ to do** esforzarse por hacer; (*try*) procurar hacer.

ending ['ɛndɪŋ] *n* fin *m*, conclusión *f*; (*of book*) desenlace *m*; (*LING*) terminación *f*.

endless ['ɛndlɪs] *a* interminable, inacabable.

endorse [ɪn'dɔːs] *vt* (*cheque*) endosar; (*approve*) aprobar; **~ment** *n* (*on driving licence*) nota de inhabilitación.

endow [ɪn'dau] *vt* (*provide with money*) dotar; (: *institution*) fundar; **to be ~ed with** estar dotado de.

endurance [ɪn'djuərəns] *n* resistencia; **endure** *vt* (*bear*) aguantar, soportar; (*resist*) resistir // *vi* (*last*) durar; (*resist*) resistir.

enemy ['ɛnəmɪ] *a, n* enemigo/a.

energetic [ɛnə'dʒɛtɪk] *a* enérgico.

energy ['ɛnədʒɪ] *n* energía.

enforce [ɪn'fɔːs] *vt* (*LAW*) hacer cumplir; **~d** *a* forzoso, forzado.

engage [ɪn'geɪdʒ] *vt* (*attention*) llamar; (*in conversation*) abordar; (*worker*) contratar; (*taxi*) alquilar; (*clutch*) embragar // *vi* (*TECH*) engranar con; **to ~ in** dedicarse a, ocuparse en; **~d** *a* (*busy, in use*) ocupado; (*betrothed*) prometido; **to get ~d** prometerse; **he is ~d in research** se dedica a la investigación; **~d tone** *n* señal *f* de comunicando; **~ment** *n* (*appointment*) compromiso, cita; (*battle*) combate *m*; (*to marry*) compromiso; (*period*) noviazgo; **~ment ring** *n* alianza, anillo de prometida.

engaging [ɪn'geɪdʒɪŋ] *a* atractivo, simpático.

engender [ɪn'dʒɛndə*] *vt* engendrar.

engine ['ɛndʒɪn] *n* (*AUT*) motor *m*; (*RAIL*) locomotora; **~ driver** *n* maquinista *m*.

engineer [ɛndʒɪ'nɪə*] *n* ingeniero; (*US, RAIL*) maquinista *m*; **~ing** *n* ingeniería.

England ['ɪŋglənd] *n* Inglaterra.

English ['ɪŋglɪʃ] *a* inglés(esa) // *n* (*LING*) el inglés; **the ~** los ingleses; **~man/woman** *n* inglés/esa *m/f*.

engrave [ɪn'greɪv] *vt* grabar; **engraving** *n* grabado.

engrossed [ɪn'grəust] *a*: **~ in** absorto en.

engulf [ɪn'gʌlf] *vt* sumergir, hundir.

enhance [ɪn'hɑːns] *vt* (*gen*) intensificar, aumentar; (*beauty*) realzar.

enigma [ɪ'nɪgmə] *n* enigma *m*; **~tic** [ɛnɪg'mætɪk] *a* enigmático.

enjoy [ɪn'dʒɔɪ] *vt* (*possess*) poseer; (*have: health, fortune*) disfrutar de, gozar de; (*food*) comer con gusto; **to ~ o.s.** divertirse, pasarlo bien; **~able** *a* (*pleasant*) agradable; (*amusing*) divertido; **~ment** *n* (*use*) disfrute *m*; (*joy*) placer *m*.

enlarge [ɪn'lɑːdʒ] *vt* aumentar; (*broaden*) extender; (*PHOT*) ampliar // *vi*: **to ~ on** (*subject*) tratar con más detalles; **~ment** *n* (*PHOT*) ampliación *f*.

enlighten [ɪn'laɪtn] *vt* (*inform*) informar, instruir; **~ed** *a* (*cultured*) culto; (*knowledgeable*) bien informado; (*tolerant*) comprensivo; **~ment** *n* (*HISTORY*): **the E~ment** la Ilustración, el Siglo de las Luces.

enlist [ɪn'lɪst] *vt* alistar; (*support*) conseguir // *vi* alistarse.

enmity ['ɛnmɪtɪ] *n* enemistad *f*.

enormity [ɪ'nɔːmɪtɪ] *n* enormidad *f*; **enormous** [-məs] *a* enorme.

enough [ɪ'nʌf] *a*: **~ time/books** bastante tiempo/bastantes libros // *n*: **have you got ~?** ¿tiene Usted bastante? // *ad*: **big ~** bastante grande; **he has not worked ~** no ha trabajado bastante; **~!** ¡basta ya!; **that's ~, thanks** con eso basta, gracias; **I've had ~ of him** estoy harto de él; **... which, funnily ~ ...** ... lo que, por extraño que parezca... .

enquire [ɪn'kwaɪə*] *vt, vi* = **inquire.**

enrage [ɪn'reɪdʒ] *vt* enfurecer, hacer rabiar.

enrich [ɪn'rɪtʃ] *vt* enriquecer.

enrol [ɪn'rəul] *vt* inscribir; (*SCOL*) matricular // *vi* inscribirse; matricularse; **~ment** *n* inscripción *f*; matriculación *f*.

en route [ɔn'ruːt] *ad* (*on the way to*) camino de; (*on the way*) en camino.

ensign [ɪn'saɪn] *n* (*flag*) bandera; (*MIL*) alférez *m*.

enslave [ɪn'sleɪv] *vt* esclavizar.

ensue [ɪn'sjuː] *vi* seguirse; (*result*) resultar; (*happen*) sobrevenir.

ensure [ɪn'ʃuə*] *vt* asegurar.

entail [ɪn'teɪl] *vt* (*imply*) suponer; (*result in*) acarrear.

entangle [ɪn'tæŋgl] *vt* enredar, enmarañar; **~ment** *n* enredo.

enter ['ɛntə*] *vt* (*room*) entrar en; (*club*) hacerse socio de; (*army*) alistarse en; (*sb for a competition*) inscribir; (*write down*) anotar, apuntar // *vi* entrar; **to ~ for** *vt fus* presentarse para; **to ~ into** *vt fus* (*relations*) establecer; (*plans*) formar parte de; (*debate*) tomar parte en; (*agreement*) llegar a, firmar; **to ~ (up)on** *vt fus* (*career*) emprender.

enteritis [ɛntə'raɪtɪs] *n* enteritis *f*.

enterprise ['ɛntəpraɪz] *n* empresa; (*spirit*) iniciativa; **free ~** la libre empresa; **private ~** la iniciativa privada;

enterprising *a* emprendedor(a).
entertain [ɛntə'teɪn] *vt* (*amuse*) divertir; (*receive: guest*) recibir (en casa); (*idea*) abrigar; (*plan*) estudiar; ~**er** *n* artista *m/f*; ~**ing** *a* divertido, entretenido; ~**ment** *n* (*amusement*) diversión *f*; (*show*) espectáculo; (*party*) fiesta.
enthralled [ɪn'θrɔːld] *a* encantado, cautivado.
enthusiasm [ɪn'θuːzɪæzəm] *n* entusiasmo.
enthusiast [ɪn'θuːzɪæst] *n* entusiasta *m/f*; ~**ic** [-'æstɪk] *a* entusiasta *inv*; **to be** ~**ic about** entusiasmarse por.
entice [ɪn'taɪs] *vt* tentar; (*seduce*) seducir; **enticing** *a* atractivo, tentador(a).
entire [ɪn'taɪə*] *a* entero, completo; (*in total*) total, todo; ~**ly** *ad* totalmente; ~**ty** [ɪn'taɪərətɪ] *n*: **in its** ~**ty** en su totalidad.
entitle [ɪn'taɪtl] *vt*: **to** ~ **sb to sth** dar a uno derecho a algo; ~**d** *a* (*book*) que se titula; **to be** ~**d to do** tener derecho a hacer.
entourage [ɔntu'rɑːʒ] *n* séquito.
entrails ['ɛntreɪlz] *npl* entrañas *fpl*.
entrance ['ɛntrəns] *n* entrada // *vt* [ɪn-'trɑːns] encantar, hechizar; **to gain** ~ **to** (*university etc*) ingresar en; ~ **examination** *n* examen *m* de ingreso; ~ **fee** *n* cuota.
entrant ['ɛntrənt] *n* participante *m/f*.
entreat [ɛn'triːt] *vt* rogar, suplicar; ~**y** *n* ruego, súplica.
entrée ['ɔntreɪ] *n* (*CULIN*) entrada.
entrenched [ɛn'trɛntʃd] *a* atrincherado.
entrepreneur [ɔntrəprə'nə:] *n* empresario; (*of works*) contratista *m/f*.
entrust [ɪn'trʌst] *vt*: **to** ~ **sth to sb** confiar algo a uno.
entry ['ɛntrɪ] *n* entrada; (*permission to enter*) acceso; (*in register*) apunte *m*; (*in account*) partida; ~ **form** *n* boleto de inscripción; **no** ~ prohibido el paso; (*AUT*) dirección prohibida.
enumerate [ɪ'njuːməreɪt] *vt* enumerar.
enunciate [ɪ'nʌnsɪeɪt] *vt* pronunciar; (*principle etc*) enunciar.
envelop [ɪn'vɛləp] *vt* envolver.
envelope ['ɛnvələup] *n* sobre *m*.
envious ['ɛnvɪəs] *a* envidioso; (*look*) de envidia.
environment [ɪn'vaɪərnmənt] *n* medio ambiente; ~**al** [-'mɛntl] *a* ambiental.
envisage [ɪn'vɪzɪdʒ] *vt* (*foresee*) prever; (*imagine*) concebir, representarse.
envoy ['ɛnvɔɪ] *n* enviado.
envy ['ɛnvɪ] *n* envidia // *vt* tener envidia a; **to** ~ **sb sth** envidiar algo a uno.
enzyme ['ɛnzaɪm] *n* enzima.
ephemeral [ɪ'fɛmərl] *a* efímero.
epic ['ɛpɪk] *n* épica // *a* épico.
epidemic [ɛpɪ'dɛmɪk] *n* epidemia.
epilepsy ['ɛpɪlɛpsɪ] *n* epilepsia; **epileptic** [-'lɛptɪk] *a, n* epiléptico/a.
episode ['ɛpɪsəud] *n* episodio.
epistle [ɪ'pɪsl] *n* epístola.
epitaph ['ɛpɪtɑːf] *n* epitafio.

epitome [ɪ'pɪtəmɪ] *n* epítome *m*; **epitomize** *vt* epitomar, resumir.
epoch ['iːpɔk] *n* época.
equable ['ɛkwəbl] *a* uniforme, igual; (*character*) tranquilo, afable.
equal ['iːkwl] *a* (*gen*) igual; (*treatment*) equitativo // *n* igual *m/f* // *vt* ser igual a; **to be** ~ **to** (*task*) estar a la altura de; ~**ity** [iː'kwɔlɪtɪ] *n* igualdad *f*; ~**ize** *vt, vi* igualar; (*SPORT*) lograr el empate; ~**ly** *ad* igualmente; (*share etc*) por igual.
equanimity [ɛkwə'nɪmɪtɪ] *n* ecuanimidad *f*.
equate [ɪ'kweɪt] *vt*: **to** ~ **sth with** considerar algo equivalente a; **equation** [ɪ'kweɪʃən] *n* (*MATH*) ecuación *f*.
equator [ɪ'kweɪtə*] *n* ecuador *m*; ~**ial** [ɛkwə'tɔːrɪəl] *a* ecuatorial.
equilibrium [iːkwɪ'lɪbrɪəm] *n* equilibrio.
equinox ['iːkwɪnɔks] *n* equinoccio.
equip [ɪ'kwɪp] *vt* (*gen*) equipar; (*person*) proveer; **to be well** ~**ped** estar bien dotado; ~**ment** *n* equipo; (*tools*) avíos *mpl*.
equitable ['ɛkwɪtəbl] *a* equitativo.
equivalent [ɪ'kwɪvəlnt] *a* equivalente; **to be** ~ equivaler a // *a* equivalente *m*.
equivocal [ɪ'kwɪvəkl] *a* equívoco; (*open to suspicion*) ambiguo.
era ['ɪərə] *n* era, época.
eradicate [ɪ'rædɪkeɪt] *vt* erradicar, extirpar.
erase [ɪ'reɪz] *vt* borrar; **eraser** *n* goma de borrar.
erect [ɪ'rɛkt] *a* erguido // *vt* erigir, levantar; (*assemble*) montar.
erection [ɪ'rɛkʃən] *n* construcción *f*; (*assembly*) montaje *m*; (*structure*) edificio; (*MED*) erección *f*.
ermine ['əːmɪn] *n* armiño.
erode [ɪ'rəud] *vt* (*GEO*) erosionar; (*metal*) corroer, desgastar; **erosion** [ɪ'rəuʒən] *n* erosión *f*; desgaste *m*.
erotic [ɪ'rɔtɪk] *a* erótico; ~**ism** [ɪ'rɔtɪsɪzm] *n* erotismo.
err [əː*] *vi* errar, equivocarse; (*REL*) pecar.
errand ['ɛrnd] *n* recado, mandado; ~ **boy** *n* recadero.
erratic [ɪ'rætɪk] *a* irregular; (*uneven*) desigual, poco uniforme.
erroneous [ɪ'rəunɪəs] *a* erróneo.
error ['ɛrə*] *n* error *m*, equivocación *f*.
erupt [ɪ'rʌpt] *vi* estar en erupción; (*MED*) hacer erupción; (*fig*) estallar; ~**ion** [ɪ'rʌpʃən] *n* erupción *f*; (*fig*) explosión *f*.
escalate ['ɛskəleɪt] *vi* extenderse, intensificarse; **escalation** [-'leɪʃən] *n* escalamiento, intensificación *f*.
escalator ['ɛskəleɪtə*] *n* escalera móvil.
escapade [ɛskə'peɪd] *n* travesura.
escape [ɪ'skeɪp] *n* (*gen*) fuga; (*from duties*) escapatoria; (*from chase*) fuga, evasión *f* // *vi* (*gen*) escaparse; (*flee*) huir, evadirse; (*leak*) fugarse // *vt* evitar, eludir; (*consequences*) escapar a; **to** ~ **from**

(*place*) escaparse de; (*person*) escaparse a; (*clutches*) librarse de; **escapism** *n* escapismo.

escort ['ɛskɔːt] *n* acompañante *m/f*; (*MIL*) escolta; (*NAUT*) convoy *m* // *vt* [ɪ'skɔːt] acompañar; (*MIL, NAUT*) escoltar.

Eskimo ['ɛskɪməu] *n* esquimal *m/f*.

especially [ɪ'spɛʃlɪ] *ad* (*gen*) especialmente; (*above all*) sobre todo; (*particularly*) en particular.

espionage ['ɛspɪənɑːʒ] *n* espionaje *m*.

esplanade [ɛsplə'neɪd] *n* (*by sea*) paseo marítimo.

espouse [ɪ'spauz] *vt* adherirse a.

Esquire [ɪ'skwaɪə] *n* (*abbr* **Esq.**): **J. Brown, ~** Sr. Don J. Brown.

essay ['ɛseɪ] *n* (*SCOL*) ensayo.

essence ['ɛsns] *n* esencia.

essential [ɪ'sɛnʃl] *a* (*necessary*) imprescindible; (*basic*) esencial; **~ly** *ad* esencialmente.

establish [ɪ'stæblɪʃ] *vt* establecer; (*facts*) verificar; (*proof*) demostrar; (*relations*) entablar; **~ed** *a* (*business*) de buena reputación; (*staff*) de plantilla; **~ment** *n* establecimiento; **the E~ment** la clase dirigente.

estate [ɪ'steɪt] *n* (*land*) finca, hacienda; (*property*) propiedad *f*; (*inheritance*) herencia; (*POL*) estado; **housing ~** urbanización *f*; **industrial ~** polígono industrial; **~ agent** *n* agente *m/f* inmobiliario; **~ car** *n* (*Brit*) furgoneta.

esteem [ɪ'stiːm] *n*: **to hold sb in high ~** estimar en mucho a uno // *vt* estimar.

estimate ['ɛstɪmət] *n* estimación *f*, apreciación *f*; (*assessment*) tasa, cálculo; (*COMM*) presupuesto // *vt* [-meɪt] estimar; tasar, calcular; **estimation** [-'meɪʃən] *n* opinión *f*, juicio; (*esteem*) aprecio.

estrange [ɪ'streɪndʒ] *vt* enajenar.

estuary ['ɛstjuərɪ] *n* estuario, ría.

etching ['ɛtʃɪŋ] *n* aguafuerte *f*.

eternal [ɪ'tɔːnl] *a* eterno.

eternity [ɪ'tɔːnɪtɪ] *n* eternidad *f*.

ether ['iːθə*] *n* éter *m*.

ethical ['ɛθɪkl] *a* ético; (*honest*) honrado; **ethics** ['ɛθɪks] *n* ética // *npl* moralidad *f*.

ethnic ['ɛθnɪk] *a* étnico.

etiquette ['ɛtɪkɛt] *n* etiqueta.

eucalyptus [juːkə'lɪptəs] *n* eucalipto.

euphemism ['juːfəmɪzm] *n* eufemismo.

euphoria [juː'fɔːrɪə] *n* euforia.

Europe ['juərəp] *n* Europa; **European** [-'pɪːən] *a*, *n* europeo/a.

euthanasia [juːθə'neɪzɪə] *n* eutanasia.

evacuate [ɪ'vækjueɪt] *vt* desocupar; **evacuation** [-'eɪʃən] *n* evacuación *f*.

evade [ɪ'veɪd] *vt* evadir, eludir.

evaluate [ɪ'væljueɪt] *vt* evaluar; (*value*) tasar; (*evidence*) interpretar.

evangelist [ɪ'vændʒəlɪst] *n* evangelizador *m*, evangelista *m/f*.

evaporate [ɪ'væpɔreɪt] *vi* evaporarse, desvanecerse // *vt* evaporar; **~d milk** *n*

leche *f* evaporada; **evaporation** [-'reɪʃən] *n* evaporación *f*.

evasion [ɪ'veɪʒən] *n* evasiva, evasión *f*; **evasive** [-sɪv] *a* evasivo.

eve [iːv] *n*: **on the ~ of** en vísperas de.

even ['iːvn] *a* (*level*) llano; (*smooth*) liso; (*speed, temperature*) uniforme; (*number*) par; (*nature*) ecuánime; (*SPORT*) igual(es) // *ad* hasta, aun, siquiera; **~ more** aun más; **~ so** aun así; **not ~** ni siquiera; **~ he was there** hasta él estuvo allí; **~ on Sundays** incluso los domingos; **to ~ out** *vi* nivelarse; **to get ~ with sb** ajustar cuentas con uno.

evening ['iːvnɪŋ] *n* tarde *f*; (*dusk*) atardecer *m*; (*night*) noche *f*; (*event*) velada; **in the ~** por la tarde; **~ class** *n* clase *f* nocturna; **~ dress** *n* (*man's*) traje *m* de etiqueta; (*woman's*) traje *m* de noche.

event [ɪ'vɛnt] *n* suceso, acontecimiento; (*SPORT*) prueba; **in the ~ of** en caso de (que); **~ful** *a* accidentado; (*game etc*) lleno de emoción.

eventual [ɪ'vɛntʃuəl] *a* (*last*) final; (*resulting*) consiguiente; **~ity** [-'ælɪtɪ] *n* eventualidad *f*; **~ly** *ad* (*finally*) finalmente, al fin y al cabo; (*in time*) a la larga.

ever ['ɛvə*] *ad* nunca, jamás; (*at all times*) alguna vez; **the best ~** el/la mejor que se ha visto jamás; **have you ~ seen it?** ¿lo ha visto Usted jamás?; **better than ~** mejor que nunca; **~ since** *ad* desde entonces // *conj* después de que; **~green** *n* árbol *m* de hoja perenne; **~lasting** *a* eterno, perpetuo.

every ['ɛvrɪ] *det* (*each*) cada; (*all*) todo; **~ day** cada día; **~ other car** cada dos coches; **~ now and then** de vez en cuando; **~body** *pron* todos *pl*, todo el mundo; **~day** *a* (*daily*) diario, cotidiano; (*usual*) corriente; (*common*) vulgar; (*routine*) rutinario; **~one = ~body**; **~thing** *pron* todo; **~where** *ad* (*be*) en todas partes; (*go*) a o por todas partes.

evict [ɪ'vɪkt] *vt* desahuciar; **~ion** [ɪ'vɪkʃən] *n* desahucio.

evidence ['ɛvɪdəns] *n* (*proof*) prueba; (*of witness*) testimonio; (*facts*) datos *mpl*, hechos *mpl*; **to give ~** prestar declaración, dar testimonio.

evident ['ɛvɪdənt] *a* evidente, manifiesto; **~ly** *ad* naturalmente.

evil ['iːvl] *a* malo; (*influence*) funesto; (*smell*) horrible // *n* mal *m*, maldad *f*; **~doer** *n* malhechor/a *m/f*.

evocative [ɪ'vɔkətɪv] *a* sugestivo, evocador(a).

evoke [ɪ'vəuk] *vt* evocar.

evolution [iːvə'luːʃən] *n* evolución *f*, desarrollo.

evolve [ɪ'vɔlv] *vt* desarrollar // *vi* evolucionar, desarrollarse.

ewe [juː] *n* oveja.

ex-... [ɛks] *pref* ex.

exact [ɪg'zækt] *a* exacto // *vt*: **to ~ sth**

(from) exigir algo (de); ~**ing** a exigente; (*conditions*) arduo; ~**itude** n exactitud f; ~**ly** ad exactamente; (*time*) en punto.
exaggerate [ɪɡ'zædʒəreɪt] vt, vi exagerar; **exaggeration** [-'reɪʃən] n exageración f.
exalted [ɪɡ'zɔːltɪd] a exaltado, elevado.
exam [ɪɡ'zæm] n abbr of **examination**.
examination [ɪɡzæmɪ'neɪʃən] n (*gen*) examen m; (*LAW*) interrogación f; (*inquiry*) investigación f.
examine [ɪɡ'zæmɪn] vt (*gen*) examinar; (*inspect*) inspeccionar, escudriñar; (*SCOL, LAW: person*) interrogar; (*at customs: luggage*) registrar; **examiner** n inspector m.
example [ɪɡ'zɑːmpl] n ejemplo; (*copy*) ejemplar m; **for** ~ por ejemplo.
exasperate [ɪɡ'zɑːspəreɪt] vt exasperar, irritar; **exasperating** a irritante.
excavate ['ɛkskəveɪt] vt excavar; **excavation** [-'veɪʃən] n excavación f.
exceed [ɪk'siːd] vt exceder; (*number*) pasar de; (*speed limit*) sobrepasar; (*limits*) rebasar; (*powers*) excederse en; (*hopes*) superar; ~**ingly** ad sumamente, sobremanera.
excel [ɪk'sɛl] vi sobresalir.
excellence ['ɛksələns] n excelencia.
Excellency ['ɛksələnsɪ] n: **His** ~ Su Excelencia.
excellent ['ɛksələnt] a excelente.
except [ɪk'sɛpt] prep (*also*: ~ **for**, ~**ing**) excepto, salvo, con excepción de // vt exceptuar, excluir; ~ **if/when** excepto si/cuando; ~ **that** salvo que; ~**ion** [ɪk-'sɛpʃən] n excepción f; **to take** ~**ion to** ofenderse por; ~**ional** [ɪk'sɛpʃənl] a excepcional.
excerpt ['ɛksɔːpt] n extracto.
excess [ɪk'sɛs] n exceso; (*COMM*) excedente m; ~ **baggage** n exceso de equipaje; ~ **fare** n suplemento; ~**ive** a excesivo.
exchange [ɪks'tʃeɪndʒ] n cambio; (*of goods*) canje m; (*of ideas*) intercambio; (*also*: **telephone** ~) central f (telefónica) // vt cambiar; canjear.
exchequer [ɪks'tʃɛkə*] n hacienda.
excise ['ɛksaɪz] n impuestos mpl sobre el comercio exterior // vt [ɛk'saɪz] suprimir.
excite [ɪk'saɪt] vt (*stimulate*) excitar; (*awaken*) despertar; (*move*) entusiasmar; **to get** ~**d** emocionarse; ~**ment** n emoción f; (*anticipation*) ilusión f; (*agitation*) agitación f; **exciting** a emocionante.
exclaim [ɪk'skleɪm] vi exclamar; **exclamation** [ɛksklə'meɪʃən] n exclamación f; **exclamation mark** n punto de admiración.
exclude [ɪk'skluːd] vt excluir; (*except*) exceptuar; **exclusion** [ɪk'skluːʒən] n exclusión f.
exclusive [ɪk'skluːsɪv] a exclusivo; (*club, district*) selecto; ~ **of tax** excluyendo impuestos; ~**ly** ad únicamente.
excommunicate [ɛkskə'mjuːnɪkeɪt] vt excomulgar.

excrement ['ɛkskrəmənt] n excremento.
excrete [ɪk'skriːt] vi excretar.
excruciating [ɪk'skruːʃɪeɪtɪŋ] a agudísimo, atroz.
excursion [ɪk'skɔːʃən] n excursión f.
excusable [ɪk'skjuːzəbl] a perdonable.
excuse [ɪk'skjuːs] n disculpa, excusa; (*evasion*) pretexto // vt [ɪk'skjuːz] disculpar, perdonar; **to** ~ **sb from doing sth** dispensar a uno de hacer algo; ~ **me!** ¡perdón!; **if you will** ~ **me** con su permiso.
execute ['ɛksɪkjuːt] vt (*plan*) realizar; (*order*) cumplir; (*person*) ajusticiar, ejecutar; **execution** n realización f; cumplimiento; ejecución f; **executioner** n verdugo.
executive [ɪɡ'zɛkjutɪv] n (*COMM, POL*) ejecutivo // a ejecutivo.
executor [ɪɡ'zɛkjutə*] n albacea m, testamentario.
exemplary [ɪɡ'zɛmplərɪ] a ejemplar.
exemplify [ɪɡ'zɛmplɪfaɪ] vt ejemplificar.
exempt [ɪɡ'zɛmpt] a: ~ **from** exento de // vt: **to** ~ **sb from** eximir a uno de; ~**ion** [ɪɡ'zɛmpʃən] n exención f; (*immunity*) inmunidad f.
exercise ['ɛksəsaɪz] n ejercicio // vt ejercer; (*right*) valerse de; (*dog*) llevar de paseo // vi hacer ejercicio(s); ~ **book** n cuaderno.
exert [ɪɡ'zɔːt] vt ejercer; **to** ~ **o.s.** esforzarse, afanarse; (*overdo things*) trabajar demasiado; ~**ion** n esfuerzo.
exhaust [ɪɡ'zɔːst] n (*pipe*) escape m; (*fumes*) gases mpl de escape // vt agotar; ~**ion** [ɪɡ'zɔːstʃən] n agotamiento; **nervous** ~**ion** postración f nerviosa; ~**ive** a exhaustivo.
exhibit [ɪɡ'zɪbɪt] n (*ART*) obra expuesta; (*LAW*) objeto expuesto // vt (*show*) manifestar; (*emotion*) acusar; (*film*) presentar; (*paintings*) exponer; ~**ion** [ɛksɪ'bɪʃən] n exposición f; ~**ionist** [ɛksɪ'bɪʃənɪst] n exhibicionista m/f.
exhilarating [ɪɡ'zɪləreɪtɪŋ] a estimulante, tónico.
exhort [ɪɡ'zɔːt] vt exhortar.
exile ['ɛksaɪl] n exilio; (*person*) exiliado/a // vt desterrar, exiliar.
exist [ɪɡ'zɪst] vi existir; (*live*) vivir; ~**ence** n existencia; (*life*) vida; ~**ing** a existente, actual.
exit ['ɛksɪt] n salida.
exonerate [ɪɡ'zɔnəreɪt] vt: **to** ~ **from** exculpar de.
exorcize ['ɛksɔːsaɪz] vt exorcizar.
exotic [ɪɡ'zɔtɪk] a exótico.
expand [ɪk'spænd] vt (*widen*) ensanchar; (*number*) aumentar // vi (*trade etc*) expandirse; (*gas, metal*) dilatarse.
expanse [ɪk'spæns] n extensión f; (*of wings*) envergadura.
expansion [ɪk'spænʃən] n (*of town*) ensanche m; (*of trade*) expansión f.
expatriate [ɛks'pætrɪət] n expatriado/a.
expect [ɪk'spɛkt] vt (*gen*) esperar; (*count

on) contar con; (*suppose*) suponer // *vi*: **to be ~ing** estar encinta; **~ant mother** *n* mujer *f* encinta; **~ation** [ɛkspɛk'teɪʃən] *n* esperanza, expectativa.

expedience [ɛk'spiːdɪəns] *expediency* [ɛk'spiːdɪənsɪ] *n* conveniencia; **expedient** *a* conveniente, oportuno // *n* recurso, expediente *m*.

expedition [ɛkspə'dɪʃən] *n* expedición *f*.

expel [ɪk'spɛl] *vt* arrojar; (*SCOL*) expulsar.

expend [ɪk'spɛnd] *vt* gastar; (*use up*) consumir; **~able** *a* prescindible; **~iture** *n* gastos *mpl*, desembolso.

expense [ɪk'spɛns] *n* gasto, gastos *mpl*; (*high cost*) costa; **~s** *npl* (*COMM*) gastos *mpl*; **at the ~ of** a costa o expensas de; **~ account** *n* cuenta de gastos.

expensive [ɪk'spɛnsɪv] *a* caro, costoso.

experience [ɪk'spɪərɪəns] *n* experiencia // *vt* experimentar; (*suffer*) sufrir; **~d** *a* experimentado.

experiment [ɪk'spɛrɪmənt] *n* experimento // *vi* hacer experimentos; **~al** [-'mɛntl] *a* experimental.

expert ['ɛkspəːt] *a* experto, perito // *n* experto, perito; (*specialist*) especialista *m/f*; **~ise** [-'tiːz] *n* pericia.

expire [ɪk'spaɪə*] *vi* (*gen*) expirar; (*end*) terminar; (*run out*) caducar, vencerse; **expiry** *n* expiración *f*; terminación *f*; vencimiento.

explain [ɪk'spleɪn] *vt* explicar; (*clarify*) aclarar; (*demonstrate*) exponer; **explanation** [ɛksplə'neɪʃən] *n* explicación *f*; aclaración *f*; **explanatory** [ɪk'splænətrɪ] *a* explicativo; aclaratorio.

explicit [ɪk'splɪsɪt] *a* explícito.

explode [ɪk'spləud] *vi* estallar, explotar; (*with anger*) reventar // *vt* volar, explotar.

exploit ['ɛksplɔɪt] *n* hazaña // *vt* [ɪk'splɔɪt] explotar; **~ation** [-'teɪʃən] *n* explotación *f*.

exploration [ɛksplə'reɪʃən] *n* exploración *f*; **exploratory** [ɪk'splɔrətrɪ] *a* (*fig: talks*) exploratorio, de sondaje.

explore [ɪk'splɔː*] *vt* explorar; (*fig*) examinar, sondar; **explorer** *n* explorador *m*.

explosion [ɪk'spləuʒən] *n* explosión *f*; **explosive** [-sɪv] *a*, *n* explosivo.

exponent [ɪk'spəunənt] *n* exponente *m/f*, intérprete *m/f*.

export [ɛk'spɔːt] *vt* exportar // *n* ['ɛkspɔːt] exportación *f* // *cpd* de exportación; **~ation** [-'teɪʃən] *n* exportación *f*; **~er** *n* exportador *m*.

expose [ɪk'spəuz] *vt* exponer; (*unmask*) desenmascarar; **~d** *a* expuesto; (*position*) desabrigado.

exposure [ɪk'spəuʒə*] *n* exposición *f*; (*PHOT*) revelación *f*; (: *shot*) fotografía; **to die from ~** (*MED*) morir de frío; **~ meter** *n* fotómetro.

expound [ɪk'spaund] *vt* exponer, explicar.

express [ɪk'sprɛs] *a* (*definite*) expreso, explícito; (*letter etc*) urgente // *n* (*train*) rápido // *ad* (*send*) por carta urgente // *vt* expresar; (*squeeze*) exprimir; **~ion** [ɪk-'sprɛʃən] *n* expresión *f*; **~ive** *a* expresivo; **~ly** *ad* expresamente.

expulsion [ɪk'spʌlʃən] *n* expulsión *f*.

exquisite [ɛk'skwɪzɪt] *a* exquisito.

extend [ɪk'stɛnd] *vt* (*visit*, *street*) prolongar; (*building*) ensanchar; (*offer*) ofrecer // *vi* (*land*) extenderse.

extension [ɪk'stɛnʃən] *n* extensión *f*; (*building*) ampliación *f*; (*TEL*: *line*) línea derivada; (: *telephone*) extensión *f*; (*of deadline*) prórroga.

extensive [ɪk'stɛnsɪv] *a* (*gen*) extenso; (*broad*) vasto, ancho; (*frequent*) general, común; **he's travelled ~ly** ha viajado por muchos países.

extent [ɪk'stɛnt] *n* (*breadth*) extensión *f*; (*scope*) alcance *m*; **to some ~** hasta cierto punto; **to the ~ of...** hasta el punto de...; **to such an ~ that...** hasta tal punto que...; **to what ~?** ¿hasta qué punto?

exterior [ɛk'stɪərɪə*] *a* exterior, externo // *n* exterior *m*; (*appearance*) aspecto.

exterminate [ɪk'stəːmɪneɪt] *vt* exterminar; **extermination** [-'neɪʃən] *n* exterminación *f*.

external [ɛk'stəːnl] *a* externo, exterior; **~ly** *ad* por fuera.

extinct [ɪk'stɪŋkt] *a* extinto; **~ion** [ɪk-'stɪŋkʃən] *n* extinción *f*.

extinguish [ɪk'stɪŋgwɪʃ] *vt* extinguir, apagar; **~er** *n* extintor *m*.

extort [ɪk'stɔːt] *vt* sacar a la fuerza (*from sb* de uno); **~ion** [ɪk'stɔːʃən] *n* exacción *f*; **~ionate** [ɪk'stɔːʃnət] *a* excesivo, exorbitante.

extra ['ɛkstrə] *a* adicional; (*excessive*) de más, de sobra; (*bonus: payment*) extraordinario // *ad* (*in addition*) especialmente // *n* (*addition*) extra *m*, suplemento; (*THEATRE*) extra *m/f*, comparsa *m/f*; (*newspaper*) edición *f* extraordinaria.

extra... [ɛkstrə] *pref* extra... .

extract [ɪk'strækt] *vt* sacar, extraer; (*confession*) arrancar, obtener // *n* ['ɛkstrækt] extracto.

extradite ['ɛkstrədaɪt] *vt* (*from country*) conceder la extradición de; (*to country*) obtener la extradición de; **extradition** [-'dɪʃən] *n* extradición *f*.

extramarital [ɛkstrə'mærɪtl] *a* extra-matrimonial.

extramural [ɛkstrə'mjuərl] *a* de extramuros.

extraordinary [ɪk'strɔːdnrɪ] *a* extra-ordinario; (*odd*) raro.

extravagant [ɪk'strævəgənt] *a* (*lavish*) pródigo, (*wasteful*) derrochador(a); (*price*) exorbitante; (*praise*) excesivo; (*odd*) raro.

extreme [ɪk'striːm] *a* extremo; (*poverty etc*) extremado; (*case*) excepcional // *n* extremo, extremidad *f*; **~ly** *ad* sumamente, extremadamente; **extremist** *a*, *n* extremista *m/f*.

extremity [ɪk'strɛmətɪ] *n* extremidad *f*; punta; (*need*) apuro, necesidad *f*.

extricate ['ɛkstrɪkeɪt] *vt* librar.

extrovert ['ɛkstrɔvɜːt] n extrovertido/a.
exuberant [ɪg'zjuːbɜrnt] a (person)
eufórico; (style) exuberante.
exude [ɪg'zjuːd] vt rezumar, sudar.
exult [ɪg'zʌlt] vi regocijarse.
eye [aɪ] n ojo // vt mirar de soslayo, ojear;
to keep an ~ on vigilar, estar pendiente
de; ~ball n globo del ojo; ~bath n ojera;
~brow n ceja; ~brow pencil n lápiz m
de cejas; ~-catching a llamativo;
~drops npl gotas fpl para los ojos; ~lash
n pestaña; ~lid n párpado; ~-opener n
revelación f, gran sorpresa; ~shadow n
sombreador m de ojos; ~sight n vista;
~sore n monstruosidad f; ~wash n (fig)
disparates mpl, tonterías fpl; ~ witness n
testigo m/f presencial.
eyrie ['ɪɔrɪ] n aguilera.

F

F. abbr of Fahrenheit.
fable ['feɪbl] n fábula.
fabric ['fæbrɪk] n tejido, tela.
fabrication [fæbrɪ'keɪʃən] n invención f.
fabulous ['fæbjuləs] a fabuloso.
façade [fə'sɑːd] n fachada.
face [feɪs] n cara; (ANAT) cara, rostro; (of
clock) esfera; (side, surface) superficie f //
vt (person) encararse con; (building) dar a;
to lose ~ desprestigiarse; in the ~ of
(difficulties etc) en vista de; on the ~ of it
a primera vista; ~ to ~ cara a cara; to
~ up to vt fus hacer frente a, arrostrar;
~ cloth n paño; ~ cream n crema (de
belleza); ~ lift n cirujía estética; ~
powder n polvos mpl; ~-saving a para
salvar las apariencias.
facet ['fæsɪt] n faceta.
facetious [fə'siːʃəs] a chistoso.
face value ['feɪs'væljuː] n (of stamp) valor
m nominal; to take sth at ~ (fig) tomar
algo en sentido literal, aceptar las
apariencias de algo.
facial ['feɪʃəl] a de la cara.
facile ['fæsaɪl] a superficial, ligero.
facilitate [fə'sɪlɪteɪt] vt facilitar.
facilities [fə'sɪlɪtɪz] npl facilidades fpl.
facing ['feɪsɪŋ] prep frente a // a de
enfrente.
fact [fækt] n hecho; in ~ en realidad.
faction ['fækʃən] n facción f.
factor ['fæktə*] n factor m.
factory ['fæktərɪ] n fábrica.
factual ['fæktjuəl] a objetivo.
faculty ['fækəltɪ] n facultad f; (US: teaching
staff) profesorado.
fade [feɪd] vi desteñirse; (sound, hope)
desvanecerse; (light) apagarse; (flower)
marchitarse.
fag [fæg] n (col: cigarette) pitillo; ~ end n
colilla; ~ged out a (col) agotado.
fail [feɪl] vt (candidate) suspender; (exam)
no aprobar // vi acabarse; (engine) fallar;
(voice) desfallecer; (patient) debilitarse; to
~ to do sth (neglect) dejar de hacer algo;

(be unable) no poder hacer algo; without
~ sin falta; ~ing n falta, defecto // prep
a falta de; ~ure ['feɪljə*] n fracaso;
(person) fracasado/a; (mechanical etc)
fallo.
faint [feɪnt] a débil; (recollection) vago;
(mark) apenas visible // n desmayo // vi
desmayarse; to feel ~ estar mareado,
marearse; ~-hearted a pusilánime; ~ly
ad débilmente; vagamente; ~ness n
debilidad f.
fair [fɛɔ*] a justo; (colour) rubio; (weather)
bueno; (good enough) suficiente; (sizeable)
considerable // ad (play) limpio // n feria;
(funfair) parque m de atracciones; ~ly ad
(justly) con justicia; (equally)
equitativamente; (quite) bastante; ~ness
n justicia; (impartiality) imparcialidad f.
fairy ['fɛɔrɪ] n hada; ~ tale n cuento de
hadas.
faith [feɪθ] n fe f; (trust) confianza; (sect)
religión f; ~ful a fiel; ~fully ad
fielmente; yours ~fully le saluda
atentamente.
fake [feɪk] n (painting etc) falsificación f;
(person) impostor m // a falso // vt fingir;
(painting etc) falsificar; his illness is a ~
su enfermedad es una invención.
falcon ['fɔːlkən] n halcón m.
fall [fɔːl] n caída; (US: autumn) otoño // vi,
pt fell, pp fallen ['fɔːlən] caer, caerse;
(price) bajar; ~s npl (waterfall) cascada,
salto de agua; to ~ flat vi (on one's face)
caerse (boca abajo); (plan) fracasar; to ~
back vi retroceder; to ~ back on vt fus
(remedy etc) recurrir a; to ~ backwards
vi caer de espaldas; to ~ behind vi
quedarse atrás; to ~ down vi (person)
caerse; (building, hopes) derrumbarse; to
~ for vt fus (trick) dejarse engañar por;
(person) enamorarse de; to ~ in vi (roof)
hundirse; (MIL) alinearse; to ~ off vi
caerse; (diminish) disminuir; to ~ out vi
(friends etc) reñir; (MIL) romper filas; to
~ through vi (plan, project) fracasar.
fallacy ['fæləsɪ] n (error) error m; (lie)
mentira.
fallible ['fæləbl] a falible.
fallout ['fɔːlaut] n lluvia radioactiva; ~
shelter n refugio contra ataques
nucleares.
false [fɔːls] a (gen) falso; (hair, teeth etc)
postizo; (disloyal) desleal, traidor(a);
under ~ pretences con engaños;
~hood n (lie) mentira; (falseness)
falsedad f; ~ly ad (accuse) falsamente;
~ teeth npl dentadura postiza sg.
falter ['fɔːltə*] vi vacilar.
fame [feɪm] n fama.
familiar [fə'mɪlɪə*] a familiar; (well-
known) conocido; (tone) de confianza; to
be ~ with (subject) estar enterado de;
~ity [fəmɪlɪ'ærɪtɪ] n familiaridad f; ~ize
[fə'mɪlɪəraɪz] vr: to ~ize o.s. with
familiarizarse con.
family ['fæmɪlɪ] n familia; ~ business n

negocio familiar; ~ **doctor** n médico de cabecera.

famine ['fæmɪn] n hambre f.

famished ['fæmɪʃt] a hambriento.

famous ['feɪməs] a famoso, célebre; ~**ly** ad (get on) estupendamente.

fan [fæn] n abanico; (ELEC) ventilador m; (person) aficionado/a // vt abanicar; (fire, quarrel) atizar; **to** ~ **out** vi desparramarse.

fanatic [fə'nætɪk] n fanático/a; ~**al** a fanático.

fan belt ['fænbɛlt] n correa de ventilador.

fanciful ['fænsɪful] a (gen) fantástico; (imaginary) imaginario.

fancy ['fænsɪ] n (whim) capricho, antojo; (taste) afición f, gusto; (imagination) imaginación f; (delusion) quimera // a (decorative) hermoso; (luxury) de lujo; (as decoration) de adorno // vt (feel like, want) tener ganas de; (imagine) imaginarse; (think) creer; **to take a** ~ **to** encapricharse por, tomar afición a; **it took** or **caught my** ~ me cayó en gracia; **to** ~ **that...** imaginarse que...; **he fancies her** le gusta (ella); ~ **dress** n disfraz m; ~**-dress ball** n baile m de disfraces.

fang [fæŋ] n colmillo.

fantastic [fæn'tæstɪk] a fantástico.

fantasy ['fæntəzɪ] n fantasía.

far [fɑː*] a (distant) lejano // ad lejos; ~ **away**, ~ **off** (a lo) lejos; ~ **better** mucho mejor; ~ **from** lejos de; **by** ~ con mucho; **go as** ~ **as the farm** vaya hasta la granja; **as** ~ **as I know** que yo sepa; **how** ~? ¿hasta dónde?; (fig) ¿hasta qué punto?; **the F**~ **East** el Extremo Oriente; ~ **away** a remoto.

farce [fɑːs] n farsa; **farcical** a absurdo.

fare [fɛə*] n (on trains, buses) precio (del billete); (in taxi: cost) tarifa; (: passenger) pasajero; (food) comida.

farewell [fɛə'wɛl] excl, n adiós m.

farm [fɑːm] n granja, finca, estancia (AM) // vt cultivar; ~**er** n granjero, estanciero (AM); ~**hand** n peón m; ~**house** n casa de labranza; ~**ing** n (gen) agricultura; (tilling) cultivo; ~**land** n tierra de cultivo; ~ **worker** n = ~**hand**; ~**yard** n corral m.

far-sighted ['fɑː'saɪtɪd] a previsor(a).

fart [fɑːt] (col!) n pedo // vi tirarse un pedo.

farther ['fɑːðə*] ad más lejos, más allá.

farthest ['fɑːðɪst] superlative of **far.**

fascinate ['fæsɪneɪt] vt fascinar; **fascination** [-'neɪʃən] n fascinación f.

fascism ['fæʃɪzəm] n fascismo; **fascist** [-ɪst] a, n fascista m/f.

fashion ['fæʃən] n moda; (manner) manera // vt formar; **in** ~ a la moda; **out of** ~ pasado de moda; ~**able** a de moda; ~ **show** n desfile m de modelos.

fast [fɑːst] a rápido; (dye, colour) sólido; (clock): **to be** ~ estar adelantado // ad rápidamente, de prisa; (stuck, held) firmemente // n ayuno // vi ayunar; ~

asleep profundamente dormido.

fasten ['fɑːsn] vt asegurar, sujetar; (coat, belt) abrochar // vi cerrarse; ~**er**, ~**ing** n (gen) cierre m; (of door etc) cerrojo; **zip** ~**er** cremallera.

fastidious [fæs'tɪdɪəs] a (fussy) delicado; (demanding) exigente.

fat [fæt] a gordo; (meat) con mucha grasa; (greasy) grasiento // n grasa; (on person) carnes fpl; (lard) manteca.

fatal ['feɪtl] a (gen) fatal; (injury) mortal; (consequence) funesto; ~**ism** n fatalismo; ~**ity** [fə'tælɪtɪ] n (road death etc) víctima m/f; ~**ly** ad: ~**ly injured** herido a muerte.

fate [feɪt] n destino; (of person) suerte f; ~**ful** a fatídico.

father ['fɑːðə*] n padre m; ~**hood** n paternidad f; ~**-in-law** n suegro; ~**ly** a paternal.

fathom ['fæðəm] n braza // vt (NAUT) sondear; (unravel) desentrañar; (understand) lograr comprender.

fatigue [fə'tiːg] n fatiga, cansancio.

fatten ['fætn] vt, vi engordar.

fatty ['fætɪ] a (food) graso // n (fam) gordito/a, gordinflón/ona m/f.

faucet ['fɔːsɪt] n (US) grifo.

fault [fɔːlt] n (error) falta; (blame) culpa; (defect: in character) defecto; (in manufacture) desperfecto; (GEO) falla // vt tachar; **it's my** ~ es culpa mía; **to find** ~ **with** criticar, poner peros a; **at** ~ culpable; ~**less** a (action) intachable; (person) sin defectos; ~**y** a defectuoso.

fauna ['fɔːnə] n fauna.

faux pas ['fəu'pɑː] n paso en falso; (gaffe) plancha.

favour, favor (US) ['feɪvə*] n favor m; (support) apoyo; (approval) aprobación f // vt (proposition) estar a favor de, aprobar; (person etc) favorecer; (assist) ser propicio a; **to ask a** ~ **of** pedir un favor a; **to do sb a** ~ hacer un favor a uno; **to find** ~ **with** caer en gracia de; **in** ~ **of** a favor de; ~**able** a favorable; ~**ite** [-rɪt] a, n favorito, preferido; ~**itism** n favoritismo.

fawn [fɔːn] n cervato // a (also: ~**-coloured**) color de cervato, leonado.

fear [fɪə*] n miedo, temor m // vt tener miedo a o de, temer; **for** ~ **of** por temor a; ~**ful** a temeroso, miedoso; (cowardly) tímido; (awful) terrible; ~**less** a (gen) sin miedo o temor; (bold) audaz.

feasible ['fiːzəbl] a factible.

feast [fiːst] n banquete m; (REL: also: ~ **day**) fiesta // vt, vi banquetear.

feat [fiːt] n hazaña.

feather ['fɛðə*] n pluma; ~**-weight** n (BOXING) peso pluma.

feature ['fiːtʃə*] n (gen) característica; (ANAT) rasgo; (article) crónica // vt (subj: film) presentar // vi figurar; ~**s** npl (of face) facciones fpl; ~ **film** n película (de largo metraje).

February ['fɛbruərɪ] n febrero.

fed [fɛd] pt, pp of **feed.**

federal ['fɛdərəl] a federal; **federation** [-'reɪʃən] n federación f.

fed-up [fɛd'ʌp] a: **to be ~** estar harto.

fee [fi:] n derechos mpl, honorarios mpl; (of school) matrícula; (of club) cuota.

feeble ['fi:bl] a débil; **~-minded** a imbécil.

feed [fi:d] n (gen) comida; (of baby) alimento infantil; (of animal) pienso // vt, pt, pp **fed** (gen) alimentar; (baby: breastfeed) dar el pecho a; (animal) dar de comer a; (data, information): **to ~ into** suministrar a; **to ~ on** vt fus alimentarse de; **~ing bottle** n biberón m.

feel [fi:l] n (sensation) sensación f; (sense of touch) tacto // vt, pt, pp **felt** tocar, palpar; (cold, pain etc) sentir; (think, believe) creer; **to ~ hungry/cold** tener hambre/frío; **to ~ lonely/better** sentirse solo/ mejor; **it ~s soft** es suave al tacto; **to ~ like** (want) tener ganas de; **to ~ about or around** tantear; **~er** n (of insect) antena; **to put out ~ers** (fig) sondear; **~ing** n (gen) sensación f; (foreboding) presentimiento; (opinion) opinión f; (emotion) sentimiento.

feet [fi:t] pl of **foot.**

feign [feɪn] vt fingir.

feline ['fi:laɪn] a felino.

fell [fɛl] pt of **fall** // vt (tree) talar.

fellow ['fɛləu] n (gen) tipo; (fam) tío; (of learned society) socio; **~ students** compañeros mpl de curso, condiscípulos mpl; **~ citizen** n conciudadano; **~ countryman** n compatriota m/f; **~ men** npl semejantes mpl; **~ship** n compañerismo; (grant) beca.

felony ['fɛlənɪ] n crimen m.

felt [fɛlt] pt, pp of **feel** // n fieltro; **~-tip pen** n rotulador m.

female ['fi:meɪl] n (woman) mujer f; (ZOOL) hembra // a femenino.

feminine ['fɛmɪnɪn] a femenino.

feminist ['fɛmɪnɪst] n feminista.

fence [fɛns] n valla, cerca // vt (also: ~ in) cercar // vi hacer esgrima; **fencing** n esgrima.

fend [fɛnd] vi: **to ~ for o.s.** arreglárselas por su cuenta.

fender ['fɛndə*] n guardafuego; (US: AUT) parachoques m inv; (: RAIL) trompa.

ferment [fə'mɛnt] vi fermentar // n ['fɜ:mɛnt] (fig) agitación f; **~ation** [-'teɪʃən] n fermentación f.

fern [fɜ:n] n helecho.

ferocious [fə'rəuʃəs] a feroz; **ferocity** [-'rɔsɪtɪ] n ferocidad f.

ferret ['fɛrɪt] n hurón m // vt: **to ~ out** descubrir.

ferry ['fɛrɪ] n (small) barca (de pasaje), balsa; (large: also: **~boat**) transbordador m // vt transportar.

fertile ['fɜ:taɪl] a fértil; (BIOL) fecundo; **fertility** [fə'tɪlɪtɪ] n fertilidad f; fecundidad f; **fertilize** ['fɜ:tɪlaɪz] vt fertilizar;

fecundar; (AGR) abonar; **fertilizer** n fertilizante m.

fervent ['fɜ:vənt] a ardiente, apasionado.

fester ['fɛstə*] vi ulcerarse.

festival ['fɛstɪvəl] n (REL) fiesta; (ART, MUS) festival m.

festive ['fɛstɪv] a festivo; **the ~ season** (Christmas) las Navidades.

festivities [fɛs'tɪvɪtɪz] npl fiestas fpl.

fetch [fɛtʃ] vt ir a buscar; (sell for) venderse por.

fetching ['fɛtʃɪŋ] a atractivo.

fête [feɪt] n fiesta.

fetish ['fɛtɪʃ] n fetiche m.

fetters ['fɛtəz] npl grillos mpl.

feud [fju:d] n (hostility) enemistad f; (quarrel) disputa.

feudal ['fju:dl] a feudal; **~ism** n feudalismo.

fever ['fi:və*] n fiebre f; **~ish** a febril.

few [fju:] a (not many) pocos; (some) algunos, unos; **a ~** a unos pocos // pron algunos; **~er** a menos; **~est** a los/las menos.

fiancé [fɪ'ã:nseɪ] n novio, prometido; **~e** n novia, prometida.

fiasco [fɪ'æskəu] n fiasco.

fibre, fiber (US) ['faɪbə*] n fibra; **~-glass** n fibra de vidrio.

fickle ['fɪkl] a inconstante.

fiction ['fɪkʃən] n (gen) ficción f; **~al** a novelesco; **fictitious** [fɪk'tɪʃəs] a ficticio.

fiddle ['fɪdl] n (MUS) violín m; (cheating) trampa; (swindle) estafa // vt (accounts) falsificar; **to ~ with** vt fus jugar con; **fiddler** n violinista m/f.

fidelity [fɪ'dɛlɪtɪ] n fidelidad f.

fidget ['fɪdʒɪt] vi moverse nerviosamente; **~y** a nervioso.

field [fi:ld] n campo; (ELEC) prado; (fig) esfera, especialidad f; (competitors) competidores mpl; (entrants) concurrentes mpl; **~ glasses** npl gemelos mpl; **~ marshal** n mariscal m; **~work** n trabajo de campo.

fiend [fi:nd] n demonio; **~ish** a diabólico.

fierce [fɪəs] a feroz; (wind, attack) violento; (heat) intenso; (fighting, enemy) encarnizado.

fiery ['faɪərɪ] a (burning) ardiente; (temperament) apasionado.

fifteen [fɪf'ti:n] num quince.

fifth [fɪfθ] a, n quinto.

fiftieth ['fɪftɪɪθ] a quincuagésimo.

fifty ['fɪftɪ] num cincuenta.

fig [fɪg] n higo.

fight [faɪt] n (gen) pelea; (MIL) combate m; (struggle) lucha // (vb: pt, pp **fought**) vt luchar contra; (cancer, alcoholism) combatir // vi pelear, luchar; **~er** n combatiente m/f; (fig) luchador/a m/f; (plane) caza; **~ing** n (gen) el luchar; (battle) combate m.

figment ['fɪgmənt] n: **a ~ of the imagination** una quimera.

figurative ['fɪgjurətɪv] a figurado.

figure 260 fit

figure ['figə*] n (DRAWING, GEOM) figura, dibujo; (number, cipher) cifra; (body, outline) talle m, tipo // vt (esp US) imaginar // vi (appear) figurar; **to ~ out** vt (understand) comprender; **~head** n mascarón m de proa; **~ skating** n patinaje m de figuras.

file [fail] n (tool) lima; (dossier) expediente m; (folder) carpeta; (row) fila // vt limar; (papers) clasificar; (store) archivar; **to ~ in/out** vi entrar/salir en fila; **to ~ past** vt fus desfilar ante; **filing** n el archivar; **filing cabinet** n fichero, archivo.

fill [fil] vt llenar // n: **to eat one's ~** llenarse; **to ~ in** vt rellenar; **to ~ up** vt llenar (hasta el borde) // vi (AUT) poner gasolina.

fillet ['filit] n filete m.

filling ['filiŋ] n (CULIN) relleno; (for tooth) empaste m; **~ station** n estación f de servicio.

film [film] n película // vt (scene) filmar // vi rodar (una película); **~ star** n astro, estrella de cine; **~strip** n tira de película.

filter ['filtə*] n filtro // vt filtrar; **~ tip** n boquilla.

filth [filθ] n suciedad f; **~y** a sucio; (language) obsceno.

fin [fin] n (gen) aleta.

final ['fainl] a (last) final, último; (definitive) definitivo, terminante // n (SPORT) final f; **~s** npl (SCOL) exámenes mpl finales.

finale [fi'nɑ:li] n final m.

final: ~ist n (SPORT) finalista m/f; **~ize** vt concluir, completar; **~ly** ad (lastly) por último, finalmente; (eventually) por fin; (irrevocably) de modo definitivo.

finance [fai'næns] n (money) fondos mpl; **~s** npl finanzas fpl // vt financiar; **financial** [-'nænʃəl] a financiero; (economic) económico; **financier** n (gen) financiero; (investor) inversionista m/f.

find [faind], pt, pp **found** vt (gen) encontrar, hallar; (come upon) descubrir // n hallazgo; descubrimiento; **to ~ sb guilty** (LAW) declarar culpable a uno; **to ~ out** vt averiguar; (truth, secret) descubrir; **to ~ out about** (by chance) enterarse de; **~ings** npl (LAW) veredicto sg, fallo sg; (of report) recomendaciones fpl.

fine [fain] a (delicate) fino; (good) bueno; (beautiful) bonito // ad (well) bien; (small) delgado // n (LAW) multa // vt (LAW) multar; **to be ~** (weather) hacer buen tiempo; **~ arts** npl bellas artes fpl.

finery ['fainəri] n adornos mpl.

finesse [fi'nɛs] n sutileza.

finger ['fiŋgə*] n dedo // vt (touch) manosear; (MUS) tocar (distraídamente); **little/index ~** dedo meñique/índice; **~nail** n uña; **~print** n huella dactilar; **~tip** n yema del dedo.

finicky ['finiki] a (fussy) delicado.

finish ['finiʃ] n (end) fin m; (goal) meta; (polish etc) acabado // vt, vi terminar; **to ~ off** vt acabar, terminar; (kill) acabar con; **to ~ third** llegar el tercero; **~ing line** n línea de llegada o meta.

finite ['fainait] a finito.

Finland ['finlənd] n Finlandia.

Finn [fin] n finlandés/esa m/f; **~ish** a finlandés(esa) // n (LING) finlandés m.

fiord [fjɔ:d] n fiordo.

fir [fə:*] n abeto.

fire ['faiə*] n (gen) fuego; (accidental) incendio // vt (gun) disparar; (set fire to) incendiar; (excite) exaltar; (interest) despertar; (dismiss) despedir // vi encenderse; **on ~** ardiendo, en llamas; **~ alarm** n alarma de incendios; **~arm** n arma de fuego; **~ brigade** n (cuerpo de) bomberos mpl; **~ engine** n coche m de bomberos; **~ escape** n escalera de incendios; **~ extinguisher** n extintor m (de fuego); **~man** n bombero; **~place** n chimenea; **~proof** a a prueba de fuego; **~side** n hogar m; **~ station** n parque m de bomberos; **~wood** n leña; **~works** npl fuegos mpl artificiales.

firing ['faiəriŋ] n (MIL) disparos mpl, tiroteo; **~ squad** n pelotón m de ejecución.

firm [fə:m] a firme // n firma; **~ly** ad firmemente; **~ness** n firmeza.

first [fə:st] a primero // ad (before others) primero; (when listing reasons etc) en primer lugar, primeramente // n (person: in race) primero; (AUT) primera; **at ~** al principio; **~ of all** ante todo; **~-aid kit** n botiquín m; **~-class** a de primera clase; **~-hand** a de primera mano; **~ly** ad en primer lugar; **~ name** n nombre m de pila; **~-rate** a de primera clase.

fir tree n abeto.

fiscal ['fiskəl] a fiscal.

fish [fiʃ] n, pl inv pez m; (food) pescado // vt, vi pescar; **to go ~ing** ir de pesca; **~erman** n pescador m; **~ery** n pesquería; **~ fingers** npl dedos mpl de pescado; **~ing boat** n barca de pesca; **~ing line** n sedal m; **~ing rod** n caña (de pescar); **~ing tackle** n aparejo (de pescar); **~ market** n mercado de pescado; **~monger** n pescadero; **~monger's (shop)** n pescadería; **~y** a (fig) sospechoso.

fission ['fiʃən] n fisión f.

fissure ['fiʃə*] n fisura.

fist [fist] n puño.

fit [fit] a (MED, SPORT) en (buena) forma; (proper) adecuado, apropiado // vt (clothes) sentar bien a; (try on: clothes) probar; (facts) cuadrar o corresponder con; (accommodate) ajustar, adaptar; (correspond exactly) encajar en // vi (clothes) entallar; (in space, gap) caber; (correspond) corresponder // n (MED) ataque m; **~ to** apto para; **~ for** apropiado para; **this dress is a good ~** este vestido me sienta bien; **to ~ in** vi (gen) encajarse; (fig: person) llevarse bien (con todos); **to ~ out** (also: **~ up**) vt equipar; **~ful** a espasmódico, intermitente; **~ment** n mueble m; **~ness** n (MED) salud f; (of remark) conveniencia; **~ter** n ajustador m; **~ting** a apropiado // n (of dress) prueba; **~tings** npl instalaciones fpl.

five [faɪv] num cinco; **fiver** n (Brit: col) billete m de cinco libras.

fix [fɪks] vt (secure) fijar, asegurar; (mend) arreglar // n: **to be in a ~** estar en un aprieto; **~ed** [fɪkst] a (prices etc) fijo; **~ture** ['fɪkstʃə*] n cosa fija; (furniture) mueble m fijo; (SPORT) partido.

fizz [fɪz] vi hacer efervescencia.

fizzle ['fɪzl]: **~ out** vi apagarse.

fizzy ['fɪzɪ] a (drink) gaseoso; (gen) efervescente.

fjord [fjɔːd] = **fiord.**

flabbergasted ['flæbəgɑːstɪd] a pasmado.

flabby ['flæbɪ] a flojo; (fat) gordo.

flag [flæg] n bandera; (stone) losa // vi acabarse, decaer; **to ~ sb down** hacer signos a uno para que se detenga; **~pole** n asta de bandera.

flagrant ['fleɪgrənt] a flagrante.

flair [flɛə*] n aptitud f especial.

flake [fleɪk] n (of rust, paint) escama; (of snow, soap powder) copo // vi (also: **~ off**) desprenderse en escamas.

flamboyant [flæm'bɔɪənt] a (dress) vistoso; (person) extravagante.

flame [fleɪm] n llama.

flamingo [flə'mɪŋgəu] n flamenco.

flammable ['flæməbl] a inflamable.

flan [flæn] n tarta.

flank [flæŋk] n flanco; (of person) costado // vt flanquear.

flannel ['flænl] n (also: **face ~**) paño; (fabric) franela; (col) coba; **~s** npl pantalones mpl de franela.

flap [flæp] n (of pocket) cartera; (of envelope) solapa; (of table) hoja (plegadiza); (wing movement) aletazo // vt (wings) aletear // vi (sail, flag) ondear.

flare [flɛə*] n llamarada; (MIL) bengala; (in skirt etc) vuelo; **to ~ up** vi encenderse; (fig: person) encolerizarse; (: revolt) estallar.

flash [flæʃ] n relámpago; (also: **news ~**) noticias fpl de última hora; (PHOT) flash m // vt (light, headlights) encender y apagar (la luz); (torch) encender // vi brillar, relampaguear; **in a ~** en un instante; **he ~ed by** or **past** pasó como un rayo; **~back** n flashback m; **~ bulb** n bombilla fusible; **~er** n (AUT) intermitente m.

flashy ['flæʃɪ] a (pej) ostentoso.

flask [flɑːsk] n frasco; (also: **vacuum ~**) termo.

flat [flæt] a llano; (smooth) liso; (tyre) desinflado; (beer) muerto; (MUS) desafinado // n (apartment) piso, apartamento; (MUS) bemol m; (AUT) pinchazo; **~ly** ad terminantemente, de plano; **~ness** n (of land) llanura, lo llano; **~ten** vt (also: **~ten out**) allanar;

(smooth out) alisar; (demolish) aplastar.

flatter ['flætə*] vt adular, halagar; **~er** n adulador/a m/f; **~ing** a halagüeño; **~y** n adulación f.

flatulence ['flætjuləns] n flatulencia.

flaunt [flɔːnt] vt ostentar, lucir.

flavour, flavor ['fleɪvə*] n sabor m, gusto // vt sazonar, condimentar; **~ed with** con sabor a; **~ing** n condimento.

flaw [flɔː] n defecto; **~less** a intachable.

flax [flæks] n lino; **~en** a rubio.

flea [fliː] n pulga; **~pit** n cine m de baja categoría.

flee [fliː], pt, pp **fled** [flɛd] vt huir de, abandonar // vi huir, fugarse.

fleece [fliːs] n vellón m; (wool) lana // vt (col) pelar.

fleet [fliːt] n (gen) flota; (of lorries etc) escuadra.

fleeting ['fliːtɪŋ] a fugaz.

Flemish ['flemɪʃ] a flamenco.

flesh [flɛʃ] n carne f; (of fruit) pulpa; **of ~ and blood** de carne y hueso.

flew [fluː] pt of **fly.**

flex [flɛks] n cordón m // vt (muscles) tensar; **~ibility** [-ɪ'bɪlɪtɪ] n flexibilidad f; **~ible** a flexible.

flick [flɪk] n golpecito; (with finger) capirotazo; (with whip) chasquido // vt dar un golpecito a; **to ~ through** vt fus hojear.

flicker ['flɪkə*] vi (light) parpadear; (flame) vacilar // n parpadeo.

flier ['flaɪə*] n aviador/a m/f.

flight [flaɪt] n vuelo; (escape) huida, fuga; (also: **~ of steps**) tramo (de escaleras); **to take ~** huir, darse a la fuga; **to put to ~** ahuyentar; **~ deck** n (AVIAT) cabina.

flimsy ['flɪmzɪ] a (thin) muy ligero; (weak) débil.

flinch [flɪntʃ] vi acobardarse.

fling [flɪŋ], pt, pp **flung** vt arrojar.

flint [flɪnt] n pedernal m; (in lighter) piedra.

flip [flɪp] vt dar la vuelta a; (coin) echar a cara o cruz.

flippant ['flɪpənt] a poco serio.

flirt [flɜːt] vi coquetear, flirtear // n coqueta m/f; **~ation** [-'teɪʃən] n coqueteo, flirteo.

flit [flɪt] vi revolotear.

float [fləut] n flotador m; (in procession) carroza // vi flotar; (swimmer) hacer la plancha // vt (gen) hacer flotar; (company) lanzar.

flock [flɔk] n (of sheep) rebaño; (of birds) bandada; (of people) multitud f.

flog [flɔg] vt azotar; (col) vender.

flood [flʌd] n inundación f; (of words, tears etc) torrente m // vt inundar; **~ing** n inundación f; **~light** n foco.

floor [flɔː*] n suelo; (storey) piso; (of sea) fondo; (dance ~) pista // vt (fig) dejar sin respuesta; **ground ~** (Brit), **first ~** (US) planta baja; **first ~** (Brit), **second ~**

(US) primer piso; ~**board** *n* tabla; ~**show** *n* cabaret *m*.

flop [flɔp] *n* fracaso // *vi (fail)* fracasar.

floppy ['flɔpɪ] *a* flojo.

flora ['flɔːrə] *n* flora; **floral** ['flɔːrl] *a* floral.

florid ['flɔrɪd] *a (style)* florido.

florist ['flɔrɪst] *n* florista *m/f*; ~**'s (shop)** *n* florería.

flounce [flauns] *n* volante *m*; **to ~ out** *vi* salir enfadado.

flounder ['flaundə*] *vi* tropezar.

flour ['flauə*] *n* harina.

flourish ['flʌrɪʃ] *vi* florecer; ~**ing** *a* floreciente.

flout [flaut] *vt* burlarse de.

flow [fləu] *n (movement)* flujo; *(direction)* curso; *(tide)* corriente *f* // *vi* correr, fluir; *(blood)* derramarse.

flower ['flauə*] *n* flor *f* // *vi* florecer; ~**bed** *n* macizo; ~**pot** *n* tiesto; ~**y** *a* florido.

flown [fləun] *pp of* **fly.**

flu [fluː] *n* gripe *f*.

fluctuate ['flʌktjueɪt] *vi* fluctuar; **fluctuation** [-'eɪʃən] *n* fluctuación *f*.

fluent ['fluːənt] *a (speech)* elocuente; **he speaks ~ French, he's ~ in French** domina el francés; ~**ly** *ad* con fluidez.

fluff [flʌf] *n* pelusa; ~**y** *a* velloso.

fluid ['fluːɪd] *a, n* fluido, líquido.

fluke [fluːk] *n (col)* chiripa.

flung [flʌŋ] *pt, pp of* **fling.**

fluorescent [fluə'rɛsnt] *a* fluorescente.

fluoride ['fluəraɪd] *n* fluoruro.

flurry ['flʌrɪ] *n (of snow)* ráfago; *(haste)* agitación *f*; ~ **of activity** frenesí *m* de actividad.

flush [flʌʃ] *n (on face)* rubor *m*; *(plenty)* plenitud *f*, abundancia *f* // *vt* limpiar con agua // *vi* ruborizarse // *a*: ~ **with** a ras de; **to ~ the toilet** hacer funcionar el WC; ~**ed** *a* ruborizado.

flustered ['flʌstəd] *a* aturdido.

flute [fluːt] *n* flauta.

flutter ['flʌtə*] *n* emoción *f*; *(of wings)* revoloteo, aleteo; *(fam: bet)* apuesta // *vi* revolotear.

flux [flʌks] *n* flujo; **in a state of ~** cambiando continuamente.

fly [flaɪ] *n (insect)* mosca; *(on trousers: also:* **flies)** bragueta // *(vb: pt* **flew,** *pp* **flown)** *vt (gen)* hacer volar; *(plane)* pilot(e)ar; *(cargo)* transportar en avión; *(distances)* recorrer (en avión) // *vi* volar; *(passengers)* ir *o* subir en avión; *(escape)* evadirse; *(flag)* ondear; **to let ~** desahogarse; ~**ing** *n (activity)* (el) volar // *a*: ~**ing visit** visita relámpago; **with ~ing colours** con lucimiento; ~**ing saucer** *n* platillo volante; ~**over** *n (Brit: bridge)* paso a desnivel *o* superior; ~**past** *n* desfile *m* aéreo; ~**sheet** *n (for tent)* doble techo.

foal [fəul] *n* potro.

foam [fəum] *n* espuma // *vi* echar espuma; ~ **rubber** *n* espuma de caucho.

fob [fɔb] *vt*: **to ~ sb off** deshacerse de alguien con excusas.

focal ['fəukəl] *a* focal.

focus ['fəukəs] *pl* ~**es** *n* foco // *vt (field glasses etc)* enfocar; **to ~ on** enfocar a; **in/out of** ~ enfocado/desenfocado.

fodder ['fɔdə*] *n* pienso.

foe [fəu] *n* enemigo.

foetus ['fiːtəs] *n* feto.

fog [fɔg] *n* niebla; ~**gy** *a*: **it's** ~**gy** hay niebla, está brumoso.

foil [fɔɪl] *vt* frustrar // *n* hoja; *(also:* **kitchen** ~) papel *m* (de) aluminio; *(FENCING)* florete *m*.

fold [fəuld] *n (bend, crease)* pliegue *m*; *(of skin)* arruga; *(AGR)* redil *m* // *vt* doblar; **to ~ up** *vi (map etc)* plegarse, doblarse; *(business)* quebrar // *vt (map etc)* plegar; ~**er** *n (for papers)* carpeta; *(brochure)* folleto; ~**ing** *a (chair, bed)* plegable.

foliage ['fəulɪɪdʒ] *n* follaje *m*.

folk [fəuk] *npl* gente *f* // *a* popular, folklórico; ~**s** *npl* familia, parientes *mpl*; ~**lore** ['fəuklɔː*] *n* folklore *m*; ~**song** *n* canción *f* popular *o* folklórica.

follow ['fɔləu] *vt* seguir // *vi* seguir; *(result)* resultar; **he** ~**ed suit** hizo lo mismo; **to ~ up** *vt (letter, offer)* responder a; *(case)* investigar; ~**er** *n* seguidor/a *m/f*; *(POL)* partidario/a; ~**ing** *a* siguiente // *n* afición *f*, partidarios *mpl*.

folly ['fɔlɪ] *n* locura.

fond [fɔnd] *a (loving)* cariñoso; **to be ~ of** tener cariño a.

fondle ['fɔndl] *vt* acariciar.

fondness ['fɔndnɪs] *n (for things)* gusto; *(for people)* cariño.

font [fɔnt] *n* pila bautismal.

food [fuːd] *n* comida; ~ **mixer** *n* batidora; ~ **poisoning** *n* botulismo; ~**stuffs** *npl* comestibles *mpl*.

fool [fuːl] *n* tonto/a; *(CULIN)* puré *m* de frutas con nata // *vt* engañar // *vi (gen:* ~ **around)** bromear; *(waste time)* perder el tiempo; ~**hardy** *a* temerario; ~**ish** *a* tonto; *(stupid)* estúpido; *(careless)* imprudente; ~**proof** *a (plan etc)* infalible.

foot [fut], *pl* **feet** *n (measure)* pie *m* (= *304 mm)*; *(of animal)* pata // *vt (bill)* pagar; **on ~** a pie; ~**ball** *n* balón *m*; *(game)* fútbol *m*; ~**baller** *n* futbolista *m*; ~**brake** *n* freno de pie; ~**bridge** *n* puente *m* para peatones; ~**hills** *npl* estribaciones *fpl*; ~**hold** *n* pie *m* firme; ~**ing** *n (fig)* posición *f*; **to lose one's** ~**ing** perder el pie; **on an equal** ~**ing** en pie de igualdad; ~**lights** *npl* candilejas *fpl*; ~**man** *n* lacayo; ~**note** *n* nota de pie; ~**path** *n* sendero; *(pavement)* acera; ~**sore** *a* con los pies adoloridos; ~**step** *n* paso; ~**wear** *n* calzado.

for [fɔː*] *prep* para; *(as, in exchange for, because of)* por; *(during)* durante; *(in spite of)* a pesar de // *conj* pues, ya que; **it was sold ~ 100 pesetas** se vendió por 100 pesetas; **what ~?** ¿para qué?; **what's it ~?** ¿para qué sirve?; **he was away ~**

2 years estuvo fuera 2 años; **he went ~ the paper** fue a buscar el periódico; **~ sale** se vende.

forage ['fɒrɪdʒ] n forraje m.

foray ['fɒreɪ] n incursión f.

forbid [fə'bɪd], pt **forbad(e)** [fə'bæd], pp **forbidden** [fə'bɪdn] vt prohibir; **~ding** a (gloomy) lúgubre; (severe) severo.

force [fɔːs] n fuerza // vt forzar; **to ~ o.s. to** hacer un esfuerzo por; **the F~s** npl las Fuerzas Armadas; **in ~** en vigor; **~d** [fɔːst] a forzado; **~ful** a enérgico.

forceps ['fɔːsɛps] npl fórceps m inv.

forcibly ['fɔːsəblɪ] ad a la fuerza.

ford [fɔːd] n vado // vt vadear.

forearm ['fɔːrɑːm] n antebrazo.

foreboding [fɔː'bəudɪŋ] n presagio.

forecast ['fɔːkɑːst] n pronóstico // vt (irg: like cast) pronosticar.

forefathers ['fɔːfɑːðəz] npl antepasados mpl.

forefinger ['fɔːfɪŋgə*] n (dedo) índice m.

forego = forgo.

foregone ['fɔːgɔn] a: **it's a ~ conclusion** es una conclusión inevitable.

foreground ['fɔːgraund] n primer plano.

forehead ['fɔrɪd] n frente f.

foreign ['fɒrɪn] a extranjero; (trade) exterior; **~er** n extranjero; **~ exchange** n divisas fpl; **F~ Minister** n Ministro de Asuntos Exteriores; **F~ Office** n Ministerio de Asuntos Exteriores.

foreleg ['fɔːlɛg] n pata delantera.

foreman ['fɔːmən] n capataz m; (in construction) maestro de obras.

foremost ['fɔːməust] a principal.

forensic [fə'rɛnsɪk] a forense.

forerunner ['fɔːrʌnə*] n precursor/a m/f.

foresee [fɔː'siː] (irg: like see) vt prever; **~able** a previsible.

foresight ['fɔːsaɪt] n previsión f.

forest ['fɒrɪst] n bosque m.

forestall [fɔː'stɔːl] vt prevenir.

forestry ['fɒrɪstrɪ] n silvicultura.

foretaste ['fɔːteɪst] n (gen) anticipo; (sample) muestra.

foretell [fɔː'tɛl] (irg: like tell) vt predecir, pronosticar.

forever [fə'rɛvə*] ad para siempre.

foreword ['fɔːwəːd] n prefacio.

forfeit ['fɔːfɪt] n pérdida; (fine) multa // vt perder (derecho a).

forgave [fə'geɪv] pt of **forgive.**

forge [fɔːdʒ] n fragua; (smithy) herrería // vt (signature, money) falsificar; (metal) forjar; **to ~ ahead** vi avanzar constantemente; **forger** n falsificador/a m/f; **~ry** n falsificación f.

forget [fə'gɛt], pt **forgot**, pp **forgotten** vt olvidar // vi olvidarse; **~ful** a olvidadizo; **~fulness** n (gen) olvido; (thoughtlessness) descuido; (oblivion) falta de memoria.

forgive [fə'gɪv], pt **forgave**, pp **forgiven** vt perdonar; **to ~ sb for sth** perdonar algo a uno; **~ness** n perdón m.

forgo [fɔː'gəu] (irg: like go) vt (give up)

renunciar a; (go without) privarse de.

forgot [fə'gɔt] pt of **forget.**

forgotten [fə'gɔtn] pp of **forget.**

fork [fɔːk] n (for eating) tenedor m; (for gardening) horca; (of roads) bifurcación f; (in tree) horcadura // vi (road) bifurcarse; **to ~ out** vt (col: pay) desembolsar; **~ed** [fɔːkt] a (lightning) en zigzag; **~-lift truck** n elevadora-transportadora de horquilla.

form [fɔːm] n forma; (SCOL) clase f; (questionnaire) formulario // vt formar; **in top ~** en plena forma.

formal ['fɔːməl] a (offer, receipt) oficial; (person etc) ceremonioso; (occasion, dinner) oficial, protocolario; (dress) de etiqueta; **~ity** [-'mælɪtɪ] n ceremonia; **~ities** npl formalidades fpl; **~ly** ad oficialmente.

format ['fɔːmæt] n formato.

formation [fɔː'meɪʃən] n formación f.

formative ['fɔːmətɪv] a (years) formativo.

former ['fɔːmə*] a anterior; (earlier) antiguo; (ex) ex; **the ~ ... the latter ...** aquél ... éste ...; **~ly** ad antiguamente.

formidable ['fɔːmɪdəbl] a formidable.

formula ['fɔːmjulə] n fórmula.

formulate ['fɔːmjuleɪt] vt formular.

forsake [fə'seɪk], pt **forsook** [fə'suk], pp **forsaken** [fə'seɪkən] vt (gen) abandonar; (plan) renunciar a.

fort [fɔːt] n fuerte m.

forte ['fɔːtɪ] n fuerte m.

forth [fɔːθ] ad en adelante; **back and ~** de acá para allá; **and so ~** y así sucesivamente; **~coming** a próximo, venidero; (character) comunicativo; **~right** a franco.

fortieth ['fɔːtɪθ] a cuadragésimo.

fortification [fɔːtɪfɪ'keɪʃən] n fortificación f; **fortify** ['fɔːtɪfaɪ] vt fortalecer.

fortitude ['fɔːtɪtjuːd] n fortaleza.

fortnight ['fɔːtnaɪt] n quincena; **~ly** a quincenal // ad quincenalmente.

fortress ['fɔːtrɪs] n fortaleza.

fortuitous [fɔː'tjuːɪtəs] a fortuito.

fortunate ['fɔːtʃənɪt] a: **to be ~** tener suerte; **it is ~ that...** es afortunado que...; **~ly** ad afortunadamente.

fortune ['fɔːtʃən] n suerte f; (wealth) fortuna; **~-teller** n adivina.

forty ['fɔːtɪ] num cuarenta.

forum ['fɔːrəm] n foro.

forward ['fɔːwəd] a (movement, position) avanzado; (front) delantero; (not shy) atrevido // n (SPORT) delantero // vt (letter) remitir; (career) progresar; **to move ~** avanzar; **~(s)** ad (hacia) adelante.

fossil ['fɒsl] n fósil m.

foster ['fɒstə*] vt fomentar; **~ brother** n hermano de leche; **~ child** n hijo adoptivo; **~ mother** n madre f adoptiva.

fought [fɔːt] pt, pp of **fight.**

foul [faul] a (gen) sucio, puerco; (weather) horrible; (smell etc) asqueroso // n (FOOTBALL) falta (en contra) // vt (dirty) ensuciar; (*block*) atascar; (*football player*) cometer una falta contra; ~ **play** *n* (*SPORT*) mala jugada; (*LAW*) muerte *f* violenta.

found [faund] *pt, pp* of **find** // *vt* (*establish*) fundar; ~**ation** [-'deɪʃən] *n* (*act*) fundación *f*; (*basis*) base *f*; (*also*: ~**ation cream**) crema base; ~**ations** *npl* (*of building*) cimientos *mpl*.

founder ['faundə*] *n* fundador/a *m/f* // *vi* hundirse.

foundry ['faundrɪ] *n* fundición *f*.

fountain ['fauntɪn] *n* fuente *f*; ~ **pen** *n* pluma-fuente *f*.

four [fɔ:*] *num* cuatro; **on all** ~**s** a gatas; ~**-poster** *n* cama a columnas; ~**some** ['fɔ:səm] *n* grupo de cuatro personas; ~**teen** *num* catorce; ~**teenth** *a* décimocuarto; ~**th** *a* cuarto.

fowl [faul] *n* ave *f* (de corral).

fox [fɔks] *n* zorro // *vt* confundir; ~ **trot** *n* fox *m*.

foyer ['fɔɪeɪ] *n* vestíbulo.

fracas ['fræka:] *n* gresca, riña.

fraction ['frækʃən] *n* fracción *f*.

fracture ['fræktʃə*] *n* fractura // *vt* fracturar.

fragile ['frædʒaɪl] *a* frágil.

fragment ['frægmənt] *n* fragmento; ~**ary** *a* fragmentario.

fragrance ['freɪgrəns] *n* fragancia; **fragrant** [-ənt] *a* fragante, oloroso.

frail [freɪl] *a* (*fragile*) frágil, quebradizo; (*weak*) delicado.

frame [freɪm] *n* (*gen*) estructura; (*body*) talle *m*; (*TECH*) armazón *m*; (*of picture, door etc*) marco; (*of spectacles: also*: ~**s**) montura // *vt* encuadrar; (*reply*) formular; (*fam*) incriminar; ~ **of mind** *n* estado de ánimo; ~**work** *n* marco.

France [fra:ns] *n* Francia.

franchise ['fræntʃaɪz] *n* (*POL*) derecho de votar, sufragio.

frank [fræŋk] *a* franco // *vt* (*letter*) franquear; ~**ly** *ad* francamente; ~**ness** *n* franqueza.

frantic ['fræntɪk] *a* frenético.

fraternal [frə'tə:nl] *a* fraterno; **fraternity** [-nɪtɪ] *n* (*club*) fraternidad *f*; (*US*) club *m* de estudiantes; (*guild*) cofradía; **fraternize** ['frætənaɪz] *vi* confraternizar.

fraud [frɔ:d] *n* fraude *m*; (*person*) impostor *m*; ~**ulent** *a* fraudulento.

fraught [frɔ:t] *a*: ~ **with** cargado de.

fray [freɪ] *n* combate *m*, lucha // *vi* deshilacharse; **tempers were** ~**ed** tenían los nervios a punto.

freak [fri:k] *n* (*person*) fenómeno; (*event*) suceso anormal; (*thing*) cosa insólita.

freckle ['frɛkl] *n* peca.

free [fri:] *a* (*gen*) libre; (*not fixed*) suelto; (*gratis*) gratuito; (*unoccupied*) desocupado; (*liberal*) generoso // *vt* (*prisoner etc*) poner en libertad; (*jammed object*) soltar; ~ **(of charge)** *ad* gratis; ~**dom** ['fri:dəm] *n* libertad *f*; ~**-for-all** *n* riña general; ~ **kick** *n* tiro libre; ~**lance** *a*

independiente; ~**ly** *ad* libremente; generosamente; ~**mason** *n* francmasón *m*; ~ **trade** *n* libre comercio; ~**way** *n* (*US*) autopista; ~**wheel** *vi* ir en punto muerto; ~ **will** *n* libre albedrío; **of one's own** ~ **will** por su propia voluntad.

freeze [fri:z], *pt* **froze**, *pp* **frozen** *vi* helarse, congelarse // *vt* helar; (*prices, food, salaries*) congelar // *n* helada; congelación *f*; **freezer** *n* congelador *m*.

freezing ['fri:zɪŋ] *a* helado; ~ **point** *n* punto de congelación; **3 degrees below** ~ tres grados bajo cero.

freight [freɪt] *n* (*goods*) carga; (*money charged*) flete *m*; ~ **car** *n* (*US*) vagón *m* de mercancías.

French [frɛntʃ] *a* francés(esa) // *n* (*LING*) francés *m*; **the** ~ los franceses; ~ **fried (potatoes)** *npl* patatas *fpl* fritas; ~**man/woman** *n* francés/esa *m/f*; ~ **window** *n* puertaventana.

frenzy ['frɛnzɪ] *n* frenesí *m*.

frequency ['fri:kwənsɪ] *n* frecuencia; **frequent** [-ənt] *a* frecuente // *vt* [frɪ'kwɛnt] frecuentar; **frequently** [-əntlɪ] *ad* frecuentemente, a menudo.

fresco ['frɛskəu] *n* fresco.

fresh [frɛʃ] *a* (*gen*) fresco; (*new*) nuevo; (*water*) dulce; ~**en** *vi* (*wind, air*) soplar más recio; **to** ~**en up** *vi* (*person*) lavarse, arreglarse; ~**ly** *ad* (*newly*) nuevamente; (*recently*) recientemente; ~**ness** *n* frescura.

fret [frɛt] *vi* inquietarse.

friar ['fraɪə*] *n* fraile *m*; (*before name*) fray.

friction ['frɪkʃən] *n* fricción *f*.

Friday ['fraɪdɪ] *n* viernes *m*.

fridge [frɪdʒ] *n* nevera.

friend [frɛnd] *n* amigo/a; ~**liness** *n* simpatía; ~**ly** *a* simpático; ~**ship** *n* amistad *f*.

frieze [fri:z] *n* friso.

frigate ['frɪgɪt] *n* fragata.

fright [fraɪt] *n* susto; **to take** ~ asustarse; ~**en** *vt* asustar; ~**ening** *a* espantoso; ~**ful** *a* espantoso, horrible; ~**fully** *ad* terriblemente.

frigid ['frɪdʒɪd] *a* (*MED*) frígido, frío; ~**ity** [frɪ'dʒɪdɪtɪ] *n* frialdad *f*; (*MED*) frigidez *f*.

frill [frɪl] *n* volante *m*.

fringe [frɪndʒ] *n* flequillo; (*edge: of forest etc*) borde *m*, margen *m*; ~ **benefits** *npl* ventajas *fpl* supletorias.

frisky ['frɪskɪ] *a* juguetón(ona), fogoso.

fritter ['frɪtə*] *n* buñuelo; **to** ~ **away** *vt* desperdiciar.

frivolous ['frɪvələs] *a* frívolo.

frizzy ['frɪzɪ] *a* rizado.

fro [frəu] *see* **to.**

frock [frɔk] *n* vestido.

frog [frɔg] *n* rana; ~**man** *n* hombre-rana *m*.

frolic ['frɔlɪk] *vi* juguetear.

from [frɔm] *prep* de; ~ **January (on)** *a* partir de enero; ~ **what he says** por lo que dice.

front [frʌnt] n (foremost part) parte f delantera; (of house) fachada; (promenade: also: sea ~) paseo marítimo; (MIL, POL, METEOROLOGY) frente m; (fig: appearances) apariencias fpl // a delantero, primero; in ~ (of) delante (de); ~al a frontal; ~ door n puerta principal; ~ier ['frʌntɪə*] n frontera; ~ page n primera plana; ~ room n (Brit) salón m, sala; ~-wheel drive n tracción f delantera.

frost [frɔst] n (gen) helada; (visible) escarcha; ~bite n congelación f; ~ed a (glass) deslustrado; ~y a (window) cubierto de escarcha; (welcome) glacial.

froth [frɔθ] n espuma.

frown [fraun] n ceño // vi fruncir el ceño.

froze [frəuz] pt of **freeze.**

frozen ['frəuzn] pp of **freeze.**

frugal ['fru:gəl] a frugal.

fruit [fru:t] n, pl inv fruta; ~erer n frutero; ~erer's (shop) n frutería; ~ful a provechoso; ~ion [fru:'ɪʃən] n: to come to ~ion realizarse; ~ machine n máquina tragaperras.

frustrate [frʌs'treɪt] vt frustrar; ~d a frustrado; **frustration** [-'treɪʃən] n frustración f.

fry [fraɪ], pt, pp **fried** vt freír; small ~ gente f menuda; ~ing pan n sartén f.

ft. abbr of **foot, feet.**

fuchsia ['fju:ʃə] n fucsia.

fudge [fʌdʒ] n (CULIN) dulce m de azúcar, manjar m.

fuel [fjuəl] n (for heating) combustible m; (coal) carbón m; (wood) leña; (for propelling) carburante m; ~ oil n aceite m combustible; ~ tank n depósito de combustible.

fugitive ['fju:dʒɪtɪv] n fugitivo.

fulfil [ful'fɪl] vt (function) cumplir con; (condition) satisfacer; (wish, desire) realizar; ~ment n satisfacción f, realización f.

full [ful] a lleno; (fig) pleno; (complete) completo; (information) detallado // ad: ~ well perfectamente; **I'm** ~ estoy lleno; ~ employment pleno empleo; ~ fare pasaje m completo; **a** ~ **two hours** dos horas completas; **at** ~ **speed** a máxima velocidad; **in** ~ (reproduce, quote) íntegramente; ~-length a (portrait) de cuerpo entero; ~ moon n luna llena; ~-sized a (portrait etc) de tamaño natural; ~ stop n punto; ~-time a (work) de tiempo completo // n (SPORT) final m; ~y ad completamente; ~y-fledged a (teacher, barrister) diplomado.

fumble ['fʌmbl]: **to** ~ **with** vt fus revolver, manosear.

fume [fju:m] vi humear, echar humo; ~s npl humo sg, gases mpl.

fumigate ['fju:mɪgeɪt] vt fumigar.

fun [fʌn] n (amusement) diversión f; (joy) alegría; **to have** ~ divertirse; **for** ~ en broma; **to make** ~ **of** vt fus burlarse de.

function ['fʌŋkʃən] n función f // vi funcionar; ~al a funcional.

fund [fʌnd] n fondo; (source, store) fuente f; ~s npl fondos mpl.

fundamental [fʌndə'mentl] a fundamental.

funeral ['fju:nərəl] n (burial) entierro; (ceremony) funerales mpl; ~ **service** n misa de difuntos.

funfair ['fʌnfɛə*] n parque m de atracciones.

fungus ['fʌŋgəs], pl -**gi** [-gaɪ] n hongo.

funnel ['fʌnl] n embudo; (of ship) chimenea.

funnily ['fʌnɪlɪ] ad de modo divertido.

funny ['fʌnɪ] a gracioso, divertido; (strange) curioso, raro.

fur [fə:*] n piel f; (in kettle etc) sarro; ~ **coat** n abrigo de pieles.

furious ['fjuərɪəs] a furioso; (effort) violento; ~**ly** ad con furia.

furlong ['fə:lɔŋ] n octava parte de una milla.

furlough ['fə:ləu] n (US) licencia.

furnace ['fə:nɪs] n horno.

furnish ['fə:nɪʃ] vt amueblar; (supply) suministrar; ~**ings** npl muebles mpl.

furniture ['fə:nɪtʃə*] n muebles mpl; **piece of** ~ mueble m; ~ **polish** n cera de lustrar.

furrier ['fʌrɪə*] n peletero.

furrow ['fʌrəu] n surco.

furry ['fə:rɪ] a peludo.

further ['fə:ðə*] a (new) nuevo, adicional; (place) más lejano // ad más lejos; (more) más; (moreover) además // vt promover, adelantar; ~ **education** n educación f superior; ~**more** [fə:ðə'mɔ:*] ad además.

furthest ['fə:ðɪst] superlative of **far.**

furtive ['fə:tɪv] a furtivo.

fury ['fjuərɪ] n furia.

fuse, fuze (US) [fju:z] n fusible m; (for bomb etc) mecha // vt (metal) fundir; (fig) fusionar // vi fundirse; fusionarse; (ELEC): **to** ~ **the lights** fundir los plomos; ~ **box** n caja de fusibles.

fuselage ['fju:zəlɑ:ʒ] n fuselaje m.

fusion ['fju:ʒən] n fusión f.

fuss [fʌs] n (noise) bulla; (dispute) lío; (complaining) protesta; (ceremony) ceremonias fpl; **to make a** ~ armar un lío o jaleo; ~**y** a (person) exigente.

futile ['fju:taɪl] a vano; **futility** [-'tɪlɪtɪ] n inutilidad f.

future ['fju:tʃə*] a (gen) futuro; (coming) venidero // n futuro; **futuristic** [-'rɪstɪk] a futurístico.

fuzzy ['fʌzɪ] a (PHOT) borroso; (hair) muy rizado.

G

gabble ['gæbl] vi hablar atropelladamente; (gossip) cotorrear.

gable ['geɪbl] n aguilón m.

gadget ['gædʒɪt] n aparato.

Gaelic ['geɪlɪk] n (LING) gaélico.

gag [gæg] n (joke) chiste m // vt amordazar.

gaiety ['geɪɪtɪ] n alegría.

gaily ['geɪlɪ] ad alegremente.

gain [geɪn] n ganancia // vt ganar // vi (watch) adelantarse; **to ~ by sth** sacar provecho de algo; **to ~ on sb** ir ganando terreno a uno.

gait [geɪt] n modo de andar.

gala ['gɑːlə] n fiesta.

galaxy ['gæləksɪ] n galaxia.

gale [geɪl] n (wind) vendaval m.

gallant ['gælənt] a valiente; (towards ladies) atento; **~ry** n valentía; (courtesy) cortesía.

gall-bladder ['gɔːlblædə*] n vesícula biliar.

gallery ['gælərɪ] n galería; (also: **art ~**) museo.

galley ['gælɪ] n (ship's kitchen) cocina; (ship) galera.

gallon ['gælən] n galón m (4.543 litros).

gallop ['gæləp] n galope m // vi galopar.

gallows ['gæləuz] n horca.

gallstone ['gɔːlstəun] n cálculo biliario.

gamble ['gæmbl] n (risk) riesgo; (bet) apuesta // vt: **to ~ on** apostar a; (fig) confiar en que // vi jugar; (COMM) especular; **gambler** n jugador/a m/f; **gambling** n el juego.

game [geɪm] n (gen) juego; (match) partido; (of cards) partida; (HUNTING) caza // a valiente; (ready): **to be ~ for anything** atreverse a todo; **~ bird** n ave f de caza; **~keeper** n guardabosques m inv.

gammon ['gæmən] n (bacon) tocino ahumado; (ham) jamón m ahumado.

gang [gæŋ] n pandilla; (of workmen) brigada // vi: **to ~ up on sb** conspirar contra uno.

gangrene ['gæŋgriːn] n gangrena.

gangster ['gæŋstə*] n gángster m.

gangway ['gæŋweɪ] n (in theatre etc) pasillo; (on ship) pasarela; (on dock) pasadera.

gaol [dʒeɪl] = **jail**.

gap [gæp] n vacío, hueco; (in trees, traffic) claro; (in time) intervalo.

gape [geɪp] vi estar o quedarse boquiabierto; **gaping** a (hole) muy abierto.

garage ['gærɑːʒ] n garaje m.

garbage ['gɑːbɪdʒ] n basura; **~ can** n (US) cubo de la basura.

garbled ['gɑːbld] a (distorted) falsificado, amañado.

garden ['gɑːdn] n jardín m; **~er** n jardinero; **~ing** n jardinería.

gargle ['gɑːgl] vi hacer gárgaras.

gargoyle ['gɑːgɔɪl] n gárgola.

garish ['gɛərɪʃ] a chillón(ona).

garland ['gɑːlənd] n guirnalda.

garlic ['gɑːlɪk] n ajo.

garment ['gɑːmənt] n prenda (de vestir).

garnish ['gɑːnɪʃ] vt adornar; (CULIN) aderezar.

garrison ['gærɪsn] n guarnición f // vt guarnecer.

garrulous ['gærjuləs] a gárrulo.

garter ['gɑːtə*] n liga; **~ belt** n portaligas m inv.

gas [gæs] n gas m; (US: gasoline) gasolina // vt asfixiar con gas; **~ cooker** n cocina de gas; **~ cylinder** n bombona de gas; **~ fire** n estufa de gas.

gash [gæʃ] n raja; (on face) cuchillada // vt (gen) rajar; (with knife) acuchillar.

gasket ['gæskɪt] n (AUT) junta.

gas: ~mask n careta antigás; **~ meter** n contador m de gas.

gasoline ['gæsəliːn] n (US) gasolina.

gasp [gɑːsp] n grito sofocado // vi (pant) jadear; **to ~ out** vt (say) decir con voz entrecortada.

gas: ~ ring n hornillo de gas; **~ stove** n cocina de gas; **~sy** a gaseoso; **~ tap** n llave f del gas.

gastric ['gæstrɪk] a gástrico; **~ ulcer** n úlcera gástrica.

gate [geɪt] n puerta; (RAIL) barrera; **~crash** vt colarse de gorra en; **~way** n puerta.

gather ['gæðə*] vt (flowers, fruit) coger; (assemble) reunir; (pick up) recoger; (SEWING) fruncir; (understand) entender // vi (assemble) reunirse; **~ing** n reunión f, asamblea.

gauche [gəuʃ] a torpe.

gaudy ['gɔːdɪ] a chillón(ona).

gauge [geɪdʒ] n medida; (RAIL) entrevía; (instrument) indicador m // vt medir.

gaunt [gɔːnt] a descarnado; (grim, desolate) desolado.

gauntlet ['gɔːntlɪt] n (fig): **to run the ~** correr baquetas; **to throw down the ~** arrojar el guante.

gauze [gɔːz] n gasa.

gave [geɪv] pt of **give**.

gay [geɪ] a (person) alegre; (colour) vistoso, vivo; (homosexual) gay.

gaze [geɪz] n mirada fija; **to ~ at sth** mirar algo con fijeza.

gazelle [gə'zɛl] n gacela.

gazetteer [gæzə'tɪə*] n diccionario geográfico.

G.B. abbr of **Great Britain**.

G.C.E. n abbr of **General Certificate of Education**.

gear [gɪə*] n equipo, herramientas fpl; (TECH) engranaje m; (AUT) velocidad f, marcha; **top/low ~** tercera (o cuarta)/primera velocidad; **in ~** en marcha; **~ box** n caja de cambios; **~ lever, ~ shift** (US) n palanca de velocidades; **~ wheel** n rueda dentada.

geese [giːs] pl of **goose**.

gelatin(e) ['dʒɛlətiːn] n gelatina.

gelignite ['dʒɛlɪgnaɪt] n gelignita.

gem [dʒɛm] n joya.

Gemini ['dʒɛmɪnaɪ] n Géminis m, Gemelos mpl.

gender ['dʒɛndə*] n género.

general ['dʒenərl] *n* general *m* // *a* general; **in ~** en general; **~ election** *n* elecciones *fpl* generales; **~ization** [-aɪ'zeɪʃən] *n* generalización *f*; **~ize** *vi* generalizar; **~ly** *ad* generalmente, en general; **~ practitioner (G.P.)** *n* médico general.

generate ['dʒenəreɪt] *vt* (*ELEC*) generar; (*fig*) producir.

generation [dʒenə'reɪʃən] *n* generación *f*.

generator ['dʒenəreɪtə*] *n* generador *m*.

generosity [dʒenə'rɒsɪtɪ] *n* generosidad *f*; **generous** ['dʒenərəs] *a* generoso; (*helping etc*) abundante.

genetics [dʒɪ'netɪks] *n* genética.

Geneva [dʒɪ'niːvə] *n* Ginebra.

genial ['dʒiːnɪəl] *a* afable, simpático.

genitals ['dʒenɪtlz] *npl* órganos *mpl* genitales.

genius ['dʒiːnɪəs] *n* genio.

genocide ['dʒenəusaɪd] *n* genocidio.

gent [dʒent] *n abbr of* **gentleman.**

genteel [dʒen'tiːl] *a* fino, elegante.

gentle ['dʒentl] *a* (*sweet*) amable, dulce; (*touch etc*) ligero, suave; (*animal*) manso.

gentleman ['dʒentlmən] *n* señor *m*; (*well-bred man*) caballero.

gentleness ['dʒentlnɪs] *n* dulzura; (*of touch*) suavidad *f*; (*of animal*) mansedumbre *f*.

gently ['dʒentlɪ] *ad* suavemente.

gentry ['dʒentrɪ] *n* alta burguesía.

gents [dʒents] *n* (aseos de) caballeros *mpl.*

genuine ['dʒenjuɪn] *a* auténtico; (*person*) sincero.

geographic(al) [dʒɪə'græfɪk(l)] *a* geográfico; **geography** [dʒɪ'ɔgrəfɪ] *n* geografía.

geological [dʒɪə'lɔdʒɪkl] *a* geológico; **geologist** [dʒɪ'ɔlədʒɪst] *n* geólogo; **geology** [dʒɪ'ɔlədʒɪ] *n* geología.

geometric(al) [dʒɪə'metrɪk(l)] *a* geométrico; **geometry** [dʒɪ'ɔmətrɪ] *n* geometría.

geranium [dʒɪ'reɪnjəm] *n* geranio.

germ [dʒəːm] *n* (*gen*) microbio, bacteria; (*BIO, fig*) germen *m*.

German ['dʒəːmən] *a* alemán(ana) // *n* alemán/ana *m/f*; (*LING*) alemán *m*; **~ measles** *n* rubéola.

Germany ['dʒəːmənɪ] *n* Alemania.

germination [dʒəːmɪ'neɪʃən] *n* germinación *f.*

gesticulate [dʒes'tɪkjuleɪt] *vi* gesticular.

gesture ['dʒestjə*] *n* gesto.

get [get], *pt, pp* **got,** *pp* **gotten** (*US*) *vt* (*obtain*) obtener; (*receive*) recibir; (*achieve*) conseguir; (*find*) encontrar; (*catch*) coger; (*fetch*) traer, ir a buscar; (*understand*) entender // *vi* (*become*) hacerse, volverse; **to ~ old** hacerse viejo, envejecer; **to ~ to** (*place*) llegar a; **he got under the fence** pasó por debajo de la barrera; **to ~ ready/washed** prepararse/lavarse; **to ~ sb to do sth** hacer que alguien haga algo; **to ~ sth**

out of sth sacar algo de algo; **to ~ about** *vi* salir mucho, viajar mucho; (*news*) divulgarse; **to ~ along** *vi* (*agree*) entenderse; (*depart*) marcharse; (*manage*) **= to get by; to ~ at** *vt fus* (*attack*) atacar; (*reach*) llegar a; (*the truth*) descubrir; **to ~ away** *vi* marcharse; (*on holiday*) irse de vacaciones; (*escape*) escaparse; **to ~ away with** *vt fus* hacer impunemente; **to ~ back** *vi* (*return*) volver // *vt* recobrar; **to ~ by** *vi* (*pass*) lograr pasar; (*manage*) arreglárselas; **to ~ down** *vi* bajarse // *vt* (*object*) bajar; (*depress*) deprimir; **to ~ down to** *vt fus* (*work*) ponerse a (hacer); **to ~ in** *vi* (*train*) llegar; (*arrive home*) volver a casa, regresar; **to ~ off** *vi* (*from train etc*) bajar; (*depart: person, car*) marcharse // *vt fus* (train, bus) bajar de; **to ~ on** *vi* (*at exam etc*) tener éxito; (*agree*) entenderse // *vt* (*horse*) subir; **to ~ out** *vi* salir; (*of vehicle*) bajar; (*news*) saberse // *vt* (*take out*) sacar; **to ~ out of** *vt fus* (*duty etc*) escaparse de; **to ~ over** *vt* (*illness*) recobrarse de; (*put across*) hacer comprender; **to ~ round** *vt fus* rodear; (*fig: person*) engatusar a; **to ~ through** **to** *vt fus* (*TEL*) comunicar con; **to ~ together** *vi* reunirse; **to ~ up** *vi* (*rise*) levantarse // *vt fus* levantar; **to ~ up to** *vt fus* (*reach*) llegar a; (*prank etc*) hacer; **~away** *n* fuga, escape *m.*

geyser ['giːzə*] *n* calentador *m* de agua; (*GEO*) géiser *m.*

Ghana ['gɑːnə] *n* Ghana.

ghastly ['gɑːstlɪ] *a* horrible; (*pale*) pálido.

gherkin ['gəːkɪn] *n* pepinillo.

ghetto ['getəu] *n* ghetto.

ghost [gəust] *n* fantasma *m*; **~ly** *a* fantasmal.

giant ['dʒaɪənt] *n* gigante *m* // *a* gigantesco, gigante.

gibberish ['dʒɪbərɪʃ] *n* galimatías *m.*

gibe [dʒaɪb] *n* pulla.

giblets ['dʒɪblɪts] *npl* menudillos *mpl.*

giddiness ['gɪdɪnɪs] *n* vértigo; **giddy** *a* (*dizzy*) mareado; (*speed*) vertiginoso; (*frivolous*) atolondrado; **it makes me giddy** me marea.

gift [gɪft] *n* (*gen*) regalo; (*offering*) obsequio; (*ability*) talento; **~ed** *a* dotado.

gigantic [dʒaɪ'gæntɪk] *a* gigantesco.

giggle ['gɪgl] *vi* reírse con risa tonta // *n* risilla tonta.

gill [dʒɪl] *n* (*measure*) = 0.14 l // *n* [gɪl] (*of fish*) agalla, branquia.

gilt [gɪlt] *a, n* dorado; **~-edged** *a* (*COMM*) del Estado.

gimmick ['gɪmɪk] *n* truco.

gin [dʒɪn] *n* (*liquor*) ginebra.

ginger ['dʒɪndʒə*] *n* jengibre *m*; **~ ale** *n* cerveza de jengibre; **~bread** *n* pan *m* de jengibre; **~-haired** *a* pelirrojo.

gingerly ['dʒɪndʒəlɪ] *ad* con pies de plomo.

gipsy ['dʒɪpsɪ] *n* gitano/a.

giraffe [dʒɪ'rɑːf] *n* jirafa.

girder ['gəːdə*] *n* viga.

girdle ['gɜːdl] n (*corset*) faja // vt ceñir.
girl [gɜːl] n (*small*) niña; (*young woman*) chica, joven f, muchacha; **an English ~** una (chica) inglesa; **~friend** n (*of girl*) amiga; (*of boy*) novia; **~ish** a de niña.
girth [gɜːθ] n circunferencia; (*stoutness*) gordura.
gist [dʒɪst] n lo esencial.
give [gɪv], pt **gave**, pp **given** vt (*gen*) dar; (*deliver*) entregar; (*as gift*) regalar // vi (*break*) romperse; (*stretch: fabric*) dar de sí; **to ~ sb sth, ~ sth to sb** dar algo a uno; **to ~ away** vt (*give free*) regalar; (*betray*) traicionar; (*disclose*) revelar; **to ~ back** vt devolver; **to ~ in** vi ceder // vt entregar; **to ~ off** vt despedir; **to ~ out** vt distribuir; **to ~ up** vi renunciar, darse por vencido // vt renunciar a; **to ~ up smoking** dejar de fumar; **to ~ way** vi ceder; (AUT) ceder el paso.
glacier ['glæsɪə*] n glaciar m.
glad [glæd] a contento; **~den** vt alegrar.
gladioli [glædɪ'əʊlaɪ] npl gladíolos mpl.
gladly ['glædlɪ] ad con mucho gusto.
glamorous ['glæmərəs] a encantador(a), atractivo; **glamour** n encanto, atractivo.
glance [glɑːns] n ojeada, mirada // vi: **to ~ at** echar una ojeada a; **to ~ off** (*bullet*) rebotar; **glancing** a (*blow*) oblicuo.
gland [glænd] n glándula.
glare [glɛə*] n luz f deslumbradora, brillo // vi deslumbrar; **to ~ at** mirar ferozmente a; **glaring** a (*mistake*) notorio.
glass [glɑːs] n vidrio, cristal m; (*for drinking*) vaso; (: *with stem*) copa; (*also: looking ~*) espejo; **~es** npl gafas fpl; **~house** n invernadero; **~ware** n cristalería; **~y** a (*eyes*) vidrioso.
glaze [gleɪz] vt (*door*) poner cristal a; (*pottery*) barnizar // n barniz m; **~d** a (*eye*) vidrioso; (*pottery*) barnizado.
glazier ['gleɪzɪə*] n vidriero.
gleam [gliːm] n destello // vi brillar; **~ing** a reluciente.
glee [gliː] n alegría, regocijo.
glen [glɛn] n cañada, valle m estrecho.
glib [glɪb] a de mucha labia; **~ness** n labia.
glide [glaɪd] vi deslizarse; (AVIAT, *birds*) planear // n deslizamiento; (AVIAT) vuelo sin motor; **glider** n (AVIAT) planeador m; **gliding** n (AVIAT) vuelo sin motor.
glimmer ['glɪmə*] n luz f trémula.
glimpse [glɪmps] n vista momentánea, vislumbre m /// vt vislumbrar, entrever.
glint [glɪnt] n destello; (*in the eye*) chispa // vi centellear.
glisten ['glɪsn] vi relucir, brillar.
glitter ['glɪtə*] vi relucir, brillar // n brillo.
gloat [gləʊt] vi: **to ~ (over)** recrearse en, saborear.
global ['gləʊbl] a mundial; (*sum*) global.
globe [gləʊb] n globo, esfera.
gloom [gluːm] n tinieblas fpl, oscuridad f; (*sadness*) tristeza, melancolía; **~y** a

(*dark*) oscuro; (*sad*) triste; (*pessimistic*) pesimista.
glorify ['glɔːrɪfaɪ] vt glorificar; (*praise*) alabar.
glorious ['glɔːrɪəs] a glorioso; **glory** n gloria.
gloss [glɔs] n (*shine*) brillo; (*paint*) pintura brillante o esmalte; **to ~ over** vt fus encubrir.
glossary ['glɔsərɪ] n glosario.
glossy ['glɔsɪ] a lustroso.
glove [glʌv] n guante m; **~ compartment** n (AUT) guantera.
glow [gləʊ] vi (*shine*) brillar; (*fire*) arder // n brillo.
glower ['glauə*] vi: **to ~ at** mirar con ceño.
glucose ['gluːkəʊs] n glucosa.
glue [gluː] n goma (de pegar) // vt pegar.
glum [glʌm] a (*mood*) abatido; (*person, tone*) melancólico.
glut [glʌt] n superabundancia.
glutton ['glʌtn] n glotón/ona m/f; **a ~ for work** un trabajador incansable; **~y** n gula, glotonería.
glycerin(e) ['glɪsəriːn] n glicerina.
gnarled [nɑːld] a nudoso.
gnat [næt] n mosquito.
gnaw [nɔː] vt roer.
gnome [nəʊm] n gnomo.
go [gəʊ], pt **went**, pp **gone** vi ir; (*travel*) viajar; (*depart*) irse, marcharse; (*work*) funcionar, marchar; (*be sold*) venderse; (*time*) pasar; (*fit, suit*): **to ~ with** hacer juego con; (*become*) ponerse; (*break etc*) estropearse, romperse // n, pl **~es**: **to have a ~** (at) probar suerte (con); **to be on the ~** moverse, estar trabajando; **whose ~ is it?** ¿a quién le toca?; **he's going to do it** va a hacerlo; **to ~ for a walk** ir de paseo; **to ~ dancing** ir a bailar; **how did it ~?** ¿qué tal salió o resultó?, ¿cómo ha ido?; **to ~ about** vi (*rumour*) propagarse // vt fus: **how do I ~ about this?** ¿cómo me las arreglo para hacer esto?; **to ~ ahead** vi (*make progress*) avanzar; (*get going*) seguir; **to ~ along** vi ir // vt fus bordear; **to ~ along with** estar de acuerdo con; **to ~ away** vi irse, marcharse; **to ~ back** vi volver; (*fall back*) retroceder; **to ~ back on** vt fus (*promise*) faltar a; **to ~ by** vi (*years, time*) pasar // vt fus guiarse por; **to ~ down** vi bajar; (*ship*) hundirse; (*sun*) ponerse // vt fus bajar por; **to ~ for** vt fus (*fetch*) ir por; (*like*) gustar; (*attack*) atacar; **to ~ in** vi entrar; **to ~ in for** vt fus (*competition*) presentarse a; **to ~ into** vt fus (*embark on*) embarcarse en; **to ~ off** vi irse, marcharse; (*food*) pasarse; (*explode*) estallar; (*event*) realizarse // vt fus dejar de gustar; **to ~ on** vi seguir, continuar; (*happen*) pasar, ocurrir; **to ~ on doing sth** seguir haciendo algo; **to ~ out** vi salir; (*fire, light*) apagarse; **to ~ over** vi (*ship*) zozobrar // vt fus (*check*) revisar; **to**

~ **through** vt fus (town etc) atravesar; **to ~ up** vi subir; **to ~ without** vt fus pasarse sin.

goad [gəud] vt aguijonear.

go-ahead ['gəuəhɛd] a emprendedor(a) // n luz f verde.

goal [gəul] n meta; (score) gol m; ~**keeper** n portero; ~-**post** n poste m de la portería.

goat [gəut] n cabrío, cabra m/f.

gobble ['gɔbl] vt (also: ~ **down**, ~ **up**) engullirse (ávidamente).

goblet ['gɔblɪt] n copa.

goblin ['gɔblɪn] n duende m.

go-cart ['gəukɑ:t] n go-cart m.

god [gɔd] n dios m; **G**~ n Dios m; ~**child** n ahijado/a; ~**dess** n diosa; ~**father** n padrino; ~-**forsaken** a dejado de la mano de Dios; ~**mother** n madrina; ~**send** n don m del cielo; ~ **son** n ahijado.

goggles ['gɔglz] npl gafas fpl submarinas.

going ['gəuɪŋ] n (conditions) estado del terreno // a: **the ~ rate** la tarifa corriente o en vigor.

gold [gəuld] n oro // a de oro; ~**en** a (made of ~) de oro; (~ in colour) dorado; ~**fish** n pez m de colores; ~**mine** n mina de oro.

golf [gɔlf] n golf m; ~ **club** n club m de golf; (stick) palo (de golf); ~ **course** n campo de golf; ~**er** n jugador/a m/f de golf.

gondola ['gɔndələ] n góndola.

gone [gɔn] pp of **go**.

gong [gɔŋ] n gong m.

gonorrhea [gɔnə'rɪə] n gonorrea.

good [gud] a (gen) bueno; (kind) bueno, amable; (well-behaved) educado; (useful) útil // n bien m, provecho; ~**s** npl bienes mpl; (COMM) mercancías fpl; **to be ~ at** tener aptitud para; **to be ~ for** servir para; **it's ~ for you** te hace bien; **would you be ~ enough to...?** ¿podría hacerme el favor de...?, ¿sería tan amable de...?; **a ~ deal (of)** mucho; **a ~ many** muchos; **to make ~** reparar; **for ~** para siempre, definitivamente; ~ **morning/afternoon!** ¡buenos días/buenas tardes!; ~ **evening!** ¡buenas noches!; ~ **night!** ¡buenas noches!; ~**bye!** ¡adiós!; **to say ~bye** despedirse; **G~ Friday** n Viernes m Santo; ~-**looking** a guapo; ~**ness** n (of person) bondad f; **for ~ness sake!** ¡Por Dios!; ~**ness gracious!** ¡Dios mío!; ~**will** n buena voluntad f.

goose [gu:s], pl **geese** n ganso, oca.

gooseberry ['guzbərɪ] n grosella espinosa.

gooseflesh ['gu:sflɛʃ] n, **goose pimples** npl carne f de gallina.

gore [gɔ:*] vt cornear // n sangre f.

gorge [gɔ:dʒ] n barranco // vr: **to ~ o.s. (on)** atracarse (de).

gorgeous ['gɔ:dʒəs] a magnífico, maravilloso.

gorilla [gə'rɪlə] n gorila m.

gorse [gɔ:s] n aulaga.

gory ['gɔ:rɪ] a sangriento.

go-slow ['gəu'sləu] n huelga de trabajo lento.

gospel ['gɔspl] n evangelio.

gossip ['gɔsɪp] n (scandal) chismorreo, chismes mpl; (chat) charla; (scandalmonger) chismoso/a; (talker) hablador/a m/f // vi cotillear.

got [gɔt] pt, pp of **get**; ~**ten** (US) pp of **get**.

gout [gaut] n gota.

govern ['gʌvən] vt (gen) gobernar; (dominate) dominar.

governess ['gʌvənɪs] n institutriz f.

government ['gʌvnmənt] n gobierno; ~**al** [-'mɛntl] a gubernamental.

governor ['gʌvənə*] n gobernador m; (of jail) director/a m/f.

gown [gaun] n traje m; (of teacher, judge) toga.

G.P. n abbr of **general practitioner.**

GPO n abbr of **General Post Office.**

grab [græb] vt coger, arrebatar.

grace [greis] n (REL) gracia; (gracefulness) elegancia, finura // vt (favour) honrar; (adorn) adornar; **5 days' ~** un plazo de 5 días; **to say ~** bendecir la mesa; ~**ful** a elegante, gracioso; **gracious** ['greiʃəs] a amable.

grade [greid] n (quality) clase f, calidad f; (degree) grado; (US. SCOL) clase f // vt clasificar.

gradient ['greidiənt] n pendiente f.

gradual ['grædjuəl] a paulatino; ~**ly** ad paulatinamente.

graduate ['grædjuit] n graduado, licenciado // vi ['grædjueit] graduarse, licenciarse; **graduation** [-'eiʃən] n graduación f.

graft [grɑ:ft] n (AGR, MED) injerto; (bribery) corrupción f // vt injertar.

grain [grein] n grano; (corn) granos mpl, cereales mpl; (in wood) fibra.

gram [græm] n gramo.

grammar ['græmə*] n gramática; **grammatical** [grə'mætikl] a gramatical.

gramme [græm] n = **gram.**

gramophone ['græməfəun] n tocadiscos m inv.

granary ['grænərɪ] n granero, troj f.

grand [grænd] a magnífico, imponente; ~**children** npl nietos mpl; ~**dad** n yayo, abuelito; ~**daughter** n nieta; ~**eur** ['grændjə*] n magnificencia, lo grandioso; ~**father** n abuelo; ~**iose** ['grændiəuz] a grandioso; (pej) pomposo; ~**ma** n yaya, abuelita; ~**mother** n abuela; ~**pa** n = ~**dad**; ~ **piano** n piano de cola; ~**son** n nieto; ~**stand** n (SPORT) tribuna.

granite ['grænit] n granito.

granny ['grænɪ] n abuelita, yaya.

grant [grɑ:nt] vt (concede) conceder; (admit) asentir // n (SCOL) beca; **to take sth for ~ed** dar algo por sentado.

granulated sugar ['grænjuleitid-] n azúcar m granulado.

granule ['grænju:l] n gránulo.

grape [greɪp] n uva; **sour** ~**s** (fig)
envidia.

grapefruit ['greɪpfruːt] n pomelo, toronja
(AM).

graph [grɑːf] n gráfica; ~**ic** a gráfico.

grapple ['græpl] vi: **to** ~ **with sth**
esforzarse por resolver algo.

grasp [grɑːsp] vt agarrar, asir;
(understand) comprender // n (grip)
asimiento; (reach) alcance m;
(understanding) comprensión f; ~**ing** a
avaro.

grass [grɑːs] n hierba; (lawn) césped m;
~**hopper** n saltamontes m inv; ~**land** n
pradera; ~**-roots** a popular; ~ **snake** n
culebra; ~**y** a cubierto de hierba.

grate [greɪt] n (fireplace) chimenea; (of
iron) parrilla // vi rechinar // vt (CULIN)
rallar.

grateful ['greɪtful] a agradecido.

grater ['greɪtə*] n rallador m.

gratify ['grætɪfaɪ] vt complacer; (whim)
satisfacer; ~**ing** a grato.

grating ['greɪtɪŋ] n (iron bars) rejilla // a
(noise) áspero.

gratitude ['grætɪtjuːd] n agradecimiento.

gratuity [grə'tjuːɪtɪ] n gratificación f.

grave [greɪv] n tumba // a serio, grave;
~ **digger** n sepulturero.

gravel ['grævl] n grava.

grave: ~**stone** n lápida; ~**yard** n
cementerio, camposanto.

gravity ['grævɪtɪ] n gravedad f;
(seriousness) seriedad f.

gravy ['greɪvɪ] n salsa.

gray [greɪ] a = **grey**.

graze [greɪz] vi pacer // vt (touch lightly)
rozar; (scrape) raspar // n (MED) rasguño.

grease [griːs] n (fat) grasa; (lubricant)
lubricante m // vt engrasar; ~**proof** a a
prueba de grasa; (paper) apergaminado;
greasy a grasiento.

great [greɪt] a grande; (col) magnífico,
estupendo; G~ **Britain** n Gran Bretaña;
~**-grandfather/mother** n bisabuelo/a;
~**ly** ad sumamente, mucho, muy; ~**ness**
n grandeza.

Greece [griːs] n Grecia.

greed [griːd] n (also: ~**iness**) codicia,
avaricia; (for food) gula; ~**ily** ad con
avidez; ~**y** a avaro; (for food) glotón(ona).

Greek [griːk] a griego // n griego/a; (LING)
griego.

green [griːn] a verde; (inexperienced)
novato // n verde m; (stretch of grass)
césped m; ~**s** npl verduras fpl; ~**gage** n
claudia; ~**grocer** n verdulero; ~**house** n
invernadero; ~**ish** a verdoso.

Greenland ['griːnlənd] n Groenlandia.

greet [griːt] vt saludar; (welcome) dar la
bienvenida a; ~**ing** n (gen) saludo;
(welcome) bienvenida.

gregarious [grə'gɛərɪəs] a gregario.

grenade [grə'neɪd] n granada.

grew [gruː] pt of **grow**.

grey [greɪ] a gris; ~**-haired** a canoso;
~**hound** n galgo.

grid [grɪd] n reja; (ELEC) red f.

grief [griːf] n dolor m, pena.

grievance ['griːvəns] n motivo de queja,
agravio.

grieve [griːv] vi afligirse, acongojarse // vt
dar pena a; **to** ~ **for** llorar por.

grievous ['griːvəs] a penoso.

grill [grɪl] n (on cooker) parrilla // vt asar
a la parrilla; (question) interrogar
duramente.

grille [grɪl] n reja; (AUT) rejilla.

grim [grɪm] a siniestro; (fam) horrible.

grimace [grɪ'meɪs] n mueca // vi hacer
muecas.

grime [graɪm] n mugre f; **grimy** a
mugriento.

grin [grɪn] n sonrisa abierta // vi sonreír
abiertamente.

grind [graɪnd], pt, pp **ground** vt (coffee,
pepper etc) moler; (make sharp) afilar //
(work) trabajo pesado y aburrido; **to** ~
one's teeth rechinar los dientes.

grip [grɪp] n (hold) asimiento; (of hands)
apretón m; (handle) asidero; (of racquet
etc) mango; (holdall) maletín m;
(understanding) comprensión f // vt
agarrar; **to come to** ~**s with** luchar a
brazo partido con; ~**ping** a absorbente.

grisly ['grɪzlɪ] a horripilante, horrible.

gristle ['grɪsl] n cartílago.

grit [grɪt] n gravilla; (courage) valor m //
vt (road) poner gravilla en; **to** ~ **one's
teeth** apretar los dientes.

groan [grəun] n gemido, quejido // vi
gemir, quejarse.

grocer ['grəusə*] n tendero de
ultramarinos; ~**ies** npl comestibles mpl;
~**'s (shop)** n tienda de ultramarinos.

groggy ['grɔgɪ] a aturdido; (BOXING)
grogui.

groin [grɔɪn] n ingle f.

groom [gruːm] n mozo de caballos; (also:
bride~) novio // vt (horse) cuidar;
well-~**ed** acicalado.

groove [gruːv] n ramura, surco.

grope [grəup] vi ir a tientas; **to** ~ **for** vt
fus buscar a tientas.

gross [grəus] a grueso; (COMM) bruto; ~**ly**
ad (greatly) enormemente.

grotesque [grə'tɛsk] a grotesco.

grotto ['grɔtəu] n gruta.

ground [graund] pt, pp of **grind** // n suelo,
tierra; (SPORT) campo, terreno; (reason:
gen pl) causa, razón f // vt (plane)
mantener en tierra; (US. ELEC) conectar
con tierra // vi (ship) varar, encallar; ~**s**
npl (of coffee etc) poso sg; (gardens etc)
jardines mpl, parque m; **on the** ~ en el
suelo; **to the** ~ al suelo; ~ **floor** n planta
baja; ~**ing** n (in education) conocimientos
mpl básicos; ~**less** a infundado; ~ **sheet**
n tela impermeable; ~ **staff** n personal m
de tierra; ~**work** n preparación f.

group [gruːp] n grupo; (musical) conjunto

// (*vb: also*: ~ **together**) *vt* agrupar // *vi* agruparse.

grouse [graus] *n, pl inv* (*bird*) urogallo // *vi* (*complain*) quejarse.

grove [grəuv] *n* arboleda.

grovel ['grɔvl] *vi* (*fig*) humillarse.

grow [grəu], *pt* **grew**, *pp* **grown** *vi* (*gen*) crecer; (*plants*) cultivarse; (*increase*) aumentarse; (*spread*) extenderse, desarrollarse; (*become*) volverse; **to ~ rich/weak** enriquecerse/debilitarse // *vt* cultivar, dejar crecer; **to ~ up** *vi* crecer, hacerse hombre/mujer; **~er** *n* cultivador/a *m/f*, productor/a *m/f*; **~ing** *a* creciente.

growl [graul] *vi* gruñir.

grown [grəun] *pp of* **grow**; **~-up** *n* adulto, persona mayor.

growth [grəuθ] *n* crecimiento, desarrollo; (*what has grown*) brote *m*; (*MED*) acceso, tumor *m*.

grub [grʌb] *n* gusano; (*col: food*) comida.

grubby ['grʌbɪ] *a* sucio, mugriento.

grudge [grʌdʒ] *n* motivo de rencor // *vt*: **to ~ sb sth** dar algo a uno de mala gana, escatimar algo a uno; **to bear sb a ~** guardar rencor a uno; **he ~s (giving) the money** da el dinero de mala gana.

gruelling ['gruəlɪŋ] *a* penoso, duro.

gruesome ['gru:səm] *a* horrible.

gruff [grʌf] *a* (*voice*) bronco; (*manner*) brusco.

grumble ['grʌmbl] *vi* refunfuñar, quejarse.

grumpy ['grʌmpɪ] *a* gruñón(ona).

grunt [grʌnt] *vi* gruñir // *n* gruñido.

guarantee [gærən'ti:] *n* garantía // *vt* garantizar.

guarantor [gærən'tɔ:*] *n* garante *m/f*, fiador/a *m/f*.

guard [gɑ:d] *n* guardia; (*RAIL*) jefe *m* de tren // *vt* guardar; **~ed** *a* (*fig*) cauteloso; **~ian** *n* guardián/ana *m/f*; (*of minor*) tutor/a *m/f*; **~'s van** *n* (*RAIL*) furgón *m*.

guerrilla [gə'rɪlə] *n* guerrillero; **~ warfare** *n* guerra de guerrillas.

guess [gɛs] *vi, vt* (*gen*) adivinar; (*suppose*) suponer // *n* suposición *f*, conjetura; **to take** *or* **have a ~** tratar de adivinar; **~work** *n* conjeturas *fpl*.

guest [gɛst] *n* invitado/a; (*in hotel*) huésped/a *m/f*; **~-house** *n* casa de huéspedes, pensión *f*; **~ room** *n* cuarto de huéspedes.

guffaw [gʌ'fɔ:] *n* carcajada // *vi* reírse a carcajadas.

guidance ['gaɪdəns] *n* (*gen*) dirección *f*; (*advice*) consejos *mpl*.

guide [gaɪd] *n* (*person*) guía *m/f*; (*book, fig*) guía // *vt* guiar; (*girl*) ~ *n* exploradora; **~book** *n* guía; **~ dog** *n* perro guía; **~lines** *npl* (*fig*) principios *mpl* generales.

guild [gɪld] *n* gremio; **~hall** *n* (*Brit*) ayuntamiento.

guile [gaɪl] *n* astucia; **~less** *a* cándido.

guillotine ['gɪləti:n] *n* guillotina.

guilt [gɪlt] *n* culpabilidad *f*; **~y** *a* culpable.

guinea pig ['gɪnɪpɪg] *n* conejillo de Indias.

guise [gaɪz] *n*: **in** *or* **under the ~ of** so capa de.

guitar [gɪ'tɑ:*] *n* guitarra; **~ist** *n* guitarrista *m/f*.

gulf [gʌlf] *n* golfo; (*abyss*) abismo.

gull [gʌl] *n* gaviota.

gullet ['gʌlɪt] *n* esófago; (*fam*) garganta.

gullible ['gʌlɪbl] *a* crédulo.

gully ['gʌlɪ] *n* barranco.

gulp [gʌlp] *vi* tragar saliva // *vt* (*also*: ~ **down**) tragarse // *n*: **at one ~** de un trago.

gum [gʌm] *n* (*ANAT*) encía; (*glue*) goma; (*sweet*) caramelo de goma; (*also*: **chewing-~**) chiclé *m* // *vt* engomar, pegar con goma; **~boots** *npl* botas *fpl* de goma.

gun [gʌn] *n* (*gen*) arma de fuego; (*small*) pistola; (*shotgun*) escopeta; (*rifle*) fusil *m*; (*cannon*) cañón *m*; **~boat** *n* cañonero; **~fire** *n* fuego, disparos *mpl*; **~man** *n* pistolero; **~ner** *n* artillero; **at ~point** bajo la amenaza de un arma; **~ powder** *n* pólvora; **~shot** *n* escopetazo, cañonazo; **~smith** *n* armero.

gurgle ['gə:gl] *vi* gorgotear.

gush [gʌʃ] *vi* chorrear; (*fig*) deshacerse en efusiones.

gusset ['gʌsɪt] *n* escudete *m*.

gust [gʌst] *n* (*of wind*) ráfaga.

gusto ['gʌstəu] *n* entusiasmo.

gut [gʌt] *n* intestino, tripa; (*MUS etc*) cuerda de tripa; **~s** *npl* (*courage*) valor *m*.

gutter ['gʌtə*] *n* (*of roof*) canalón *m*; (*in street*) arroyo.

guttural ['gʌtərl] *a* gutural.

guy [gaɪ] *n* (*also*: **~rope**) cuerda; (*col: man*) tío, tipo.

guzzle ['gʌzl] *vi* tragar // *vt* engullir.

gym [dʒɪm] *n* (*also*: **gymnasium**) gimnasio; (*also*: **gymnastics**) gimnasia; **~nast** *n* gimnasta *m/f*; **~nastics** *n* gimnasia; **~ shoes** *npl* zapatillas *fpl* de gimnasia; **~ slip** *n* túnica de colegiala.

gynaecologist, gynecologist (*US*) [gaɪnɪ'kɔlədʒɪst] *n* ginecólogo; **gynaecology, gynecology** (*US*) [-nɔ'kɔlədʒɪ] *n* ginecología.

gypsy ['dʒɪpsɪ] *n* = **gipsy**.

gyrate [dʒaɪ'reɪt] *vi* girar.

H

haberdashery ['hæbə'dæʃərɪ] *n* mercería.

habit ['hæbɪt] *n* hábito, costumbre *f*; (*costume*) hábito.

habitable ['hæbɪtəbl] *a* habitable.

habitual [hə'bɪtjuəl] *a* acostumbrado, habitual; (*drinker, liar*) empedernido; **~ly** *ad* por costumbre.

hack [hæk] *vt* (*cut*) cortar; (*slice*) tajar // *n* corte *m*; (*axe blow*) hachazo.

hackneyed ['hæknɪd] *a* trillado, gastado.

had [hæd] *pt, pp of* **have**.

haddock ['hædɔk], pl ~ or ~s n especie de merluza.

hadn't ['hædnt] = had not.

haemorrhage, hemorrhage (US) ['hemɔrɪdʒ] n hemorragia.

haemorrhoids, hemorrhoids (US) ['hemɔrɔɪdz] npl hemorroides fpl.

haggard ['hægɔd] a ojeroso.

haggle ['hægl] vi (argue) discutir; (bargain) regatear.

Hague [heɪg] n: The ~ La Haya.

hail [heɪl] n (weather) granizo // vt saludar; (call) llamar a // vi granizar; ~stone n (piedra de) granizo.

hair [heɔ*] n (gen) pelo, cabellos mpl; (one ~) pelo, cabello; (head of ~) cabellera; (on legs) vello; **grey** ~ canas fpl; ~**brush** n cepillo (del pelo); ~**cut** n corte m de pelo; ~**do** n peinado; ~**dresser** n peluquero; ~**dresser's** n peluquería; ~**drier** n secador m de pelo; ~**net** n redecilla; ~**piece** n trenza postiza; ~**pin** n horquilla; ~**pin bend** n curva de horquilla; ~**raising** a espeluznante; ~ **remover** n depilador m; (cream) crema depilatoria; ~ **spray** n laca; ~**style** n peinado; ~**y** a peludo; velludo.

half [hɑ:f], pl **halves** n mitad f // a medio // ad medio, a medias; ~**-an-hour** media hora; **two and a** ~ dos y media; ~ **a pound** media libra; **to cut sth in** ~ cortar algo por la mitad; ~ **asleep** medio dormido; ~**-price** a mitad de precio; ~**-back** n (SPORT) medio; ~**-breed,** ~**-caste** n mestizo; ~**-hearted** a indiferente, poco entusiasta; ~**-hour** n media hora; ~**penny** ['heɪpnɪ] n medio penique; ~**-time** n medio tiempo; ~**way** ad a medio camino.

halibut ['hælɪbɔt] n, pl inv halibut m.

hall [hɔ:l] n (for concerts) sala; (entrance way) hall m, vestíbulo; **town** ~ palacio municipal; ~ **of residence** n residencia (universitaria).

hallmark ['hɔ:lmɑ:k] n (mark) marca; (seal) sello.

hallo [hɔ'lɔu] excl = **hello.**

hallucination [hɔluːsɪ'neɪʃɔn] n alucinación f.

halo ['heɪlɔu] n (of saint) aureola.

halt [hɔːlt] n (stop) alto, parada; (RAIL) apeadero // vt parar // vi pararse; (process) interrumpirse.

halve [hɑːv] vt partir por la mitad.

halves [hɑːvz] pl of **half.**

ham [hæm] n jamón m (cocido); (actor) comicastro.

hamburger ['hæmbɔːgɔ*] n hamburguesa.

hamlet ['hæmlɪt] n aldea.

hammer ['hæmɔ*] n martillo // vt amartillar // vi (on door) golpear.

hammock ['hæmɔk] n hamaca.

hamper ['hæmpɔ*] vt estorbar // n cesto.

hand [hænd] n mano f; (of clock) manecilla; (writing) letra; (applause) aplausos mpl; (worker) obrero; (measure) palmo // vt (give) dar, pasar; (deliver) entregar; **to give sb a** ~ dar una mano a uno, ayudar a uno; **at** ~ a la mano; **in** ~ entre manos; **on the one** ~ ..., **on the other** ~ ... por una parte ... por otra (parte) ...; **to** ~ **in** vt entregar; **to** ~ **out** vt distribuir; **to** ~ **over** vt (deliver) entregar; (surrender) ceder; ~**bag** n bolso; ~**basin** n lavabo; ~**book** n manual m; ~**brake** n freno de mano; ~**cuffs** npl esposas fpl; ~**ful** n puñado.

handicap ['hændɪkæp] n handicap m, desventaja // vt estorbar; **mentally/physically** ~**ped** incapacitado mentalmente/físicamente.

handicraft ['hændɪkrɑːft] n artesanía.

handkerchief ['hæŋkɔtʃɪf] n pañuelo.

handle ['hændl] n (of door etc) tirador m, manija; (of cup etc) asa; (of knife etc) mango; (for winding) manivela; (fam: name) título // vt (touch) tocar; (deal with) encargarse de; (treat: people) manejar; '~ **with care'** 'tratar con cuidado'; **to fly off the** ~ perder los estribos; ~**bar(s)** n(pl) manillar m.

hand-luggage ['hændlʌgɪdʒ] n equipaje m de mano.

handmade ['hændmeɪd] a hecho a mano.

handout ['hændaut] n (distribution) repartición f; (charity) limosna; (leaflet) folleto.

handshake ['hændʃeɪk] n apretón m de manos.

handsome ['hænsɔm] a guapo.

handwriting ['hændraɪtɪŋ] n letra.

handy ['hændɪ] a (close at hand) a mano; (convenient) práctico; (skilful) hábil, diestro; ~**man** n (hombre) mañoso.

hang [hæŋ], pt, pp **hung** vt colgar; (criminal: pt, pp **hanged**) ahorcar; (head) bajar // vi colgar; **to** ~ **about** vi haraganear; **to** ~ **on** vi (wait) esperar; **to** ~ **up** vi (TEL) colgar.

hangar ['hæŋɔ*] n hangar m.

hanger ['hæŋɔ*] n percha; ~**-on** n parásito.

hangover ['hæŋɔuvɔ*] n (after drinking) resaca.

hang-up ['hæŋʌp] n complejo.

hanker ['hæŋkɔ*] vi: **to** ~ **after** (miss) echar de menos; (long for) añorar.

hankie, hanky ['hæŋkɪ] n abbr of **handkerchief.**

haphazard [hæp'hæzɔd] a fortuito.

happen ['hæpɔn] vi suceder, ocurrir; (take place) tener lugar, realizarse; **to** ~ **upon** tropezar con; ~**ing** n suceso, acontecimiento.

happily ['hæpɪlɪ] ad (luckily) afortunadamente; (cheerfully) alegremente.

happiness ['hæpɪnɪs] n (gen) felicidad f; (joy) alegría.

happy ['hæpɪ] a feliz, alegre; **to be** ~ **(with)** estar contento (con); **to be** ~ ser feliz.

harass ['hærɔs] vt acosar, hostigar;

~**ment** *n* persecución *f*; (*worry*) preocupación *f*.

harbour, harbor (*US*) ['hɑːbə*] *n* puerto // *vt* (*hope etc*) abrigar; (*hide*) esconder.

hard [hɑːd] *a* (*gen*) duro; (*difficult*) difícil; (*work*) arduo; (*person*) severo // *ad* (*work*) mucho, duro, duramente; (*think, try*) seriamente; **no** ~ **feelings!** sin rencor; **to be** ~ **of hearing** ser duro de oído; **to be** ~ **done by** ser tratado injustamente; ~**back** *n* libro encuadernado; ~**board** *n* chapa de madera; ~**en** *vt* endurecer; (*fig*) curtir // *vi* endurecerse; ~**-headed** *a* poco sentimental, práctico; ~ **labour** *n* trabajos *mpl* forzados.

hardly ['hɑːdlɪ] *ad* (*scarcely*) apenas; **that can** ~ **be true** difícilmente puede ser cierto; ~ **ever** casi nunca.

hardness ['hɑːdnɪs] *n* dureza.

hardship ['hɑːdʃɪp] *n* (*troubles*) penas *fpl*; (*financial*) apuro.

hard-up [hɑːd'ʌp] *a* (*col*) pelado.

hardware ['hɑːdwɛə*] *n* ferretería; (*COMPUTERS*) material *m*; ~ **shop** *n* ferretería.

hard-wearing [hɑːd'wɛərɪŋ] *a* resistente, duradero.

hard-working [hɑːd'wɜːkɪŋ] *a* trabajador(a).

hardy ['hɑːdɪ] *a* fuerte; (*plant*) resistente.

hare [hɛə*] *n* liebre *f*; ~**-brained** *a* casquivano.

harem [hɑː'riːm] *n* harén *m*.

haricot (bean) ['hærɪkəu] *n* alubia.

harm [hɑːm] *n* daño, mal *m* // *vt* (*person*) hacer daño a, perjudicar; (*thing*) dañar; **out of** ~**'s way** a salvo; ~**ful** *a* perjudicial; (*pest*) dañino; ~**less** *a* inofensivo.

harmonica [hɑː'mɒnɪkə] *n* armónica.

harmonious [hɑː'məunɪəs] *a* armonioso; **harmonize** ['hɑːmənaɪz] *vt, vi* armonizar; **harmony** ['hɑːmənɪ] *n* armonía.

harness ['hɑːnɪs] *n* arreos *mpl* // *vt* (*horse*) enjaezar; (*resources*) aprovechar.

harp [hɑːp] *n* arpa // *vi*: **to** ~ **on about** hablar constantemente de; ~**ist** *n* arpista *m/f*.

harpoon [hɑː'puːn] *n* arpón *m*.

harrowing ['hærəuɪŋ] *a* horroroso.

harsh [hɑːʃ] *a* (*hard*) duro, cruel; (*severe*) severo; (*unpleasant*) desagradable; (: *colour*) chillón(ona); (*contrast*) violento; ~**ness** *n* dureza.

harvest ['hɑːvɪst] *n* cosecha; (*of grapes*) vendimia // *vt, vi* cosechar; ~**er** *n* (*machine*) cosechadora.

has [hæz] *vb see* **have**.

hash [hæʃ] *n* (*CULIN*) picadillo; (*fig: mess*) lío.

hashish ['hæʃɪʃ] *n* hachís *m*, hachich *m*.

hasn't ['hæznt] = **has not**.

hassle ['hæsl] *n* pelea // *vt* molestar a.

haste [heɪst] *n* prisa; **hasten** ['heɪsn] *vt* acelerar // *vi* darse prisa; **hastily** *ad* de prisa; **hasty** *a* apresurado.

hat [hæt] *n* sombrero.

hatch [hætʃ] *n* (*NAUT: also*: ~**way**) escotilla // *vi* salir del cascarón // *vt* incubar; (*plot*) tramar.

hatchback ['hætʃbæk] *n* (*AUT*) coche *m* con puerta trasera.

hatchet ['hætʃɪt] *n* hacha.

hate [heɪt] *vt* odiar, aborrecer // *n* odio; ~**ful** *a* odioso; **hatred** *n* odio.

hat trick ['hættrɪk] *n* (*SPORT, also fig*) tres triunfos seguidos.

haughty ['hɔːtɪ] *a* altanero, arrogante.

haul [hɔːl] *vt* tirar; (*by lorry*) transportar // *n* (*of fish*) redada; (*of stolen goods etc*) botín *m*; ~**age** *n* transporte *m*; (*costs*) gastos *mpl* de transporte; ~**ier** *n* contratista *m* de transportes.

haunch [hɔːntʃ] *n* anca; (*of meat*) pierna.

haunt [hɔːnt] *vt* (*subj: ghost*) aparecer en; (*frequent*) frecuentar; (*obsess*) obsesionar // *n* guarida; ~**ed house** casa de fantasmas.

have [hæv], *pt, pp* **had** *vt* (*gen*) tener; (*possess*) poseer; (*meal, shower*) tomar; **to** ~ **sth done** hacer hacer algo; **she has to do it** tiene que hacerlo; **I had better leave** más vale que me marche; **I won't** ~ **it** no lo tolero; **he has gone** se ha ido; **to** ~ **it out with sb** ajustar cuentas con alguien; **to** ~ **a baby** parir, dar a luz.

haven ['heɪvn] *n* puerto; (*fig*) refugio.

haven't ['hævnt] = **have not**.

haversack ['hævəsæk] *n* mochila.

havoc ['hævək] *n* estragos *mpl*.

hawk [hɔːk] *n* halcón *m*.

hay [heɪ] *n* heno; ~ **fever** *n* fiebre *f* del heno; ~**stack** *n* almiar *m*.

haywire ['heɪwaɪə*] *a* (*col*): **to go** ~ (*person*) volverse loco; (*plan*) embarullarse.

hazard ['hæzəd] *n* riesgo // *vt* aventurar; ~**ous** *a* (*dangerous*) peligroso; (*risky*) arriesgado.

haze [heɪz] *n* neblina.

hazelnut ['heɪzlnʌt] *n* avellana.

hazy ['heɪzɪ] *a* brumoso; (*idea*) vago.

he [hiː] *pron* él; ~ **who...** él que..., quien...; ~**-man** *n* macho.

head [hɛd] *n* cabeza; (*leader*) jefe/a *m/f* // *vt* (*list*) encabezar; (*group*) capitanear; ~**s (or tails)** cara (o cruz); ~ **first** de cabeza; ~ **over heels** patas arriba; **to** ~ **the ball** cabecear (la pelota); **to** ~ **for** *vt fus* dirigirse a; ~**ache** *n* dolor *m* de cabeza; ~**ing** *n* título; ~**lamp** *n* faro; ~**land** *n* promontorio; ~**light** = ~**lamp**; ~**line** *n* titular *m*; ~**long** *ad* (*fall*) de cabeza; (*rush*) precipitadamente; ~**master/ mistress** *n* director/a *m/f* (de escuela); ~ **office** *n* oficina central, central *f*; ~**-on** *a* (*collision*) de frente; ~**phones** *npl* auriculares *mpl*; ~**quarters (HQ)** *npl* sede *f* central; (*MIL*) cuartel *m* general; ~**-rest** *n* reposa- cabezas *m inv*; ~**room** *n* (*in car*) espacio para la cabeza; (*under bridge*) luz *f*; ~**scarf** *n* pañuelo (de cabeza); ~**stone** *n*

lápida mortuoria; ~**strong** *a*
voluntarioso; ~ **waiter** *n* jefe *m* de
camareros; ~**way** *n* progreso; **to make**
~**way** avanzar; ~**wind** *n* viento
contrario.
heal [hi:l] *vt* curar // *vi* cicatrizarse.
health [hɛlθ] *n* salud *f*; **good** ~! ¡salud y
pesetas!; ~ **food** *n* comida natural; **H**~
Service *n* Seguro de Enfermedad; ~**y** *a*
(*gen*) sano.
heap [hi:p] *n* montón *m* // *vt* amontonar;
(*plate*) colmar.
hear [hɪə*], *pt, pp* **heard** [hə:d] *vt* oír;
(*perceive*) sentir; (*listen to*) escuchar;
(*lecture*) asistir a // *vi* oír; **to** ~ **about** oír
hablar de; **to** ~ **from sb** tener noticias de
alguien; ~**ing** *n* (*sense*) oído; (*LAW*) vista;
~**ing aid** *n* audífono; ~**say** *n* rumores
mpl, hablillas *fpl*.
hearse [hə:s] *n* coche *m* fúnebre.
heart [ha:t] *n* corazón *m*; ~**s** *npl* (*CARDS*)
corazones *mpl*; **at** ~ en el fondo; **by** ~
(*learn, know*) de memoria; ~ **attack** *n*
ataque *m* cardíaco; ~**beat** *n* latido (del
corazón); ~**breaking** *a* desgarrador(a);
to be ~**broken** estar angustiado; ~**burn**
n acedía; ~ **failure** *n* fallo cardíaco;
~**felt** *a* (*cordial*) cordial; (*deeply felt*) más
sentido.
hearth [ha:θ] *n* (*gen*) hogar *m*; (*fireplace*)
chimenea.
heartily ['ha:tɪlɪ] *ad* sinceramente,
cordialmente; (*laugh*) a carcajadas; (*eat*)
con buen apetito.
heartless ['ha:tlɪs] *a* cruel.
hearty ['ha:tɪ] *a* cordial.
heat [hi:t] *n* (*gen*) calor *m*; (*ardour*) ardor
m; (*SPORT. also*: **qualifying** ~) prueba
eliminatoria // *vt* calentar; (*fig*) acalorar;
to ~ **up** *vi* (*gen*) calentarse; ~**ed** *a*
caliente; (*fig*) acalorado; ~**er** *n*
calentador *m*.
heath [hi:θ] *n* (*Brit*) brezal *m*.
heathen ['hi:ðn] *a, n* pagano/a.
heather ['hɛðə*] *n* brezo.
heating ['hi:tɪŋ] *n* calefacción *f*.
heatstroke ['hi:tstrəuk] *n* insolación *f*.
heatwave ['hi:tweɪv] *n* ola de calor.
heave [hi:v] *vt* (*pull*) tirar de; (*push*)
empujar con esfuerzo; (*lift*) levantar (con
esfuerzo) // *vi* (*water*) agitarse // *n* tirón
m; empujón *m*; (*effort*) esfuerzo; (*throw*)
echada.
heaven ['hɛvn] *n* cielo; (*REL*) paraíso; ~**ly**
a celestial; (*REL*) divino.
heavily ['hɛvɪlɪ] *ad* pesadamente, (*drink,
smoke*) con exceso; (*sleep, sigh*)
profundamente.
heavy ['hɛvɪ] *a* pesado; (*work*) duro; (*sea,
rain, meal*) fuerte; (*drinker, smoker*) gran;
(*eater*) comilón(ona); ~**weight** *n* (*SPORT*)
peso pesado.
Hebrew ['hi:bru:] *a* hebreo.
heckle ['hɛkl] *vt* interrumpir.
hectic ['hɛktɪk] *a* febril, agitado.
he'd [hi:d] = **he would; he had.**
hedge [hɛdʒ] *n* seto // *vt* cercar (con un

seto) // *vi* contestar con evasivas; **to** ~
one's bets (*fig*) cubrirse.
hedgehog ['hɛdʒhɔg] *n* erizo.
heed [hi:d] *vt* (*also*: **take** ~ **of**) (*attend to*)
hacer caso de; (*bear in mind*) tener en
cuenta; ~**less** *a* desatento.
heel [hi:l] *n* talón *m* // *vt* (*shoe*) poner
tacón a.
hefty ['hɛftɪ] *a* (*person*) fornido; (*piece*)
grande; (*price*) gordo.
heifer ['hɛfə*] *n* novilla, ternera.
height [haɪt] *n* (*of person*) talle *m*; (*of
building*) altura; (*high ground*) cerro;
(*altitude*) altitud *f*; ~**en** *vt* elevar; (*fig*)
aumentar.
heir [ɛə*] *n* heredero; ~**ess** *n* heredera;
~**loom** *n* reliquia de familia.
held [hɛld] *pt, pp of* **hold.**
helicopter ['hɛlɪkɔptə*] *n* helicóptero.
hell [hɛl] *n* infierno; ~! ¡demonios!
he'll [hi:l] = **he will, he shall.**
hellish ['hɛlɪʃ] *a* infernal; (*fam*) horrible.
hello [hə'ləu] *excl* ¡hola!; (*surprise*)
¡caramba!
helm [hɛlm] *n* (*NAUT*) timón *m*.
helmet ['hɛlmɪt] *n* casco.
help [hɛlp] *n* ayuda; (*charwoman*) criada,
asistenta; (*assistant etc*) empleado // *vt*
ayudar; ~! ¡socorro!; ~ **yourself** sírvete;
he can't ~ **it** no es culpa suya; ~**er** *n*
ayudante *m/f*; ~**ful** *a* útil, servicial;
~**ing** *n* ración *f*; ~**less** *a* (*incapable*)
incapaz; (*defenceless*) indefenso.
hem [hɛm] *n* dobladillo; **to** ~ **in** *vt* cercar.
hemisphere ['hɛmɪsfɪə*] *n* hemisferio.
hen [hɛn] *n* gallina.
hence [hɛns] *ad* (*therefore*) por lo tanto; **2
years** ~ de aquí a 2 años; ~**forth** *ad* de
hoy en adelante.
henchman ['hɛntʃmən] *n* (*pej*) secuaz *m*.
henpecked ['hɛnpɛkt] *a* dominado por su
mujer.
her [hə:*] *pron* (*direct*) la; (*indirect*) le;
(*stressed, after prep*) ella // *a* su.
herald ['hɛrəld] *n* (*forerunner*)
precursor/a *m/f* // *vt* anunciar.
heraldry ['hɛrəldrɪ] *n* heráldica.
herb [hə:b] *n* hierba.
herd [hə:d] *n* rebaño.
here [hɪə*] *ad* aquí; ~! (*present*) presente;
~ **she is** aquí está; ~**after** *ad* en el
futuro // *n*: **the** ~**after** (la vida de)
ultratumba; ~**by** *ad* (*in letter*) por la
presente.
hereditary [hɪ'rɛdɪtrɪ] *a* hereditario;
heredity [-tɪ] *n* herencia.
heresy ['hɛrəsɪ] *n* herejía.
heretic ['hɛrətɪk] *n* hereje *m/f*; ~**al**
[hɪ'rɛtɪkl] *a* herético.
heritage ['hɛrɪtɪdʒ] *n* (*gen*) herencia; (*fig*)
patrimonio.
hermit ['hə:mɪt] *n* ermitaño.
hernia ['hə:nɪə] *n* hernia.
hero ['hɪərəu], *pl* ~**es** *n* héroe *m*; (*in book,
film*) protagonista *m*; ~**ic** [hɪ'rəuɪk] *a*
heroico.

heroin ['hɛrəʊɪn] n heroína.
heroine ['hɛrəʊɪn] n heroína; (in book, film) protagonista.
heroism ['hɛrəʊɪzm] n heroísmo.
heron ['hɛrən] n garza.
herring ['hɛrɪŋ] n arenque m.
hers [hɜːz] pron (el) suyo/(la) suya etc.
herself [hɜːˈsɛlf] pron (reflexive) se; (emphatic) ella misma; (after prep) sí (misma).
he's [hiːz] = **he is; he has.**
hesitant ['hɛzɪtənt] a vacilante, dudoso.
hesitate ['hɛzɪteɪt] vi dudar, vacilar; **hesitation** ['-teɪʃən] n indecisión f.
hew [hjuː] vt cortar con hacha.
hexagon ['hɛksəɡən] n hexágono; ~**al** [-ˈsæɡənl] a hexagonal.
hi [haɪ] excl ¡oye!, ¡hola!
hibernate ['haɪbəneɪt] vi invernar.
hiccough, hiccup ['hɪkʌp] vi hipar; ~**s** npl hipo sg.
hid [hɪd] pt of **hide.**
hidden ['hɪdn] pp of **hide.**
hide [haɪd] n (skin) piel f // (vb: pt **hid**, pp **hidden**) vt esconder, ocultar // vi: **to ~ (from sb)** esconderse o ocultarse (de alguien); ~**-and-seek** n escondite m; ~**away** n escondite m.
hideous ['hɪdɪəs] a horrible.
hiding ['haɪdɪŋ] n (beating) paliza; **to be in ~** (concealed) estar escondido; ~ **place** n escondrijo.
hierarchy ['haɪərɑːkɪ] n jerarquía.
high [haɪ] a (gen) alto; (speed, number) grande; (price) elevado; (wind) fuerte; (voice) agudo // ad alto, a gran altura; **it is 20 m ~** tiene 20 m de altura; ~ **in the air** en las alturas; ~**brow** a culto; ~**chair** n silla alta; ~**-handed** a despótico; ~**-heeled** a de tacón alto; ~**jack** = **hijack;** ~ **jump** n (SPORT) salto de altura; ~**light** n (fig: of event) punto culminante // vt subrayar; ~**ly** ad sumamente; ~**ly strung** a hipertenso; **H~ Mass** n misa mayor; ~**ness** n altura; **Her H~ness** Su Alteza; ~**-pitched** a agudo; ~**-rise block** n torre f de pisos; ~ **school** n colegio de segunda enseñanza, Instituto; ~ **street** n calle f mayor; ~**way** n carretera.
hijack ['haɪdʒæk] vt secuestrar; ~**er** n secuestrador/a m/f.
hike [haɪk] vi (go walking) ir de excursión; (tramp) caminar // n caminata; **hiker** n excursionista m/f.
hilarious [hɪˈlɛərɪəs] a (behaviour, event) regocijante.
hill [hɪl] n colina; (high) montaña; (slope) cuesta; ~**side** n ladera; ~**y** a montañoso; (uneven) accidentado.
hilt [hɪlt] n (of sword) empuñadura; **to the ~** completamente.
him [hɪm] pron (direct) le, lo; (indirect) le; (stressed, after prep) él; ~**self** pron (reflexive) se; (emphatic) él mismo; (after prep) sí (mismo).
hind [haɪnd] a posterior // n cierva.

hinder ['hɪndə*] vt estorbar, impedir; **hindrance** ['hɪndrəns] n estorbo, obstáculo.
Hindu ['hɪnduː] n hindú m/f.
hinge [hɪndʒ] n bisagra, gozne m // vi (fig): **to ~ on** depender de.
hint [hɪnt] n indirecta; (advice) consejo // vt: **to ~ that** insinuar que // vi soltar indirectas; **to ~ at** hacer una alusión a.
hip [hɪp] n cadera; ~ **pocket** n bolsillo de atrás.
hippopotamus [hɪpəˈpɒtəməs], pl ~**es** or **-mi** [-maɪ] n hipopótamo.
hire ['haɪə*] vt (car, equipment) alquilar; (worker) contratar // n alquiler m; (of person) salario; **for ~** se alquila; (taxi) libre; ~ **purchase (H.P.)** n compra a plazos.
his [hɪz] pron (el) suyo/(la) suya etc // a su.
Hispanic [hɪsˈpænɪk] a hispánico.
hiss [hɪs] vi silbar, sisear // n silbido, siseo.
historian [hɪˈstɔːrɪən] n historiador/a m/f.
historic(al) [hɪˈstɔrɪk(l)] a histórico.
history ['hɪstərɪ] n historia.
hit [hɪt], pt, pp **hit** vt (strike) golpear, pegar; (reach: target) alcanzar; (collide with: car) chocar contra // n golpe m; (success) éxito, sensación f; **to ~ it off with sb** hacer buenas migas con alguien.
hitch [hɪtʃ] vt (fasten) atar, amarrar; (also: ~ **up**) alzar // n (difficulty) dificultad f; **to ~ a lift** hacer autostop.
hitch-hike ['hɪtʃhaɪk] vi hacer autostop; **hitch-hiker** n autostopista m/f.
hive [haɪv] n colmena.
hoard [hɔːd] n acumulación f // vt acumular; ~**ing** n acumulación f; (for posters) cartelera.
hoarfrost ['hɔːfrɒst] n escarcha.
hoarse [hɔːs] a ronco.
hoax [həʊks] n trampa.
hobble ['hɒbl] vi cojear // vt (horse) manear.
hobby ['hɒbɪ] n pasatiempo, afición f; ~**-horse** n (fig) tema, manía.
hobo ['həʊbəʊ] n (US) vagabundo.
hockey ['hɒkɪ] n hockey m.
hoe [həʊ] n azadón m // vt azadonar.
hog [hɒɡ] n cerdo, puerco // vt (fig) acaparar; **to go the whole ~** liarse la manta a la cabeza.
hoist [hɔɪst] n (lift) montacargas m inv; (crane) grúa.
hold [həʊld], pt, pp **held** vt tener; (contain) contener; (keep back) retener; (believe) sostener; (take ~ of) coger; (take weight) soportar; (meeting) celebrar // vi (withstand pressure) resistir; (be valid) valer; (stick) pegarse // n (handle) asidero; (grasp) asimiento; (fig) dominio; (WRESTLING) presa; (NAUT) bodega; ~ **the line!** (TEL) no cuelgue; **to ~ one's own** (fig) defenderse; **to catch** or **get (a) ~ of** agarrarse, asirse de; **to ~ back** vt retenerse; (secret) guardarse; **to ~ down** vt (person) sujetar; (job) conservar; **to ~ off** vt (enemy) rechazar; **to ~ on** vi

agarrarse bien; (*wait*) esperar; ~ on!
(*TEL*) no cuelgue; **to ~ on to** *vt* fus
agarrarse a; (*keep*) guardar; **to ~ out** *vt*
alargar // *vi* (*resist*) resistir; **to ~ up** *vt*
(*raise*) levantar; (*support*) apoyar; (*delay*)
atrasar; (*rob*) asaltar; **~all** *n* funda,
neceser *m*; **~er** *n* (*of ticket, record*)
poseedor/a *m/f*; (*of office, title etc*) titular
m/f; **~ing** *n* (*share*) interés *m*; **~up** *n*
(*robbery*) atraco; (*delay*) parada; (*in
traffic*) embotellamiento.

hole [həul] *n* agujero // *vt* agujerear.

holiday ['hɔlədi] *n* vacaciones *fpl*; (*day off*)
(día de) fiesta, feriado; **~-maker** *n*
veraneante *m/f*; **~ resort** *n* punto de
veraneo.

holiness ['həulinis] *n* santidad *f.*

Holland ['hɔlənd] *n* Holanda.

hollow ['hɔləu] *a* hueco, vacío; (*eyes*)
hundido; (*sound*) sordo; (*doctrine*) falso //
n (*gen*) hueco; (*in ground*) hoyo // *vt*: **to
~ out** ahuecar.

holly ['hɔli] *n* acebo; **~ hock** *n* malva loca.

holster ['həulstə*] *n* pistolera.

holy ['həuli] *a* (*gen*) santo, sagrado;
(*water*) bendito; **H~ Ghost** *or* **Spirit** *n*
Espíritu *m* Santo.

homage ['hɔmidʒ] *n* homenaje *m*; **to pay
~** rendir homenaje a.

home [həum] *n* casa; (*country*) patria;
(*institution*) asilo // *a* (*domestic*) casero, de
casa; (*ECON, POL*) nacional // *ad* (*direction*)
a casa; **at ~** en casa; **to go/come ~**
ir/volver a casa; **make yourself at ~**
¡estás en tu casa!; **~ address** *n* señas *fpl*;
~ land *n* tierra natal; **~ less** *a* sin hogar,
sin casa; **~ly** *a* (*domestic*) casero;
(*simple*) sencillo; **~-made** *a* hecho en
casa; **~ rule** *n* autonomía; **H~
Secretary** *n* (*Brit*) Ministro del Interior;
~ sick *a*: **to be ~ sick** tener morriña,
tener nostalgia; **~ town** *n* ciudad *f* natal;
~ ward ['həumwəd] *a* (*journey*) hacia
casa; **~ work** *n* tarea.

homicide ['hɔmisaid] *n* (*US*) homicidio.

homosexual [hɔməu'seksjuəl] *a, n*
homosexual *m.*

honest ['ɔnist] *a* honrado; (*sincere*) franco,
sincero; **~ly** *ad* honradamente;
francamente; **~y** *n* honradez *f.*

honey ['hʌni] *n* miel *f*; **~comb** *n* panal *m*;
(*pattern*) nido de abejas; **~moon** *n* luna
de miel; (*trip*) viaje *m* de novios.

honk [hɔŋk] *vi* (*AUT*) tocar la bocina.

honorary ['ɔnərəri] *a* no remunerado; (*duty,
title*) honorario.

honour, honor (*US*) ['ɔnə*] *vt* honrar // *n*
honor *m*, honra; **~able** *a* honorable; **~s
degree** *n* (*SCOL*) título universitario.

hood [hud] *n* capucha; (*Brit*: *AUT*) capota;
(*US. AUT*) capó *m.*

hoodlum ['hu:dləm] *n* matón *m.*

hoof [hu:f], *pl* **hooves** *n* pezuña.

hook [huk] *n* gancho; (*on dress*) corchete
m, broche *m*; (*for fishing*) anzuelo // *vt*
enganchar.

hooligan ['hu:ligən] *n* gamberro.

hoop [hu:p] *n* aro.

hoot [hu:t] *vi* (*AUT*) tocar la bocina; (*siren*)
tocar la sirena // *n* bocinazo; toque *m* de
sirena; **to ~ with laughter** morirse de
risa; **~er** *n* (*AUT*) bocina; (*NAUT*) sirena.

hooves [hu:vz] *pl of* **hoof**.

hop [hɔp] *vi* saltar, brincar; (*on one foot*)
saltar con un pie // *n* salto, brinco.

hope [həup] *vt, vi* esperar // *n* esperanza; **I
~ so/not** espero que sí/no; **~ful** *a*
(*person*) optimista, lleno de esperanzas;
(*situation*) prometedor(a); **~fully** *ad* con
optimismo, con esperanza; **~less** *a*
desesperado.

hops [hɔps] *npl* lúpulo *sg.*

horde [hɔ:d] *n* horda.

horizon [hə'raizn] *n* horizonte *m*; **~tal**
[hɔri'zɔntl] *a* horizontal.

hormone ['hɔ:məun] *n* hormona.

horn [hɔ:n] *n* cuerno; (*MUS*) trompa; (*AUT*)
bocina; **~-rimmed** *a* de concha; **~ed** *a*
(*animal*) con cuernos.

hornet ['hɔ:nit] *n* avispón *m.*

horny ['hɔ:ni] *a* (*material*) córneo; (*hands*)
calloso.

horoscope ['hɔrəskəup] *n* horóscopo.

horrible ['hɔribl] *a* horrible.

horrid ['hɔrid] *a* horrible, horroroso.

horrify ['hɔrifai] *vt* horrorizar.

horror ['hɔrə*] *n* horror *m*; **~ film** *n*
película de horror.

hors d'œuvre [ɔ:'də:vrə] *n* entremeses
mpl.

horse [hɔ:s] *n* caballo; **on ~back** *a*
caballo; **~man/woman** *n* jinete
m/amazona; **~power (h.p.)** *n* caballo (de
fuerza); **~-racing** *n* carreras *fpl* de
caballos; **~radish** *n* rábano picante;
~shoe *n* herradura.

horticulture ['hɔ:tikʌltʃə*] *n* horticultura.

hose [həuz] *n* (*also*: **~pipe**) manga.

hosiery ['həuziəri] *n* calcetería.

hospitable ['hɔspitəbl] *a* hospitalario.

hospital ['hɔspitl] *n* hospital *m.*

hospitality [hɔspi'tæliti] *n* hospitalidad *f.*

host [həust] *n* anfitrión *m*; (*in hotel etc*)
huésped *m*; (*large number*): **a ~ of**
multitud de; (*REL*) hostia.

hostage ['hɔstidʒ] *n* rehén *m.*

hostel ['hɔstl] *n* hostal *m*; **youth ~** *n*
albergue *m* de juventud.

hostess ['həustis] *n* anfitriona; (*air ~*)
azafata; (*in night-club*) cabaretera.

hostile ['hɔstail] *a* hostil; **hostility** [-'stiliti]
n hostilidad *f.*

hot [hɔt] *a* caliente; (*weather*) caluroso, de
calor; (*as opposed to only warm*) muy
caliente; (*spicy*) picante; (*fig*) ardiente,
acalorado; **~ dog** *n* perro caliente.

hotel [həu'tel] *n* hotel *m*; **~ier** *n* hotelero.

hot: **~ headed** *a* exaltado; **~house** *n*
invernadero; **~ly** *ad* con pasión,
apasionadamente; **~-water bottle** *n*
bolsa de agua caliente.

hound [haund] *vt* acosar // *n* perro de
caza.

hour ['auə*] *n* hora; ~**ly** *ad* cada hora.
house [haus, *pl*: 'hauzɪz] *n* (*also*: *firm*) casa; (*POL*) cámara; (*THEATRE*) sala // *vt* [hauz] (*person*) alojar; **on the** ~ (*fig*) la casa invita; ~**boat** *n* casa flotante; ~**breaking** *n* robo (en una casa); ~**coat** *n* bata; ~**hold** *n* familia; ~**keeper** *n* ama de llaves; ~**keeping** *n* (*work*) trabajos domésticos *mpl*; ~**keeping (money)** dinero para gastos domésticos; ~**-warming party** *n* fiesta de estreno de casa; ~**wife** *n* ama de casa; ~**work** *n* faenas *fpl* (de la casa).
housing ['hauzɪŋ] *n* (*act*) alojamiento; (*houses*) viviendas *fpl*; ~ **estate** *n* bloque *m* de viviendas.
hovel ['hɔvl] *n* pocilga.
hover ['hɔvə*] *vi* flotar (en el aire); ~**craft** *n* hidroala *m*, aerodeslizador *m*.
how [hau] *ad* cómo; ~ **are you?** ¿cómo está Vd?, ¿cómo estás?; ~ **long have you been here?** ¿cuánto tiempo hace que estás aquí?; ~ **lovely!** ¡qué bonito!; ~ **many/much?** ¿cuántos/cuánto?; ~ **old are you?** ¿cuántos años tienes?; ~**ever** *ad* de cualquier manera; (*+ adjective*) por muy ... que; (*in questions*) cómo // *conj* sin embargo, no obstante.
howl [haul] *n* aullido // *vi* aullar.
h.p., H.P. *abbr of* **hire purchase; horse power.**
HQ *abbr of* **headquarters.**
hub [hʌb] *n* (*of wheel*) centro.
hubbub ['hʌbʌb] *n* barahúnda, barullo.
hubcap ['hʌbkæp] *n* tapacubo.
huddle ['hʌdl] *vi*: **to** ~ **together** amontonarse.
hue [hju:] *n* color *m*, matiz *m*; ~ **and cry** *n* alarma.
huff [hʌf] *n*: **in a** ~ con rabieta.
hug [hʌg] *vt* abrazar // *n* abrazo.
huge [hju:dʒ] *a* enorme.
hulk [hʌlk] *n* (*wreck*) barco viejo; (*hull*) casco.
hull [hʌl] *n* (*of ship*) casco.
hullo [hə'ləu] *excl* = **hello.**
hum [hʌm] *vt* tararear, canturrear // *vi* tararear, canturrear; (*insect*) zumbar // *n* zumbido.
human ['hju:mən] *a, n* humano.
humane [hju:'meɪn] *a* humano, humanitario.
humanity [hju:'mænɪtɪ] *n* humanidad *f*.
humble ['hʌmbl] *a* humilde // *vt* humillar; **humbly** *ad* humildemente.
humbug ['hʌmbʌg] *n* embustes *mpl*; (*sweet*) caramelo de menta.
humdrum ['hʌmdrʌm] *a* (*boring*) monótono, aburrido; (*routine*) rutinario.
humid ['hju:mɪd] *a* húmedo; ~**ity** [-'mɪdɪtɪ] *n* humedad *f*.
humiliate [hju:'mɪlɪeɪt] *vt* humillar; **humiliation** [-'eɪʃən] *n* humillación *f*.
humility [hju:'mɪlɪtɪ] *n* humildad *f*.
humorist ['hju:mərɪst] *n* humorista *m/f*.

humorous ['hju:mərəs] *a* gracioso, divertido.
humour, humor (*US*) ['hju:mə*] *n* humorismo, sentido del humor; (*mood*) humor *m* // *vt* (*person*) complacer.
hump [hʌmp] *n* (*in ground*) montículo; (*camel's*) giba.
hunch [hʌntʃ] *n* (*premonition*) presentimiento; ~**back** *n* joroba; ~**ed** *a* jorobado.
hundred ['hʌndrəd] *num* ciento; (*before n*) cien; ~**weight** *n* (*Brit*) = 50.8 *kg*; 112 *lb*; (*US*) = 45.3 *kg*; 100 *lb.*
hung [hʌŋ] *pt, pp of* **hang.**
Hungarian [hʌŋ'geərɪən] *a, n* húngaro/a.
Hungary ['hʌŋgərɪ] *n* Hungría.
hunger ['hʌŋgə*] *n* hambre *f* // *vi*: **to** ~ **for** (*gen*) tener hambre de; (*desire*) anhelar; ~ **strike** *n* huelga de hambre; **hungrily** [-grəlɪ] *ad* ávidamente, con ganas; **hungry** [-grɪ] *a* hambriento; **to be hungry** tener hambre.
hunt [hʌnt] *vt* (*seek*) buscar; (*SPORT*) cazar // *vi* cazar // *n* caza, cacería; ~**er** *n* cazador *m*; ~**ing** *n* caza.
hurdle ['hɔ:dl] *n* (*SPORT*) valla; (*fig*) obstáculo.
hurl [hɔ:l] *vt* lanzar, arrojar.
hurrah [hu'rɑ:], **hurray** [hu'reɪ] *n* ¡viva!, ¡vítor!
hurricane ['hʌrɪkən] *n* huracán *m*.
hurried ['hʌrɪd] *a* (*fast*) apresurado; (*rushed*) hecho de prisa; ~**ly** *ad* con prisa, apresuradamente.
hurry ['hʌrɪ] *n* prisa // *vi* apresurarse, darse prisa // *vt* (*person*) dar prisa a; (*work*) apresurar; **to be in a** ~ tener prisa.
hurt [hɔ:t], *pt, pp* **hurt** *vt* hacer daño a // *vi* doler // *a* lastimado; ~**ful** *a* (*gen*) dañoso; (*remark*) hiriente.
hurtle ['hɔ:tl] *vi*: **to** ~ **past** pasar como un rayo; **to** ~ **down** caer con violencia.
husband ['hʌzbənd] *n* marido.
hush [hʌʃ] *n* silencio // *vt* hacer callar; (*cover up*) encubrir; ~! ¡chitón!, ¡cállate!
husk [hʌsk] *n* (*of wheat*) cáscara.
husky ['hʌskɪ] *a* ronco; (*burly*) fornido // *n* perro esquimal.
hustle ['hʌsl] *vt* (*push*) empujar; (*hurry*) dar prisa a // *n* bullicio, actividad *f* febril; ~ **and bustle** *n* vaivén *m*.
hut [hʌt] *n* cabaña; (*shed*) cobertizo.
hutch [hʌtʃ] *n* conejera.
hyacinth ['haɪəsɪnθ] *n* jacinto.
hybrid ['haɪbrɪd] *a, n* híbrido.
hydrant ['haɪdrənt] *n* (*also*: **fire** ~) boca de incendios.
hydraulic [haɪ'drɔ:lɪk] *a* hidráulico.
hydroelectric [haɪdrəuɪ'lektrɪk] *a* hidroeléctrico.
hydrogen ['haɪdrədʒən] *n* hidrógeno.
hyena [haɪ'i:nə] *n* hiena.
hygiene ['haɪdʒi:n] *n* higiene *f*; **hygienic** [-'dʒi:nɪk] *a* higiénico.
hymn [hɪm] *n* himno.

hyphen ['haɪfn] n guión m.
hypnosis [hɪp'nəusɪs] n hipnosis f;
hypnotic [-'nɔtɪk] a hipnótico; **hypnotism**
['hɪpnətɪzm] n hipnotismo; **hypnotist**
['hɪpnətɪst] n hipnotista m/f; **hypnotize**
['hɪpnətaɪz] vt hipnotizar.
hypocrisy [hɪ'pɔkrɪsɪ] n hypocresía;
hypocrite ['hɪpəkrɪt] n hipócrita m/f;
hypocritical [hɪpə'krɪtɪkl] a hipócrita.
hypothesis [haɪ'pɔθɪsɪs], pl **-ses** [-siːz] n
hipótesis f; **hypothetic(al)** [-pəu'θetɪk(l)] a
hipotético.
hysteria [hɪ'stɪərɪə] n histeria; **hysterical**
[-'sterɪkl] a histérico; **hysterics** [-'sterɪks]
npl histeria sg, histerismo sg.

I

I [aɪ] pron yo.
ice [aɪs] n hielo // vt (cake) alcorzar;
(drink) helar // vi (also: ~ **over**, ~ **up**)
helarse; ~ **age** n período glacial; ~ **axe**
n piolet m; ~**berg** n iceberg m; ~**box** n
(US) nevera; ~-**cold** a helado; ~ **cream**
n helado; ~ **cube** n cubito de hielo; ~
hockey n hockey m sobre hielo.
Iceland ['aɪslənd] n Islandia; ~**er** n
islandés/esa m/f; ~**ic** [-'lændɪk] a
islandés(esa).
ice: ~ **rink** n pista de hielo; ~ **skating** n
patinaje m sobre hielo.
icicle ['aɪsɪkl] n carámbano.
icing ['aɪsɪŋ] n (CULIN) alcorza, garapiña;
(AVIAT etc) formación f de hielo; ~ **sugar**
n azúcar m de alcorza.
icon ['aɪkɔn] n ícono.
icy ['aɪsɪ] a (road) helado; (fig) glacial.
I'd [aɪd] = **I would; I had.**
idea [aɪ'dɪə] n idea.
ideal [aɪ'dɪəl] n ideal m // a ideal; ~**ist** n
idealista m/f.
identical [aɪ'dentɪkl] a idéntico.
identification [aɪdentɪfɪ'keɪʃən] n
identificación f; **means of** ~ documentos
mpl personales.
identify [aɪ'dentɪfaɪ] vt identificar.
identikit picture [aɪ'dentɪkɪt-] n retrato-
robot m.
identity [aɪ'dentɪtɪ] n identidad f.
ideological [aɪdɪə'lɔdʒɪkəl] a ideológico;
ideology [-dɪ'ɔlədʒɪ] n ideología.
idiocy ['ɪdɪəsɪ] n idiotez f; (stupid act)
estupidez f.
idiom ['ɪdɪəm] n modismo; (style of
speaking) lenguaje m.
idiosyncrasy [ɪdɪəu'sɪŋkrəsɪ] n
idiosincrasia.
idiot ['ɪdɪət] n (gen) idiota m/f; (fool)
tonto/a; ~**ic** [-'ɔtɪk] a idiota; tonto.
idle ['aɪdl] a (gen) ocioso; (lazy)
holgazán(ana); (unemployed) desocupado;
(pointless) inútil // vi (machine) marchar
en vacío // vt: to ~ **away the time**
malgastar el tiempo; ~**ness** n ociosidad f;
holgazanería; desocupación f.
idol ['aɪdl] n ídolo; ~**ize** vt idolatrar.

if [ɪf] conj si.
igloo ['ɪgluː] n iglú m.
ignite [ɪg'naɪt] vt encender; (set fire to)
incendiar // vi encenderse.
ignition [ɪg'nɪʃən] n (AUT) encendido; **to
switch on/off the** ~ encender/apagar
el motor; ~ **key** n (AUT) llave f de
contacto.
ignorance ['ɪgnərəns] n ignorancia;
ignorant [-ənt] a ignorante; **to be
ignorant of** ignorar.
ignore [ɪg'nɔː*] vt (person) no hacer caso
de; (fact) pasar por alto.
I'll [aɪl] = **I will, I shall.**
ill [ɪl] a enfermo, malo; (bad) malo // n mal
m; (fig) infortunio // ad mal; **to take or be
taken** ~ ponerse enfermo, enfermar;
~-**advised** a poco recomendable;
(misled) mal aconsejado; ~-**at-ease** a
incómodo.
illegal [ɪ'liːgl] a ilegal.
illegible [ɪ'ledʒɪbl] a ilegible.
illegitimate [ɪlɪ'dʒɪtɪmət] a ilegítimo.
ill: ~-**fated** a malogrado; ~ **feeling** n
rencor m.
illicit [ɪ'lɪsɪt] a ilícito.
illiterate [ɪ'lɪtərət] a analfabeto.
ill-mannered [ɪl'mænəd] a mal educado.
illness ['ɪlnɪs] n enfermedad f.
illogical [ɪ'lɔdʒɪkl] a ilógico.
ill-treat [ɪl'triːt] vt maltratar.
illuminate [ɪ'luːmɪneɪt] vt (room, street)
iluminar, alumbrar; (subject) aclarar;
illumination [-'neɪʃən] n alumbrado;
illuminations npl luminarias fpl.
illusion [ɪ'luːʒən] n ilusión f; **to be under
the** ~ **that...** estar bajo la ilusión de
que...; **illusory** [-sərɪ] a ilusorio.
illustrate ['ɪləstreɪt] vt (gen) ilustrar;
(subject) aclarar; (point) poner ejemplos a;
illustration [-'streɪʃən] n (example)
ejemplo; (explanation) aclaración f; (in
book) lámina.
illustrious [ɪ'lʌstrɪəs] a ilustre.
ill will [ɪl'wɪl] n rencor m.
I'm [aɪm] = **I am.**
image ['ɪmɪdʒ] n imagen f.
imaginary [ɪ'mædʒɪnərɪ] a imaginario;
imagination [-'neɪʃən] n imaginación f;
(inventiveness) inventiva; (illusion)
fantasía; **imaginative** [-nətɪv] a
imaginativo; **imagine** vt imaginarse;
(delude o.s.) hacerse la ilusión (de que).
imbalance [ɪm'bæləns] n (gen)
desequilibrio; (inequality) falta de
correspondencia.
imbecile ['ɪmbəsiːl] n imbécil m/f.
imbue [ɪm'bjuː] vt: to ~ sth with imbuir
algo de.
imitate ['ɪmɪteɪt] vt imitar; **imitation**
[-'teɪʃən] n imitación f; (copy) copia;
(mimicry) mímica.
immaculate [ɪ'mækjulət] a perfectamente limpio; (REL) inmaculado.
immaterial [ɪmə'tɪərɪəl] a incorpóreo; **it
is** ~ **whether...** no importa si... .

immature [ɪmə'tjuə*] a (person) poco maduro; (of one's youth) juvenil.
immediate [ɪ'miːdɪət] a inmediato; (pressing) urgente, apremiante; ~**ly** ad (at once) en seguida; ~**ly next to** muy junto a.
immense [ɪ'mɛns] a inmenso, enorme.
immerse [ɪ'məːs] vt (submerge) sumergir; (sink) hundir; **to be** ~**d in** (fig) estar absorto en.
immersion heater [ɪ'məːʃn-] n calentador m de inmersión.
immigrant ['ɪmɪgrənt] n inmigrante m/f; **immigrate** [-greɪt] vi inmigrar; **immigration** [-'greɪʃən] n inmigración f.
imminent ['ɪmɪnənt] a inminente.
immobile [ɪ'məubaɪl] a inmóvil; **immobilize** [-bɪlaɪz] vt inmovilizar.
immoral [ɪ'mɔrl] a inmoral; ~**ity** [-'rælɪtɪ] n inmoralidad f.
immortal [ɪ'mɔːtl] a inmortal; ~**ize** vt inmortalizar.
immune [ɪ'mjuːn] a: ~ **(to)** inmune (contra); **immunity** n (MED) inmunidad f; (COMM) exención f.
immunization [ɪmjunaɪ'zeɪʃən] n inmunización f; **immunize** ['ɪmjunaɪz] vt inmunizar.
imp [ɪmp] n diablillo.
impact ['ɪmpækt] n (gen) impacto.
impair [ɪm'pɛə*] vt perjudicar.
impale [ɪm'peɪl] vt atravesar.
impart [ɪm'paːt] vt comunicar.
impartial [ɪm'paːʃl] a imparcial; ~**ity** [ɪmpaːʃɪ'ælɪtɪ] n imparcialidad f.
impassable [ɪm'paːsəbl] a (barrier) infranqueable; (river) invadeable; (road) intransitable.
impatience [ɪm'peɪʃəns] n impaciencia; **impatient** [-ənt] a impaciente; **to get** or **grow impatient** impacientarse.
impeccable [ɪm'pɛkəbl] a impecable.
impede [ɪm'piːd] vt estorbar, dificultar.
impediment [ɪm'pɛdɪmənt] n obstáculo, estorbo; (also: **speech** ~) defecto (del habla).
impending [ɪm'pɛndɪŋ] a (near) próximo.
impenetrable [ɪm'pɛnɪtrəbl] a (gen) impenetrable; (unfathomable) insondable.
imperative [ɪm'pɛrətɪv] a (tone) imperioso; (necessary) indispensable; (pressing) urgente // n (LING) imperativo.
imperceptible [ɪmpə'sɛptɪbl] a imperceptible, insensible.
imperfect [ɪm'pəːfɪkt] a imperfecto; (goods etc) defectuoso; ~**ion** [-'fɛkʃən] n (blemish) desperfecto; (state) imperfección f.
imperial [ɪm'pɪərɪəl] a imperial; ~**ism** n imperialismo.
imperil [ɪm'pɛrɪl] vt arriesgar, poner en peligro.
impersonal [ɪm'pəːsənl] a impersonal.
impersonate [ɪm'pəːsəneɪt] vt hacerse pasar por; (THEATRE) imitar.

impertinent [ɪm'pəːtɪnənt] a impertinente, insolente.
impervious [ɪm'pəːvɪəs] a impermeable; (fig): ~ **to** insensible a.
impetuous [ɪm'pɛtjuəs] a impetuoso, irreflexivo.
impetus ['ɪmpətəs] n ímpetu m; (fig) impulso.
impinge [ɪm'pɪndʒ]: **to** ~ **on** vt fus invadir, abusar de; (affect) afectar a.
implausible [ɪm'plɔːzɪbl] a inverosímil.
implement ['ɪmplɪmənt] n instrumento, herramienta // vt ['ɪmplɪmɛnt] hacer efectivo; (carry out) realizar.
implicate ['ɪmplɪkeɪt] vt (compromise) comprometer; (involve) enredar; **implication** [-'keɪʃən] n consecuencia, implicancia (AM).
implicit [ɪm'plɪsɪt] a (gen) implícito; (complete) absoluto.
implore [ɪm'plɔː*] vt (person) suplicar.
imply [ɪm'plaɪ] vt (involve) implicar; (mean) significar; (hint) dar a entender que; **it is implied** se sobreentiende.
impolite [ɪmpə'laɪt] a mal educado.
import [ɪm'pɔːt] vt importar // n ['ɪmpɔːt] (COMM) importación f; (: article) artículo importado; (meaning) significado, sentido.
importance [ɪm'pɔːtəns] n importancia; **important** [-ənt] a importante; **it's not important** no importa, no tiene importancia.
importer [ɪm'pɔːtə*] n importador/a m/f.
impose [ɪm'pəuz] vt imponer // vi: **to** ~ **on sb** abusar de uno; **imposing** a imponente, impresionante.
impossible [ɪm'pɔsɪbl] a imposible; (person) insoportable.
impostor [ɪm'pɔstə*] n impostor/a m/f.
impotence ['ɪmpətəns] n impotencia; **impotent** [-ənt] a impotente.
impound [ɪm'paund] vt embargar.
impoverished [ɪm'pɔvərɪʃt] a necesitado; (land) agotado.
impracticable [ɪm'præktɪkəbl] a no factible, irrealizable.
impractical [ɪm'præktɪkl] a (person) poco práctico.
imprecise [ɪmprɪ'saɪs] a impreciso.
impregnable [ɪm'prɛgnəbl] a invulnerable; (castle) inexpugnable.
impregnate ['ɪmprɛgneɪt] vt (gen) impregnar; (soak) empapar; (fertilize) fecundar.
impresario [ɪmprɪ'saːrɪəu] n empresario.
impress [ɪm'prɛs] vt impresionar; (mark) estampar // vi hacer buena impresión; **to** ~ **sth on sb** convencer a uno de algo; **it** ~**ed itself on me** se me grabó (en la memoria).
impression [ɪm'prɛʃən] n impresión f; (footprint etc) huella; (print run) edición f; **to be under the** ~ **that** tener la impresión de que; ~**able** a influenciable; (sensitive) sensible; ~**ist** n impresionista m/f.
impressive [ɪm'prɛsɪv] a impresionante.

imprint ['ımprınt] *n* impresión *f*, huella.
imprison [ım'prızn] *vt* encarcelar; **~ment** *n* encarcelamiento, cárcel *f*.
improbable [ım'prɔbəbl] *a* improbable, inverosímil.
impromptu [ım'prɔmptjuː] *a* improvisado // *ad* de improviso.
improper [ım'prɔpə*] *a* (*incorrect*) impropio; (*unseemly*) indecoroso; (*indecent*) indecente.
impropriety [ımprə'praıətı] *n* falta de decoro; (*indecency*) indecencia; (*of language*) impropiedad *f*.
improve [ım'pruːv] *vt* mejorar // *vi* mejorarse; (*become perfect*) perfeccionarse; (*pupils*) hacer progresos; **~ment** *n* mejoramiento, perfección *f*; progreso.
improvise ['ımprəvaız] *vt, vi* improvisar.
imprudent [ım'pruːdnt] *a* imprudente.
impudent ['ımpjudnt] *a* descarado, insolente.
impulse ['ımpʌls] *n* impulso; **to act on ~** obrar sin reflexión; **impulsive** [-'pʌlsıv] *a* irreflexivo.
impunity [ım'pjuːnıtı] *n*: **with ~** impunemente.
impure [ım'pjuə*] *a* (*adulterated*) adulterado; (*not pure*) impuro; **impurity** *n* (*gen*) impureza.
in [ın] *prep* en; (*within*) dentro de; (*with time: during, within*): **~ 2 days** en 2 días; (: *after*): **~ 2 weeks** dentro de 2 semanas; (*with town, country*): **it's ~ France** está en Francia // *ad* dentro, adentro; (*fashionable*) de moda; **is he ~?** ¿está en casa?; **~ the country** en el campo; **~ the distance** a lo lejos; **~ town** en el centro (de la ciudad); **~ the sun** al sol, bajo el sol; **~ the rain** bajo la lluvia; **~ French** en francés; **1 ~ 10** uno sobre 10, uno de cada 10; **~ hundreds** por centenares; **the best pupil ~ the class** el mejor alumno de la clase; **written ~ pencil** escrito con lápiz; **~ saying this** al decir esto; **their party is ~** su partido ha llegado al poder; **to ask sb ~** invitar a uno a entrar; **to run/limp ~** entrar corriendo/cojeando; **the ~s and outs** los recovecos.
in., ins *abbr of* **inch(es).**
inability [ınə'bılıtı] *n* incapacidad *f*.
inaccessible [ınək'sɛsıbl] *a* inaccesible.
inaccuracy [ın'ækjurəsı] *n* inexactitud *f*; **inaccurate** [-rət] *a* inexacto, incorrecto.
inactivity [ınæk'tıvıtı] *n* inactividad *f*.
inadequate [ın'ædıkwət] *a* (*insufficient*) insuficiente; (*unsuitable*) inadecuado; (*person*) incapaz.
inadvertently [ınəd'vəːtntlı] *ad* por equivocación *o* descuido.
inadvisable [ınəd'vaızəbl] *a* no aconsejable.
inane [ı'neın] *a* necio, fatuo.
inanimate [ın'ænımət] *a* inanimado.
inapplicable [ın'æplıkəbl] *a* inaplicable.
inappropriate [ınə'prəuprıət] *a* inoportuno, inconveniente; (*word, expression*) impropio.
inapt [ın'æpt] *a* impropio; **~itude** *n* incapacidad *f*.
inarticulate [ınɑː'tıkjulət] *a* (*person*) incapaz de expresarse; (*speech*) inarticulado.
inasmuch as [ınəz'mʌtʃæz] *ad* (*given that*) puesto que; (*since*) ya que.
inattentive [ınə'tɛntıv] *a* distraído.
inaudible [ın'ɔːdıbl] *a* inaudible.
inaugural [ı'nɔːgjurəl] *a* (*speech*) de apertura; **inaugurate** [-reıt] *vt* inaugurar; **inauguration** [-'reıʃən] *n* ceremonia de apertura.
in-between [ınbı'twiːn] *a* intermedio, de entre medio.
inborn [ın'bɔːn] *a* (*feeling*) innato.
inbred [ın'brɛd] *a* innato; (*family*) engendrado por endogamia.
incalculable [ın'kælkjuləbl] *a* incalculable.
incapable [ın'keıpəbl] *a* incapaz.
incapacitate [ınkə'pæsıteıt] *vt*: **to ~ sb** incapacitar a uno.
incapacity [ınkə'pæsıtı] *n* (*inability*) incapacidad *f*.
incarcerate [ın'kɑːsəreıt] *vt* encarcelar.
incarnate [ın'kɑːnıt] *a* en persona // *vt* ['ınkɑːneıt] encarnar; **incarnation** [-'neıʃən] *n* encarnación *f*.
incendiary [ın'sɛndıərı] *a* incendiario.
incense ['ınsɛns] *n* incienso // *vt* [ın'sɛns] (*anger*) indignar, encolerizar.
incentive [ın'sɛntıv] *n* incentivo, estímulo.
incessant [ın'sɛsnt] *a* incesante, contínuo; **~ly** *ad* constantemente.
incest ['ınsɛst] *n* incesto.
inch [ıntʃ] *n* pulgada; **to be within an ~ of** estar a dos dedos de; **he didn't give an ~** no dio concesión alguna; **to ~ forward** avanzar palmo a palmo.
incidence ['ınsıdns] *n* (*of crime, disease*) frecuencia.
incident ['ınsıdnt] *n* incidente *m*, suceso; (*in book*) episodio.
incidental [ınsı'dɛntl] *a* no esencial, accesorio; (*unplanned*) fortuito; **~** to al margen de; **~ly** [-'dɛntəlı] *ad* (*by the way*) a propósito.
incinerator [ın'sınəreıtə*] *n* incinerador *m*.
incipient [ın'sıpıənt] *a* incipiente.
incision [ın'sıʒən] *n* corte *m*.
incisive [ın'saısıv] *a* (*mind*) penetrante; (*tone*) mordaz; (*remark etc*) tajante.
incite [ın'saıt] *vt* provocar.
inclination [ınklı'neıʃən] *n* (*tendency*) tendencia, inclinación *f*.
incline ['ınklaın] *n* pendiente *m*, cuesta // (*vb*: [ın'klaın]) *vt* (*slope*) inclinar; (*head*) poner de lado // *vi* inclinarse; **to be ~d to** (*tend*) ser propenso a; (*be willing*) estar dispuesto a.
include [ın'kluːd] *vt* incluir, comprender;

(*in letter*) adjuntar; **including** *prep* incluso, inclusive.

inclusion [ɪnˈkluːʒən] *n* inclusión *f*; **inclusive** [-sɪv] *a* inclusivo // *ad* inclusive.

incognito [ɪnkɒgˈniːtəu] *ad* de incógnito.

incoherent [ɪnkəuˈhɪərənt] *a* incoherente.

income [ˈɪŋkʌm] *n* (*personal*) ingresos *mpl*; (*from property etc*) renta; (*profit*) rédito; ~ **tax** *n* impuesto sobre la renta; ~ **tax inspector** *n* inspector/a *m/f* fiscal; ~ **tax return** *n* registro fiscal.

incoming [ˈɪnkʌmɪŋ] *a*: ~ **flight** vuelo entrante.

incomparable [ɪnˈkɒmpərəbl] *a* incomparable, sin par.

incompatible [ɪnkəmˈpætɪbl] *a* incompatible.

incompetence [ɪnˈkɒmpɪtəns] *n* incompetencia; **incompetent** [-ənt] *a* incompetente.

incomplete [ɪnkəmˈpliːt] *a* incompleto; (*unfinished*) sin terminar.

incomprehensible [ɪnkɒmprɪˈhensɪbl] *a* incomprensible.

inconceivable [ɪnkənˈsiːvəbl] *a* inconcebible.

inconclusive [ɪnkənˈkluːsɪv] *a* sin resultado (definitivo); (*argument*) poco convincente.

incongruous [ɪnˈkɒŋgruəs] *a* (*foolish*) absurdo, estrafalario; (*remark, act*) disonante, nada lógico.

inconsiderate [ɪnkənˈsɪdərət] *a* desconsiderado; **how ~ of him!** ¡qué falta de consideración (de su parte)!

inconsistent [ɪnkənˈsɪstnt] *a* inconsecuente; ~ **with** (que) no concuerda con.

inconspicuous [ɪnkənˈspɪkjuəs] *a* poco llamativo, modesto; **to make o.s. ~** no llamar la atención.

inconstant [ɪnˈkɒnstnt] *a* inconstante.

incontinent [ɪnˈkɒntɪnənt] *a* incontinente.

inconvenience [ɪnkənˈviːnjəns] *n* (*gen*) inconvenientes *mpl*; (*trouble*) molestia, incomodidad *f* // *vt* incomodar; **inconvenient** [-ənt] *a* incómodo, poco práctico; (*time, place*) inoportuno.

incorporate [ɪnˈkɔːpəreɪt] *vt* incorporar; (*contain*) comprender; (*add*) agregar; ~**d** *a*: ~**d company** (*US: abbr* **Inc.**) Sociedad Anónima (S.A.).

incorrect [ɪnkəˈrekt] *a* incorrecto.

incorruptible [ɪnkəˈrʌptɪbl] *a* (*gen*) incorruptible; (*not open to bribes*) insobornable.

increase [ˈɪnkriːs] *n* aumento // *vi* [ɪnˈkriːs] aumentarse; (*grow*) crecer; (*price*) subir; **increasing** *a* (*number*) creciente, en aumento; **increasingly** *ad* de más en más, cada vez más.

incredible [ɪnˈkredɪbl] *a* increíble.

incredulous [ɪnˈkredjuləs] *a* incrédulo.

increment [ˈɪnkrɪmənt] *n* aumento, incremento.

incriminate [ɪnˈkrɪmɪneɪt] *vt* incriminar.

incubation [ɪnkjuˈbeɪʃən] *n* incubación *f*;

incubator [ˈɪnkjubeɪtə*] *n* incubadora.

incumbent [ɪnˈkʌmbənt] *n* ocupante *m/f* // *a*: **it is ~ on him to...** le incumbe... .

incur [ɪnˈkəː*] *vt* (*expenses*) contraer; (*gen*) incurrir en.

incurable [ɪnˈkjuərəbl] *a* incurable; (*fig*) irremediable.

incursion [ɪnˈkəːʃən] *n* incursión *f*.

indebted [ɪnˈdetɪd] *a*: **to be ~ to sb** estar en deuda con uno.

indecent [ɪnˈdiːsnt] *a* indecente; ~ **assault** *n* atentado contra el pudor; ~ **exposure** *n* exhibicionismo.

indecisive [ɪndɪˈsaɪsɪv] *a* indeciso; (*discussion*) no resuelto, inconcluyente.

indeed [ɪnˈdiːd] *ad* de hecho, realmente; **yes ~!** claro que sí.

indefinite [ɪnˈdefɪnɪt] *a* indefinido; (*uncertain*) incierto; ~**ly** *ad* (*wait*) indefinidamente.

indelible [ɪnˈdelɪbl] *a* imborrable.

indemnify [ɪnˈdemnɪfaɪ] *vt* indemnizar, resarcir.

indentation [ɪndenˈteɪʃən] *n* mella; (*TYP*) sangría.

independence [ɪndɪˈpendns] *n* independencia; **independent** [-ənt] *a* independiente; **to become independent** independizarse.

index [ˈɪndeks] *n* (*pl*: ~**es**: *in book*) índice *m*; (: *in library etc*) catálogo; (*pl*: **indices** [ˈɪndɪsiːz]: *ratio, sign*) exponente *m*; ~ **card** *n* ficha; ~ **finger** *n* índice *m*; ~**-linked** *a* vinculado al índice del coste de la vida.

India [ˈɪndɪə] *n* la India; ~**n** *a, n* indio/a; **Red ~n** piel roja *m/f*.

indicate [ˈɪndɪkeɪt] *vt* indicar; **indication** [-ˈkeɪʃən] *n* indicio, señal *f*; **indicator** *n* (*gen*) indicador *m*.

indices [ˈɪndɪsiːz] *pl of* **index**.

indict [ɪnˈdaɪt] *vt* acusar; ~**ment** *n* acusación *f*.

indifference [ɪnˈdɪfrəns] *n* indiferencia; **indifferent** [-ənt] *a* indiferente; (*poor*) regular.

indigenous [ɪnˈdɪdʒɪnəs] *a* indígena *inv*.

indigestion [ɪndɪˈdʒestʃən] *n* indigestión *f*, empacho.

indignant [ɪnˈdɪgnənt] *a*: **to be ~ about sth** indignarse por algo; **indignation** [-ˈneɪʃən] *n* indignación *f*.

indignity [ɪnˈdɪgnɪtɪ] *n* indignidad *f*; (*insult*) ultraje *m*, afrenta.

indigo [ˈɪndɪgəu] *a* color de añil // *n* añil *m*.

indirect [ɪndɪˈrekt] *a* indirecto; ~**ly** *ad* indirectamente.

indiscreet [ɪndɪˈskriːt] *a* indiscreto; (*rash*) imprudente; **indiscretion** [-ˈskreʃən] *n* indiscreción *f*; imprudencia.

indiscriminate [ɪndɪˈskrɪmɪnət] *a* indistinto.

indispensable [ɪndɪˈspensəbl] *a* indispensable, imprescindible.

indisposed [ɪndɪˈspəuzd] *a* (*unwell*) indispuesto.

indisputable [ɪndɪ'spjuːtəbl] *a* incontestable.

indistinct [ɪndɪ'stɪŋkt] *a* indistinto; (*memory, noise*) confuso.

individual [ɪndɪ'vɪdjuəl] *n* individuo // *a* individual; (*personal*) personal; (*for/of one only*) particular; ~ **ist** *n* individualista *m/f*; ~**ity** [-'ælɪtɪ] *n* individualidad *f*; ~**ly** *ad* individualmente; particularmente.

indoctrinate [ɪn'dɒktrɪneɪt] *vt* adoctrinar; **indoctrination** [-'neɪʃən] *n* adoctrinamiento.

indolent ['ɪndələnt] *a* indolente, perezoso.

indoor ['ɪndɔː*] *a* (*inner*) interior; (*household*) de casa; (*inside*) de puertas adentro; (*swimming-pool*) cubierto; (*games*) de salón; (*sport*) bajo cubierta; ~**s** [ɪn'dɔːz] *ad* dentro; (*at home*) en casa.

induce [ɪn'djuːs] *vt* inducir; (*bring about*) producir; (*provoke*) provocar; ~**ment** *n* (*incentive*) incentivo, aliciente *m*.

induction [ɪn'dʌkʃən] *n* (MED: *of birth*) inducción *f*; ~ **course** *n* curso de inducción.

indulge [ɪn'dʌldʒ] *vt* (*desire*) dar rienda suelta a; (*whim*) condescender con; (*person*) complacer; (*child*) consentir // *vi*: **to ~ in** darse el lujo de; **indulgence** *n* (*of desire*) gratificación *f*; (*leniency*) complacencia; **indulgent** *a* indulgente.

industrial [ɪn'dʌstrɪəl] *a* industrial; ~ **action** *n* huelga; ~ **estate** *n* zona industrial; ~**ist** *n* industrial *m/f*; ~**ize** *vt* industrializar.

industrious [ɪn'dʌstrɪəs] *a* (*gen*) trabajador(a); (*student*) aplicado.

industry ['ɪndəstrɪ] *n* industria; (*diligence*) aplicación *f*.

inebriated [ɪ'niːbrɪeɪtɪd] *a* borracho.

inedible [ɪn'ɛdɪbl] *a* incomible; (*plant etc*) no comestible.

ineffective [ɪnɪ'fɛktɪv] *a* ineficaz, inútil.

inefficiency [ɪnɪ'fɪʃənsɪ] *n* ineficacia; **inefficient** [-ənt] *a* ineficaz, ineficiente.

ineligible [ɪn'ɛlɪdʒɪbl] *a* (*candidate*) inelegible; **to be ~ for sth** no tener derecho a algo.

inept [ɪ'nɛpt] *a* incompetente, incapaz.

inequality [ɪnɪ'kwɒlɪtɪ] *n* desigualdad *f*.

inert [ɪ'nɜːt] *a* inerte, inactivo; (*immobile*) inmóvil; ~**ia** [ɪ'nɜːʃə] *n* inercia; (*laziness*) pereza.

inescapable [ɪnɪ'skeɪpəbl] *a* ineludible.

inestimable [ɪn'ɛstɪməbl] *a* inestimable.

inevitable [ɪn'ɛvɪtəbl] *a* inevitable; (*necessary*) forzoso.

inexcusable [ɪnɪks'kjuːzəbl] *a* imperdonable.

inexhaustible [ɪnɪg'zɔːstɪbl] *a* inagotable.

inexorable [ɪn'ɛksɔrəbl] *a* inexorable, implacable.

inexpensive [ɪnɪk'spɛnsɪv] *a* económico.

inexperience [ɪnɪk'spɪərɪəns] *n* falta de experiencia; ~**d** *a* inexperto.

inexplicable [ɪnɪk'splɪkəbl] *a* inexplicable.

inextricable [ɪnɪk'strɪkəbl] *a* inextricable.

infallible [ɪn'fælɪbl] *a* infalible.

infamous ['ɪnfəməs] *a* infame; **infamy** [-mɪ] *n* infamia.

infancy ['ɪnfənsɪ] *n* infancia.

infant ['ɪnfənt] *n* (*baby*) criatura; (*young child*) niño/a; ~**ile** *a* infantil; (*pej*) aniñado; ~ **school** *n* escuela de párvulos.

infantry ['ɪnfəntrɪ] *n* infantería; ~**man** *n* soldado (de infantería).

infatuated [ɪn'fætjueɪtɪd] *a*: ~ **with** (*gen*) encaprichado por; (*in love*) enamorado de; **infatuation** [-'eɪʃən] *n* encaprichamiento; enamoramiento.

infect [ɪn'fɛkt] *vt* (*wound*) infectar; (*person*) contagiar; (*fig: pej*) corromper; ~**ed with** (*illness*) contagiado de; ~**ion** [ɪn'fɛkʃən] *n* infección *f*; (*fig*) contagio; ~**ious** [ɪn'fɛkʃəs] *a* contagioso; (*also: fig*) infeccioso.

infer [ɪn'fɜː*] *vt* deducir, inferir; ~**ence** ['ɪnfərəns] *n* deducción *f*, inferencia.

inferior [ɪn'fɪərɪə*] *a*, *n* inferior *m/f*; ~**ity** [-rɪ'ɔrɪtɪ] *n* inferioridad *f*; ~**ity complex** *n* complejo de inferioridad.

infernal [ɪn'fɜːnl] *a* infernal.

inferno [ɪn'fɜːnəu] *n* infierno; (*fig*) hoguera.

infertile [ɪn'fɜːtaɪl] *a* estéril, infecundo; **infertility** [-'tɪlɪtɪ] *n* esterilidad *f*, infecundidad *f*.

infested [ɪn'fɛstɪd] *a*: ~ (**with**) plagado (de).

infidelity [ɪnfɪ'dɛlɪtɪ] *n* infidelidad *f*.

in-fighting ['ɪnfaɪtɪŋ] *n* (*fig*) luchas *fpl* internas.

infiltrate ['ɪnfɪltreɪt] *vt* (*troops etc*) infiltrarse en // *vi* infiltrarse.

infinite ['ɪnfɪnɪt] *a* infinito.

infinitive [ɪn'fɪnɪtɪv] *n* infinitivo.

infinity [ɪn'fɪnɪtɪ] *n* (*also* MATH) infinito; (*an ~*) infinidad *f*.

infirm [ɪn'fɜːm] *a* enfermo, débil; ~**ary** *n* hospital *m*; ~**ity** *n* debilidad *f*; (*illness*) enfermedad *f*, achaque *m*.

inflame [ɪn'fleɪm] *vt* inflamar.

inflammable [ɪn'flæməbl] *a* inflamable; (*explosive*) explosivo.

inflammation [ɪnflə'meɪʃən] *n* inflamación *f*.

inflate [ɪn'fleɪt] *vt* (*tyre, balloon*) inflar; (*fig*) hinchar; ~**d** *a* (*style*) exagerado; (*value*) excesivo; **inflation** [ɪn'fleɪʃən] *n* (ECON) inflación *f*; **inflationary** [ɪn'fleɪʃnərɪ] *a* inflacionario.

inflexible [ɪn'flɛksɪbl] *a* inflexible.

inflict [ɪn'flɪkt] *vt*: **to ~ on** infligir en; (*tax etc*) imponer a; ~**ion** [ɪn'flɪkʃən] *n* imposición *f*.

inflow ['ɪnfləu] *n* afluencia.

influence ['ɪnfluəns] *n* influencia // *vt* influir en, influenciar; (*persuade*) sugestionar; **under the ~ of alcohol** en estado de embriaguez; **influential** [-'ɛnʃl] *a* influyente.

influenza [ɪnflu'ɛnzə] *n* gripe *f*.

influx ['ɪnflʌks] *n* afluencia.

inform [ɪnˈfɔːm] vt: **to ～ sb of sth** informar a uno sobre o de algo; (warn) avisar a uno de algo; (communicate) comunicar algo a uno // vi soplar; **to ～ on sb** delatar a uno.

informal [ɪnˈfɔːml] a (person, manner) desenvuelto; (tone) familiar; (visit, discussion) extraoficial; (intimate) de confianza; **～ity** [-ˈmælɪtɪ] n falta de ceremonia; (intimacy) intimidad f; (familiarity) familiaridad f; (ease) afabilidad f.

information [ɪnfəˈmeɪʃən] n información f, informes mpl; (news) noticias fpl; (knowledge) conocimientos mpl; (LAW) delatación f; **a piece of ～** un dato.

informative [ɪnˈfɔːmətɪv] a informativo.

informer [ɪnˈfɔːmə*] n delator/a m/f; (also: police ～) soplón/ona m/f.

infra-red [ɪnfrəˈrɛd] a infrarrojo.

infrequent [ɪnˈfriːkwənt] a infrecuente.

infringe [ɪnˈfrɪndʒ] vt infringir, violar // vi: **to ～ on** invadir, abusar de; **～ment** n infracción f; (of rights) invasión f; (SPORT) falta.

infuriate [ɪnˈfjuərɪeɪt] vt enfurecer; **infuriating** a enloquecedor(a).

ingenious [ɪnˈdʒiːnjəs] a ingenioso; **ingenuity** [-dʒɪˈnjuːɪtɪ] n ingeniosidad f.

ingenuous [ɪnˈdʒɛnjuəs] a ingenuo.

ingot [ˈɪŋgət] n lingote m, barra.

ingrained [ɪnˈgreɪnd] a arraigado.

ingratiate [ɪnˈgreɪʃɪeɪt] vt: **to ～ o.s. with** congraciarse con.

ingratitude [ɪnˈgrætɪtjuːd] n ingratitud f.

ingredient [ɪnˈgriːdɪənt] n ingrediente m.

inhabit [ɪnˈhæbɪt] vt habitar, vivir en; (occupy) ocupar; **～ant** n habitante m/f.

inhale [ɪnˈheɪl] vt inhalar // vi (in smoking) aspirar.

inherent [ɪnˈhɪərənt] a: **～ in** or **to** inherente a.

inherit [ɪnˈhɛrɪt] vt heredar; **～ance** n herencia; (fig) patrimonio.

inhibit [ɪnˈhɪbɪt] vt inhibir, impedir; **to ～ sb from doing sth** impedir a uno hacer algo; **～ion** [-ˈbɪʃən] n inhibición f.

inhospitable [ɪnhɔsˈpɪtəbl] a (person) inhospitalario; (place) inhóspito.

inhuman [ɪnˈhjuːmən] a inhumano.

inimitable [ɪˈnɪmɪtəbl] a inimitable.

iniquity [ɪˈnɪkwɪtɪ] n iniquidad f; (injustice) injusticia.

initial [ɪˈnɪʃl] a inicial; (first) primero // n inicial f // vt firmar con las iniciales; **～s** npl iniciales fpl; (abbreviation) siglas fpl; **～ly** ad al principio, en primer lugar.

initiate [ɪˈnɪʃɪeɪt] vt (start) iniciar, dar comienzo a; **to ～ sb into a secret** iniciar a uno en un secreto; **to ～ proceedings against sb** (LAW) entablar proceso contra uno; **initiation** [-ˈeɪʃən] n (into secret etc) iniciación f; (beginning) comienzo.

initiative [ɪˈnɪʃətɪv] n iniciativa.

inject [ɪnˈdʒɛkt] vt (liquid) inyectar; (fig) injertar; **～ion** [ɪnˈdʒɛkʃən] n inyección f.

injunction [ɪnˈdʒʌŋkʃən] n interdicto.

injure [ˈɪndʒə*] vt herir, lastimar; (fig) perjudicar; (offend) ofender; **injury** n herida, lesión f; (wrong) perjuicio, daño; **injury time** n (SPORT) descuento.

injustice [ɪnˈdʒʌstɪs] n injusticia.

ink [ɪŋk] n tinta.

inkling [ˈɪŋklɪŋ] n sospecha; (idea) idea, atisbo.

inlaid [ˈɪnleɪd] a taraceado, entarimado.

inland [ˈɪnlənd] a interior, del interior // ad [ɪnˈlænd] tierra adentro; **I～ Revenue** n (Brit) el fisco.

in-laws [ˈɪnlɔːz] npl parientes mpl políticos.

inlet [ˈɪnlɛt] n (GEO) ensenada, cala; (TECH) admisión f, entrada.

inmate [ˈɪnmeɪt] n (in prison) presidiario; (in asylum) internado/a.

inn [ɪn] n posada, mesón m.

innate [ɪˈneɪt] a innato.

inner [ˈɪnə*] a interior, interno; **～ city** n centro de la ciudad; **～ tube** n (of tyre) cámara.

innocence [ˈɪnəsns] n inocencia; **innocent** [-nt] a inocente.

innocuous [ɪˈnɔkjuəs] a innocuo.

innovation [ɪnəuˈveɪʃən] n novedad f.

innuendo [ɪnjuˈɛndəu], pl **～es** n indirecta.

innumerable [ɪˈnjuːmrəbl] a innumerable.

inoculation [ɪnɔkjuˈleɪʃən] n inoculación f.

inopportune [ɪnˈɔpətjuːn] a inoportuno.

inordinately [ɪˈnɔːdɪnətlɪ] ad desmesuradamente.

inorganic [ɪnɔːˈgænɪk] a inorgánico.

in-patient [ˈɪnpeɪʃənt] n paciente m/f interno/a.

input [ˈɪnput] n (ELEC) entrada; (COMM) inversión f.

inquest [ˈɪnkwɛst] n pesquisa judicial; (coroner's) encuesta judicial.

inquire [ɪnˈkwaɪə*] vi pedir informes // vt (ask) preguntar; (seek information about) pedir informes sobre; **to ～ about** vt fus (person) preguntar por; (fact) informarse de; **to ～ into** vt fus investigar, indagar; **inquiring** a (mind) penetrante; (look) interrogativo; **inquiry** n pregunta; (LAW) investigación f, pesquisa; (commission) comisión f investigadora; **inquiry office** n oficina de informaciones.

inquisitive [ɪnˈkwɪzɪtɪv] a (curious) activo, inquiridor(a); (prying) preguntón(ona), fisgón(ona).

inroad [ˈɪnrəud] n incursión f; (fig) invasión f.

insane [ɪnˈseɪn] a loco; (MED) demente.

insanitary [ɪnˈsænɪtərɪ] a insalubre.

insanity [ɪnˈsænɪtɪ] n demencia, locura.

insatiable [ɪnˈseɪʃəbl] a insaciable.

inscribe [ɪnˈskraɪb] vt inscribir; (book etc): **to ～ (to sb)** dedicar (a uno).

inscription [ɪnˈskrɪpʃən] n (gen) inscripción f; (in book) dedicatoria.

inscrutable [ɪnˈskruːtəbl] a inscrutable, insondable.

insect ['ɪnsɛkt] n insecto; ~**icide** [ɪn-'sɛktɪsaɪd] n insecticida m.

insecure [ɪnsɪ'kjuə*] a inseguro; **insecurity** n inseguridad f.

insensible [ɪn'sɛnsɪbl] a impasible, insensible; (unconscious) inconsciente.

insensitive [ɪn'sɛnsɪtɪv] a insensible.

inseparable [ɪn'sɛprəbl] a inseparable; **they were ~ friends** les unía una estrecha amistad.

insert [ɪn'səːt] vt (between things) intercalar; (into sth) introducir; (in paper) publicar; (: advert) poner // n ['ɪnsəːt] hoja suelta (intercalada); ~**ion** [ɪn'səːʃən] n inserción f; (publication) publicación f; (of pages) materia añadida.

inshore [ɪn'fɔː*] a cercano a la orilla o costa // ad (be) cerca de la orilla; (move) hacia la orilla.

inside ['ɪn'saɪd] n interior m; (lining) forro // a interior, interno; (secret) secreto // ad (within) (por) dentro; (with movement) hacia dentro; (fam: in prison) en la cárcel // prep dentro de; (of time): ~ **10 minutes** en menos de 10 minutos; ~**s** npl (col) tripas fpl; ~ **forward** n (SPORT) delantero interior; ~ **lane** n (AUT. in Britain) el lado o carril izquierdo; ~ **out** ad (turn) al revés; (know) a fondo.

insidious [ɪn'sɪdɪəs] a insidioso; (underground) clandestino.

insight ['ɪnsaɪt] n perspicacia.

insignificant [ɪnsɪg'nɪfɪknt] a insignificante.

insincere [ɪnsɪn'sɪə*] a poco sincero; **insincerity** [-'sɛrɪtɪ] n falta de sinceridad, doblez f.

insinuate [ɪn'sɪnjueɪt] vt insinuar; **insinuation** [-'eɪʃən] n insinuación f; (hint) indirecta.

insipid [ɪn'sɪpɪd] a soso, insulso.

insist [ɪn'sɪst] vi insistir; **to ~ on doing** empeñarse en hacer; **to ~ that** insistir en que; (claim) exigir que; ~**ence** n insistencia; (stubbornness) empeño; ~**ent** a insistente; empeñado.

insole ['ɪnsəʊl] n plantilla.

insolence ['ɪnsələns] n insolencia, descaro; **insolent** [-ənt] a insolente, descarado.

insoluble [ɪn'sɔljubl] a insoluble.

insolvent [ɪn'sɔlvənt] a insolvente.

insomnia [ɪn'sɔmnɪə] n insomnio.

inspect [ɪn'spɛkt] vt inspeccionar, examinar; (troops) pasar revista a; ~**ion** [ɪn'spɛkʃən] n inspección f, examen m; ~**or** n inspector/a m/f; (RAIL) revisor m.

inspiration [ɪnspə'reɪʃən] n inspiración f; **inspire** [ɪn'spaɪə*] vt inspirar.

instability [ɪnstə'bɪlɪtɪ] n inestabilidad f.

install [ɪn'stɔːl] vt instalar; ~**ation** [ɪnstə'leɪʃən] n instalación f.

installment (US) [ɪn-'stɔːlmənt] n plazo; (of story) entrega; (of TV serial etc) episodio.

instance ['ɪnstəns] n ejemplo, caso; **for ~** por ejemplo; **in the first ~** en primer lugar.

instant ['ɪnstənt] n instante m, momento // a instantáneo, inmediato; (coffee) en polvo; ~**ly** ad en seguida.

instead [ɪn'stɛd] ad en cambio; ~ **of** en lugar de, en vez de.

instep ['ɪnstɛp] n empeine m.

instigation [ɪnstɪ'geɪʃən] n instigación f.

instil [ɪn'stɪl] vt: **to ~ into** infundir a, inculcar en.

instinct ['ɪnstɪŋkt] n instinto; ~**ive** [-'stɪŋktɪv] a instintivo; ~**ively** [-'stɪŋktɪvlɪ] ad por instinto.

institute ['ɪnstɪtjuːt] n instituto; (professional body) colegio // vt (inquiry) iniciar, empezar; (proceedings) entablar.

institution [ɪnstɪ'tjuːʃən] n (gen) institución f; (beginning) iniciación f; (organization) instituto; (MED: home) asilo; (asylum) manicomio; (custom) costumbre f.

instruct [ɪn'strʌkt] vt: **to ~ sb in sth** instruir a uno en o sobre algo; **to ~ sb to do sth** dar instrucciones a uno de hacer algo; ~**ion** [ɪn'strʌkʃən] n (teaching) instrucción f; ~**ions** npl órdenes fpl; ~**ions (for use)** modo sg de empleo; ~**ive** a aleccionador(a); ~**or** n instructor/a m/f.

instrument ['ɪnstrəmənt] n instrumento; ~**al** [-'mɛntl] a (MUS) instrumental; **to be ~al in** contribuir materialmente a; ~ **panel** n tablero (de instrumentos).

insubordinate [ɪnsə'bɔːdənɪt] a insubordinado; **insubordination** [-'neɪʃən] n insubordinación f; (disobedience) desobediencia.

insufferable [ɪn'sʌfrəbl] a insufrible.

insufficient [ɪnsə'fɪʃnt] a insuficiente.

insular ['ɪnsjulə*] a insular; (outlook) de miras estrechas.

insulate ['ɪnsjuleɪt] vt aislar; **insulating tape** n cinta aislante; **insulation** [-'leɪʃən] n aislamiento.

insulin ['ɪnsjulɪn] n insulina.

insult ['ɪnsʌlt] n insulto; (offence) ofensa // vt [ɪn'sʌlt] insultar, injuriar; ofender; ~**ing** a insultante; ofensivo.

insuperable [ɪn'sjuːprəbl] a insuperable.

insurance [ɪn'fuərəns] n seguro; **fire/life ~** seguro sobre la vida/contra incendios; ~ **agent** n agente m/f de seguros; ~ **policy** n póliza (de seguros).

insure [ɪn'fuə*] vt asegurar.

insurrection [ɪnsə'rɛkʃən] n insurrección f.

intact [ɪn'tækt] a íntegro; (unharmed) ileso, sano.

intake ['ɪnteɪk] n (TECH) entrada, toma; (: pipe) tubo de admisión; (of food) cantidad admitida; (SCOL): **an ~ of 200 a year** 200 matriculados al año.

intangible [ɪn'tændʒɪbl] a intangible.

integral ['ɪntɪgrəl] a (whole) íntegro; (part) integrante.

integrate ['ɪntɪgreɪt] vt integrar // vi integrarse.
integrity [ɪn'tɛgrɪtɪ] n honradez f, rectitud f.
intellect ['ɪntəlɛkt] n intelecto; ~**ual** [-'lɛktjuəl] a, n intelectual m/f.
intelligence [ɪn'tɛlɪdʒəns] n inteligencia; (MIL etc) informes mpl; **I~ Service** = Servicio de Inteligencia; **intelligent** [-ənt] a inteligente.
intelligible [ɪn'tɛlɪdʒɪbl] a inteligible, comprensible.
intend [ɪn'tɛnd] vt (gift etc): **to ~ sth for** destinar algo a; **to ~ to do sth** tener intención de o proponerse hacer algo; ~**ed** a (effect) deseado // n prometido/a.
intense [ɪn'tɛns] a intenso; (person) nervioso; ~**ly** ad intensamente; (very) sumamente.
intensify [ɪn'tɛnsɪfaɪ] vt intensificar; (increase) aumentar.
intensity [ɪn'tɛnsɪtɪ] n intensidad f; (strength) fuerza.
intensive [ɪn'tɛnsɪv] a intensivo; ~ **care unit** n centro de cuidados intensivos.
intent [ɪn'tɛnt] n propósito // a (absorbed) absorto; (attentive) atento; **to all ~s and purposes** prácticamente; **to be ~ on doing sth** estar resuelto a hacer algo.
intention [ɪn'tɛnʃən] n intento, propósito; (plan) proyecto; ~**al** a intencional, deliberado; ~**ally** ad a propósito.
intently [ɪn'tɛntlɪ] ad atentamente, fijamente.
inter [ɪn'tɜː*] vt enterrar.
interact [ɪntər'ækt] vi influirse mutuamente; ~**ion** [-'ækʃən] n influencia mútua, acción f recíproca.
intercede [ɪntə'siːd] vi: **to ~ (with)** interceder (con).
intercept [ɪntə'sɛpt] vt interceptar; (stop) detener; ~**ion** [-'sɛpʃən] n interceptación f, detención f.
interchange ['ɪntətʃeɪndʒ] n intercambio; (exchange) canje m; (on motorway) paso a desnivel // vt [ɪntə'tʃeɪndʒ] intercambiar; canjear; ~**able** a intercambiable.
intercom ['ɪntəkɔm] n sistema m de intercomunicación.
interconnect [ɪntəkə'nɛkt] vi (rooms) conectarse.
intercourse ['ɪntəkɔːs] n (sexual) relaciones fpl; (social) trato.
interest ['ɪntrɪst] n (also COMM) interés m; (profit) ventaja, provecho // vt interesar; **to be ~ed in** interesarse por; ~**ing** a interesante.
interfere [ɪntə'fɪə*] vi: **to ~ in** (quarrel, other people's business) entrometerse o mezclarse en; **to ~ with** (hinder) estorbar; (damage) estropear; (radio) interferir con.
interference [ɪntə'fɪərəns] n (gen) intromisión f; (RADIO, TV) interferencia.
interim ['ɪntərɪm] n: **in the ~** entretanto, en el interino.

interior [ɪn'tɪərɪə*] n interior m // a interior.
interject [ɪntə'dʒɛkt] vt interponerse; ~**ion** [-'dʒɛkʃən] n interyección f.
interlock [ɪntə'lɔk] vi entrelazarse; (wheels etc) endentarse.
interloper ['ɪntələupə*] n intruso.
interlude ['ɪntəluːd] n intérvalo; (rest) descanso; (THEATRE) intermedio.
intermarry [ɪntə'mærɪ] vi casarse (parientes).
intermediary [ɪntə'miːdɪərɪ] n intermediario.
intermediate [ɪntə'miːdɪət] a intermedio, medio.
intermission [ɪntə'mɪʃən] n (THEATRE) descanso.
intermittent [ɪntə'mɪtnt] a intermitente.
intern [ɪn'tɜːn] vt internar; (enclose) encerrar // n ['ɪntəːn] (US) interno.
internal [ɪn'tɜːnl] a interno, interior; ~**ly** ad interiormente; **'not to be taken ~ly'** 'uso externo'; ~ **revenue** n (US) rentas fpl públicas.
international [ɪntə'næʃənl] a internacional; ~ **game** partido internacional; ~ **player** jugador/a m/f internacional.
interplay ['ɪntəpleɪ] n interacción f.
interpret [ɪn'tɜːprɪt] vt interpretar; (translate) traducir; (understand) entender // vi hacer de intérprete; ~**ation** [-'teɪʃən] n interpretación f; traducción f; entendimiento; ~**er** n intérprete m/f.
interrelated [ɪntərɪ'leɪtɪd] a interrelacionado.
interrogate [ɪn'tɛrəugeɪt] vt interrogar; **interrogation** [-'geɪʃən] n interrogatorio; **interrogative** [ɪntə'rɔgətɪv] a interrogativo.
interrupt [ɪntə'rʌpt] vt, vi interrumpir; ~**ion** [-'rʌpʃən] n interrupción f.
intersect [ɪntə'sɛkt] vt cruzar // vi (roads) cruzarse; ~**ion** [-'sɛkʃən] n intersección f; (of roads) cruce m.
intersperse [ɪntə'spɜːs] vt esparcir, entremezclar.
intertwine [ɪntə'twaɪn] vt entrelazar // vi entrelazarse.
interval ['ɪntəvl] n intérvalo; (SCOL) recreo; (THEATRE, SPORT) descanso; **at ~s** a ratos, de vez en cuando.
intervene [ɪntə'viːn] vi (gen) intervenir; (take part) participar; (occur) sobrevenir; **intervention** [-'vɛnʃən] n intervención f.
interview ['ɪntəvjuː] n (RADIO, TV etc) entrevista // vt entrevistarse con; ~**ee** [-'iː] n entrevistado/a; ~**er** n entrevistador/a m/f.
intestine [ɪn'tɛstɪn] n: **large/small ~** intestino grueso/delgado.
intimacy ['ɪntɪməsɪ] n intimidad f; (relations) relaciones fpl íntimas.
intimate ['ɪntɪmət] a íntimo; (friendship) estrecho; (knowledge) profundo // vt ['ɪntɪmeɪt] (announce) dar a entender.
intimidate [ɪn'tɪmɪdeɪt] vt intimidar,

amedrentar; **intimidation** [-'deɪʃən] *n* intimidación *f*.

into ['ɪntu] *prep* (*gen*) en; (*towards*) a; (*inside*) hacia el interior de; ~ **3 pieces/French** en 3 pedazos/ francés.

intolerable [ɪn'tɔlərəbl] *a* intolerable, insufrible; **intolerance** [-rəns] *n* intolerancia; **intolerant** [-rənt] *a*: **intolerant of** intolerante con *o* para.

intonation [ɪntəu'neɪʃən] *n* entonación *f*.

intoxicate [ɪn'tɔksɪkeɪt] *vt* embriagar; ~**d** a embriagado; **intoxication** [-'keɪʃən] *n* embriaguez *f*.

intractable [ɪn'træktəbl] *a* (*child*) intratable; (*material*) difícil de trabajar; (*problem*) espinoso.

intransigent [ɪn'trænsɪdʒənt] *a* intransigente.

intransitive [ɪn'trænsɪtɪv] *a* intransitivo.

intravenous [ɪntrə'viːnəs] *a* intravenoso.

intrepid [ɪn'trɛpɪd] *a* intrépido.

intricate ['ɪntrɪkət] *a* intrincado; (*complex*) complejo.

intrigue [ɪn'triːg] *n* intriga // *vt* interesar, fascinar // *vi* andar en intrigas; **intriguing** *a* intrigante.

intrinsic [ɪn'trɪnsɪk] *a* intrínseco.

introduce [ɪntrə'djuːs] *vt* introducir, meter; **to** ~ **sb (to sb)** presentar uno (a otro); **to** ~ **sb to** (*pastime, technique*) introducir a uno a; **introduction** [-'dʌkʃən] *n* introducción *f*; (*of person*) presentación *f*; **introductory** [-'dʌktərɪ] *a* preliminar.

introspective [ɪntrəu'spɛktɪv] *a* introspectivo.

introvert ['ɪntrəuvəːt] *a, n* introvertido/a.

intrude [ɪn'truːd] *vi* (*person*) entrometerse; **to** ~ **on** *or* **into** estorbar; **intruder** *n* intruso/a; **intrusion** [-ʒən] *n* invasión *f*; **intrusive** [-sɪv] *a* intruso.

intuition [ɪntjuː'ɪʃən] *n* intuición *f*; **intuitive** [-'tjuːɪtɪv] *a* intuitivo.

inundate ['ɪnʌndeɪt] *vt*: **to** ~ **with** inundar de.

invade [ɪn'veɪd] *vt* invadir; **invader** *n* invasor/a *m/f*.

invalid ['ɪnvəlɪd] *n* inválido/a // *a* [ɪn-'vælɪd] (*not valid*) inválido, nulo; ~**ate** [ɪn-'vælɪdeɪt] *vt* invalidar, anular.

invaluable [ɪn'væljuəbl] *a* inestimable.

invariable [ɪn'vɛərɪəbl] *a* invariable.

invasion [ɪn'veɪʒən] *n* invasión *f*.

invent [ɪn'vɛnt] *vt* inventar; ~**ion** [ɪn-'vɛnʃən] *n* invento; (*inventiveness*) inventiva; (*lie*) ficción *f*, mentira; ~**ive** *a* ingenioso; ~**iveness** *n* ingenio, inventiva; ~**or** *n* inventor/a *m/f*.

inventory ['ɪnvəntrɪ] *n* inventario.

inverse [ɪn'vəːs] *a, n* inverso; ~**ly** *ad* a la inversa.

invert [ɪn'vəːt] *vt* invertir, volver al revés; ~**ed commas** *npl* comillas *fpl*.

invertebrate [ɪn'vəːtɪbrət] *n* invertebrado.

invest [ɪn'vɛst] *vt, vi* invertir.

investigate [ɪn'vɛstɪgeɪt] *vt* investigar; (*study*) estudiar, examinar; **investigation**

[-'geɪʃən] *n* investigación *f*, pesquisa; examen *m*; **investigator** *n* investigador/a *m/f*.

investiture [ɪn'vɛstɪtʃə*] *n* investidura.

investment [ɪn'vɛstmənt] *n* inversión *f*.

investor [ɪn'vɛstə*] *n* inversionista *m/f*.

inveterate [ɪn'vɛtərət] *a* empedernido.

invigorating [ɪn'vɪgəreɪtɪŋ] *a* vigorizante.

invincible [ɪn'vɪnsɪbl] *a* invencible.

inviolate [ɪn'vaɪələt] *a* inviolado.

invisible [ɪn'vɪzɪbl] *a* invisible; ~ **ink** *n* tinta simpática.

invitation [ɪnvɪ'teɪʃən] *n* invitación *f*.

invite [ɪn'vaɪt] *vt* (*gen*) invitar; (*to drink, food*) convidar; (*opinions etc*) solicitar, pedir; (*trouble*) buscarse; **inviting** *a* atractivo; (*look*) incitante; (*food*) apetitoso.

invoice ['ɪnvɔɪs] *n* factura // *vt* facturar.

invoke [ɪn'vəuk] *vt* invocar; (*aid*) implorar; (*law*) recurrir a.

involuntary [ɪn'vɔləntrɪ] *a* involuntario.

involve [ɪn'vɔlv] *vt* (*entail*) suponer, implicar; **to** ~ **sb (in)** comprometer a uno (con); ~**d** *a* complicado; ~**ment** *n* (*gen*) enredo; (*obligation*) compromiso; (*difficulty*) apuro.

invulnerable [ɪn'vʌlnərəbl] *a* invulnerable.

inward ['ɪnwəd] *a* (*movement*) interior, interno; (*thought, feeling*) íntimo; ~**ly** *ad* (*feel, think etc*) para sí, para dentro; ~**(s)** *ad* hacia dentro.

iodine ['aɪəudiːn] *n* yodo.

iota [aɪ'əutə] *n* (*fig*) jota, ápice *m*.

IOU *n abbr of* **I owe you** pagaré *m*.

IQ *n abbr of* **intelligence quotient** cociente *m* intelectual.

Iran [ɪ'rɑːn] *n* Irán *m*; ~**ian** [ɪ'reɪnɪən] *a, n* iraní *m/f*.

Iraq [ɪ'rɑːk] *n* El Irak; ~**i** *a, n* irakí *m/f*.

irascible [ɪ'ræsɪbl] *a* irascible.

irate [aɪ'reɪt] *a* enojado, indignado.

Ireland ['aɪələnd] *n* Irlanda.

iris ['aɪrɪs], *pl* ~**es** *n* (*ANAT*) iris *m*; (*BOT*) lirio.

Irish ['aɪrɪʃ] *a* irlandés(esa) // *npl*: **the** ~ los irlandeses; ~**man/ woman** *n* irlandés/esa *m/f*.

irk [əːk] *vt* fastidiar; ~**some** *a* fastidioso.

iron ['aɪən] *n* hierro; (*for clothes*) plancha // *a* de hierro // *vt* (*clothes*) planchar; ~**s** *npl* (*chains*) grillos *mpl*; **to** ~ **out** *vt* (*crease*) quitar; (*fig*) allanar.

ironic(al) [aɪ'rɔnɪk(l)] *a* irónico.

ironing ['aɪənɪŋ] *n* (*act*) planchado; (*ironed clothes*) ropa planchada; (*to be ironed*) ropa por planchar; ~ **board** *n* tabla de planchar.

ironmonger ['aɪənmʌŋgə*] *n* ferretero; ~**'s (shop)** *n* ferretería, quincallería.

iron ore ['aɪən'ɔː*] *n* mineral *m* de hierro.

irony ['aɪrənɪ] *n* ironía; **the** ~ **of it is that...** lo irónico es que...

irrational [ɪ'ræʃənl] *a* irracional.

irreconcilable [ɪrɛkən'saɪləbl] *a*

inconciliable, irreconciliable.
irrefutable [ɪrɪ'fjuːtəbl] *a* irrefutable.
irregular [ɪ'regjulə*] *a* irregular; (*surface*) desigual; (*illegal*) ilegal; ~**ity** [-'lærɪtɪ] *n* irregularidad *f*; desigualdad *f*.
irrelevant [ɪ'reləvənt] *a* fuera de lugar, inoportuno.
irreparable [ɪ'reprəbl] *a* irreparable.
irreplaceable [ɪrɪ'pleɪsəbl] *a* irremplazable.
irrepressible [ɪrɪ'presəbl] *a* irrefrenable.
irreproachable [ɪrɪ'prəʊtʃəbl] *a* irreprochable.
irresistible [ɪrɪ'zɪstɪbl] *a* irresistible.
irresolute [ɪ'rezəluːt] *a* indeciso.
irrespective [ɪrɪ'spektɪv]: ~ **of** *prep* sin tener en cuenta, no importa.
irresponsible [ɪrɪ'spɒnsɪbl] *a* (*act*) irresponsable; (*person*) poco serio.
irreverent [ɪ'revərənt] *a* irreverente, irrespetuoso.
irrevocable [ɪ'revəkəbl] *a* irrevocable.
irrigate ['ɪrɪgeɪt] *vt* regar; **irrigation** [-'geɪʃən] *n* riego.
irritable ['ɪrɪtəbl] *a* irritable; (*mood*) de mal humor.
irritate ['ɪrɪteɪt] *vt* irritar; (MED) picar; **irritation** [-'teɪʃən] *n* irritación *f*, enojo; picazón *m*, picor *m*.
is [ɪz] *vb see* **be**.
Islam ['ɪzlɑːm] *n* Islam *m*.
island ['aɪlənd] *n* isla; (*also:* **traffic** ~) refugio; ~**er** *n* isleño/a.
isle [aɪl] *n* isla.
isn't ['ɪznt] = **is not.**
isolate ['aɪsəleɪt] *vt* aislar; ~**d** *a* aislado; **isolation** [-'leɪʃən] *n* aislamiento.
isotope ['aɪsəutəup] *n* isótopo.
Israel ['ɪzreɪl] *n* Israel *m*; ~**i** [ɪz'reɪlɪ] *a*, *n* israelí *m/f*.
issue ['ɪsjuː] *n* cuestión *f*, asunto; (*outcome*) resultado; (*of banknotes etc*) emisión *f*; (*of newspaper etc*) número; (*offspring*) sucesión *f*, descendencia // *vt* (*rations, equipment*) distribuir, repartir; (*orders*) dar; (*certificate*) expedir; (*decree*) promulgar; (*book*) publicar; (*cheques*) extender; (*banknotes, stamps*) emitir.
isthmus ['ɪsməs] *n* istmo.
it [ɪt] *pron* (*subject*) él/ella; (*direct object*) lo/la; (*indirect object*) le; (*impersonal*) ello; (*after prep*) él/ella/ello; ~**'s raining** llueve, está lloviendo; **where is** ~? ¿dónde está?; **he's proud of** ~ le enorgullece; **he agreed to** ~ está de acuerdo (con ello).
Italian [ɪ'tæljən] *a* italiano // *n* italiano/a; (LING) el italiano.
italic [ɪ'tælɪk] *a* cursivo; ~**s** *npl* cursiva *sg*.
Italy ['ɪtəlɪ] *n* Italia.
itch [ɪtʃ] *n* comezón *m*; (*fig*) prurito // *n* (*person*) sentir *o* tener comezón; (*part of body*) picar; **I'm** ~**ing to do sth** rabio por hacer algo; ~**ing** *n* comezón *m*; ~**y** *a*: **to be** ~**y** picar.
it'd ['ɪtd] = **it would; it had.**

item ['aɪtəm] *n* (*gen*) artículo; (*detail*) detalle *m*; (*on agenda*) asunto a tratar; (*in programme*) número; (*also:* **news** ~) noticia; ~**ize** *vt* detallar.
itinerant [ɪ'tɪnərənt] *a* ambulante.
itinerary [aɪ'tɪnərərɪ] *n* itinerario.
it'll ['ɪtl] = **it will, it shall.**
its [ɪts] *a* su // *pron* (el) suyo/(la) suya.
it's [ɪts] = **it is; it has.**
itself [ɪt'self] *pron* (*reflexive*) sí mismo/a; (*emphatic*) él mismo/ella misma.
ITV *n abbr of* **Independent Television.**
I.U.D. *n abbr of* **intra-uterine device** DIU.
I've [aɪv] = **I have.**
ivory ['aɪvərɪ] *n* marfil *m*; ~ **tower** *n* (*fig*) torre *f* de marfil.
ivy ['aɪvɪ] *n* hiedra.

J

jab [dʒæb] *vt* (*elbow*) dar un codazo a; (*punch*) dar un golpe rápido a; **to** ~ **sth into sth** clavar algo en algo // *n* codazo; golpe *m* (rápido); (MED: col) pinchazo.
jabber ['dʒæbə*] *vt, vi* farfullar.
jack [dʒæk] *n* (AUT) gato; (BOWLS) boliche *m*; (CARDS) sota; **to** ~ **up** *vt* (AUT) alzar con gato.
jackdaw ['dʒækdɔː] *n* grajilla.
jacket ['dʒækɪt] *n* chaqueta, americana; (*of boiler etc*) camisa; (*of book*) sobrecubierta; **potatoes in their** ~**s** patatas con su piel.
jack-knife ['dʒæknaɪf] *n* navaja.
jackpot ['dʒækpɒt] *n* premio gordo.
jade [dʒeɪd] *n* (*stone*) jade *m*.
jaded ['dʒeɪdɪd] *a* (*tired*) cansado; (*fed-up*) hastiado.
jagged ['dʒægɪd] *a* dentado.
jail [dʒeɪl] *n* cárcel *f*; ~**break** *n* fuga *o* evasión *f* (de la cárcel); ~**er** *n* carcelero.
jam [dʒæm] *n* mermelada; (*also:* **traffic** ~) embotellamiento; (*difficulty*) apuro // *vt* (*passage etc*) obstruir, cerrar; (*mechanism, drawer etc*) atascar; (RADIO) interferir // *vi* atascarse, trabarse; **to** ~ **sth into sth** meter algo por la fuerza en algo.
Jamaica [dʒə'meɪkə] *n* Jamaica.
jangle ['dʒæŋgl] *vi* sonar (de manera) discordante.
janitor ['dʒænɪtə*] *n* (*caretaker*) portero, conserje *m*.
January ['dʒænjuərɪ] *n* enero.
Japan [dʒə'pæn] *n* (el) Japón; ~**ese** [dʒæpə'niːz] *a* japonés(esa) // *n*, *pl inv* japonés/esa *m/f*; (LING) japonés *m*.
jar [dʒɑː*] *n* (*glass: large*) jarra; (: *small*) tarro // *vi* (*sound*) chirriar; (*colours*) desentonar.
jargon ['dʒɑːgən] *n* jerga.
jasmin(e) ['dʒæzmɪn] *n* jazmín *m*.
jaundice ['dʒɔːndɪs] *n* ictericia; ~**d** *a* (*fig: embittered*) amargado; (: *disillusioned*) desilusionado.

jaunt [dʒɔ:nt] *n* excursión *f*; ~**y** *a* alegre.
javelin ['dʒævlɪn] *n* jabalina.
jaw [dʒɔ:] *n* mandíbula.
jaywalker ['dʒeɪwɔ:kə*] *n* peatón *m* imprudente.
jazz [dʒæz] *n* jazz *m*; **to** ~ **up** (*liven up*) animar, avivar; ~**y** *a* de colores llamativos.
jealous ['dʒɛləs] *a* (*gen*) celoso; (*envious*) envidioso; **to be** ~ tener celos; ~**y** *n* celos *mpl*; envidia.
jeans [dʒi:nz] *npl* (pantalones) vaqueros o tejanos *mpl*.
jeep [dʒi:p] *n* jeep *m*.
jeer [dʒɪə*] *vi*: **to** ~ (**at**) (*boo*) abuchear; (*mock*) mofarse (de).
jelly ['dʒɛlɪ] *n* jalea, gelatina; ~**fish** *n* medusa.
jeopardize ['dʒɛpədaɪz] *vt* arriesgar, poner en peligro; **jeopardy** [-dɪ] *n*: **to be in jeopardy** estar en peligro o a riesgo.
jerk [dʒɔ:k] *n* (*jolt*) sacudida; (*wrench*) tirón *m* // *vt* dar una sacudida a // *vi* (*vehicle*) traquetear.
jerkin ['dʒɔ:kɪn] *n* cazadora.
jerky ['dʒɔ:kɪ] *a* espasmódico.
jersey ['dʒɔ:zɪ] *n* jersey *m*.
jest [dʒɛst] *n* broma.
jet [dʒɛt] *n* (*of gas, liquid*) chorro; (AVIAT) avión *m* a reacción; ~**-black** *a* de azabache; ~ **engine** *n* motor *m* a reacción.
jettison ['dʒɛtɪsn] *vt* desechar.
jetty ['dʒɛtɪ] *n* muelle *m*, embarcadero.
Jew [dʒu:] *n* judío; ~**ess** *n* judía.
jewel ['dʒu:əl] *n* joya; (*in watch*) rubí *m*; ~**ler** *n* joyero; ~**ler's (shop)** *n* joyería; ~**lery** *n* joyas *fpl*, alhajas *fpl*.
Jewish ['dʒu:ɪʃ] *a* judío.
jibe [dʒaɪb] *n* pulla.
jiffy ['dʒɪfɪ] *n* (*col*): **in a** ~ en un instante.
jig [dʒɪg] *n* jiga.
jigsaw ['dʒɪgsɔ:] *n* (*also:* ~ **puzzle**) rompecabezas *m inv*.
jilt [dʒɪlt] *vt* dar calabazas a.
jingle ['dʒɪŋgl] *n* (*advert*) estribillo // *vi* tintinear.
jinx [dʒɪŋks] *n* (*col*) gafe *m*, maldición *f*.
jitters ['dʒɪtəz] *npl* (*col*): **to get the** ~ ponerse nervioso.
job [dʒɔb] *n* (*gen*) trabajo; (*task*) tarea; (*duty*) deber *m*; (*post*) empleo; (*fam: difficulty*) dificultad *f*; **it's a good** ~ **that...** menos mal que...; **just the** ~**!** ¡estupendo!; ~**less** *a* sin trabajo.
jockey ['dʒɔkɪ] *n* jockey *m* // *vi*: **to** ~ **for position** maniobrar para conseguir una posición.
jocular ['dʒɔkjulə*] *a* (*humorous*) jocoso; (*merry*) alegre.
jog [dʒɔg] *vt* empujar (ligeramente) // *vi* (*run*) hacer footing; **to** ~ **along** ir tirando; **to** ~ **sb's memory** refrescar la memoria a uno; ~**ging** *n* footing *m*.
join [dʒɔɪn] *vt* (*things*) juntar, unir; (*become member of*) inscribirse en, afiliarse a;

(*meet: people*) reunirse o encontrarse con // *vi* (*roads, rivers*) confluir // *n* juntura; **to** ~ **up** *vi* unirse; (MIL) alistarse.
joiner ['dʒɔɪnə*] *n* carpintero; ~**y** *n* carpintería.
joint [dʒɔɪnt] *n* (TECH) junta, unión *f*; (*wood*) ensambladura; (ANAT) articulación *f*; (CULIN) asado; (*col: place*) garito // *a* (*common*) común; (*combined*) combinado; (*committee*) mixto; **by** ~ **agreement** por común acuerdo; ~**ly** *ad* (*gen*) mutuamente, en común; (*collectively*) colectivamente; (*together*) conjuntamente.
joke [dʒəuk] *n* chiste *m*; (*also: practical* ~) broma // *vi* bromear; **to play a** ~ **on** gastar una broma a; **joker** *n* chistoso/a, bromista *m/f*; (CARDS) comodín *m*.
jolly ['dʒɔlɪ] *a* (*merry*) alegre; (*enjoyable*) divertido // *ad* (*col*) muy, terriblemente.
jolt [dʒəult] *n* (*shake*) sacudida; (*blow*) golpe *m*; (*shock*) susto // *vt* sacudir; asustar.
Jordan ['dʒɔ:dən] *n* Jordania.
jostle ['dʒɔsl] *vt* dar empellones a, codear.
jot [dʒɔt] *n*: **not one** ~ ni jota, ni pizca; **to** ~ **down** *vt* apuntar; ~**ter** *n* bloc *m*; (SCOL) cuaderno.
journal ['dʒɔ:nl] *n* (*paper*) periódico; (*magazine*) revista; (*diary*) diario; ~**ese** [-'li:z] *n* (*pej*) lenguaje *m* periodístico; ~**ism** *n* periodismo; ~**ist** *n* periodista *m/f*.
journey ['dʒɔ:nɪ] *n* viaje *m*; (*distance covered*) trayecto // *vi* viajar; **return** ~ viaje de regreso.
joy [dʒɔɪ] *n* alegría; ~**ful**, ~**ous** *a* alegre; ~ **ride** *n* paseo en coche; (*illegal*) paseo en coche robado.
J.P. *n abbr of* **Justice of the Peace.**
Jr, Jun., Junr *abbr of* **junior.**
jubilant ['dʒu:bɪlnt] *a* jubiloso; **jubilation** [-'leɪʃən] *n* júbilo.
jubilee ['dʒu:bɪli:] *n* aniversario.
judge [dʒʌdʒ] *n* juez *m* // *vt* (*gen*) juzgar; (*estimate*) considerar; **judg(e)ment** *n* juicio; (*punishment*) sentencia, fallo.
judicial [dʒu:'dɪʃl] *a* judicial.
judicious [dʒu:'dɪʃəs] *a* juicioso.
judo ['dʒu:dəu] *n* judo.
jug [dʒʌg] *n* jarro.
juggernaut ['dʒʌgənɔ:t] *n* (*huge truck*) mastodonte *m*.
juggle ['dʒʌgl] *vi* hacer juegos malabares; **juggler** *n* malabarista *m/f*.
Jugoslav ['ju:gəu'slɑ:v] *a*, *n* = **Yugoslav.**
juice [dʒu:s] *n* zumo, jugo; **juicy** *a* jugoso.
jukebox ['dʒu:kbɔks] *n* rocola.
July [dʒu:'laɪ] *n* julio.
jumble ['dʒʌmbl] *n* revoltijo // *vt* (*also:* ~ **up**: *mix up*) revolver; (: *disarrange*) mezclar; ~ **sale** *n* (*Brit*) venta de objetos usados.
jumbo (jet) ['dʒʌmbəu] *n* jumbo-jet *m*.
jump [dʒʌmp] *vi* saltar, dar saltos; (*start*) asustarse, sobresaltarse; (*increase*) aumentar // *vt* saltar // *n* salto; aumento; **to** ~ **the queue** colarse.

jumper ['dʒʌmpə*] n suéter m, jersey m.
jumpy ['dʒʌmpɪ] a nervioso.
junction ['dʒʌŋkʃən] n (of roads) cruce m; (RAIL) empalme m.
juncture ['dʒʌŋktʃə*] n: **at this** ~ en este momento, en esta coyuntura.
June [dʒuːn] n junio.
jungle ['dʒʌŋgl] n selva, jungla.
junior ['dʒuːnɪə*] a (in age) menor, más joven; (competition) juvenil; (position) subalterno // n menor m/f, joven m/f; ~ **school** n escuela primaria.
junk [dʒʌŋk] n (cheap goods) baratijas fpl; (lumber) trastos viejos mpl; (rubbish) basura; (ship) junco; ~**shop** n tienda de objetos usados.
jurisdiction [dʒuərɪs'dɪkʃən] n jurisdicción f.
jurisprudence [dʒuərɪs'pruːdəns] n jurisprudencia.
jury ['dʒuərɪ] n jurado.
just [dʒʌst] a justo // ad (exactly) exactamente; (only) sólo, solamente; **he's** ~ **done it/left** acaba de hacerlo/irse; ~ **right** perfecto, perfectamente; ~ **two o'clock** las dos en punto; ~ **as well that...** menos mal que...; ~ **as he was leaving** en el momento en que se marchaba; ~ **before/enough** justo antes/lo suficiente; ~ **here** aquí mismo; **he** ~ **missed** ha fallado por poco; ~ **listen** escucha (solamente).
justice ['dʒʌstɪs] n justicia; **J**~ **of the Peace (J.P.)** n juez m de paz.
justifiable [dʒʌstɪ'faɪəbl] a justificable; **justifiably** ad justificadamente.
justification [dʒʌstɪfɪ'keɪʃən] n justificación f; **justify** ['dʒʌstɪfaɪ] vt justificar.
justly ['dʒʌstlɪ] ad (gen) justamente; (with reason) con razón.
justness ['dʒʌstnɪs] n justicia.
jut [dʒʌt] vi (also: ~ **out**) sobresalir.
juvenile ['dʒuːvənaɪl] a juvenil; (court) de menores; (books) para jóvenes // n joven m/f, menor m/f de edad.
juxtapose ['dʒʌkstəpəuz] vt yuxtaponer.

K

kaleidoscope [kə'laɪdəskəup] n calidoscopio.
kangaroo [kæŋgə'ruː] n canguro.
keel [kiːl] n quilla; **on an even** ~ (fig) en equilibrio.
keen [kiːn] a (interest, desire) grande, vivo; (eye, intelligence) agudo; (competition) intenso; (edge) afilado; (eager) entusiasta inv; **to be** ~ **to do** or **on doing sth** tener muchas ganas de hacer algo; **to be** ~ **on sth/sb** interesarse por algo/alguien; ~**ness** n (eagerness) entusiasmo, interés m.
keep [kiːp] pt, pp **kept** vt (retain, preserve) guardar; (hold back) quedarse con; (shop, diary) llevar; (feed: family etc) mantener; (promise) cumplir; (chickens, bees etc)

criar // vi (food) conservarse; (remain) seguir, continuar // n (of castle) torreón m; (food etc) comida, subsistencia; **to** ~ **doing sth** seguir haciendo algo; **to** ~ **sb from doing sth** impedir a alguien hacer algo; **to** ~ **sth from happening** impedir que algo ocurra; **to** ~ **sb happy** hacer a alguien feliz; **to** ~ **a place tidy** mantener un lugar limpio; **to** ~ **sth to o.s.** guardar algo para sí mismo; **to** ~ **sth (back) from sb** ocultar algo a alguien; **to** ~ **time** (clock) mantener la hora exacta; **to** ~ **on** vi seguir, continuar; **to** ~ **out** vi (stay out) permanecer fuera; '~ **out**' prohibida la entrada; **to** ~ **up** vt mantener, conservar // vi no retrasarse; **to** ~ **up with** (pace) ir al paso de; (level) mantenerse a la altura de; ~**er** n guardián m; ~**ing** n (care) cuidado; **in** ~**ing with** de acuerdo con; ~**sake** n recuerdo.
keg [kɛg] n barrilete m, barril m.
kennel ['kɛnl] n perrera; ~**s** npl criadero sg de perros.
Kenya ['kɛnjə] n Kenia.
kept [kɛpt] pt, pp of **keep.**
kerb [kəːb] n bordillo.
kernel ['kəːnl] n almendra.
kerosene ['kɛrəsiːn] n keroseno.
ketchup ['kɛtʃəp] n salsa de tomate, catsup m.
kettle ['kɛtl] n hervidor m, olla.
key [kiː] n (gen) llave f; (MUS) tono; (of piano, typewriter) tecla; ~**board** n teclado; ~**hole** n ojo (de la cerradura); ~**note** n (MUS) tónica; ~**ring** n llavero; ~**stone** n piedra clave.
khaki ['kɑːkɪ] n caqui.
kick [kɪk] vt (person) dar una patada a; (ball) dar un puntapié a // vi (horse) dar coces // n patada; puntapié m; (of rifle) culetazo; (thrill): **he does it for** ~**s** lo hace para divertirse; **to** ~ **off** vi (SPORT) hacer el saque inicial; ~-**off** n (SPORT) saque m inicial.
kid [kɪd] n (child) chiquillo; (animal) cabrito; (leather) cabritilla // vi (col) bromear.
kidnap ['kɪdnæp] vt secuestrar; ~**per** n secuestrador/a m/f; ~**ping** n secuestro.
kidney ['kɪdnɪ] n riñón m.
kill [kɪl] vt (gen) matar; (murder) asesinar; (destroy) destruir; (finish off) acabar con // n acto de matar; ~**er** n asesino; ~**ing** n (one) asesinato; (several) matanza // a (funny) divertido.
kiln [kɪln] n horno.
kilo ['kiːləu] n kilo; ~**gram(me)** ['kɪləugræm] n kilo, kilogramo; ~**metre**, ~**meter** (US) ['kɪləmiːtə*] n kilómetro; ~**watt** ['kɪləuwɔt] n kilovatio.
kilt [kɪlt] n falda escocesa.
kimono [kɪ'məunəu] n quimono.
kin [kɪn] n parientes mpl.
kind [kaɪnd] a (generous) bondadoso; (good) bueno, amable // n clase f, especie f; (species) género; **in** ~ (COMM) en

especie; **a ~ of** una especie de; **two of a ~** dos de la misma especie.

kindergarten ['kɪndəgɑ:tn] *n* jardín *m* de infancia.

kind-hearted [kaɪnd'hɑ:tɪd] *a* bondadoso, de buen corazón.

kindle ['kɪndl] *vt* encender.

kindly ['kaɪndlɪ] *a* (*gen*) bondadoso; (*good*) bueno; (*gentle*) cariñoso // *ad* bondadosamente, amablemente; **will you ~...** sea Usted tan amable de... .

kindness ['kaɪndnɪs] *n* bondad *f*, amabilidad *f*.

kindred ['kɪndrɪd] *n* familia, parientes *mpl* // *a*: **~ spirit** espíritu *m* afín.

king [kɪŋ] *n* rey *m*; **~dom** *n* reino; **~fisher** *n* martín *m* pescador; **~-size** *a* de tamaño extra.

kink [kɪŋk] *n* (*of rope*) enroscadura.

kinky ['kɪŋkɪ] *a* (*odd*) excéntrico; (*pej*) pervertido.

kiosk ['ki:ɔsk] *n* quiosco; (*TEL*) cabina.

kipper ['kɪpə*] *n* arenque *m* ahumado.

kiss [kɪs] *n* beso // *vt* besar; **to ~ (each other)** besarse.

kit [kɪt] *n* (*gen*) avíos *mpl*; (*equipment*) equipo; (*set of tools etc*) (caja de) herramientas *fpl*; (*for assembly*) mecano.

kitchen ['kɪtʃɪn] *n* cocina; **~ garden** *n* huerto; **~ sink** *n* fregadero; **~ware** *n* batería de cocina.

kite [kaɪt] *n* (*toy*) cometa.

kitten ['kɪtn] *n* gatito.

kitty ['kɪtɪ] *n* (*pool of money*) fondo común; (*CARDS*) polla.

kleptomaniac [klɛptəʊ'meɪnɪæk] *n* cleptómano/a.

knack [næk] *n*: **to have the ~ of doing sth** tener el don de hacer algo.

knapsack ['næpsæk] *n* mochila.

knead [ni:d] *vt* amasar.

knee [ni:] *n* rodilla; **~cap** *n* rótula.

kneel [ni:l] *pt, pp* **knelt** *vi* arrodillarse.

knell [nɛl] *n* toque *m* de difuntos.

knelt [nɛlt] *pt, pp* of **kneel.**

knew [nju:] *pt* of **know.**

knickers ['nɪkəz] *npl* bragas *fpl.*

knife [naɪf], *pl* **knives** *n* cuchillo // *vt* acuchillar.

knight [naɪt] *n* caballero; (*CHESS*) caballo; **~hood** *n* caballería; (*title*): **to get a ~hood** recibir el título de sir.

knit [nɪt] *vt* hacer a punto; (*brows*) fruncir // *vi* hacer punto; (*bones*) soldarse; **to ~ together** (*fig*) unir, juntar; **~ting** *n* labor *f* de punto; **~ting machine** *n* máquina de tricotar; **~ting needle** *n* aguja de hacer punto; **~wear** *n* géneros *mpl* de punto.

knives [naɪvz] *pl* of **knife.**

knob [nɔb] *n* (*of door*) tirador *m*; (*of stick*) puño; (*lump*) bulto; (*fig*): **a ~ of butter** una porción de mantequilla.

knock [nɔk] *vt* (*strike*) golpear; (*fig: col*) chocar contra; (*fig: col*) denigrar // *n* golpe *m*; (*on door*) llamada; **to ~ at or on the door** llamar a la puerta; **to ~ down**

vt atropellar; **to ~ off** *vi* (*col: finish*) despachar // *vt* (*col: steal*) birlar; **to ~ out** *vt* dejar sin sentido; (*BOXING*) poner fuera de combate, dejar K.O.; **~er** *n* (*on door*) aldaba; **~-kneed** *a* patizambo; **~out** *n* (*BOXING*) K.O. *m*, knockout *m*.

knot [nɔt] *n* (*gen*) nudo // *vt* anudar; **~ty** *a* (*fig*) complicado.

know [nəʊ], *pt* **knew**, *pp* **known** *vt* (*gen*) saber; (*person, author, place*) conocer; **to ~ that...** saber que...; **to ~ how to swim** saber nadar; **~-all** *n* sabelotodo *m/f*; **~-how** *n* habilidad *f*; **~ing** *a* (*look: of complicity*) de complicidad; (: *spiteful*) malicioso; **~ingly** *ad* (*purposely*) adrede; (*spitefully*) maliciosamente.

knowledge ['nɔlɪdʒ] *n* (*gen*) conocimiento; (*range of learning*) saber *m*, conocimientos *mpl*; (*learning*) erudición *f*, ciencia; **~able** *a* entendido, erudito.

known [nəʊn] *pp* of **know.**

knuckle ['nʌkl] *n* nudillo.

K.O. *n abbr of* **knockout.**

Koran [kɔ'rɑ:n] *n* Corán *m*.

L

l. *abbr of* **litre.**

lab [læb] *n abbr of* **laboratory.**

label ['leɪbl] *n* etiqueta; (*brand: of record*) marca // *vt* poner etiqueta a.

laboratory [lə'bɔrətərɪ] *n* laboratorio.

laborious [lə'bɔːrɪəs] *a* penoso.

labour, labor (*US*) ['leɪbə*] *n* (*task*) trabajo; (~ *force*) mano *f* de obra; (*workers*) trabajadores *mpl*; (*MED*) (dolores *mpl* del) parto // *vi*: **to ~ (at)** trabajar (en) // *vt* insistir en; **in ~** (*MED*) de parto; **L~, the L~ party** el partido laborista; **hard ~** trabajos *mpl* forzados; **~ed** *a* (*movement*) penoso; (*style*) pesado; **~er** *n* peón *m*; (*on farm*) peón *m*, bracero; (*day ~er*) jornalero.

labyrinth ['læbɪrɪnθ] *n* laberinto.

lace [leɪs] *n* encaje *m*; (*of shoe etc*) cordón *m* // *vt* (*shoe*) atar.

lack [læk] *n* (*absence*) falta; (*scarcity*) escasez *f* // *vt* no tener, carecer de; **through** or **for ~ of** por falta de; **to be ~ing** faltar, no haber.

lackadaisical [lækə'deɪzɪkl] *a* (*careless*) descuidado; (*indifferent*) indiferente.

laconic [lə'kɔnɪk] *a* lacónico.

lacquer ['lækə*] *n* laca.

lad [læd] *n* muchacho, chico; (*in stable etc*) mozo.

ladder ['lædə*] *n* escalera (de mano); (*in tights*) carrera // *vt* (*tights*) hacer una carrera en.

laden ['leɪdn] *a*: **~ (with)** cargado (de).

ladle ['leɪdl] *n* cucharón *m*.

lady ['leɪdɪ] *n* señora; (*distinguished, noble*) dama; **young ~** señorita; **'ladies' (toilets)'** 'señoras'; **~bird, ~bug** (*US*) *n* mariquita; **~-in-waiting** *n* dama de honor; **~like** *a* fino.

lag [læg] *vi* (*also:* **~ behind**) retrasarse,

quedarse atrás // vt (pipes) calorifugar.
lager ['lɑːgəʳ] n cerveza (rubia).
lagging ['lægɪŋ] n revestimiento.
lagoon [ləˈguːn] n laguna.
laid [leɪd] pt, pp of **lay.**
lain [leɪn] pp of **lie.**
lair [lɛəʳ] n guarida.
lake [leɪk] n lago.
lamb [læm] n cordero; (meat) carne f de cordero; ~ **chop** n chuleta de cordero; **lambswool** n lana de cordero.
lame [leɪm] a cojo; (weak) débil, poco convincente.
lament [ləˈmɛnt] n lamento // vt lamentarse de; ~**able** ['læməntəbl] a lamentable.
laminated ['læmɪneɪtɪd] a laminado.
lamp [læmp] n lámpara.
lampoon [læmˈpuːn] vt satirizar.
lamp: ~**post** n farol m; ~**shade** n pantalla.
lance [lɑːns] n lanza // vt (MED) abrir con lanzeta; ~ **corporal** n soldado de primera clase.
lancet ['lɑːnsɪt] n lanceta.
land [lænd] n (gen) tierra; (country) país m; (piece of ~) terreno; (estate) tierras fpl, finca; (AGR) campo // vi (from ship) desembarcar; (AVIAT) aterrizar; (fig: fall) caer, terminar // vt (obtain) conseguir; (passengers, goods) desembarcar; to ~ **up in/at** ir a parar a/en; ~**ing** n desembarco; aterrizaje m; (of staircase) rellano; ~**ing craft** n barca de desembarco; ~**ing gear** n tren m de aterrizaje; ~**ing stage** n desembarcadero; ~**ing strip** n pista de aterrizaje; ~**lady** n (of boarding house) patrona; (owner) dueña; ~**locked** a cercado de tierra; ~**lord** n propietario; (of pub etc) patrón m; ~**lubber** n hombre m de tierra; ~**mark** n lugar m conocido; **to be a** ~**mark** (fig) hacer época; ~**owner** n terrateniente m/f.
landscape ['lænskeɪp] n paisaje m; ~**d** a reformado artísticamente.
landslide ['lændslaɪd] n (GEO) corrimiento de tierras; (fig: POL) victoria arrolladora.
lane [leɪn] n (in country) vereda; (in town) callejón m; (AUT) carril m; (in race) calle f; (for air or sea traffic) ruta.
language ['læŋgwɪdʒ] n lenguaje m; (national tongue) idioma m, lengua; **bad** ~ lenguaje indecente.
languid ['læŋgwɪd] a lánguido.
languish ['læŋgwɪʃ] vi languidecer.
lank [læŋk] a (hair) lacio.
lanky ['læŋkɪ] a larguirucho.
lantern ['læntn] n linterna; (NAUT) farol m.
lap [læp] n (of track) vuelta; (of body): **to sit on sb's** ~ sentarse en las rodillas de uno // vt (also: ~ **up**) lamer // vi (waves) chapotear; ~**dog** n perro faldero.
lapel [ləˈpɛl] n solapa.
Lapland ['læplænd] n Laponia; **Lapp** [læp] a, n lapón/ona m/f.
lapse [læps] n error m, equivocación f;

(moral) desliz m // vi (expire) caducar; (LAW) equivocarse; (morally) caer en un desliz; (time) pasar, transcurrir; **to** ~ **into bad habits** volver a las andadas; ~ **of time** lapso, período.
larceny ['lɑːsənɪ] n latrocinio; **petty** ~ robo de menor cuantía.
lard [lɑːd] n manteca (de cerdo).
larder ['lɑːdəʳ] n despensa.
large [lɑːdʒ] a (gen) grande; (fat) gordo; **at** ~ (free) en libertad; (generally) en general; **to** ~ **ly** ad en gran parte; ~**scale** a (map) en gran escala; (fig) importante.
lark [lɑːk] n (bird) alondra; (joke) travesura, broma; **to** ~ **about** vi bromear, divertirse tontamente.
larva ['lɑːvə], pl **-vae** [-viː] n larva.
laryngitis [lærɪnˈdʒaɪtɪs] n laringitis f.
larynx ['lærɪŋks] n laringe f.
lascivious [ləˈsɪvɪəs] a lascivo.
laser ['leɪzəʳ] n láser m.
lash [læʃ] n latigazo; (punishment) azote m; (gen: **eyelash**) pestaña // vt azotar; (tie) atar; **to** ~ **out** vi: **to** ~ **out at or against sb** atacar violentamente a alguien; **to** ~ **out** (col: spend) gastar generosamente.
lass [læs] n chica.
lasso [læˈsuː] n lazo // vt coger con lazo.
last [lɑːst] a (gen) último; (final) último, final // ad por último // vi (endure) durar; (continue) continuar, seguir; ~ **week** la semana pasada; ~ **night** anoche; **at** ~ por fin; ~ **but one** penúltimo; ~**ing** a duradero; ~**minute** a de última hora.
latch [lætʃ] n picaporte m, pestillo; ~**key** n llavín m.
late [leɪt] a (not on time) tarde, atrasado; (far on in day etc) tardío; (hour) avanzado; (recent) reciente; (former) antiguo, ex; (dead) fallecido // ad tarde; (behind time, schedule) con retraso; **of** ~ últimamente; **in** ~ **May** hacia fines de mayo; **the** ~ **Mr X** el difunto Sr X; ~**comer** n recién llegado; ~**ly** ad últimamente; ~**ness** n (of person) retraso; (of event) lo tardío.
latent ['leɪtnt] a latente.
later ['leɪtəʳ] a (date etc) posterior; (version etc) más reciente // ad más tarde, después.
lateral ['lætərl] a lateral.
latest ['leɪtɪst] a último; **at the** ~ a más tardar.
lathe [leɪð] n torno.
lather ['lɑːðəʳ] n espuma (de jabón) // vt enjabonar // vi hacer espuma.
Latin ['lætɪn] n latín m // a latino; ~ **America** n América latina; ~**American** a latinoamericano.
latitude ['lætɪtjuːd] n latitud f.
latrine [ləˈtriːn] n letrina.
latter ['lætəʳ] a último; (of two) segundo // n: **the** ~ el último, éste; ~**ly** ad últimamente.
lattice ['lætɪs] n enrejado; (on window) reja.
laudable ['lɔːdəbl] a loable.
laugh [lɑːf] n risa; (loud) carcajada // vi

reírse, reír; reírse a carcajadas; **to ~ at**
vt fus reírse de; **to ~ off** *vt* tomar algo a
risa; **~able** *a* risible, ridículo; **to be the
~ing stock of the town** ser el
hazmerreír de la ciudad; **~ter** *n* risa.

launch [lɔːntʃ] *n* (*boat*) lancha; *see also*
~ing // *vt* (*ship, rocket, plan*) lanzar;
~ing *n* (*of rocket etc*) lanzamiento;
(*inauguration*) estreno; **~(ing) pad** *n*
plataforma de lanzamiento.

launder [ˈlɔːndə*] *vt* lavar.

launderette [lɔːnˈdrɛt] *n* lavandería
(automática).

laundry [ˈlɔːndrɪ] *n* lavandería; (*clothes*)
ropa sucia; **to do the ~** hacer la colada.

laureate [ˈlɔːrɪət] *a see* **poet.**

laurel [ˈlɔrl] *n* laurel *m*.

lava [ˈlɑːvə] *n* lava.

lavatory [ˈlævətərɪ] *n* lavabo; **lavatories**
npl servicios *mpl*, aseos *mpl*.

lavender [ˈlævəndə*] *n* lavanda.

lavish [ˈlævɪʃ] *a* abundante; (*giving freely*):
~ with pródigo en // *vt*: **to ~ sth on sb**
colmar a uno de algo.

law [lɔː] *n* ley *f*; (*study*) derecho; (*of game*)
regla; **~-abiding** *a* que cumple la ley; **~
and order** *n* órden *m* público; **~breaker**
n infractor *m* (de la ley); **~ court** *n*
tribunal *m* (de justicia); **~ful** *a* legítimo,
lícito; **~fully** *ad* legalmente; **~less** *a*
(*act*) ilegal; (*person*) rebelde; (*country*)
desordenado.

lawn [lɔːn] *n* césped *m*; **~mower** *n*
cortacésped *m*; **~ tennis** [-ˈtɛnɪs] *n* tenis
m.

law: **~ school** *n* facultad *f* de derecho; **~
student** *n* estudiante *m/f* de derecho.

lawsuit [ˈlɔːsuːt] *n* pleito.

lawyer [ˈlɔːjə*] *n* abogado; (*for sales, wills
etc*) notario.

lax [læks] *a* flojo; (*negligent*) negligente.

laxative [ˈlæksətɪv] *n* laxante *m*.

laxity [ˈlæksɪtɪ] *n* flojedad *f*; (*moral*)
relajamiento; (*negligence*) negligencia.

lay [leɪ] *pt of* **lie** // *a* laico; (*not expert*)
profano // *vt, pt, pp* **laid** (*place*) colocar;
(*eggs, table*) poner; (*trap*) tender; **to ~
aside** *or* **by** *vt* dejar a un lado; **to ~ down**
vt (*pen etc*) dejar; (*~ flat*) acostar; (*arms*)
rendir; (*policy*) asentar; **to ~ down the
law** imponer la ley; **to ~ off** *vt* (*workers*)
despedir, poner en paro; **to ~ on** *vt*
(*water, gas*) instalar; (*provide*) proveer; **to
~ out** *vt* (*design*) diseñar; (*display*)
disponer; (*spend*) gastar; **to ~ up** *vt*
(*store*) guardar; (*ship*) desarmar; (*subj:
illness*) obligar a guardar cama; **~about**
n vago/a; **~-by** *n* apartadero.

layer [ˈleɪə*] *n* capa.

layette [leɪˈɛt] *n* canastilla, ajuar *m* (de
niño).

layman [ˈleɪmən] *n* persona no experta;
(*REL*) lego.

layout [ˈleɪaut] *n* (*design*) plan *m*, trazado;
(*disposition*) disposición *f*; (*PRESS*)
composición *f*.

laze [leɪz] *vi* no hacer nada; (*pej*)

holgazanear; **laziness** *n* pereza; **lazy** *a*
perezoso, vago.

lb. *abbr of* **pound** (*weight*).

lead [liːd] *n* (*front position*) delantera;
(*SPORT*) liderato; (*distance, time ahead*)
ventaja; (*clue*) pista; (*ELEC*) cable *m*; (*for
dog*) correa; (*THEATRE*) papel *m* principal
// *n* [lɛd] plomo; (*in pencil*) mina // (*vb: pt,
pp* **led**) *vt* conducir; (*induce*) llevar; (*be
leader of*) dirigir; (*SPORT*) ir en cabeza de
// *vi* ir primero; **to ~ to** llevar a, salir a;
to ~ astray *vt* llevar por mal camino; **to
~ away** *vt* llevar; **to ~ back** *vt* hacer
volver; **to ~ on** *vt* (*tease*) coquetear con;
to ~ on to *vt* (*induce*) incitar a; **to ~ up
to** conducir a.

leader [ˈliːdə*] *n* (*gen*) jefe *m*, líder *m*; (*of
union etc*) dirigente *m/f*; (*of gang*)
cabecilla *m*; (*guide*) guía *m/f*; (*of
newspaper*) artículo de fondo; **~ship** *n*
dirección *f*; (*quality*) dotes *fpl* de mando.

leading [ˈliːdɪŋ] *a* (*main*) principal;
(*outstanding*) destacado; (*first*) primero;
(*front*) delantero; **~ lady** *n* (*THEATRE*)
primera actriz *f*; **~ light** *n* (*person*)
figura principal.

leaf [liːf], *pl* **leaves** *n* hoja // *vi*: **to ~
through** hojear; **to turn over a new ~**
reformarse.

leaflet [ˈliːflɪt] *n* folleto.

league [liːg] *n* sociedad *f*; (*FOOTBALL*) liga;
to be in ~ with estar de manga con.

leak [liːk] *n* (*of liquid, gas*) escape *m*, fuga;
(*hole*) agujero; (*in roof*) gotera; (*of money*)
filtración *f* // *vi* (*shoes, ship*) hacer agua;
(*pipe*) tener (un) escape; (*roof*) gotear;
(*container*) salirse; (*gas*) escaparse; (*fig:
news*) filtrarse // *vt* (*gen*) dejar escapar;
(*exude*) rezumar; **the information was
~ed to the enemy** las informaciones se
pasaron al enemigo; **the news ~ed out**
trascendió la noticia.

lean [liːn] *a* (*thin*) flaco; (*meat*) magro //
(*vb: pt, pp* **leaned** *or* **leant** [lɛnt]) *vt*: **to ~
sth on** apoyar algo en // *vi* (*slope*)
inclinarse; (*rest*): **to ~ against** apoyarse
contra; **to ~ on** apoyarse en; (*fig: rely on*)
contar con (el apoyo de); **to ~
back/forward** *vi* inclinarse hacia
atrás/hacia adelante; **to ~ over** *vi*
ladearse; **~ing** *a* inclinado // *n*: **~ing
(towards)** inclinación *f* (hacia); **~-to** *n*
colgadizo.

leap [liːp] *n* salto // *vi, pt, pp* **leaped** *or*
leapt [lɛpt] saltar; **~frog** *n* pídola; **~
year** *n* año bisiesto.

learn [lɜːn] *pt, pp* **learned** *or* **learnt** *vt*
(*gen*) aprender; (*come to know of*)
enterarse de // *vi* aprender; **to ~ how to
do sth** aprender a hacer algo; **~ed**
[ˈlɜːnɪd] *a* erudito; **~er** *n* principiante *m/f*;
~ing *n* el saber *m*, conocimientos *mpl*.

lease [liːs] *n* arriendo // *vt* arrendar.

leash [liːʃ] *n* cuerda.

least [liːst] *a* (*slightest*) menor; (*smallest*)
más pequeño; (*smallest amount of*) mínimo
// *ad* menos // *n*: **the ~** lo menos; **the ~**

possible effort el mínimo de esfuerzo posible; **at ~** por lo menos, al menos; **not in the ~** en absoluto.

leather ['lɛðə*] n cuero.

leave [li:v], pt, pp **left** vt dejar; (go away from) abandonar // vi irse; (train) salir // n permiso; **to be left** quedar, sobrar; **there's some milk left over** sobra o queda algo de leche; **on ~** de permiso; **to take one's ~ of** despedirse de; **to ~ out** vt omitir.

leaves [li:vz] pl of **leaf.**

Lebanon ['lɛbənən] n Líbano.

lecherous ['lɛtʃərəs] a lascivo.

lecture ['lɛktʃə*] n conferencia; (SCOL) clase f // vi dar una clase // vt (scold) sermonear; **to give a ~** dar una conferencia sobre; **lecturer** n conferenciante m/f; (at university) profesor adjunto/profesora adjunta m/f.

led [lɛd] pt, pp of **lead.**

ledge [lɛdʒ] n (of window, on wall) repisa, reborde m; (of mountain) plataforma.

ledger ['lɛdʒə*] n libro mayor.

lee [li:] n sotavento.

leek [li:k] n puerro.

leer [lɪə*] vi: **to ~ at sb** mirar impúdicamente a alguien.

leeway ['li:weɪ] n (fig): **to have some ~** tener cierta libertad de acción.

left [lɛft] pt, pp of **leave** // a izquierdo; (POL) de izquierda // (POL) // ad a la izquierda; **the L~** (POL) la izquierda; **~-handed** a zurdo; **the ~-hand side** n la izquierda; **~-luggage (office)** n consigna; **~-overs** npl sobras fpl; **~-wing** a (POL) de izquierdas, izquierdista.

leg [lɛg] n pierna; (of animal) pata; (of chair) pie m; (CULIN. of meat) pierna; (of journey) etapa; **lst/2nd ~** (SPORT) partido de ida/de vuelta; **to pull sb's ~** bromear con uno.

legacy ['lɛgəsɪ] n legado.

legal ['li:gl] a (gen) lícito; (of law) legal; (enquiry etc) jurídico; **~ize** vt legalizar; **~ly** ad legalmente; **~ tender** n moneda corriente.

legend ['lɛdʒənd] n leyenda; **~ary** a legendario.

legible ['lɛdʒəbl] a legible.

legion ['li:dʒən] n legión f.

legislate ['lɛdʒɪsleɪt] vi legislar; **legislation** [-'leɪʃən] n legislación f; **legislative** [-'lətɪv] a legislativo; **legislature** [-lətʃə*] n cuerpo legislativo.

legitimacy [lɪ'dʒɪtɪməsɪ] n legitimidad f; **legitimate** [-mət] a legítimo.

leg-room ['lɛgru:m] n espacio para las piernas.

leisure ['lɛʒə*] n ocio, tiempo libre; **at ~** con tranquilidad; **~ centre** n centro de diversiones; **~ly** a pausado, lento.

lemon ['lɛmən] n limón m; **~ade** [-'neɪd] n (fruit juice) limonada; (fizzy) gaseosa.

lend [lɛnd], pt, pp **lent** vt: **to ~ sth to sb** prestar algo a alguien; **~er** n prestador/a

m/f; **~ing library** n biblioteca circulante.

length [lɛŋθ] n largo, longitud f; (section: of road, pipe etc) tramo; **at ~** (at last) por fin, finalmente; (lengthily) largamente; **~en** vt alargar // vi alargarse; **~ways** ad de largo; **~y** a largo, extenso; (meeting) prolongado.

leniency ['li:nɪənsɪ] n indulgencia; **lenient** [-ənt] a indulgente.

lens [lɛnz] n (of spectacles) lente f; (of camera) objetivo.

lent [lɛnt] pt, pp of **lend.**

Lent [lɛnt] n Cuaresma.

lentil ['lɛntl] n lenteja.

Leo ['li:əu] n Leo.

leopard ['lɛpəd] n leopardo.

leotard ['li:ətɑ:d] n leotardo.

leper ['lɛpə*] n leproso/a; **leprosy** [-prəsɪ] n lepra.

lesbian ['lɛzbɪən] n lesbiana.

less [lɛs] det a (in size, degree etc) menor; (in quantity) menos // pron, ad menos; **~ than half** menos de la mitad; **~ and ~** cada vez menos; **the ~ he works...** cuanto menos trabaja... .

lessen ['lɛsn] vi disminuir, menguar // vt disminuir, reducir.

lesson ['lɛsn] n lección f; **a maths ~** una clase o una lección de matemáticas.

lest [lɛst] conj: **~ it happen** para que no pase.

let [lɛt], pt, pp **let** vt (allow) dejar, permitir; (lease) alquilar; **~'s go** ¡vamos!; **~ him come** que venga; **'to ~'** 'se alquila'; **to ~ down** vt (lower) bajar; (dress) alargar; (tyre) desinflar; (hair) soltar; (disappoint) defraudar; **to ~ go** vi soltar; (fig) dejarse ir // vt abandonar; **to ~ in** vt dejar entrar; (visitor etc) hacer pasar; **to ~ off** vt dejar libre; (firework etc) disparar; (smell etc) despedir; **to ~ on** vt (col) divulgar (that que); **to ~ out** vt dejar salir; (dress) ensanchar; **to ~ up** vi amainar, disminuir.

lethal ['li:θl] a mortífero; (wound) mortal.

lethargic [lɛ'θɑ:dʒɪk] a letárgico; **lethargy** ['lɛθədʒɪ] n letargo.

letter ['lɛtə*] n (of alphabet) letra; (correspondence) carta; **~ bomb** n carta con bomba explosiva; **~ box** n buzón m; **~ing** n letras fpl.

lettuce ['lɛtɪs] n lechuga.

let-up ['lɛtʌp] n descanso, tregua.

leukaemia, leukemia (US) [lu:'ki:mɪə] n leucemia.

level ['lɛvl] a (flat) llano; (flattened) nivelado; (uniform) igual // ad a nivel // n nivel m; (flat place) llano // vt nivelar, allanar; **to be ~ with** estar a nivel de; **'A' ~s** npl Bachillerato Superior, B.U.P.; **'O' ~s** npl bachillerato elemental, octavo de básica; **on the ~** (fig: honest) en serio; **to ~ off** or **out** vi (prices etc) estabilizarse; **~ crossing** n paso a nivel; **~-headed** a sensato.

lever ['li:və*] n palanca // vt: **to ~ up**

alzar con palanca; ~**age** n (fig: influence) influencia.

levity ['lɛvɪtɪ] n frivolidad f, informalidad f.

levy ['lɛvɪ] n impuesto // vt exigir, recaudar.

lewd [lu:d] a impúdico, obsceno.

liability [laɪə'bɪlətɪ] n responsabilidad f; (handicap) desventaja; (risk) riesgo; **liabilities** npl obligaciones fpl; (COMM) deudas fpl, pasivo sg.

liable ['laɪəbl] a (subject): ~ **to** sujeto a; **to be** ~ **for** ser responsable de; **to be** ~ **to** (likely) tener tendencia a.

liaison [li:'eɪzɔn] n (coordination) enlace m; (affair) relaciones fpl amorosas.

liar ['laɪə*] n mentiroso/a.

libel ['laɪbl] n calumnia // vt calumniar.

liberal ['lɪbərl] a (gen) liberal; (generous): ~ **with** generoso con.

liberate ['lɪbəreɪt] vt liberar; **liberation** [-'reɪʃən] n liberación f.

liberty ['lɪbətɪ] n libertad f; **to be at** ~ **to do sth** tomarse la libertad de hacer algo.

Libra ['li:brə] n Libra.

librarian [laɪ'brɛərɪən] n bibliotecario/a; **library** ['laɪbrərɪ] n biblioteca.

libretto [lɪ'brɛtəu] n libreto.

Libya ['lɪbɪə] n Libia; ~**n** a, n libio/a.

lice [laɪs] pl of **louse**.

licence, license (US) ['laɪsns] n (gen) licencia; (permit) permiso; (also: **driving** ~) carnet m de conducir; (excessive freedom) libertinaje m; ~ **number** n matrícula; ~ **plate** n placa (de matrícula).

license ['laɪsns] n (US) = **licence** // vt autorizar, licenciar; ~**d** a (for alcohol) autorizado para la venta de bebidas alcohólicas.

licensee [laɪsən'si:] n (in a pub) patrón/ona m/f.

licentious [laɪ'sɛnʃəs] a licencioso.

lichen ['laɪkən] n líquen m.

lick [lɪk] vt lamer // n lamedura; a ~ **of paint** una mano de pintura.

licorice ['lɪkərɪs] n = **liquorice**.

lid [lɪd] n (of box, case) tapa; (of pan) cobertura.

lido ['laɪdəu] n piscina.

lie [laɪ] n mentira // vi mentir // vi, pt **lay**, pp **lain** (act) echarse; (state) estar echado, estar acostado; (of object: be situated) estar, encontrarse; **to** ~ **low** (fig) esconderse; **to** ~ **about** vi (things) estar en desorden; (people) gandulear; **to have a** ~-**down** echarse (una siesta); **to have a** ~-**in** quedarse pegado a las sábanas.

lieu [lu:]: **in** ~ **of** prep en lugar de.

lieutenant [lɛf'tɛnənt] n lugarteniente m; (MIL) teniente m.

life [laɪf], pl **lives** n (gen) vida; (way of ~) modo de vivir; (of licence etc) vigencia; ~ **assurance** n seguro de vida; ~**belt** n cinturón m salvavidas; ~**boat** n bote m salvavidas; ~**guard** n vigilante m; ~

jacket n chaleco salvavidas; ~**less** a sin vida; (dull) soso; ~**like** a natural; ~**line** n cuerda salvavidas; ~**long** a de toda la vida; ~-**saver** n bañero, socorrista m/f; ~ **sentence** n condena perpetua; ~-**sized** a de tamaño natural; ~ **span** n vida; ~ **support system** n (MED) respirador m artificial; ~**time** n: **in his** ~**time** durante su vida; **once in a** ~**time** una vez en la vida.

lift [lɪft] vt levantar; (steal) robar // vi (fog) levantarse, disiparse // n (elevator) ascensor m; **to give sb a** ~ llevar a uno en el coche; ~-**off** n despegue m.

ligament ['lɪgəmənt] n ligamento.

light [laɪt] n (gen) luz f; (flame) lumbre f; (lamp) luz f, lámpara; (daylight) luz del día; (headlight) faro; (rear ~) luz trasera; (for cigarette etc): **have you got a** ~? ¿tiene fuego? // vt, pt, pp **lighted** or **lit** (candle, cigarette, fire) encender; (room) alumbrar // a (colour) claro; (not heavy, also fig) ligero; (room) alumbrado; **to** ~ **up** vi (smoke) encender un cigarrillo; (face) iluminarse // vt (illuminate) iluminar, alumbrar; ~ **bulb** n bombilla; ~**en** vi (grow ~) clarear // vt (give light to) iluminar; (make lighter) aclarar; (make less heavy) aligerar; ~**er** n (also: **cigarette** ~**er**) encendedor m, mechero; ~-**headed** a (dizzy) mareado; (excited) exaltado; (by nature) casquivano; ~-**hearted** a alegre; ~**house** n faro; ~**ing** n (act) iluminación f; (system) alumbrado; ~**ly** ad (touch) ligeramente; (thoughtlessly) a la ligera; (slightly) levemente; (not seriously) con poca seriedad; **to get off** ~**ly** ser castigado con poca severidad; ~**meter** n (PHOT) fotómetro; ~**ness** n claridad f; (in weight) ligereza.

lightning ['laɪtnɪŋ] n relámpago, rayo; ~ **conductor** n pararrayos m inv.

light: ~**weight** a (suit) ligero // n (BOXING) peso ligero; ~ **year** n año luz.

like [laɪk] vt (person) querer, tener cariño a; (things) gustarle a uno // prep como // a parecido, semejante // n: **the** ~ semejante m/f; **his** ~**s and dislikes** sus gustos y aversiones; **I would** ~, **I'd** ~ me gustaría; (for purchase) quisiera; **would you** ~ **a coffee?** ¿te apetece un café?; **to be** or **look** ~ **sb/sth** parecerse a alguien/algo; **that's just** ~ **him** es muy de él, es característico de él; **it is nothing** ~... no tiene parecido alguno con...; ~**able** a simpático, agradable.

likelihood ['laɪklɪhud] n probabilidad f; **likely** [-lɪ] a probable; **he's likely to leave** es probable que se vaya.

like-minded [laɪk'maɪndɪd] a de la misma opinión.

liken ['laɪkən] vt: **to** ~ **sth to sth** comparar algo con algo.

likewise ['laɪkwaɪz] ad igualmente.

liking ['laɪkɪŋ] n: **to his** ~ para su gusto.

lilac ['laɪlək] n lila // a (colour) de color lila.

lily ['lɪlɪ] n lirio, azucena; ~ **of the valley** n lirio de los valles.

limb [lɪm] n miembro.

limber ['lɪmbə*]: **to ~ up** vi (fig) entrenarse; (SPORT) desentumecerse.

limbo ['lɪmbəu] n: **to be in ~** (fig) caer en el olvido.

lime [laɪm] n (tree) limero; (fruit) lima; (GEO) cal f.

limelight ['laɪmlaɪt] n: **to be in the ~** (fig) ser el centro de atención.

limerick ['lɪmərɪk] n quintilla humorística.

limestone ['laɪmstəun] n piedra caliza.

limit ['lɪmɪt] n límite m // vt limitar; ~**ation** [-'teɪʃən] n limitación f; ~**ed** a limitado; **to be ~ed to** limitarse a; **~ed (liability) company (Ltd)** n sociedad f anónima; ~**less** a sin límites.

limousine ['lɪməziːn] n limusina.

limp [lɪmp] n: **to have a ~** tener cojera // vi cojear // a flojo.

limpet ['lɪmpɪt] n lapa.

limpid ['lɪmpɪd] a límpido, cristalino.

line [laɪn] n (gen) línea; (straight ~) raya; (rope) cuerda; (for fishing) sedal m; (wire) hilo; (row, series) fila, hilera; (of writing) renglón m; (on face) arruga; (specialty) rama // vt (SEWING) forrar (with de); **to ~ the streets** ocupar las aceras; **in ~ with** de acuerdo con; **to ~ up** vi hacer cola // vt alinear, poner en fila; ~**d** a (face) arrugado; (paper) rayado.

linear ['lɪnɪə*] a lineal.

linen ['lɪnɪn] n ropa blanca; (cloth) lino.

liner ['laɪnə*] n vapor m de línea, transatlántico.

linesman ['laɪnzmən] n (SPORT) juez m de línea.

line-up ['laɪnʌp] n alineación f.

linger ['lɪŋgə*] vi retrasarse, tardar en marcharse; (smell, tradition) persistir.

lingerie ['lænʒəriː] n ropa interior (de mujer).

lingering ['lɪŋgərɪŋ] a persistente; (death) lento.

lingo ['lɪŋgəu], pl ~**es** n (pej) jerga.

linguist ['lɪŋgwɪst] n lingüista m/f; ~**ic** a lingüístico; ~**ics** n lingüística.

lining ['laɪnɪŋ] n forro.

link [lɪŋk] n (of a chain) eslabón m; (connection) conexión f; (bond) vínculo, lazo // vt vincular, unir; ~**s** npl campo sg de golf; **to ~ up** vt acoplar // vi unirse; ~**-up** n (gen) unión f; (in space) acoplamiento.

lino ['laɪnəu], **linoleum** [lɪ'nəuliəm] n linóleo.

lintel ['lɪntl] n dintel m.

lion ['laɪən] n león m; ~**ess** n leona.

lip [lɪp] n labio; (of jug) pico; (of cup etc) borde m; ~**read** vi leer los labios; ~ **service** n: **to pay ~ service to sth** alabar algo pero sin hacer nada; ~**stick**

n lápiz m labial, barra de labios.

liquefy ['lɪkwɪfaɪ] vt liquidar.

liqueur [lɪ'kjuə*] n licor m.

liquid ['lɪkwɪd] a, n líquido.

liquidate ['lɪkwɪdeɪt] vt liquidar; **liquidation** [-'deɪʃən] n liquidación f; **liquidator** n liquidador/a m/f.

liquidize ['lɪkwɪdaɪz] vt (CULIN) licuar.

liquor ['lɪkə*] n licor m, bebidas alcohólicas fpl.

liquorice ['lɪkərɪs] n regaliz m.

lisp [lɪsp] n ceceo.

list [lɪst] n lista; (of ship) inclinación f // vt (write down) hacer una lista de; (enumerate) catalogar // vi (ship) inclinarse.

listen ['lɪsn] vi escuchar, oír; (pay attention) atender; ~**er** n oyente m/f.

listless ['lɪstlɪs] a apático, indiferente.

lit [lɪt] pt, pp of **light.**

litany ['lɪtənɪ] n letanía.

literacy ['lɪtərəsɪ] n capacidad f de leer y escribir; ~ **campaign** campaña de alfabetización.

literal ['lɪtərl] a literal; ~**ly** ad literalmente.

literary ['lɪtərərɪ] a literario.

literate ['lɪtərət] a que sabe leer y escribir; (fig) culto.

literature ['lɪtərɪtʃə*] n literatura; (brochures etc) folletos mpl.

lithe [laɪð] a ágil.

litigation [lɪtɪ'geɪʃən] n litigio.

litre, liter (US) ['liːtə*] n litro.

litter ['lɪtə*] n (rubbish) basura; (paper) papel m tirado; (young animals) camada, cría; (stretcher) camilla; ~ **bin** n papelera; ~**ed** a: ~**ed with** (scattered) esparcido con; (covered with) lleno de.

little ['lɪtl] a (small) pequeño; (not much) poco; often translated by suffix: eg ~ **house** casita // ad poco; **a ~** un poco (de); ~ **by ~** poco a poco.

liturgy ['lɪtədʒɪ] n liturgia.

live [lɪv] vi vivir // vt (a life) llevar; (experience) vivir // a [laɪv] (animal) vivo; (wire) conectado; (broadcast) en directo; (shell) cargado; **to ~ down** vt hacer olvidar; **to ~ on** vt fus (food) vivirse de, alimentarse de; **to ~ up to** vt fus (fulfil) cumplir con; (justify) justificar.

livelihood ['laɪvlɪhud] n sustento.

lively ['laɪvlɪ] a (gen) vivo; (talk) animado; (pace) rápido; (party, tune) alegre.

liver ['lɪvə*] n (ANAT) hígado; ~**ish** a (fig) rezongón(ona).

livery ['lɪvərɪ] n librea.

lives [laɪvz] pl of **life.**

livestock ['laɪvstɔk] n ganado.

livid ['lɪvɪd] a lívido; (furious) furioso.

living ['lɪvɪŋ] a (alive) vivo // n: **to earn or make a ~** ganarse la vida; ~ **conditions** npl condiciones fpl de vida; ~ **room** n sala (de estar); ~ **standards** npl nivel m de vida; ~ **wage** n sueldo suficiente para vivir.

lizard ['lɪzəd] n lagartija.

llama ['lɑːmə] n llama.

load [ləud] n (gen) carga; (weight) peso // vt: to ~ (with) cargar (con); (fig) colmar (de); a ~ of, ~s of (fig) (gran) cantidad de, montones de; ~ed a (dice) cargado; (question, word) intencionado; (col: rich) forrado (de dinero); (: drunk) trompa.

loaf [ləuf], pl **loaves** n (barra de) pan m // vi (also: ~ about, ~ around) holgazanear.

loan [ləun] n préstamo; (COMM) empréstito // vt prestar; **on** ~ prestado.

loath [ləuθ] a: **to be** ~ **to do sth** estar poco dispuesto a hacer algo.

loathe [ləuð] vt aborrecer; (person) odiar; **loathing** n aversión f; odio; **it fills me with loathing** me da asco.

loaves [ləuvz] pl of **loaf.**

lobby ['lɔbɪ] n vestíbulo, sala de espera; (POL: pressure group) grupo de presión // vt presionar.

lobe [ləub] n lóbulo.

lobster ['lɔbstə*] n langosta; (large) bogavante m.

local ['ləukl] a local // n (pub) bar m; **the** ~s npl los vecinos, los del lugar; ~**ity** [-'kælɪtɪ] n localidad f; ~**ly** [-kəlɪ] ad en la vecindad.

locate [ləu'keɪt] vt (find) localizar; (situate) colocar.

location [ləu'keɪʃən] n situación f; **on** ~ (CINEMA) en exteriores, fuera del estudio.

loch [lɔx] n lago.

lock [lɔk] n (of door, box) cerradura; (of canal) esclusa; (stop) tope m; (of hair) mechón m // vt (with key) cerrar con llave; (immobilize) inmovilizar // vi (door etc) cerrarse con llave; (wheels) bloquearse, trabarse.

locker ['lɔkə*] n casillero.

locket ['lɔkɪt] n medallón m.

lockout ['lɔkaut] n paro patronal, lockout m.

locomotive [ləukə'məutɪv] n locomotora.

locum ['ləukəm] n (MED) (médico) interino.

locust ['ləukəst] n langosta.

lodge [lɔdʒ] n casa del guarda; (porter's) portería; (FREEMASONRY) logia // vi (person): **to** ~ (**with**) alojarse (en casa de) // vt (complaint) presentar; **lodger** n huésped/a m/f.

lodgings ['lɔdʒɪŋz] npl alojamiento sg; (house) casa sg de huéspedes.

loft [lɔft] n desván m.

lofty ['lɔftɪ] a alto; (haughty) orgulloso.

log [lɔg] n (of wood) leño, tronco; (book) = logbook.

logarithm ['lɔgərɪðəm] n logaritmo.

logbook ['lɔgbuk] n (NAUT) diario de a bordo; (AVIAT) libro de vuelo; (of car) documentación f (del coche).

loggerheads ['lɔgəhedz] npl: **at** ~ (**with**) de pique (con).

logic ['lɔdʒɪk] n lógica; ~**al** a lógico.

logistics [lɔ'dʒɪstɪks] n logística.

loin [lɔɪn] n (CULIN) lomo, solomillo; ~**s** npl lomos mpl; ~ **cloth** n taparrabo.

loiter ['lɔɪtə*] vi perder el tiempo; (pej) merodear.

loll [lɔl] vi (also: ~ about) repantigarse.

lollipop ['lɔlɪpɔp] n piruli m; (iced) polo; ~ **man/lady** n persona encargada de ayudar a los niños a cruzar la calle.

London ['lʌndən] n Londres; ~**er** n londinense m/f.

lone [ləun] a solitario.

loneliness ['ləunlɪnɪs] n soledad f, aislamiento; **lonely** [-lɪ] a solitario, solo.

loner ['ləunə*] n solitario.

long [lɔŋ] a largo // ad mucho tiempo, largamente // vi: **to** ~ **for sth** anhelar o suspirar por algo; **in the** ~ **run** a la larga; **so** or **as** ~ **as** mientras, con tal que; **don't be** ~! ¡no tardes!, ¡vuelve pronto!; **how** ~ **is the street?** ¿cuánto tiene la calle de largo?; **how** ~ **is the lesson?** ¿cuánto dura la lección?; **6 metres** ~ que mide 6 metros, de 6 metros de largo; **6 months** ~ que dura 6 meses, de 6 meses de duración; **all night** ~ toda la noche; ~ **before** mucho antes; **before** ~ (+ future) dentro de poco; (+ past) poco tiempo después; **at** ~ **last** al fin, por fin; ~-**distance** a (race) de larga distancia; (call) interurbano; ~-**haired** a de pelo largo; ~-**hand** n escritura (corriente); ~**ing** n anhelo, ansia; (nostalgia) nostalgia // a anhelante.

longitude ['lɔŋgɪtjuːd] n longitud f.

long-: ~ **jump** n salto de longitud; ~-**lost** a desaparecido hace mucho tiempo; ~-**playing record (L.P.)** n elepé m, disco de larga duración; ~-**range** a de gran alcance; ~-**sighted** a (fig) previsor(a); ~-**standing** a de mucho tiempo; ~-**suffering** a sufrido; ~-**term** a a largo plazo; ~ **wave** a de onda larga; ~-**winded** a prolijo.

loo [luː] n (col) wáter m.

loofah ['luːfə] n esponja de lufa.

look [luk] vi mirar; (seem) parecer; (building etc): **to** ~ **south/on to the sea** dar al sur/al mar // n mirada; (glance) vistazo; (appearance) aire m, aspecto; ~**s** npl físico, apariencia; **to** ~ **like sb** parecerse a alguien; **to** ~ **after** vt fus cuidar a; **to** ~ **at** vt fus mirar; (consider) considerar; **to** ~ **back** vi mirar hacia atrás; **to** ~ **down on** vt fus (fig) despreciar, mirar con desprecio; **to** ~ **for** vt fus buscar; **to** ~ **forward to** vt fus esperar con ilusión; **to** ~ **into** vt investigar; **to** ~ **on** vi mirar (como espectador); **to** ~ **out** vi (beware): **to** ~ **out (for)** tener cuidado (de); **to** ~ **out for** vt fus (seek) buscar; (await) esperar; **to** ~ **round** vi volver la cabeza; **to** ~ **to** vt fus ocuparse de; (rely on) contar con; **to** ~ **up** vi mirar hacia arriba; (improve) mejorar // vt (word) buscar; (friend) visitar; **to** ~ **up to** vt fus admirar; ~-**out**

n (*tower etc*) puesto de observación; (*person*) vigía *m*; **to be on the ~-out for sth** estar al acecho de algo.

loom [luːm] *n* telar *m* // *vi* asomarse; (*threaten*) amenazar.

loony ['luːnɪ] *n* (*col*) loco/a; ~ **bin** *n* (*col*) manicomio.

loop [luːp] *n* lazo; (*bend*) vuelta, recodo; (*contraceptive*) espiral *f*; ~**hole** *n* escapatoria.

loose [luːs] *a* (*gen*) suelto; (*not tight*) flojo; (*wobbly etc*) movedizo; (*clothes*) ancho; (*morals, discipline*) relajado; **to be at a ~ end** no saber qué hacer; ~**ly** *ad* libremente, aproximadamente; **loosen** *vt* (*free*) soltar; (*untie*) desatar; (*slacken*) aflojar.

loot [luːt] *n* botín *m* // *vt* saquear; ~**ing** *n* pillaje *m*.

lop [lɔp]: **to ~ off** *vt* cortar; (*branches*) podar.

lop-sided ['lɔp'saɪdɪd] *a* desequilibrado.

lord [lɔːd] *n* señor *m*; **L~ Smith** Lord Smith; **the L~** el Señor; **the (House of) L~s** la Cámara de los Lores; ~**ly** *a* señorial; (*arrogant*) arrogante; ~**ship** *n*: **your L~ship** su señoría.

lore [lɔː*] *n* saber *m* popular, tradiciones *fpl*.

lorry ['lɔrɪ] *n* camión *m*; ~ **driver** *n* camionero.

lose [luːz] *pt, pp* **lost** *vt* perder // *vi* perder, ser vencido; **to ~ (time)** (*clock*) atrasarse; **loser** *n* perdedor/a *m/f*.

loss [lɔs] *n* pérdida; **to be at a ~** no saber qué hacer; **to be a dead ~** ser completamente inútil.

lost [lɔst] *pt, pp* of **lose** // *a* perdido; ~ **property** *n* objetos *mpl* perdidos.

lot [lɔt] *n* (*at auctions*) lote *m*; (*destiny*) suerte *f*; **the ~** el todo, todos; **a ~ mucho**, bastante; **a ~ of**, ~**s of** mucho(s) (*pl*); **to draw ~s (for sth)** echar suertes (para decidir algo); **I read a ~** leo bastante.

lotion ['ləuʃən] *n* loción *f*.

lottery ['lɔtərɪ] *n* lotería.

loud [laud] *a* (*voice*) alto; (*shout*) fuerte; (*noisy*) estrepitoso; (*gaudy*) chillón(ona) // *ad* (*speak etc*) en alta voz; ~**hailer** *n* megáfono; ~**ly** *ad* (*noisily*) ruidosamente; (*aloud*) en alta voz; ~**speaker** *n* altavoz *m*.

lounge [laundʒ] *n* salón *m*, sala (de estar) // *vi* reposar, holgazanear; ~ **suit** *n* traje *m* de calle.

louse [laus], *pl* **lice** *n* piojo.

lousy ['lauzɪ] *a* (*fig*) vil, asqueroso.

lout [laut] *n* gamberro.

lovable ['lʌvəbl] *a* amable, simpático.

love [lʌv] *n* amor *m* // *vt* amar, querer; **to ~ to do** gustar(le a uno) mucho hacer; **to be in ~ with** estar enamorado de; **to make ~** hacer el amor; **for the ~ of** por amor de; **'15 ~'** (*TENNIS*) 15 a cero; **I ~ paella** me gusta mucho la paella; **'with ~'** con cariño; ~ **affair** *n* aventura

sentimental; ~ **letter** *n* carta de amor; ~ **life** *n* vida sentimental.

lovely ['lʌvlɪ] *a* (*delightful*) precioso, encantador(a); (*beautiful*) hermoso.

lover ['lʌvə*] *n* amante *m/f*; (*amateur*): **a ~ of** un aficionado a o un amante de.

lovesong ['lʌvsɔŋ] *n* canción *f* de amor.

loving ['lʌvɪŋ] *a* amoroso, cariñoso.

low [ləu] *a, ad* bajo // *n* (*METEOROLOGY*) área de baja presión // *vi* (*cow*) mugir; **to feel ~** sentirse deprimido; **to turn (down) ~** *vt* bajar; ~**-cut** *a* (*dress*) escotado.

lower ['ləuə*] *vt* bajar; (*reduce*) reducir // *vr*: **to ~ o.s. to** (*fig*) rebajarse a.

low: ~**-grade** *a* de baja calidad; ~**ly** *a* humilde; ~**-lying** *a* de bajo nivel.

loyal ['lɔɪəl] *a* leal; ~**ty** *n* lealtad *f*.

lozenge ['lɔzɪndʒ] *n* (*MED*) pastilla.

L.P. *n abbr of* **long-playing record.**

L-plates ['ɛlpleɪts] *npl* placa de aprendiz de conductor.

Ltd *abbr of* **limited company** S.A.

lubricant ['luːbrɪkənt] *n* lubricante *m*; **lubricate** [-keɪt] *vt* lubricar, engrasar.

lucid ['luːsɪd] *a* lúcido; ~**ity** [-'sɪdɪtɪ] *n* lucidez *f*.

luck [lʌk] *n* suerte *f*; **bad ~** mala suerte; **good ~!** ¡que tengas suerte!, ¡suerte!; ~**ily** *ad* afortunadamente; ~**y** *a* afortunado.

lucrative ['luːkrətɪv] *a* lucrativo.

ludicrous ['luːdɪkrəs] *a* absurdo.

ludo ['luːdəu] *n* parchís *m*.

lug [lʌg] *vt* (*drag*) arrastrar; (*pull*) tirar de.

luggage ['lʌgɪdʒ] *n* equipaje *m*; ~ **rack** *n* (*in train*) rejilla, redecilla; (*on car*) vaca, portaequipajes *m inv*.

lukewarm ['luːkwɔːm] *a* tibio, templado.

lull [lʌl] *n* tregua // *vt* (*child*) acunar; (*person, fear*) calmar.

lullaby ['lʌləbaɪ] *n* canción *f* de cuna.

lumbago [lʌm'beɪgəu] *n* lumbago.

lumber ['lʌmbə*] *n* (*junk*) trastos viejos *mpl*; (*wood*) maderos *mpl*; ~**jack** *n* maderero.

luminous ['luːmɪnəs] *a* luminoso.

lump [lʌmp] *n* terrón *m*; (*fragment*) trozo; (*in sauce*) grumo; (*in throat*) nudo; (*swelling*) bulto // *vt* (*also:* ~ **together**) amontonar; **a ~ sum** suma global; ~**y** *a* (*sauce*) lleno de grumos.

lunacy ['luːnəsɪ] *n* locura.

lunar ['luːnə*] *a* lunar.

lunatic ['luːnətɪk] *a, n* loco/a; ~ **asylum** *n* manicomio.

lunch [lʌntʃ] *n* almuerzo, comida // *vi* almorzar; ~ **time** *n* hora del almuerzo o de comer.

luncheon ['lʌntʃən] *n* almuerzo; ~ **meat** *n* pastel *m* de carne.

lung [lʌŋ] *n* pulmón *m*; ~ **cancer** *n* cáncer *m* de pulmón.

lunge [lʌndʒ] *vi* (*also:* ~ **forward**) abalanzarse; **to ~ at** arremeter contra.

lurch [lɔːtʃ] *vi* dar sacudidas // *n* sacudida;

to leave sb in the ~ dejar a uno plantado.
lure [luə*] *n* (*bait*) cebo; (*decoy*) señuelo // *vt* atraer, seducir.
lurid ['luərɪd] *a* (*light*) misterioso; (*dress*) chillón(ona); (*account*) sensacional; (*detail*) horrible.
lurk [lə:k] *vi* (*hide*) esconderse; (*wait*) estar al acecho.
luscious ['lʌʃəs] *a* delicioso.
lush [lʌʃ] *a* exuberante.
lust [lʌst] *n* lujuria; (*greed*) codicia; **to ~ after** *vt fus* codiciar; **~ful** *a* lascivo, lujurioso.
lustre, luster (*US*) ['lʌstə*] *n* lustre *m*, brillo.
lusty ['lʌstɪ] *a* robusto, fuerte.
lute [lu:t] *n* laúd *m*.
Luxembourg ['lʌksəmbə:g] *n* Luxemburgo.
luxuriant [lʌg'zjuərɪənt] *a* exuberante.
luxurious [lʌg'zjuərɪəs] *a* lujoso; **luxury** ['lʌkʃərɪ] *n* lujo // *cpd* de lujo.
lying ['laɪɪŋ] *n* mentiras *fpl* // *a* mentiroso.
lynch [lɪntʃ] *vt* linchar; **~ing** *n* linchamiento.
lynx [lɪŋks] *n* lince *m*.
lyre ['laɪə*] *n* lira.
lyric ['lɪrɪk] *a* lírico; **~s** *npl* (*of song*) letra *sg*; **~al** *a* lírico.

M

m. *abbr of* **metre; mile; million.**
M.A. *abbr of* **Master of Arts** licenciado en letras.
mac [mæk] *n* impermeable *m*.
macaroni [mækə'rəʊnɪ] *n* macarrones *mpl*.
mace [meɪs] *n* (*BOT*) macis *f*.
machine [mə'ʃi:n] *n* máquina // *vt* (*dress etc*) coser a máquina; **~ gun** *n* ametralladora; **~ry** *n* maquinaria; (*fig*) mecanismo; **machinist** *n* operario (de máquina).
mackerel ['mækrl] *n, pl inv* caballa.
mackintosh ['mækɪntɔʃ] *n* impermeable *m*.
mad [mæd] *a* (*gen*) loco; (*crazed*) demente; (*angry*) furioso.
madam ['mædəm] *n* señora.
madden ['mædn] *vt* volver loco.
made [meɪd] *pt, pp of* **make**; **~-to-measure** *a* hecho a la medida.
madly ['mædlɪ] *ad* locamente.
madman ['mædmən] *n* loco.
madness ['mædnɪs] *n* locura.
magazine [mægə'zi:n] *n* revista; (*MIL: store*) almacén *m*; (*of firearm*) recámara.
maggot ['mægət] *n* gusano.
magic ['mædʒɪk] *n* magia // *a* mágico; **~al** *a* mágico; **~ian** [mə'dʒɪʃən] *n* mago; (*conjurer*) prestidigitador *m*.
magistrate ['mædʒɪstreɪt] *n* juez *m/f* (municipal).

magnanimous [mæg'nænɪməs] *a* magnánimo.
magnate ['mægneɪt] *n* magnate *m*.
magnet ['mægnɪt] *n* imán *m*; **~ic** [-'nɛtɪk] *a* magnético; **~ism** *n* magnetismo.
magnification [mægnɪfɪ'keɪʃən] *n* aumento.
magnificence [mæg'nɪfɪsns] *n* magnificencia; **magnificent** [-nt] *a* magnífico.
magnify ['mægnɪfaɪ] *vt* aumentar; (*fig*) exagerar; **~ing glass** *n* lupa.
magnitude ['mægnɪtjuːd] *n* magnitud *f*.
magnolia [mæg'nəʊlɪə] *n* magnolia.
magpie ['mægpaɪ] *n* urraca.
mahogany [mə'hɔgənɪ] *n* caoba // *cpd* de caoba.
maid [meɪd] *n* criada; **old ~** (*pej*) solterona.
maiden ['meɪdn] *n* doncella // *a* (*aunt etc*) solterona; (*speech, voyage*) inaugural; **~ name** *n* nombre *m* de soltera.
mail [meɪl] *n* correo; (*letters*) cartas *fpl* // *vt* (*post*) echar al correo; (*send*) mandar por correo; **~box** *n* (*US*) buzón *m*; **~-order** *n* pedido postal; (*business*) venta por correo.
maim [meɪm] *vt* mutilar, lisiar.
main [meɪn] *a* principal, mayor // *n* (*pipe*) cañería maestra; **the ~s** (*ELEC*) la red eléctrica; **in the ~** en general; **~land** *n* continente *m*; **~stay** *n* (*fig*) pilar *m*; **~stream** *n* corriente *f* principal.
maintain [meɪn'teɪn] *vt* mantener; (*keep up*) conservar (en buen estado); (*affirm*) sostener; **maintenance** ['meɪntənəns] *n* mantenimiento.
maisonette [meɪzə'nɛt] *n* apartamento de dos pisos.
maize [meɪz] *n* maíz *m*.
majestic [mə'dʒestɪk] *a* majestuoso; **majesty** ['mædʒɪstɪ] *n* majestad *f*.
major ['meɪdʒə*] *n* (*MIL*) comandante *m* // *a* principal; (*MUS*) mayor.
Majorca [mə'jɔːkə] *n* Mallorca.
majority [mə'dʒɔrɪtɪ] *n* mayoría.
make [meɪk] *pt, pp* **made** *vt* hacer; (*manufacture*) hacer, fabricar; (*cause to be*): **to ~ sb sad** hacer *o* poner triste a alguien; (*force*): **to ~ sb do sth** obligar a uno a hacer algo; (*equals*): **2 and 2 ~ 4** 2 y 2 son 4 // *n* marca; **to ~ do with** contentarse con; **to ~ for** *vt fus* (*place*) dirigirse a; **to ~ out** *vt* (*decipher*) descifrar; (*understand*) entender; (*see*) distinguir; **to ~ up** *vt* (*invent*) inventar; (*parcel*) envolver // *vi* reconciliarse; (*with cosmetics*) maquillarse; **to ~ up for** *vt fus* compensar; **~-believe** *a* fingido; **maker** *n* fabricante *m/f*; **~shift** *a* improvisado; **~-up** *n* maquillaje *m*.
making ['meɪkɪŋ] *n* (*fig*): **in the ~** en vías de formación.
malaise [mæ'leɪz] *n* malestar *m*.
malaria [mə'lɛərɪə] *n* malaria.
Malay [mə'leɪ] *a, n* malayo/a.
Malaysia [mə'leɪzɪə] *n* Malasia.

male [meɪl] n (BIOL, ELEC) macho // a (sex, attitude) masculino; (child etc) varón.

malevolent [mə'levələnt] a malévolo.

malfunction [mæl'fʌŋkʃən] n funcionamiento defectuoso.

malice ['mælɪs] n (ill will) malevolencia; (rancour) rencor m; **malicious** [mə'lɪʃəs] a malévolo; rencoroso.

malign [mə'laɪn] vt difamar, calumniar // a maligno.

malignant [mə'lɪgnənt] a (MED) maligno.

malingerer [mə'lɪŋgərə*] n enfermo fingido.

malleable ['mælɪəbl] a maleable.

mallet ['mælɪt] n mazo.

malnutrition [mælnju:'trɪʃən] n desnutrición f.

malpractice [mæl'præktɪs] n falta profesional.

malt [mɔ:lt] n malta.

Malta ['mɔ:ltə] n Malta; **Maltese** [-'ti:z] a, n, pl inv maltés/esa m/f.

maltreat [mæl'tri:t] vt maltratar.

mammal ['mæml] n mamífero.

mammoth ['mæməθ] n mamut // a gigantesco.

man [mæn], pl **men** n hombre m; (CHESS) pieza // vt (NAUT) tripular; (MIL) guarnecer; **an old** ~ un viejo; ~ **and wife** marido y mujer.

manacle ['mænəkl] n manilla; ~s npl grillos mpl.

manage ['mænɪdʒ] vi arreglárselas, ir tirando // vt (be in charge of) dirigir; (person etc) manejar; ~**able** a manejable; ~**ment** n dirección f, administración f; **manager/ess** n director/a m/f; (SPORT) entrenador/a m/f; **managerial** [-ə'dʒɪərɪəl] a directivo; **managing director** n director m general.

mandarin ['mændərɪn] n (also: ~ orange) mandarina; (person) mandarín m.

mandate ['mændeɪt] n mandato.

mandatory ['mændətərɪ] a obligatorio.

mandolin(e) ['mændəlɪn] n mandolina.

mane [meɪn] n (of horse) crin f; (of lion) melena.

manfully ['mænfəlɪ] ad violentemente.

mangle ['mæŋgl] vt mutilar, magullar // n rodillo.

mango ['mæŋgəʊ], pl ~**es** n mango.

mangy ['meɪndʒɪ] a roñoso, sarnoso.

manhandle ['mænhændl] vt maltratar.

manhole ['mænhəʊl] n pozo de visita.

manhood ['mænhʊd] n edad f viril.

man-hour ['mæn'aʊə*] n hora-hombre f.

manhunt ['mænhʌnt] n caza de hombre.

mania ['meɪnɪə] n manía; **maniac** ['meɪnɪæk] n maníaco; (fig) maniático.

manicure ['mænɪkjʊə*] n manicura // vt (person) hacer la manicura a; ~ **set** n estuche m de manicura.

manifest ['mænɪfest] vt manifestar, mostrar // a manifiesto; ~**ation** [-'teɪʃən] n manifestación f.

manifesto [mænɪ'festəʊ] n manifiesto.

manipulate [mə'nɪpjuleɪt] vt manipular, manejar.

mankind [mæn'kaɪnd] n la humanidad, el género humano.

manly ['mænlɪ] a varonil.

man-made ['mæn'meɪd] a artificial.

manner ['mænə*] n manera, modo; (behaviour) conducta, manera de ser; (type) clase f; ~**s** npl modales mpl, educación f; **bad** ~**s** mala educación; ~**ism** n hábito, peculiaridad f.

manoeuvre, maneuver (US) [mə'nu:və*] vt, vi maniobrar // n maniobra.

manor ['mænə*] n (also: ~ **house**) casa solariega.

manpower ['mænpaʊə*] n mano f de obra.

mansion ['mænʃən] n palacio, casa grande.

manslaughter ['mænslɔ:tə*] n homicidio no premeditado.

mantelpiece ['mæntlpi:s] n repisa, chimenea.

mantle ['mæntl] n manto; (fig) capa.

manual ['mænjuəl] a manual // n manual m; (MUS) teclado.

manufacture [mænju'fæktʃə*] vt fabricar // n fabricación f; **manufacturer** n fabricante m/f.

manure [mə'njuə*] n estiércol m, abono.

manuscript ['mænjuskrɪpt] n manuscrito.

Manx [mæŋks] a de la Isla de Man.

many ['menɪ] det muchos(as) // pron muchos/as; **a great** ~ muchísimos, buen número de; ~ **a time** muchas veces.

map [mæp] n mapa m // vt trazar el mapa de; to ~ **out** vt proyectar.

maple ['meɪpl] n arce m.

mar [mɑ:*] vt estropear.

marathon ['mærəθən] n maratón m.

marauder [mə'rɔ:də*] n merodeador m; (intruder) intruso.

marble ['mɑ:bl] n mármol m; (toy) canica.

March [mɑ:tʃ] n marzo.

march [mɑ:tʃ] vi (MIL) marchar; (fig) caminar con resolución // n marcha; (demonstration) manifestación f, marcha; ~-**past** n desfile m.

mare [meə*] n yegua.

margarine [mɑ:dʒə'ri:n] n margarina.

margin ['mɑ:dʒɪn] n margen m; ~**al** a marginal.

marigold ['mærɪgəʊld] n caléndula.

marijuana [mærɪ'wɑ:nə] n marijuana.

marina [mə'ri:nə] n marina.

marine [mə'ri:n] a marino // n soldado de marina.

marital ['mærɪtl] a matrimonial; ~ **status** estado civil.

maritime ['mærɪtaɪm] a marítimo.

marjoram ['mɑ:dʒərəm] n orégano.

mark [mɑ:k] n marca, señal f; (imprint) huella; (stain) mancha; (SCOL) puntuación f, nota; (currency) marco // vt marcar;

manchar; (SCOL) calificar; **to ~ time** marcar el paso; **to ~ out** vt trazar; **~ed** a marcado, acusado; **~er** n (sign) marcador m; (bookmark) registro.

market ['mɑːkɪt] n mercado // vt (COMM) vender; **black ~** mercado negro; **Common M~** Mercado Común; **~ day** n día de mercado; **~ garden** n (Brit) huerto; **~ing** n márketing m, mercadotecnia; **~-place** n mercado; **~ research** n análisis m inv de mercados.

marksman ['mɑːksmən] n tirador m; **~ship** n puntería.

marmalade ['mɑːmɔleɪd] n mermelada (de naranjas).

maroon [mɔ'ruːn] vt (fig): **to be ~ed** (shipwrecked) naufragarse; (fig) quedar abandonado // a marrón.

marquee [mɑː'kiː] n entoldado.

marquess, marquis ['mɑːkwɪs] n marqués m.

marriage ['mærɪdʒ] n (state) matrimonio; (wedding) boda; (act) casamiento; **~ bureau** n agencia matrimonial; **~ certificate** n partida de casamiento.

married ['mærɪd] a casado; (life, love) conyugal.

marrow ['mærəu] n médula; (vegetable) calabacín m.

marry ['mærɪ] vt casarse con; (subj: father, priest etc) casar // vi (also: **get married**) casarse.

marsh [mɑːʃ] n pantano; (salt ~) marisma.

marshal ['mɑːʃl] n (MIL) mariscal m; (at sports meeting etc) oficial m // vt (facts) ordenar; (soldiers) formar.

marshmallow [mɑːʃ'mæləu] n malvavisco.

marshy ['mɑːʃɪ] a pantanoso.

martial ['mɑːʃl] a marcial; **~ law** n ley f marcial.

martyr ['mɑːtə*] n mártir m/f // vt martirizar; **~dom** n martirio.

marvel ['mɑːvl] n maravilla, prodigio // vi: **to ~ (at)** maravillarse (de); **~lous, ~ous** (US) a maravilloso.

Marxism ['mɑːksɪzəm] n marxismo; **Marxist** [-sɪst] a, n marxista m/f.

marzipan ['mɑːzɪpæn] n mazapán m.

mascara [mæs'kɑːrə] n rimel m.

mascot ['mæskət] n mascota.

masculine ['mæskjulɪn] a masculino; **masculinity** [-'lɪnɪtɪ] n masculinidad f.

mash [mæʃ] n (mix) mezcla; (pulp) amasijo; **~ed potatoes** puré m de patatas.

mask [mɑːsk] n máscara // vt enmascarar.

masochist ['mæsəukɪst] n masoquista m/f.

mason ['meɪsn] n (also: **stone~**) albañil m; (also: **free~**) masón m; **~ic** [mə'sɔnɪk] a masónico; **~ry** n masonería; (building) mampostería.

masquerade [mæskə'reɪd] n baile m de máscaras; (fig) farsa // vi: **to ~ as** disfrazarse de, hacerse pasar por.

mass [mæs] n (people) muchedumbre f; (PHYSICS) masa; (REL) misa; (great quantity) montón m // vi reunirse; (MIL) concentrarse; **the ~es** las masas.

massacre ['mæsəkə*] n masacre f // vt masacrar.

massage ['mæsɑːʒ] n masaje m // vt dar masaje a.

masseur [mæ'səː*] n masajista m; **masseuse** [-'səːz] n masajista f.

massive ['mæsɪv] a (solid) sólido; (head etc) grande; (support, intervention) masivo.

mass media ['mæs'miːdɪə] npl medios mpl de comunicación masiva.

mass-production ['mæsprə'dʌkʃən] n fabricación f en serie.

mast [mɑːst] n (NAUT) mástil m; (RADIO etc) torre f.

master ['mɑːstə*] n maestro; (landowner) señor m, amo; (in secondary school) profesor m; (title for boys): **M~ X** Señorito X // vt dominar; (learn) aprender a fondo; **~ key** n llave f maestra; **~ly** a magistral; **~mind** n inteligencia superior // vt dirigir, planear; **M~ of Arts** n Licenciado en Letras; **~piece** n obra maestra; **~ plan** n plan m rector; **~ stroke** n golpe m maestro; **~y** n maestría.

masturbate ['mæstəbeɪt] vi masturbarse; **masturbation** [-'beɪʃən] n masturbación f.

mat [mæt] n estera; (also: **door~**) felpudo // a = **matt**.

match [mætʃ] n cerilla; (game) partido; (fig) igual m/f // vt emparejar; (go well with) hacer juego con; (equal) igualar, ser igual a // vi hacer juego; **to be a good ~** hacer una buena pareja; **~box** n caja de cerillas; **~ing** a que hace juego; **~less** a sin par, incomparable.

mate [meɪt] n compañero; (assistant) ayudante m/f; (CHESS) mate m; (in merchant navy) segundo de a bordo // vi acoplarse, parearse // vt acoplar, parear.

material [mə'tɪərɪəl] n (substance) materia; (equipment) material m; (cloth) tela, tejido; (data) datos mpl // a material; (important) importante; **~s** npl materiales mpl; **~istic** [-ə'lɪstɪk] a materialista; **~ize** vi materializarse.

maternal [mə'təːnl] a maternal.

maternity [mə'təːnɪtɪ] n maternidad f; **~ dress** n vestido premamá; **~ hospital** n hospital m de maternidad.

mathematical [mæθə'mætɪkl] a matemático; **mathematician** [-mə'tɪʃən] n matemático; **mathematics** [-tɪks], **maths** [mæθs] n matemáticas fpl.

matinée ['mætɪneɪ] n función f de tarde.

mating ['meɪtɪŋ] n apareamiento; **~ call** n llamada del macho; **~ season** n época de celo.

matriarchal [meɪtrɪ'ɑːkl] a matriarcal.

matrices ['meɪtrɪsiːz] pl of **matrix**.

matrimonial [mætrɪ'məunɪəl] a matrimonial.

matrimony ['mætrɪmənɪ] n matrimonio.

matrix ['meɪtrɪks], pl **matrices** n matriz f.

matron [ˈmeɪtrən] n (in hospital) enfermera jefe; (in school) ama de llaves; ~ ly a de matrona; (fig: figure) corpulento.

matt [mæt] a mate.

matted [ˈmætɪd] a enmarañado.

matter [ˈmætə*] n cuestión f, asunto; (PHYSICS) sustancia, materia; (content) contenido; (MED: pus) pus m // vi importar; **it doesn't** ~ no importa; **what's the** ~? ¿qué pasa?; **no** ~ **what** pase lo que pase; **as a** ~ **of course** por rutina; **as a** ~ **of fact** de hecho; ~**-of-fact** a prosaico, práctico.

mattress [ˈmætrɪs] n colchón m.

mature [məˈtjuə*] a maduro // vi madurar; **maturity** n madurez f.

maudlin [ˈmɔːdlɪn] a llorón(ona).

maul [mɔːl] vt magullar.

mausoleum [mɔːsəˈlɪəm] n mausoleo.

mauve [məuv] a de color malva.

maxim [ˈmæksɪm] n máxima.

maxima [ˈmæksɪmə] pl of **maximum**.

maximum [ˈmæksɪməm] a máximo // n, pl **maxima** máximo.

May [meɪ] n mayo.

may [meɪ] vi (conditional: **might**) (indicating possibility): **he** ~ **come** puede que venga; (be allowed to): ~ **I smoke?** ¿puedo fumar?; (wishes): ~ **God bless you!** que Dios le bendiga.

maybe [ˈmeɪbiː] ad quizá(s).

mayday [ˈmeɪdeɪ] n S.O.S. m (llamada de socorro internacional).

mayhem [ˈmeɪhɛm] n mutilación f criminal.

mayonnaise [meɪəˈneɪz] n mayonesa.

mayor [mɛə*] n alcalde m; ~**ess** n alcaldesa.

maypole [ˈmeɪpəul] n mayo.

maze [meɪz] n laberinto.

M.D. abbr of **Doctor of Medicine.**

me [miː] pron me; (stressed, after prep) mí; **with** ~ conmigo; **it's** ~ soy yo.

meadow [ˈmɛdəu] n prado, pradera.

meagre, meager (US) [ˈmiːgə*] a escaso, pobre.

meal [miːl] n comida; (flour) harina; ~**time** n hora de comer.

mean [miːn] a (with money) tacaño; (unkind) mezquino, malo; (shabby) humilde, vil; (of poor quality) inferior; (average) medio // vt, pt, pp **meant** (signify) querer decir, significar; (intend): **to** ~ **to do sth** pensar o pretender hacer algo // n medio, término medio; ~**s** npl medio sg, manera sg; (resource) recursos mpl, medios mpl; **by** ~**s** **of** mediante, por medio de; **by all** ~**s!** ¡naturalmente!, ¡claro que sí!; **do you** ~ **it?** ¿lo dices en serio?; **what do you** ~? ¿qué quiere decir?

meander [mɪˈændə*] vi (river) serpentear; (person) vagar.

meaning [ˈmiːnɪŋ] n significado, sentido; ~**ful** a significativo; ~**less** a sin sentido.

meanness [ˈmiːnnɪs] n (with money) tacañería; (shabbiness) vileza, bajeza; (unkindness) maldad f, mezquindad f.

meant [mɛnt] pt, pp of **mean.**

meantime [ˈmiːntaɪm], **meanwhile** [ˈmiːnwaɪl] ad (also: **in the** ~) mientras tanto.

measles [ˈmiːzlz] n sarampión m; **German** ~ rubéola.

measly [ˈmiːzlɪ] a (col) miserable.

measure [ˈmɛʒə*] vt medir; (for clothes etc) tomar las medidas a; (consider) pesar // vi medir // n medida; (ruler) regla; ~**d** a moderado; (tone) mesurado; ~**ments** npl medidas fpl.

meat [miːt] n carne f; **cold** ~ fiambre m; ~**ball** n albóndiga; ~ **pie** n pastel m de carne; ~**y** a carnoso; (fig) sustancioso.

mechanic [mɪˈkænɪk] n mecánico; ~**s** n mecánica // npl mecanismo sg; ~**al** a mecánico.

mechanism [ˈmɛkənɪzəm] n mecanismo.

mechanization [mɛkənaɪˈzeɪʃən] n mecanización f.

medal [ˈmɛdl] n medalla; ~**lion** [mɪˈdælɪən] n medallón m; ~**list**, ~**ist** (US) n (SPORT) ganador/a m/f.

meddle [ˈmɛdl] vi: **to** ~ **in** entrometerse en; **to** ~ **with sth** manosear algo; ~**some** a entrometido.

media [ˈmiːdɪə] npl medios mpl de comunicación.

mediaeval [mɛdɪˈiːvl] a = **medieval.**

mediate [ˈmiːdɪeɪt] vi mediar; **mediation** [-ˈeɪʃən] n mediación f; **mediator** n intermediario, mediador/a m/f.

medical [ˈmɛdɪkl] a médico // n reconocimiento médico.

medicated [ˈmɛdɪkeɪtɪd] a medicinal.

medicinal [mɛˈdɪsɪnl] a medicinal.

medicine [ˈmɛdsɪn] n medicina; (drug) medicamento; ~ **chest** n botiquín m.

medieval [mɛdɪˈiːvl] a medieval.

mediocre [miːdɪˈəukə*] a mediocre; **mediocrity** [-ˈɔkrɪtɪ] n mediocridad f.

meditate [ˈmɛdɪteɪt] vi meditar; **meditation** [-ˈteɪʃən] n meditación f.

Mediterranean [mɛdɪtəˈreɪnɪən] a mediterráneo; **the** ~ **(Sea)** el (Mar) Mediterráneo.

medium [ˈmiːdɪəm] a mediano, regular // n (pl **media**: means) medio; (pl **mediums**: person) médium m/f.

medley [ˈmɛdlɪ] n mezcla; (MUS) popurrí m.

meek [miːk] a manso, dócil.

meet [miːt] pt, pp **met** vt (gen) encontrar; (accidentally) encontrarse con, tropezar con; (by arrangement) reunirse con; (for the first time) conocer; (go and fetch) ir a buscar; (opponent) enfrentarse con; (obligations) cumplir // vi encontrarse; (in session) reunirse; (join: objects) unirse; (get to know) conocerse; **to** ~ **with** vt fus reunirse con; (face: difficulty) tropezar con; ~**ing** n encuentro; (session: of club etc) reunión f; (interview) entrevista; (COMM) junta, sesión f; (POL) mítin m.

megalomaniac [mɛgələu'meɪnɪæk] *a*, *n* megalómano/a.

megaphone ['mɛgəfəun] *n* megáfono.

melancholy ['mɛlənkəlɪ] *n* melancolía // *a* melancólico.

melee ['mɛleɪ] *n* refriega.

mellow ['mɛləu] *a* (*sound*) dulce; (*colour*) suave; (*fruit*) maduro // *vi* (*person*) madurar.

melodious [mɪ'ləudɪəs] *a* melodioso.

melodrama ['mɛləudrɑːmə] *n* melodrama *m*.

melody ['mɛlədɪ] *n* melodía.

melon ['mɛlən] *n* melón *m*.

melt [mɛlt] *vi* (*metal*) fundirse; (*snow*) derretirse; (*fig*) ablandarse // *vt* (*also*: ~ **down**) fundir; **to** ~ **away** *vi* desvanecerse; ~**ing point** *n* punto de fusión; ~**ing pot** *n* (*fig*) crisol *m*.

member ['mɛmbə*] *n* (*gen*) miembro; (*of club*) socio; **M**~ **of Parliament (M.P.)** diputado; ~**ship** *n* (*members*) número de miembros; **to seek** ~**ship of** pedir el ingreso a; ~**ship card** carnet *m* de socio.

membrane ['mɛmbreɪn] *n* membrana.

memento [mə'mɛntəu] *n* recuerdo.

memo ['mɛməu] *n* apunte *m*, nota.

memoirs ['mɛmwɑːz] *npl* memorias *fpl*.

memorable ['mɛmərəbl] *a* memorable.

memorandum [mɛmə'rændəm], *pl* **-da** [-də] *n* apunte *m*, nota; (*POL*) memorándum *m*.

memorial [mɪ'mɔːrɪəl] *n* monumento conmemorativo // *a* conmemorativo.

memorize ['mɛməraɪz] *vt* aprender de memoria.

memory ['mɛmərɪ] *n* memoria; (*recollection*) recuerdo.

men [mɛn] *pl of* **man**.

menace ['mɛnəs] *n* amenaza // *vt* amenazar; **menacing** *a* amenazador(a).

menagerie [mɪ'nædʒərɪ] *n* casa de fieras.

mend [mɛnd] *vt* reparar, arreglar; (*darn*) zurcir // *vi* reponerse // *n* (*gen*) remiendo; (*darn*) zurcido; **to be on the** ~ ir mejorando; ~**ing** *n* reparación *f*; (*clothes*) ropa por remendar.

menial ['miːnɪəl] *a* doméstico; (*pej*) bajo // *n* criado.

meningitis [mɛnɪn'dʒaɪtɪs] *n* meningitis *f*.

menopause ['mɛnəupɔːz] *n* menopausia.

menstruate ['mɛnstrueɪt] *vi* menstruar; **menstruation** [-'eɪʃən] *n* menstruación *f*.

mental ['mɛntl] *a* mental; ~**ity** [-'tælɪtɪ] *n* mentalidad *f*.

mention ['mɛnʃən] *n* mención *f* // *vt* mencionar; (*speak of*) hablar de; **don't** ~ **it!** ¡de nada!

menu ['mɛnjuː] *n* (*set* ~) menú *m*; (*printed*) carta.

mercenary ['mɜːsɪnərɪ] *a*, *n* mercenario.

merchandise ['mɜːtʃəndaɪz] *n* mercancías *fpl*.

merchant ['mɜːtʃənt] *n* comerciante *m/f*; ~ **bank** *n* banco comercial; ~ **navy** *n* marina mercante.

merciful ['mɜːsɪful] *a* compasivo; (*fortunate*) afortunado.

merciless ['mɜːsɪlɪs] *a* despiadado.

mercury ['mɜːkjurɪ] *n* mercurio.

mercy ['mɜːsɪ] *n* compasión *f*; (*REL*) misericordia; **at the** ~ **of** a la merced de.

mere [mɪə*] *a* simple, mero; ~**ly** *ad* simplemente, sólo.

merge [mɜːdʒ] *vt* (*join*) unir; (*mix*) mezclar; (*fuse*) fundir // *vi* unirse; (*COMM*) fusionarse; **merger** *n* (*COMM*) fusión *f*.

meridian [mə'rɪdɪən] *n* meridiano.

meringue [mə'ræŋ] *n* merengue *m*.

merit ['mɛrɪt] *n* mérito // *vt* merecer.

mermaid ['mɜːmeɪd] *n* sirena.

merriment ['mɛrɪmənt] *n* alegría.

merry ['mɛrɪ]38 *a* alegre; ~**-go-round** *n* tiovivo.

mesh [mɛʃ] *n* malla; (*TECH*) engranaje *m* // *vi* (*gears*) engranar.

mesmerize ['mɛzməraɪz] *vt* hipnotizar.

mess [mɛs] *n* (*gen*) confusión *f*; (*of objects*) revoltijo; (*tangle*) lío; (*MIL*) comedor *m*; **to** ~ **about** *vi* (*col*) perder el tiempo; (*pass the time*) entretenerse; **to** ~ **about with** *vt fus* (*col*) (*play with*) divertirse con; (*handle*) manosear; **to** ~ **up** *vt* (*disarrange*) desordenar; (*spoil*) estropear; (*dirty*) ensuciar.

message ['mɛsɪdʒ] *n* recado, mensaje *m*.

messenger ['mɛsɪndʒə*] *n* mensajero/a.

messy ['mɛsɪ] *a* (*dirty*) sucio; (*untidy*) desordenado.

met [mɛt] *pt*, *pp of* **meet**.

metabolism [mɛ'tæbəlɪzəm] *n* metabolismo.

metal ['mɛtl] *n* metal *m*; ~**lic** [-'tælɪk] *a* metálico; ~**lurgy** [-'tælədʒɪ] *n* metalurgia.

metamorphosis [mɛtə'mɔːfəsɪs], *pl* **-ses** [-siːz] *n* metamorfosis *f inv*.

metaphor ['mɛtəfə*] *n* metáfora.

metaphysics [mɛtə'fɪzɪks] *n* metafísica.

mete [miːt]: **to** ~ **out** *vt fus* (*gen*) repartir; (*punishment*) imponer.

meteor ['miːtɪə*] *n* meteoro.

meteorological [miːtɪərə'lɔdʒɪkl] *a* meteorológico; **meteorology** [-'rɔlədʒɪ] *n* meteorología.

meter ['miːtə*] *n* (*instrument*) contador *m*; (*US*) = **metre**.

method ['mɛθəd] *n* método; ~**ical** [mɪ'θɔdɪkl] *a* metódico.

Methodist ['mɛθədɪst] *a*, *n* metodista *m/f*.

meths [mɛθs], **methylated spirit** ['mɛθɪleɪtɪd-] *n* alcohol *m* metilado *o* desnaturalizado.

meticulous [mɛ'tɪkjuləs] *a* meticuloso.

metre, meter (*US*) ['miːtə*] *n* metro.

metric ['mɛtrɪk] *a* métrico.

metronome ['mɛtrənəum] *n* metrónomo.

metropolis [mɪ'trɔpəlɪs] *n* metrópoli *f*.

mettle ['mɛtl] *n* (*spirit*) valor *m*, ánimo; (*tone*) temple *m*.

mew [mjuː] *vi* (*cat*) maullar.

mews [mjuːz] *n*: ~ **cottage** casa

acondicionada en antiguos establos o cocheras.

Mexican ['mɛksɪkən] *a, n* mejicano/a, mexicano/a (*AM*).

Mexico ['mɛksɪkəu] *n* Méjico, México (*AM*).

mezzanine ['mɛtsəni:n] *n* entresuelo.

miaow [mi:'au] *vi* maullar.

mice [maɪs] *pl of* **mouse.**

microbe ['maɪkrəub] *n* microbio.

micro... [maɪkrəu] *pref* micro...; ~**film** *n* microfilm *m*; ~**phone** *n* micrófono; ~**processor** *n* microprocesador *m*; ~**scope** *n* microscopio; ~**scopic** [-'skɔpɪk] *a* microscópico; ~**wave** *n* de microonda.

mid [mɪd] *a*: **in** ~ **May** a mediados de mayo; **in** ~ **afternoon** a media tarde; **in** ~ **air** en el aire; ~**day** *n* mediodía *m*.

middle ['mɪdl] *n* medio, centro; (*half*) mitad *f*; (*waist*) cintura // *a* medio; (*quantity, size*) mediano; ~**-aged** *a* de mediana edad; **the M~ Ages** *npl* la Edad Media; ~**-class** *a* de clase media; **M~ East** *n* Oriente *m* Medio; ~**man** *n* intermediario; ~ **name** *n* segundo nombre.

middling ['mɪdlɪŋ] *a* mediano.

midge [mɪdʒ] *n* mosca.

midget ['mɪdʒɪt] *n* enano // *a* minúsculo.

Midlands ['mɪdləndz] *npl* la región central de Inglaterra.

midnight ['mɪdnaɪt] *n* medianoche *f*.

midriff ['mɪdrɪf] *n* diafragma *m*.

midst [mɪdst] *n*: **in the** ~ **of** entre, en medio de.

midsummer [mɪd'sʌmə*] *n*: **a** ~ **day** un día de pleno verano.

midway [mɪd'weɪ] *a, ad*: ~ **(between)** a mitad de camino, a medio camino (entre).

midweek [mɪd'wi:k] *ad* entre semana.

midwife ['mɪdwaɪf], *pl* **-wives** [-waɪvz] *n* comadrona, partera; ~**ry** [-wɪfərɪ] *n* partería.

midwinter [mɪd'wɪntə*] *n*: **in** ~ en pleno invierno.

might [maɪt] *vb*: **he** ~ **be there** podría estar allí, puede que está allí; **I** ~ **as well go** más vale que vaya; **you** ~ **like to try** podría intentar // *n* fuerza, poder *m*; ~**y** *a* fuerte, poderoso.

migraine ['mi:greɪn] *n* jaqueca.

migrant ['maɪgrənt] *n* (*bird*) ave *f* migratoria; (*person*) emigrante *m/f*; (*fig*) nómada *m/f* // *a* migratorio; (*worker*) emigrante.

migrate [maɪ'greɪt] *vi* emigrar; **migration** [-'greɪʃən] *n* emigración *f*.

mike [maɪk] *n abbr of* **microphone** micro.

mild [maɪld] *a* (*character*) pacífico; (*climate*) templado; (*slight*) ligero; (*taste*) suave; (*illness*) benigno, leve.

mildew ['mɪldju:] *n* moho.

mildness ['maɪldnɪs] *n* (*softness*) suavidad *f*; (*gentleness*) dulzura; (*quiet character*) apacibilidad *f*.

mile [maɪl] *n* milla; ~**age** *n* número de

millas; (*AUT*) kilometraje *m*; ~**stone** *n* mojón *m*.

milieu ['mi:ljə:] *n* medio, medio ambiente.

militant ['mɪlɪtnt] *a, n* militante *m/f*.

military ['mɪlɪtərɪ] *a* militar.

militate ['mɪlɪteɪt] *vi*: **to** ~ **against** militar contra.

militia [mɪ'lɪʃə] *n* milicia.

milk [mɪlk] *n* leche *f* // *vt* (*cow*) ordeñar; (*fig*) chupar; ~**man** *n* lechero; ~ **shake** *n* batido de leche; ~**y** *a* lechoso; **M~y Way** *n* Vía Láctea.

mill [mɪl] *n* (*windmill etc*) molino; (*coffee* ~) molinillo; (*factory*) fábrica; (*spinning* ~) hilandería // *vt* moler // *vi* (*also*: ~ *about*) moverse por todas partes, apiñarse.

millennium [mɪ'lɛnɪəm], *pl* ~**s** *or* **-ia** [-nɪə] *n* milenio, milenario.

miller ['mɪlə*] *n* molinero.

millet ['mɪlɪt] *n* mijo.

milli... ['mɪlɪ] *pref*: ~**gram(me)** *n* miligramo; ~**litre** *n* mililitro; ~**metre** *n* milímetro.

milliner ['mɪlɪnə*] *n* modista de sombreros; ~**y** *n* sombrerería.

million ['mɪljən] *n* millón *m*; **a** ~ **times** un millón de veces; ~**aire** *n* millonario.

millstone ['mɪlstəun] *n* piedra de molino.

milometer [maɪ'lɔmɪtə*] *n* cuenta-kilómetros *m inv*.

mime [maɪm] *n* mímica; (*actor*) mimo // *vt* remedar // *vi* actuar de mimo.

mimic ['mɪmɪk] *n* imitador/a *m/f* // *a* mímico // *vt* remedar, imitar; ~**ry** *n* imitación *f*.

min. *abbr of* **minute(s)**; **minimum.**

minaret [mɪnə'rɛt] *n* alminar *m*.

mince [mɪns] *vt* picar // *vi* (*in walking*) andar con pasos menudos // *n* (*CULIN*) carne *f* picada, picadillo; ~**meat** *n* conserva de fruta picada; ~ **pie** *n* empanadilla rellena de fruta picada; **mincer** *n* máquina de picar carne.

mind [maɪnd] *n* (*gen*) mente *f*; (*intellect*) inteligencia; (*contrasted with matter*) espíritu // *vt* (*attend to, look after*) ocuparse de, cuidar; (*be careful of*) tener cuidado con; (*object to*): **I don't** ~ **the noise** no me importa el ruido; **it is on my** ~ me preocupa; **to my** ~ en mi opinión; **to be out of one's** ~ estar fuera de juicio; **never** ~! ¡es igual!, ¡no importa!; (*don't worry*) ¡no se preocupe!; **to bear sth in** ~ tomar *o* tener algo en cuenta; **to make up one's** ~ decidirse; '~ **the step'** cuidado con el escalón; ~**ful** *a*: ~**ful of** consciente de; ~**less** *a* estúpido.

mine [maɪn] *pron* (el) mío/(la) mía *etc* // *a*: **this book is** ~ este libro es mío // *n* mina // *vt* (*coal*) extraer, explotar; (*ship, beach*) minar; ~**field** *n* campo de minas; **miner** *n* minero.

mineral ['mɪnərəl] *a* mineral // *n* mineral *m*; ~**s** *npl* (*soft drinks*) aguas *fpl* minerales, gaseosa *sg*.

minesweeper ['mainswi:pə*] n dragaminas m inv.

mingle ['miŋgl] vi: **to** ~ **with** mezclarse con.

mingy ['mindʒi] a (col) tacaño.

miniature ['minətʃə*] a (en) miniatura // n miniatura.

minibus ['minibʌs] n microbús m.

minicab ['minikæb] n microtaxi m.

minim ['minim] n (MUS) blanca.

minimal ['miniml] a mínimo.

minimize ['minimaiz] vt minimizar.

minimum ['miniməm] n, pl **minima** ['minimə] mínimo // a mínimo.

mining ['mainiŋ] n explotación f minera // a minero.

miniskirt ['miniskə:t] n minifalda.

minister ['ministə*] n (POL) ministro; (REL) pastor m // vi atender; ~**ial** [-'tiəriəl] a (POL) ministerial.

ministry ['ministri] n ministerio.

mink [miŋk] n visón m; ~ **coat** n abrigo de visón.

minnow ['minəu] n pececillo (de agua dulce).

minor ['mainə*] a menor; (unimportant) sin importancia; (inferior) secundario; (MUS) menor // (LAW) menor m/f de edad.

minority [mai'nɔriti] n minoría; (age) minoridad f.

minster ['minstə*] n catedral f.

minstrel ['minstrəl] n juglar m.

mint [mint] n (plant) menta, herbabuena; (sweet) caramelo de menta // vt (coins) acuñar; **the (Royal) M**~ la (Real) Casa de la Moneda; **in** ~ **condition** en perfecto estado.

minuet [minju'et] n minué m.

minus ['mainəs] n (also: ~ **sign**) signo de menos // prep menos.

minute ['minit] n minuto; (fig) momento; ~**s** npl actas fpl // a [mai'nju:t] diminuto; (search) minucioso; **at the last** ~ a última hora.

miracle ['mirəkl] n milagro; **miraculous** [mi'rækjuləs] a milagroso.

mirage ['mirɑ:ʒ] n espejismo.

mirror ['mirə*] n espejo; (in car) retrovisor m // vt reflejar.

mirth [mə:θ] n alegría; (laughter) risa, risas fpl.

misadventure [misəd'ventʃə*] n desgracia, accidente m.

misanthropist [mi'zænθrəpist] n misántropo.

misapprehension ['misæpri'henʃən] n equivocación f.

misbehave [misbi'heiv] vi portarse mal; **misbehaviour** n mala conducta.

miscalculate [mis'kælkjuleit] vt calcular mal; **miscalculation** [-'leiʃən] n error m (de cálculo).

miscarriage ['miskæridʒ] n (MED) aborto; (failure) fracaso; ~ **of justice** error m judicial.

miscellaneous [misi'leiniəs] a vario(s), diverso(s).

mischance [mis'tʃɑ:ns] n desgracia, mala suerte f.

mischief ['mistʃif] n (naughtiness) travesura; (harm) mal m, daño; (maliciousness) malicia; **mischievous** [-ʃivəs] a travieso; dañoso; (playful) malicioso.

misconception ['miskən'sepʃən] n concepto erróneo, equivocación f.

misconduct [mis'kɔndʌkt] n mala conducta; **professional** ~ falta profesional.

miscount [mis'kaunt] vt, vi contar mal.

misdeed [mis'di:d] n delito.

misdemeanour, misdemeanor (US) [misdi'mi:nə*] n delito, ofensa.

misdirect [misdi'rekt] vt (person) informar mal; (letter) poner señas incorrectas en.

miser ['maizə*] n avaro/a.

miserable ['mizərəbl] a (unhappy) triste, desgraciado; (wretched) miserable; (despicable) despreciable.

miserly ['maizəli] a avariento, tacaño.

misery ['mizəri] n (unhappiness) tristeza, sufrimiento; (wretchedness) miseria, desdicha.

misfire [mis'faiə*] vi fallar.

misfit ['misfit] n (person) inadaptado/a, desplazado/a.

misfortune [mis'fɔ:tʃən] n desgracia.

misgiving(s) [mis'giviŋ(z)] n(pl) (mistrust) recelo; (apprehension) presentimiento.

misguided [mis'gaidid] a equivocado.

mishandle [mis'hændl] vt (treat roughly) maltratar; (mismanage) manejar mal.

mishap ['mishæp] n desgracia, contratiempo.

mishear [mis'hiə*] (irg: like **hear**) vt oír mal.

misinform [misin'fɔ:m] vt informar mal.

misinterpret [misin'tə:prit] vt interpretar mal.

misjudge [mis'dʒʌdʒ] vt juzgar mal.

mislay [mis'lei] (irg: like **lay**) vt extraviar, perder.

mislead [mis'li:d] (irg: like **lead**) vt llevar a conclusiones erróneas; ~**ing** a engañoso, erróneo.

mismanage [mis'mænidʒ] vt administrar mal; ~**ment** n mala administración f.

misnomer [mis'nəumə*] n nombre m inapropiado o equivocado.

misogynist [mi'sɔdʒinist] n misógino.

misplace [mis'pleis] vt (lose) extraviar, perder.

misprint ['misprint] n errata, error m de imprenta.

mispronounce [misprə'nauns] vt pronunciar mal.

misread [mis'ri:d] (irg: like **read**) vt leer mal.

misrepresent [mɪsrɛprɪˈzɛnt] vt falsificar.

miss [mɪs] vt (train etc) perder; (fail to hit) errar, fallar; (regret the absence of): **I ~ him** (yo) le echo de menos o a faltar // vi fallar // n (shot) tiro fallido o perdido; (fig): **that was a near ~** (near accident) faltó poco para que chocáramos; **to ~ out** vt omitir.

Miss [mɪs] n Señorita.

missal [ˈmɪsl] n misal m.

misshapen [mɪsˈʃeɪpən] a deforme.

missile [ˈmɪsaɪl] n (AVIAT) mísil m; (object thrown) proyectil m.

missing [ˈmɪsɪŋ] a (pupil) ausente; (thing) perdido; (MIL) desaparecido; **to go ~** desaparecer.

mission [ˈmɪʃən] n misión f; **~ary** n misionero.

misspent [ˈmɪsˈspɛnt] a: **his ~ youth** su juventud disipada.

mist [mɪst] n (light) neblina; (heavy) niebla; (at sea) bruma // vi (also: ~ **over, ~ up**) empañarse.

mistake [mɪsˈteɪk] n error m // vt (irg: like take) entender mal, equivocarse sobre; **to ~ A for B** confundir A con B; **mistaken** a (idea etc) equivocado; **to be mistaken** equivocarse, engañarse.

mister [ˈmɪstə*] n (col) señor m; see **Mr.**

mistletoe [ˈmɪsltəu] n muérdago.

mistook [mɪsˈtuk] pt of **mistake.**

mistreat [mɪsˈtriːt] vt maltratar; **~ment** n maltrato.

mistress [ˈmɪstrɪs] n (lover) amante f; (of house) señora (de la casa); (in primary school) maestra; (in secondary school) profesora; see **Mrs.**

mistrust [mɪsˈtrʌst] vt desconfiar de, dudar de.

misty [ˈmɪstɪ] a nebuloso, brumoso; (day) de niebla; (glasses) empañado.

misunderstand [mɪsʌndəˈstænd] (irg: like understand) vt, vi entender mal; **~ing** n malentendido.

misuse [mɪsˈjuːs] n mal uso; (of power) abuso // vt [mɪsˈjuːz] abusar de; (funds) malversar.

mitigate [ˈmɪtɪgeɪt] vt mitigar.

mitre, miter (US) [ˈmaɪtə*] n mitra; (CARPENTRY) inglete m.

mitt(en) [ˈmɪt(n)] n mitón m.

mix [mɪks] vt (gen) mezclar; (combine) unir // vi mezclarse; (people) llevarse bien // n mezcla; **to ~ up** vt mezclar; (confuse) confundir; **~ed** a (assorted) variado, surtido; (school etc) mixto; **~ed-up** a (confused) confuso, revuelto; **~er** n (for food) licuadora; (person) persona sociable; **~ture** n mezcla; **~-up** n confusión f.

moan [məun] n gemido // vi gemir; (col: complain): **to ~ (about)** quejarse (de).

moat [məut] n foso.

mob [mɔb] n multitud f; (pej): **the ~** el populacho // vt acosar.

mobile [ˈməubaɪl] a móvil // n móvil m; **~ home** n caravana.

mobility [məuˈbɪlɪtɪ] n movilidad f.

mobilize [ˈməubɪlaɪz] vt movilizar.

moccasin [ˈmɔkəsɪn] n mocasín m.

mock [mɔk] vt (make ridiculous) ridiculizar; (laugh at) burlarse de // a fingido; **~ery** n burla; **~ing** a burlón(ona); **~-up** n maqueta.

mode [məud] n modo; (fashion) moda.

model [ˈmɔdl] n (gen) modelo; (ARCH) maqueta; (person: for fashion, ART) modelo m/f // a modelo // vt modelar // vi servir de modelo; **~ railway** ferrocarril m de juguete; **to ~ clothes** pasar modelos, ser modelo.

moderate [ˈmɔdərət] a, n moderado/a // (vb: [-reit]) vi moderarse, calmarse // vt moderar; **moderation** [-ˈreɪʃən] n moderación f.

modern [ˈmɔdən] a moderno; **~ize** vt modernizar.

modest [ˈmɔdɪst] a modesto; **~y** n modestia.

modicum [ˈmɔdɪkəm] n: **a ~ of** un mínimo de.

modification [mɔdɪfɪˈkeɪʃən] n modificación f; **modify** [ˈmɔdɪfaɪ] vt modificar.

modulation [mɔdjuˈleɪʃən] n modulación f.

mohair [ˈməuhɛə*] n moer m.

moist [mɔɪst] a húmedo; **~en** [ˈmɔɪsn] vt humedecer; **~ure** [ˈmɔɪstʃə*] n humedad f; **~urizer** [ˈmɔɪstʃəraɪzə*] n crema hidratante.

molar [ˈməulə*] n muela.

molasses [məuˈlæsɪz] n melaza.

mole [məul] n (animal) topo; (spot) lunar m.

molecule [ˈmɔlɪkjuːl] n molécula.

molehill [ˈməulhɪl] n topera.

molest [məuˈlɛst] vt importunar.

mollusc [ˈmɔləsk] n molusco.

mollycoddle [ˈmɔlɪkɔdl] vt mimar.

molten [ˈmɔltən] a fundido; (lava) líquido.

moment [ˈməumənt] n momento; **~ary** a momentáneo; **~ous** [-ˈmɛntəs] a trascendental, importante.

momentum [məuˈmɛntəm] n momento; (fig) ímpetu m; **to gather ~** cobrar velocidad.

monarch [ˈmɔnək] n monarca m/f; **~y** n monarquía.

monastery [ˈmɔnəstərɪ] n monasterio.

monastic [məˈnæstɪk] a monástico.

Monday [ˈmʌndɪ] n lunes m.

monetary [ˈmʌnɪtərɪ] a monetario.

money [ˈmʌnɪ] n dinero; **to make ~** ganar dinero; **~lender** n prestamista m/f; **~ order** n giro.

mongol [ˈmɔŋgəl] a, n (MED) mongólico.

mongrel [ˈmʌŋgrəl] n (dog) perro cruzado.

monitor [ˈmɔnɪtə*] n (SCOL) monitor m; (also: **television ~**) receptor m de control // vt controlar.

monk [mʌŋk] n monje m.

monkey [ˈmʌŋkɪ] n mono; **~ nut** n

cacahuete *m*; ~ **wrench** *n* llave *f* inglesa.
mono... [ˈmɔnɔu] *pref*: ~**chrome** *a* monocromo.
monocle [ˈmɔnɔkl] *n* monóculo.
monogram [ˈmɔnɔgræm] *n* monograma *m*.
monologue [ˈmɔnɔlɔg] *n* monólogo.
monopoly [məˈnɔpəlɪ] *n* monopolio.
monorail [ˈmɔnɔureɪl] *n* monorriel *m*.
monosyllabic [mɔnɔusɪˈlæbɪk] *a* monosilábico.
monotone [ˈmɔnɔtɔun] *n* monotonía; **to speak in a** ~ hablar en un solo tono.
monotonous [məˈnɔtənəs] *a* monótono; **monotony** [-nɪ] *n* monotonía.
monsoon [mɔnˈsuːn] *n* monzón *m/f*.
monster [ˈmɔnstə*] *n* monstruo.
monstrosity [mɔnsˈtrɔsɪtɪ] *n* monstruosidad *f*.
monstrous [ˈmɔnstrəs] *a* (*huge*) enorme; (*atrocious*) monstruoso.
montage [mɔnˈtɑːʒ] *n* montaje *m*.
month [mʌnθ] *n* mes *m*; ~**ly** *a* mensual // *ad* mensualmente // *n* (*magazine*) revista mensual.
monument [ˈmɔnjumənt] *n* monumento; ~**al** [-ˈmɛntl] *a* monumental.
moo [muː] *vi* mugir.
mood [muːd] *n* humor *m*; **to be in a good/bad** ~ estar de buen/mal humor; ~**y** *a* (*variable*) de humor variable; (*sullen*) melancólico.
moon [muːn] *n* luna; ~**beam** *n* rayo de luna; ~**light** *n* luz *f* de la luna; ~**lit** *a*: **a** ~**lit night** una noche de luna.
moor [muə*] *n* páramo // *vt* (*ship*) amarrar // *vi* echar las amarras.
Moor [muə*] *n* moro/a.
moorings [ˈmuərɪŋz] *npl* (*chains*) amarras *fpl*; (*place*) amarradero *sg*.
Moorish [ˈmuərɪʃ] *a* moro; (*architecture*) árabe, morisco.
moorland [ˈmuələnd] *n* páramo, brezal *m*.
moose [muːs] *n*, *pl inv* alce *m*.
mop [mɔp] *n* fregona; (*of hair*) greña, melena // *vt* fregar; **to** ~ **up** *vt* limpiar.
mope [mɔup] *vi* estar *o* andar deprimido.
moped [ˈmɔupɛd] *n* (*Brit*) ciclomotor *m*.
moral [ˈmɔrl] *a* moral // *n* moraleja; ~**s** *npl* moralidad *f*, moral *f*.
morale [mɔˈrɑːl] *n* moral *f*.
morality [mɔˈrælɪtɪ] *n* moralidad *f*.
morass [mɔˈræs] *n* pantano.
morbid [ˈmɔːbɪd] *a* (*depressed*) melancólico; (*MED*) mórbido; **don't be** ~! ¡no seas morboso!
more [mɔː*] *det, ad* más; **once** ~ otra vez, una vez más; **I want** ~ quiero más; ~ **dangerous than** más peligroso que; ~ **or less** más o menos; ~ **than ever** más que nunca.
moreover [mɔːˈrɔuvə*] *ad* además, por otra parte.
morgue [mɔːg] *n* depósito de cadáveres.
moribund [ˈmɔrɪbʌnd] *a* moribundo.
Mormon [ˈmɔːmən] *n* mormón/ona *m/f*.

morning [ˈmɔːnɪŋ] *n* (*gen*) mañana; (*early* ~) madrugada; **good** ~ buenas días; **in the** ~ por la mañana; **7 o'clock in the** ~ las 7 de la mañana; **tomorrow** ~ mañana por la mañana.
Moroccan [məˈrɔkən] *a, n* marroquí *m/f*.
Morocco [məˈrɔkəu] *n* Marruecos *m*.
moron [ˈmɔːrɔn] *n* imbécil *m/f*; ~**ic** [məˈrɔnɪk] *a* imbécil.
morose [məˈrəus] *a* hosco, malhumorado.
morphine [ˈmɔːfiːn] *n* morfina.
Morse [mɔːs] *n* (*also*: ~ **code**) (alfabeto) morse.
morsel [ˈmɔːsl] *n* (*of food*) bocado.
mortal [ˈmɔːtl] *a, n* mortal *m/f*; ~**ity** [-ˈtælɪtɪ] *n* mortalidad *f*.
mortar [ˈmɔːtə*] *n* argamasa; (*dish*) mortero.
mortgage [ˈmɔːgɪdʒ] *n* hipoteca // *vt* hipotecar.
mortify [ˈmɔːtɪfaɪ] *vt* mortificar, humillar.
mortuary [ˈmɔːtjuərɪ] *n* depósito de cadáveres.
mosaic [məuˈzeɪɪk] *n* mosaico.
Moscow [ˈmɔskəu] *n* Moscú *m*.
Moslem [ˈmɔzləm] *a, n* = **Muslim.**
mosque [mɔsk] *n* mezquita.
mosquito [mɔsˈkiːtəu] *pl* ~**es** *n* mosquito.
moss [mɔs] *n* musgo.
most [məust] *det* la mayor parte de, la mayoría de // *pron* la mayor parte, la mayoría // *ad* el más; (*very*) muy; **the** ~ (*also*: + *adjective*) el más; ~ **of them** la mayor parte de ellos; **I saw the** ~ yo vi el que más; **at the (very)** ~ a lo sumo, todo lo más; **to make the** ~ **of** aprovechar (al máximo); ~**ly** *ad* en su mayor parte, principalmente; **a** ~ **interesting book** un libro interesantísimo.
MOT *n abbr of* **Ministry of Transport: the** ~ **(test)** inspección (anual) obligatoria de coches y camiones.
motel [məuˈtɛl] *n* motel *m*.
moth [mɔθ] *n* mariposa nocturna; (*clothes* ~) polilla; ~**ball** *n* bola de naftalina; ~**-eaten** *a* apolillado.
mother [ˈmʌðə*] *n* madre *f* // *a* materno // *vt* (*care for*) cuidar (como a una madre); ~**hood** *n* maternidad *f*; ~**-in-law** *n* suegra; ~**ly** *a* maternal; ~**-of-pearl** *n* nácar *m*; ~**-to-be** *n* futura madre; ~ **tongue** *n* lengua materna.
motif [məuˈtiːf] *n* motivo; (*theme*) tema *m*.
motion [ˈməuʃən] *n* movimiento; (*gesture*) ademán *m*, señal *f*; (*at meeting*) moción *f* // *vt, vi*: **to** ~ **(to) sb to do sth** hacer señas a uno para que haga algo; ~**less** *a* inmóvil; ~**picture** *n* película.
motivated [ˈməutɪveɪtɪd] *a* motivado; **motivation** [-ˈveɪʃən] *n* motivación *f*.
motive [ˈməutɪv] *n* motivo // *a* motor (*f*: motora, motriz).
motley [ˈmɔtlɪ] *a* variado.
motor [ˈməutə*] *n* motor *m*; (*col: vehicle*) coche *m*, automóvil *m* // *a* motor (*f*:

motora, motriz); ~**bike** n moto f; ~**boat** n lancha motora; ~**car** n coche m, automóvil m; ~**cycle** n motocicleta; ~**cyclist** n motorista m/f; ~**ing** n automovilismo; ~**ist** n conductor/a m/f, automovilista m/f; ~ **oil** n aceite m de coche; ~ **racing** n carreras fpl de coches, automovilismo; ~ **scooter** n moto f; ~ **vehicle** n automóvil m; ~**way** n (Brit) autopista.

mottled ['mɔtld] a abigarrado, multicolor.

motto ['mɔtəu], pl ~**es** n lema m; (watchword) consigna.

mould, mold (US) [məuld] n molde m; (mildew) moho // vt moldear; (fig) formar; ~**er** vi (decay) decaer; ~**ing** n moldura; ~**y** a enmohecido.

moult, molt (US) [məult] vi mudar (la piel/la pluma).

mound [maund] n montón m, montículo.

mount [maunt] n monte m; (horse) montura; (for jewel etc) engaste m; (for picture) marco // vt montar, subir a // vi (also: ~ **up**) subirse, montarse.

mountain ['mauntɪn] n montaña // cpd de montaña; ~**eer** [-'nɪə*] n alpinista m/f, montañero/a; ~**eering** [-'nɪərɪŋ] n alpinismo, montañismo; **to go** ~**eering** hacer alpinismo; ~**ous** a montañoso; ~**side** n ladera de la montaña.

mourn [mɔːn] vt llorar, lamentar // vi: **to** ~ **for** llorar la muerte de, lamentarse por; ~**er** n pariente m/f/amigo del difunto; ~**ful** a triste, lúgubre; ~**ing** n luto // cpd (dress) de luto; **in** ~**ing** de luto.

mouse [maus], pl **mice** n ratón m; ~**trap** n ratonera.

moustache [məs'tɑːʃ] n bigote m.

mousy ['mausɪ] a (person) tímido; (hair) pardusco.

mouth [mauθ], pl ~**s** [-ðz] n boca; (of river) desembocadura; ~**ful** n bocado; ~ **organ** n armónica; ~**piece** n (of musical instrument) boquilla; (spokesman) portavoz m; ~ **wash** n enjuague m; ~-**watering** a apetitoso.

movable ['muːvəbl] a movible.

move [muːv] n (movement) movimiento; (in game) jugada; (: turn to play) turno; (change of house) mudanza // vt mover; (emotionally) conmover; (POL: resolution etc) proponer // vi (gen) moverse; (traffic) circular; (also: ~ **house**) trasladarse, mudarse; **to** ~ **sb to do sth** mover a uno a hacer algo; **to get a** ~ **on** darse prisa; **to** ~ **about** vi ir de acá para allá; (travel) viajar; **to** ~ **along** vi avanzar, adelantarse; **to** ~ **away** vi alejarse; **to** ~ **back** vi retroceder; **to** ~ **forward** vi avanzar // vt adelantar; **to** ~ **in** vi (to a house) instalarse (en una casa); **to** ~ **on** vi ponerse en camino; **to** ~ **out** vi (of house) abandonar (una casa); **to** ~ **up** vi subir; (employee) ser ascendido.

movement ['muːvmənt] n movimiento; (TECH) mecanismo.

movie ['muːvɪ] n película; **to go to the** ~**s** ir al cine; ~ **camera** n cámara cinematográfica.

moving ['muːvɪŋ] a (emotional) conmovedor(a); (that moves) móvil.

mow [məu], pt **mowed**, pp **mowed** or **mown** vt (grass) cortar; (corn: also: ~ **down**) segar; ~**er** n segadora; (for lawn) cortacéspedes m inv.

M.P. n abbr of **Member of Parliament**.

m.p.h. abbr of **miles per hour**.

Mr ['mɪstə*] n: ~ **Smith** (el) Sr. Smith.

Mrs ['mɪsɪz] n: ~ **Smith** (la) Sra. Smith.

Ms [mɪz] n = **Miss** or **Mrs**: ~ **Smith** (la) Sa. Smith.

M.Sc. abbr of **Master of Science**.

much [mʌtʃ] det mucho // ad, n or pron mucho; (before pp) muy; **how** ~ **is it?** ¿cuánto es?, ¿cuánto cuesta?; **too** ~ demasiado; **it's not** ~ no es mucho; **as** ~ **as** tanto como; **however** ~ **he tries** por mucho que se esfuerce.

muck [mʌk] n (dirt) suciedad f; (fig) porquería; **to** ~ **about** vi (col) perder el tiempo; (enjoy o.s.) entretenerse; **to** ~ **up** vt (col: ruin) arruinar, estropear; ~**y** a (dirty) sucio.

mucus ['mjuːkəs] n moco.

mud [mʌd] n barro, lodo.

muddle ['mʌdl] n desorden m, confusión f; (mix-up) embrollo, lío // vt (also: ~ **up**) embrollar, confundir; **to** ~ **through** vi salir del paso sin saber cómo.

mud: ~**dy** a fangoso, cubierto de lodo; ~**guard** n guardabarros m inv; ~**pack** n mascarilla (de belleza); ~-**slinging** n injurias fpl, difamación f.

muff [mʌf] n manguito // vt (chance) desperdiciar; (lines) estropear.

muffin ['mʌfɪn] n mollete m.

muffle ['mʌfl] vt (sound) amortiguar; (against cold) embozar; ~**d** a sordo, apagado.

mufti ['mʌftɪ] n: **in** ~ vestido de paisano.

mug [mʌg] n (cup) taza (alta, sin platillo); (: for beer) jarra; (col: face) jeta; (: fool) bobo // vt (assault) asaltar; ~**ging** n asalto.

muggy ['mʌgɪ] a bochornoso.

mule [mjuːl] n mula.

mull [mʌl]: **to** ~ **over** vt meditar sobre.

mulled [mʌld] a: ~ **wine** vino calentado y con especias.

multi... [mʌltɪ] pref multi...; ~**coloured**, ~**colored** (US) a multicolor.

multifarious [mʌltɪ'feərɪəs] a múltiple.

multiple ['mʌltɪpl] a, n múltiplo; ~ **sclerosis** n esclerosis f múltiple; ~ **store** n (cadena de) grandes almacenes.

multiplication [mʌltɪplɪ'keɪʃən] n multiplicación f; **multiply** ['mʌltɪplaɪ] vt multiplicar // vi multiplicarse.

multitude ['mʌltɪtjuːd] n multitud f.

mum [mʌm] n mamá // a: **to keep** ~ callarse.

mumble ['mʌmbl] *vt, vi* hablar entre dientes, refunfuñar.

mummy ['mʌmɪ] *n* (*mother*) mamá; (*embalmed*) momia.

mumps [mʌmps] *n* paperas *fpl.*

munch [mʌntʃ] *vt, vi* mascar.

mundane [mʌn'deɪn] *a* mundano.

municipal [mju:'nɪsɪpl] *a* municipal; ~**ity** [-'pælɪtɪ] *n* municipio.

munitions [mju:'nɪʃənz] *npl* municiones *fpl.*

mural ['mjuərl] *n* (pintura) mural *m.*

murder ['mɔ:də*] *n* asesinato; (*in law*) homicidio // *vt* asesinar, matar; (*spoil*) estropear; ~**er** *n* asesino; ~**ess** *n* asesina; ~**ous** *a* homicida.

murky ['mɔ:kɪ] *a* oscuro; (*fig*) tenebroso.

murmur ['mɔ:mə*] *n* murmullo // *vt, vi* murmurar.

muscle ['mʌsl] *n* músculo; (*fig: strength*) fuerza (muscular); **to** ~ **in** *vi* introducirse por fuerza; **muscular** ['muskjulə*] *a* muscular; (*person*) musculoso.

muse [mju:z] *vi* meditar // *n* musa.

museum [mju:'zɪəm] *n* museo.

mushroom ['mʌʃrum] *n* (*gen*) seta, hongo; (*food*) champiñón *m* // *vi* (*fig*) crecer de la noche a la mañana.

mushy ['mʌʃɪ] *a* triturado; (*pej*) sensiblero.

music ['mju:zɪk] *n* música; ~**al** *a* melodioso; (*person*) musical // *n* (*show*) (comedia) musical; ~**al instrument** *n* instrumento musical; ~ **hall** *n* teatro de variedades; ~**ian** [-'zɪʃən] *n* músico/a.

musket ['mʌskɪt] *n* mosquete *m.*

Muslim ['mʌzlɪm] *a, n* musulmán/ana *m/f.*

muslin ['mʌzlɪn] *n* muselina.

mussel ['mʌsl] *n* mejillón *m.*

must [mʌst] *auxiliary vb* (*obligation*): **I** ~ **do it** debo hacerlo, tengo que hacerlo; (*probability*): **he** ~ **be there by now** ya debe estar allí // *n* necesidad *f*; **it's a** ~ es imprescindible.

mustard ['mʌstəd] *n* mostaza.

muster ['mʌstə*] *vt* juntar, reunir.

mustn't ['mʌsnt] = **must not.**

musty ['mʌstɪ] *a* mohoso, que huele a humedad.

mute [mju:t] *a, n* mudo/a.

muted ['mju:tɪd] *a* callado; (*MUS*) apagado.

mutilate ['mju:tɪleɪt] *vt* mutilar; **mutilation** [-'leɪʃən] *n* mutilación *f.*

mutinous ['mju:tɪnəs] *a* (*troops*) amotinado; (*attitude*) rebelde.

mutiny ['mju:tɪnɪ] *n* motín *m* // *vi* amotinarse.

mutter ['mʌtə*] *vt, vi* murmurar, hablar entre dientes.

mutton ['mʌtn] *n* carne *f* de cordero.

mutual ['mju:tʃuəl] *a* mutuo; (*gen: shared*) común; ~**ly** *ad* mutuamente.

muzzle ['mʌzl] *n* hocico; (*protective device*) bozal *m*; (*of gun*) boca // *vt* amordazar; (*dog*) poner un bozal a.

my [maɪ] *a* mi // *interj*: ~**!** ¡caramba!

mynah bird ['maɪnə*] *n* mainat *m.*

myopic [maɪ'ɔpɪk] *a* miope.

myself [maɪ'self] *pron* (*reflexive*) me; (*emphatic*) yo mismo; (*after prep*) mí (mismo).

mysterious [mɪs'tɪərɪəs] *a* misterioso; **mystery** ['mɪstərɪ] *n* misterio.

mystic ['mɪs'ɪk] *a, n* místico/a; ~**al** *a* místico.

mystify ['mɪstɪfaɪ] *vt* (*perplex*) dejar perplejo; (*disconcert*) desconcertar.

myth [mɪθ] *n* mito; ~**ical** *a* mítico; ~**ological** [mɪθə'lɔdʒɪkl] *a* mitológico; ~**ology** [mɪ'θɔlədʒɪ] *n* mitología.

N

nab [næb] *vt* (*col: grab*) coger; (: *catch out*) pillar.

nag [næg] *n* (*pej: horse*) rocín *m* // *vt* (*scold*) regañar; (*annoy*) fastidiar; ~**ging** *a* (*doubt*) persistente; (*pain*) continuo // *n* quejas *fpl.*

nail [neɪl] *n* (*human*) uña; (*metal*) clavo // *vt* clavar; (*fig: catch*) coger, pillar; **to** ~ **sb down to doing sth** comprometer a uno a que haga algo; ~**brush** *n* cepillo para las uñas; ~**file** *n* lima para las uñas; ~ **polish** *n* esmalte *m* o laca para las uñas; ~ **scissors** *npl* tijeras *fpl* para las uñas.

naïve [naɪ'i:v] *a* ingenuo; (*simple*) sencillo.

naked ['neɪkɪd] *a* (*nude*) desnudo; (*fig*) inerme, indefenso; (*flame*) expuesto al aire; ~**ness** *n* desnudez *f.*

name [neɪm] *n* (*gen*) nombre *m*; (*surname*) apellido; (*reputation*) fama, renombre *m* // *vt* (*child*) poner nombre a; (*criminal*) dar el nombre de; (*appoint*) nombrar; **by** ~ de nombre; **maiden** ~ nombre de soltera; **in the** ~ **of** en nombre de; **what's your** ~? ¿cómo se llama?; **to give one's** ~ **and address** dar las señas; ~**less** *a* anónimo, sin nombre; ~**ly** *ad* a saber; ~**sake** *n* tocayo/a.

nanny ['nænɪ] *n* niñera; ~ **goat** *n* cabra.

nap [næp] *n* (*sleep*) sueñecito, siesta.

napalm ['neɪpɑ:m] *n* nápalm *m.*

nape [neɪp] *n*: **the** ~ **of the neck** la nuca, el cogote.

napkin ['næpkɪn] *n* (*also*: **table** ~) servilleta; (*Brit: for baby*) pañal *m.*

nappy ['næpɪ] *n* pañal *m*; ~ **liner** *n* gasa; ~ **rash** *n* prurito.

narcissus [nɑ:'sɪsəs] *pl* ~**si** [-saɪ] *n* narciso.

narcotic [nɑ:'kɔtɪk] *a, n* narcótico.

narrate [nə'reɪt] *vt* narrar, contar; **narrative** ['nærətɪv] *n* narrativa // *a* narrativo; **narrator** *n* narrador/a *m/f.*

narrow ['nærəu] *a* estrecho, angosto; (*fig*) de miras estrechas, intolerante // *vi* estrecharse, angostarse; (*diminish*) reducirse; **to** ~ **down the possibilities** reducir las posibilidades a; ~**ly** *ad* (*miss*) por poco; ~-**minded** *a* de miras estrechas.

nasal ['neɪzl] *a* nasal.

nastiness ['nɑ:stɪnɪs] *n* (*malice*)

malevolencia; (*rudeness*) grosería.

nasty ['nɑ:stɪ] *a* (*unpleasant: remark*) feo, horrible; (: *person*) antipático; (*malicious*) rencoroso; (*rude*) grosero; (*revolting: taste, smell*) asqueroso, repugnante; (*wound, disease etc*) peligroso, grave.

nation ['neɪʃən] *n* nación *f*.

national ['næʃənl] *a, n* nacional *m/f*; ~**ism** *n* nacionalismo; ~**ist** *a, n* nacionalista *m/f*; ~**ity** [-'nælɪtɪ] *n* nacionalidad *f*; ~**ization** [-aɪ'zeɪʃən] *n* nacionalización *f*; ~**ize** *vt* nacionalizar; ~**ly** *ad* (*nationwide*) en escala nacional; (*as a nation*) nacionalmente, como nación.

nationwide ['neɪʃənwaɪd] *a* en escala *o* a nivel nacional.

native ['neɪtɪv] *n* (*local inhabitant*) natural *m/f*, nacional *m/f*; (*in colonies*) indígena *m/f*, nativo/a // *a* (*indigenous*) indígena; (*of one's birth*) natal; (*innate*) natural, innato.

NATO ['neɪtəu] *n abbr of* **North Atlantic Treaty Organization** OTAN (Organización del Tratado del Atlántico del Norte).

natter ['nætə*] *vi* charlar.

natural ['nætʃrəl] *a* natural; (*unaffected: manner*) inafectado, sin afectación; ~**ist** *n* naturalista *m/f*; ~**ized** *vt*: **to become** ~**ized** (*person*) naturalizarse; (*plant*) aclimatarse; ~**ly** *ad* naturalmente; (*of course*) desde luego, por supuesto; (*instinctively*) por instinto, por naturaleza; ~**ness** *n* naturalidad *f*.

nature ['neɪtʃə*] *n* naturaleza; (*group, sort*) género, clase *f*; (*character*) carácter *m*, genio; **by** ~ por *o* de naturaleza.

naughty ['nɔ:tɪ] *a* (*child*) travieso; (*story, film*) verde, escabroso.

nausea ['nɔ:sɪə] *n* náusea; **nauseate** [-sɪeɪt] *vt* dar náuseas a; (*fig*) dar asco a; **nauseating** [-sɪeɪtɪŋ] *a* nauseabundo; (*fig*) asqueroso.

nautical ['nɔ:tɪkl] *a* náutico, marítimo; (*mile*) marino.

naval ['neɪvl] *a* naval, de marina; ~ **officer** *n* oficial *m/f* de marina.

nave [neɪv] *n* nave *f*.

navel ['neɪvl] *n* ombligo.

navigable ['nævɪgəbl] *a* navegable.

navigate ['nævɪgeɪt] *vt* (*guide*) gobernar; (*sail along*) navegar por; (*fig*) guiar // *vi* navegar; **navigation** [-'geɪʃən] *n* (*action*) navegación *f*; (*science*) náutica; **navigator** *n* navegador/a *m/f*, navegante *m/f*.

navvy ['nævɪ] *n* peón *m* caminero.

navy ['neɪvɪ] *n* marina de guerra; (*ships*) armada, flota; ~(-**blue**) *a* azul marino.

Nazi ['nɑ:tsɪ] *n* nazi *m/f*; **nazism** *n* nazismo.

neap tide [ni:p-] *n* marea muerta.

near [nɪə*] *a* (*place*) cercano, vecino; (*time*) próximo; (*relation*) estrecho, íntimo // *ad* cerca // *prep* (*also*: ~ **to**) (*space*) cerca de, junto a; (*time*) cerca de, casi // *vt* acercarse a, aproximarse a; ~**by**

[nɪə'baɪ] *a* cercano, próximo // *ad* cerca; **N**~ **East** *n* Cercano Oriente *m*; ~**ly** *ad* casi, por poco; **I** ~**ly fell** por poco me caigo; ~ **miss** *n* tiro cercano; ~**ness** *n* proximidad *f*, cercanía; (*relationship*) intimidad *f*; ~**side** *n* (AUT. *in Britain*) lado izquierdo; (: *in Spain*) lado derecho; ~-**sighted** *a* miope, corto de vista.

neat [ni:t] *a* (*place*) bien arreglado *o* cuidado; (*person*) pulcro, esmerado; (*skilful*) diestro; (: *plan*) hábil, ingenioso; (*spirits*) solo.

nebulous ['nɛbjuləs] *a* nebuloso; (*fig*) vago, confuso.

necessarily ['nɛsɪsrɪlɪ] *ad* necesariamente.

necessary ['nɛsɪsrɪ] *a* necesario, preciso; **he did all that was** ~ hizo todo lo necesario.

necessitate [nɪ'sɛsɪteɪt] *vt* necesitar, exigir.

necessity [nɪ'sɛsɪtɪ] *n* (*thing needed*) necesidad *f*, requisito; (*compelling circumstances*) la necesidad; **necessities** *npl* artículos *mpl* de primera necesidad.

neck [nɛk] *n* (ANAT) cuello; (*of animal*) pescuezo // *vi* besuquearse, abrazarse; ~ **and** ~ parejos; **to stick one's** ~ **out** arriesgarse.

necklace ['nɛklɪs] *n* collar *m*.

neckline ['nɛklaɪn] *n* escote *m*.

necktie ['nɛktaɪ] *n* corbata.

née [neɪ] *a*: ~ **Scott** de soltera Scott.

need [ni:d] *n* (*lack*) escasez *f*, falta; (*necessity*) necesidad *f*; (*thing needed*) requisito, necesidad *f* // *vt* (*require*) necesitar; **I** ~ **to do it** tengo que *o* debo hacerlo, hay que hacerlo; **you don't** ~ **to go** no hace falta que vayas.

needle ['ni:dl] *n* aguja // *vt* (*fig: fam*) picar, fastidiar.

needless ['ni:dlɪs] *a* innecesario, inútil; ~ **to say** huelga decir que.

needlework ['ni:dlwə:k] *n* (*activity*) costura, labor *f* de aguja.

needy ['ni:dɪ] *a* necesitado.

negation [nɪ'geɪʃən] *n* negación *f*.

negative ['nɛgətɪv] *n* (PHOT) negativo; (*answer*) negativa // *a* negativo.

neglect [nɪ'glɛkt] *vt* (*one's duty*) faltar a, no cumplir con; (*child*) descuidar, desatender // *n* (*gen*) negligencia, abandono; (*personal*) dejadez *f*; (*of duty*) incumplimiento.

negligee ['nɛglɪʒeɪ] *n* (*nightdress*) salto de cama; (*housecoat*) bata.

negligence ['nɛglɪdʒəns] *n* negligencia, descuido; **negligent** [-ənt] *a* (*careless*) descuidado, negligente; (*forgetful*) olvidadizo.

negligible ['nɛglɪdʒɪbl] *a* insignificante, despreciable.

negotiable [nɪ'gəuʃɪəbl] *a* (*cheque*) negociable; (*road*) transitable.

negotiate [nɪ'gəuʃɪeɪt] *vi* negociar // *vt* (*treaty*) negociar; (*transaction*) gestionar, tramitar; (*obstacle*) franquear;

negotiation [-'eɪʃən] n negociación f, gestión f; **negotiator** n negociador/a m/f.

Negress ['niːgrɪs] n negra.

Negro ['niːgrəu] a, n negro.

neigh [neɪ] n relincho // vi relinchar.

neighbour, neighbor (US) ['neɪbə*] n vecino/a; ~**hood** n (place) vecindad f, barrio; (people) vecindario; ~**ing** a vecino; ~**ly** a amistoso, de buen vecino.

neither ['naɪðə*] a ni // conj: **I didn't move and** ~ **did John** no me he movido, ni Juan tampoco // pron ninguno // ad: ~ **good nor bad** ni bueno ni malo.

neo... [niːəu] pref neo-.

neon ['niːɔn] n neón m; ~ **light** n lámpara de neón.

nephew ['nɛvjuː] n sobrino.

nerve [nɔːv] n (ANAT) nervio; (courage) valor m; (impudence) descaro, frescura; ~-**racking** a que crispa los nervios; ~**s** npl (fig: anxiety) nerviosidad f, nerviosismo.

nervous ['nɔːvəs] a (anxious, ANAT) nervioso; (timid) tímido, miedoso; ~ **breakdown** n crisis f nerviosa; ~**ly** ad nerviosamente; tímidamente; ~**ness** n nerviosidad f, nerviosismo; timidez f.

nest [nɛst] n (of bird) nido; (of wasp) avispero // vi anidar.

nestle ['nɛsl] vi: **to** ~ **up to sb** arrimarse a uno.

net [nɛt] n (gen) red f; (fig) trampa // a (COMM) neto, líquido // vt coger con red; (SPORT) marcar; ~**ball** n básquet m.

Netherlands ['nɛðələndz] npl: **the** ~ los Países Bajos.

nett [nɛt] a = **net.**

netting ['nɛtɪŋ] n red f, redes fpl.

nettle ['nɛtl] n ortiga.

network ['nɛtwɔːk] n red f.

neurosis [njuə'rəusɪs] pl -ses [-siːz] n neurosis f; **neurotic** [-'rɔtɪk] a, n neurótico/a.

neuter ['njuːtə*] a (sexless) castrado, sin sexo; (LING) neutro // vt castrar, capar.

neutral ['njuːtrəl] a (person) neutral; (colour etc, ELEC) neutro // n (AUT) punto muerto; ~**ity** [-'træliti] n neutralidad f.

neutron ['njuːtrɔn] n neutrón m; ~ **bomb** n bomba de neutrones.

never ['nɛvə*] ad nunca, jamás; **I** ~ **went** no fui nunca; ~ **in my life** jamás en la vida; ~-**ending** a interminable, sin fin; ~**theless** [nɛvəðə'lɛs] ad sin embargo, no obstante.

new [njuː] a (brand ~) nuevo; (recent) reciente; (different) nuevo, distinto; (inexperienced) tierno, nuevo; ~**born** a recién nacido; ~**comer** ['njuːkʌmə*] n recién venido o llegado; ~**ly** ad nuevamente, recién; ~ **moon** n luna nueva; ~**ness** n novedad f; (fig) inexperiencia f.

news [njuːz] n noticias fpl; **a piece of** ~ una noticia; **the** ~ (RADIO, TV) las noticias fpl, telediario; ~ **agency** n agencia de noticias; ~**agent** n vendedor/a m/f de periódicos; ~**caster** n presentador/a m/f

de noticias; ~ **flash** n noticia de última hora; ~**letter** n hoja informativa, boletín m; ~**paper** n periódico, diario; ~**reel** n noticiario; ~ **stand** n quiosco o puesto de periódicos.

New Year ['njuː'jɪə*] n Año Nuevo; ~**'s Day** n Día m de Año Nuevo; ~**'s Eve** n Nochevieja.

New York ['njuː'jɔːk] n Nueva York.

New Zealand [njuː'ziːlənd] n Nueva Zelanda.

next [nɛkst] a (in space) próximo, vecino; (in time) próximo, siguiente // ad (place) después; (time) después, luego; ~ **time** la próxima vez; ~ **year** el año próximo o que viene; ~ **door** ad en la casa de al lado // a vecino, de al lado; ~-**of-kin** n pariente(s) m(pl) cercano(s); ~ **to** prep junto a, al lado de.

N.H.S. n abbr of **National Health Service.**

nib [nɪb] n plumilla.

nibble ['nɪbl] vt mordisquear, mordiscar; (ZOOL) roer.

nice [naɪs] a (likeable) simpático, majo; (kind) amable; (pleasant) agradable; (attractive) bonito, mono; (subtle) fino, preciso; ~-**looking** a atractivo, guapo; ~**ly** ad amablemente, bien.

niche [niːʃ] n nicho.

nick [nɪk] n (wound) rasguño; (cut, indentation) mella, muesca // vt (col) birlar, robar; **in the** ~ **of time** a última hora.

nickel ['nɪkl] n níquel m.

nickname ['nɪkneɪm] n apodo, mote m // vt apodar.

nicotine ['nɪkətiːn] n nicotina.

niece [niːs] n sobrina.

Nigeria [naɪ'dʒɪərɪə] n Nigeria; ~**n** a, n nigeriano/a.

niggardly ['nɪgədlɪ] a (person) avaro, tacaño; (amount) miserable.

niggling ['nɪglɪŋ] a (trifling) nimio, insignificante; (annoying) molesto.

night [naɪt] n (gen) noche f; (evening) tarde f; **last** ~ anoche; **the** ~ **before last** anteanoche; **good** ~! ¡buenas noches!; **at** o **by** ~ de noche, por la noche; ~**cap** n (drink) resopón m; ~ **club** n cabaret m; ~**dress** n camisón m; ~**fall** n anochecer m; ~**ie** ['naɪtɪ] n camisón m.

nightingale ['naɪtɪŋgeɪl] n ruiseñor m.

nightly ['naɪtlɪ] a de noche, nocturno // ad todas las noches, cada noche.

night: ~**mare** n pesadilla; ~ **school** n clase(s) f(pl) nocturna(s); ~ **shift** n turno nocturno o de noche; ~-**time** n noche f; ~**watchman** n sereno.

nil [nɪl] n cero, nada.

nimble ['nɪmbl] a (agile) ágil, ligero; (skilful) diestro.

nine [naɪn] num nueve; ~**teen** num diecinueve, diez y nueve; ~**ty** num noventa.

ninth [naɪnθ] a noveno.

nip [nɪp] *vt* (*pinch*) pellizcar; (*bite*) morder // *n* (*drink*) trago, gota.

nipple ['nɪpl] *n* (ANAT) pezón *m*; (*of bottle*) tetilla; (TECH) boquilla, manguito.

nippy ['nɪpɪ] *a* (*person*) ágil, rápido; (*taste*) picante.

nitrate ['naɪtreɪt] *n* nitrato.

nitrogen ['naɪtrədʒən] *n* nitrógeno.

no [nəu] *ad* no // *a* ninguno, no ... alguno // *n* no.

nobility [nəu'bɪlɪtɪ] *n* nobleza.

noble ['nəubl] *a* (*person*) noble; (*title*) de nobleza; (*generous*) noble; ~ **man** *n* noble *m*, aristócrata *m*.

nobody ['nəubədɪ] *pron* nadie.

nod [nɔd] *vi* saludar con la cabeza; (*in agreement*) decir que sí con la cabeza; (*doze*) cabecear // *vt* inclinar // *n* inclinación *f* de cabeza; **to ~ off** *vi* cabecear.

noise [nɔɪz] *n* ruido; (*din*) escándalo, estrépito; **noisily** *ad* ruidosamente; **noisy** *a* (*gen*) ruidoso; (*child*) escandaloso.

nomad ['nəumæd] *n* nómada *m/f*; ~**ic** [-'mædɪk] *a* nómada.

nominal ['nɔmɪnl] *a* nominal.

nominate ['nɔmɪneɪt] *vt* (*propose*) proponer; (*appoint*) nombrar; **nomination** [-'neɪʃən] *n* propuesta; nombramiento.

nominee [nɔmɪ'niː] *n* candidato/a.

non... [nɔn] *pref* no, des..., in...; ~**alcoholic** *a* no alcohólico; ~**aligned** *a* no alineado; ~**committal** ['nɔnkə'mɪtl] *a* (*reserved*) reservado; (*uncommitted*) evasivo; ~**conformist** *a* no conformista; ~**descript** ['nɔndɪskrɪpt] *a* indeterminado; (*pej*) mediocre.

none [nʌn] *pron* (*person*) nadie; (*thing*) ninguno, nada // *a* de ninguna manera.

nonentity [nɔ'nɛntɪtɪ] *n* cero a la izquierda, nulidad *f*.

nonetheless [nʌnðə'lɛs] *ad* sin embargo, no obstante.

non: ~**-fiction** *n* literatura no novelesca; ~**plussed** *a* perplejo.

nonsense ['nɔnsəns] *n* tonterías *fpl*, disparates *fpl*.

non-stop ['nɔn'stɔp] *a* continuo; (RAIL) directo // *ad* sin parar.

noodles ['nuːdlz] *npl* tallarines *mpl*.

nook [nuk] *n* rincón *m*; ~**s and crannies** escondrijos *mpl*.

noon [nuːn] *n* mediodía *m*.

no-one ['nəuwʌn] *pron* = **nobody.**

noose [nuːs] *n* lazo corredizo; (*hangman's*) dogal *m*.

nor [nɔː*] *conj* = **neither** // *ad see* **neither.**

norm [nɔːm] *n* norma.

normal ['nɔːml] *a* (*usual*) normal; (*ordinary*) corriente, regular; ~**ly** *ad* normalmente.

north [nɔːθ] *n* norte *m* // *a* del norte, norteño // *ad* al *o* hacia el norte; **N~ America** *n* América del Norte; ~**east** *n* nor(d)este *m*; ~**ern** ['nɔːðən] *a* norteño,

del norte; **N~ern Ireland** *n* Irlanda del Norte; **N~ Pole** *n* Polo Norte; **N~ Sea** *n* Mar *m* del Norte; ~**ward(s)** ['nɔːθwəd(z)] *ad* hacia el norte; ~**-west** *n* nor(d)oeste *m*.

Norway ['nɔːweɪ] *n* Noruega; **Norwegian** [-'wiːdʒən] *a*, *n* noruego/a.

nose [nəuz] *n* (ANAT) nariz *f*; (ZOOL) hocico; (*sense of smell*) olfato // *vi*: **to ~ about** curiosear; ~**bleed** *n* hemorragia nasal; ~**-dive** *n* (*deliberate*) picado vertical; (*involuntary*) caída de narices; ~**y** *a* curioso, fisgón(ona).

nostalgia [nɔs'tældʒɪə] *n* nostalgia; **nostalgic** *a* nostálgico.

nostril ['nɔstrɪl] *n* ventana de la nariz; ~**s** *npl* narices *fpl*.

nosy ['nəuzɪ] *a* = **nosey.**

not [nɔt] *ad* no; ~ **at all** no ... en absoluto; ~ **that...** no es que...; ~ **yet** todavía no; ~ **now** ahora no; **why** ~? ¿por qué no?

notable ['nəutəbl] *a* notable.

notary ['nəutərɪ] *n* notario.

notch [nɔtʃ] *n* muesca, corte *m*.

note [nəut] *n* (MUS) nota; (*banknote*) billete *m*; (*letter*) nota, carta; (*record*) nota, apunte *m*; (*fame*) importancia, renombre *m*; (*tone*) tono // *vt* (*observe*) notar, observar; (*write down*) apuntar, anotar; ~**book** *n* libreta, cuaderno; ~**case** *n* cartera, billetero; ~**d** ['nəutɪd] *a* célebre, conocido; ~**paper** *n* papel *m* para cartas.

nothing ['nʌθɪŋ] *n* nada; (*zero*) cero; **for ~** (*free*) gratis, sin pago; (*in vain*) en balde.

notice ['nəutɪs] *n* (*announcement*) anuncio; (*attention*) atención *f*, interés *m*; (*warning*) aviso; (*dismissal*) despido; (*resignation*) dimisión *f*; (*period of time*) plazo // *vt* (*observe*) notar, observar; **to take ~ of** tomar nota de, prestar atención a; **at short ~** a corto plazo, con poco anticipación; **until further ~** hasta nuevo aviso; ~**able** *a* evidente, obvio; ~**board** *n* (*Brit*) tablón *m* de anuncios.

notification [nəutɪfɪ'keɪʃən] *n* aviso; **notify** ['nəutɪfaɪ] *vt* avisar, notificar.

notion ['nəuʃən] *n* noción *f*, concepto; (*opinion*) opinión *f*.

notorious [nəu'tɔːrɪəs] *a* notorio, célebre.

notwithstanding [nɔtwɪθ'stændɪŋ] *ad* no obstante, sin embargo; ~ **this** a pesar de esto.

nougat ['nuːgaː] *n* turrón *m*.

nought [nɔːt] *n* cero.

noun [naun] *n* nombre *m*, sustantivo.

nourish ['nʌrɪʃ] *vt* nutrir, alimentar; (*fig*) fomentar, nutrir; ~**ing** *a* nutritivo, rico; ~**ment** *n* alimento, sustento.

novel ['nɔvl] *n* novela // *a* (*new*) nuevo, original; (*unexpected*) insólito; ~**ist** *n* novelista *m/f*; ~**ty** *n* novedad *f*.

November [nəu'vɛmbə*] *n* noviembre *m*.

novice ['nɔvɪs] *n* principiante *m/f*, novato/a; (REL) novicio/a.

now [nau] *ad* (*at the present time*) ahora; (*these days*) actualmente, hoy día; **right**

~ ahora mismo; ~ **and then,** ~ **and again** de vez en cuando; **from** ~ **on** de ahora en adelante; ~ **adays** ['nauɔdeɪz] ad hoy (en) día, actualmente.

nowhere ['nɔuwɛɔ*] ad (direction) a ninguna parte; (location) en ninguna parte.

nozzle ['nɔzl] n (gen) boquilla; (TECH) tobera, inyector m.

nuance ['njuːɑːns] n matiz m.

nuclear ['njuːklɪɔ*] a nuclear.

nucleus ['njuːklɪɔs], pl -lei [-lɪaɪ] n núcleo.

nude [njuːd] a, n desnudo/a; **in the** ~ desnudo.

nudge [nʌdʒ] vt dar un codazo a.

nudist ['njuːdɪst] n nudista m/f.

nudity ['njuːdɪtɪ] n desnudez f.

nuisance ['njuːsns] n molestia, fastidio; (person) pesado, latoso; **what a** ~! ¡qué lata!

null [nʌl] a: ~ **and void** nulo y sin efecto; ~**ify** ['nʌlɪfaɪ] vt anular, invalidar.

numb [nʌm] a entumecido; (fig) insensible // vt entumecer, entorpecer.

number ['nʌmbɔ*] n número; (numeral) número, cifra // vt (pages etc) numerar, poner número a; (amount to) sumar, ascender a; **to be** ~**ed among** figurar entre; **a** ~ **of** varios, algunos; **they were ten in** ~ eran diez; ~ **plate** n placa de matrícula.

numbness ['nʌmnɪs] n entumecimiento; (fig) insensibilidad f.

numeral ['njuːmɔrɔl] n número, cifra.

numerical ['njuːˈmɛrɪkl] a numérico.

numerous ['njuːmɔrɔs] a numeroso, muchos.

nun [nʌn] n monja, religiosa.

nurse [nɔːs] n enfermero/a; (nanny) niñera // vt (patient) cuidar, atender; (baby) criar, amamantar; (fig) guardar; **wet** ~ nodriza.

nursery ['nɔːsɔrɪ] n (institution) guardería infantil; (room) cuarto de los niños; (for plants) criadero, semillero; ~ **rhyme** n canción f infantil; ~ **school** n parvulario, escuela de párvulos; ~ **slope** n (SKI) cuesta para principiantes.

nursing ['nɔːsɪŋ] n (profession) profesión f de enfermera; (care) asistencia, cuidado; ~ **home** n clínica de reposo.

nut [nʌt] n (TECH) tuerca; (BOT) nuez f; ~**s** a (col) loco; ~**case** n (col) loco/a, chalado/a; ~**crackers** npl cascanueces m inv; ~**meg** ['nʌtmɛg] n nuez f moscada.

nutrient ['njuːtrɪɔnt] n nutrimento.

nutrition [njuːˈtrɪʃɔn] n nutrición f, alimentación f; **nutritious** [-ʃɔs] a nutritivo, rico.

nutshell ['nʌtʃel] n cáscara de nuez; **in a** ~ en resumidas cuentas.

nylon ['naɪlɔn] n nilón m // a de nilón; ~**s** npl medias fpl (de nilón).

nymph [nɪmf] n ninfa.

O

oaf [ɔuf] n zoquete m.

oak [ɔuk] n roble m // a de roble.

O.A.P. abbr of **old-age pensioner.**

oar [ɔː*] n remo; **oarsman** n remero.

oasis [ɔuˈeɪsɪs], pl -**ses** [-siːz] n oasis m.

oath [ɔuθ] n juramento; (swear word) palabrota; **on** ~ bajo juramento.

oatmeal ['ɔutmiːl] n harina de avena.

oats [ɔuts] n avena.

obedience [ɔˈbiːdɪɔns] n obediencia; **in** ~ **to** de acuerdo con; **obedient** [-ɔnt] a obediente.

obesity [ɔuˈbiːsɪtɪ] n obesidad f.

obey [ɔˈbeɪ] vt obedecer; (instructions, regulations) cumplir.

obituary [ɔˈbɪtjuɔrɪ] n necrología.

object ['ɔbdʒɪkt] n (gen) objeto; (purpose) objeto, propósito; (LING) complemento // vi [ɔbˈdʒɛkt]: **to** ~ **to** (attitude) protestar contra; (proposal) oponerse a; **I** ~! ¡yo protesto!; ~**ion** [ɔbˈdʒɛkʃɔn] n protesta; **I have no** ~**ion to...;** no tengo inconveniente en que...; ~**ionable** [ɔb-ˈdʒɛkʃɔnɔbl] a (gen) desagradable; (conduct) censurable; ~**ive** a, n objetivo; ~**ivity** [ɔbdʒɪkˈtɪvɪtɪ] n objetividad f; ~**or** n objetor/a m/f.

obligation [ɔblɪˈgeɪʃɔn] n obligación f; (debt) deber m; **without** ~ sin compromiso.

obligatory [ɔˈblɪgɔtɔrɪ] a obligatorio.

oblige [ɔˈblaɪdʒ] vt (force): **to** ~ **sb to do sth** forzar o obligar a uno a hacer algo; (do a favour for) complacer, hacer un favor a; **I should be** ~**d if...** le agradecería que...; **obliging** a servicial, atento.

oblique [ɔˈbliːk] a oblicuo; (allusion) indirecto.

obliterate [ɔˈblɪtɔreɪt] vt borrar.

oblivion [ɔˈblɪvɪɔn] n olvido; **oblivious** [-ɪɔs] a: **oblivious of** inconsciente de.

oblong ['ɔblɔŋ] a rectangular // n rectángulo.

obnoxious [ɔbˈnɔkʃɔs] a odioso, detestable; (smell) nauseabundo.

oboe ['ɔubɔu] n oboe m.

obscene [ɔbˈsiːn] a obsceno; **obscenity** [-ˈsɛnɪtɪ] n obscenidad f.

obscure [ɔbˈskjuɔ*] a oscuro // vt oscurecer; (hide: sun) esconder; **obscurity** n oscuridad f.

obsequious [ɔbˈsiːkwɪɔs] a obsequioso.

observance [ɔbˈzɔːvns] n observancia, cumplimiento; (ritual) práctica.

observant [ɔbˈzɔːvnt] a observador(a).

observation [ɔbzɔˈveɪʃɔn] n observación f; (by police etc) vigilancia; (MED) examen m.

observatory [ɔbˈzɔːvɔtrɪ] n observatorio.

observe [ɔbˈzɔːv] vt (gen) observar; (rule) cumplir; **observer** n observador/a m/f.

obsess [ɔbˈsɛs] vt obsesionar; ~**ion** [ɔb-

'sɛʃən] n obsesión f, idea fija; ~ive a obsesivo, obsesionante.

obsolescence [ɔbsə'lɛsns] n caída en desuso; obsolete ['ɔbsəli:t] a (que está) en desuso.

obstacle ['ɔbstəkl] n obstáculo; (nuisance) estorbo; ~ race n carrera de obstáculos.

obstetrician [ɔbstə'trɪʃən] n obstétrico; obstetrics [-'stɛtrɪks] n obstetricia.

obstinate ['ɔbstɪnɪt] a terco, porfiado; (determined) tenaz.

obstruct [əb'strʌkt] vt (block) obstruir; (hinder) estorbar, obstaculizar; ~ion [əb-'strʌkʃən] n obstrucción f; estorbo, obstáculo.

obtain [əb'teɪn] vt (get) obtener; (achieve) conseguir; ~able a asequible.

obtrusive [əb'tru:sɪv] a (person) importuno, entrometido; (building etc) demasiado visible.

obvious ['ɔbvɪəs] a (clear) obvio, evidente; (unsubtle) poco sutil; ~ly ad evidentemente, naturalmente.

occasion [ə'keɪʒən] n (gen) oportunidad f, ocasión f; (reason) motivo; (time) ocasión f, vez f; (event) acontecimiento // vt ocasionar, causar; ~ally ad de vez en cuando.

occult [ɔ'kʌlt] a (gen) oculto.

occupant ['ɔkjupənt] n (of house) inquilino/a; (of car) ocupante m/f.

occupation [ɔkju'peɪʃən] n (of house) tenencia; (job) trabajo; (: calling) oficio; unfit for ~ (house) inhabitable; ~al hazard n riesgo profesional.

occupier ['ɔkjupaɪə*] n inquilino/a.

occupy ['ɔkjupaɪ] vt (gen) ocupar; (house) habitar, vivir en; (time) emplear, pasar; (attention) entretener; to ~ o.s. with or by doing (as job) dedicarse a hacer; (to pass time) pasar el tiempo haciendo.

occur [ə'kə:*] vi pasar, suceder; to ~ to sb ocurrírsele a uno; it ~s to me that... se me ocurre que...; ~rence n (event) acontecimiento; (existence) existencia.

ocean ['əuʃən] n océano; ~-going a de alta mar; ~ liner n transatlántico.

o'clock [ə'klɔk] ad: it is 5 ~ son las 5.

octagonal [ɔk'tægənl] a octagonal.

octane ['ɔkteɪn] n octano.

octave ['ɔktɪv] n octava.

October [ɔk'təubə*] n octubre m.

octopus ['ɔktəpəs] n pulpo.

odd [ɔd] a (strange) extraño, raro; (number) impar; (left over) sobrante, suelto; 60-~ 60 y pico; at ~ times de vez en cuando; to be the ~ one out estar de más; ~ity n rareza; (person) excéntrico; ~-job man n hombre m que hace de todo; ~ jobs npl bricolaje m; ~ly ad curiosamente, extrañamente; ~ments npl (COMM) retales mpl; ~s npl (in betting) puntos mpl de ventaja; it makes no ~s no importa, lo mismo da; at ~s reñidos(as).

ode [əud] n oda.

odious ['əudɪəs] a odioso.

odour, odor (US) ['əudə*] n olor m; (perfume) perfume m; ~less a inodoro.

of [ɔv, əv] prep de; a friend ~ ours un amigo nuestro; 3 ~ them 3 de ellos; the 5th ~ July el 5 de julio; a boy ~ 10 un niño de 10 años; made ~ wood hecho de madera.

off [ɔf] a, ad (engine) desconectado; (light) apagado; (tap) cerrado; (food: bad) pasado, malo; (milk) cortado; (cancelled) anulado // prep de; to be ~ (to leave) irse, marcharse; to be 5 km ~ estar a 5 kilómetros; a day ~ un día libre o sin trabajar; to have an ~ day tener un día malo; he had his coat ~ se había quitado el abrigo; 10% ~ (COMM) (con el) 10% de descuento; 5 km ~ (the road) a 5 km (de la carretera); ~ the coast frente a la costa; on the ~ chance por si acaso.

offal ['ɔfl] n (CULIN) menudencias fpl.

off-colour ['ɔf'kʌlə*] a (ill) indispuesto.

offence, offense (US) [ə'fɛns] n (crime) delito; (insult) ofensa; to take ~ at ofenderse por.

offend [ə'fɛnd] vt (person) ofender; ~er n delincuente m/f; (against regulations) infractor/a m/f.

offensive [ə'fɛnsɪv] a ofensivo; (smell etc) repugnante // n (MIL) ofensiva.

offer ['ɔfə*] n (gen) oferta, ofrecimiento; (proposal) propuesta // vt ofrecer; (opportunity) facilitar; 'on ~' (COMM) 'en oferta'; ~ing n ofrenda; ~tory n (REL) ofertorio.

offhand [ɔf'hænd] a informal // ad de improviso.

office ['ɔfɪs] n (place) oficina; (room) despacho; (position) carga, oficio; to take ~ entrar en funciones; ~ block n bloque m de oficinas; ~ boy n mozo (de oficina); officer n (MIL etc) oficial m; (of organization) director m; (also: police officer) agente m/f de policía; ~ worker n oficinista m/f.

official [ə'fɪʃl] a (authorized) oficial, autorizado // n funcionario, oficial m; ~dom n burocracia.

officious [ə'fɪʃəs] a oficioso.

offing ['ɔfɪŋ] n: in the ~ (fig) en perspectiva.

off: ~-licence n (Brit: shop) bodega, tienda de vinos y bebidas alcohólicas; ~-peak a de temporada de poca actividad; ~-putting a que desanima; ~-season a, ad fuera de temporada.

offset ['ɔfsɛt] (irg: like set) vt (counteract) contrarrestar, compensar // n (also: ~ printing) offset m.

offshore [ɔf'ʃɔ:*] a (que está) cerca de la costa.

offside [ɔf'saɪd] a (SPORT) fuera de juego.

offspring ['ɔfsprɪŋ] n descendencia, descendientes mpl or pl.

off: ~stage ad entre bastidores; ~-the-peg ad confeccionado; ~-white a blanco grisáceo.

often ['ɔfn] ad a menudo, con frecuencia.

ogle ['əʊgl] *vt* echar miradas a.

oil [ɔɪl] *n* aceite *m*; (*petroleum*) petróleo // *vt* (*machine*) engrasar; ~**can** *n* lata de aceite; ~**field** *n* campo petrolífero; ~-**fired** *a* que quema aceite combustible; ~ **painting** *n* pintura de óleo; ~ **refinery** *n* refinería de petróleo; ~ **rig** *n* torre *f* de perforación; ~**skins** *npl* impermeables *mpl* de hule, chubasquero *sg*; ~ **tanker** *n* petrolero; ~ **well** *n* pozo (de petróleo); ~**y** *a* aceitoso; (*food*) grasiento.

ointment ['ɔɪntmənt] *n* ungüento.

O.K., okay ['əʊ'keɪ] *excl* O.K., ¡está bien!, ¡vale! // *a* bien // *vt* dar el visto bueno a.

old [əʊld] *a* viejo; (*former*) antiguo; **how ~ are you?** ¿cuántos años tienes?, ¿qué edad tienes?; **he's 10 years ~** tiene 10 años; ~**er brother** hermano mayor; ~ **age** *n* la vejez; ~-**age pensioner (O.A.P.)** *n* jubilado/a; ~-**fashioned** *a* anticuado, pasado de moda.

olive ['ɔlɪv] *n* (*fruit*) aceituna; (*tree*) olivo // *a* (*also:* ~-**green**) verde oliva; ~ **oil** *n* aceite *m* de oliva.

Olympic [əʊ'lɪmpɪk] *a* olímpico; **the ~ Games, the ~s** los Juegos Olímpicos.

omelet(te) ['ɔmlɪt] *n* tortilla (de huevo).

omen ['əʊmən] *n* presagio.

ominous ['ɔmɪnəs] *a* de mal agüero, amenazador(a).

omission [əʊ'mɪʃən] *n* omisión *f*; (*error*) descuido.

omit [əʊ'mɪt] *vt* omitir; (*by mistake*) olvidar, descuidar.

on [ɔn] *prep* en, sobre // *ad* (*machine*) conectado; (*light, radio*) encendido; (*tap*) abierto; **is the meeting still ~?** ¿todavía hay reunión?; **when is this film ~?** ¿cuándo van a poner esta película?; ~ **the wall** en la pared, colgado de la pared; ~ **television** en la televisión; ~ **horseback** a caballo; ~ **seeing this** al ver esto; ~ **arrival** al llegar; **the left** a la izquierda; ~ **Friday** el viernes; **a week** ~ **Friday** el viernes en ocho días; **to have one's coat** ~ tener el abrigo puesto; **to go** ~ seguir adelante; **it's not ~!** ¡eso no se hace!

once [wʌns] *ad* una vez; (*formerly*) antiguamente // *conj* una vez que; **at ~** en seguida, inmediatamente; (*simultaneously*) a la vez; ~ **a week** una vez por semana; ~ **more** otra vez; ~ **and for all** de una vez por todas; ~ **upon a time** érase una vez.

oncoming ['ɔnkʌmɪŋ] *a* (*traffic*) que viene de frente.

one [wʌn] *det, num* un, uno, una // *pron* uno; (*impersonal*) se // *a* (*sole*) único; (*same*) mismo; **this ~** éste/a; **that ~** ése/a, aquél/aquella; ~ **by ~** uno por uno; ~ **never knows** nunca se sabe; ~ **another** el uno al otro; ~-**man** *a* (*business*) individual; ~-**man band** *n* un hombre-orquesta; ~**self** *pron* uno mismo; (*after*

prep, also emphatic) sí (mismo/a); '~-**way**' 'dirección única'.

ongoing ['ɔngəʊɪŋ] *a* continuo.

onion ['ʌnjən] *n* cebolla.

onlooker ['ɔnlʊkə*] *n* espectador/a *m/f*.

only ['əʊnlɪ] *ad* solamente, sólo // *a* único, solo // *conj* solamente que, pero; **an ~ child** un hijo único; **not ~ ... but also...** no sólo ... sino también... .

onset ['ɔnsɛt] *n* (*beginning*) comienzo; (*attack*) ataque *m*.

onslaught ['ɔnslɔːt] *n* ataque *m*, embestida.

onto ['ɔntʊ] *prep* = **on to**.

onus ['əʊnəs] *n* responsabilidad *f*.

onward(s) ['ɔnwəd(z)] *ad* (*move*) (hacia) adelante; **from this time ~** de ahora en adelante.

onyx ['ɔnɪks] *n* ónice *m*, onyx *m*.

ooze [uːz] *vi* rezumar.

opal ['əʊpl] *n* ópalo.

opaque [əʊ'peɪk] *a* opaco.

open ['əʊpn] *a* abierto; (*car*) descubierto; (*road, view*) despejado; (*meeting*) público; (*admiration*) manifiesto // *vt* abrir // *vi* (*flower, eyes, door, debate*) abrirse; (*book etc: commence*) comenzar; **to ~ on to** *vt fus* (*subj: room, door*) dar a; **to ~ up** *vt* abrir; (*blocked road*) despejar // *vi* abrirse, empezar; **in the ~ (air)** al aire libre; ~**ing** *n* abertura, comienzo; (*opportunity*) oportunidad *f*; (*job*) puesto vacante, vacante *f*; ~**ly** *ad* abiertamente; ~-**minded** *a* imparcial; ~-**necked** *a* sin corbata.

opera ['ɔpərə] *n* ópera; ~ **glasses** *npl* gemelos *mpl*; ~ **house** *n* teatro de la ópera.

operate ['ɔpəreɪt] *vt* (*machine*) hacer funcionar; (*company*) dirigir // *vi* funcionar; (*drug*) hacer efecto; **to ~ on sb** (MED) operar a uno.

operatic [ɔpə'rætɪk] *a* de ópera.

operating ['ɔpəreɪtɪŋ]: ~ **table** *n* mesa de operaciones; ~ **theatre** *n* sala de operaciones.

operation [ɔpə'reɪʃən] *n* (*gen*) operación *f*; (*of machine*) funcionamiento; **to be in ~** estar en funcionamiento o funcionando; ~**al** *a* operacional, en buen estado.

operative ['ɔpərətɪv] *a* (*measure*) en vigor.

operator ['ɔpəreɪtə*] *n* (*of machine*) maquinista *m/f*, operario; (TEL) operador/a *m/f*, telefonista *m/f*.

operetta [ɔpə'rɛtə] *n* opereta; (*in Spain*) zarzuela.

ophthalmic [ɔf'θælmɪk] *a* oftálmico.

opinion [ə'pɪnɪən] *n* (*gen*) opinión *f*; (*point of view*) parecer *m*, juicio; ~**ated** *a* testarudo; ~ **poll** *n* encuesta, sondeo.

opium ['əʊpɪəm] *n* opio.

opponent [ə'pəʊnənt] *n* adversario/a, contrincante *m/f*.

opportune ['ɔpətjuːn] *a* oportuno; **opportunist** [-'tjuːnɪst] *n* oportunista *m/f*.

opportunity [ɔpə'tjuːnɪtɪ] *n* oportunidad *f*.

oppose [ə'pəuz] vt oponerse a; **to be ~d to sth** oponerse a algo, resistirse a aceptar algo; **opposing** a (side) opuesto, contrario.

opposite ['ɒpəzit] a opuesto; (house etc) de enfrente // ad en frente // prep en frente de, frente a // n lo contrario.

opposition [ɒpə'zɪʃən] n oposición f.

oppress [ə'prɛs] vt oprimir; **~ion** [ə'prɛʃən] n opresión f; **~ive** a opresivo.

opt [ɒpt] vi: **to ~ for** elegir; **to ~ to do** optar por hacer; **to ~ out of** optar por no hacer.

optical ['ɒptɪkl] a óptico.

optician [ɒp'tɪʃən] n óptico.

optimism ['ɒptɪmɪzəm] n optimismo.

optimist ['ɒptɪmɪst] n optimista m/f; **~ic** [-'mɪstɪk] a optimista.

optimum ['ɒptɪməm] a óptimo.

option ['ɒpʃən] n opción f; **to keep one's ~s open** (fig) mantener las opciones abiertas; **~al** a facultativo, discrecional.

opulent ['ɒpjulənt] a opulento.

or [ɔ:*] conj o; (before o, ho) u; (with negative): **he hasn't seen ~ heard anything** no ha visto ni oído nada; **~ else** si no.

oracle ['ɒrəkl] n oráculo.

oral ['ɔːrəl] a oral // n examen m oral.

orange ['ɒrɪndʒ] n (fruit) naranja // a color naranja.

oration [ɔː'reɪʃən] n oración f; **orator** ['ɒrətə*] n orador/a m/f.

orbit ['ɔːbɪt] n órbita // vt, vi orbitar.

orchard ['ɔːtʃəd] n huerto.

orchestra ['ɔːkɪstrə] n orquesta; **orchestral** [-'kɛstrəl] a orquestal.

orchid ['ɔːkɪd] n orquídea.

ordain [ɔː'deɪn] vt (REL) ordenar, decretar; (decide) mandar.

ordeal [ɔː'diːl] n experiencia penosa.

order ['ɔːdə*] n orden m; (command) orden f; (type, kind) clase f; (state) estado; (COMM) pedido, encargo // vt (also: **put in ~**) arreglar, poner en orden; (COMM) encargar, pedir; (command) mandar, ordenar; **in ~** (of document) en regla; **in ~ to do** para hacer; **to ~ sb to do sth** mandar a uno hacer algo; **~ly** n (MIL) ordenanza m; (MED) enfermero (auxiliar) // a (room) en orden, ordenado; (person) ordenado.

ordinary ['ɔːdnrɪ] a corriente, normal; (pej) ordinario, vulgar; **out of the ~** fuera de lo común.

ordnance ['ɔːdnəns] n (MIL: unit) artillería; **O~ Survey** n servicio oficial de topografía y cartografía.

ore [ɔː*] n mineral m.

organ ['ɔːgən] n órgano; **~ic** [ɔː'gænɪk] a orgánico.

organism ['ɔːgənɪzəm] n organismo.

organist ['ɔːgənɪst] n organista m/f.

organization [ɔːgənaɪ'zeɪʃən] n organización f; **organize** ['ɔːgənaɪz] vt

organizar; **organizer** ['ɔːgənaɪzə*] n organizador/a m/f.

orgasm ['ɔːgæzəm] n orgasmo.

orgy ['ɔːdʒɪ] n orgía.

Orient ['ɔːrɪənt] n Oriente m; **oriental** [-'ɛntl] a oriental.

orientate ['ɔːrɪənteɪt] vt orientar.

origin ['ɒrɪdʒɪn] n origen m; (point of departure) procedencia.

original [ə'rɪdʒɪnl] a original; (first) primero; (earlier) primitivo // n original m; **~ity** [-'nælɪtɪ] n originalidad f; **~ly** ad (at first) al principio; (with originality) con originalidad.

originate [ə'rɪdʒɪneɪt] vi: **to ~ from or in** surgir de, tener su origen en.

ornament ['ɔːnəmənt] n adorno; (trinket) chuchería; **~al** [-'mɛntl] a decorativo, de adorno.

ornate [ɔː'neɪt] a muy ornado, vistoso.

ornithologist [ɔːnɪ'θɒlədʒɪst] n ornitólogo; **ornithology** [-dʒɪ] n ornitología.

orphan ['ɔːfn] n huérfano // vt: **to be ~ed** quedar huérfano; **~age** n orfelinato.

orthodox ['ɔːθədɒks] a ortodoxo; **~y** n ortodoxia.

orthopaedic, orthopedic (US) [ɔːθə'piːdɪk] a ortopédico; **~s** n ortopedia.

oscillate ['ɒsɪleɪt] vi oscilar; (person) vacilar.

ostensibly [ɒs'tɛnsɪblɪ] ad aparentemente.

ostentatious [ɒstɛn'teɪʃəs] a pretencioso, aparatoso; (person) ostentativo.

osteopath ['ɒstɪəpæθ] n osteópata m/f.

ostracize ['ɒstrəsaɪz] vt condenar al ostracismo.

ostrich ['ɒstrɪtʃ] n avestruz m.

other ['ʌðə*] a otro; **~ than** (in another way) de otra manera que; (apart from) aparte de; **~wise** ad, conj de otra manera; (if not) si no.

otter ['ɒtə*] n nutria.

ought [ɔːt], pt **ought** auxiliary vb: **I ~ to do it** debería hacerlo; **this ~ to have been corrected** esto debiera de haberse corregido; **he ~ to win** (probability) debe o debiera ganar.

ounce [auns] n onza (28.35g).

our ['auə*] a nuestro; **~s** pron (el) nuestro/(la) nuestra etc; **~selves** pron pl (reflexive, after prep) nosotros; (emphatic) nosotros mismos.

oust [aust] vt desalojar.

out [aut] ad fuera, afuera; (not at home) fuera (de casa); (light, fire) apagado; **~ there** allí, allí fuera; **he's ~** (absent) no está, ha salido; **to be ~ in one's calculations** equivocarse (en sus cálculos); **to run ~** salir corriendo; **~ loud** en alta voz; **~ of** (outside) fuera de; (because of: anger etc) por; **~ of petrol** sin gasolina; **"~ of order"** "no funciona"; **~-of-the-way** (fig) insólito.

outback ['autbæk] n interior m.

outboard ['autbɔːd] a: **~ motor** motor m de fuera de borda.

outbreak ['autbreɪk] n (of war) comienzo;

(*of disease*) epidemia; (*of violence etc*) arranque *m*.

outburst ['autbɔːst] *n* explosión *f*, arranque *m*.

outcast ['autkɑːst] *n* paria *m/f*.

outcome ['autkʌm] *n* resultado.

outcry ['autkraɪ] *n* protesta ruidosa.

outdated [aut'deɪtɪd] *a* anticuado, fuera de moda.

outdo [aut'duː] (*irg: like do*) *vt* exceder.

outdoor [aut'dɔː*] *a*, **~s** *ad* al aire libre.

outer ['autə*] *a* exterior, externo; **~ space** *n* el espacio.

outfit ['autfɪt] *n* equipo; (*clothes*) traje *m*; **~ter's** *n* camisería.

outgoing ['autɡəuɪŋ] *a* (*character*) extrovertido; **~s** *npl* gastos *mpl*.

outgrow [aut'ɡrəu] (*irg: like grow*) *vt*: **he has ~n his clothes** su ropa le queda pequeña ya.

outing ['autɪŋ] *n* excursión *f*, paseo.

outlandish [aut'lændɪʃ] *a* estrafalario.

outlaw ['autlɔː] *n* proscrito // *vt* (*person*) declarar fuera de la ley; (*practice*) declarar ilegal.

outlay ['autleɪ] *n* inversión *f*.

outlet ['autlɛt] *n* salida; (*of pipe*) desagüe *m*; (*for emotion*) desahogo; (*also:* **retail ~**) lugar *m* de venta.

outline ['autlaɪn] *n* (*shape*) contorno, perfil *m*; (*of plan*) trazado; (*sketch*) esbozo, idea general.

outlive [aut'lɪv] *vt* sobrevivir.

outlook ['autluk] *n* perspectiva; (*opinion*) punto de vista.

outlying ['autlaɪɪŋ] *a* remoto, aislado.

outmoded [aut'məudɪd] *a* anticuado, pasado de moda.

outnumber [aut'nʌmbə*] *vt* exceder en número.

outpatient ['autpeɪʃənt] *n* paciente *m/f* de consulta externa.

outpost ['autpəust] *n* puesto avanzado.

output ['autput] *n* (volumen *m* de) producción *f*, rendimiento.

outrage ['autreɪdʒ] *n* (*scandal*) escándalo; (*atrocity*) atrocidad *f* // *vt* ultrajar; **~ous** [-'reɪdʒəs] *a* monstruoso.

outright [aut'raɪt] *ad* completamente // *a* ['autraɪt] completo.

outset ['autsɛt] *n* principio.

outside [aut'saɪd] *n* exterior *m*; (*surface*) superficie *f*; (*aspect*) aspecto // *a* exterior, externo // *ad* fuera // *prep* fuera de; (*beyond*) más allá de; **at the ~** (*fig*) a lo sumo; **~ lane** *n* (*AUT: in Britain*) carril *m* de la derecha; **~-left** *n* (*FOOTBALL*) extremo izquierdo; **outsider** *n* (*stranger*) extraño, forastero.

outsize ['autsaɪz] *a* (*clothes*) de talla grande.

outskirts ['autskɔːts] *npl* alrededores *mpl*, afueras *fpl*.

outspoken [aut'spəukən] *a* muy franco.

outstanding [aut'stændɪŋ] *a* excepcional, destacado; (*unfinished*) pendiente.

outstay [aut'steɪ] *vt*: **to ~ one's welcome** quedarse más tiempo de lo indicado.

outstretched [aut'strɛtʃt] *a* (*hand*) extendido.

outward ['autwəd] *a* (*sign, appearances*) externo; (*journey*) de ida; **~ly** *ad* por fuera.

outweigh [aut'weɪ] *vt* pesar más que.

outwit [aut'wɪt] *vt* ser más listo que, burlar.

oval ['əuvl] *a* ovalado // *n* óvalo.

ovary ['əuvərɪ] *n* ovario.

ovation [əu'veɪʃən] *n* ovación *f*.

oven ['ʌvn] *n* horno; **~proof** *a* refractario.

over ['əuvə*] *ad* encima, por encima // *a* (*or ad*) (*finished*) terminado // *prep* (por) encima de; (*above*) sobre; (*on the other side of*) al otro lado de; (*more than*) más de; (*during*) durante; **~ here** (por) aquí; **~ there** (por) allí o allá; **all ~** (*everywhere*) por todas partes; **~ and ~** (*again*) una y otra vez; **~ and above** más de; **to ask sb ~** invitar a uno; **to bend ~** inclinarse.

over... ['əuvə*] *pref* sobre..., super...; **~abundant** *a* superabundante.

overall ['əuvərɔːl] *a* (*length*) total; (*study*) de conjunto // *ad* [əuvər'ɔːl] en conjunto; **~s** *npl* mono *sg o* bata *sg* (de trabajo).

overbalance [əuvə'bæləns] *vi* perder el equilibrio.

overbearing [əuvə'bɛərɪŋ] *a* autoritario, imperioso.

overboard ['əuvəbɔːd] *ad* (*NAUT*) por la borda; **man ~!** ¡hombre al agua!

overcast ['əuvəkɑːst] *a* encapotado.

overcharge [əuvə'tʃɑːdʒ] *vt*: **to ~ sb** cobrar un precio excesivo a uno.

overcoat ['əuvəkəut] *n* abrigo, sobretodo.

overcome [əuvə'kʌm] (*irg: like come*) *vt* (*gen*) vencer; (*difficulty*) superar.

overcrowded [əuvə'kraudɪd] *a* atestado de gente; (*country*) superpoblado.

overdo [əuvə'duː] (*irg: like do*) *vt* exagerar; (*overcook*) cocer demasiado.

overdose ['əuvədəus] *n* dosis *f* excesiva.

overdraft ['əuvədrɑːft] *n* saldo deudor.

overdrawn [əuvə'drɔːn] *a* (*account*) en descubierto.

overdue [əuvə'djuː] *a* retrasado; (*recognition*) tardío.

overestimate [əuvər'ɛstɪmeɪt] *vt* sobreestimar.

overexcited [əuvərɪk'saɪtɪd] *a* sobreexcitado.

overexpose [əuvərɪk'spəuz] *vt* (*PHOT*) sobreexponer.

overflow [əuvə'fləu] *vi* desbordarse // *n* ['əuvəfləu] (*excess*) exceso; (*of river*) desbordamiento; (*also:* **~ pipe**) (cañería de) desagüe *m*.

overgrown [əuvə'ɡrəun] *a* (*garden*) cubierto de hierba.

overhaul [əuvə'hɔːl] *vt* revisar, repasar // *n* ['əuvəhɔːl] revisión *f*.

overhead [əuvə'hɛd] *ad* por lo alto // *a*

['əuvəhɛd] de arriba; (*railway*) elevado, aéreo; **~s** *npl* gastos *mpl* generales.

overhear [əuvə'hɪə*] (*irg: like* **hear**) *vt* oír por casualidad.

overjoyed [əuvə'dʒɔɪd] *a* encantado, lleno de alegría.

overland ['əuvəlænd] *a*, *ad* por tierra.

overlap [əuvə'læp] *vi* traslaparse // *n* ['əuvəlæp] traslapo.

overleaf [əuvə'liːf] *ad* al dorso.

overload [əuvə'ləud] *vt* sobrecargar.

overlook [əuvə'luk] *vt* (*have view on*) dar a, tener vistas a; (*miss: by mistake*) pasar por alto; (: *deliberately*) no hacerse caso de; (*forgive*) perdonar.

overnight [əuvə'naɪt] *ad* durante la noche; (*fig*) de la noche a la mañana // *a* de noche; **to stay ~** pasar la noche.

overpass ['əuvəpɑːs] *n* paso superior.

overpower [əuvə'pauə*] *vt* dominar; **~ing** *a* (*heat, stench*) abrumador(a).

overrate [əuvə'reɪt] *vt* sobreestimar.

override [əuvə'raɪd] (*irg: like* **ride**) *vt* (*order, objection*) no hacer caso de; **over-riding** *a* predominante.

overrule [əuvə'ruːl] *vt* (*decision*) anular; (*claim*) denegar.

overseas [əuvə'siːz] *ad* en ultramar; (*abroad*) en el extranjero // *a* (*trade*) exterior; (*visitor*) extranjero.

overseer ['əuvəsɪə*] *n* (*in factory*) superintendente *m/f*; (*foreman*) capataz *m*.

overshadow [əuvə'ʃædəu] *vt* (*fig*) eclipsar.

overshoot [əuvə'ʃuːt] (*irg: like* **shoot**) *vt* excederse.

oversight ['əuvəsaɪt] *n* descuido.

oversleep [əuvə'sliːp] (*irg: like* **sleep**) *vi* despertarse (muy) tarde.

overspend [əuvə'spɛnd] (*irg: like* **spend**) *vi* gastar demasiado.

overspill ['əuvəspɪl] *n* exceso de población.

overstate [əuvə'steɪt] *vt* exagerar; **~ment** *n* exageración *f*.

overt [əu'vəːt] *a* abierto.

overtake [əuvə'teɪk] (*irg: like* **take**) *vt* sobrepasar; (*AUT*) adelantar; **overtaking** *n* (*AUT*) adelantamiento.

overthrow [əuvə'θrəu] (*irg: like* **throw**) *vt* (*government*) derrocar.

overtime ['əuvətaɪm] *n* horas *fpl* extraordinarias.

overtone ['əuvətəun] *n* (*fig*) sugestión *f*, alusión *f*.

overture ['əuvətʃuə*] *n* (*MUS*) obertura; (*fig*) propuesta.

overturn [əuvə'təːn] *vt*, *vi* volcar.

overweight [əuvə'weɪt] *a* demasiado gordo *o* pesado.

overwhelm [əuvə'wɛlm] *vt* aplastar; **~ing** *a* (*victory, defeat*) arrollador(a); (*desire*) irresistible.

overwork [əuvə'wəːk] *n* trabajo excesivo // *vt* hacer trabajar demasiado // *vi* trabajar demasiado.

overwrought [əuvə'rɔːt] *a* sobreexcitado.

owe [əu] *vt* deber; **to ~ sb sth**, **to ~ sth to sb** deber algo a uno; **owing to** *prep* debido a, por causa de.

owl [aul] *n* búho, lechuza.

own [əun] *vt* tener, poseer // *a* propio; **a room of my ~** una habitación propia; **to get one's ~ back** tomar revancha; **on one's ~** solo, a solas; **to ~ up** *vi* confesar; **~er** *n* dueño; **~ership** *n* posesión *f*.

ox [ɔks], *pl* **~en** ['ɔksn] *n* buey *m*.

oxide ['ɔksaɪd] *n* óxido.

oxtail ['ɔksteɪl] *n*: **~ soup** sopa de rabo de buey.

oxygen ['ɔksɪdʒən] *n* oxígeno; **~ mask/tent** máscara/tienda de oxígeno.

oyster ['ɔɪstə*] *n* ostra.

oz. *abbr of* **ounce(s)**.

ozone ['əuzəun] *n* ozono.

---

p [piː] *abbr of* **penny, pence**.

p.a. *abbr of* **per annum**.

pa [pɑː] *n* (*col*) papá *m*.

pace [peɪs] *n* paso; (*rhythm*) ritmo // *vi*: **to ~ up and down** pasarse de un lado a otro; **to keep ~ with** llevar el mismo paso que; (*events*) mantenerse a la altura de *o* al corriente de; **~maker** *n* (*MED*) regulador *m* cardíaco, marcapasos *m inv*.

pacific [pə'sɪfɪk] *a* pacífico // *n*: **the P~ (Ocean)** el (Océano) Pacífico.

pacifist ['pæsɪfɪst] *n* pacifista *m/f*.

pacify ['pæsɪfaɪ] *vt* (*soothe*) apaciguar; (*country*) pacificar.

pack [pæk] *n* (*gen*) paquete *m*; (*of hounds*) jauría; (*of thieves etc*) manada, bando; (*of cards*) baraja; (*bundle*) fardo; (*back ~*) mochila // *vt* (*wrap*) empaquetar; (*fill*) llenar; (*in suitcase etc*) meter *o* poner (en maleta); (*cram*) llenar, atestar; (*fig: meeting etc*) llenar de partidarios; **to ~ sb off** despachar a uno; **~ it in!** (*col*) ¡déjalo!; **to ~ one's case** hacerse la maleta.

package ['pækɪdʒ] *n* paquete *m*; (*bulky*) bulto; (*also: ~ deal*) acuerdo global; **~ tour** *n* viaje *m* todo incluido.

packet ['pækɪt] *n* paquete *m*; (*NAUT*) paquebote *m*.

packing ['pækɪŋ] *n* embalaje *m*; (*external*) envase *m*; (*internal*) relleno; **~ case** *n* cajón *m* de embalaje.

pact [pækt] *n* pacto.

pad [pæd] *n* (*of paper*) bloc *m*; (*cushion*) cojinete *m*; (*launching ~*) plataforma (de lanzamiento); (*foot*) pata; (*col: flat*) casa // *vi* andar (sin hacer ruido); **~ding** *n* relleno; (*fig*) paja.

paddle ['pædl] *n* (*oar*) canalete *m* // *vt* impulsar con canalete // *vi* (*with feet*) chapotear; **~ steamer** *n* vapor *m* de ruedas; **paddling pool** *n* estanque *m* de juegos.

paddock ['pædək] *n* corral *m*.

paddy field ['pædɪ-] *n* arrozal *m*.
padlock ['pædlɔk] *n* candado // *vt* cerrar
con candado.
padre ['pɑːdrɪ] *n* capellán *m*.
paediatrics, pediatrics (*US*)
[piːdɪ'ætrɪks] *n* pediatría.
pagan ['peɪɡən] *a, n* pagano/a.
page [peɪdʒ] *n* (*of book*) página; (*of
newspaper*) plana; (*also:* ~ **boy**) paje *m* //
vt (*in hotel etc*) buscar (a uno) llamando
su nombre.
pageant ['pædʒənt] *n* (*procession*) desfile
m; (*show*) espectáculo; ~**ry** *n* pompa.
pagoda [pə'ɡəudə] *n* pagoda.
paid [peɪd] *pt, pp* of **pay** // *a* (*work*)
remunerado; (*official*) asalariado; **to put**
~ **to** acabar con.
pail [peɪl] *n* cubo, balde *m*.
pain [peɪn] *n* dolor *m*; **to be in** ~ sufrir;
on ~ **of death** so pena de muerte; **to
take** ~**s to do sth** tomarse trabajo en
hacer algo; ~**ed** *a* (*expression*) afligido;
~**ful** *a* doloroso; (*difficult*) penoso; (*disagreeable*) desagradable; ~**fully** *ad* (*fig:
very*) terriblemente; ~**killer** *n* calmante
m; ~**less** *a* que no causa dolor;
painstaking ['peɪnzteɪkɪŋ] *a* (*person*)
concienzudo, esmerado.
paint [peɪnt] *n* pintura // *vt* pintar; **to** ~
one's face pintarse (la cara); **to** ~ **the
door blue** pintar la puerta de azul;
~**brush** *n* (*artist's*) pincel *m*; (*decorator's*)
brocha; ~**er** *n* pintor/a *m/f*; ~**ing** *n*
pintura.
pair [pɛə*] *n* (*of shoes, gloves etc*) par *m*; (*of
people*) pareja; **a** ~ **of scissors** unas
tijeras; **a** ~ **of trousers** unos pantalones,
un pantalón.
pajamas [pɪ'dʒɑːməz] *npl* (*US*) pijama *m*.
Pakistan [pɑːkɪ'stɑːn] *n* Paquistán *m*; ~**i**
a, n paquistani.
pal [pæl] *n* (*col*) compinche *m/f*,
compañero/a.
palace ['pæləs] *n* palacio.
palatable ['pælɪtəbl] *a* sabroso;
(*acceptable*) aceptable.
palate ['pælɪt] *n* paladar *m*.
palaver [pə'lɑːvə*] *n* (*fuss*) lío;
(*hindrances*) molestias *fpl*.
pale [peɪl] *a* (*gen*) pálido; (*colour*) claro; **to
grow** ~ palidecer; **to be beyond the** ~
estar excluido; ~**ness** *n* palidez *f*.
Palestine ['pælɪstaɪn] *n* Palestina;
Palestinian [-'tɪnɪən] *a, n* palestino/a.
palette ['pælɪt] *n* paleta.
paling ['peɪlɪŋ] *n* (*stake*) estaca; (*fence*)
valla.
palisade [pælɪ'seɪd] *n* palizada.
pall [pɔːl] *n* (*of smoke*) capa (de humo) //
vi perder el sabor.
pallid ['pælɪd] *a* pálido.
palm [pɑːm] *n* (*gen*) palma; (*also:* ~ **tree**)
palmera, palma // *vt:* **to** ~ **sth off on sb**
(*col*) encajar algo a uno; ~**ist** *n*
quiromántico/a; **P**~ **Sunday** *n* Domingo
de Ramos.
palpable ['pælpəbl] *a* palpable.

palpitation [pælpɪ'teɪʃən] *n* palpitación *f*;
to have ~**s** tener vahídos.
paltry ['pɔːltrɪ] *a* (*insignificant*) baladí;
(*miserable*) vil.
pamper ['pæmpə*] *vt* mimar.
pamphlet ['pæmflət] *n* folleto.
pan [pæn] *n* (*also:* **sauce**~) cacerola,
cazuela; (*also:* **frying** ~) sartén *m*; (*of
lavatory*) taza // *vi* (*CINEMA*) tomar una
vista panorámica.
panacea [pænə'sɪə] *n* panacea.
Panama ['pænəmɑː] *n* Panamá *m*.
pancake ['pænkeɪk] *n* canapé *m*.
panda ['pændə] *n* panda *m/f*; ~ **car** *n*
coche *m* de la policía.
pandemonium [pændɪ'məunɪəm] *n*
(*noise*) estruendo; (*mess*) caos *m*.
pander ['pændə*] *vi:* **to** ~ **to** complacer
a.
pane [peɪn] *n* cristal *m*.
panel ['pænl] *n* (*of wood*) panel *m*; (*of
cloth*) paño; (*RADIO, TV*) tablero; ~**ling**,
~**ing** (*US*) *n* paneles *mpl*, entrepaños *mpl*.
pang [pæŋ] *n:* ~**s of conscience**
remordimiento *sg*; ~**s of hunger** dolores
mpl del hambre.
panic ['pænɪk] *n* (*terror*) pánico // *vi*
aterrarse; ~**ky** *a* (*person*) asustadizo;
~**-stricken** *a* preso de pánico.
pannier ['pænɪə*] *n* (*on bicycle*) cartera;
(*on mule etc*) alforja.
panorama [pænə'rɑːmə] *n* panorama *m*.
pansy ['pænzɪ] *n* (*BOT*) pensamiento; (*col*)
maricón *m*.
pant [pænt] *vi* jadear.
panther ['pænθə*] *n* pantera.
panties ['pæntɪz] *npl* bragas *fpl*, pantis *mpl*.
pantomime ['pæntəmaɪm] *n* revista
musical representada en Navidad, basada en
cuentos de hadas.
pantry ['pæntrɪ] *n* despensa.
pants [pænts] *n* (*woman's*) bragas *fpl*;
(*man's*) calzoncillos *mpl*; (*US: trousers*)
pantalones *mpl*.
papal ['peɪpəl] *a* papal.
paper ['peɪpə*] *n* papel *m*; (*also:* **news**~)
periódico, diario; (*study, article*) artículo;
(*exam*) examen *m* // *a* de papel // *vt*
empapelar; (*identity*) ~**s** *npl* papeles
mpl, documentos *mpl*; ~**back** *n* libro de
bolsillo; ~ **bag** *n* saco de papel; ~ **clip** *n*
grapa; ~ **hankie** *n* pañuelo de papel; ~
money *n* papel moneda; ~**weight** *n*
pisapapeles *m inv*; ~**work** *n* trabajo
administrativo; (*pej*) papeleo.
papier-mâché ['pæpɪeɪ'mæʃeɪ] *n* cartón
m piedra.
paprika ['pæprɪkə] *n* pimienta húngara o
roja.
par [pɑː*] *n* par *f*; (*GOLF*) par *m*; **to be on a**
~ **with** correr parejas con.
parable ['pærəbl] *n* parábola.
parachute ['pærəʃuːt] *n* paracaídas *m inv*
// *vi* lanzarse en paracaídas; ~ **jump** *n*
salto en paracaídas.
parade [pə'reɪd] *n* desfile *m* // *vt* (*gen*)

recorrer, desfilar por; (*show off*) hacer alarde de // *vi* desfilar; (*MIL*) pasar revista.
paradise ['pærədaɪs] *n* paraíso.
paradox ['pærədɔks] *n* paradoja; ~**ical** [-'dɔksɪkl] *a* paradójico.
paraffin ['pærəfɪn] *n*: ~ (**oil**) petróleo.
paragraph ['pærəgrɑːf] *n* párrafo.
parallel ['pærəlɛl] *a* en paralelo; (*fig*) semejante // *n* (*line*) paralela; (*fig, GEO*) paralelo.
paralysis [pə'rælɪsɪs] *n* parálisis *f*; **paralyze** ['pærəlaɪz] *vt* paralizar.
paramount ['pærəmaunt] *a*: **of** ~ **importance** de la mayor importancia, primordial.
paranoia [pærə'nɔɪə] *n* paranoia; **paranoiac** *a* paranoico.
paraphernalia [pærəfə'neɪlɪə] *n* (*gear*) avíos *mpl*.
paraplegic [pærə'pliːdʒɪk] *n* parapléjico.
parasite ['pærəsaɪt] *n* parásito.
parasol [pærə'sɔl] *n* sombrilla, quitasol *m*.
paratrooper ['pærətruːpə*] *n* paracaidista *m/f*.
parcel ['pɑːsl] *n* paquete *m* // *vt* (*also*: ~ **up**) empaquetar, embalar.
parch [pɑːtʃ] *vt* secar, resecar; ~**ed** *a* (*person*) muerto de sed.
parchment ['pɑːtʃmənt] *n* pergamino.
pardon ['pɑːdn] *n* perdón *m*; (*LAW*) indulto // *vt* perdonar; ~! ¡perdone!; ~ **me!, I beg your** ~! ¡perdone Usted!; (**I beg your**) ~? ¿cómo?
parent ['pɛərənt] *n* padre *m*/madre *f*; ~**s** *npl* padres *mpl*; ~**al** [pə'rɛntl] *a* paternal/maternal.
parenthesis [pə'rɛnθɪsɪs], *pl* -**theses** [-θɪsiːz] *n* paréntesis *m inv*.
Paris ['pærɪs] *n* París.
parish ['pærɪʃ] *n* parroquia; ~**ioner** [pə'rɪʃənə*] *n* feligrés/esa *m/f*.
Parisian [pə'rɪzɪən] *a, n* parisino/a, parisiense *m/f*.
parity ['pærɪtɪ] *n* paridad *f*, igualdad *f*.
park [pɑːk] *n* parque *m* // *vt* estacionar // *vi* aparcar, estacionarse; ~**ing** *n* aparcamiento, estacionamiento; '**no** ~**ing**' 'prohibido estacionarse'; ~**ing lot** *n* (*US*) parking *m*; ~**ing meter** *n* parquímetro.
parliament ['pɑːləmənt] *n* parlamento; (*Spanish*) Cortes *mpl*; ~**ary** [-'mɛntərɪ] *a* parlamentario.
parlour, parlor (*US*) ['pɑːlə*] *n* sala de recibo, salón *m*.
parochial [pə'rəukɪəl] *a* parroquial; (*pej*) de miras estrechas.
parody ['pærədɪ] *n* parodia // *vt* parodiar.
parole [pə'rəul] *n*: **on** ~ libre bajo palabra.
parquet ['pɑːkeɪ] *n*: ~ **floor(ing)** parquet *m*.
parrot ['pærət] *n* loro, papagayo; ~ **fashion** *ad* mecánicamente.
parry ['pærɪ] *vt* parar.

parsimonious [pɑːsɪ'məunɪəs] *a* parco.
parsley ['pɑːslɪ] *n* perejil *m*.
parsnip ['pɑːsnɪp] *n* chirivía.
parson ['pɑːsn] *n* (*parish*) párroco; (*gen*) cura *m*.
part [pɑːt] *n* (*gen, MUS*) parte *f*; (*bit*) trozo; (*of machine*) pieza; (*THEATRE etc*) papel *m*; (*of serial*) entrega // *ad* = **partly** // *vt* dividir; (*break*) partir // *vi* (*people*) separarse; (*roads*) bifurcarse; (*crowd*) apartarse; (*break*) romperse; **to take** ~ **in** participar *o* tomar parte en; **to take sth in good** ~ tomar algo en buena parte; **to take sb's** ~ defender a uno; **for my** ~ por mi parte; **for the most** ~ en la mayor parte; **to** ~ **with** *vt fus* ceder, entregar; (*money*) pagar; (*get rid of*) deshacerse de; **in** ~ **exchange** como parte del pago; **spare** ~ pieza de recambio.
partial ['pɑːʃl] *a* parcial; **to be** ~ **to** ser aficionado a; ~**ly** *ad* en parte.
participant [pɑː'tɪsɪpənt] *n* (*in competition*) concursante *m/f*; **participate** [-peɪt] *vi*: **to participate in** participar en; **participation** [-'peɪʃən] *n* participación *f*.
participle ['pɑːtɪsɪpl] *n* participio.
particle ['pɑːtɪkl] *n* partícula; (*of dust*) grano; (*fig*) pizca.
particular [pə'tɪkjulə*] *a* (*special*) particular; (*concrete*) concreto; (*given*) determinado; (*detailed*) detallado, minucioso; (*fussy*) quisquilloso, exigente; ~**s** *npl* (*information*) datos *mpl*, detalles *mpl*; (*details*) pormenores *mpl*; ~**ly** *ad* especialmente, en particular.
parting ['pɑːtɪŋ] *n* (*act of*) separación *f*; (*farewell*) despedida; (*in hair*) raya // *a* de despedida.
partisan [pɑːtɪ'zæn] *a, n* partidario/a.
partition [pɑː'tɪʃən] *n* (*POL*) división *f*; (*wall*) tabique *m* // *vt* dividir; dividir con tabique.
partly ['pɑːtlɪ] *ad* en parte.
partner ['pɑːtnə*] *n* (*COMM*) socio/a; (*SPORT, at dance*) pareja; (*spouse*) cónyuge *m/f*; (*friend etc*) compañero/a // *vt* acompañar; ~**ship** *n* (*gen*) asociación *f*; (*COMM*) sociedad *f*.
partridge ['pɑːtrɪdʒ] *n* perdiz *f*.
part-time ['pɑːt'taɪm] *a, ad* de medio tiempo *o* media jornada.
party ['pɑːtɪ] *n* (*POL*) partido; (*celebration*) fiesta; (*group*) grupo; (*LAW*) parte *f*, interesado // *a* (*POL*) de partido; (*dress etc*) de fiesta, de gala.
pass [pɑːs] *vt* (*time, object*) pasar; (*place*) pasar por; (*exam*) aprobar; (*overtake, surpass*) rebasar; (*approve*) aprobar // *vi* pasar; (*SCOL*) aprobar, ser aprobado // *n* (*permit*) permiso; (*membership card*) carnet *m*; (*in mountains*) puerto, desfiladero; (*SPORT*) pase *m*; (*SCOL: also*: ~ **mark**): **to get a** ~ **in** aprobar en; **to** ~ **sth through sth** pasar algo por algo; **to** ~ **away** *vi* fallecer; **to** ~ **by** *vi* pasar //

vt (*ignore*) pasar por alto; **to ~ for** pasar por; **to ~ out** *vi* desmayarse; **to ~ up** *vt* renunciar a; **~able** a (*road*) transitable; (*work*) pasable.

passage ['pæsɪdʒ] *n* (*also*: **~way**) pasillo; (*act of passing*) tránsito; (*fare, in book*) pasaje *m*; (*by boat*) travesía; (*MECH, MED*) tubo.

passenger ['pæsɪndʒə*] *n* pasajero, viajero.

passer-by [pɑːsə'baɪ] *n* transeúnte *m/f*.

passing ['pɑːsɪŋ] a (*fleeting*) pasajero; **in ~ de paso**.

passion ['pæʃən] *n* pasión *f*; (*anger*) cólera; **~ate** apasionado; colérico.

passive ['pæsɪv] a (*also LING*) pasivo.

Passover ['pɑːsəʊvə*] *n* Pascua (de los judíos).

passport ['pɑːspɔːt] *n* pasaporte *m*.

password ['pɑːswɜːd] *n* santo y seña.

past [pɑːst] *prep* (*further than*) más allá de; (*later than*) después de // a pasado; (*president etc*) ex, antiguo // *n* el pasado; (*antecedents*) antecedentes *mpl*; **he's ~ forty** tiene más de cuarenta años; **for the ~ few/3 days** durante los últimos/3 días; **to run ~** pasar a la carrera por.

pasta ['pæstə] *n* pastas *fpl*.

paste [peɪst] *n* (*gen*) pasta; (*glue*) engrudo // *vt* (*stick*) pegar; (*glue*) engomar.

pastel ['pæstl] a pastel; (*painting*) al pastel.

pasteurized ['pæstəraɪzd] a pasteurizado.

pastille ['pæstl] *n* pastilla.

pastime ['pɑːstaɪm] *n* pasatiempo.

pastor ['pɑːstə*] *n* pastor *m*.

pastoral ['pɑːstərl] a pastoral.

pastry ['peɪstrɪ] *n* pasta; (*cakes*) pastas *fpl*, pasteles *mpl*.

pasture ['pɑːstʃə*] *n* (*grass*) pasto; (*land*) prado, pasto.

pasty ['pæstɪ] *n* empanada // a ['peɪstɪ] pastoso; (*complexion*) pálido.

pat [pæt] *vt* dar una palmadita a; (*dog etc*) acariciar // *n* (*of butter*) pastelillo; **to give sb a ~ on the back** felicitar a uno.

patch [pætʃ] *n* (*of material*) parche *m*; (*piece*) pedazo; (*mend*) remiendo; (*of land*) terreno // *vt* (*clothes*) remendar; **to ~ up** *vt* (*mend temporarily*) componer de modo provisional; (*quarrel*) hacer las paces con; **~work** *n* labor *m* de retazos; **~y** a desigual.

pâté ['pæteɪ] *n* pastel *m* de carne.

patent ['peɪtnt] *n* patente *f* // *vt* patentar // a patente, evidente; **~ leather** *n* charol *m*.

paternal [pə'tɜːnl] a paternal; (*relation*) paterno; **paternity** [-nɪtɪ] *n* paternidad *f*.

path [pɑːθ] *n* senda, sendero; (*trail, track*) pista; (*of missile*) trayectoria.

pathetic [pə'θetɪk] a (*pitiful*) patético, lastimoso; (*very bad*) malísimo; (*moving*) conmovedor(a).

pathologist [pə'θɒlədʒɪst] *n* patólogo; **pathology** [-dʒɪ] *n* patología.

pathos ['peɪθɒs] *n* patetismo, lo patético.

pathway ['pɑːθweɪ] *n* sendero, vereda.

patience ['peɪʃns] *n* paciencia; (*CARDS*) solitario.

patient ['peɪʃnt] *n* paciente *m/f* // a paciente, sufrido.

patio ['pætɪəʊ] *n* patio.

patriot ['peɪtrɪət] *n* patriota *m/f*; **~ic** [pætrɪ'ɒtɪk] a patriótico.

patrol [pə'trəʊl] *n* patrulla // *vt* patrullar por; **~ car** *n* coche *m* patrulla; **~man** *n* (*US*) policía *m*.

patron ['peɪtrən] *n* (*in shop*) cliente *m/f*; (*of charity*) patrocinador/a *m/f*; **~ of the arts** mecenas *m*; **~age** ['pætrənɪdʒ] *n* mecenazgo, protección *f*; **~ize** ['pætrənaɪz] *vt* (*shop*) ser cliente de; (*business*) patrocinar; (*look down on*) tratar con condescendencia; **~ saint** *n* patrono.

patter ['pætə*] *n* golpeteo; (*of feet*) pasos *mpl* ligeros; (*sales talk*) jerga // *vi* andar con pasos ligeros; (*rain*) tamborilear.

pattern ['pætən] *n* modelo; (*SEWING*) patrón *m*; (*design*) dibujo; (*sample*) muestra.

paunch [pɔːntʃ] *n* panza, barriga.

pauper ['pɔːpə*] *n* pobre *m/f*.

pause [pɔːz] *n* pausa; (*interval*) intérvalo // *vi* hacer una pausa.

pave [peɪv] *vt* pavimentar; **to ~ the way for** preparar el terreno para.

pavement ['peɪvmənt] *n* (*Brit*) acera.

pavilion [pə'vɪlɪən] *n* pabellón *m*; (*for band etc*) quiosco; (*SPORT*) caseta.

paving ['peɪvɪŋ] *n* pavimento, enlosado; **~ stone** *n* losa.

paw [pɔː] *n* pata; (*of cat*) garra // *vt* tocar con la pata; (*touch*) tocar, manosear; (*amorously*) sobar.

pawn [pɔːn] *n* (*CHESS*) peón *m*; (*fig*) instrumento // *vt* empeñar; **~broker** *n* prestamista *m/f*; **~shop** *n* monte *m* de piedad.

pay [peɪ] *n* paga; (*wage etc*) sueldo // (*vb*: *pt, pp* **paid**) *vt* pagar; (*debt*) liquidar; (*visit*) hacer; (*respect*) ofrecer // *vi* pagar; (*be profitable*) rendir; **to ~ attention (to)** prestar atención (a); **to ~ back** *vt* (*money*) devolver; (*person*) pagar; **to ~ for** *vt* pagar por; **to ~ in** *vt* ingresar; **to ~ off** *vt* liquidar; **to ~ up** *vt* pagar (de mala gana); **~able** a pagadero; **~ day** *n* día *m* de paga; **~ee** *n* portador/a *m/f*; **~ing** a provechoso; **~ment** *n* pago; **advance ~ment** anticipo; **monthly ~ment** mensualidad *f*; **~ packet** *n* sobre *m* de paga; **~roll** *n* nómina; **~ slip** *n* hoja de paga.

p.c. *abbr of* **per cent.**

pea [piː] *n* guisante *m*; **sweet ~** guisante de olor.

peace [piːs] *n* paz *f*; (*calm*) paz *f*, tranquilidad *f*; **~able** a pacífico; **~ful** a (*gentle*) pacífico; (*calm*) tranquilo, sosegado; **~-keeping** *n* pacificación *f*; **~ offering** *n* prenda de paz.

peach [piːtʃ] *n* melocotón *m*, durazno (*AM*).

peacock ['piːkɒk] *n* pavo real.

peak [piːk] n (of mountain: top) cumbre f, cima; (: point) pico; (of cap) visera; (fig) cumbre f; ~ **hours** npl horas fpl punta.

peal [piːl] n (of bells) repique m, toque m de campanas; ~ **of laughter** carcajada.

peanut ['piːnʌt] n cacahuete m, maní m (AM); ~ **butter** n manteca de cacahuete.

pear [pɛə*] n pera; ~ **tree** n peral m.

pearl [pɜːl] n perla; **mother-of-** ~ n nácar m.

peasant ['pɛznt] n campesino/a.

peat [piːt] n turba.

pebble ['pɛbl] n guijarro.

peck [pɛk] vt (also: ~ **at**) picotear; (food) comer sin ganas // n picotazo; (kiss) beso ligero; ~**ing order** n orden m de jerarquía; ~**ish** a (col) con hambre.

peculiar [pɪ'kjuːlɪə*] a (odd) extraño, raro; (typical) propio, característico; (marked) especial; ~ **to** propio de; ~**ity** [pɪkjuːlɪ'ærɪtɪ] n peculiaridad f; (feature) característica; (oddity) rareza, singularidad f.

pedal ['pɛdl] n pedal m // vi pedalear.

pedantic [pɪ'dæntɪk] a pedante.

peddle ['pɛdl] vt vender (de puerta en puerta); **peddler** n vendedor/a m/f ambulante.

pedestal ['pɛdəstl] n pedestal m.

pedestrian [pɪ'dɛstrɪən] n peatón m // a pedestre; ~ **crossing** n paso de peatones.

pedigree ['pɛdɪgriː] n genealogía; (of animal) raza // cpd (animal) de raza, de casta.

peek [piːk] vi mirar a hurtadillas.

peel [piːl] n piel f; (of orange, lemon) peladuras fpl // vt pelar // vi (paint etc) desconcharse; (wallpaper) despegarse, desprenderse.

peep [piːp] n (look) mirada furtiva; (sound) pío // vi piar; **to** ~ **out** vi asomar la cabeza; ~**hole** n mirilla.

peer [pɪə*] vi: **to** ~ **at** mirar con ojos de miope // n (noble) par m; (equal) igual m; ~**age** n nobleza; ~**less** a sin par.

peeved [piːvd] a enojado.

peevish ['piːvɪʃ] a malhumorado.

peg [pɛg] n clavija; (for coat etc) gancho, colgadero; (also: **clothes** ~) pinza; (tent ~) estaca // vt (prices) fijar; **off the** ~ ad de confección.

pejorative [pɪ'dʒɔrətɪv] a peyorativo.

pekingese [piːkɪ'niːz] n pequinés/esa m/f.

pelican ['pɛlɪkən] n pelícano.

pellet ['pɛlɪt] n bolita; (bullet) perdigón m.

pelmet ['pɛlmɪt] n galería.

pelt [pɛlt] vt: **to** ~ **sb with sth** tirar algo a uno // vi (rain) llover a cántaros // n pellejo.

pelvis ['pɛlvɪs] n pelvis f.

pen [pɛn] n pluma; (for sheep) redil m; **play** ~ parque m de niño; ~ **name** n seudónimo.

penal ['piːnl] a penal; ~**ize** vt penar; (SPORT) castigar.

penalty ['pɛnltɪ] n (gen) pena; (fine) multa; (SPORT) castigo; ~ **(kick)** n (FOOTBALL) penalty m.

penance ['pɛnəns] n penitencia.

pence [pɛns] pl of **penny**.

pencil ['pɛnsl] n lápiz m; (for eyebrows) lapiz de cejas; **propelling** ~ lapicero; ~ **sharpener** n sacapuntas m inv.

pendant ['pɛndnt] n pendiente m.

pending ['pɛndɪŋ] prep antes de // a pendiente.

pendulum ['pɛndjuləm] n péndulo.

penetrate ['pɛnɪtreɪt] vt penetrar; **penetrating** a penetrante; **penetration** [-'treɪʃən] n penetración f.

penfriend ['pɛnfrɛnd] n amigo/a por correspondencia.

penguin ['pɛŋgwɪn] n pingüino.

penicillin [pɛnɪ'sɪlɪn] n penicilina.

peninsula [pə'nɪnsjulə] n península.

penis ['piːnɪs] n pene m.

penitence ['pɛnɪtns] n penitencia; **penitent** [-nt] a (gen) arrepentido; (REL) penitente.

penitentiary [pɛnɪ'tɛnʃərɪ] n (US) cárcel f, presidio.

penknife ['pɛnnaɪf] n navaja.

pennant ['pɛnənt] n banderola.

penniless ['pɛnɪlɪs] a sin dinero.

penny ['pɛnɪ], pl **pennies** ['pɛnɪz] or **pence** [pɛns] n penique m.

pension ['pɛnʃən] n (gen) pensión f; (old-age) jubilación f; (MIL) retiro; ~**er** n jubilado; ~ **fund** n caja de jubilaciones.

pensive ['pɛnsɪv] a pensativo; (withdrawn) preocupado.

pentagon ['pɛntəgən] n pentágono.

Pentecost ['pɛntɪkɔst] n Pentecostés m.

penthouse ['pɛnthaus] n ático.

pent-up ['pɛntʌp] a (feelings) reprimido.

penultimate [pɛ'nʌltɪmət] a penúltimo.

people ['piːpl] npl gente f; (citizens) pueblo sg, ciudadanos mpl // n (nation, race) pueblo, nación f // vt poblar; **several** ~ **came** vinieron varias personas; ~ **say that...** dice la gente que... .

pep [pɛp] n (col) energía; **to** ~ **up** vt animar.

pepper ['pɛpə*] n pimienta; (vegetable) pimiento // vt (fig) salpicar; ~**mint** n menta; (sweet) pastilla de menta.

peptalk ['pɛptɔːk] n (col) palabras fpl para levantar los ánimos.

per [pɜː*] prep por; ~ **day/person** por día/persona; ~ **cent** por ciento; ~ **annum** al año.

perceive [pə'siːv] vt percibir; (realize) darse cuenta de.

percentage [pə'sɛntɪdʒ] n porcentaje m.

perception [pə'sɛpʃən] n percepción f; (insight) perspicacia; **perceptive** [-'sɛptɪv] a perspicaz.

perch [pɜːtʃ] n (fish) perca; (for bird) percha // vi posarse.

percolator ['pɜːkəleɪtə*] n cafetera filtradora.

percussion [pə'kʌʃən] n percusión f.

peremptory [pə'rɛmptərɪ] *a* perentorio; (*person: imperious*) imperioso.

perennial [pə'rɛnɪəl] *a* perenne.

perfect ['pə:fɪkt] *a* perfecto // *n* (*also:* ~ **tense**) perfecto // *vt* [pə'fɛkt] perfeccionar; ~**ion** [-'fɛkʃən] *n* perfección *f*; ~**ionist** *n* perfeccionista *m/f*.

perforate ['pə:fəreɪt] *vt* perforar; ~**d** *a* (*stamp*) dentado; **perforation** [-'reɪʃən] *n* perforación *f*.

perform [pə'fɔ:m] *vt* (*carry out*) realizar, cumplir; (*concert etc*) representar; (*piece of music*) interpretar // *vi* (*animal*) hacer trucos; (*THEATRE*) actuar; (*TECH*) funcionar; ~**ance** *n* (*of task*) cumplimiento, realización *f*; (*of artist*) representación *f*; (*of player etc*) actuación *f*; (*of car, engine*) funcionamiento; (*of function*) desempeño; ~**er** *n* (*actor*) actor/actriz *m/f*; (*MUS*) interprete *m/f*; ~**ing** *a* (*animal*) amaestrado.

perfume ['pə:fju:m] *n* perfume *m* // *vt* perfumar.

perhaps [pə'hæps] *ad* quizá(s), tal vez.

peril ['pɛrɪl] *n* peligro, riesgo.

perimeter [pə'rɪmɪtə*] *n* perímetro.

period ['pɪərɪəd] *n* período; (*HISTORY*) época; (*time limit*) plazo; (*SCOL*) clase *f*; (*full stop*) punto; (*MED*) regla, reglas *fpl* // *a* (*costume, furniture*) de época; ~**ic** [-'ɔdɪk] *a* periódico; ~**ical** [-'ɔdɪkl] *n* periódico; ~**ically** [-'ɔdɪklɪ] *ad* de vez en cuando, cada cierto tiempo.

peripheral [pə'rɪfərəl] *a* periférico; **periphery** [-rɪ] *n* periferia.

periscope ['pɛrɪskəup] *n* periscopio.

perish ['pɛrɪʃ] *vi* perecer; (*decay*) echarse a perder, deteriorar(se); ~**able** *a* perecedero; ~**ing** *a* (*col: cold*) helado, glacial.

perjure ['pə:dʒə*] *vt*: to ~ **o.s.** perjurarse; **perjury** *n* (*LAW*) perjurio.

perk [pə:k] *n* pago encima del sueldo; to ~ **up** *vi* (*cheer up*) animarse; (*in health*) sentirse mejor; ~**y** *a* (*cheerful*) alegre, despabilado.

perm [pə:m] *n* permanente *f*.

permanent ['pə:mənənt] *a* permanente.

permissible [pə'mɪsɪbl] *a* permisible, lícito.

permission [pə'mɪʃən] *n* permiso; (*authorization*) licencia.

permissive [pə'mɪsɪv] *a* permisivo.

permit ['pə:mɪt] *n* permiso, licencia // *vt* [pə'mɪt] permitir; (*authorize*) autorizar; (*accept*) tolerar.

permutation [pə:mju'teɪʃən] *n* permutación *f*.

pernicious [pə:'nɪʃəs] *a* nocivo; (*MED*) pernicioso.

perpendicular [pə:pən'dɪkjulə*] *a* perpendicular.

perpetrate ['pə:pɪtreɪt] *vt* cometer.

perpetual [pə'pɛtjuəl] *a* perpetuo.

perpetuate [pə'pɛtjueɪt] *vt* perpetuar.

perplex [pə'plɛks] *vt* dejar perplejo.

persecute ['pə:sɪkju:t] *vt* (*pursue*)

perseguir; (*harass*) acosar; **persecution** [-'kju:ʃən] *n* persecución *f*.

persevere [pə:sɪ'vɪə*] *vi* persistir.

Persian ['pə:ʃən] *a, n* persa *m/f*.

persist [pə'sɪst] *vi*: to ~ **(in doing sth)** persistir (en hacer algo); ~**ence** *n* empeño; (*of disease*) pertinacia; ~**ent** *a* persistente; (*determined*) porfiado; (*disease*) pertinaz.

person ['pə:sn] *n* persona; ~**able** *a* atractivo; ~**al** *a* personal; (*private*) particular; (*visit*) en persona; (*TEL*) persona a persona; (*column*) de anuncios personales; ~**ality** [-'nælɪtɪ] *n* personalidad *f*; ~**ally** *ad* personalmente; ~**ify** [-'sɔnɪfaɪ] *vt* encarnar.

personnel [pə:sə'nɛl] *n* personal *m*.

perspective [pə'spɛktɪv] *n* perspectiva.

perspex ['pə:spɛks] *n* plexiglás *m*.

perspiration [pə:spɪ'reɪʃən] *n* transpiración *f*, sudor *m*; **perspire** [-'spaɪə*] *vi* transpirar, sudar.

persuade [pə'sweɪd] *vt* persuadir; **persuasion** [-'sweɪʒən] *n* persuasión *f*; (*persuasiveness*) persuasiva; (*creed*) creencia; **persuasive** [-'sweɪsɪv] *a* persuasivo.

pert [pə:t] *a* impertinente, fresco.

pertaining [pə:'teɪnɪŋ] ~ **to** *prep* relacionado con.

pertinent ['pə:tɪnənt] *a* pertinente, a propósito.

perturb [pə'tə:b] *vt* perturbar.

Peru [pə'ru:] *n* el Perú.

peruse [pə'ru:z] *vt* leer con detención, examinar.

Peruvian [pə'ru:vjən] *a, n* peruano/a.

pervade [pə'veɪd] *vt* impregnar, saturar.

perverse [pə'və:s] *a* perverso; (*stubborn*) terco; (*wayward*) travieso; **perversion** [-'və:ʃən] *n* perversión *f*.

pervert ['pə:və:t] *n* pervertido/a // *vt* [pə'və:t] pervertir.

pessary ['pɛsərɪ] *n* pesario.

pessimism ['pɛsɪmɪzəm] *n* pesimismo; **pessimist** [-mɪst] *n* pesimista *m/f*; **pessimistic** [-'mɪstɪk] *a* pesimista.

pest [pɛst] *n* plaga; (*insect*) insecto nocivo; (*fig*) lata, molestia.

pester ['pɛstə*] *vt* molestar, acosar.

pesticide ['pɛstɪsaɪd] *n* pesticida *m*.

pet [pɛt] *n* animal doméstico; (*favourite*) favorito // *vt* acariciar // *vi* (*col*) besuquearse, sobarse.

petal ['pɛtl] *n* pétalo.

peter ['pi:tə*]: to ~ **out** *vi* agotarse, acabarse.

petite [pə'ti:t] *a* chiquita.

petition [pə'tɪʃən] *n* petición *f*.

petrified ['pɛtrɪfaɪd] *a* (*fig*) pasmado, horrorizado; **petrify** *vt* petrificar; (*frighten*) pasmar.

petrol ['pɛtrəl] *n* (*Brit*) gasolina; (*for lighter*) bencina.

petroleum [pə'trəulɪəm] *n* petróleo.

petrol: ~ **pump** *n* (*in car*) bomba de

gasolina; (*in garage*) surtidor *m* de gasolina; ~ **station** *n* gasolinera; ~ **tank** *n* depósito de gasolina.

petticoat ['petɪkəut] *n* enagua; (*slip*) combinación *f*.

pettiness ['petɪnɪs] *n* mezquindad *f*.

petty ['petɪ] *a* (*mean*) mezquino; (*unimportant*) nimio; ~ **cash** *n* dinero suelto; ~ **officer** *n* contramaestre *m*.

petulant ['petjulənt] *a* malhumorado.

pew [pju:] *n* banco.

pewter ['pju:tə*] *n* peltre *m*.

phallic ['fælɪk] *a* fálico.

phantom ['fæntəm] *n* fantasma *m*.

Pharaoh ['fɛərəu] *n* Faraón *m*.

pharmacist ['fɑːməsɪst] *n* farmacéutico; **pharmacy** [-sɪ] *n* farmacia.

phase [feɪz] *n* fase *f* // *vt*: **to ~ sth in/out** introducir/reducir algo por etapas.

Ph.D. *abbr of* **Doctor of Philosophy**.

pheasant ['feznt] *n* faisán *m*.

phenomenon [fə'nɔmɪnən], *pl* **-mena** [-mɪnə] *n* fenómeno.

phial ['faɪəl] *n* ampolla.

philanthropist [fɪ'lænθrəpɪst] *n* filántropo/a.

philately [fɪ'lætəlɪ] *n* filatelia.

Philippines ['fɪlɪpi:nz] *npl* (*also*: **Philippine Islands**) (Islas) Filipinas *fpl*.

philosopher [fɪ'lɔsəfə*] *n* filósofo; **philosophical** [fɪlə'sɔfɪkl] *a* filosófico; **philosophy** [-fɪ] *n* filosofía.

phlegm [flɛm] *n* flema; ~**atic** [flɛg-'mætɪk] *a* flemático.

phobia ['fəubjə] *n* fobia.

phone [fəun] *n* teléfono // *vt* telefonear, llamar (por teléfono); **to be on the ~** tener teléfono; (*be calling*) estar llamando; **to ~ back** *vt, vi* devolver la llamada.

phonetics [fə'netɪks] *n* fonética.

phoney ['fəunɪ] *a* falso; (*person*) insincero // *n* (*person*) farsante *m/f*.

phosphate ['fɔsfeɪt] *n* fosfato.

phosphorus ['fɔsfərəs] *n* fósforo.

photo ['fəutəu] *n* fotografía.

photo... [fəutəu] *pref*: ~**copier** *n* fotocopiador *m*; ~**copy** *n* fotocopia // *vt* fotocopiar; ~**genic** [-'dʒenɪk] *a* fotogénico; ~**graph** *n* fotografía // *vt* fotografiar; ~**grapher** [fə'tɔgrəfə*] *n* fotógrafo; ~**graphic** [-'græfɪk] *a* fotográfico; ~**graphy** [fə'tɔgrəfɪ] *n* fotografía; ~**stat** ['fəutəustæt] *n* fotóstato.

phrase [freɪz] *n* frase *f* // *vt* expresar; ~**book** *n* libro de frases.

physical ['fɪzɪkl] *a* físico.

physician [fɪ'zɪʃən] *n* médico.

physicist ['fɪzɪsɪst] *n* físico.

physics ['fɪzɪks] *n* física.

physiology [fɪzɪ'ɔlədʒɪ] *n* fisiología.

physiotherapy [fɪzɪəu'θɛrəpɪ] *n* fisioterapia.

physique [fɪ'zi:k] *n* físico.

pianist ['pi:ənɪst] *n* pianista *m/f*.

piano [pɪ'ænəu] *n* piano; **grand ~ piano** de cola.

pick [pɪk] *n* (*tool*: *also*: ~**-axe**) pico, piqueta // *vt* (*select*) elegir, escoger; (*gather*) recoger; (*lock*) forzar; **take your ~ escoja lo que quiera; the ~ of lo mejor de; to ~ one's teeth limpiarse los dientes; to ~ pockets ratear, ser carterista; to ~ off vt (kill) matar de un tiro; to ~ on vt fus (person) meterse con; to ~ out vt escoger; (distinguish) lograr ver; to ~ up vi (improve) reponerse // vt (from floor) recoger; (telephone) descolgar; (buy) comprar; (find) encontrar; (learn) aprender; to ~ up speed acelerarse; to ~ o.s. up levantarse.**

picket ['pɪkɪt] *n* (*in strike*) guardia, piquete *m* // *vt* piquetear; ~ **line** *n* línea de huelgistas.

pickle ['pɪkl] *n* (*also*: ~**s**: *as condiment*) escabeche *m*; (*fig*: *mess*) apuro // *vt* encurtir; (*in vinegar*) conservar en vinagre.

pickpocket ['pɪkpɔkɪt] *n* carterista *m/f*.

pickup ['pɪkʌp] *n* (*on record player*) pickup *m*; (*small truck*) furgoneta.

picnic ['pɪknɪk] *n* picnic *m*, merienda de campo // *vi* merendar en el campo.

pictorial [pɪk'tɔːrɪəl] *a* pictórico; (*magazine etc*) ilustrado.

picture ['pɪktʃə*] *n* cuadro; (*painting*) pintura; (*photograph*) fotografía; (*film*) película // *vt* pintar; **the ~s el cine; ~ book** *n* libro de imágenes.

picturesque [pɪktʃə'resk] *a* pintoresco.

pidgin ['pɪdʒɪn] *a*: ~ **English** el inglés macarrónico.

pie [paɪ] *n* pastel *m*; (*open*) tarta; (*of meat*) empanada.

piebald ['paɪbɔːld] *a* pío.

piece [pi:s] *n* pedazo, trozo; (*of land*) terreno; (*of cake*) porción *f*; (*item*): **a ~ of furniture/advice** un mueble/un consejo // *vt*: **to ~ together** juntar; (*TECH*) montar; **to take to ~s** desmontar; ~**meal** *ad* poco a poco; ~**work** *n* trabajo a destajo.

pier [pɪə*] *n* muelle *m*; (*jetty*) embarcadero, malecón *m*.

pierce [pɪəs] *vt* penetrar, atravesar; (*puncture*) pinchar.

piercing ['pɪəsɪŋ] *a* (*cry*) penetrante.

piety ['paɪətɪ] *n* piedad *f*.

pig [pɪg] *n* cerdo, puerco; (*fig*) cochino.

pigeon ['pɪdʒən] *n* paloma; (*as food*) pichón *m*; ~**hole** *n* casilla.

piggy bank ['pɪgɪbæŋk] *n* hucha en forma de cerdito.

pigheaded ['pɪg'hedɪd] *a* terco, testarudo.

pigment ['pɪgmənt] *n* pigmento; ~**ation** [-'teɪʃən] *n* pigmentación *f*.

pigmy ['pɪgmɪ] *n* = **pygmy**.

pigsty ['pɪgstaɪ] *n* pocilga.

pigtail ['pɪgteɪl] *n* (*girl's*) trenza; (*Chinese*) coleta.

pike [paɪk] *n* (*spear*) pica; (*fish*) lucio.

pilchard ['pɪltʃəd] *n* sardina arenque.

pile [paɪl] *n* (*heap*) montón *m*; (*of carpet*)

pelo; (of cloth) pelillo // (vb: also: ~ **up**) vt amontonar; (fig) acumular // vi amontonarse.

piles [paɪlz] npl (MED) almorranas fpl, hemorroides mpl.

pile-up ['paɪlʌp] n (AUT) accidente m múltiple.

pilfer ['pɪlfə*] vt ratear; ~**ing** n ratería.

pilgrim ['pɪlgrɪm] n peregrino/a; ~**age** n peregrinaje m, romería.

pill [pɪl] n píldora; **the** ~ la píldora.

pillage ['pɪlɪdʒ] n saqueo, pillaje m.

pillar ['pɪlə*] n (gen) pilar m; (concrete) columna; ~ **box** n (Brit) buzón m.

pillion ['pɪljən] n (of motor cycle) asiento de atrás.

pillory ['pɪlərɪ] vt poner en ridículo.

pillow ['pɪləu] n almohada; ~**case** n funda.

pilot ['paɪlət] n piloto // a (scheme etc) piloto // vt pilotar; (fig) guiar, conducir; ~ **light** n piloto.

pimp [pɪmp] n alcahuete m, chulo.

pimple ['pɪmpl] n grano.

pin [pɪn] n alfiler m; (TECH) perno; (: wooden) clavija // vt prender (con alfiler); sujetar con perno; ~**s and needles** hormigueo sg; **rolling/ safety** ~ rodillo/imperdible m; **to** ~ **sb down** (fig) hacer que uno concrete; **to** ~ **sth on sb** (fig) acusar (falsamente) a uno de algo.

pinafore ['pɪnəfɔ:*] n delantal m; ~ **dress** n mandil m.

pinball ['pɪnbɔ:l] n billar m automático.

pincers ['pɪnsəz] npl pinzas fpl, tenazas fpl.

pinch [pɪntʃ] n pellizco; (of salt etc) pizca // vt pellizcar; (col: steal) birlar; (: arrest) coger, pescar // vi (shoe) apretar; **to feel the** ~ pasar apuros.

pincushion ['pɪnkuʃən] n acerico.

pine [paɪn] n (also: ~ **tree**) pino // vi: ~ **for** suspirar por; **to** ~ **away** languidecer.

pineapple ['paɪnæpl] n piña, ananás m.

ping [pɪŋ] n (noise) tintineo; (of bullet through air) subido; ~-**pong** n pingpong m.

pink [pɪŋk] n rosado, color de rosa // a (colour) color m de rosa; (BOT) clavel m, clavellina.

pinnacle ['pɪnəkl] n cumbre f.

pinpoint ['pɪnpɔɪnt] vt poner el dedo en.

pint [paɪnt] n pinta (0.57 litros); **to go for a** ~ ir a tomar una cerveza.

pin-up ['pɪnʌp] n fotografía de mujer bonita.

pioneer [paɪə'nɪə*] n pionero.

pious ['paɪəs] a piadoso, devoto.

pip [pɪp] n (seed) pepita; (time signal on radio) señal f.

pipe [paɪp] n tubo, caño; (for smoking) pipa // vt conducir en cañerías; ~**s** npl (gen) cañería sg; (also: **bag**~**s**) gaita sg; **to** ~ **down** vi (col) callarse; ~ **dream** n sueño imposible; ~**line** n tubería, cañería; (for oil) oleoducto; (for gas) gasoducto; **piper** n

(gen) flautista m/f; (with bagpipes) gaitero.

piping ['paɪpɪŋ] ad: ~ **hot** bien caliente.

piquant ['pi:kənt] a picante.

pique [pi:k] n pique m, resentimiento.

pirate ['paɪərət] n pirata m; ~ **radio** n emisora ilegal.

pirouette [pɪru'εt] n pirueta // vi piruetear.

Pisces ['paɪsi:z] n Piscis m.

piss [pɪs] vi (col) mear; ~**ed** a (col: drunk) trompa.

pistol ['pɪstl] n pistola.

piston ['pɪstən] n pistón m, émbolo.

pit [pɪt] n hoyo; (also: **coal** ~) mina; (in garage) foso de inspección; (also: **orchestra** ~) platea; (quarry) cantera // vt: **to** ~ **A against B** oponer A a B; ~**s** npl (AUT) box m.

pitch [pɪtʃ] n (throw) lanzamiento; (MUS) tono; (SPORT) campo, terreno; (tar) brea; (in market etc) puesto // vt (throw) arrojar, lanzar // vi (fall) caer(se); (NAUT) cabecear; **to** ~ **a tent** armar una tienda (de campaña); ~-**black** a negro como boca de lobo; ~**ed battle** n batalla campal.

pitcher ['pɪtʃə*] n cántaro, jarro.

pitchfork ['pɪtʃfɔ:k] n horca.

piteous ['pɪtɪəs] a lastimoso.

pitfall ['pɪtfɔ:l] n escollo, peligro.

pith [pɪθ] n (of orange) médula; (fig) meollo.

pithy ['pɪθɪ] a jugoso.

pitiable ['pɪtɪəbl] a lastimoso.

pitiful ['pɪtɪful] a (touching) lastimoso, conmovedor(a); (contemptible) lamentable, miserable.

pitiless ['pɪtɪlɪs] a despiadado.

pittance ['pɪtns] n miseria.

pity ['pɪtɪ] n (compassion) compasión f, piedad f; (shame) lástima // vt tener lástima a, compadecer(se de); **what a** ~! ¡qué lástima!

pivot ['pɪvət] n eje m // vi: **to** ~ **on** girar sobre; (fig) depender de.

pixie ['pɪksɪ] n duende m.

placard ['plækɑ:d] n (sign) letrero; (in march etc) pancarta.

placate [plə'keɪt] vt apaciguar.

place [pleɪs] n lugar m, sitio; (rank) rango; (seat) plaza, asiento; (post) puesto; (home): **at/to his** ~ en/a su casa // vt (object) poner, colocar; (identify) reconocer, ubicar; (find a post for) dar un puesto a, colocar; **to take** ~ tener lugar; **to be** ~**d** (in race, exam) colocarse; **out of** ~ (not suitable) fuera de lugar; **in the first** ~ en primer lugar; **to change** ~**s with sb** trocarse con uno.

placid ['plæsɪd] a apacible.

plagiarism ['pleɪdʒjərɪzm] n plagio.

plague [pleɪg] n (plague; (MED) peste f // vt (fig) acosar, atormentar; **to** ~ **sb** fastidiar a uno.

plaice [pleɪs] n, pl inv platija.

plaid [plæd] *n* (*material*) tela a cuadros; (*pattern*) plaid *m*.

plain [pleɪn] *a* (*clear*) claro, evidente; (*simple*) sencillo, llano; (*frank*) franco, abierto; (*not handsome*) sin atractivo; (*pure*) natural, puro // *ad* claro, claramente // *n* llano, llanura; **in ~ clothes** (*police*) de paisano; **~ly** *ad* claramente, evidentemente; (*frankly*) francamente, con franqueza; **~ness** *n* claridad *f*; sencillez *f*; franqueza.

plaintiff ['pleɪntɪf] *n* demandante *m/f*.

plait [plæt] *n* trenza // *vt* trenzar.

plan [plæn] *n* (*drawing*) plano; (*scheme*) plan *m*, proyecto; (*schedule*) programa *m* // *vt* (*think in advance*) proyectar; (*prepare*) planear, planificar // *vi* hacer proyectos; **to ~ to do** proponerse hacer.

plane [pleɪn] *n* (*AVIAT*) avión *m*; (*tree*) plátano; (*tool*) cepillo; (*MATH*) plano.

planet ['plænɪt] *n* planeta *m*; **~arium** [-'tɛərɪəm] *n* planetario.

plank [plæŋk] *n* tabla; (*POL*) punto.

planner ['plænə*] *n* planificador/a *m/f*.

planning ['plænɪŋ] *n* planificación *f*; **family ~** planificación familiar.

plant [plɑːnt] *n* planta; (*machinery*) maquinaria; (*factory*) fábrica // *vt* plantar; (*field*) sembrar; (*bomb*) colocar; (*fam*) colocar a escondidas.

plantation [plæn'teɪʃən] *n* plantación *f*; (*estate*) hacienda.

plaque [plæk] *n* placa.

plasma ['plæzmə] *n* plasma *m*.

plaster ['plɑːstə*] *n* (*for walls*) yeso; (*also*: **sticking ~**) curitas *m inv*, parche *m* // *vt* enyesar; (*cover*): **to ~ with** llenar o cubrir de; **~ed** *a* (*col*) trompa; **~er** *n* yesero.

plastic ['plæstɪk] *n* plástico // *a* de plástico.

plasticine ['plæstɪsiːn] *n* plasticina.

plastic surgery ['plæstɪk'səːdʒərɪ] *n* cirujía plástica.

plate [pleɪt] *n* (*dish*) plato; (*metal, in book*) lámina; (*PHOT, dental*) placa.

plateau ['plætəu], *pl* **~s** *or* **~x** [-z] *n* meseta, altiplanicie *f*.

plateful ['pleɪtful] *n* plato.

plate glass [pleɪt'glɑːs] *n* vidrio cilindrado.

platform ['plætfɔːm] *n* (*RAIL*) andén *m*; (*stage*) plataforma; (*at meeting*) tribuna; (*POL*) programa *m* electoral; **~ ticket** *n* billete *m* de andén.

platinum ['plætɪnəm] *n* platino.

platitude ['plætɪtjuːd] *n* lugar *m* común, tópico.

platoon [plə'tuːn] *n* pelotón *m*.

platter ['plætə*] *n* fuente *f*, platón *m*.

plausible ['plɔːzɪbl] *a* verosímil, admisible; (*person*) convincente.

play [pleɪ] *n* (*gen*) juego; (*also*: **~time**) recreo; (*THEATRE*) obra, comedia // *vt* (*game*) jugar; (*instrument*) tocar; (*THEATRE*) representar; (: *part*) hacer (el papel de); (*fig*) desempeñar // *vi* jugar; (*amuse o.s.*) divertirse; (*frolic*) juguetear; **to ~ down** *vt* quitar importancia a; **to ~ up** *vt* (*cause trouble to*) fastidiar a; **~-acting** *n* teatro; **~er** *n* jugador/a *m/f*; (*THEATRE*) actor/actriz *m/f*; (*MUS*) músico/a; **~ful** *a* juguetón(ona); **~ground** *n* (*in park*) parque *m* de juegos; (*in school*) patio de recreo; **~group** *n* jardín *m* de niños; **~ing card** *n* naipe *m*, carta; **~ing field** *n* campo de deportes; **~mate** *n* compañero de juego; **~-off** *n* (*SPORT*) partido de desempate; **~pen** *n* corral *m*; **~thing** *n* juguete *m*; **~wright** *n* dramaturgo.

plea [pliː] *n* (*request*) súplica, petición *f*; (*excuse*) pretexto, disculpa; (*LAW*) alegato, defensa.

plead [pliːd] *vt* (*LAW*) interceder; (*give as excuse*) poner como pretexto // *vi* (*LAW*) declarar; (*beg*): **to ~ with sb** suplicar o rogar a uno.

pleasant ['plɛznt] *a* agradable; (*surprise*) grato; (*person*) simpático; **~ness** *n* (*of person*) simpatía, amabilidad *f*; (*of place*) lo agradable; **~ries** *npl* (*polite remarks*) cortesías *fpl*.

please [pliːz] *vt* (*give pleasure to*) dar gusto a, agradar; (*get on well with*) caer en gracia a // *vi* (*think fit*): **do as you ~!** haga lo que quiera o lo que le da la gana; **~!** ¡por favor!; **~ yourself!** ¡como Usted guste!, ¡como quiera!; **~d** *a* (*happy*) alegre, contento; **~d** (**with**) satisfecho (de); **pleasing** *a* (*gen*) agradable; (*surprise*) grato; (*flattering*) halagüeño.

pleasure ['plɛʒə*] *n* placer *m*, gusto; (*will*) voluntad *f* // *cpd* de recreo; **'it's a ~'** el gusto es mío; **it's a ~ to see him** da gusto verle.

pleat [pliːt] *n* pliegue *m*.

plebs [plɛbz] *npl* (*pej*) la plebe.

plectrum ['plɛktrəm] *n* plectro.

pledge [plɛdʒ] *n* (*object*) prenda; (*promise*) promesa, voto // *vt* (*pawn*) empeñar; (*promise*) prometer.

plentiful ['plɛntɪful] *a* copioso, abundante.

plenty ['plɛntɪ] *n* abundancia; **~ of** (*enough*) bastante; (*many*) muchos.

pleurisy ['pluərɪsɪ] *n* pleuresía.

pliable ['plaɪəbl] *a* flexible; (*fig*) manejable.

pliers ['plaɪəz] *npl* alicates *mpl*, tenazas *fpl*.

plight [plaɪt] *n* condición *f*, situación *f* dificil.

plimsolls ['plɪmsɔlz] *npl* zapatos *mpl* de tenis.

plod [plɔd] *vi* caminar penosamente; (*fig*) trabajar laboriosamente; **~der** *n* empollón/ona *m/f*; **~ding** *a* laborioso.

plonk [plɔŋk] (*col*) *n* (*wine*) vino corriente // *vt*: **to ~ sth down** dejar caer algo (pesadamente).

plot [plɔt] *n* (*scheme*) complot *m*, conjura; (*of story, play*) argumento; (*of land*) terreno // *vt* (*mark out*) trazar; (*conspire*) tramar, urdir // *vi* conspirar; **~ter** *n* conspirador/a *m/f*.

plough, plow (US) [plau] n arado // vt (earth) arar; **to ~ back** tr (COMM) reinvertir; **to ~ through** vt fus (crowd) abrirse paso por la fuerza.

ploy [plɔɪ] n truco, estratagema.

pluck [plʌk] vt (fruit) coger; (musical instrument) puntear; (bird) desplumar // n valor m, ánimo; **to ~ up courage** hacer de tripas corazón; **~y** a valiente, valeroso.

plug [plʌg] n tapón m; (ELEC) enchufe m, clavija; (AUT: also: **sparking ~**) bujía // vt (hole) tapar; (col: advertise) dar publicidad a.

plum [plʌm] n (fruit) ciruela // a (col: job) breva, chollo.

plumage ['plu:mɪdʒ] n plumaje m.

plumb [plʌm] ad (exactly) exactamente, en punto // vt sondar, sondear.

plumber ['plʌmə*] n fontanero; **plumbing** [-mɪŋ] n (trade) fontanería; (piping) instalación f de cañerías.

plume [plu:m] n (gen) pluma; (on helmet) penacho.

plummet ['plʌmɪt] vi: **to ~ (down)** caer a plomo.

plump [plʌmp] a rechoncho, rollizo // vt: **to ~ sth (down) on** dejar caer algo en; **to ~ for** (col: choose) optar por.

plunder ['plʌndə*] n pillaje m; (loot) botín m // vt pillar, saquear; (tomb) robar.

plunge [plʌndʒ] n (dive) salto; (submersion) zambullida; (bath) baño // vt sumergir, hundir // vi (fall) caer; (dive) saltar; (person) arrojarse; (sink) hundirse; **to take the ~** resolverse; **plunger** n émbolo; **plunging** a (neckline) escotado.

pluperfect [plu:'pə:fɪkt] n pluscuam- perfecto.

plural ['pluərl] n plural m.

plus [plʌs] n (also: **~ sign**) signo más // prep más, y, además de; **ten/twenty ~** diez/veinte y pico.

plush [plʌʃ] a de felpa.

ply [plaɪ] vt (a trade) ejercer // vi (ship) ir y venir; (for hire) ofrecerse (para alquilar); **three ~** (wool) de tres cordones; **to ~ sb with drink** ofrecer bebidas a alguien muchas veces; **~wood** n madera contrachapada.

P.M. abbr of **Prime Minister.**

p.m. ad abbr of **post meridiem** de la tarde o noche.

pneumatic [nju:'mætɪk] a neumático.

pneumonia [nju:'məunɪə] n pulmonía.

poach [pəutʃ] vt (cook) escalfar; (steal) cazar en vedado // vi cazar/pescar en finca ajena; **~ed** a (egg) escalfado; **~er** n cazador m furtivo; **~ing** n caza/pesca furtiva.

pocket ['pɔkɪt] n bolsillo; (of air, GEO, fig) bolsa; (BILLIARDS) tronera // vt meter en el bolsillo; (steal) embolsar; (BILLIARDS) entronerar; **to be out of ~** salir perdiendo; **~book** n (US: wallet) cartera; **~ knife** n navaja; **~ money** n dinero para gastos personales.

pod [pɔd] n vaina.

podgy ['pɔdʒɪ] a gordinflón(ona).

poem ['pəuɪm] n poema m.

poet ['pəuɪt] n poeta m/f; **~ess** n poetisa; **~ic** [-'etɪk] a poético; **~ laureate** n poeta laureado; **~ry** n poesía.

poignant ['pɔɪnjənt] a conmovedor(a); (sharp) agudo.

point [pɔɪnt] n (gen) punto; (tip) punta; (purpose) fin m, finalidad f; (use) utilidad f; (significant part) lo significativo; (characteristic) rasgo; (also: **decimal ~**): **2 ~ 3 (2.3)** dos punto tres // vt (show) subrayar; (gun etc): **to ~ sth at sb** apuntar algo a uno // vi señalar con el dedo; **~s** npl (AUT) contactos mpl; (RAIL) agujas fpl; **to make a ~ of** no dejar de; **to get the ~** comprender; **to come to the ~** ir al grano; **there's no ~ (in doing)** no hay para qué (hacer); **to ~ out** vt señalar; **to ~ to** indicar con el dedo; (fig) indicar, señalar; **~-blank** ad (also: **at ~-blank range**) a quemarropa; **~ed** a (shape) puntiagudo, afilado; (remark) directo, enfático; **~edly** ad directamente, con énfasis; **there's no ~** puntero; (needle) aguja, indicador m; **~less** a (useless) inútil; (senseless) sin sentido; (motiveless) sin motivo; **~ of view** n punto de vista.

poise [pɔɪz] n (balance) equilibrio; (of head, body) aire m, porte m; (calmness) confianza.

poison ['pɔɪzn] n veneno // vt envenenar; **~ing** n envenenamiento; **~ous** a venenoso; (fumes etc) tóxico; (fig) pernicioso.

poke [pəuk] vt (fire) hurgar, atizar; (jab with finger, stick etc) empujar; (put): **to ~ sth in(to)** introducir algo en // n (to fire) hurgonada; (push) empujón m; (with elbow) codazo; **to ~ about** vi fisgar.

poker ['pəukə*] n badila, atizador m; (CARDS) póker m; **~-faced** a de cara impasible.

poky ['pəukɪ] a estrecho.

Poland ['pəulənd] n Polonia.

polar ['pəulə*] a polar; **~ bear** n oso polar.

polarize ['pəuləraɪz] vt polarizar.

pole [pəul] n palo; (GEO) polo; (TEL) poste m; (flag~) asta; (tent ~) mástil m.

Pole [pəul] n polaco/a.

pole vault ['pəulvɔ:lt] n salto con pértiga.

police [pə'li:s] n policía // vt mantener el orden en; **~ car** n coche-patrulla m; **~man** n policía m, guardia m; **~ state** n estado policíaco; **~ station** n comisaría; **~woman** n mujer f policía.

policy ['pɔlɪsɪ] n política; (also: **insurance ~**) póliza.

polio ['pəulɪəu] n polio f.

Polish ['pəulɪʃ] a, n polaco.

polish ['pɔlɪʃ] n (for shoes) betún m; (for floor) cera (de lustrar); (for nails) esmalte m; (shine) brillo, lustre m; (fig: refinement) cultura, urbanidad f // vt (shoes) limpiar;

(*make shiny*) pulir, sacar brillo a; (*fig: improve*) refinar, repasar; **to ~ off** *vt* (*work*) terminar; (*food*) despachar; **~ed** *a* (*fig: person*) culto; (: *manners*) fino.

polite [pə'laɪt] *a* cortés, atento; (*formal*) correcto; **~ness** *n* cortesía.

politic ['pɒlɪtɪk] *a* prudente; **~al** [pə'lɪtɪkl] *a* político; **~ian** [-'tɪʃən] *n* político; **~s** *npl* política *sg*.

polka ['pɒlkə] *n* polca; **~ dot** *n* punto.

poll [pəʊl] *n* (*votes*) votación *f*, votos *mpl*; (*also:* **opinion ~**) sondeo, encuesta // *vt* (*votes*) recibir, obtener.

pollen ['pɒlən] *n* polen *m*.

pollination [pɒlɪ'neɪʃən] *n* polinización *f*.

polling ['pəʊlɪŋ]: **~ booth** *n* cabina de votar; **~ day** *n* día *m* de elecciones; **~ station** *n* centro electoral.

pollute [pə'luːt] *vt* contaminar; **pollution** [-'luːʃən] *n* polución *f*, contaminación *f*.

polo ['pəʊləʊ] *n* (*sport*) polo; **~-neck** *a* de cuello vuelto.

polyester [pɒlɪ'ɛstə*] *n* poliester *m*.

polygamy [pə'lɪgəmɪ] *n* poligamia.

Polynesia [pɒlɪ'niːzɪə] *n* Polinesia.

polytechnic [pɒlɪ'tɛknɪk] *n* politécnico, escuela de formación profesional.

polythene ['pɒlɪθiːn] *n* politeno.

pomegranate ['pɒmɪgrænɪt] *n* granada.

pommel ['pɒml] *n* pomo // *vt* dar de puñetazos.

pomp [pɒmp] *n* pompa.

pompous ['pɒmpəs] *a* pomposo.

pond [pɒnd] *n* (*natural*) charca; (*artificial*) estanque *m*.

ponder ['pɒndə*] *vt* meditar; **~ous** *a* pesado.

pontiff ['pɒntɪf] *n* pontífice *m*.

pontificate [pɒn'tɪfɪkeɪt] *vi* (*fig*): **to ~** (*about*) pontificar (sobre).

pontoon [pɒn'tuːn] *n* pontón *m*; (*card game*) veintiuna.

pony ['pəʊnɪ] *n* poney *m*, jaca; **~tail** *n* cola de caballo; **~ trekking** *n* excursión *f* a caballo.

poodle ['puːdl] *n* perro de lanas.

pool [puːl] *n* (*of rain*) charca; (*pond*) estanque *m*; (*also:* **swimming ~**) piscina; (*billiards*) trucos *mpl* // *vt* juntar; (*football*) **~s** quinielas *fpl*.

poor [pʊə*] *a* pobre; (*bad*) de baja calidad // *npl:* **the ~** los pobres; **~ly** *a* mal, enfermo.

pop [pɒp] *n* ¡pum!; (*sound*) ruido seco; (*MUS*) pop *m*; (*US: col: father*) papá *m*; (*lemonade*) gaseosa // *vt* (*put*) poner // *vi* reventar; (*cork*) saltar; **to ~ in** *vi* entrar de sopetón; **to ~ out** *vi* salir un momento; **to ~ up** *vi* aparecer inesperadamente; **~ concert** *n* concierto pop; **~corn** *n* palomitas *fpl*.

pope [pəʊp] *n* papa *m*.

poplar ['pɒplə*] *n* álamo.

poplin ['pɒplɪn] *n* popelina.

poppy ['pɒpɪ] *n* amapola.

populace ['pɒpjʊləs] *n* pueblo, plebe *f*.

popular ['pɒpjʊlə*] *a* popular; (*fashionable*) de moda; **~ity** [-'lærɪtɪ] *n* popularidad *f*; **~ize** *vt* popularizar; (*disseminate*) vulgarizar.

populate ['pɒpjʊleɪt] *vt* poblar; **population** [-'leɪʃən] *n* población *f*.

populous ['pɒpjʊləs] *a* populoso.

porcelain ['pɔːslɪn] *n* porcelana.

porch [pɔːtʃ] *n* pórtico, entrada.

porcupine ['pɔːkjupaɪn] *n* puerco espín.

pore [pɔː*] *n* poro // *vi:* **to ~ over** estar absorto en.

pork [pɔːk] *n* carne *f* de cerdo.

pornographic [pɔːnə'græfɪk] *a* pornográfico; **pornography** [-'nɔgrəfɪ] *n* pornografía.

porous ['pɔːrəs] *a* poroso.

porpoise ['pɔːpəs] *n* marsopa.

porridge ['pɒrɪdʒ] *n* avena.

port [pɔːt] *n* (*harbour*) puerto; (*NAUT. left side*) babor *m*; (*wine*) (vino de) oporto.

portable ['pɔːtəbl] *a* portátil.

portend [pɔː'tɛnd] *vt* presagiar, anunciar; **portent** ['pɔːtɛnt] *n* presagio, augurio.

porter ['pɔːtə*] *n* (*for luggage*) mozo; (*doorkeeper*) portero, conserje *m*.

porthole ['pɔːthəʊl] *n* portilla.

portion ['pɔːʃən] *n* porción *f*; (*helping*) ración *f*.

portly ['pɔːtlɪ] *a* corpulento.

portrait ['pɔːtreɪt] *n* retrato.

portray [pɔː'treɪ] *vt* retratar; (*in writing*) describir, representar; **~al** *n* representación *f*.

Portugal ['pɔːtjʊgl] *n* Portugal *m*.

Portuguese [pɔːtjʊ'giːz] *a* portugués(esa) // *n, pl inv* portugués/esa *m/f*; (*LING*) portugués *m*.

pose [pəʊz] *n* postura, actitud *f*; (*pej*) afectación *f*, pose *f* // *vi* posar; (*pretend*): **to ~ as** darse tono de // *vt* (*question*) plantear.

posh [pɒʃ] *a* (*col*) elegante, de lujo.

position [pə'zɪʃən] *n* posición *f*; (*job*) puesto // *vt* colocar.

positive ['pɒzɪtɪv] *a* positivo; (*certain*) seguro; (*definite*) definitivo.

posse ['pɒsɪ] *n* (*US*) pelotón *m*.

possess [pə'zɛs] *vt* poseer; **~ion** [pə'zɛʃən] *n* posesión *f*; **~ive** *a* posesivo.

possibility [pɒsɪ'bɪlɪtɪ] *n* posibilidad *f*; **possible** ['pɒsɪbl] *a* posible; **as big as possible** lo más grande posible; **possibly** ['pɒsɪblɪ] *ad* (*perhaps*) posiblemente, tal vez; **I cannot possibly come** me es imposible venir.

post [pəʊst] *n* (*letters, delivery*) correo; (*job, situation*) puesto; (*pole*) poste *m* // *vt* (*send by post*) echar al correo; (*MIL*) apostar; (*bills*) fijar, pegar; (*appoint*): **to ~ to** enviar a; **~age** *n* porte *m*, franqueo; **~al** *a* postal, de correos; **~al order** *n* giro postal; **~box** *n* buzón *m*; **~card** *n* tarjeta postal.

postdate [pəʊst'deɪt] *vt* (*cheque*) poner fecha adelantada a.

poster ['pəustə*] n cartel m.
posterior [pɔs'tɪərɪə*] n (col) culo, trasero.
posterity [pɔs'tɛrɪtɪ] n posteridad f.
postgraduate ['pəust'grædjuət] n postgraduado.
posthumous ['pɔstjuməs] a póstumo.
post: ~**man** n cartero; ~**mark** n matasellos m inv; ~**master** n administrador/a m/f de correos.
post-mortem [pəust'mɔːtəm] n autopsia.
post office ['pəustɔfɪs] n (building) correos f; (organization) Administración General de Correos; ~ **box (P.O. box)** n apartado postal.
postpone [pɔs'pəun] vt aplazar; ~**ment** n aplazamiento.
postscript ['pəustskrɪpt] n posdata.
postulate ['pɔstjuleɪt] vt postular.
posture ['pɔstʃə*] n postura, actitud f.
postwar [pəust'wɔː*] a de posguerra.
posy ['pəuzɪ] n ramillete m (de flores).
pot [pɔt] n (for cooking) olla; (for flowers) maceta; (for jam) tarro, pote m; (col: marijuana) mota // vt (plant) poner en tiesto; (conserve) conservar.
potato [pə'teɪtəu], pl ~**es** n patata, papa (AM).
potent ['pəutnt] a potente, poderoso; (drink) fuerte.
potential [pə'tɛnʃl] a potencial, en potencial // n potencial m, potencialidad f.
pothole ['pɔthəul] n (in road) bache m; (underground) caverna; **potholer** n espeleólogo; **potholing** n: **to go potholing** dedicarse a la espeleología.
potion ['pəuʃən] n poción f, pócima.
potluck [pɔt'lʌk] n: **to take** ~ contentarse con lo que haya.
potshot ['pɔtʃɔt] n: **to take a** ~ **at sth** tirar a algo sin apuntar.
potted ['pɔtɪd] a (food) en conserva; (plant) en tiesto o maceta.
potter ['pɔtə*] n (artistic) ceramista m/f; (artisan) alfarero // vi: **to** ~ **around,** ~ **about** ocuparse en fruslerías; ~**y** n cerámica; alfarería.
potty ['pɔtɪ] a (col: mad) chiflado // n orinal m de niño.
pouch [pautʃ] n (zool) bolsa; (for tobacco) petaca.
pouf(fe) [puːf] n pouf m.
poultice ['pəultɪs] n cataplasma, emplasto.
poultry ['pəultrɪ] n aves fpl de corral; (dead) pollos mpl; ~ **farm** n granja avícola.
pounce [pauns] vi: **to** ~ **on** precipitarse sobre // n salto, ataque m.
pound [paund] n (gen) libra; (for dogs) corral m; (for cars) depósito // vt (beat) golpear; (crush) machacar // vi (beat) dar golpes; ~ **sterling** n (libra) esterlina.
pour [pɔː*] vt echar; (tea) servir // vi correr, fluir; (rain) llover a cántaros // **to** ~ **away** or **off** vt vaciar, verter; **to** ~ **in** vi (people) entrar en tropel; **to** ~ **out** vi (people) salir en tropel // vt (drink) echar, servir; ~**ing** a: ~**ing rain** lluvia torrencial.
pout [paut] vi hacer pucheros.
poverty ['pɔvətɪ] n pobreza, miseria; (fig) falta, escasez f; ~-**stricken** a necesitado.
powder ['paudə*] n polvo; (face ~) polvos mpl; (gun~) pólvora // vt polvorear; **to** ~ **one's face** empolvarse; ~ **compact** n polvera; ~ **room** n aseos mpl; ~**y** a polvoriento.
power ['pauə*] n (gen) poder m; (strength) fuerza; (nation) potencia; (ability, POL: of party, leader) poder m, poderío; (drive) empuje m; (TECH) potencia; (ELEC) fuerza, energía // vt impulsar; ~ **cut** n apagón m; ~**ed** a: ~**ed by** impulsado por; ~**ful** a poderoso; (engine) potente; (build) fuerte; (emotion) intenso; ~**less** a impotente, ineficaz; ~ **line** n línea de conducción eléctrica; ~ **point** n enchufe m; ~ **station** n central f eléctrica.
p.p. abbr of per procurationem: ~ **J. Smith** p.p. (por poder de) J. Smith.
practicable ['præktɪkəbl] a (scheme) factible.
practical ['præktɪkl] a práctico; ~ **joke** n broma pesada; ~**ly** ad (almost) prácticamente.
practice ['præktɪs] n (habit) costumbre f; (exercise) práctica, ejercicio; (training) adiestramiento; (MED) clientela // vt, vi (US) = **practise; in** ~ (in reality) en la práctica; **out of** ~ desentrenado.
practise, practice (US) ['præktɪs] vt (carry out) practicar; (be in the habit of) tener por costumbre; (profession) ejercer; (train at) hacer ejercicios de // vi ejercer (profesión); (train) entrenar, adiestrarse; **practising** a (Christian etc) practicante; (lawyer) que ejerce.
practitioner [præk'tɪʃənə*] n practicante m/f; (MED) médico/a.
pragmatic [præg'mætɪk] a pragmático.
prairie ['prɛərɪ] n pradera, pampa.
praise [preɪz] n alabanza, elogio, alabanzas fpl, elogios mpl; ~-**worthy** a loable, digno de elogios.
pram [præm] n cochecito de niño.
prance [prɑːns] vi (horse) hacer cabriolas.
prank [præŋk] n travesura.
prattle ['prætl] vi parlotear; (child) balbucear.
prawn [prɔːn] n gamba; (small) quisquilla.
pray [preɪ] vi rezar; ~**er** n oración f, rezo; (entreaty) ruego, súplica; ~**er book** n devocionario, misal m.
preach [priːtʃ] vi predicar; ~**er** n predicador/a m/f; (US) pastor m.
preamble [prɪ'æmbl] n preámbulo.
prearranged [priːə'reɪndʒd] a arreglado de antemano.
precarious [prɪ'kɛərɪəs] a precario.
precaution [prɪ'kɔːʃən] n precaución f.
precede [prɪ'siːd] vt, vi preceder.
precedence ['prɛsɪdəns] n precedencia;

(*priority*) prioridad *f*; **precedent** [-ənt] *n* precedente *m*.

preceding [prɪ'siːdɪŋ] *a* precedente.

precept ['priːsɛpt] *n* precepto.

precinct ['priːsɪŋkt] *n* recinto; ~**s** *npl* contornos *mpl*; **pedestrian** ~ zona reservada para peatones; **shopping** ~ zona comercial.

precious ['prɛʃəs] *a* precioso; (*stylized*) afectado.

precipice ['prɛsɪpɪs] *n* precipicio, despeñadero.

precipitate [prɪ'sɪpɪtɪt] *a* (*hasty*) precipitado, apresurado // *vt* [prɪ'sɪpɪteɪt] (*hasten*) acelerar; (*bring about*) causar; **precipitation** [-'teɪʃən] *n* precipitación *f*.

precipitous [prɪ'sɪpɪtəs] *a* (*steep*) escarpado.

precise [prɪ'saɪs] *a* preciso, exacto; (*person*) escrupuloso; ~**ly** *ad* exactamente, precisamente; **precision** [-'sɪʒən] *n* precisión *f*.

preclude [prɪ'kluːd] *vt* excluir.

precocious [prɪ'kəʊʃəs] *a* precoz.

preconceived [priːkən'siːvd] *a* (*idea*) preconcebido.

precursor [priː'kɜːsə*] *n* precursor/a *m/f*.

predator ['prɛdətə*] *n* animal *m* de rapiña; ~**y** *a* rapaz, de rapiña.

predecessor ['priːdɪsɛsə*] *n* antecesor/a *m/f*.

predestination [priːdɛstɪ'neɪʃən] *n* predestinación *f*.

predetermine [priːdɪ'tɜːmɪn] *vt* predeterminar.

predicament [prɪ'dɪkəmənt] *n* apuro.

predict [prɪ'dɪkt] *vt* pronosticar; ~**ion** [-'dɪkʃən] *n* pronóstico.

predominant [prɪ'dɒmɪnənt] *a* predominante; **predominate** [-neɪt] *vi* predominar.

pre-eminent [priː'ɛmɪnənt] *a* preeminente.

pre-empt [priː'ɛmt] *vt* apropiarse de antemano.

preen [priːn] *vt*: **to** ~ **itself** (*bird*) limpiarse (las plumas); **to** ~ **o.s.** pavonearse.

prefab ['priːfæb] *n* casa prefabricada.

prefabricated [priː'fæbrikeɪtɪd] *a* prefabricado.

preface ['prɛfəs] *n* prefacio.

prefect ['priːfɛkt] *n* (*Brit: in school*) tutor *m*, monitor *m*.

prefer [prɪ'fɜː*] *vt* preferir; ~**able** ['prɛfrəbl] *a* preferible; ~**ably** ['prɛfrəblɪ] *ad* de preferencia; ~**ence** ['prɛfrəns] *n* preferencia, prioridad *f*; ~**ential** [prɛfə'rɛnʃəl] *a* preferente.

prefix ['priːfɪks] *n* prefijo.

pregnancy ['prɛgnənsɪ] *n* embarazo; **pregnant** [-ənt] *a* embarazada; **to be pregnant** estar encinta; **pregnant with** preñado de.

prehistoric ['priːhɪs'tɒrɪk] *a* prehistórico.

prejudge [priː'dʒʌdʒ] *vt* prejuzgar.

prejudice ['prɛdʒʊdɪs] *n* (*bias*) prejuicio; (*harm*) perjuicio // *vt* (*predispose*) predisponer; (*harm*) perjudicar; ~**d** *a* (*person*) predispuesto, con prejuicios; (*view*) parcial, interesado.

prelate ['prɛlət] *n* prelado.

preliminary [prɪ'lɪmɪnərɪ] *a* preliminar.

prelude ['prɛljuːd] *n* preludio.

premarital ['priː'mærɪtl] *a* premarital.

premature ['prɛmətʃʊə*] *a* prematuro.

premeditated [priː'mɛdɪteɪtɪd] *a* premeditado.

premier ['prɛmɪə*] *a* primero, principal // *n* (POL) primer ministro.

première ['prɛmɪɛə*] *n* estreno.

premise ['prɛmɪs] *n* premisa; ~**s** *npl* local *m*; (*house*) casa *sg*; (*shop*) tienda *sg*; **on the** ~**s** en el local.

premium ['priːmɪəm] *n* premio; (COMM) prima; **to be at a** ~ ser muy solicitado.

premonition [prɛmə'nɪʃən] *n* presentimiento.

preoccupation [priːɔkjʊ'peɪʃən] *n* preocupación *f*; **preoccupied** [-'ɔkjupaɪd] *a* (*worried*) preocupado; (*absorbed*) absorto.

prep [prɛp] *n* (SCOL: *study*) deberes *mpl*; ~ **school** *n* = **preparatory school.**

prepaid [priː'peɪd] *a* con porte pagado.

preparation [prɛpə'reɪʃən] *n* preparación *f*; ~**s** *npl* preparativos *mpl*.

preparatory [prɪ'pærətərɪ] *a* preparatorio, preliminar; ~ **to** con miras a; ~ **school** *n* escuela preparatoria.

prepare [prɪ'pɛə*] *vt* preparar, disponer // *vi*: **to** ~ **for** prepararse o disponerse para; (*make preparations*) hacer preparativos para; ~**d to** dispuesto a.

preponderance [prɪ'pɒndərns] *n* preponderancia, predominio.

preposition [prɛpə'zɪʃən] *n* preposición *f*.

preposterous [prɪ'pɒstərəs] *a* absurdo, ridículo.

prerequisite [priː'rɛkwɪzɪt] *n* requisito (previo).

prerogative [prɪ'rɒgətɪv] *n* prerrogativa.

presbyterian [prɛzbɪ'tɪərɪən] *a, n* presbiteriano/a.

preschool ['priː'skuːl] *a* preescolar.

prescribe [prɪ'skraɪb] *vt* prescribir; (MED) recetar.

prescription [prɪ'skrɪpʃən] *n* prescripción *f*; (MED) receta.

presence ['prɛzns] *n* presencia; (*attendance*) asistencia; ~ **of mind** *n* presencia de ánimo.

present ['prɛznt] *a* (*in attendance*) presente; (*current*) actual // *n* (*gift*) regalo; (*actuality*) actualidad *f*, presente *m* // *vt* [prɪ'zɛnt] (*introduce*) presentar; (*expound*) exponer; (*give*) presentar, dar, ofrecer; (THEATRE) representar; **at** ~ actualmente; ~**able** [prɪ'zɛntəbl] *a* presentable; ~**ation** [-'teɪʃən] *n* presentación *f*; (*gift*) obsequio; (*of case*) exposición *f*; (THEATRE) representación *f*;

~-**day** a actual; ~**ly** ad (soon) dentro de poco.

preservation [prɛzə'veɪʃən] n conservación f.

preservative [prɪ'zɔːvətɪv] n preservativo.

preserve [prɪ'zɔːv] vt (keep safe) preservar, proteger; (maintain) conservar; (food) hacer una conserva de; (in salt) salar // n (for game) coto, vedado; (often pl: jam) conserva, confitura.

preside [prɪ'zaɪd] vi presidir.

presidency ['prɛzɪdənsɪ] n presidencia; **president** [-ənt] n presidente m/f; **presidential** [-'dɛnʃl] a presidencial.

press [prɛs] n (tool, machine, newspapers) prensa; (printer's) imprenta; (crowd) apiñamiento, agolpamiento; (of hand) apretón m // vt (push) empujar; (squeeze) apretar; (clothes: iron) planchar; (TECH) prensar; (harry) acosar; (insist): **to ~ sth on sb** insistir en que uno acepte algo // vi (squeeze) apretar; (pressurize) ejercer presión; **we are ~ed for time** tenemos poco tiempo; **to ~ on** vi avanzar; (hurry) apretar el paso; ~ **agency** n agencia de prensa; ~ **conference** n conferencia de prensa; ~ **cutting** n recorte m (de periódico); ~**ing** a apremiante; ~ **stud** n botón m de presión.

pressure ['prɛʃə*] n presión f; (urgency) apremio, urgencia; (influence) influencia; (MED) tensión f nerviosa; ~ **cooker** n olla a presión; ~ **gauge** n manómetro; ~ **group** n grupo de presión; **pressurized** a a presión.

prestige [prɛs'tiːʒ] n prestigio; **prestigious** [-'tɪdʒəs] a prestigioso.

presumably [prɪ'zjuːməblɪ] ad se supone que, cabe presumir que.

presume [prɪ'zjuːm] vt presumir, suponer; **to ~ to do** (dare) atreverse a; (set out to) pretender.

presumption [prɪ'zʌmpʃən] n suposición f; (pretension) pretensión f; (boldness) atrevimiento.

presuppose [priːsə'pəuz] vt presuponer.

pretence, pretense (US) [prɪ'tɛns] n (claim) pretensión f; (display) ostentación f; (pretext) pretexto; (make-believe) fingimiento; **on the ~ of** so pretexto de.

pretend [prɪ'tɛnd] vt (feign) fingir // vi (feign) fingir; (claim): **to ~ to sth** pretender a algo.

pretension [prɪ'tɛnʃən] n (presumption) presunción f; (claim) pretensión f.

pretentious [prɪ'tɛnʃəs] a presumido; (ostentacious) ostenso, aparatoso.

pretext ['priːtɛkst] n pretexto.

pretty ['prɪtɪ] a (gen) hermoso; (person) guapo; (dress) bonito; (sum) importante // ad (quite) bastante; (nearly) casi.

prevail [prɪ'veɪl] vi (win) imponerse; (be current) imperar; (be in fashion) estar de moda; (be usual) prevalecer; (persuade): **to ~ (up)on sb to do sth** persuadir a uno a hacer algo; ~**ing** a (dominant)

imperante; (usual) corriente.

prevalent ['prɛvələnt] a (dominant) predominante; (usual) corriente; (fashionable) en boga; (present-day) actual.

prevent [prɪ'vɛnt] vt: **to ~ (sb) from doing sth** impedir (a uno) hacer algo; ~**able** a evitable; ~**ative** a preventivo; ~**ion** [-'vɛnʃən] n prevención f; ~**ive** a preventivo.

preview ['priːvjuː] n (of film) preestreno; (fig) anticipo.

previous ['priːvɪəs] a previo, anterior; (hasty) prematuro; ~**ly** ad previamente, con anticipación; (in earlier times) antes.

prewar [priː'wɔː*] a de preguerra, prebélico.

prey [preɪ] n presa // vi: **to ~ on** vivir a costa de; (feed on) alimentarse de; (plunder) robar, pillar; **it was ~ing on his mind** le agobiaba, le preocupaba.

price [praɪs] n precio // vt (goods) fijar el precio de; ~**less** a inapreciable.

prick [prɪk] n pinchazo; (with pin) alfilerazo; (sting) picadura // vt pinchar; picar; **to ~ up one's ears** aguzar el oído.

prickle ['prɪkl] n (sensation) escozor m; (BOT) espina; (ZOOL) púa; **prickly** a espinoso; (fig: person) malhumorado; (: touchy) quisquilloso.

pride [praɪd] n orgullo; (pej) soberbia // vt: **to ~ o.s. on** enorgullecerse de, ufanarse de.

priest [priːst] n sacerdote m; ~**ess** n sacerdotisa; ~**hood** n (practice) sacerdocio; (priests) clero.

prig [prɪg] n presumido/a, pedante m/f.

prim [prɪm] a (formal) estirado; (affected) remilgado; (prudish) gazmoño.

primarily ['praɪmərɪlɪ] ad (above all) ante todo; (firstly) en primer lugar.

primary ['praɪmərɪ] a primario; (first in importance) principal; ~ **school** n escuela primaria.

primate ['praɪmɪt] n (REL) primado // n ['praɪmeɪt] (ZOOL) primate m.

prime [praɪm] a primero, principal; (basic) fundamental; (excellent) selecto, de primera clase // vt (gun, pump) cebar; (fig) preparar, aprestar; **in the ~ of life** en la flor de la vida; ~ **minister** n primer ministro; **primer** n (book) libro de texto; (paint) pintura de base.

primitive ['prɪmɪtɪv] a primitivo; (crude) rudimentario; (uncivilized) inculto.

primrose ['prɪmrəuz] n primavera, prímula.

primus (stove) ['praɪməs] n hornillo de campaña a presión.

prince [prɪns] n príncipe m.

princess [prɪn'sɛs] n princesa.

principal ['prɪnsɪpl] a principal, mayor // n director/a m/f.

principality [prɪnsɪ'pælɪtɪ] n principado.

principle ['prɪnsɪpl] n principio.

print [prɪnt] n (impression) marca, impresión f; (letters) letra de molde; (fabric) estampado; (ART) estampa, grabado; (PHOT) positiva // vt (gen) imprimir; (on mind) grabar; (write in capitals) escribir en letras de molde; out of ~ agotado; ~ed matter n impresos mpl; ~er n impresor/a m/f; ~ing n (art) imprenta; (act) impresión f; (quantity) tirada; ~ing press n (prensa de) imprenta.

prior ['praɪə*] a anterior, previo // n prior m; ~ to doing antes de o hasta hacer.

priority [praɪ'ɔrɪtɪ] n prioridad f.

prise [praɪz] vt: to ~ open abrir con palanca.

prism ['prɪzəm] n prisma m.

prison ['prɪzn] n cárcel f, prisión f // a carcelario; ~er n (in prison) preso; (under arrest) detenido; (in dock) acusado.

privacy ['prɪvəsɪ] n (seclusion) aislamiento, soledad f; (intimacy) intimidad f.

private ['praɪvɪt] a (personal) particular; (confidential) secreto, reservado; (intimate) privado, íntimo; (sitting etc) a puertas cerradas // n soldado raso; '~' (on envelope) 'privado'; (on door) 'uso particular o privado'; in ~ en privado; ~ enterprise n la empresa privada; ~ eye n detective m privado; ~ly ad en privado; (in o.s.) en el fondo.

privet ['prɪvɪt] n alheña.

privilege ['prɪvɪlɪdʒ] n privilegio; (prerogative) prerrogativa; ~d a privilegiado.

privy ['prɪvɪ] a: to be ~ to estar enterado de; P~ Council n Consejo Privado.

prize [praɪz] n premio // a premiado; (first class) de primera clase // vt apreciar, estimar; ~-giving n distribución f de premios; ~ winner n premiado/a.

pro [prəu] n (SPORT) profesional m/f; the ~s and cons los pros y los contras.

probability [prɔbə'bɪlɪtɪ] n probabilidad f; **probable** ['prɔbəbl] a probable; (plausible) verosímil; **probably** ['prɔbəblɪ] ad probablemente.

probation [prə'beɪʃən] n: on ~ (employee) de prueba; (LAW) en libertad condicional.

probe [prəub] n (MED, SPACE) sonda; (enquiry) encuesta, sondeo // vt sondar; (investigate) indagar.

problem ['prɔbləm] n problema m; ~atic [-'mætɪk] a problemático.

procedure [prə'si:dʒə*] n (ADMIN, LAW) procedimiento; (method) proceder m; (bureaucratic) trámites mpl.

proceed [prə'si:d] vi proceder; (continue): to ~ (with) continuar o seguir (con); ~ings npl acto sg, actos mpl; (LAW) medidas fpl; (meeting) función f; (records) actas fpl; ~s ['prəusi:dz] npl ganancias fpl, ingresos mpl.

process ['prəusɛs] n proceso; (method) método, sistema m; (proceeding) procedimiento // vt tratar, elaborar; in ~ en curso; ~ing n elaboración f.

procession [prə'sɛʃən] n desfile m; funeral ~ cortejo fúnebre.

proclaim [prə'kleɪm] vt proclamar; (announce) anunciar; **proclamation** [prɔklə'meɪʃən] n proclamación f; (written) proclama.

procreation [prəukrɪ'eɪʃən] n procreación f.

procure [prə'kjuə*] vt conseguir, obtener.

prod [prɔd] vt (push) empujar; (with elbow) dar un codazo a; (jab) pinchar // n empuje m; codazo; pinchazo.

prodigal ['prɔdɪgl] a pródigo.

prodigious [prə'dɪdʒəs] a prodigioso.

prodigy ['prɔdɪdʒɪ] n prodigio.

produce ['prɔdju:s] n (AGR) productos mpl agrícolas // vt [prə'dju:s] (gen) producir; (profit) rendir; (show) presentar, mostrar; (THEATRE) presentar, poner en escena; (offspring) dar a luz; **producer** n (THEATRE) director/a m/f; (AGR, CINEMA) productor/a m/f.

product ['prɔdʌkt] n (thing) producto; (result) fruto, resultado.

production [prə'dʌkʃən] n (act) producción f; (thing) producto; (THEATRE) representación f, obra; ~ line n línea o cadena de montaje.

productive [prə'dʌktɪv] a productivo; **productivity** [prɔdʌk'tɪvɪtɪ] n productividad f.

profane [prə'feɪn] a profano; (language etc) fuerte.

profess [prə'fɛs] vt profesar; (regret) manifestar.

profession [prə'fɛʃən] n profesión f; ~al n profesional m/f; (expert) perito // a profesional; perito, experto; (by profession) de oficio.

professor [prə'fɛsə*] n catedrático/a.

proficiency [prə'fɪʃənsɪ] n pericia, habilidad f; **proficient** [-ənt] a perito, hábil.

profile ['prəufaɪl] n perfil m.

profit ['prɔfɪt] n (COMM) ganancia; (fig) provecho // vi: to ~ by or from aprovechar o sacar provecho de; ~ability [-ə'bɪlɪtɪ] n rentabilidad f; ~able a (ECON) rentable; (useful) provechoso; ~eering [-'tɪərɪŋ] n (pej) ganancias fpl excesivas.

profound [prə'faund] a profundo.

profuse [prə'fju:s] a profuso, pródigo; ~ly ad profusamente, pródigamente; **profusion** [-'fju:ʒən] n profusión f, abundancia.

progeny ['prɔdʒɪnɪ] n progenie f, prole f.

programme, program (US) ['prəugræm] n programa m // vt programar; **programming, programing** (US) n programación f.

progress ['prəugrɛs] n progreso; (development) desarrollo // vi [prə'grɛs] progresar, avanzar; desarrollarse; in ~ en marcha; ~ion [-'grɛʃən] n progresión f; ~ive [-'grɛsɪv] a progresivo; (person) progresista m/f.

prohibit [prə'hɪbɪt] vt prohibir; **to ~ sb from doing sth** prohibir a uno hacer algo; **~ion** [prəʊɪ'bɪʃən] n (US) prohibicionismo; **~ive** a (price etc) excesivo.

project ['prɔdʒɛkt] n proyecto // (vb: [prə'dʒɛkt]) vt proyectar // vi (stick out) salir, sobresalir.

projectile [prə'dʒɛktaɪl] n proyectil m.

projection [prə'dʒɛkʃən] n proyección f; (overhang) saliente m.

projector [prə'dʒɛktə*] n proyector m.

proletarian [prəʊlɪ'tɛərɪən] a, n proletario/a; **proletariat** [-rɪət] n proletariado.

proliferate [prə'lɪfəreɪt] vi proliferar, multiplicarse; **proliferation** [-'reɪʃən] n proliferación f.

prolific [prə'lɪfɪk] a prolífico.

prologue ['prəʊlɔg] n prólogo.

prolong [prə'lɔŋ] vt prolongar, extender.

prom [prɔm] n abbr of **promenade** baile m de gala.

promenade [prɔmə'nɑːd] n (by sea) paseo marítimo; **~ concert** n concierto (en que parte del público permanece de pie).

prominence ['prɔmɪnəns] n (fig) eminencia, importancia; **prominent** [-ənt] a (standing out) saliente; (important) eminente, importante.

promiscuous [prə'mɪskjuəs] a (sexually) libertino.

promise ['prɔmɪs] n promesa // vt, vi prometer; **promising** a prometedor(a).

promontory ['prɔməntrɪ] n promontorio.

promote [prə'məʊt] vt (gen) promover; (new product) hacer propaganda por; (MIL) ascender; **promoter** n (of sporting event) promotor/a m/f; **promotion** [-'məʊʃən] n (gen) promoción f; (MIL) ascenso.

prompt [prɔmpt] a pronto // ad (punctually) puntualmente // vt (urge) mover, incitar; (THEATRE) apuntar; **to ~ sb to do sth** mover a uno a hacer algo; **~er** n (THEATRE) apuntador/a m/f; **~ly** ad (punctually) puntualmente; (rapidly) rápidamente; **~ness** n puntualidad f; rapidez f.

prone [prəʊn] a (lying) postrado; **~ to** propenso a.

prong [prɔŋ] n diente m, púa.

pronoun ['prəʊnaʊn] n pronombre m.

pronounce [prə'naʊns] vt pronunciar; (declare) declarar // vi: **to ~ (up)on** pronunciarse sobre; **~d** a (marked) marcado; **~ment** n declaración f.

pronunciation [prənʌnsɪ'eɪʃən] n pronunciación f.

proof [pruːf] n prueba; (of alcohol) graduación f normal // a: **~ against** a prueba de; **~reader** n corrector/a m/f de pruebas.

prop [prɔp] n apoyo, (fig) sostén m // vt (also: **~ up**) apoyar; (lean): **to ~ sth against** apoyar algo contra.

propaganda [prɔpə'gændə] n propaganda.

propagate ['prɔpəgeɪt] vt propagar.

propel [prə'pɛl] vt impulsar, propulsar; **~ler** n hélice f; **~ling pencil** n lapicero.

proper ['prɔpə*] a (suited, right) propio; (exact) justo; (apt) apropiado, conveniente; (timely) oportuno; (seemly) correcto, decente; (authentic) verdadero; (col: real) auténtico.

property ['prɔpətɪ] n (gen) propiedad f; (goods) bienes mpl; (estate) hacienda; **it's their ~** es suyo, les pertenece.

prophecy ['prɔfɪsɪ] n profecía; **prophesy** [-saɪ] vt profetizar; (fig) predecir.

prophet ['prɔfɪt] n profeta m/f; **~ic** [prə'fɛtɪk] a profético.

proportion [prə'pɔːʃən] n proporción f; (share) parte f, porción f; **~al** a proporcional; **~ate** a proporcionado.

proposal [prə'pəʊzl] n propuesta; (offer) oferta; (plan) proyecto; (of marriage) declaración f; (suggestion) sugerencia.

propose [prə'pəʊz] vt proponer; (offer) ofrecer // vi declararse; **to ~ to do** proponerse hacer.

proposition [prɔpə'zɪʃən] n propuesta, proposición f.

proprietor [prə'praɪətə*] n propietario, dueño.

propulsion [prə'pʌlʃən] n propulsión f.

pro rata [prəʊ'rɑːtə] ad a prorrateo.

prosaic [prəʊ'zeɪɪk] a prosaico.

prose [prəʊz] n prosa.

prosecute ['prɔsɪkjuːt] vt (LAW) procesar; **prosecution** [-'kjuːʃən] n procesa, causa; (accusing side) parte f actora; **prosecutor** n acusador/a m/f; (also: **public prosecutor**) fiscal m.

prospect ['prɔspɛkt] n (view) vista; (chance) posibilidad f; (outlook) perspectiva; (hope) esperanza // (vb: [prə'spɛkt]) vt explorar // vi buscar; **~s** npl (for work etc) perspectivas fpl; **~ing** n prospección f; **~ive** a (possible) probable, esperado; (certain) futuro; (heir) presunto; (legislation) en perspectiva; **~or** n explorador/a m/f.

prospectus [prə'spɛktəs] n prospecto.

prosper ['prɔspə*] vi prosperar; **~ity** [-'spɛrɪtɪ] n prosperidad f; **~ous** a próspero.

prostitute ['prɔstɪtjuːt] n prostituta.

prostrate ['prɔstreɪt] a postrado; (fig) abatido.

protagonist [prə'tægənɪst] n protagonista m/f.

protect [prə'tɛkt] vt proteger; **~ion** n protección f; **~ive** a protector(a); **~or** n protector/a m/f.

protégé ['prəʊtɛʒeɪ] n protegido.

protein ['prəʊtiːn] n proteína.

protest ['prəʊtɛst] n protesta // (vb: [prə'tɛst]) vi protestar // vt (affirm) afirmar, declarar.

Protestant ['prɔtɪstənt] a, n protestante m/f.

protocol ['prəʊtəkɔl] n protocolo.

prototype ['prəʊtətaɪp] n prototipo.

protracted [prə'træktɪd] a prolongado.

protrude [prə'tru:d] *vi* salir fuera, sobresalir.

proud [praud] *a* orgulloso; *(pej)* soberbio, altanero; *(imposing)* imponente.

prove [pru:v] *vt* probar; *(verify)* comprobar; *(show)* demostrar // *vi:* **to ~ correct** resultar correcto; **to ~ o.s.** ponerse a prueba.

proverb ['prɔvə:b] *n* refrán *m*; ~**ial** [prə'və:biəl] *a* proverbial.

provide [prə'vaid] *vt* proporcionar, dar; **to ~ sb with sth** proveer a uno de algo; **to ~ for** *vt (person)* mantener a; *(emergency)* prevenir; ~**d (that)** *conj* con tal que, siempre que.

providing [prə'vaidiŋ] *conj* a condición de que, siempre que.

province ['prɔvins] *n* provincia; *(fig)* esfera; **provincial** [prə'vinʃəl] *a* de provincia; *(pej)* provinciano.

provision [prə'viʒən] *n (gen)* provisión *f*; *(supply)* suministro; *(supplying)* abastecimiento; ~**s** *npl (food)* comestibles *mpl*; ~**al** *a* provisional; *(temporary)* interino.

proviso [prə'vaizəu] *n* condición *f*, estipulación *f*.

provocation [prɔvə'keiʃən] *n* provocación *f*.

provocative [prə'vɔkətiv] *a* provocativo; *(stimulating)* sugestivo.

provoke [prə'vəuk] *vt (arouse)* provocar, incitar; *(cause)* causar, producir; *(anger)* irritar.

prow [prau] *n* proa.

prowess ['prauis] *n (skill)* destreza, habilidad *f*; *(courage)* valor *m*.

prowl [praul] *vi (also: ~ about, ~ around)* rondar // *n:* **on the ~** de ronda; ~**er** *n* rondador/a *m/f*; *(thief)* ladrón/ona *m/f*.

proximity [prɔk'simiti] *n* proximidad *f*.

proxy ['prɔksi] *n* poder *m*; *(person)* apoderado/a; **by ~** por poder *o* poderes.

prudence ['pru:dns] *n* prudencia; **prudent** [-ənt] *a* prudente.

prudish ['pru:diʃ] *a* gazmoño.

prune [pru:n] *n* ciruela pasa // *vt* podar.

pry [prai] *vi:* **to ~ into** entrometerse en.

psalm [sɑ:m] *n* salmo.

pseudo- [sju:dəu] *pref* seudo...; ~**nym** *n* seudónimo.

psychiatric [saiki'ætrik] *a* psiquiátrico; **psychiatrist** [-'kaiətrist] *n* psiquiatra *m/f*; **psychiatry** [-'kaiətri] *n* psiquiatría.

psychic ['saikik] *a (also:* ~**al)** psíquico // *n* medium *m/f*.

psychoanalyse [saikəu'ænəlaiz] *vt* psicoanalizar; **psychoanalysis** [-kəuə'nælisis] *n* psicoanálisis *m inv*; **psychoanalyst** [-'ænəlist] *n* psicoanalista *m/f*.

psychological [saikə'lɔdʒikl] *a* psicológico.

psychologist [sai'kɔlədʒist] *n* psicólogo; **psychology** [-dʒi] *n* psicología.

psychopath ['saikəupæθ] *n* psicópata *m/f*.

psychosomatic ['saikəusə'mætik] *a* psicosomático.

psychotic [sai'kɔtik] *a*, *n* psicótico.

pub [pʌb] *n abbr of* **public house** pub *m*, taberna.

puberty ['pju:bəti] *n* pubertad *f*.

public ['pʌblik] *a*, *n* público.

publican ['pʌblikən] *n* tabernero.

publication [pʌbli'keiʃən] *n* publicación *f*.

public: ~ convenience *n* aseos *mpl* públicos; ~ **house** *n* bar *m*, pub *m*.

publicity [pʌb'lisiti] *n* publicidad *f*.

publicly ['pʌblikli] *ad* públicamente, en público.

public: ~ opinion *n* opinión *f* pública; ~ **relations** *n* relaciones *fpl* públicas; ~ **school** *n (Brit)* escuela privada; ~**-spirited** *a* de buen ciudadano.

publish ['pʌbliʃ] *vt* publicar; ~**er** *n* editor/a *m/f*; ~**ing** *n (industry)* la industria editorial.

puce [pju:s] *a* de color pardo rojizo.

pucker ['pʌkə*] *vt (pleat)* arrugar; *(brow etc)* fruncir.

pudding ['pudiŋ] *n* pudín *m*; *(sweet)* postre *m*; **black ~** morcilla.

puddle ['pʌdl] *n* charco.

puff [pʌf] *n* soplo; *(from mouth)* bocanada; *(sound)* resoplido; *(also:* **powder ~)** borla // *vt:* **to ~ one's pipe** chupar la pipa // *vi (gen)* soplar; *(pant)* jadear; **to ~ out smoke** echar humo; **to ~ up** *vt* hinchar, inflar; ~**ed** *a (col: out of breath)* sin aliento.

puffin ['pʌfin] *n* frailecillo.

puffy ['pʌfi] *a* hinchado.

pull [pul] *n (tug):* **to give sth a ~** dar un tirón a algo; *(fig: advantage)* ventaja; *(:influence)* influencia // *vt* tirar de; *(tug)* jalar; *(muscle)* torcerse; *(haul)* tirar, arrastrar // *vi* tirar, dar un tirón; **to ~ a face** hacer muecas; **to ~ to pieces** hacer pedazos; **to ~ one's punches** no emplear toda la fuerza; **to ~ one's weight** hacer su parte; **to ~ o.s. together** serenarse; **to ~ sb's leg** tomarle el pelo a uno; **to ~ apart** *vt (break)* romper (en dos); **to ~ down** *vt (house)* derribar; **to ~ in** *vi (AUT: at the kerb)* parar (junto a la acera); *(RAIL)* llegar (al andén); **to ~ off** *vt (deal etc)* cerrar, concluir con éxito; **to ~ out** *vi* irse, marcharse; *(AUT: from kerb)* salir // *vt* sacar, arrancar; **to ~ through** *vi* salir (de un apuro); *(MED)* recobrar la salud; **to ~ up** *vi (stop)* parar // *vt (uproot)* arrancar, desarraigar; *(stop)* parar.

pulley ['puli] *n* polea.

pullover ['puləuvə*] *n* jersey *m*.

pulp [pʌlp] *n (of fruit)* pulpa; *(for paper)* pasta.

pulpit ['pulpit] *n* púlpito.

pulsate [pʌl'seit] *vi* pulsar, latir.

pulse [pʌls] *n (ANAT)* pulso; *(of music, engine)* pulsación *f*; *(BOT)* legumbre *f*.

pulverize ['pʌlvəraiz] *vt* pulverizar; *(fig)* hacer polvo.

puma ['pju:mə] n puma.
pummel ['pʌml] vt dar de puñetazos.
pump [pʌmp] n bomba; (shoe) zapato de tenis // vt sacar con una bomba; (fig: col) sonsacar; **to ~ up** vt inflar.
pumpkin ['pʌmpkɪn] n calabaza.
pun [pʌn] n juego de palabras.
punch [pʌntʃ] n (blow) golpe m, puñetazo; (tool) punzón m; (for tickets) taladro; (drink) ponche m // vt (hit): **to ~ sb/sth** dar un puñetazo o golpear a uno/algo; (make a hole in) punzar; **~card** n tarjeta perforada; **~line** n palabras que rematan un chiste; **~-up** n (col) riña.
punctual ['pʌŋktjuəl] a puntual; **~ity** [-'ælɪtɪ] n puntualidad f.
punctuate ['pʌŋktjueɪt] vt interrumpir; **punctuation** [-'eɪʃən] n puntuación f.
puncture ['pʌŋktʃə*] n pinchazo // vt pinchar.
pundit ['pʌndɪt] n sabio.
pungent ['pʌndʒənt] a acre.
punish ['pʌnɪʃ] vt castigar; **~ment** n castigo.
punt [pʌnt] n (boat) batea.
punter ['pʌntə*] n (gambler) jugador/a m/f.
puny ['pju:nɪ] a débil.
pup [pʌp] n cachorro.
pupil ['pju:pl] n alumno/a.
puppet ['pʌpɪt] n títere m.
puppy ['pʌpɪ] n cachorro, perrito.
purchase ['pɜ:tʃɪs] n compra; (grip) pie m firme // vt comprar; **purchaser** n comprador/a m/f.
pure [pjuə*] a puro.
purée ['pjuəreɪ] n puré m.
purge [pɜ:dʒ] n (MED) purgante m; (POL) purga // vt purgar.
purification [pjuərɪfɪ'keɪʃən] n purificación f, depuración f; **purify** ['pjuərɪfaɪ] vt purificar, depurar.
purist ['pjuərɪst] n purista m/f.
puritan ['pjuərɪtən] n puritano/a; **~ical** [-'tænɪkl] a puritano.
purity ['pjuərɪtɪ] n pureza.
purl [pɜ:l] n punto del revés.
purple ['pɜ:pl] a purpúreo; (bruise) morado.
purport [pɜ:'pɔ:t] vi: **to ~ to be/do** dar a entender que es/hace.
purpose ['pɜ:pəs] n propósito; **on ~** a propósito, adrede; **~ful** a resuelto, determinado.
purr [pɜ:*] n ronroneo // vi ronronear.
purse [pɜ:s] n monedero; (bag) bolsa // vt fruncir.
purser ['pɜ:sə*] n (NAUT) contador m de navío.
pursue [pə'sju:] vt seguir, perseguir; (profession) ejercer; **pursuer** n perseguidor/a m/f.
pursuit [pə'sju:t] n (chase) caza; (persecution) persecución f; (occupation) carrera; (pastime) pasatiempo.
purveyor [pə'veɪə*] n proveedor/a m/f.

pus [pʌs] n pus m.
push [puʃ] n (gen) empuje m; (shove) empujón m; (attack) ataque m; (advance) avance m // vt empujar; (button) apretar; (promote) promover; (thrust): **to ~ sth (into)** meter algo a la fuerza (en) // vi empujar; (fig) hacer esfuerzos; **to ~ aside** vt apartar con la mano; **to ~ off** vi (col) largarse; **to ~ on** vi (continue) seguir adelante; **to ~ through** vt (measure) despachar; **to ~ up** vt (total, prices) hacer subir; **~chair** n sillita de ruedas; **~ing** a emprendedor(a), enérgico; **~over** n (col): **it's a ~over** está tirado; **~y** a (pej) agresivo.
puss [pus], **pussy(-cat)** ['pusɪ(kæt)] n minino.
put [put], pt, pp **put** vt (place) poner, colocar; (~ into) meter; (say) declarar, expresar; (a question) hacer; (estimate) calcular; **to ~ about** vi (NAUT) virar // vt (rumour) diseminar; **to ~ across** vt (ideas etc) comunicar; **to ~ away** vt (store) guardar; **to ~ back** vt (replace) devolver a su lugar; (postpone) posponer; **to ~ by** vt (money) guardar; **to ~ down** vt (on ground) poner en el suelo; (animal) sacrificar; (in writing) apuntar; (suppress: revolt etc) sofocar; (attribute) atribuir; **to ~ forward** vt (ideas) presentar, proponer; (date) adelantar; **to ~ in** vt (application, complaint) presentar; **to ~ off** vt (postpone) aplazar; (discourage) desanimar; **to ~ on** vt (clothes, lipstick etc) ponerse; (light etc) encender; (play etc) presentar; (weight) ganar; (brake) echar; (attitude) adoptar postura de; **to ~ out** vt (fire, light) apagar; (one's hand) alargar; (news, rumour) sacar a luz, diseminar; (tongue etc) sacar; (person: inconvenience) molestar, fastidiar; **to ~ up** vt (raise) levantar, alzar; (hang) colgar; (build) construir; (increase) aumentar; (accommodate) alojar; **to ~ up with** vt fus aguantar.
putrid ['pju:trɪd] a podrido.
putt [pʌt] vt golpear con poca fuerza // n put m, golpe m corto; **~er** n (GOLF) putter m; **~ing green** n campo de golf en miniatura.
putty ['pʌtɪ] n masilla.
puzzle ['pʌzl] n (riddle) acertijo; (jigsaw) rompecabezas m inv; (crossword) crucigrama m; (mystery) misterio, problema m // vt dejar perplejo, confundir // vi devanarse los sesos; **puzzling** a misterioso, enigmático.
pygmy ['pɪgmɪ] n pigmeo.
pyjamas [pɪ'dʒɑ:məz] npl pijama m.
pylon ['paɪlən] n pilón m, poste m.
pyramid ['pɪrəmɪd] n pirámide f.
python ['paɪθən] n pitón m.

Q

quack [kwæk] n (of duck) graznido; (pej: doctor) curandero // vi graznar.

quad [kwɔd] abbr of **quadrangle; quadruplet.**

quadrangle ['kwɔdræŋgl] n (courtyard: abbr: **quad**) patio.

quadruple [kwɔ'drupl] a cuádruple // n cuádruplo // vt, vi cuadruplicar.

quadruplets [kwɔ:'dru:plıts] npl cuatrillizos mpl.

quagmire ['kwægmaıɔ*] n lodazal m, cenegal m.

quail [kweıl] n (bird) codorniz f // vi amedrentarse.

quaint [kweınt] a curioso; (picturesque) pintoresco.

quake [kweık] vi temblar // n abbr of **earthquake.**

Quaker ['kweıkɔ*] n cuáquero/a.

qualification [kwɔlıfı'keıʃɔn] n (reservation) reserva; (modification) modificación f; (act) calificación f; (degree) título; **qualified** ['kwɔlıfaıd] a (trained) cualificado; (fit) apto, competente; (limited) limitado; (professionally) con título.

qualify ['kwɔlıfaı] vt calificar; (capacitate) capacitar; (modify) modificar; (limit) moderar // vi (SPORT) clasificarse; **to ~ (as)** calificarse (de), graduarse (en); **to ~ (for)** reunir los requisitos (para).

quality ['kwɔlıtı] n calidad f; (moral) cualidad f.

qualm [kwɑ:m] n escrúpulo.

quandary ['kwɔndrı] n: **to be in a ~** estar en un dilema.

quantity ['kwɔntıtı] n cantidad f.

quarantine ['kwɔrnti:n] n cuarentena.

quarrel ['kwɔrl] n (argument) riña; (fight) pelea // vi reñir; pelearse; **~some** a pendenciero.

quarry ['kwɔrı] n (for stone) cantera; (animal) presa.

quart [kwɔ:t] n cuarto de galón = 1.136 litros.

quarter ['kwɔ:tɔ*] n cuarto, cuarta parte f; (of year) trimestre m; (district) barrio // vt dividir en cuartos; (MIL: lodge) alojar; **~s** npl (barracks) cuartel m; (living ~s) alojamiento sg; **a ~ of an hour** un cuarto de hora; **~ final** n cuarto de final; **~ly** a trimestral // ad cada 3 meses, trimestralmente; **~master** n (MIL) comisario, intendente m militar.

quartet(te) [kwɔ:'tɛt] n cuarteto.

quartz [kwɔ:ts] n cuarzo.

quash [kwɔʃ] vt (verdict) anular.

quasi- ['kweızaı] pref cuasi.

quaver ['kweıvɔ*] n (MUS) corchea // vi temblar.

quay [ki:] n (also: **~side**) muelle m.

queasy ['kwi:zı] a (sickly) delicado.

queen [kwi:n] n (gen) reina; (CARDS etc) dama; **~ mother** n reina madre.

queer [kwıɔ*] a (odd) raro, extraño; (suspect) sospechoso // n (col) maricón m.

quell [kwɛl] vt calmar; (put down) sofocar.

quench [kwɛntʃ] vt apagar.

query ['kwıɔrı] n (question) pregunta; (doubt) duda; (fig) interrogante f // vt preguntar; poner en duda.

quest [kwɛst] n busca, búsqueda.

question ['kwɛstʃɔn] n pregunta; (matter) asunto, cuestión f // vt (gen) preguntar; (doubt) dudar de; (interrogate) interrogar, hacer preguntas a; **beyond ~** fuera de toda duda; **out of the ~** imposible, ni hablar; **~able** a discutible; (doubtful) dudoso; **~ mark** n punto de interrogación; **~naire** [-'nɛɔ*] n cuestionario.

queue [kju:] n cola // vi hacer cola.

quibble ['kwıbl] vi sutilizar.

quick [kwık] a rápido; (temper) vivo; (agile) ágil; (mind) listo; (eye) agudo; (ear) fino; **be ~!** ¡date prisa!; **~en** vt apresurar // vi apresurarse, darse prisa; **~ly** ad rápidamente, de prisa; **~ness** n rapidez f; agilidad f; (liveliness) viveza; **~sand** n arenas fpl movedizas; **~step** n (dance) fox-trot m, quickstep m; **~-witted** a perspicaz.

quid [kwıd] n, pl inv (Brit: col) libra.

quiet ['kwaıɔt] a tranquilo; (silent) callado; (ceremony) discreto // n silencio, tranquilidad f; **keep ~!** ¡cállate!, ¡silencio!; **~en** (also: **~en down**) vi (grow calm) calmarse; (grow silent) callarse // vt calmar; hacer callar; **~ly** ad (gen) tranquilamente; (silently) silenciosamente; **~ness** n (silence) silencio; (calm) tranquilidad f.

quilt [kwılt] n edredón m; (continental) **~** n edredón m.

quin [kwın] abbr of **quintuplet.**

quinine [kwı'ni:n] n quinina.

quintet(te) [kwın'tɛt] n quinteto.

quintuplets [kwın'tju:plıts] npl quintillizos mpl.

quip [kwıp] n pulla.

quirk [kwɔ:k] n peculiaridad f.

quit [kwıt], pt, pp **quit** or **quitted** vt dejar, abandonar; (premises) desocupar // vi (give up) retirarse; (go away) irse; (resign) dimitir; (stop work) abandonar (una empresa).

quite [kwaıt] ad (rather) bastante; (entirely) completamente; **~ a few of them** un buen número de ellos; **~ (so)!** ¡así es!, ¡exactamente!

quits [kwıts] a: **~ (with)** en paz (con).

quiver ['kwıvɔ*] vi estremecerse // n (for arrows) carcaj m.

quiz [kwız] n (game) concurso; (questioning) interrogatorio // vt interrogar; **~zical** a burlón(ona).

quoits [kwɔıts] npl juego de aros.

quorum ['kwɔ:rɔm] n quórum m.

quota ['kwɔutɔ] n cuota.

quotation [kwɔu'teıʃɔn] n cita; (estimate)

presupuesto; ~ **marks** npl comillas fpl.

quote [kwəut] n cita // vt (sentence) citar; (price) fijar // vi: **to ~ from** citar de.

quotient ['kwəuʃənt] n cociente m.

R

rabbi ['ræbaɪ] n rabino.

rabbit ['ræbɪt] n conejo; ~ **hole** n hura (de conejos); ~ **hutch** n conejera.

rabble ['ræbl] n (pej) chusma, populacho.

rabies ['reɪbiːz] n rabia.

RAC n abbr of **Royal Automobile Club.**

raccoon [rə'kuːn] n mapache m.

race [reɪs] n (gen) carrera; (species) raza, estirpe f // vt (horse) presentar (en carrera); (engine) acelerar // vi (compete) competir; (run) correr; (pulse) latir a ritmo acelerado; ~**course** n hipódromo; ~**horse** n caballo de carreras; ~**track** n hipódromo; (for cars) autódromo.

racial ['reɪʃl] a racial; ~**ism** n racismo; ~**ist** a, n racista m/f.

racing ['reɪsɪŋ] n carreras fpl; ~ **car** n coche m de carreras; ~ **driver** n corredor/a m/f de coches.

racist ['reɪsɪst] a, n (pej) racista m/f.

rack [ræk] n (also: **luggage** ~) rejilla; (shelf) estante m; (also: **roof** ~) baca, portaequipajes m inv; (clothes ~) percha // vt (cause pain to) atormentar.

racket ['rækɪt] n (for tennis) raqueta; (noise) ruido, estrépito; (swindle) estafa, timo.

racoon [rə'kuːn] n = **raccoon.**

racquet ['rækɪt] n raqueta.

racy ['reɪsɪ] a picante, salado.

radar ['reɪdɑː*] n radar m.

radiance ['reɪdɪəns] n brillantez f, resplandor m; **radiant** [-ənt] a brillante, resplandeciente.

radiate ['reɪdɪeɪt] vt (heat) radiar, irradiar // vi (lines) extenderse.

radiation [reɪdɪ'eɪʃən] n radiación f.

radiator ['reɪdɪeɪtə*] n radiador m; ~ **cap** n tapón m de radiador.

radical ['rædɪkl] a radical.

radio ['reɪdɪəu] n radio f; **on the** ~ por radio; ~ **station** n emisora.

radio... [reɪdɪəu] pref: ~**active** a radioactivo; ~**activity** n radioactividad f; ~-**controlled** a teledirigido; ~**graphy** [-'ɔgrəfɪ] n radiografía; ~**logy** [-'ɔlədʒɪ] n radiología; ~**telephone** n radioteléfono; ~**therapy** n radioterapia.

radish ['rædɪʃ] n rábano.

radius ['reɪdɪəs], pl **radii** [-ɪaɪ] n radio.

raffia ['ræfɪə] n rafia.

raffle ['ræfl] n rifa, sorteo // vt rifar.

raft [rɑːft] n (also: **life** ~) balsa.

rafter ['rɑːftə*] n viga.

rag [ræg] n (piece of cloth) trapo; (torn cloth) harapo; (pej: newspaper) periodicucho; (for charity) actividades estudiantiles benéficas // vt tomar el pelo a; ~**s** npl harapos mpl; ~-**and-bone man**

n trapero; ~ **doll** n muñeca de trapo.

rage [reɪdʒ] n (fury) rabia, furor m; (fashion) boga // vi (person) rabiar, estar furioso; (storm) bramar.

ragged ['rægɪd] a (edge) desigual, mellado; (cuff) roto; (appearance) andrajoso, harapiento; (coastline) accidentado.

raid [reɪd] n (MIL) incursión f; (criminal) asalto; (attack) ataque m; (by police) redada // vt invadir, atacar; asaltar; ~**er** n invasor/a m/f; (criminal) asaltante m/f.

rail [reɪl] n (on stair) barandilla, pasamanos m inv; (on bridge, balcony) pretil m; (of ship) borda; (for train) riel m, carril m; ~**s** npl vía sg; **by** ~ por ferrocarril; ~ **ing(s)** n(pl) verja sg, enrejado sg; ~**road** (US), ~**way** n ferrocarril m, vía férrea; ~**wayman** n ferroviario; ~**way station** n estación f de ferrocarril.

rain [reɪn] n lluvia // vi llover; **in the** ~ bajo la lluvia; **it's** ~**ing** llueve, está lloviendo; ~**bow** n arco iris; ~**coat** n impermeable m; ~**drop** n gota de lluvia; ~**fall** n lluvia; ~**y** a lluvioso.

raise [reɪz] n aumento // vt (lift) levantar; (build) erigir, edificar; (increase) aumentar; (doubts) suscitar; (a question) plantear; (cattle, family) criar; (crop) cultivar; (army) reclutar; (funds) reunir; (loan) obtener; **to** ~ **one's voice** alzar la voz.

raisin ['reɪzn] n paso de Corinto.

rake [reɪk] n (tool) rastrillo; (person) libertino // vt (garden) rastrillar; (fire) hurgar; (with machine gun) barrer.

rakish ['reɪkɪʃ] a (suave) gallardo; **at a** ~ **angle** echado al lado.

rally ['rælɪ] n (POL etc) reunión f, mitin m; (AUT) rallye m; (TENNIS) peloteo // vt reunir; (encourage) reanimar // vi reunirse; (sick person, Stock Exchange) recuperarse; **to** ~ **round** vt fus (fig) dar apoyo a.

ram [ræm] n carnero; (TECH) pisón m // vt (crash into) dar contra, chocar con; (tread down) apisonar.

ramble ['ræmbl] n caminata, excursión f en el campo // vi (pej: also: ~ **on**) divagar; **rambler** n excursionista m/f; (BOT) trepadora; **rambling** a (speech) divagador(a); (BOT) trepador(a) // n excursionismo.

ramp [ræmp] n rampa.

rampage [ræm'peɪdʒ] n: **to be on the** ~ desbocarse // vi: **they went rampaging through the town** corrieron como locos por la ciudad.

rampant ['ræmpənt] a (disease etc) violento.

rampart ['ræmpɑːt] n terraplén m; (wall) muralla.

ramshackle ['ræmʃækl] a destartalado.

ran [ræn] pt of **run.**

ranch [rɑːntʃ] n hacienda, estancia; ~**er** n ganadero.

rancid ['rænsɪd] *a* rancio.

rancour, rancor (*US*) ['ræŋkə*] *n* rencor *m*.

random ['rændəm] *a* fortuito, sin orden // *n*: **at ~** al azar.

randy ['rændɪ] *a* (*col*) cachondo.

rang [ræŋ] *pt of* **ring.**

range [reɪndʒ] *n* (*of mountains*) cadena, cordillera; (*of missile*) alcance *m*; (*of voice*) extensión *f*; (*series*) serie *f*; (*of products*) surtido; (*MIL: also*: **shooting ~**) campo de tiro; (*also*: **kitchen ~**) fogón *m* // *vt* (*place*) colocar; (*arrange*) arreglar // *vi*: **to ~ over** (*wander*) recorrer; (*extend*) extenderse por; **to ~ from ... to...** oscilar entre ... y...; **ranger** *n* guardabosques *m inv*.

rank [ræŋk] *n* (*row*) fila; (*MIL*) rango; (*status*) categoría; (*also*: **taxi ~**) parada // *vi*: **to ~ among** figurar entre // *a* (*stinking*) fétido, rancio; **the ~ and file** (*fig*) la base.

rankle ['ræŋkl] *vi* (*insult*) doler.

ransack ['rænsæk] *vt* (*search*) registrar; (*plunder*) saquear.

ransom ['rænsəm] *n* rescate *m*; **to hold sb to ~** (*fig*) poner a uno entre la espada y la pared.

rant [rænt] *vi* divagar, desvariar; **~ing** *n* lenguaje *m* declamatorio.

rap [ræp] *n* golpecito, golpe *m* seco // *vt* tocar, dar un golpecito en.

rape [reɪp] *n* violación *f* // *vt* violar.

rapid ['ræpɪd] *a* rápido; **~s** *npl* (*GEO*) rápidos *mpl*; **~ity** [rə'pɪdɪtɪ] *n* rapidez *f*.

rapist ['reɪpɪst] *n* violador *m*.

rapport [ræ'pɔ:*] *n* armonía, relación *f* amistosa.

rapture ['ræptʃə*] *n* éxtasis *m*, rapto; **rapturous** *a* extático; (*applause*) entusiasta.

rare [rɛə*] *a* raro, poco común; (*CULIN: steak*) poco hecho.

rarely ['rɛəlɪ] *ad* rara vez.

rarity ['rɛərɪtɪ] *n* rareza.

rascal ['rɑːskl] *n* pillo, pícaro.

rash [ræʃ] *a* imprudente, precipitado // *n* (*MED*) salpullido, erupción *f* (*cutánea*).

rasher ['ræʃə*] *n* lonja.

rasp [rɑːsp] *n* (*tool*) escofina.

raspberry ['rɑːzbərɪ] *n* frambuesa; **~ bush** *n* frambueso.

rasping ['rɑːspɪŋ] *a*: **a ~ noise** un ruido áspero.

rat [ræt] *n* rata.

ratchet ['rætʃɪt] *n* (*TECH*) trinquete *m*.

rate [reɪt] *n* (*ratio*) razón *f*; (*percentage*) tanto por ciento; (*price*) precio; (*: of hotel*) tarifa; (*of interest*) tipo; (*speed*) velocidad *f* // *vt* (*value*) tasar; (*estimate*) estimar; **to ~ as** ser considerado como; **~s** *npl* (*Brit*) impuesto *sg* municipal; (*fees*) tarifa *sg*; **~able value** *n* valor *m* impuesto; **~payer** *n* contribuyente *m/f*.

rather ['rɑːðə*] *ad* antes, más bien; (*in speech*) mejor dicho; **it's ~ expensive** es algo caro; (*too much*) es demasiado caro;

there's ~ a lot hay bastante; **I would** *or* **I'd ~ go** preferiría ir.

ratify ['rætɪfaɪ] *vt* ratificar.

rating ['reɪtɪŋ] *n* (*valuation*) tasación *f*; (*value*) valor *m*; (*standing*) posición *f*; (*NAUT: category*) clase *f*; (*: sailor*) marinero.

ratio ['reɪʃɪəʊ] *n* razón *f*; **in the ~ of 100 to 1** a razón de 100 a 1.

ration ['ræʃən] *n* ración *f*; **~s** *npl* víveres *mpl* // *vt* racionar.

rational ['ræʃənl] *a* racional; (*solution, reasoning*) lógico, razonable; (*person*) cuerdo, sensato; **rationale** [-'nɑːl] *n* razón *f* fundamental; **~ize** *vt* organizar lógicamente, racionalizar; **~ly** *ad* racionalmente; (*logically*) lógicamente.

rationing ['ræʃnɪŋ] *n* racionamiento.

rattle ['rætl] *n* golpeteo; (*of train etc*) traqueteo; (*of hail*) tamborileo; (*object: of baby*) sonaja, sonajero; (*: of sports fan*) matraca; (*of snake*) cascabel *m* // *vi* sonar, golpear; traquetear; tamborilear; (*small objects*) castañetear // *vt* agitar, sacudir; **~snake** *n* serpiente *f* de cascabel.

raucous ['rɔːkəs] *a* estridente, ronco.

ravage ['rævɪdʒ] *vt* hacer estragos, destrozar; **~s** *npl* estragos *mpl*.

rave [reɪv] *vi* (*in anger*) encolerizarse; (*with enthusiasm*) entusiasmarse; (*MED*) delirar, desvariar.

raven ['reɪvən] *n* cuervo.

ravenous ['rævənəs] *a* hambriento, famélico.

ravine [rə'viːn] *n* barranco.

raving ['reɪvɪŋ] *a*: **~ lunatic** loco de atar.

ravioli [rævɪ'əʊlɪ] *n* raviolis *mpl*.

ravish ['rævɪʃ] *vt* encantar; **~ing** *a* encantador(a).

raw [rɔː] *a* (*uncooked*) crudo; (*not processed*) bruto; (*sore*) vivo; (*inexperienced*) novato, inexperto; **~ material** *n* materia prima.

ray [reɪ] *n* rayo; **~ of hope** (*rayo de*) esperanza.

rayon ['reɪɔn] *n* rayón *m*.

raze [reɪz] *vt* arrasar.

razor ['reɪzə*] *n* (*open*) navaja; (*safety ~*) máquina de afeitar; **~ blade** *n* hoja de afeitar.

Rd *abbr of* **road.**

re [riː] *prep* con referencia a.

reach [riːtʃ] *n* alcance *m*; (*BOXING*) envergadura; (*of river etc*) extensión *f* entre dos recodos // *vt* alcanzar, llegar a; (*achieve*) lograr; (*stretch out*) alargar, extender // *vi* alcanzar, extenderse; **within ~** (*object*) al alcance (de la mano); **out of ~** fuera del alcance; **to ~ out for sth** alargar *o* tender la mano para tomar algo.

react [riː'ækt] *vi* reaccionar; **~ion** [-'ækʃən] *n* reacción *f*; **~ionary** [-'ækʃənrɪ] *a, n* reaccionario/a.

reactor [riː'æktə*] *n* reactor *m*.

read [riːd] *pt, pp* **read** [rɛd] *vi* leer // *vt*

leer; (understand) entender; (study) estudiar; to ~ out vt leer en alta voz; ~able a (writing) legible; (book) que merece leerse; ~er n lector/a m/f; (book) libro de lecturas; (at university) profesor/a m/f; ~ership n (of paper etc) número de lectores.

readily ['rɛdɪlɪ] ad (willingly) de buena gana; (easily) fácilmente; (quickly) en seguida.

readiness ['rɛdɪnɪs] n buena voluntad; (preparedness) preparación f; in ~ (prepared) listo, preparado.

reading ['riːdɪŋ] n lectura; (understanding) comprensión f; (on instrument) indicación f.

readjust [riːəˈdʒʌst] vt reajustar // vi (person): to ~ to reorientarse a.

ready ['rɛdɪ] a listo, preparado; (willing) dispuesto; (available) disponible // ad: ~-cooked listo para comer // n: at the ~ (MIL) listo para tirar; ~-made a confeccionado; ~ reckoner n libro de cálculos hechos.

reaffirm [riːəˈfɜːm] vt reafirmar.

real [rɪəl] a verdadero, auténtico; in ~ terms en términos reales; ~ estate n bienes mpl raíces; ~ism n (also ART) realismo; ~ist n realista m/f; ~istic [-ˈlɪstɪk] a realista.

reality [riːˈælɪtɪ] n realidad f; in ~ en realidad.

realization [rɪəlaɪˈzeɪʃən] n comprensión f; (COMM) realización f.

realize ['rɪəlaɪz] vt (understand) darse cuenta de; (a project, COMM: asset) realizar.

really ['rɪəlɪ] ad verdaderamente, realmente; ~? ¿de veras?

realm [rɛlm] n reino; (fig) esfera.

reap [riːp] vt segar; (fig) cosechar, recoger; ~er n segadora.

reappear [riːəˈpɪə*] vi reaparecer; ~ance n reaparición f.

reapply [riːəˈplaɪ] vi: to ~ for aplicar de nuevo.

rear [rɪə*] a trasero // n parte f trasera // vt (cattle, family) criar // vi (also: ~ up) (animal) encabritarse; ~-engined a (AUT) con motor trasero; ~guard n retaguardia.

rearm [riːˈɑːm] vt, vi rearmar; ~ament n rearme m.

rearrange [riːəˈreɪndʒ] vt ordenar o arreglar de nuevo.

rear-view ['rɪəvjuː] a: ~ mirror (AUT) espejo retrovisor.

reason ['riːzn] n (gen) razón f; (cause) motivo, causa; (sense) sensatez f // vi: to ~ with sb alegar razones para convencer a uno; it stands to ~ that es lógico que; ~able a razonable; (sensible) sensato; ~ably ad razonablemente; ~ed a (argument) razonado; ~ing n razonamiento, argumentos mpl.

reassemble [riːəˈsɛmbl] vt (machine) montar de nuevo // vi reunirse de nuevo.

reassure [riːəˈʃuə*] vt tranquilizar,

alentar; to ~ sb of tranquilizar a uno diciendo que; **reassuring** a alentador(a).

rebate ['riːbeɪt] n (on product) rebaja; (on tax etc) descuento.

rebel ['rɛbl] n rebelde m/f // vi [rɪˈbɛl] rebelarse, sublevarse; ~lion n rebelión f, sublevación f; ~lious a rebelde; (child) revoltoso.

rebirth [riːˈbɜːθ] n renacimiento.

rebound [rɪˈbaund] vi (ball) rebotar // n ['riːbaund] rebote m.

rebuff [rɪˈbʌf] n desaire m, rechazo // vt rechazar.

rebuild [riːˈbɪld] (irg: like build) vt reconstruir.

rebuke [rɪˈbjuːk] n reprimenda // vt reprender.

recall [rɪˈkɔːl] vt (remember) recordar; (ambassador etc) retirar // n aviso, llamada.

recant [rɪˈkænt] vi retractarse.

recap ['riːkæp] vt, vi recapitular.

recapture [riːˈkæptʃə*] vt (town) reconquistar; (atmosphere) hacer revivir.

recede [rɪˈsiːd] vi retroceder; **receding** a (forehead, chin) huidizo.

receipt [rɪˈsiːt] n (document) recibo; (act of receiving) recepción f; ~s npl (COMM) ingresos mpl.

receive [rɪˈsiːv] vt recibir; (guest) acoger; (wound) sufrir; **receiver** n (TEL) auricular m; (of stolen goods) receptador/a m/f; (COMM) recibidor/a m/f.

recent ['riːsnt] a reciente; ~ly ad recién, recientemente.

receptacle [rɪˈsɛptɪkl] n receptáculo.

reception [rɪˈsɛpʃən] n (gen) recepción f; (welcome) acogida; ~ desk n recepción f; ~ist n recepcionista m/f.

receptive [rɪˈsɛptɪv] a receptivo.

recess [rɪˈsɛs] n (in room) hueco; (for bed) nicho; (secret place) escondrijo; (POL etc: holiday) vacaciones fpl; ~ion n recesión f.

recharge [riːˈtʃɑːdʒ] vt (battery) recargar.

recipe ['rɛsɪpɪ] n receta.

recipient [rɪˈsɪpɪənt] n recibidor/a m/f; (of letter) destinatario/a.

reciprocal [rɪˈsɪprəkl] a recíproco.

recital [rɪˈsaɪtl] n recital m.

recite [rɪˈsaɪt] vt (poem) recitar; (complaints etc) enumerar.

reckless ['rɛkləs] a temerario, imprudente; (speed) excesivo, peligroso; ~ly ad imprudentemente; de modo peligroso.

reckon ['rɛkən] vt (count) contar; (consider) considerar; (think): I ~ that... me parece que...; ~ing n (calculation) cálculo; **the day of** ~ing el día del juicio (final).

reclaim [rɪˈkleɪm] vt (land) recuperar; (: from sea) rescatar; (demand back) reclamar; **reclamation** [rɛkləˈmeɪʃən] n recuperación f; rescate m.

recline [rɪˈklaɪn] vi reclinarse; (lean) apoyarse; **reclining** a (seat) reclinable.

recluse [rɪ'kluːs] n recluso.
recognition [rɛkəg'nɪʃən] n reconocimiento; **transformed beyond ~** tan transformado que resulta irreconocible.
recognizable ['rɛkəgnaɪzəbl] a: **~ (by)** reconocible (por).
recognize ['rɛkəgnaɪz] vt reconocer, conocer; **to ~ by/as** reconocer de/por.
recoil [rɪ'kɔɪl] vi (gun) retroceder; (person): **to ~ from doing sth** sentir repugnancia por hacer algo.
recollect [rɛkə'lɛkt] vt rᵉcordar, acordarse de; **~ion** [-'lɛkʃən] n recuerdo.
recommend [rɛkə'mɛnd] vt recomendar; **~ation** [-'deɪʃən] n recomendación f.
recompense ['rɛkəmpɛns] vt recompensar // n recompensa.
reconcile ['rɛkənsaɪl] vt (two people) reconciliar; (two facts) conciliar; **to ~ o.s. to sth** resignarse a algo, conformarse a algo; **reconciliation** [-sɪlɪ'eɪʃən] n reconciliación f.
reconnaissance [rɪ'kɒnɪsns] n (MIL) reconocimiento.
reconnoitre, reconnoiter (US) [rɛkə'nɔɪtə*] vt, vi (MIL) reconocer.
reconsider [riːkən'sɪdə*] vt repensar.
reconstitute [riː'kɒnstɪtjuːt] vt reconstituir.
reconstruct [riːkən'strʌkt] vt reconstruir; **~ion** [-kʃən] n reconstrucción f.
record ['rɛkɔːd] n (MUS) disco; (of meeting etc) relación f; (register) registro, partida; (file) archivo; (also: **police ~**) antecedentes mpl; (written) expediente m; (SPORT) récord m // vt [rɪ'kɔːd] (set down) registrar; (relate) hacer constar; (MUS: song etc) grabar; **in ~ time** en un tiempo récord; **off the ~** a no oficial // ad confidencialmente; **~ card** n (in file) ficha; **~er** n (MUS) flauta de pico; (TECH) contador m; **~ holder** n (SPORT) recordman m; **~ing** n (MUS) grabación f; **~ player** n tocadiscos m inv.
recount [rɪ'kaunt] vt contar.
re-count ['riːkaunt] n (POL: of votes) segundo escrutinio // vt [riː'kaunt] volver a contar.
recoup [rɪ'kuːp] vt: **to ~ one's losses** recuperar las pérdidas.
recourse [rɪ'kɔːs] n recurso; **to have ~ to** recurrir a.
recover [rɪ'kʌvə*] vt recobrar, recuperar; (rescue) rescatar // vi (from illness) reponerse; (from shock) sobreponerse; **~y** n recuperación f; rescate m; (MED) mejora.
recreate [riːkrɪ'eɪt] vt recrear.
recreation [rɛkrɪ'eɪʃən] n recreación f; (play) recreo; **~al** a de recreo.
recrimination [rɪkrɪmɪ'neɪʃən] n recriminación f.
recruit [rɪ'kruːt] n recluta m/f // vt reclutar; **~ment** n reclutamiento.
rectangle ['rɛktæŋgl] n rectángulo; **rectangular** [-'tæŋgjulə*] a rectangular.
rectify ['rɛktɪfaɪ] vt rectificar.

rector ['rɛktə*] n (REL) párroco; (SCOL) rector/a m/f; **~y** n casa del párroco.
recuperate [rɪ'kuːpəreit] vi reponerse, restablecerse.
recur [rɪ'kɔː*] vi repetirse; (opportunity) producirse de nuevo; **~rence** n repetición f; **~rent** a repetido.
red [rɛd] n rojo // a rojo; **to be in the ~** deber dinero; **R~ Cross** n Cruz f Roja; **~currant** n grosella; **~den** vt enrojecer // vi enrojecerse; **~dish** a (hair) rojizo.
redecorate [riː'dɛkəreɪt] vt decorar de nuevo; **redecoration** [-'reɪʃən] n renovación f.
redeem [rɪ'diːm] vt (gen) redimir; (sth in pawn) desempeñar; (fig, also REL) rescatar; **~ing** a: **~ing feature** rasgo bueno o favorable.
redeploy [riːdɪ'plɔɪ] vt (resources) disponer de nuevo.
red: ~-haired a pelirrojo; **~-handed** a: **to be caught ~-handed** cogerse con las manos en la masa; **~head** n pelirrojo/a; **~-hot** a candente.
redirect [riːdaɪ'rɛkt] vt (mail) reexpedir.
redness ['rɛdnɪs] n lo rojo; (of hair) rojez f.
redo [riː'duː] (irg: like **do**) vt rehacer.
redouble [riː'dʌbl] vt: **to ~ one's efforts** intensificar los esfuerzos.
redress [rɪ'drɛs] n reparación f // vt reajustar.
red tape n (fig) trámites mpl, papeleo.
reduce [rɪ'djuːs] vt reducir; (lower) rebajar; **'~ speed now'** (AUT) 'reduzca la velocidad'; **at a ~d price** (of goods) (a precio) rebajado; **reduction** [rɪ'dʌkʃən] n reducción f; (of price) rebaja; (discount) descuento.
redundancy [rɪ'dʌndənsɪ] n desempleo.
redundant [rɪ'dʌndnt] a (worker) parado, sin trabajo; (detail, object) superfluo; **to be made ~** quedarse sin trabajo.
reed [riːd] n (BOT) junco, caña; (MUS: of clarinet etc) lengüeta.
reef [riːf] n (at sea) arrecife m.
reek [riːk] vi: **to ~ (of)** oler o heder a.
reel [riːl] n (gen) carrete m, bobina; (of film) rollo, película // vt (TECH) devanar; (also: **~ in**) cobrar // vi (sway) tambalear.
re-election [riːɪ'lɛkʃən] n reelección f.
re-enter [riː'ɛntə*] vt reingresar en; **re-entry** n reingreso.
ref [rɛf] n (col) abbr of **referee**.
refectory [rɪ'fɛktərɪ] n refectorio, comedor m.
refer [rɪ'fɔː*] vt (send) remitir; (ascribe) referir a, relacionar con // vi: **to ~ to** (allude to) referirse a, aludir a; (apply to) relacionarse con; (consult) remitirse a.
referee [rɛfə'riː] n árbitro; (for job application) persona que recomienda a otro // vt arbitrar.
reference ['rɛfrəns] n (mention) referencia; (sending) remisión f; (relevance) relación f; (for job application: letter) referencia, carta de

recomendación; **with ~ to** con referencia a; (*comm: in letter*) me remito a; **~ book** *n* libro de consulta.

referendum [refə'rɛndəm], *pl* **-da** [-də] *n* referéndum *m*.

refill [riːˈfil] *vt* rellenar // *n* ['riːfil] repuesto, recambio.

refine [riˈfain] *vt* (*sugar, oil*) refinar; **~d** a (*person, taste*) refinado, culto; **~ment** *n* (*of person*) cultura, educación *f*; **~ry** *n* refinería.

reflect [riˈflɛkt] *vt* (*light, image*) reflejar // *vi* (*think*) reflexionar, pensar; **it ~s badly/well on him** le perjudica/le hace honor; **~ion** [-'flɛkʃən] *n* (*act*) reflexión *f*; (*image*) reflejo; (*criticism*) reproche *m*, crítica; **on ~ion** pensándolo bien; **~or** *n* (*also AUT*) captafaros *m inv*, reflector *m*.

reflex ['riːflɛks] *a, n* reflejo; **~ive** [riˈflɛksiv] *a* (*LING*) reflexivo.

reform [riˈfɔːm] *n* reforma // *vt* reformar; **the R ~ation** [refə'meiʃən] *n* la Reforma; **~er** *n* reformador/a *m/f*; **~ist** *n* reformista *m/f*.

refrain [riˈfrein] *vi:* **to ~ from doing** abstenerse de hacer // *n* estribillo.

refresh [riˈfrɛʃ] *vt* refrescar; **~ course** *n* curso de repaso; **~ments** *npl* (*drinks*) refrescos *mpl*.

refrigeration [rifridʒə'reiʃən] *n* refrigeración *f*; **refrigerator** [-ˈfridʒəreitə*] *n* refrigeradora, nevera.

refuel [riːˈfjuəl] *vi* repostar combustible.

refuge ['rɛfjuːdʒ] *n* refugio, asilo; **to take ~ in** refugiarse en.

refugee [rɛfjuˈdʒiː] *a* refugiado/a.

refund ['riːfʌnd] *n* reembolso // *vt* [riˈfʌnd] devolver, reembolsar.

refurbish [riːˈfəːbiʃ] *vt* restaurar, renovar.

refusal [riˈfjuːzəl] *n* negativa; **first ~** primera opción.

refuse ['rɛfjuːs] *n* basura // (*vb:* [riˈfjuːz]) *vt* (*reject*) rehusar; (*say no to*) negarse a // *vi* negarse; (*horse*) rehusar; **~ bin** *n* cubo de la basura; **~ tip** *n* vertedero.

refute [riˈfjuːt] *vt* refutar, rebatir.

regain [riˈgein] *vt* recobrar, recuperar.

regal ['riːgl] *a* regio, real.

regalia [riˈgeiliə] *n, npl* insignias *fpl* reales.

regard [riˈgɑːd] *n* (*gaze*) mirada; (*aspect*) respecto; (*attention*) atención *f*; (*esteem*) respeto, consideración *f* // *vt* (*consider*) considerar; (*look at*) mirar; **'with kindest ~s'** con muchos recuerdos; **~ing, as ~s, with ~ to** con respecto a, en cuanto a; **~less** *ad* a pesar de todo.

regatta [riˈgætə] *n* regata.

regent ['riːdʒənt] *n* regente *m/f*.

régime [rei'ʒiːm] *n* régimen *m*.

regiment ['rɛdʒimənt] *n* regimiento // *vt* reglamentar; **~al** [-'mɛntl] *a* militar; **~ation** [-'teiʃən] *n* regimentación *f*.

region ['riːdʒən] *n* región *f*; **in the ~ of** (*fig*) alrededor de; **~al** *a* regional.

register ['rɛdʒistə*] *n* (*gen*) registro; (*list*) lista // *vt* registrar; (*birth*) declarar; (*letter*) certificar; (*subj: instrument*)

marcar, indicar // *vi* (*at hotel*) registrarse; (*sign on*) inscribirse; (*make impression*) producir impresión; **~ed** *a* (*design*) registrado; (*letter*) certificado.

registrar ['rɛdʒistrɑː*] *n* secretario (del registro civil).

registration [rɛdʒisˈtreiʃən] *n* (*act*) inscripción *f*; (*AUT: also:* **~ number**) matrícula.

registry ['rɛdʒistri] *n* registro, archivo; **~ office** *n* registro civil; **to get married in a ~ office** casarse por lo civil.

regret [riˈgrɛt] *n* sentimiento, pesar *m*; (*remorse*) remordimiento // *vt* sentir, lamentar; (*repent of*) arrepentirse de; **~fully** *ad* con pesar, sentidamente; **~table** *a* lamentable; (*loss*) sensible.

regroup [riːˈgruːp] *vt* reagrupar // *vi* reagruparse.

regular ['rɛgjulə*] *a* (*gen*) regular; (*usual*) corriente, normal; (*soldier*) de línea; (*intensive*) verdadero // *n* (*client etc*) cliente *m/f* habitual; **~ity** [-ˈlæriti] *n* regularidad *f*; **~ly** *ad* con regularidad.

regulate ['rɛgjuleit] *vt* regular; (*TECH*) arreglar, ajustar; **regulation** [-ˈleiʃən] *n* (*rule*) regla, reglamento; (*adjustment*) ajuste *m*.

rehabilitation ['riːhəbiliˈteiʃən] *n* rehabilitación *f*.

rehearsal [riˈhəːsəl] *n* ensayo; **rehearse** *vt* ensayar.

reign [rein] *n* reinado; (*fig*) dominio // *vi* reinar; (*fig*) imperar; **~ing** *a* (*monarch*) reinante, actual; (*predominant*) imperante.

reimburse [riːimˈbəːs] *vt* reembolsar; **~ment** *n* reembolso.

rein [rein] *n* (*for horse*) rienda; **to give ~ to dar** rienda suelta a.

reincarnation [riːinkɑːˈneiʃən] *n* reencarnación *f*.

reindeer ['reindiə*] *n, pl inv* reno.

reinforce [riːinˈfɔːs] *vt* reforzar; **~d** a (*concrete*) armado; **~ment** *n* (*action*) reforzamiento; **~ments** *npl* (*MIL*) refuerzos *mpl*.

reinstate [riːinˈsteit] *vt* (*worker*) reintegrar a su puesto.

reiterate [riːˈitəreit] *vt* reiterar, repetir.

reject ['riːdʒɛkt] *n* (*COMM*) artículo defectuoso // *vt* [riˈdʒɛkt] rechazar; (*plan*) desechar; (*solution*) descartar; **~ion** [riˈdʒɛkʃən] *n* rechazo.

rejoice [riˈdʒɔis] *vi:* **to ~ at or over** regocijarse o alegrarse de.

rejuvenate [riˈdʒuːvəneit] *vt* rejuvenecer.

rekindle [riːˈkindl] *vt* reencender; (*fig*) despertar.

relapse [riˈlæps] *n* (*MED*) recaída; (*into crime*) reincidencia.

relate [riˈleit] *vt* (*tell*) contar, relatar; (*connect*) relacionar // *vi* relacionarse; **~d** a afín, conexo; (*person*) emparentado; **~d to** con referencia a, relacionado con; **relating to** *prep* acerca de.

relation [riˈleiʃən] *n* (*person*) pariente *m/f*; (*link*) relación *f*; **~ship** *n* relación *f*;

(personal ties) relaciones *fpl*; *(also:* **family ~ship**) parentesco.

relative ['rɛlətɪv] *n* pariente *m/f*, familiar *m/f* // *a* relativo.

relax [rɪ'læks] *vi* descansar; *(person: unwind)* relajarse // *vt* relajar; *(mind, person)* descansar; **~ation** [riːlæk'seɪʃən] *n* *(rest)* descanso; *(ease)* relajación *f*, relax *m*; *(amusement)* recreo; *(entertainment)* diversión *f*; **~ed** *a* relajado; *(tranquil)* tranquilo; **~ing** *a* enervante.

relay ['riːleɪ] *n* *(race)* carrera de relevos // *vt* *(message)* retransmitir.

release [rɪ'liːs] *n* *(from prison, obligation)* liberación *f*, libertad *f*; *(of shot)* disparo; *(of gas etc)* escape *m*; *(of film etc)* estreno // *vt* *(prisoner)* poner en libertad; *(book, film)* estrenar; *(report, news)* publicar; *(gas etc)* despedir, arrojar; *(free: from wreckage etc)* soltar; *(TECH: catch, spring etc)* desenganchar; *(let go)* soltar, aflojar.

relegate ['rɛlɪɡeɪt] *vt* relegar; *(SPORT):* **to be ~d** descender.

relent [rɪ'lɛnt] *vi* ablandarse, ceder; **~less** *a* implacable.

relevance ['rɛləvəns] *n* relación *f*; **relevant** [-ənt] *a* relacionado; *(fact)* pertinente; *(apt)* oportuno.

reliable [rɪ'laɪəbl] *a* *(person, firm)* de confianza, de fiar; *(method, machine)* seguro; *(news)* fidedigno; **reliably** *ad:* **to be reliably informed that...** saber de fuente fidedigna que... .

reliance [rɪ'laɪəns] *n:* **~ (on)** dependencia (de).

relic ['rɛlɪk] *n* *(REL)* reliquia; *(of the past)* vestigio.

relief [rɪ'liːf] *n* *(from pain, anxiety)* alivio, desahogo; *(help, supplies)* socorro, ayuda; *(ART, GEO)* relieve *m*.

relieve [rɪ'liːv] *vt* *(pain, patient)* aliviar; *(bring help to)* ayudar, socorrer; *(burden)* aligerar; *(take over from: gen)* sustituir a; *(: guard)* relevar; **to ~ sb of sth** quitar algo a uno; **to ~ o.s.** hacer sus necesidades.

religion [rɪ'lɪdʒən] *n* religión *f*; **religious** *a* religioso.

relinquish [rɪ'lɪŋkwɪʃ] *vt* abandonar; *(plan, habit)* renunciar a.

relish ['rɛlɪʃ] *n* *(CULIN)* salsa, condimento; *(enjoyment)* entusiasmo; *(flavour)* sabor *m*, gusto // *vt* *(food etc)* saborear; **to ~ doing** gustar de hacer.

reload [riː'ləud] *vt* recargar.

reluctance [rɪ'lʌktəns] *n* renuencia; **reluctant** [-ənt] *a* renuente; **reluctantly** [-əntlɪ] *ad* con renuencia.

rely [rɪ'laɪ]: **to ~ on** *vt fus* confiar en, fiarse de; *(be dependent on)* depender de.

remain [rɪ'meɪn] *vi* *(survive)* quedar; *(be left)* sobrar; *(continue)* quedar(se), permanecer; **~der** *n* resto; **~ing** *a* sobrante; **~s** *npl* restos *mpl*; *(leftovers)* desperdicios *mpl*.

remand [rɪ'mɑːnd] *n:* **on ~** detenido (en espera del juicio) // *vt:* **to ~ in custody** reencarcelar, mantener bajo custodia; **~ home** *n* reformatorio.

remark [rɪ'mɑːk] *n* comentario // *vt* comentar; *(notice)* observar, notar; **~able** *a* notable; *(outstanding)* extraordinario.

remarry [riː'mærɪ] *vi* casarse por segunda vez.

remedial [rɪ'miːdɪəl] *a* *(tuition, classes)* de niños atrasados.

remedy ['rɛmədɪ] *n* remedio // *vt* remediar, curar.

remember [rɪ'mɛmbə*] *vt* recordar, acordarse de; *(bear in mind)* tener presente; **remembrance** *n* *(memory)* memoria; *(souvenir)* recuerdo.

remind [rɪ'maɪnd] *vt:* **to ~ sb to do sth** recordar a uno que haga algo; **to ~ sb of sth** recordar algo a uno; **she ~s me of her mother** me recuerda a su madre; **~er** *n* advertencia; *(souvenir)* recuerdo.

reminisce [rɛmɪ'nɪs] *vi* recordar viejas historias; **reminiscent** *a:* **to be reminiscent of sth** recordar algo.

remiss [rɪ'mɪs] *a* descuidado; **it was ~ of him** fue un descuido suyo.

remission [rɪ'mɪʃən] *n* remisión *f*; *(of debt, sentence)* perdón *m*.

remit [rɪ'mɪt] *vt* *(send: money)* remitir, enviar; **~tance** *n* remesa, envío.

remnant ['rɛmnənt] *n* resto; *(of cloth)* retazo.

remorse [rɪ'mɔːs] *n* remordimientos *mpl*; **~ful** *a* arrepentido; **~less** *a* *(fig)* implacable, despiadado.

remote [rɪ'məut] *a* *(distant)* lejano; *(person)* distante; **~ control** *n* telecontrol *m*; **~ly** *ad* remotamente; *(slightly)* levemente; **~ness** *n* alejamiento; distancia.

remould ['riːməuld] *vt* *(tyre)* recauchutar.

removable [rɪ'muːvəbl] *a* *(detachable)* amovible, separable.

removal [rɪ'muːvəl] *n* *(taking away)* el quitar; *(from house)* mudanza; *(from office: sacking)* destitución *f*; *(MED)* extirpación *f*; **~ van** *n* camión *m* de mudanzas.

remove [rɪ'muːv] *vt* quitar; *(employee)* destituir; *(name: from list)* tachar, borrar; *(doubt, abuse)* disipar; *(TECH)* retirar, separar; *(MED)* extirpar; **removers** *npl* *(company)* agencia de mudanzas.

remuneration [rɪmjuːnə'reɪʃən] *n* remuneración *f*.

rend [rɛnd], *pt, pp* **rent** *vt* rasgar, desgarrar.

render ['rɛndə*] *vt* *(give)* dar, prestar; *(hand over)* entregar; *(reproduce)* reproducir; *(make)* hacer, volver; *(return)* devolver; **~ing** *n* *(MUS etc)* interpretación *f*.

rendez-vous ['rɒndɪvuː] *n* cita.

renegade ['rɛnɪɡeɪd] *n* renegado.

renew [rɪ'njuː] *vt* renovar; *(resume)* reanudar; *(loan etc)* prorrogar; *(negotiations)* volver a; *(acquaintance)* entablar de

nuevo; ~**al** n renovación f; reanudación f;
prórroga.
renounce [rɪ'nauns] vt renunciar a; (disown) renunciar.
renovate ['rɛnəveɪt] vt renovar; **renovation** [-'veɪʃən] n renovación f.
renown [rɪ'naun] n renombre m; ~**ed** a
renombrado.
rent [rent] pt, pp of **rend** // n alquiler m,
arriendo // vt alquilar; ~**al** n (for television, car) alquiler m.
renunciation [rɪnʌnsɪ'eɪʃən] n renuncia.
reorganize [ri:'ɔ:gənaɪz] vt reorganizar.
rep [rɛp] n abbr of **representative; repertory.**
repair [rɪ'pɛə*] n reparación f,
compostura; (patch) remiendo // vt
reparar, componer; (shoes) remendar; **in
good/bad** ~ en buen/mal estado; ~ **kit**
n caja de herramientas para
reparaciones.
repartee [rɛpɑ:'ti:] n dimes y diretes.
repay [ri:'peɪ] (irg: like **pay**) vt (money)
devolver, reembolsar; (person) pagar;
(debt) liquidar; (sb's efforts) devolver,
corresponder a; ~**ment** n reembolso,
devolución f; (of debt) pago.
repeal [rɪ'pi:l] n (of law) abrogación f; (of
sentence) anulación f // vt abrogar,
revocar.
repeat [rɪ'pi:t] n (RADIO, TV) retransmisión
f // vt repetir // vi repetirse; ~**edly** ad
repetidas veces.
repel [rɪ'pɛl] vt (lit, fig) repugnar; ~**lent**
a repugnante // n: **insect** ~**lent**
crema/loción f anti-insectos.
repent [rɪ'pɛnt] vi: to ~ (**of**) arrepentirse
(de); ~**ance** n arrepentimiento.
repercussion [ri:pə'kʌʃən] n (consequence) repercusión f; **to have** ~**s**
repercutir.
repertoire ['rɛpətwɑ:*] n repertorio.
repertory ['rɛpətərɪ] n (also: ~ **theatre**)
teatro de repertorio.
repetition [rɛpɪ'tɪʃən] n repetición f.
repetitive [rɪ'pɛtɪtɪv] a (movement, work)
reiterativo; (speech) lleno de repeticiones.
replace [rɪ'pleɪs] vt (put back) devolver a
su sitio; (take the place of) reemplazar,
sustituir; ~**ment** n (gen) reemplazo; (act)
reposición f; (person) suplente m/f.
replenish [rɪ'plɛnɪʃ] vt (glass) rellenar;
(stock etc) reponer; (with fuel) repostar.
replete [rɪ'pli:t] a repleto; (well-fed) lleno.
replica ['rɛplɪkə] n copia, reproducción f.
reply [rɪ'plaɪ] n respuesta, contestación f
// vi contestar, responder.
report [rɪ'pɔ:t] n informe m; (PRESS etc)
reportaje m; (also: **school** ~) nota; (of
gun) estallido // vt informar sobre; (PRESS
etc) hacer un reportaje sobre; (bring to
notice: occurrence) dar cuenta de // vi
(make a report) presentar un informe;
(present o.s.): **to** ~ (**to sb**) presentarse
(ante uno); ~**er** n periodista m/f.
reprehensible [rɛprɪ'hɛnsɪbl] a
reprensible, censurable.

represent [rɛprɪ'zɛnt] vt representar;
(fig) hablar en nombre de; (COMM) ser
agente de; ~**ation** [-'teɪʃən] n
representación f; (petition) petición f;
~**ations** npl (protest) quejas fpl; ~**ative**
n representante m/f // a representativo.
repress [rɪ'prɛs] vt reprimir;
~**ion** [-'prɛʃən] n represión f; ~**ive** a
represivo.
reprieve [rɪ'pri:v] n (LAW) indulto; (fig)
alivio // vt indultar, suspender la pena de.
reprimand ['rɛprɪmɑ:nd] n reprimenda //
vt reprender.
reprint ['ri:prɪnt] n reimpresión f // vt
[ri:'prɪnt] reimprimir.
reprisal [rɪ'praɪzl] n represalia.
reproach [rɪ'prəutʃ] n reproche m // vt: **to**
~ **sb with sth** reprochar algo a uno;
beyond ~ intachable; ~**ful** a lleno de
reproches.
reproduce [ri:prə'dju:s] vt reproducir // vi
reproducirse; **reproduction** [-'dʌkʃən] n
reproducción f; **reproductive** [-'dʌktɪv] a
reproductor(a).
reprove [rɪ'pru:v] vt: **to** ~ **sb for sth**
reprender algo a uno.
reptile ['rɛptaɪl] n reptil m.
republic [rɪ'pʌblɪk] n república; ~**an** a, n
republicano/a.
repudiate [rɪ'pju:dɪeɪt] vt (accusation)
rechazar; (friend) repudiar; (obligation)
desconocer.
repugnant [rɪ'pʌgnənt] a repugnante.
repulse [rɪ'pʌls] vt rechazar, repulsar;
repulsive a repulsivo.
reputable ['rɛpjutəbl] a (make etc) de
toda confianza; (person) formal.
reputation [rɛpju'teɪʃən] n reputación f.
repute [rɪ'pju:t] n reputación f, fama; ~**d**
a supuesto; ~**dly** ad según dicen o se dice.
request [rɪ'kwɛst] n petición f; (formal)
solicitud f // vt: **to** ~ **sth of** or **from sb**
pedir algo a uno; (formally) solicitar algo a
uno.
requiem ['rɛkwɪəm] n réquiem m.
require [rɪ'kwaɪə*] vt (need: subj: person)
necesitar, tener necesidad de; (: thing,
situation) exigir; (want) pedir; (order)
insistir en que; ~**ment** n requisito; (need)
necesidad f.
requisite ['rɛkwɪzɪt] n requisito // a
preciso, imprescindible; **toilet** ~**s**
artículos mpl de aseo personal.
requisition [rɛkwɪ'zɪʃən] n: ~ (**for**)
solicitud f (de) // vt (MIL) requisar.
reroute [ri:'ru:t] vt (train etc) desviar.
resale ['ri:'seɪl] n reventa.
rescue ['rɛskju:] n rescate m // vt
rescatar; **to** ~ **from** librar de; ~ **party** n
expedición f de salvamento; **rescuer** n
salvador/a m/f.
research [rɪ'sə:tʃ] n investigaciones fpl //
vt investigar; ~**er** n investigador/a m/f;
~ **work** n investigación f.
resell [ri:'sɛl] vt revender.
resemblance [rɪ'zɛmbləns] n parecido; **to**

bear a ~ to parecerse a; **resemble** vt parecerse a.

resent [rɪ'zɛnt] vt resentirse de; **~ful** a resentido; **~ment** n resentimiento.

reservation [rɛzə'veɪʃən] n (gen) reserva; (on road: also: **central ~**) faja intermedia.

reserve [rɪ'zɜːv] n reserva; (SPORT) suplente m/f; (game ~) coto // vt (seats etc) reservar; **~s** npl (MIL) reserva sg; **in ~ de reserva**; **~d** a reservado.

reservoir ['rɛzəvwɑː*] n (large) embalse m; (small) depósito.

reshape [riː'ʃeɪp] vt (policy) reformar, rehacer.

reshuffle [riː'ʃʌfl] n: **Cabinet ~** (POL) reconstrucción f del gabinete.

reside [rɪ'zaɪd] vi residir, vivir.

residence ['rɛzɪdəns] n residencia; (formal: home) domicilio; (length of stay) permanencia; **resident** [-ənt] n vecino; (in hotel) huésped/a m/f // a (population) permanente; (doctor) interno; **residential** [-'dɛnʃəl] a residencial.

residue ['rɛzɪdjuː] n resto, residuo; (COMM) saldo.

resign [rɪ'zaɪn] vt (one's post) renunciar a // vi dimitir; **to ~ o.s. to** (endure) resignarse a; **~ation** [rɛzɪg'neɪʃən] n renuncia; (state of mind) resignación f; **~ed** a resignado.

resilience [rɪ'zɪlɪəns] n (of material) elasticidad f; (of person) resistencia; **resilient** [-ənt] a (person) resistente.

resin ['rɛzɪn] n resina.

resist [rɪ'zɪst] vt resistir, oponerse a; **~ance** n resistencia.

resolute ['rɛzəluːt] a resuelto.

resolution [rɛzə'luːʃən] n (gen) resolución f; (purpose) propósito.

resolve [rɪ'zɔlv] n resolución f; (purpose) propósito // vt resolver // vi resolverse; **to ~ to do** resolver hacer; **~d** a resuelto.

resonant ['rɛzənənt] a resonante.

resort [rɪ'zɔːt] n (town) centro de turismo; (recourse) recurso // vi: **to ~ to** recurrir a; **in the last ~** en último caso.

resound [rɪ'zaund] vi resonar, retumbar; **the room ~ed with shouts** los gritos resonaron en el cuarto; **~ing** a sonoro; (fig) clamoroso.

resource [rɪ'sɔːs] n recurso; **~s** npl recursos mpl; **~ful** a inventivo, ingenioso.

respect [rɪs'pɛkt] n (consideration) respeto; (relation) respecto; **~s** npl recuerdos mpl, saludos mpl // vt respetar; **with ~ to** con respecto a; **in this ~** en cuanto a eso; **~ability** [-ə'bɪlɪtɪ] a respetabilidad f; **~able** a respetable; (large) apreciable; (passable) tolerable; **~ful** a respetuoso.

respective [rɪs'pɛktɪv] a respectivo; **~ly** ad respectivamente.

respiration [rɛspɪ'reɪʃən] n respiración f.

respiratory [rɛs'pɪrətərɪ] a respiratorio.

respite ['rɛspaɪt] n respiro; (LAW) prórroga.

resplendent [rɪs'plɛndənt] a resplandeciente.

respond [rɪs'pɔnd] vi responder; (react) reaccionar; **response** [-'pɔns] n respuesta; reacción f.

responsibility [rɪspɔnsɪ'bɪlɪtɪ] n responsabilidad f.

responsible [rɪs'pɔnsɪbl] a (liable): **~ (for)** responsable (de); (character) serio, formal; (job) de confianza.

responsive [rɪs'pɔnsɪv] a sensible.

rest [rɛst] n descanso, reposo; (MUS) pausa, silencio; (support) apoyo; (remainder) resto // vi descansar; (be supported): **to ~ on posar(se) en** // vt (lean): **to ~ sth on/against** apoyar algo en o sobre/contra.

restart [riː'stɑːt] vt (engine) volver a arrancar; (work) volver a empezar.

restaurant ['rɛstərɔŋ] n restorán m, restaurante m; **~ car** n coche-comedor m.

restful ['rɛstful] a descansado, reposado.

rest home n residencia para jubilados.

restitution [rɛstɪ'tjuːʃən] n: **to make ~ to sb for sth** indemnizar a uno por algo.

restive ['rɛstɪv] a inquieto; (horse) rebelón(ona).

restless ['rɛstlɪs] a inquieto; **~ly** ad inquietamente.

restoration [rɛstə'reɪʃən] n restauración f; **restore** [rɪ'stɔː*] vt (building) restaurar; (sth stolen) devolver; (health) restablecer.

restrain [rɪs'treɪn] vt (feeling) contener, refrenar; (person): **to ~ (from doing)** disuadir (de hacer); **~ed** a (style) moderado; **~t** n (restriction) freno, control m; (moderation) moderación f; (of style) reserva.

restrict [rɪs'trɪkt] vt restringir, limitar; **~ion** [-kʃən] n restricción f, limitación f; **~ive** a restrictivo.

rest room n (US) aseos mpl.

result [rɪ'zʌlt] n resultado // vi: **to ~ in** terminar en, dar por resultado; **as a ~ of** a consecuencia de.

resume [rɪ'zjuːm] vt, vi (work, journey) reanudar.

résumé ['reɪzjuːmeɪ] n resumen m.

resumption [rɪ'zʌmpʃən] n reanudación f.

resurgence [rɪ'sɜːdʒəns] n resurgimiento m.

resurrection [rɛzə'rɛkʃən] n resurrección f.

resuscitate [rɪ'sʌsɪteɪt] vt (MED) resucitar; **resuscitation** [-'teɪʃn] n resucitación f.

retail ['riːteɪl] n venta al por menor // cpd al por menor // vt vender al por menor o al detalle; **~er** n detallista m/f.

retain [rɪ'teɪn] vt (keep) retener, conservar; (employ) contratar; **~er** n (servant) criado; (fee) anticipo.

retaliate [rɪ'tælɪeɪt] vi: **to ~ (against)** tomar represalias (contra); **retaliation** [-'eɪʃən] n represalias fpl.

retarded [rɪ'tɑːdɪd] a retrasado.

retch [rɛtʃ] vi dar arcadas.

retentive [rɪ'tɛntɪv] a (*memory*) retentivo.
reticent ['rɛtɪsnt] a reservado.
retina ['rɛtɪnə] n retina.
retinue ['rɛtɪnju:] n séquito, comitiva.
retire [rɪ'taɪə*] vi (*give up work*) jubilarse; (*withdraw*) retirarse; (*go to bed*) (ir a) acostarse; ~**d** a (*person*) jubilado; ~**ment** n (*state*) retiro; (*act*) jubilación f; **retiring** a (*leaving*) saliente; (*shy*) retraído.
retort [rɪ'tɔːt] n (*reply*) réplica // vi contestar.
retrace [ri:'treɪs] vt: **to ~ one's steps** volver sobre sus pasos, desandar lo andado.
retract [rɪ'trækt] vt (*statement*) retirar; (*claws*) retraer; (*undercarriage, aerial*) replegar // vi retractarse; ~**able** a replegable.
retrain [ri:'treɪn] vt reeducar; ~**ing** n readaptación f profesional.
retreat [rɪ'triːt] n (*place*) retiro; (*act*) retraimiento; (*MIL*) retirada // vi retirarse; (*flood*) bajar.
retribution [rɛtrɪ'bjuːʃən] n desquite m.
retrieve [rɪ'triːv] vt (*gen*) recobrar; (*situation, honour*) salvar; (*error, loss*) recuperar; **retriever** n perro cobrador, perdiguero.
retrospect ['rɛtrəspɛkt] n: **in ~** retrospectivamente, mirando hacia atrás; ~**ive** [-'spɛktɪv] a (*law*) retroactivo.
return [rɪ'tɜːn] n (*going or coming back*) vuelta, regreso; (*of sth stolen etc*) devolución f; (*recompense*) recompensa f; (*FINANCE: from land, shares*) ganancia, ingresos mpl; (*report*) informe m // cpd (*journey*) de regreso; (*ticket*) de ida y vuelta; (*match*) de vuelta // vi (*person etc: come or go back*) volver, regresar; (*symptoms etc*) reaparecer // vt devolver; (*favour, love etc*) corresponder a; (*verdict*) declarar; (*POL: candidate*) elegir; ~**s** npl (*COMM*) ingresos mpl; **in ~** en cambio; **many happy ~s (of the day)!** ¡muchas felicidades!, ¡feliz cumpleaños!
reunion [ri:'juːnɪən] n reunión f.
reunite [ri:ju:'naɪt] vt reunir; (*reconcile*) reconciliar.
rev [rɛv] n abbr of **revolution** (*AUT*) // (vb: also: ~ **up**) vt girar (el motor de) // vi acelerarse.
reveal [rɪ'viːl] vt (*make known*) revelar; ~**ing** a revelador(a).
reveille [rɪ'vælɪ] n (*MIL*) diana.
revel ['rɛvl] vi: **to ~ in sth/in doing sth** deleitarse en algo/en hacer algo.
revelation [rɛvə'leɪʃən] n revelación f.
reveller ['rɛvlə*] n jaranero, juergista m/f; **revelry** [-rɪ] n jarana, juerga.
revenge [rɪ'vɛndʒ] n venganza; (*in sport*) revancha; **to take ~ on** vengarse de.
revenue ['rɛvənjuː] n ingresos mpl, renta; (*on investment*) rédito; (*profit*) ganancia.
reverberate [rɪ'vɜːbəreɪt] vi (*sound*) resonar, retumbar; **reverberation** [-'reɪʃən] n retumbo, eco.
revere [rɪ'vɪə*] vt reverenciar, venerar;

reverence ['rɛvərəns] n reverencia; **reverent** ['rɛvərənt] a reverente.
reverie ['rɛvərɪ] n ensueño.
reversal [rɪ'vɜːsl] n (*of order*) inversión f; (*of direction*) cambio completo; (*of decision*) revocación f.
reverse [rɪ'vɜːs] n (*opposite*) contrario; (*back: of cloth*) revés m; (: *of coin*) reverso, (: *of paper*) dorso; (*AUT: also:* ~ **gear**) marcha atrás, contramarcha // a (*order*) inverso; (*direction*) contrario // vt (*turn over*) volver al revés; (*invert*) invertir; (*change: opinion*) cambiar (completamente) de // vi (*AUT*) poner en marcha atrás.
revert [rɪ'vɜːt] vi: **to ~ to** volver a.
review [rɪ'vjuː] n (*magazine, MIL*) revista; (*of book, film*) reseña; (*examination*) repaso, examen m // vt repasar, examinar; (*MIL*) pasar revista a; (*book, film*) reseñar; ~**er** n crítico/a.
revile [rɪ'vaɪl] vt injuriar, vilipendiar.
revise [rɪ'vaɪz] vt (*manuscript*) corregir; (*opinion*) modificar; (*study: subject*) repasar; (*look over*) revisar; **revision** [rɪ'vɪʒən] n corrección f; modificación f; repaso; revisión f.
revitalize [riː'vaɪtəlaɪz] vt revivificar.
revival [rɪ'vaɪvəl] n (*recovery*) restablecimiento; (*of interest*) renacimiento; (*THEATRE*) reestreno; (*of faith*) despertar m.
revive [rɪ'vaɪv] vt (*gen*) resucitar; (*custom*) restablecer; (*hope, courage*) reanimar; (*play*) reestrenar // vi (*person*) volver en sí, restablecerse; (*from faint*) revivir; (*activity*) reanudarse.
revoke [rɪ'vəʊk] vt revocar.
revolt [rɪ'vəʊlt] n rebelión f, sublevación f // vi rebelarse, sublevarse // vt dar asco a, repugnar; ~**ing** a asqueroso, repugnante.
revolution [rɛvə'luːʃən] n revolución f; ~**ary**, a, n revolucionario/a; ~**ize** vt revolucionar.
revolve [rɪ'vɒlv] vi dar vueltas, girar.
revolver [rɪ'vɒlvə*] n revólver m.
revolving [rɪ'vɒlvɪŋ] a (*chair etc*) giratorio; ~ **door** n puerta giratoria.
revue [rɪ'vjuː] n (*THEATRE*) revista.
revulsion [rɪ'vʌlʃən] n asco, repugnancia.
reward [rɪ'wɔːd] n premio, recompensa // vt: **to ~ (for)** recompensar o premiar (por); ~**ing** a (*fig*) provechoso, valioso.
rewire [riː'waɪə*] vt (*house*) renovar el alambrado de.
reword [riː'wɜːd] vt expresar en otras palabras.
rewrite [riː'raɪt] (*irg: like write*) vt volver a escribir o redactar.
rhapsody ['ræpsədɪ] n (*MUS*) rapsodia; (*fig*) transporte m (de admiración).
rhetoric ['rɛtərɪk] n retórica; ~**al** [rɪ'tɒrɪkl] a retórico.
rheumatic [ruː'mætɪk] a reumático; **rheumatism** ['ruːmətɪzəm] n reumatismo, reúma.

Rhine [raɪn] *n*: the ~ el (río) Rin.

rhinoceros [raɪˈnɔsərəs] *n* rinoceronte *m*.

rhododendron [rəudəˈdɛndrn] *n* rododendro.

Rhone [rəun] *n*: the ~ el (río) Ródano.

rhubarb [ˈruːbɑːb] *n* ruibarbo.

rhyme [raɪm] *n* rima; (*verse*) poesía.

rhythm [ˈrɪðm] *n* ritmo; ~ **method** método de Ojino; ~**ic(al)** *a* rítmico.

rib [rɪb] *n* (ANAT) costilla // *vt* (*mock*) tomar el pelo a.

ribald [ˈrɪbəld] *a* escabroso.

ribbon [ˈrɪbən] *n* cinta; **in** ~**s** (*torn*) hecho trizas.

rice [raɪs] *n* arroz *m*; ~**field** *n* arrozal *m*; ~ **pudding** *n* arroz *m* con leche.

rich [rɪtʃ] *a* rico; (*banquet*) suntuoso; (*soil*) fértil; (*food*) fuerte; (: *sweet*) empalagoso; **the** ~ los ricos; ~**es** *npl* riqueza *sg*; ~**ness** *n* riqueza; suntuosidad *f*; fertilidad *f*.

rickets [ˈrɪkɪts] *n* raquitismo.

rickety [ˈrɪkɪtɪ] *a* desvencijado; (*shaky*) tambaleante.

rickshaw [ˈrɪkʃɔː] *n* rikisha.

ricochet [ˈrɪkəʃeɪ] *n* rebote *m* // *vi* rebotar.

rid [rɪd], *pt*, *pp* **rid** *vt*: **to** ~ **sb of sth** librar a uno de algo; **to get** ~ **of** deshacerse *o* desembarazarse de.

ridden [ˈrɪdn] *pp* of **ride**.

riddle [ˈrɪdl] *n* (*conundrum*) acertijo; (*mystery*) enigma *m*, misterio; (*sieve*) criba // *vt*: **to be** ~**d with** ser lleno *o* plagado de.

ride [raɪd] *n* (*gen*) paseo; (*on horse*) cabalgata; (*distance covered*) viaje *m*, recorrido // (*vb*: *pt* **rode**, *pp* **ridden**) *vi* (*as sport*) montar; (*go somewhere*: *on horse, bicycle*) dar un paseo, pasearse; (*journey*: *on bicycle, motor cycle, bus*) viajar // *vt* (*a horse*) montar a; (*distance*) viajar; **to** ~ **a bicycle** ir en bicicleta; **to** ~ **at anchor** (NAUT) estar al ancla; **to take sb for a** ~ (*fig*) engañar a uno; **rider** *n* (*on horse*) jinete *m*; (*on bicycle*) ciclista *m/f*; (*on motorcycle*) motociclista *m/f*.

ridge [rɪdʒ] *n* (*of hill*) cresta; (*of roof*) caballete *m*; (*wrinkle*) arruga.

ridicule [ˈrɪdɪkjuːl] *n* irrisión *f*, mofa // *vt* poner en ridículo, mofarse de; **ridiculous** [-ˈdɪkjuləs] *a* ridículo.

riding [ˈraɪdɪŋ] *n* montar *m* a caballo; ~ **school** *n* escuela de equitación.

rife [raɪf] *a*: **to be** ~ ser muy común; **to be** ~ **with** abundar en.

riffraff [ˈrɪfræf] *n* gentuza.

rifle [ˈraɪfl] *n* rifle *m*, fusil *m* // *vt* saquear; ~ **range** *n* campo de tiro; (*at fair*) tiro al blanco.

rift [rɪft] *n* (*fig*: *disagreement*: *between friends*) desavenencia; (: *in party*) escisión *f*.

rig [rɪg] *n* (*also*: **oil** ~) torre *f* de perforación // *vt* (*election etc*) falsificar los resultados de; **to** ~ **out** *vt* ataviar de;

to ~ **up** *vt* armar; ~**ging** *n* (NAUT) aparejo.

right [raɪt] *a* (*true, correct*) correcto, exacto; (*suitable*) indicado, debido; (*proper*) apropiado, propio; (*just*) justo; (*morally good*) bueno; (*not left*) derecho // *n* (*title, claim*) derecho; (*not left*) derecha // *ad* (*correctly*) bien, correctamente; (*straight*) derecho, directamente; (*not on the left*) a la derecha; (*to the* ~) hacia la derecha // *vt* enderezar // *excl* ¡bueno!, ¡está bien!; **to be** ~ (*person*) tener razón; **all** ~! ¡está bien!; (*enough*) ¡basta!; ~ **now** ahora mismo; ~ **in the middle** justo en medio, en pleno centro; ~ **away** en seguida; **by** ~**s** en justicia; **on the** ~ a la derecha; ~ **angle** *n* ángulo recto; ~**eous** [ˈraɪtʃəs] *a* justado, honrado; (*anger*) justificado; ~**eousness** [ˈraɪtʃəsnɪs] *n* justicia; ~**ful** *a* (*heir*) legítimo; ~**-hand** *a* por la derecha; ~**-handed** *a* (*person*) que usa la mano derecha; ~**ly** *ad* correctamente, debidamente; (*with reason*) con razón; ~**-wing** *a* (POL) derechista.

rigid [ˈrɪdʒɪd] *a* rígido; (*principle*) inflexible; ~**ity** [rɪˈdʒɪdɪtɪ] *n* rigidez *f*, inflexibilidad *f*.

rigmarole [ˈrɪgmərəul] *n* galimatías *m*.

rigorous [ˈrɪgərəs] *a* riguroso.

rigour, rigor (*US*) [ˈrɪgə*] *n* rigor *m*, severidad *f*.

rig-out [ˈrɪgaut] *n* (*col*) atuendo.

rile [raɪl] *vt* irritar.

rim [rɪm] *n* borde *m*; (*of spectacles*) aro; (*of wheel*) aro, llanta.

rind [raɪnd] *n* (*of bacon*) piel *f*; (*of lemon etc*) cáscara; (*of cheese*) costra.

ring [rɪŋ] *n* (*of metal*) aro; (*on finger*) anillo; (*of people, objects*) círculo, grupo; (*of spies*) camarilla; (*for boxing*) cuadrilátero; (*of circus*) pista; (*bull*~) ruedo, plaza; (*sound of bell*) toque *m*; (*telephone call*) llamada // (*vb*: *pt* **rang**, *pp* **rung**) *vi* (*on telephone*) llamar por teléfono; (*large bell*) repicar; (*also*: ~ **out**: *voice, words*) sonar; (*ears*) zumbar // *vt* (TEL: *also*: ~ **up**) llamar; (*bell etc*) hacer sonar; (*doorbell*) tocar; **to** ~ **back** *vt, vi* (TEL) devolver la llamada; **to** ~ **off** *vi* (TEL) colgar, cortar la comunicación; ~**ing** *n* (*of large bell*) repique *m*; (*in ears*) zumbido; ~**leader** *n* (*of gang*) cabecilla *m/f*.

ringlets [ˈrɪŋlɪts] *npl* rizos *mpl*, tirabuzones *mpl*.

ring road *n* carretera periférica *o* de circunvalación.

rink [rɪŋk] *n* (*also*: **ice** ~) pista.

rinse [rɪns] *n* (*of dishes*) enjuague *m*; (*of hair*) reflejo // *vt* enjuagar; dar reflejos a.

riot [ˈraɪət] *n* motín *m*, disturbio // *vi* amotinarse; **to run** ~ desmandarse; ~**er** *n* amotinado/a; ~**ous** *a* (*gen*) alborotado; (*party*) bullicioso; (*uncontrolled*) desenfrenado.

rip [rɪp] *n* rasgón *m*, rasgadura // *vt*

rasgar, desgarrar // vi correr; ~**cord** n cabo de desgarrar.

ripe [raɪp] a (fruit) maduro; (ready) listo; ~**n** vt madurar // vi madurarse; ~**ness** n madurez f.

ripple ['rɪpl] n onda, rizo; (sound) murmullo // vi rizarse // vt rizar.

rise [raɪz] n (slope) cuesta, pendiente m; (hill) altura; (increase: in wages) aumento; (: in prices, temperature) subida, alza; (fig: to power etc) ascenso // vi, pt **rose**, pp **risen** ['rɪzn] (gen) elevarse; (prices) subir; (waters) crecer; (river) nacer; (sun) salir; (person: from bed etc) levantarse; (also: ~ **up**: rebel) sublevarse; (in rank) ascender; **to give** ~ **to** dar lugar o origen a; **to** ~ **to the occasion** ponerse a la altura de las circunstancias.

risk [rɪsk] n riesgo, peligro // vt (gen) arriesgar; (dare) atreverse a; **to take** or **run the** ~ **of doing** correr el riesgo de hacer; **at** ~ en peligro; **at one's own** ~ bajo su propia responsabilidad; ~**y** a arriesgado, peligroso.

risqué ['riːskeɪ] a (joke) subido de color.

rissole ['rɪsəʊl] n croqueta.

rite [raɪt] n rito; **funeral** ~**s** exequias fpl.

ritual ['rɪtjʊəl] a ritual // n ritual m, rito.

rival ['raɪvl] n rival m/f; (in business) competidor/a m/f // a rival, opuesto // vt competir con; ~**ry** n rivalidad f, competencia.

river ['rɪvə*] n río; **up/down** ~ río arriba/abajo; ~**bank** n orilla (del río); ~**bed** n lecho, cauce m; ~**side** n ribera, orilla // cpd (port, traffic) de río, del río.

rivet ['rɪvɪt] n roblón m, remache m // vt remachar; (fig) clavar.

Riviera [rɪvɪ'eərə] n: **the (French)** ~ la Costa Azul (Francesa).

road [rəʊd] n (gen) camino; (motorway etc) carretera; (in town) calle f; ~**block** n barricada; ~**hog** n loco del volante; ~**map** n mapa m de carreteras; ~**side** n borde m (del camino) // al lado de la carretera; ~**sign** n señal f (de carretera o calle); ~**user** n usuario de la vía pública; ~**way** n calzada; ~**worthy** a (car) listo para conducir.

roam [rəʊm] vi vagar // vt vagar por.

roar [rɔː*] n (of animal) rugido, bramido; (of crowd) rugido; (of vehicle, storm) estruendo; (of laughter) carcajada // vi rugir, bramar; hacer estruendo; **to** ~ **with laughter** reírse a carcajadas; **to do a** ~**ing trade** hacer buen negocio.

roast [rəʊst] n carne f asada, asado // vt (meat) asar; (coffee) tostar.

rob [rɔb] vt robar; **to** ~ **sb of sth** robar algo a uno; (fig: deprive) quitarle algo a uno; ~**ber** n ladrón/ona m/f; ~**bery** n robo.

robe [rəʊb] n (for ceremony etc) toga; (also: **bath** ~) bata.

robin ['rɔbɪn] n petirrojo.

robot ['rəʊbɔt] n robot m.

robust [rəʊ'bʌst] a robusto, fuerte.

rock [rɔk] n (gen) roca; (boulder) peña, peñasco; (sweet) pirulí // vt (swing gently: cradle) balancear, mecer; (: child) arrullar; (shake) sacudir // vi mecerse, balancearse; sacudirse; **on the** ~**s** (drink) sobre las rocas; (marriage etc) en ruinas; **to** ~ **the boat** (fig) causar perturbaciones; ~ **and roll** n rocanrol m; ~**-bottom** a (fig) por los suelos; ~**ery** n cuadro alpino.

rocket ['rɔkɪt] n cohete m.

rocking ['rɔkɪŋ] ~ **chair** n mecedora; ~ **horse** n caballo de balancín.

rocky ['rɔkɪ] a (gen) rocoso; (unsteady: table) débil.

rod [rɔd] n vara, varilla; (TECH) barra; (also: **fishing** ~) caña.

rode [rəʊd] pt of **ride**.

rodent ['rəʊdnt] n roedor m.

rodeo ['rəʊdɪəʊ] n rodeo.

roe [rəʊ] n (species: also: ~ **deer**) corzo; (of fish): **hard/soft** ~ hueva/lecha.

rogue [rəʊg] n pícaro, pillo; **roguish** a pícaro.

role [rəʊl] n papel m, rol m.

roll [rəʊl] n rollo; (of banknotes) fajo; (also: **bread** ~) panecillo, bollo; (register) lista, nómina; (sound: of drums etc) redoble m; (movement: of ship) balanceo // vt hacer rodar; (also: ~ **up**: string) enrollar; (: sleeves) arremangar; (cigarettes) liar; (also: ~ **out**: pastry) aplanar // vi (gen) rodar; (drum) redoblar; (in walking) bambolearse; (ship) balancearse; **to** ~ **by** vi (time) pasar; **to** ~ **in** vi (mail, cash) entrar a raudales; **to** ~ **over** vi dar una vuelta; **to** ~ **up** vi (col: arrive) presentarse, aparecer // vt (carpet) arrollar; ~ **call** n acto de pasar lista; ~**er** n rodillo; (wheel) rueda; ~**er skates** npl patines mpl de rueda.

rollicking ['rɔlɪkɪŋ] a alegre, divertido.

rolling ['rəʊlɪŋ] a (landscape) ondulado; ~ **pin** n rodillo (de cocina); ~ **stock** n (RAIL) material m rodante.

Roman ['rəʊmən] a, n romano/a; ~ **Catholic** a, n católico (romano).

romance [rə'mæns] n (love affair) amoríos mpl, aventura sentimental; (charm) lo romántico.

Romanesque [rəʊmə'nɛsk] a románico.

Romania [rəʊ'meɪnɪə] n = **Rumania**.

romantic [rə'mæntɪk] a romántico; **romanticism** [-tɪsɪzəm] n romanticismo.

romp [rɔmp] n retozo, juego // vi (also: ~ **about**) jugar, brincar.

rompers ['rɔmpəz] npl pelele m.

roof [ruːf], pl ~**s** n (gen) techo; (of house) techo, tejado; (of car) baca // vt techar, poner techo a; **the** ~ **of the mouth** el paladar, el cielo de la boca; ~**ing** n techumbre f; ~ **rack** n (AUT) baca, portaequipajes m inv.

rook [ruk] n (bird) graja; (CHESS) torre f.

room [ruːm] n (in house) cuarto, habitación f, pieza; (also: **bed**~) dormitorio; (in school etc) sala; (space) sitio, cabida; ~**s**

npl (*lodging*) alojamiento *sg*; '~s to let' 'se alquilan pisos *o* cuartos'; **single/double** ~ habitación individual/doble *o* para dos personas; ~**mate** *n* compañero/a de cuarto; ~ **service** *n* servicio de habitaciones; ~**y** *a* espacioso.

roost [ru:st] *n* percha // *vi* pasar la noche.

rooster ['ru:stə*] *n* gallo.

root [ru:t] *n* (*BOT, MATH*) raíz *f* // *vi* (*plant, belief*) arriesgarse; **to** ~ **about** *vi* (*fig*) andar buscando; **to** ~ **for** *vt fus* apoyar a; **to** ~ **out** *vt* desarraigar.

rope [rəup] *n* cuerda; (*NAUT*) cable *m* // *vt* (*box*) atar *o* amarrar con (una) cuerda; (*climbers: also:* ~ **together**) encordarse; **to** ~ **sb in** (*fig*) persuadir a uno a tomar parte; **to know the** ~**s** (*fig*) conocer un negocio a fondo; ~ **ladder** *n* escala de cuerda.

rosary ['rəuzərɪ] *n* rosario.

rose [rəuz] *pt of* **rise** // *n* (*also:* ~**bush**) rosal *m*; (*on watering can*) roseta // *a* color de rosa.

rosé ['rəuzeɪ] *n* vino rosado, clarete *m*.

rose: ~**bed** *n* rosaleda; ~**bud** *n* capullo de rosa; ~**bush** *n* rosal *m*.

rosemary ['rəuzmərɪ] *n* romero.

rosette [rəu'zɛt] *n* rosetón *m*.

roster ['rɒstə*] *n*: **duty** ~ lista de deberes.

rostrum ['rɒstrəm] *n* tribuna.

rosy ['rəuzɪ] *a* rosado, sonrosado; **a** ~ **future** un futuro prometedor.

rot [rɒt] *n* (*decay*) putrefacción *f*, podredumbre *f*; (*fig: pej*) decadencia // *vt, vi* pudrirse, corromperse.

rota ['rəutə] *n* lista (de tandas).

rotary ['rəutərɪ] *a* rotativo.

rotate [rəu'teɪt] *vt* (*revolve*) hacer girar, dar vueltas a; (*change round: crops*) cultivar en rotación; (: *jobs*) alternar // *vi* (*revolve*) girar, dar vueltas; **rotating** *a* (*movement*) rotativo; **rotation** [-'teɪʃən] *n* rotación *f*; **in rotation** por turno.

rotor ['rəutə*] *n* rotor *m*.

rotten ['rɒtn] *a* (*decayed*) podrido; (: *wood*) carcomido; (*fig*) corrompido; (*col: bad*) vil, miserable; **to feel** ~ (*ill*) sentirse muy mal.

rotting ['rɒtɪŋ] *a* podrido.

rotund [rəu'tʌnd] *a* rotundo.

rouble, ruble (*US*) ['ru:bl] *n* rublo.

rouge [ru:ʒ] *n* colorete *m*.

rough [rʌf] *a* (*skin, surface*) áspero; (*terrain*) quebrado; (*road*) desigual; (*voice*) bronco; (*person, manner: coarse*) tosco, grosero; (*weather*) borrascoso; (*treatment*) brutal; (*sea*) bravo; (*cloth*) basto; (*plan*) preliminar; (*guess*) aproximado; (*violent*) violento // *n* (*person*) matón *m*; (*GOLF*): **in the** ~ en las hierbas altas; **to** ~ **it** vivir sin comodidades; **to sleep** ~ pasar la noche al raso; ~**-and-ready** *a* improvisado; ~**en** *vt* (*a surface*) poner áspero; ~**ly** *ad* (*handle*) torpemente; (*make*) toscamente; (*approximately*)

aproximadamente; ~**ness** *n* aspereza; tosquedad *f*; brutalidad *f*.

roulette [ru:'lɛt] *n* ruleta.

Roumania [ru:'meɪnɪə] *n* = **Rumania.**

round [raund] *a* redondo // *n* círculo; (*of toast*) rodaja; (*of policeman*) ronda; (*of milkman*) recorrido; (*of doctor*) visitas *fpl*; (*game: of cards, in competition*) partida; (*of ammunition*) cartucho; (*BOXING*) asalto; (*of talks*) ronda // *vt* (*corner*) doblar // *prep* alrededor de // *ad*: **all** ~ por todos lados; **the long way** ~ el camino menos directo; **all the year** ~ durante todo el año; **it's just** ~ **the corner** (*fig*) está a la vuelta de la esquina; **to go** ~ **to sb's (house)** ir a casa de uno; **to go** ~ **the back** pasar por atrás; **to go** ~ **a house** visitar una casa; **to go the** ~**s** (*story*) divulgarse; **to** ~ **off** *vt* (*speech etc*) acabar, poner término a; **to** ~ **up** *vt* (*cattle*) acorralar; (*people*) reunir; (*prices*) redondear; ~**about** *n* (*AUT*) glorieta, redondel *m*; (*at fair*) tiovivo // *a* (*route, means*) indirecto; **a** ~ **of applause** una salva de aplausos; **a** ~ **of drinks** una ronda de bebidas; ~**ed** *a* redondeado; (*style*) expresivo; ~**ly** *ad* (*fig*) rotundamente; ~**-shouldered** *a* cargado de espaldas; ~ **trip** *n* viaje *m* de ida y vuelta; ~**up** *n* rodeo; (*of criminals*) redada.

rouse [rauz] *vt* (*wake up*) despertar; (*stir up*) suscitar; **rousing** *a* emocionado, entusiasta.

rout [raut] *n* (*MIL*) derrota; (*flight*) fuga // *vt* derrotar.

route [ru:t] *n* ruta, camino; (*of bus*) recorrido; (*of shipping*) rumba, derrota; ~ **map** *n* (*for journey*) mapa *m* de carreteras.

routine [ru:'ti:n] *a* (*work*) rutinario // *n* rutina; (*THEATRE*) número.

roving ['rəuvɪŋ] *a* (*wandering*) errante; (*salesman*) ambulante.

row [rəu] *n* (*line*) fila, hilera; (*KNITTING*) pasada // *n* [rau] (*noise*) estrépito, estruendo; (*racket*) escándalo; (*dispute*) bronca, pelea; (*fuss*) jaleo, follón *m*; (*scolding*) regaño // *vi* (*in boat*) remar // *vi* [rau] reñir(se) // *vt* (*boat*) conducir remando.

rowdy ['raudɪ] *a* (*person: noisy*) ruidoso; (: *quarrelsome*) pendenciero; (*occasion*) alborotado // *n* pendenciero.

rowing ['rəuɪŋ] *n* remo; ~ **boat** *n* bote *m* de remos.

royal ['rɔɪəl] *a* real; ~**ist** *a, n* monárquico/a; ~**ty** *n* (~ *persons*) familia real; (*payment to author*) derechos *mpl* de autor.

R.S.V.P. *abbr of* **répondez s'il vous plaît** SRC (Se Ruega Contestación).

rub [rʌb] *vt* (*gen*) frotar; (*hard*) restregar; (*polish*) sacar brillo a // *n* (*gen*) frotamiento; (*touch*) roce *m*; **to** ~ **sb up the wrong way** coger a uno a contrapelo;

to ~ off *vi* borrarse; to ~ off on influir en; to ~ out *vt* borrar.

rubber ['rʌbə*] *n* caucho, goma; (*Brit: eraser*) goma de borrar; ~ **band** *n* goma, gomita; ~ **plant** *n* árbol *m* del caucho, gomero; ~**y** *a* elástico.

rubbish ['rʌbɪʃ] *n* (*from household*) basura; (*waste*) desperdicios *mpl*; (*fig: pej*) tonterías *fpl*; (*trash*) pacotilla; ~ **bin** *n* cubo de la basura; ~ **dump** *n* (*in town*) vertedero, basurero.

rubble ['rʌbl] *n* escombros *mpl.*

ruby ['ru:bɪ] *n* rubí *m.*

rucksack ['rʌksæk] *n* mochila.

ructions ['rʌkʃənz] *npl* lío *sg*, jaleo *sg.*

rudder ['rʌdə*] *n* timón *m.*

ruddy ['rʌdɪ] *a* (*face*) rubicundo, frescote; (*col: damned*) condenado.

rude [ru:d] *a* (*impolite: person*) grosero; (*: word, manners*) rudo, grosero; (*sudden*) repentino; (*shocking*) verde, indecente; ~**ly** *ad* groseramente, toscamente; repentinamente; ~**ness** *n* grosería, tosquedad *f.*

rudiment ['ru:dɪmənt] *n* rudimento; ~**ary** [-'mɛntərɪ] *a* rudimentario.

rue [ru:] *vt* arrepentirse de; ~**ful** *a* arrepentido.

ruffian ['rʌfɪən] *n* matón *m*, criminal *m.*

ruffle ['rʌfl] *vt* (*hair*) despeinar; (*clothes*) arrugar; (*fig: person*) agitar.

rug [rʌg] *n* alfombra; (*for knees*) manta.

rugby ['rʌgbɪ] *n* (*also:* ~ **football**) rugby *m.*

rugged ['rʌgɪd] *a* (*landscape*) accidentado; (*features, character*) fuerte.

rugger ['rʌgə*] *n* (*col*) rugby *m.*

ruin ['ru:ɪn] *n* ruina // *vt* arruinar; (*spoil*) estropear; ~**s** *npl* ruinas *fpl*, restos *mpl*; ~**ous** *a* ruinoso.

rule [ru:l] *n* (*norm*) norma, costumbre *f*; (*regulation*) regla; (*government*) dominio; (*ruler*) metro // *vt* (*country, person*) gobernar; (*decide*) disponer; (*draw: lines*) trazar // *vi* regir; (*LAW*) fallar; to ~ **out** excluir; as a ~ por regla general; ~**d** *a* (*paper*) rayado; **ruler** *n* (*sovereign*) soberano; (*for measuring*) regla; **ruling** *a* (*party*) gobernante; (*class*) dirigente // *n* (*LAW*) fallo, decisión *f.*

rum [rʌm] *n* ron *m.*

Rumania [ru:'meɪnɪə] *n* Rumanía; ~**n** *a*, *n* rumano/a.

rumble ['rʌmbl] *n* retumbo, ruido sordo; (*of thunder*) redoble *m* // *vi* retumbar, hacer un ruido sordo; (*stomach, pipe*) sonar.

rummage ['rʌmɪdʒ] *vi* revolverlo todo.

rumour, rumor (*US*) ['ru:mə*] *n* rumor *m* // *vt*: **it is** ~**ed that...** se rumorea que... .

rump [rʌmp] *n* (*of animal*) ancas *fpl*, grupa; ~**steak** *n* filete *m* de lomo.

rumpus ['rʌmpəs] *n* (*col*) lío, jaleo; (*quarrel*) pelea, riña.

run [rʌn] *n* carrera; (*outing*) paseo, excursión *f*; (*distance travelled*) trayecto; (*series*) serie *f*; (*THEATRE*) temporada; (*SKI*) pista // (*vb: pt* **ran**, *pp* **run**) *vt*

(*operate: business*) dirigir; (*: competition, course*) organizar; (*: hotel, house*) administrar, llevar; (*to pass: hand*) pasar; (*water, bath*) abrir el grifo (del baño) // *vi* (*gen*) correr; (*work: machine*) funcionar, marchar; (*bus, train: operate*) circular, ir; (*: travel*) ir; (*continue: play*) seguir; (*: contract*) ser válido; (*flow: river, bath*) fluir; (*colours, washing*) desteñirse; (*in election*) ser candidato; **there was a ~ on** (*meat, tickets*) hubo mucha demanda de; **in the long ~** a la larga, a largo plazo; **on the ~** en fuga; **I'll ~ you to the station** te llevaré a la estación en coche; **to ~ a risk** correr un riesgo; **to ~ about** *vi* (*children*) correr por todos lados; **to ~ across** *vt fus* (*find*) dar con, toparse con; **to ~ away** *vi* huir; **to ~ down** *vi* (*clock*) parar // *vt* (*AUT*) atropellar; (*criticize*) criticar; **to be ~ down** estar debilitado; **to ~ off** *vt* (*water*) dejar correr // *vi* huir corriendo; **to ~ out** *vi* (*person*) salir corriendo; (*liquid*) irse; (*lease*) caducar, vencer; (*money*) acabarse; **to ~ out of** *vt fus* quedar sin; **to ~ over** *vt sep* (*AUT*) atropellar // *vt fus* (*revise*) repasar; **to ~ through** *vt fus* (*instructions*) repasar; **to ~ up** *vt* (*debt*) incurrir en; **to ~ up against** (*difficulties*) tropezar con; ~**away** *a* (*horse*) desbocado; (*truck*) sin frenos; (*person*) fugitivo.

rung [rʌŋ] *pp of* **ring** // *n* (*of ladder*) escalón *m*, peldaño.

runner ['rʌnə*] *n* (*in race: person*) corredor/a *m/f*; (*: horse*) caballo; (*on sledge*) patín *m*; (*on curtain*) anillo; (*wheel*) ruedecilla; ~ **bean** *n* (*BOT*) judía escarlata; ~**-up** *n* subcampeón/ona *m/f.*

running ['rʌnɪŋ] *n* (*sport*) atletismo; (*race*) carrera // *a* (*water*) corriente; (*commentary*) continuo; **6 days** ~ 6 días seguidos; ~ **board** *n* estribo.

runny ['rʌnɪ] *a* derretido.

run-of-the-mill ['rʌnəvðə'mɪl] *a* común y corriente.

runt [rʌnt] *n* (*also: pej*) redrojo, enano.

runway ['rʌnweɪ] *n* (*AVIAT*) pista de aterrizaje.

rupee [ru:'pi:] *n* rupia.

rupture ['rʌptʃə*] *n* (*MED*) hernia // *vt*: **to ~ o.s.** causarse una hernia, quebrarse.

rural ['ruərl] *a* rural.

ruse [ru:z] *n* ardid *m.*

rush [rʌʃ] *n* ímpetu *m*; (*hurry*) prisa; (*COMM*) demanda repentina; (*BOT*) junco; (*current*) corriente *f* fuerte, ráfaga // *vt* apresurar; (*work*) hacer de prisa; (*attack: town etc*) asaltar // *vi* correr, precipitarse; ~ **hour** *n* horas *fpl* punta.

rusk [rʌsk] *n* bizcocho tostado.

Russia ['rʌʃə] *n* Rusia; ~**n** *a*, *n* ruso/a.

rust [rʌst] *n* herrumbre *f*, moho // *vi* oxidarse.

rustic ['rʌstɪk] *a* rústico.

rustle ['rʌsl] *vi* susurrar // *vt* (*paper*) hacer crujir; (*US: cattle*) hurtar, robar.

rustproof ['rʌstpruːf] a inoxidable, a prueba de herrumbre.

rusty ['rʌsti] a oxidado, mohoso.

rut [rʌt] n rodera, carril m; (ZOOL) celo; **to be in a ~** ir encarrilado.

ruthless ['ruːθlis] a despiadado; **~ness** n crueldad f, implacabilidad f.

rye [rai] n centeno; **~ bread** n pan de centeno.

S

sabbath ['sæbəθ] n domingo; (Jewish) sábado.

sabbatical [sə'bætikl] a: **~ year** año de licencia.

sabotage ['sæbətɑːʒ] n sabotaje m // vt sabotear.

saccharin(e) ['sækərin] n sacarina.

sack [sæk] n (bag) saco, costal m // vt (dismiss) despedir; (plunder) saquear; **to get the ~** ser despedido; **~ing** n (material) harpillera.

sacrament ['sækrəmənt] n sacramento.

sacred ['seikrid] a sagrado, santo.

sacrifice ['sækrifais] n sacrificio // vt sacrificar.

sacrilege ['sækrilidʒ] n sacrilegio.

sacrosanct ['sækrəusæŋkt] a sacrosanto.

sad [sæd] a (unhappy) triste; (deplorable) lamentable; **~den** vt entristecer.

saddle ['sædl] n silla (de montar); (of cycle) sillín m // vt (horse) ensillar; **to be ~d with sth** (col) quedar cargado con algo; **~bag** n alforja.

sadism ['seidizm] n sadismo; **sadist** n sadista m/f; **sadistic** [sə'distik] a sádico.

sadly ['sædli] ad tristemente; **~ lacking (in)** muy deficiente (en).

sadness ['sædnis] n tristeza.

safari [sə'fɑːri] n safari m.

safe [seif] a (out of danger) fuera de peligro; (not dangerous, sure) seguro; (unharmed) a salvo, ileso; (trustworthy) digno de confianza // n caja de caudales, caja fuerte; **~ and sound** sano y salvo; **(just) to be on the ~ side** por mayor seguridad; **~guard** n protección f, garantía // vt proteger, defender; **~keeping** n custodia; **~ly** ad seguramente, con seguridad; (without mishap) sin peligro.

safety ['seifti] n seguridad f // a de seguridad; **~ first!** ¡precaución!; **~ belt** n cinturón m (de seguridad); **~ pin** n imperdible m.

saffron ['sæfrən] n azafrán m.

sag [sæg] vi aflojarse.

sage [seidʒ] n (herb) salvia; (man) sabio.

Sagittarius [sædʒi'teəriəs] n Sagitario.

sago ['seigəu] n sagú m.

said [sɛd] pt, pp of **say.**

sail [seil] n (on boat) vela; (trip): **to go for a ~** tomar un paseo en barco // vt (boat) gobernar // vi (travel: ship) navegar; (: passenger) pasear en barco; (set off)

zarpar; **they ~ed into Copenhagen** llegaron a Copenhague; **to ~ through** vi, vt fus (fig) hacer con facilidad; **~boat** n (US) velero, barco de vela; **~ing** n (SPORT) balandrismo; **to go ~ing** salir en balandro; **~ing ship** n barco de vela; **~or** n marinero, marino.

saint [seint] n santo; **S~ John** San Juan; **~ly** a santo.

sake [seik] n: **for the ~ of** por (motivo de).

salad ['sæləd] n ensalada; **~ bowl** n ensaladera; **~ cream** n mayonesa; **~ dressing** n aliño; **~ oil** n aceite m para ensaladas.

salami [sə'lɑːmi] n salami m.

salary ['sæləri] n sueldo.

sale [seil] n venta; (at reduced prices) liquidación f, saldo; **"grand ~"** grandes rebajas; **"for ~"** "se vende"; **on ~** en venta; **~room** n sala de subastas; **salesman/woman** n vendedor/a m/f; (in shop) dependiente/a m/f; (representative) viajante m/f; **salesmanship** n arte m de vender.

saliva [sə'laivə] n saliva.

sallow ['sæləu] a cetrino.

salmon ['sæmən] n, pl inv salmón m.

saloon [sə'luːn] n (US) bar m, taberna; (AUT) (coche m de) turismo; (ship's lounge) cámara, salón m.

salt [sɔlt] n sal f // vt salar; (put ~ on) poner sal en; **~ cellar** n salero; **~water** a de agua salada; **~y** a salado.

salutary ['sæljutəri] a saludable.

salute [sə'luːt] n saludo; (of guns) salva // vt saludar.

salvage ['sælvidʒ] n (saving) salvamento, recuperación f; (things saved) objetos mpl salvados // vt salvar.

salvation [sæl'veiʃən] n salvación f; **S~ Army** n Ejército de Salvación.

salve [sælv] n (cream etc) ungüento, bálsamo.

salver ['sælvə*] n bandeja.

same [seim] a mismo // ad de la misma forma, igual // pron: **the ~** el mismo/la misma; **the ~ book** as el mismo libro que; **all or just the ~** sin embargo, aun así; **to do the ~ (as sb)** hacer lo mismo (que otro); **the ~ to you!** ¡igualmente!

sample ['sɑːmpl] n muestra // vt (food, wine) probar.

sanatorium [sænə'tɔːriəm], pl **-ria** [-riə] n sanatorio.

sanctify ['sæŋktifai] vt santificar.

sanctimonious [sæŋkti'məuniəs] a santurrón(ona).

sanction ['sæŋkʃən] n sanción f // vt sancionar.

sanctity ['sæŋktiti] n (gen) santidad f; (inviolability) inviolabilidad f.

sanctuary ['sæŋktjuəri] n (gen) santuario; (refuge) asilo, refugio.

sand [sænd] n arena; (beach) playa // vt enarenar.

sandal ['sændl] n sandalia; (wood) sándalo.

sand: ~**bag** n saco de arena; ~**bank** n banco de arena; ~**castle** n castillo de arena; ~ **dune** n duna; ~**paper** n papel m de lija; ~**pit** n (for children) cajón m de arena; ~**stone** n piedra arenisca.

sandwich ['sændwɪtʃ] n bocadillo, sándwich m // vt (also: ~ **in**) intercalar; ~**ed between** apretujado entre; **cheese/ham** ~ sándwich de queso/jamón; ~ **board** n cartelón m; ~ **course** n curso de medio tiempo.

sandy ['sændɪ] a arenoso; (colour) rojizo.

sane [seɪn] a cuerdo, sensato; (sensible) prudente.

sang [sæŋ] pt of **sing.**

sanitarium [sænɪ'tɛərɪəm] (US) = **sanatorium.**

sanitary ['sænɪtərɪ] a (system, arrangements) sanitario; (clean) higiénico; ~ **towel**, ~ **napkin** (US) n paño higiénico, compresa higiénica.

sanitation [sænɪ'teɪʃən] n (in house) saneamiento; (in town) sanidad f, higiene f.

sanity ['sænɪtɪ] n cordura; (common sense) juicio, sentido común.

sank [sæŋk] pt of **sink.**

Santa Claus [sæntə'klɔːz] n San Nicolás, Papá Noel.

sap [sæp] n (of plants) savia // vt (strength) minar, agotar.

sapling ['sæplɪŋ] n árbol nuevo o joven.

sapphire ['sæfaɪə*] n zafiro.

sarcasm ['saːkæzm] n sarcasmo; **sarcastic** [-'kæstɪk] a sarcástico.

sardine [saː'diːn] n sardina.

Sardinia [saː'dɪnɪə] n Cerdeña.

sari ['saːrɪ] n sari m.

sash [sæʃ] n faja.

sat [sæt] pt, pp of **sit.**

Satan ['seɪtn] n Satanás m.

satchel ['sætʃl] n bolsa; (child's) cartera.

satellite ['sætəlaɪt] n satélite m.

satin ['sætɪn] n raso // a de raso.

satire ['sætaɪə*] n sátira; **satirical** [sə'tɪrɪkl] a satírico; **satirize** ['sætɪraɪz] vt satirizar.

satisfaction [sætɪs'fækʃən] n satisfacción f; (of debt) liquidación f; **satisfactory** [-'fæktərɪ] a satisfactorio.

satisfy ['sætɪsfaɪ] vt satisfacer; (pay) liquidar; (convince) convencer; ~**ing** a satisfactorio.

saturate ['sætʃəreɪt] vt: **to** ~ **(with)** empapar o saturar (de); **saturation** [-'reɪʃən] n saturación f.

Saturday ['sætədɪ] n sábado.

sauce [sɔːs] n salsa; (sweet) crema; (fig: cheek) frescura; ~**pan** n perola.

saucer ['sɔːsə*] n platillo.

saucy ['sɔːsɪ] a fresco, descarado; (flirtatious) coqueta.

sauna ['sɔːnə] n sauna.

saunter ['sɔːntə*] vi deambular.

sausage ['sɔsɪdʒ] n salchicha; (cold meat) embutido; ~ **roll** n empanadita.

sauté ['səuteɪ] a salteado.

savage ['sævɪdʒ] a (cruel, fierce) feroz, furioso; (primitive) salvaje // n salvaje m/f // vt (attack) embestir; ~**ry** n ferocidad f; salvajismo.

save [seɪv] vt (rescue) salvar, rescatar; (money, time) ahorrar; (put by) guardar; (avoid: trouble) evitar // vi (also: ~ **up**) ahorrar // n (SPORT) parada // prep salvo, excepto.

saving ['seɪvɪŋ] n (on price etc) economía // a: **the** ~ **grace of** el único mérito de; ~**s** npl ahorros mpl; ~**s bank** n caja de ahorros.

saviour ['seɪvjə*] n salvador/a m/f.

savour, savor (US) ['seɪvə*] n sabor m, gusto // vt saborear; ~**y** a sabroso; (dish: not sweet) no dulce; (: salted) salado.

saw [sɔː] pt of **see** // n (tool) sierra // vt, pt **sawed**, pp **sawed** or **sawn** serrar; ~**dust** n (a)serrín m; ~**mill** n aserradero.

saxophone ['sæksəfəun] n saxófono.

say [seɪ] n: **to have one's** ~ expresar su opinión; **to have a** or **some** ~ **in sth** tener voz o tener que ver en algo // vt, pt, pp **said** decir; **to** ~ **yes/no** decir que sí/no; **that is to** ~ es decir; **that goes without** ~**ing** eso va sin decir; ~**ing** n dicho, refrán m.

scab [skæb] n costra; (pej) esquirol/a m/f; ~**by** a costroso, lleno de costras.

scaffold ['skæfəuld] n (for execution) cadalso, patíbulo; ~**ing** n andamios mpl, andamiaje m.

scald [skɔːld] n escaldadura // vt escaldar; ~**ing** a (hot) hirviendo.

scale [skeɪl] n (gen, MUS) escala; (of fish) escama; (of salaries, fees etc) escalafón m; (of map, also size, extent) escala // vt (mountain) escalar; (tree) trepar; ~**s** npl (small) balanza sg; (large) báscula sg; **on a large** ~ a gran escala; ~ **of charges** tarifa, lista de precios; **social** ~ escala social; ~ **drawing** n dibujo a escala; ~ **model** n modelo a escala.

scallop ['skɔləp] n (ZOOL) venera; (SEWING) festón m.

scalp [skælp] n cabellera // vt escalpar.

scalpel ['skælpl] n escalpelo.

scamp [skæmp] n diablillo, travieso.

scamper ['skæmpə*] vi: **to** ~ **away**, ~ **off** irse corriendo.

scan [skæn] vt (examine) escudriñar; (glance at quickly) dar un vistazo a; (TV, RADAR) explorar, registrar.

scandal ['skændl] n escándalo; (gossip) chismes mpl; ~**ize** vt escandalizar; ~**ous** a escandaloso; (libellous) calumnioso.

Scandinavia [skændɪ'neɪvɪə] n Escandinavia; ~**n** a escandinavo.

scant [skænt] a escaso; ~**y** a escaso.

scapegoat ['skeɪpgəut] n cabeza de turco, chivo expiatorio.

scar [skaː] n cicatriz f // vt marcar con una cicatriz // vi cicatrizarse.

scarce [skɛəs] a escaso; ~**ly** ad apenas; **scarcity** n escasez f; (shortage) carestía.

scare [skɛə*] n susto, sobresalto; (panic)

pánico // vt asustar, espantar; **to ~ sb stiff** dejar muerto de miedo a uno; **bomb ~** amenaza de bomba; **~crow** n espantapájaros m inv; **~d** a: **to be ~d** asustarse, estar asustado.

scarf [skɑːf], pl **scarves** n (long) bufanda; (square) pañuelo.

scarlet ['skɑːlɪt] a escarlata; **~ fever** n escarlatina.

scarves [skɑːvz] pl of **scarf.**

scary ['skɛərɪ] a (col) de miedo.

scathing ['skeɪðɪŋ] a mordaz.

scatter ['skætə*] vt (spread) esparcir, desparramar; (put to flight) dispersar // vi desparramarse; dispersarse; **~brained** a ligero de cascos; (forgetful) olvidadizo.

scavenger ['skævəndʒə*] n (refuse collector) basurero; (ZOOL) animal m/ave f que se alimenta de la carroña.

scene [siːn] n (THEATRE, fig etc) escena; (of crime, accident) escenario; (sight, view) vista, perspectiva; (fuss) escándalo; **~ry** n (THEATRE) decorado; (landscape) paisaje m; **scenic** a (picturesque) pintoresco.

scent [sɛnt] n perfume m, olor m; (fig: track) rastro, pista; (sense of smell) olfato // vt perfumar; (smell) oler; (sniff out) husmear; (suspect) sospechar.

sceptic, skeptic (US) ['skɛptɪk] n escéptico/a; **~al** a escéptico; **~ism** ['skɛptɪsɪzm] n escepticismo.

sceptre, scepter (US) ['sɛptə*] n cetro.

schedule ['ʃɛdjuːl] n (of trains) horario; (of events) programa m; (plan) plan m; (list) lista // vt (timetable) establecer el horario de; (list) catalogar; (visit) fijar la hora de; **on ~** a la hora, sin retraso; **to be ahead of/behind ~** estar adelantado/en retraso.

scheme [skiːm] n (plan) plan m, proyecto; (method) esquema m; (plot) intriga; (trick) ardid m; (arrangement) disposición f // vt proyectar // vi (plan) hacer proyectos; (intrigue) intrigar; **scheming** a intrigante.

schism ['skɪzəm] n cisma m.

schizophrenia [skɪtsəuˈfriːnɪə] n esquizofrenia; **schizophrenic** [-səˈfrɛnɪk] a esquizofrénico.

scholar ['skɒlə*] n (pupil) alumno/a, estudiante m/f; (learned person) sabio, erudito; **~ly** a erudito; **~ship** n erudición f; (grant) beca.

school [skuːl] n (gen) escuela, colegio; (in university) facultad f // vt (animal) amaestrar; **~ age** n edad f escolar; **~book** n libro de texto; **~boy** n alumno; **~days** npl años mpl del colegio; **~girl** n alumna; **~ing** n enseñanza; **~master/mistress** n (primary) maestro/a; (secondary) profesor/a m/f; **~room** n clase f; **~teacher** n maestro/a.

schooner ['skuːnə*] n (ship) goleta; (glass) jarra.

sciatica [saɪˈætɪkə] n ciática.

science ['saɪəns] n ciencia; **~ fiction** n ciencia-ficción f; **scientific** [-ˈtɪfɪk] a

científico; **scientist** n científico.

scimitar ['sɪmɪtə*] n cimitarra.

scintillating ['sɪntɪleɪtɪŋ] a brillante, ingenioso.

scissors ['sɪzəz] npl tijeras fpl; **a pair of ~** unas tijeras.

scoff [skɒf] vt (col: eat) engullir // vi: **to ~ (at)** (mock) mofarse (de).

scold [skəuld] vt regañar.

scone [skɒn] n panecillo.

scoop [skuːp] n cucharón m; (for flour etc) pala; (PRESS) exclusiva; **to ~ out** vt excavar; **to ~ up** vt recoger.

scooter ['skuːtə*] n (motor cycle) moto f; (toy) patinete m.

scope [skəup] n (of plan, undertaking) ámbito; (reach) alcance m; (of person) competencia; (opportunity) campo (de acción).

scorch [skɔːtʃ] vt (clothes) chamuscar; (earth, grass) quemar, secar; **~er** n (col: hot day) día m abrasador; **~ing** a abrasador(a).

score [skɔː*] n (points etc) puntuación f; (MUS) partitura; (reckoning) cuenta; (twenty) veinte m, veintena // vt (goal, point) ganar; (mark) rayar // vi marcar un tanto; (FOOTBALL) marcar (un) gol; (keep score) llevar el tanteo; **on that ~** en lo que se refiere a eso; **to ~ 6 out of 10** obtener una puntuación de 6 sobre 10; **~board** n marcador m; **~card** n (SPORT) tanteador m; **~r** n marcador m; (keeping score) tanteador m.

scorn [skɔːn] n desprecio // vt despreciar; **~ful** a desdeñoso, despreciativo.

Scorpio ['skɔːpɪəu] n Escorpión m.

scorpion ['skɔːpɪən] n escorpión m.

Scot [skɒt] n escocés/esa m/f.

scotch [skɒtʃ] vt (rumour) desmentir; (plan) abandonar; **S~** n whisky m escocés.

Scotland ['skɒtlənd] n Escocia.

Scots [skɒts] a escocés(esa); **~man/woman** n escocés/esa m/f; **Scottish** ['skɒtɪʃ] a escocés(esa).

scoundrel ['skaundrl] n canalla m/f, sinvergüenza m/f.

scour ['skauə*] vt (clean) fregar, estregar; (search) recorrer, registrar; **~er** n estropajo.

scourge [skɔːdʒ] n azote m.

scout [skaut] n (MIL, also: **boy ~**) explorador m; **to ~ around** reconocer el terreno.

scowl [skaul] vi fruncir el ceño; **to ~ at sb** mirar con ceño a uno.

scraggy ['skrægɪ] a flaco, descarnado.

scram [skræm] vi (col) largarse.

scramble ['skræmbl] n (climb) subida (difícil); (struggle) pelea // vi: **to ~ out/through** salir/abrirse paso con dificultad; **to ~ for** pelear por; **~d eggs** npl huevos mpl revueltos.

scrap [skræp] n (bit) pedacito; (fig) pizca; (fight) riña, bronca; (also: **~ iron**) chatarra, hierro viejo // vt reducir a

chatarra; (*discard*) desechar, descartar //
vi reñir, armar (una) bronca; ~**s** *npl*
(*waste*) sobras *fpl*, desperdicios *mpl*; .
~ **book** *n* álbum *m* de recortes.
scrape [skreɪp] *n* (*fig*) lío, apuro // *vt*
raspar; (*skin etc*) rasguñar; (~ *against*)
rozar // *vi*: **to** ~ **through** pasar con
dificultad; **scraper** *n* raspador *m*.
scrap: ~ **heap** *n* (*fig*): **on the** ~ **heap**
desperdiciado; ~ **merchant** *n*
chatarrero; ~ **paper** *n* pedazos *mpl* de
papel; ~**py** *a* (*poor*) pobre; (*speech*)
inconexo; (*bitty*) fragmentario.
scratch [skrætʃ] *n* rasguño; (*from claw*)
arañazo // *a*: ~ **team** equipo
improvisado // *vt* (*record*) rayar; (*with
claw, nail*) rasguñar, arañar // *vi* rascarse;
to start from ~ partir de cero, empezar
desde el principio; **to be up to** ~ estar a
la altura (de las circunstancias).
scrawl [skrɔːl] *n* garabatos *mpl* // *vi* hacer
garabatos.
scream [skriːm] *n* chillido // *vi* chillar.
screech [skriːtʃ] *vi* chirriar.
screen [skriːn] *n* (CINEMA, TV) pantalla;
(*movable*) biombo; (*wall*) tabique *m*; (*also:
wind ~) parabrisas *m inv*; (*fig*) cortina //
vt (*conceal*) tapar; (*from the wind etc*)
proteger; (*film*) proyectar; (*candidates etc*)
investigar a; ~**ing** *n* (MED) investigación *f*
médica; ~ **test** *n* prueba de pantalla.
screw [skruː] *n* tornillo; (*propeller*) hélice *f*
// *vt* atornillar; (*also:* ~ **in**) apretar;
~**driver** *n* destornillador *m*; ~**y** *a* (*col*)
chiflado.
scribble ['skrɪbl] *n* garabatos *mpl* // *vt*
escribir con prisa.
script [skrɪpt] *n* (CINEMA *etc*) guión *m*;
(*writing*) escritura, letra.
Scripture ['skrɪptʃə*] *n* Sagrada Escritura.
scriptwriter ['skrɪptraɪtə*] *n* guionista
m/f.
scroll [skrəʊl] *n* rollo.
scrounge [skraʊndʒ] *vt* (*col*): **to** ~ **sth
off** *or* **from sb** obtener algo de otro por
gorronería // *vi*: **to** ~ **on sb** vivir a costa
de uno; **scrounger** *n* gorrón/ona *m/f*.
scrub [skrʌb] *n* (*clean*) fregado; (*land*)
maleza // *vt* fregar, restregar; (*reject*)
cancelar, anular.
scruff [skrʌf] *n*: **by the** ~ **of the neck**
por el pescuezo.
scruffy ['skrʌfɪ] *a* desaliñado, piojoso.
scruple ['skruːpl] *n* escrúpulo;
scrupulous *a* escrupuloso.
scrutinize ['skruːtɪnaɪz] *vt* escudriñar;
(*votes*) escrutar; **scrutiny** [-nɪ] *n*
escrutinio, examen *m*.
scuff [skʌf] *vt* desgastar, restregar.
scuffle ['skʌfl] *n* refriega.
scullery ['skʌlərɪ] *n* fregadero, trascocina.
sculptor ['skʌlptə*] *n* escultor *m*;
sculpture [-tʃə*] *n* escultura.
scum [skʌm] *n* (*on liquid*) nata; (*pej:
people*) canalla; (*fig*) heces *fpl*.
scurry ['skʌrɪ] *vi*: **to** ~ **off** escabullirse.
scurvy ['skɜːvɪ] *n* escorbuto.

scuttle ['skʌtl] *n* (*also:* **coal** ~) cubo,
carbonera // *vt* (*ship*) barrenar // *vi*
(*scamper*): **to** ~ **away,** ~ **off**
escabullirse.
scythe [saɪð] *n* guadaña.
sea [siː] *n* mar *m or f*; **on the** ~ (*boat*) en
el mar; (*town*) junto al mar; **to be all at**
~ (*fig*) estar despistado; **out to** *or* **at** ~
en alta mar; ~ **bird** *n* ave *f* marina;
~**board** *n* litoral *m*; ~ **breeze** *n* brisa de
mar; ~**farer** *n* marinero; ~**food** *n*
mariscos *mpl*; ~ **front** *n* (*beach*) playa;
(*prom*) paseo marítimo; ~**going** *a* (*ship*)
de alta mar; ~**gull** *n* gaviota.
seal [siːl] *n* (*animal*) foca; (*stamp*) sello //
vt (*close*) cerrar; (*: with* ~) sellar; **to** ~
off obturar; **it** ~**ed his fate** decidió su
destino.
sea level ['siːlevl] *n* nivel *m* del mar.
sealing wax ['siːlɪŋwæks] *n* lacre *m*.
sea lion ['siːlaɪən] *n* león *m* marino.
seam [siːm] *n* costura; (*of metal*) juntura;
(*of coal*) veta, filón *m*.
seaman ['siːmən] *n* marinero.
seamless ['siːmlɪs] *a* sin costura.
seamstress ['semstrɪs] *n* costurera.
seance ['seɪɔns] *n* sesión *f* de espiritismo.
sea: ~**plane** *n* hidroavión *m*; ~**port** *n*
puerto de mar.
search [sɜːtʃ] *n* (*for person, thing*) busca,
búsqueda; (*of drawer, pockets*) registro;
(*inspection*) reconocimiento // *vt* (*look in*)
buscar en; (*examine*) examinar; (*person,
place*) registrar // *vi*: **to** ~ **for** buscar; **to**
~ **through** *vt fus* registrar; **in** ~ **of** en
busca de; ~**ing** *a* penetrante; ~**light** *n*
reflector *m*; ~ **party** *n* pelotón *m* de
salvamento; ~ **warrant** *n* mandamiento
(judicial).
sea: ~**shore** *n* playa, orilla del mar;
~**sick** *a* mareado; ~**side** *n* playa, orilla
del mar; ~**side resort** *n* playa.
season ['siːzn] *n* (*of year*) estación *f*;
(*sporting etc*) temporada; (*gen*) época,
período // *vt* (*food*) sazonar; ~**al** *a*
estacional; ~**ing** *n* condimento, aderezo;
~ **ticket** *n* billete *m* de abono.
seat [siːt] *n* (*in bus, train: place*) asiento;
(*chair*) silla; (PARLIAMENT) escaño;
(*buttocks*) culo, trasero; (*of government*)
sede *f* // *vt* sentar; (*have room for*) tener
asientos para; **to be** ~**ed** sentarse; ~
belt *n* cinturón *m* de seguridad.
sea: ~ **water** *n* agua *m* del mar; ~**weed**
n alga marina; ~**worthy** *a* marinero, en
condiciones de navegar.
sec. *abbr of* **second(s).**
secede [sɪˈsiːd] *vi* separarse.
secluded [sɪˈkluːdɪd] *a* retirado; **seclusion**
[-ˈkluːʒən] *n* retiro.
second ['sekənd] *a* segundo // *ad* (*in race
etc*) en segundo lugar // *n* (*gen*) segundo;
(AUT. *also:* ~ **gear**) segunda; (COMM)
artículo con algún desperfecto // *vt* (*motion*) apoyar; ~**ary** *a* secundario; ~**ary
school** *n* escuela secundaria; ~-**class** *a*
de segunda clase; ~**hand** *a* de segunda

mano, usado; ~ **hand** n (on clock) segundero; ~**ly** ad en segundo lugar; ~**ment** [sɪ'kɔndmənt] n traslado temporal; ~-**rate** a de segunda categoría.

secrecy ['siːkrəsɪ] n secreto; **secret** [-krɪt] a, n secreto.

secretarial [sɛkrɪ'tɛərɪəl] a de secretario/a.

secretariat [sɛkrɪ'tɛərɪət] n secretaría.

secretary ['sɛkrətərɪ] n secretario/a; **S~ of State** (Brit: POL) Ministro (con cartera).

secretive ['siːkrətɪv] a reservado, sigiloso.

sect [sɛkt] n secta; ~**arian** [-'tɛərɪən] a sectario.

section ['sɛkʃən] n sección f; (part) parte f; (of document) artículo; (of opinion) sector m; ~**al** a (drawing) en corte.

sector ['sɛktə*] n sector m.

secular ['sɛkjulə*] a secular, seglar.

secure [sɪ'kjuə*] a (free from anxiety) seguro; (firmly fixed) firme, fijo // vt (fix) asegurar, afianzar; (get) conseguir.

security [sɪ'kjurɪtɪ] n seguridad f; (for loan) fianza; (: object) prenda.

sedate [si'deɪt] a (calm) tranquilo; (formal) serio, formal // vt tratar con calmantes.

sedation [sɪ'deɪʃən] n (MED) sedación f; **sedative** ['sedɪtɪv] n sedante m, sedativo.

sedentary ['sɛdntrɪ] a sedentario.

sediment ['sɛdɪmənt] n sedimento.

seduce [sɪ'djuːs] vt (gen) seducir; **seduction** [-'dʌkʃən] n seducción f; **seductive** [-'dʌktɪv] a seductor(a).

see [siː], pt **saw**, pp **seen** vt (gen) ver; (accompany): **to ~ sb to the door** acompañar a uno a la puerta; (understand) ver, comprender; (look at) mirar // vi ver // n sede f; **to ~ that** (ensure) asegurar que; **to ~ about** vi atender a, encargarse de; **to ~ off** vt despedirse de; **to ~ through** vt penetrar (con la vista) // vt fus llevar a cabo; **to ~ to** vt fus atender a, encargarse de.

seed [siːd] n semilla; (in fruit) pepita; (sperm) semen m, simiente f; (fig) germen m; (TENNIS) preseleccionado/a; ~**ling** n planta de semillero; ~**y** a (shabby) desaseado, raído.

seeing ['siːɪŋ] conj: ~ (that) visto que, en vista de que.

seek [siːk], pt, pp **sought** vt (gen) buscar; (post) solicitar.

seem [siːm] vi parecer; ~**ingly** ad aparentemente, según parece.

seen [siːn] pp of **see**.

seep [siːp] vi filtrarse.

seesaw ['siːsɔː] n balancín m, columpio.

seethe [siːð] vi hervir; **to ~ with anger** enfurecerse.

segment ['sɛgmənt] n segmento.

segregate ['sɛgrɪgeɪt] vt segregar; **segregation** [-'geɪʃən] n segregación f.

seismic ['saɪzmɪk] a sísmico.

seize [siːz] vt (grasp) agarrar, asir; (take possession of) secuestrar; (: territory) apoderarse de; (opportunity) aprovecharse

de; **to ~ (up)on** vt fus valerse de; **to ~ up** vi (TECH) agarrotarse.

seizure ['siːʒə*] n (MED) ataque m; (LAW) incautación f.

seldom ['sɛldəm] ad rara vez.

select [sɪ'lɛkt] a selecto, escogido // vt escoger, elegir; (SPORT) seleccionar; ~**ion** [-'lɛkʃən] n selección f, elección f; (COMM) surtido; ~**ive** a selectivo; ~**or** n (person) seleccionador/a m/f.

self [sɛlf] pron se; (after prep) sí mismo // n, pl **selves** uno mismo; **him~/her~** él mismo/ella misma; **the ~** el yo.

self... pref auto...; ~-**appointed** a autonombrado; ~-**assured** a seguro de sí mismo; ~-**catering** a sin pensión; ~-**centred** a egocéntrico; ~-**coloured** a de color natural; (of one colour) de un color; ~-**confidence** n confianza en sí mismo; ~-**conscious** a cohibido; ~-**contained** a (gen) independiente; (flat) con entrada particular; ~-**control** n autodominio; ~-**defence** n defensa propia; ~-**discipline** n autodisciplina; ~-**employed** a que trabaja por cuenta propia; ~-**evident** a patente; ~-**governing** a autónomo; ~-**important** a presumido; ~-**indulgent** a inmoderado; ~-**interest** n egoísmo; ~-**ish** a egoísta; ~-**ishness** n egoísmo; ~-**lessly** ad desinteresadamente; ~-**pity** n autocompasión f; ~-**portrait** n autorretrato; ~-**possessed** a sereno, dueño de sí mismo; ~-**preservation** n propia conservación f; ~-**reliant** a independiente, seguro de sí mismo; ~-**respect** n amor m propio; ~-**righteous** a santurrón(ona); ~-**sacrifice** n abnegación f; ~-**satisfied** a satisfecho de sí mismo; ~-**service** a de autoservicio; ~-**sufficient** a autosuficiente; ~-**taught** a autodidacta.

sell [sɛl], pt, pp **sold** vt vender // vi venderse; **to ~ at** or **for £10** vender a 10 libros; **to ~ off** vt liquidar; **to ~ out** vi transigir, transar (AM); ~**er** n vendedor/a m/f; ~**ing price** n precio de venta.

sellotape ['sɛləuteɪp] n celo.

sellout ['sɛlaut] n traición f; (of tickets): **it was a ~** fue un éxito de taquilla.

selves [sɛlvz] pl of **self**.

semaphore ['sɛməfɔː*] n semáforo.

semen ['siːmən] n semen m.

semi... [sɛmɪ] pref semi..., medio...; ~**circle** n semicírculo; ~**colon** n punto y coma; ~**conscious** a semiconsciente; ~**detached (house)** n (casa) semiseparada; ~**final** n semi-final m.

seminar ['sɛmɪnɑː*] n seminario.

semitone ['sɛmɪtəun] n (MUS) semitono.

semolina [sɛmə'liːnə] n sémola.

senate ['sɛnɪt] n senado; **senator** n senador/a m/f.

send [sɛnd], pt, pp **sent** vt mandar, enviar; (dispatch) despachar; (telegram) poner; **to ~ away** vt (letter, goods) despachar; **to ~ away for** vt fus despachar por; **to ~**

back vt devolver; **to ~ for** vt fus mandar
traer; **to ~ off** vt (goods) despachar;
(SPORT: player) expulsar; **to ~ out** vt
(invitation) mandar; (signal) emitir; **to ~
up** vt (person, price) hacer subir; (parody)
parodiar; **~er** n remitente m/f; **~-off** n:
a good ~-off una buena despedida.
senile ['si:naɪl] a senil; **senility** [sɪ'nɪlɪtɪ] n
senilidad f.
senior ['si:nɪə*] a (older) mayor, más
viejo; (: on staff) más antiguo; (of higher
rank) superior // n mayor m; (in service)
miembro más antiguo; **~ity** [-'ɔrɪtɪ] n
antigüedad f.
sensation [sɛn'seɪʃən] n sensación f; **~al**
a sensacional; **~alism** n sensacionalismo.
sense [sɛns] n sentido; (feeling) sensación
f; (good ~) sentido común, juicio;
(sentiment) opinión f // vt sentir, percibir;
it makes ~ tiene sentido; **~less** a
estúpido, insensato; (unconscious) sin
sentido.
sensibility [sɛnsɪ'bɪlɪtɪ] n sensibilidad f;
sensibilities npl delicadeza sg.
sensible ['sɛnsɪbl] a sensato, juicio;
(cautious) prudente; (reasonable)
razonable, lógico; (perceptible) apreciable.
sensitive ['sɛnsɪtɪv] a sensible; (touchy)
susceptible; **sensitivity** [-'tɪvɪtɪ] n
sensibilidad f; susceptibilidad f.
sensual ['sɛnsjuəl] a sensual.
sensuous ['sɛnsjuəs] a sensual.
sent [sɛnt] pt, pp of **send**.
sentence ['sɛntns] n (LING) frase f, oración
f; (LAW) sentencia, fallo // vt: **to ~ sb to
death/to 5 years** condenar a uno a
muerte/a 5 años de cárcel.
sentiment ['sɛntɪmənt] n sentimiento;
(opinion) opinión f; **~al** [-'mɛntl] a
sentimental; **~ality** [-'tælɪtɪ] n
sentimentalismo.
sentry ['sɛntrɪ] n centinela m.
separate ['sɛprɪt] a separado; (distinct)
distinto // (vb: ['sɛpəreɪt]) vt separar;
(part) dividir // vi separarse; **~ly** ad por
separado; **~s** npl (clothes) coordinados
mpl; **separation** [-'reɪʃən] n separación f.
September [sɛp'tɛmbə*] n se(p)tiembre
m.
septic ['sɛptɪk] a séptico.
sequel ['si:kwl] n consecuencia, resultado;
(of story) continuación f.
sequence ['si:kwəns] n sucesión f, serie f;
(CINEMA) secuencia.
sequin ['si:kwɪn] n lentejuela.
serenade [sɛrə'neɪd] n serenata // vt dar
serenata a.
serene [sɪ'ri:n] a sereno, tranquilo;
serenity [sə'rɛnɪtɪ] n serenidad f,
tranquilidad f.
sergeant ['sɑ:dʒənt] n sargento.
serial ['sɪərɪəl] n novela por entregas;
~ize vt publicar por entregas; **~
number** n número de serie.
series ['sɪəri:s] n serie f.
serious ['sɪərɪəs] a serio; (grave) grave;

~ly ad en serio; gravemente; **~ness** n
seriedad f; gravedad f.
sermon ['sɜ:mən] n sermón m.
serrated [sɪ'reɪtɪd] a serrado, dentellado.
serum ['sɪərəm] n suero.
servant ['sɜ:vənt] n (gen) servidor/a m/f;
(house ~) criado/a; **civil ~** funcionario.
serve [sɜ:v] vt (gen) servir; (in shop: goods)
servir, despachar; (: customer) atender;
(subj: train) pasar por; (treat) tratar;
(apprenticeship) hacer; (prison term)
cumplir // vi (also TENNIS) sacar; (be
useful): **to ~ as/for/to do** servir
de/para/para hacer // n (TENNIS) saque
m; **to ~ out, ~ up** vt (food) servir.
service ['sɜ:vɪs] n (gen) servicio; (REL)
misa; (AUT) mantenimiento; (of dishes)
vajilla, juego // vt (car, washing machine)
mantener; (: repair) reparar; **the S~s** las
fuerzas armadas; **to be of ~ to sb** ser útil
a uno; **~able** a servible, utilizable; **~
area** n (on motorway) servicios mpl;
~man n militar m; **~ station** n estación
f de servicio.
serviette [sɜ:vɪ'ɛt] n servilleta.
servile ['sɜ:vaɪl] a servil.
session ['sɛʃən] n (sitting) sesión f; **to be
in ~** estar celebrando sesión.
set [sɛt] n juego; (RADIO) aparato; (TV)
televisor m; (of utensils) batería; (of
cutlery) cubierto; (of books) colección f;
(TENNIS) set m; (group of people) grupo;
(CINEMA) plató m; (THEATRE) decorado;
(HAIRDRESSING) marcado // a (fixed) fijo;
(ready) listo; (resolved) resuelto, decidido
// (vb: pt, pp **set**) vt (place) poner, colocar;
(fix) fijar; (: a time) señalar; (adjust)
ajustar, arreglar; (decide: rules etc)
establecer, decidir // vi (sun) ponerse;
(jam, jelly) cuajarse; (concrete) fraguar; **to
be ~ on doing sth** estar empeñado en
hacer algo; **to ~ to music** poner música
a; **to ~ on fire** incendiar, poner fuego a;
to ~ free poner en libertad; **to ~ sth
going** poner algo en marcha; **to ~ sail**
zarpar, hacerse a la vela; **to ~ about** vt
fus (task) ponerse a; **to ~ aside** vt poner
aparte, dejar de lado; **to ~ back** vt (in
time): **to ~ back (by)** retrasar (por); **to
~ off** vi partir // vt (bomb) hacer
estallar; (cause to start) poner en marcha;
(show up well) hacer resaltar; **to ~ out** vi:
to ~ out to do sth ponerse a hacer algo
// vt (arrange) disponer; (state) exponer;
to ~ up vt (organization, record)
establecer; **to ~ up shop** (fig)
establecerse; **~back** n (hitch) revés m,
contratiempo.
settee [sɛ'ti:] n sofá m.
setting ['sɛtɪŋ] n (frame) marco; (placing)
colocación f; (of sun) puesta; (of jewel)
engaste m, montadura.
settle ['sɛtl] vt (argument, matter)
componer; (accounts) ajustar, liquidar;
(land) colonizar; (MED: calm) calmar,
sosegar // vi (dust etc) depositarse;
(weather) serenarse; (also: **~ down**)

instalarse, establecerse; **to ~ for sth** convenir en aceptar algo; **to ~ in** vi instalarse; **to ~ on sth** quedar en algo; **to ~ up with sb** ajustar cuentas con uno; **~ment** n (payment) liquidación f; (agreement) acuerdo, convenio; (village etc) pueblo; **settler** n colono/a, colonizador/a m/f.

setup ['setʌp] n (arrangement) plan m; (situation) situación f.

seven ['sevn] num siete; **~teen** num diez y siete, diecisiete; **~th** a séptimo; **~ty** num setenta.

sever ['sevə*] vt cortar; (relations) romper.

several ['sevərəns] a, pron varios mpl, algunos mpl; **~ of us** varios de nosotros.

severance ['sevərəns] n (of relations) ruptura; **~ pay** n pago de despedida.

severe [sɪ'vɪə*] a severo; (serious) grave; (hard) duro; (pain) intenso; **severity** [sɪ'verɪtɪ] n severidad f; gravedad f; intensidad f.

sew [səu], pt **sewed**, pp **sewn** vt, vi coser; **to ~ up** vt coser, zurcir.

sewage ['suːɪdʒ] n (effluence) aguas fpl residuales; (system) alcantarillado.

sewer ['suːə*] n alcantarilla, cloaca.

sewing ['səuɪŋ] n costura; **~ machine** n máquina de coser.

sewn [səun] pp of **sew.**

sex [sɛks] n sexo; **to have ~ with sb** tener sexo con alguien; **~ act** n acto sexual.

sextet [sɛks'tɛt] n sexteto.

sexual ['sɛksjuəl] a sexual.

sexy ['sɛksɪ] a sexy.

shabby ['ʃæbɪ] a (person) desharrapado; (clothes) raído, gastado.

shack [ʃæk] n choza, chabola.

shackles ['ʃæklz] npl grillos mpl, grilletes mpl.

shade [ʃeɪd] n sombra; (for lamp) pantalla; (for eyes) visera; (of colour) matiz m, tonalidad f // vt dar sombra a; **in the ~** en la sombra.

shadow ['ʃædəu] n sombra // vt (follow) seguir y vigilar; **~ cabinet** n (POL) gabinete paralelo formado por el partido de oposición; **~y** a oscuro; (dim) indistinto.

shady ['ʃeɪdɪ] a sombreado; (fig: dishonest) sospechoso; (: deal) turbio.

shaft [ʃɑːft] n (of arrow, spear) astil m; (AUT, TECH) eje m, árbol m; (of mine) pozo; (of lift) hueco, caja; (of light) rayo.

shaggy ['ʃægɪ] a peludo.

shake [ʃeɪk], pt **shook**, pp **shaken** vt sacudir; (building) hacer temblar; (perturb) inquietar, perturbar; (weaken) debilitar; (surprise) sorprender, pasmar // vi estremecerse; (tremble) temblar // n (movement) sacudida; **to ~ hands with sb** estrechar la mano con uno; **to ~ off** vt sacudirse; (fig) deshacerse de; **to ~ up** vt agitar; **shaky** a (hand, voice) trémulo; (building) inestable.

shall [ʃæl] auxiliary vb: **I ~ go** iré.

shallot [ʃə'lɔt] n chalote m.

shallow ['ʃæləu] a poco profundo; (fig) superficial.

sham [ʃæm] n fraude m, engaño // a falso, fingido // vt fingir, simular.

shambles ['ʃæmblz] n confusión f.

shame [ʃeɪm] n vergüenza; (pity) lástima // vt avergonzar; **it is a ~ that/to do es** una lástima que/hacer; **what a ~!** ¡qué lástima!; **~faced** a avergonzado; **~ful** a vergonzoso; **~less** a descarado; (immodest) impúdico.

shampoo [ʃæm'puː] n champú m // vt lavar el pelo (con champú).

shamrock ['ʃæmrɔk] n trébol m.

shandy ['ʃændɪ] n mezcla de cerveza con gaseosa.

shan't [ʃɑːnt] = **shall not.**

shanty town ['ʃæntɪ-] n barrio de chabolas.

shape [ʃeɪp] n forma // vt formar, dar forma a; (sb's ideas) formar; (sb's life) determinar // vi (also: **~ up**) (events) desarrollarse; (person) formarse; **to take ~** tomar forma; **-shaped** suff: **heart-shaped** en forma de corazón; **~less** a informe, sin forma definida; **~ly** a bien formado o proporcionado.

share [ʃɛə*] n (part) parte f, porción f; (contribution) cuota; (COMM) acción f // vt dividir; (have in common) compartir; **to ~ out (among o between)** repartir (entre); **~holder** n accionista m/f.

shark [ʃɑːk] n tiburón m.

sharp [ʃɑːp] a (razor, knife) afilado; (point) puntiagudo; (outline) definido; (pain) intenso; (MUS) desafinado; (contrast) marcado; (voice) agudo; (person: quick-witted) astuto; (dishonest) poco escrupuloso // n (MUS) sostenido // ad: **at 2 o'clock ~** a las 2 en punto; **~en** vt afilar; (pencil) sacar punta a; (fig) agudizar; **~ener** n (also: **pencil ~ener**) afilador m; **~-eyed** a de vista aguda; **~-witted** a listo, perspicaz.

shatter ['ʃætə*] vt hacer añicos o pedazos; (fig: ruin) destruir, acabar con // vi hacerse añicos.

shave [ʃeɪv] vt afeitar, rasurar // vi afeitarse // n: **to have a ~** afeitarse; **shaver** n (also: **electric shaver**) máquina de afeitar (eléctrica).

shaving ['ʃeɪvɪŋ] n (action) el afeitarse, rasurado; **~s** npl (of wood etc) virutas fpl; **~ brush** n brocha (de afeitar); **~ cream** n crema (de afeitar).

shawl [ʃɔːl] n chal m.

she [ʃiː] pron ella; **~-cat** n gata; NB: for ships, countries follow the gender of your translation.

sheaf [ʃiːf], pl **sheaves** n (of corn) gavilla; (of arrows) haz m; (of papers) fajo.

shear [ʃɪə*], pt **sheared**, pp **sheared** or **shorn** vt (sheep) esquilar, trasquilar; **to ~ off** vt cercenar; **~s** npl (for hedge) tijeras fpl de jardín.

sheath [ʃiːθ] n vaina; (contraceptive) preservativo.

sheaves [ʃiːvz] *pl of* **sheaf.**

shed [ʃed] *n* cobertizo // *vt, pt, pp* shed (*gen*) desprenderse de; (*skin*) mudar; (*tears*) derramar.

she'd [ʃiːd] = **she had; she would.**

sheep [ʃiːp] *n, pl inv* oveja; ~**dog** *n* perro pastor; ~**ish** *a* tímido, vergonzoso; ~**skin** *n* piel *f* de carnero.

sheer [ʃɪə*] *a* (*utter*) puro, completo; (*steep*) escarpado; (*almost transparent*) diáfano // *ad* verticalmente.

sheet [ʃiːt] *n* (*on bed*) sábana; (*of paper*) hoja; (*of glass, metal*) lámina.

sheik(h) [ʃeɪk] *n* jeque *m*.

shelf [ʃelf], *pl* **shelves** *n* estante *m*.

shell [ʃel] *n* (*on beach*) concha; (*of egg, nut etc*) cáscara; (*explosive*) proyectil *m*, obús *m*; (*of building*) armazón *m* // *vt* (*peas*) desenvainar; (*MIL*) bombardear.

she'll [ʃiːl] = **she will; she shall.**

shellfish [ˈʃelfɪʃ] *n, pl inv* crustáceo; (*pl: as food*) mariscos *mpl.*

shelter [ˈʃeltə*] *n* abrigo, refugio // *vt* (*aid*) amparar, proteger; (*give lodging to*) abrigar; (*hide*) esconder // *vi* abrigarse, refugiarse; ~**ed** *a* (*life*) protegido; (*spot*) abrigado.

shelve [ʃelv] *vt* (*fig*) aplazar; ~**s** *pl of* **shelf.**

shepherd [ˈʃepəd] *n* pastor *m* // *vt* (*guide*) guiar, conducir; ~**ess** *n* pastora *f*; ~**'s pie** *n* pastel *m* de carne y patatas.

sheriff [ˈʃerɪf] *n* sheriff *m*.

sherry [ˈʃerɪ] *n* jerez *m*.

she's [ʃiːz] = **she is; she has.**

shield [ʃiːld] *n* escudo; (*TECH*) blindaje *m* // *vt*: **to ~ (from)** proteger (contra).

shift [ʃɪft] *n* (*change*) cambio; (*of place*) traslado; (*of workers*) turno // *vt* trasladar; (*remove*) quitar // *vi* moverse; (*change place*) cambiar de sitio; ~ **work** *n* trabajo por turno; ~**y** *a* tramposo; (*eyes*) furtivo.

shilling [ˈʃɪlɪŋ] *n* chelín *m*.

shimmer [ˈʃɪmə*] *n* reflejo trémulo // *vi* relucir.

shin [ʃɪn] *n* espinilla.

shine [ʃaɪn] *n* brillo, lustre *m* // (*vb: pt, pp* **shone**) *vi* brillar, relucir // *vt* (*shoes*) lustrar, sacar brillo a; **to ~ a torch on sth** dirigir una linterna hacia algo.

shingle [ˈʃɪŋgl] *n* (*on beach*) guijarras *fpl*; ~**s** *n* (*MED*) herpes *mpl* or *fpl*.

shiny [ˈʃaɪnɪ] *a* brillante, lustroso.

ship [ʃɪp] *n* buque *m*, barco // *vt* (*goods*) embarcar; (*oars*) desarmar; (*send*) transportar *o* enviar (por vía marítima); ~**building** *n* construcción *f* de barcos; ~**ment** *n* (*act*) embarque *m*; (*goods*) envío; ~**per** *n* exportador/a *m/f*; ~**ping** *n* (*act*) embarque *m*; (*traffic*) buques *mpl*; ~**shape** *a* en regla; ~**wreck** *n* naufragio; ~**yard** *n* astillero.

shire [ˈʃaɪə*] *n* condado.

shirk [ʃɜːk] *vt* eludir, esquivar; (*obligations*) faltar a.

shirt [ʃɜːt] *n* camisa; **in ~ sleeves** en mangas de camisa.

shiver [ˈʃɪvə*] *n* temblor *m*, estremecimiento // *vi* temblar, estremecerse.

shoal [ʃəul] *n* (*of fish*) banco.

shock [ʃɔk] *n* (*impact*) choque *m*; (*ELEC*) descarga (eléctrica); (*emotional*) conmoción *f*; (*start*) sobresalto, susto; (*MED*) postración *f* nerviosa // *vt* dar un susto a; (*offend*) escandalizar; ~**absorber** *n* amortiguador *m*; ~**ing a** (*awful*) espantoso; (*improper*) escandaloso; ~**proof** *a* a prueba de choques.

shod [ʃɔd] *pt, pp of* **shoe** // *a* calzado.

shoddy [ˈʃɔdɪ] *a* de pacotilla, de bajísima calidad.

shoe [ʃuː] *n* zapato; (*for horse*) herradura; (*brake ~*) zapata // *vt, pt, pp* **shod** (*horse*) herrar; ~**brush** *n* cepillo para zapatos; ~**horn** *n* calzador *m*; ~**lace** *n* cordón *m*; ~**maker** *n* zapatero; ~ **polish** *n* betún *m*; ~**shop** *n* zapatería.

shone [ʃɔn] *pt, pp of* **shine.**

shook [ʃuk] *pt of* **shake.**

shoot [ʃuːt] *n* (*on branch, seedling*) retoño, vástago // (*vb: pt, pp* **shot**) *vt* disparar; (*kill*) matar (con arma de fuego); (*wound*) herir (con arma de fuego); (*execute*) fusilar; (*film*) rodar, filmar // *vi* (*with gun, bow*): **to ~ (at)** tirar (a); (*FOOTBALL*) chutar; **to ~ down** *vt* (*plane*) derribar; **to ~ in/out** *vi* entrar corriendo/salir disparado; **to ~ up** *vi* (*fig*) subir (vertiginosamente); ~**ing** *n* (*shots*) tiros *mpl*; (*HUNTING*) caza con escopeta; ~**ing star** *n* estrella fugaz.

shop [ʃɔp] *n* tienda; (*workshop*) taller *m* // *vi* (*also*: **go ~ping**) ir de compras; ~**assistant** *n* dependiente/a *m/f*; ~ **floor** *a* (*fig*) de la base; ~**keeper** *n* tendero/a; ~**lifter** *n* mechero/a; ~**lifting** *n* mechería; ~**per** *n* comprador/a *m/f*; ~**ping** *n* (*goods*) compras *fpl*; ~**ping bag** *n* bolsa (de compras); ~**ping centre**, ~**ping center** (*US*) *n* zona comercial *o* de tiendas; ~**-soiled** *a* usado; ~ **steward** *n* (*INDUSTRY*) enlace *m/f*; ~ **window** *n* escaparate *m*.

shore [ʃɔː*] *n* (*of sea, lake*) orilla // *vt*: **to ~ (up)** reforzar.

shorn [ʃɔːn] *pp of* **shear.**

short [ʃɔːt] *a* (*not long*) corto; (*in time*) breve, de corta duración; (*person*) bajo; (*curt*) brusco, seco; (*insufficient*) insuficiente // *vi* (*ELEC*) ponerse en cortocircuito // *n* (*also*: ~ **film**) cortometraje *m*; (**a pair of**) ~**s** (unos) pantalones *mpl* cortos; **to be ~ of sth** estar falto de algo; **in ~** en pocas palabras; **it is ~ for** es la forma abreviada de; **to cut ~** (*speech, visit*) interrumpir, terminar inesperadamente; **to fall ~ of** resultar (ser) insuficiente; **to stop ~** parar en seco; **to stop ~ of** detenerse antes de; ~**age** *n* escasez *f*, falta; ~**bread** *n* torta seca y quebradiza; ~**-circuit** *n* cortocircuito // *vt* poner en cortocircuito // *vi* ponerse en cortocircuito; ~**coming** n defecto, deficiencia; ~**(crust) pastry** n pasta quebradiza; ~**cut** n atajo; ~**en** vt acortar; (visit) interrumpir; ~**hand** n taquigrafía; ~**hand typist** n taquimecanógrafo/a; ~ **list** n (for job) lista de candidatos escogidos; ~**-lived** a efímero; ~**ly** ad en breve, dentro de poco; ~**ness** n (of distance) cortedad f; (of time) brevedad f; (manner) brusquedad f; ~**-sighted** a corto de vista, miope; (fig) imprudente; ~ **story** n cuento; ~**-tempered** a enojadizo; ~**-term** a (effect) a corto plazo; ~**wave** n (RADIO) onda corta.

shot [ʃɔt] pt, pp of **shoot** // n (sound) tiro, disparo; (person) tirador/a m/f; (try) tentativa; (injection) inyección f; (PHOT) toma, fotografía; ~**gun** n escopeta.

should [ʃud] auxiliary vb: I ~ **go now** debo irme ahora; **he** ~ **be there now** debe de haber llegado (ya); I ~ **go if I were you** yo en tu lugar me iría; I ~ **like to me** gustaría.

shoulder ['ʃəuldə*] n hombro; (of road): **hard** ~ andén m // vt (fig) cargar con; ~ **blade** n omóplato.

shouldn't ['ʃudnt] = **should not**.

shout [ʃaut] n grito // vt gritar // vi gritar, dar voces; **to** ~ **down** vt hundir a gritos; ~**ing** n gritería.

shove [ʃʌv] n empujón m // vt empujar; (col: put): **to** ~ **sth in** meter algo; **to** ~ **off** vi (NAUT) alejarse del muelle; (fig: col) largarse.

shovel ['ʃʌvl] n pala; (mechanical) excavadora // vt mover con pala.

show [ʃəu] n (of emotion) demostración f; (semblance) apariencia; (exhibition) exposición f; (THEATRE) función f, espectáculo // (vb: pt **showed**, pp **shown**) vt mostrar, enseñar; (courage etc) mostrar, manifestar; (exhibit) exponer; (film) proyectar // vi mostrarse; (appear) aparecer; **to** ~ **sb in** hacer pasar a uno; **to** ~ **off** vi (pej) presumir // vt (display) lucir; (pej) hacer gala de; **to** ~ **sb out** acompañar a uno a la puerta; **to** ~ **up** vi (stand out) destacar; (col: turn up) presentarse // vt descubrir; (unmask) desenmascarar; ~ **business** n el mundo del espectáculo; ~**down** n crisis f, momento decisivo.

shower ['ʃauə*] n (rain) chaparrón m, chubasco; (of stones etc) lluvia; (also: ~**bath**) ducha // vi llover // vt: **to** ~ **sb with sth** colmar a uno de algo; ~**proof** a impermeable; ~**y** a (weather) lluvioso.

showing ['ʃəuiŋ] n (of film) proyección f.

show jumping ['ʃəudʒʌmpiŋ] n hipismo.

shown [ʃəun] pp of **show**.

show: ~**-off** n (col: person) presumido; ~**piece** n (of exhibition etc) obra más importante o central; ~**room** n sala de muestras.

shrank [ʃræŋk] pt of **shrink**.

shrapnel ['ʃræpnl] n metralla.

shred [ʃrɛd] n (gen pl) triza, jirón m // vt hacer trizas; (CULIN) desmenuzar.

shrewd [ʃruːd] a astuto; ~**ness** n astucia.

shriek [ʃriːk] n chillido // vt, vi chillar.

shrill [ʃril] a agudo, estridente.

shrimp [ʃrimp] n camarón m.

shrine [ʃrain] n santuario, sepulcro.

shrink [ʃriŋk], pt **shrank**, pp **shrunk** vi encogerse; (be reduced) reducirse // vt encoger; **to** ~ **from doing sth** no atreverse a hacer algo; ~**age** n encogimiento; reducción f.

shrivel ['ʃrivl] (also: ~ **up**) vt (dry) secar; (crease) arrugar // vi secarse; arrugarse.

shroud [ʃraud] n sudario // vt: ~**ed in mystery** envuelto en el misterio.

Shrove Tuesday ['ʃrəuv'tjuːzdi] n martes m de carnaval.

shrub [ʃrʌb] n arbusto; ~**bery** n arbustos mpl.

shrug [ʃrʌg] n encogimiento de hombros // vt, vi: **to** ~ **(one's shoulders)** encogerse de hombros; **to** ~ **off** vt negar importancia a.

shrunk [ʃrʌŋk] pp of **shrink**.

shudder ['ʃʌdə*] n estremecimiento, escalofrío // vi estremecerse.

shuffle ['ʃʌfl] vt (cards) barajar; **to** ~ **(one's feet)** arrastrar los pies.

shun [ʃʌn] vt rehuir, esquivar.

shunt [ʃʌnt] vt (RAIL) maniobrar // vi: **to** ~ **to and fro** mandar de aquí para allá.

shut [ʃʌt], pt, pp **shut** vt cerrar // vi cerrarse; **to** ~ **down** vt, vi cerrarse, parar; **to** ~ **off** vt (supply etc) interrumpir, cortar; **to** ~ **up** vi (col: keep quiet) callarse // vt (close) cerrar; (silence) callar; ~**ter** n contraventana; (PHOT) obturador m.

shuttle ['ʃʌtl] n lanzadera; (also: ~ **service**) servicio de transporte entre dos estaciones.

shuttlecock ['ʃʌtlkɔk] n volante m.

shy [ʃai] a tímido; (reserved) reservado, cohibido; (unsociable) huraño; ~**ness** n timidez f; reserva; lo huraño.

Siamese [saiə'miːz] a: ~ **cat** gato siamés.

Sicily ['sisili] n Sicilia.

sick [sik] a (ill) enfermo; (nauseated) mareado; (humour) negro; (vomiting): **to be** ~ vomitar; **to feel** ~ estar mareado; **to be** ~ **of** (fig) estar harto de; ~ **bay** n enfermería; ~**en** vt dar asco a // vi enfermar; ~**ening** a (fig) asqueroso.

sickle ['sikl] n hoz f.

sick: ~ **leave** n baja por enfermedad; ~**ly** a enfermizo; (causing nausea) nauseabundo; ~**ness** n enfermedad f, mal m; (vomiting) náuseas fpl; ~ **pay** n subsidio de enfermedad.

side [said] n (gen) lado; (of body) costado; (of lake) orilla; (aspect) aspecto; (team) equipo; (of hill) ladera // a (door, entrance) accesorio // vi: **to** ~ **with sb** tomar el partido de uno; **by the** ~ **of** al lado de; ~ **by** ~ juntos(as), lado a lado; **from all** ~**s** de todos lados; **to take** ~**s (with)**

tomar partido (con); ~**board** n aparador m; ~**boards**, ~**burns** npl patillas fpl; ~**effect** n efecto secundario; ~**light** n (AUT) luz f lateral; ~**line** n (SPORT) línea lateral; (fig) empleo suplementario; ~**long** a de soslayo; ~ **road** n calle f lateral; ~**saddle** ad a mujeriegas, a la inglesa; ~ **show** n (stall) caseta; (fig) atracción f secundaria; ~**step** vt (fig) esquivar; ~**track** vt (fig) desviar (de su propósito); ~**walk** n (US) acera; ~**ways** ad de lado.

siding ['saɪdɪŋ] n (RAIL) apartadero, vía muerta.

sidle ['saɪdl] vi: **to ~ up (to)** acercarse furtivamente (a).

siege [siːdʒ] n cerco, sitio.

sieve [sɪv] n coladera // vt cribar.

sift [sɪft] vt cribar; (fig: information) escudriñar.

sigh [saɪ] n suspiro // vi suspirar.

sight [saɪt] n (faculty) vista, visión f; (spectacle) espectáculo; (on gun) mira, alza // vt ver, divisar; **in** ~ a la vista; **out of** ~ fuera de (la) vista; ~**seeing** n excursionismo, turismo; **to go** ~**seeing** visitar monumentos.

sign [saɪn] n (with hand) señal f, seña; (indication) indicio; (trace) huella, rastro; (notice) letrero; (written) signo // vt firmar; **to** ~ **sth over to sb** firmar el traspaso de algo a uno; **to** ~ **up** vi (MIL) alistarse // vt (contract) contratar.

signal ['sɪgnl] n señal f // vi (AUT) señalizar // vt (person) hacer señas a uno; (message) transmitir.

signature ['sɪgnətʃə*] n firma.

signet ring ['sɪgnətrɪŋ] n anillo de sello.

significance [sɪg'nɪfɪkəns] n significado; (importance) trascendencia; **significant** [-ənt] a significativo; trascendente.

signify ['sɪgnɪfaɪ] vt significar.

sign: ~ **language** n la mímica, lenguaje m por señas o de señas; ~**post** n indicador m.

silence ['saɪlns] n silencio // vt hacer callar; (guns) reducir al silencio; **silencer** n (on gun, AUT) silenciador m.

silent ['saɪlnt] a (gen) silencioso; (not speaking) callado; (film) mudo; **to remain** ~ guardar silencio.

silhouette [sɪluː'et] n silueta; ~**d against** destacado sobre o contra.

silicon chip ['sɪlɪkən'tʃɪp] n plata de silicio, astilla de silicona.

silk [sɪlk] n seda // a de seda; ~**y** a sedoso.

silly ['sɪlɪ] a (person) tonto; (idea) absurdo.

silt [sɪlt] n sedimento.

silver ['sɪlvə*] n plata; (money) moneda suelta // a de plata, plateado; ~ **paper** n papel m de plata; ~-**plated** a plateado; ~**smith** n platero; ~**y** a plateado.

similar ['sɪmɪlə*] a: ~ **to** parecido o semejante a; ~**ity** [-'lærɪtɪ] n parecido, semejanza; ~**ly** ad del mismo modo.

simmer ['sɪmə*] vi hervir a fuego lento.

simpering ['sɪmpərɪŋ] a afectado; (foolish) bobo.

simple ['sɪmpl] a (easy) sencillo; (foolish, comm) simple; ~**ton** n inocentón/ona m/f; **simplicity** [-'plɪsɪtɪ] n sencillez f; (foolishness) ingenuidad f; **simplify** ['sɪmplɪfaɪ] vt simplificar.

simulate ['sɪmjuleɪt] vt simular; **simulation** [-'leɪʃən] n simulación f.

simultaneous [sɪməl'teɪnɪəs] a simultáneo; ~**ly** ad simultáneamente.

sin [sɪn] n pecado // vi pecar.

since [sɪns] ad desde entonces, después // prep desde // conj (time) desde que; (because) ya que, puesto que; ~ **then** desde entonces.

sincere [sɪn'sɪə*] a sincero; **yours** ~**ly** le saluda (afectuosamente); **sincerity** [-'serɪtɪ] n sinceridad f.

sinful ['sɪnful] a (thought) pecaminoso; (person) pecador(a).

sing [sɪŋ], pt **sang**, pp **sung** vt cantar // vi (gen) cantar; (bird) trinar; (ears) zumbar.

singe [sɪndʒ] vt chamuscar.

singer ['sɪŋə*] n cantante m/f.

singing ['sɪŋɪŋ] n (gen) canto; (songs) canciones fpl; (in the ears) zumbido.

single ['sɪŋgl] a único, solo; (unmarried) soltero; (not double) simple, sencillo; (bed, room) individual // n (also: ~ **ticket**) billete m sencillo; (record) single m; ~**s** npl (TENNIS) individual m; **to** ~ **out** vt (choose) escoger; (point out) singularizar; ~ **bed** n cama individual; **in** ~ **file** en fila de uno; ~-**handed** ad sin ayuda; ~-**minded** a resuelto, firme; ~ **room** n cuarto individual.

singular ['sɪŋgjulə*] a (odd) raro, extraño; (LING) singular // n (LING) singular m.

sinister ['sɪnɪstə*] a siniestro.

sink [sɪŋk] n fregadero // (vb: pt **sank**, pp **sunk**) vt (ship) hundir, echar a pique; (foundations) excavar; (piles etc): **to** ~ **sth** fijar algo bajo tierra // vi (gen) hundirse; **to** ~ **in** vi (fig) penetrar, calar; **a** ~**ing feeling** un sentimiento de que toda se acaba.

sinner ['sɪnə*] n pecador/a m/f.

sinus ['saɪnəs] n (ANAT) seno.

sip [sɪp] n sorbo // vt sorber, beber a sorbitos.

siphon ['saɪfən] n sifón m; **to** ~ **off** vt quitar poco a poco.

sir [sə*] n señor m; **S**~ **John Smith** el Señor John Smith; **yes** ~ sí, señor.

siren ['saɪərn] n sirena.

sirloin ['səːlɔɪn] n solomillo.

sister ['sɪstə*] n hermana; (nurse) enfermera jefe; ~-**in-law** n cuñada.

sit [sɪt], pt, pp **sat** vi sentarse; (be sitting) estar sentado; (assembly) reunirse // vt (exam) presentarse a; **to** ~ **down** vi sentarse; **to** ~ **in on** asistir a; **to** ~ **up** vi incorporarse; (not go to bed) velar.

site [saɪt] n sitio; (also: building ~) solar m // vt situar.

sit-in ['sɪtɪn] n (demonstration)

manifestación *f* de brazos caídos.

sitting ['sɪtɪŋ] *n* (*of assembly etc*) sesión *f*; (*in canteen*) turno; ~ **room** *n* sala de estar.

situated ['sɪtjueɪtɪd] *a* situado.

situation [sɪtju'eɪʃən] *n* situación *f*.

six [sɪks] *num* seis; ~**teen** *num* diez y seis, dieciséis; ~**th** *a* sexto; ~**ty** *num* sesenta.

size [saɪz] *n* (*gen*) tamaño; (*extent*) extensión *f*; (*of clothing*) talla; (*of shoes*) número; (*glue*) cola, apresto; **to** ~ **up** *vt* formarse una idea de; ~**able** *a* importante, considerable.

sizzle ['sɪzl] *vi* crepitar.

skate [skeɪt] *n* patín *m*; (*fish: pl inv*) raya // *vi* patinar; ~**board** *n* skateboard *m*; **skater** *n* patinador/a *m/f*; **skating** *n* patinaje *m*; **skating rink** *n* pista de patinaje.

skeleton ['skelɪtn] *n* esqueleto; (*TECH*) armazón *m*; (*outline*) esquema *m*; ~ **key** *n* llave *f* maestra; ~ **staff** *n* personal *m* reducido.

sketch [sketʃ] *n* (*drawing*) dibujo; (*outline*) esbozo, bosquejo; (*THEATRE*) pieza corta // *vt* dibujar; esbozar; ~ **book** *n* libro de dibujos; ~ **pad** *n* bloc *m* de dibujo; ~**y** *a* incompleto.

skewer ['skjuːə*] *n* broqueta.

ski [skiː] *n* esquí *m* // *vi* esquiar; ~ **boot** *n* bota de esquí.

skid [skɪd] *n* patinazo // *vi* patinar; ~**mark** *n* huella de patinazo.

ski: ~**er** *n* esquiador/a *m/f*; ~**ing** *n* esquí *m*; ~ **jump** *n* pista para salto de esquí.

skilful ['skɪlful] *a* diestro, experto.

ski lift *n* telesilla.

skill [skɪl] *n* destreza, pericia; ~**ed** *a* hábil, diestro; (*worker*) cualificado.

skim [skɪm] *vt* (*milk*) desnatar; (*glide over*) rozar, rasar // *vi*: **to** ~ **through** (*book*) hojear.

skimp [skɪmp] *vt* (*work*) chapucear; (*cloth etc*) escatimar; ~**y** *a* (*meagre*) escaso; (*skirt*) muy corto.

skin [skɪn] *n* (*gen*) piel *f*; (*complexion*) cutis *m* // *vt* (*fruit etc*) pelar; (*animal*) despellejar; ~**deep** *a* superficial; ~ **diving** *n* natación *f* submarina; ~**ny** *a* flaco, magro; ~**tight** *a* (*dress etc*) muy ajustado.

skip [skɪp] *n* brinco, salto; (*container*) cuba // *vi* brincar; (*with rope*) saltar a la comba // *vt* (*pass over*) omitir, saltar.

ski pants *npl* pantalones *mpl* de esquí.

skipper ['skɪpə*] *n* (*NAUT, SPORT*) capitán *m*.

skipping rope ['skɪpɪŋ-] *n* cuerda (de saltar).

skirmish ['skɜːmɪʃ] *n* escaramuza.

skirt [skɜːt] *n* falda // *vt* (*surround*) ceñir, rodear; (*go round*) ladear; ~**ing board** *n* rodapié *m*.

skit [skɪt] *n* sátira, parodia.

skittle ['skɪtl] *n* bolo; ~**s** *n* (*game*) boliche *m*.

skive [skaɪv] *vi* (*Brit: col*) gandulear.

skull [skʌl] *n* calavera; (*ANAT*) cráneo.

skunk [skʌŋk] *n* mofeta; (*fig: person*) canalla *m/f*.

sky [skaɪ] *n* cielo; ~**-blue** *a* azul celeste; ~**light** *n* tragaluz *m*, claraboya; ~**scraper** *n* rascacielos *m inv.*

slab [slæb] *n* (*stone*) bloque *m*; (*flat*) losa; (*of cake*) porción *f* gruesa.

slack [slæk] *a* (*loose*) flojo; (*slow*) de poca actividad; (*careless*) descuidado; ~**s** *npl* pantalones *mpl*; ~**en** (*also*: ~**en off**) *vi* aflojarse // *vt* aflojar; (*speed*) disminuir.

slag [slæg] *n* escoria, escombros *mpl*; ~ **heap** *n* escorial *m*, escombrera.

slalom ['slɑːləm] *n* slalom *m*.

slam [slæm] *vt* (*door*) cerrar de golpe; (*throw*) arrojar (violentamente); (*criticize*) hablar mal de // *vi* cerrarse de golpe.

slander ['slɑːndə*] *n* calumnia, difamación *f* // *vt* calumniar, difamar; ~**ous** *a* calumnioso, difamatorio.

slang [slæŋ] *n* argot *m*; (*jargon*) jerga; (*private language*) caló.

slant [slɑːnt] *n* sesgo, inclinación *f*; (*fig*) punto de vista; ~**ed**, ~**ing** *a* inclinado.

slap [slæp] *n* palmada; (*in face*) bofetada; (*fig*) palmetazo // *vt* dar una palmada/bofetada a // *ad* (*directly*) exactamente, directamente; ~**dash** *a* descuidado; ~**stick** *n* (*comedy*) payasadas *fpl.*

slash [slæʃ] *vt* acuchillar; (*fig: prices*) quemar.

slate [sleɪt] *n* pizarra // *vt* (*fig: criticize*) criticar duramente.

slaughter ['slɔːtə*] *n* (*of animals*) matanza; (*of people*) carnicería // *vt* matar; ~**house** *n* matadero.

Slav [slɑːv] *a* eslavo.

slave [sleɪv] *n* esclavo // *vi* (*also*: ~ **away**) sudar tinta; ~**ry** *n* esclavitud *f*; **slavish** *a* servil.

Slavonic [sləˈvɒnɪk] *a* eslavo.

slay [sleɪ] *vt* matar.

sleazy ['sliːzɪ] *a* (*fig: place*) de mala fama.

sledge [sledʒ] *n* trineo; ~**hammer** *n* mazo.

sleek [sliːk] *a* (*gen*) lustroso; (*neat*) pulcro.

sleep [sliːp] *n* sueño // *vi*, *pt*, *pp* **slept** dormir; **to go to** ~ dormirse; **to** ~ **in** *vi* (*oversleep*) dormir tarde; ~**er** *n* (*person*) durmiente *m/f*; (*RAIL: on track*) traviesa; (: *train*) coche-cama *m*; ~**ily** *ad* soñolientamente; ~**ing bag** *n* saco de dormir; ~**ing car** *n* coche-cama *m*; ~**ing pill** *n* somnífero; ~**lessness** *n* insomnio; ~**walker** *n* sonámbulo/a; ~**y** *a* soñoliento.

sleet [sliːt] *n* nevisca.

sleeve [sliːv] *n* manga; (*TECH*) manguito; ~**less** *a* (*garment*) sin mangas.

sleigh [sleɪ] *n* trineo.

sleight [slaɪt] *n*: ~ **of hand** escamoteo.

slender ['slendə*] *a* delgado; (*means*) escaso.

slept [slept] *pt*, *pp of* **sleep.**

slice [slaɪs] *n* (*of meat*) tajada; (*of bread*)

rebanada; (of lemon) rodaja; (utensil) pala // vt cortar, tajar; rebanar.

slick [slɪk] a (skilful) hábil, diestro; (quick) rápido; (astute) astuto // n (also: **oil** ~) masa flotante.

slid [slɪd] pt, pp of **slide.**

slide [slaɪd] n (in playground) tobogán m; (PHOT) diapositiva; (also: **hair** ~) pasador m // (vb: pt, pp **slid**) vt correr, deslizar // vi (slip) resbalarse; (glide) deslizarse; **sliding** a (door) corredizo.

slight [slaɪt] a (slim) delgado; (frail) delicado; (pain etc) leve; (trifling) sin importancia; (small) pequeño // n desaire m // vt (offend) ofender, desairar; **not in the ~est** (ni) en lo más mínimo, en absoluto; ~**ly** ad ligeramente, un poco.

slim [slɪm] a delgado, esbelto // vi adelgazar.

slime [slaɪm] n limo, cieno; **slimy** a limoso.

slimming ['slɪmɪŋ] n adelgazamiento; **a ~ diet** un régimen.

sling [slɪŋ] n (MED) cabestrillo; (weapon) honda // vt, pt, pp **slung** tirar, arrojar.

slip [slɪp] n (slide) resbalón m; (fall) tropezón m; (mistake) descuido; (underskirt) combinación f; (of paper) trozo // vt (slide) deslizar // vi (slide) deslizarse; (stumble) resbalar(se); (decline) decaer; **to give sb the ~** eludir o escaparse de uno; **to ~ away** vi escabullirse; **to ~ in** vt meter // vi meterse; **to ~ out** vi (go out) salir (un momento).

slipper ['slɪpə*] n zapatilla.

slippery ['slɪpərɪ] a resbaladizo.

slip: ~ **road** n carretera de acceso; ~**shod** a descuidado; ~-**up** n (error) equivocación f; (by neglect) descuido; ~**way** n grada, gradas fpl.

slit [slɪt] n raja; (cut) corte m // vt, pt, pp **slit** rajar, cortar.

slither ['slɪðə*] vi deslizarse.

slob [slɔb] n (col) patán m.

slog [slɔg] vi sudar tinta; **it was a ~** costó trabajo (hacerlo).

slogan ['sləugən] n slogan m, lema m.

slop [slɔp] vi (also: ~ **over**) derramarse, desbordarse // vt derramar, verter.

slope [sləup] n (up) cuesta, pendiente m; (down) declive m; (side of mountain) falda, vertiente m // vi: **to ~ down** estar en declive; **to ~ up** inclinarse; **sloping** a en pendiente; en declive.

sloppy ['slɔpɪ] a (work) descuidado; (appearance) desaliñado.

slot [slɔt] n ranura // vt: **to ~ into** encajar en; ~ **machine** n máquina tragaperras.

slouch [slautʃ] vi: **to ~ about** (laze) gandulear.

slovenly ['slʌvənlɪ] a (dirty) desaliñado, desaseado; (careless) descuidado.

slow [sləu] a lento; (watch): **to be ~** atrasarse // ad lentamente, despacio // vt, vi (also: ~ **down**, ~ **up**) retardar; **'~'** (road sign) 'disminuir velocidad'; ~**ly** ad

lentamente, despacio; **in ~ motion** a cámara lenta; ~**ness** n lentitud f.

sludge [slʌdʒ] n lodo, fango.

slug [slʌg] n babosa; (bullet) posta; ~**gish** a (slow) lento; (lazy) perezoso.

sluice [slu:s] n (gate) esclusa; (channel) canal m.

slum [slʌm] n (area) tugurios mpl; (house) casucha.

slumber ['slʌmbə*] n sueño.

slump [slʌmp] n (economic) depresión f // vi hundirse.

slung [slʌŋ] pt, pp of **sling.**

slur [slə:*] n calumnia // vt calumniar, difamar; (word) pronunciar indistintamente.

slush [slʌʃ] n nieve f a medio derretir; ~**y** a (snow) a medio derretir; (street) fangoso; (fig) sentimental, sensiblero.

slut [slʌt] n marrana.

sly [slaɪ] a (clever) astuto; (nasty) malicioso.

smack [smæk] n (slap) manotada; (blow) golpe m // vt dar una manotada a, golpear con la mano // vi: **to ~ of** saber a, oler a.

small [smɔ:l] a pequeño; ~**holder** n granjero, parcelero; ~**ish** a más bien pequeño; ~**pox** n viruela; ~ **talk** n cháchara.

smart [sma:t] a elegante; (clever) listo, inteligente; (quick) rápido, vivo // vi escocer, picar; **to ~en up** vi arreglarse // vt arreglar.

smash [smæʃ] n (also: ~-**up**) choque m // vt (break) hacer pedazos; (car etc) estrellar; (SPORT: record) romper // vi (collide) chocar; (against wall etc) estrellarse; ~**ing** a (col) cojonudo.

smattering ['smætərɪŋ] n: **a ~ of** ligeros conocimientos mpl de.

smear [smɪə*] n mancha; (MED) citología // vt untar; (fig) calumniar, difamar.

smell [smɛl] n olor m; (sense) olfato // (vb: pt, pp **smelt** or **smelled**) vt, vi oler; **it ~s good/of garlic** huele bien/a ajo; ~**y** a que huele mal.

smile [smaɪl] n sonrisa // vi sonreír; **smiling** a sonriente.

smirk [smə:k] n sonrisa falsa o afectada.

smith [smɪθ] n herrero; ~**y** ['smɪðɪ] n herrería.

smock [smɔk] n blusa; (children's) delantal m.

smoke [sməuk] n humo // vi fumar; (chimney) echar humo // vt (cigarettes) fumar; ~**d** a (bacon, glass) ahumado; **smoker** n (person) fumador/a m/f; (RAIL) coche m fumador; ~ **screen** n cortina de humo; **smoking** n: **'no smoking'** (sign) 'prohibido fumar'; **smoky** a (gen) humeante; (room) lleno de humo.

smooth [smu:ð] a (gen) liso; (sea) tranquilo; (flat) llano; (flavour, movement) suave; (person) culto, refinado; (: pej) meloso // vt alisar; (also: ~ **out**) (creases, difficulties) allanar.

smother ['smʌðə*] vt sofocar; (repress) ahogar.
smoulder ['sməuldə*] vi arder sin llama.
smudge [smʌdʒ] n mancha // vt manchar.
smug [smʌg] a presumido.
smuggle ['smʌgl] vt pasar de contrabando; **smuggler** n contrabandista m/f; **smuggling** n contrabando.
smutty ['smʌtɪ] a (fig) verde, obsceno.
snack [snæk] n bocado; ~ **bar** n cafetería.
snag [snæg] n dificultad f, pero.
snail [sneɪl] n caracol m.
snake [sneɪk] n (gen) serpiente f; (harmless) culebra; (poisonous) víbora.
snap [snæp] n (sound) castañetazo; (of whip) chasquido; (click) golpe m seco; (photograph) foto f // a repentino // vt (fingers etc) castañetear; (whip) chasquear; (break) quebrar; (photograph) tomar una foto de // vi (break) quebrarse; (fig: person) contestar bruscamente; (sound) hacer un ruido seco; **to** ~ **at** vt fus (subj: dog) intentar morder; **to** ~ **off** vi (break) romperse (y separarse); **to** ~ **up** vt aprovechar de, agarrar; ~**shot** n foto f (instantánea).
snare [snɛə*] n trampa // vt cazar con trampa; (fig) engañar.
snarl [snɑːl] n gruñido // vi gruñir.
snatch [snætʃ] n (fig) robo; (small amount): ~**es** de trocitos mpl de // vt (~ away) arrebatar; (grasp) coger, agarrar.
sneak [sniːk] vi: **to** ~ **in/out** entrar/salir a hurtadillas // n (fam) soplón/ona m/f; ~**y** a furtivo.
sneer [snɪə*] n sonrisa de desprecio // vi sonreír con desprecio; (mock) mofarse.
sneeze [sniːz] n estornudo // vi estornudar.
sniff [snɪf] n (of dog) husmeo; (of person) sorbo (por las narices) // vi sorber (por la nariz) // vt husmear, oler.
snigger ['snɪgə*] n risa disimulada // vi reírse con disimulo.
snip [snɪp] n tijeretazo; (piece) recorte m; (bargain) ganga // vt tijeretear.
sniper ['snaɪpə*] n francotirador/a m/f.
snippet ['snɪpɪt] n retazo.
snivelling ['snɪvlɪŋ] a (whimpering) llorón(ona).
snob [snɔb] n snob m/f; ~**bery** n snobismo; ~**bish** a snob.
snooker ['snuːkə*] n especie de billar.
snoop [snuːp] vi: **to** ~ **about** fisgonear; ~**er** n fisgón/ona m/f.
snooty ['snuːtɪ] a presumido.
snooze [snuːz] n siesta // vi echar una siesta.
snore [snɔː*] vi roncar // n ronquido.
snorkel ['snɔːkl] n tubo snorkel.
snort [snɔːt] n bufido // vi bufar.
snout [snaut] n hocico, morro.
snow [snəu] n nieve f // vi nevar; ~**ball** n bola de nieve // vi acumularse; ~**bound** a bloqueado por la nieve; ~**drift** n ventisquero; ~**drop** n campanilla; ~**fall**

n nevada; ~**flake** n copo de nieve; ~**man** n figura de nieve; ~**plough,** ~**plow** (US) n quitanieves m inv; ~**storm** n nevada, nevasca; **S**~ **White** n Blanca Nieves.
snub [snʌb] vt rechazar con desdén // n desaire m, repulsa.
snuff [snʌf] n rapé m.
snug [snʌg] a (sheltered) abrigado; (fitted) ajustado.
snuggle ['snʌgl] vi: **to** ~ **up to sb** arrimarse a uno.
so [səu] ad (degree) tan; (manner: thus) así, de este modo // conj así que, por tanto; ~ **that** (purpose) para que, a fin de que; (result) de modo que; ~ **do I** yo también; **if** ~ de ser así, si es así; **I hope** ~ espero que sí; **10 or** ~ 10 más o menos; ~ **far** hasta aquí; ~ **long!** ¡hasta luego!; ~ **many** tantos(as); ~ **much** ad, det tanto; ~ **and** ~ n Fulano.
soak [səuk] vt (drench) empapar; (put in water) remojar // vi remojarse, estar a remojo; **to** ~ **in** vi penetrar; **to** ~ **up** vt absorber.
soap [səup] n jabón m; ~**flakes** npl escamas fpl de jabón; ~ **powder** n jabón en polvo; ~**y** a jabonoso.
soar [sɔː*] vi (on wings) remontarse; (building etc) elevarse.
sob [sɔb] n sollozo // vi sollozar.
sober ['səubə*] a (serious) serio; (sensible) sensato; (moderate) moderado; (not drunk) sobrio; (colour, style) discreto; **to** ~ **up** vi pasársele a uno la borrachera.
Soc. abbr of **society.**
so-called ['səu'kɔːld] a llamado.
soccer ['sɔkə*] n fútbol m.
sociable ['səuʃəbl] a sociable.
social ['səuʃl] a (gen) social; (sociable) sociable // n velada, fiesta; ~ **climber** n arribista m/f; ~ **club** n club m; ~**ism** n socialismo; ~**ist** a, n socialista m/f; ~**ly** ad socialmente; ~ **science** n ciencias fpl sociales; ~ **security** n seguridad f social; ~ **work** n asistencia social; ~ **worker** n asistente/a m/f social.
society [sə'saɪətɪ] n sociedad f; (club) asociación f; (also: **high** ~) buena sociedad.
sociologist [səusɪ'ɔlədʒɪst] n sociólogo; **sociology** [-dʒɪ] n sociología.
sock [sɔk] n calcetín m.
socket ['sɔkɪt] n (ELEC) enchufe m.
sod [sɔd] n (of earth) césped m; (col!) cabrón/ona m/f.
soda ['səudə] n (CHEM) sosa; (also: ~ **water**) sifón m.
sodden ['sɔdn] a empapado.
sodium ['səudɪəm] n sodio.
sofa ['səufə] n sofá m.
soft [sɔft] a (gen) blando; (gentle, not loud) suave; (kind) tierno, compasivo; (weak) débil; (stupid) tonto; ~ **drink** n bebida no alcohólica; ~**en** ['sɔfn] vt ablandar; suavizar; debilitar // vi ablandarse; suavizarse; debilitarse; ~**-hearted** a

compasivo, bondadoso; ~ly *ad*
suavemente; (*gently*) delicadamente, con
delicadeza; ~ness *n* blandura; suavidad *f*;
(*sweetness*) dulzura; (*tenderness*) ternura.
soggy ['sɔgı] *a* empapado.
soil [sɔıl] *n* (*earth*) tierra, suelo // *vt*
ensuciar; ~ed *a* sucio.
solace ['sɔlıs] *n* consuelo.
solar ['sɔuləʳ] *a* solar.
sold [sɔuld] *pt*, *pp of* sell; ~ out (*COMM*)
agotado.
solder ['sɔuldəʳ] *vt* soldar // *n* soldadura.
soldier ['sɔuldʒəʳ] *n* (*gen*) soldado; (*army
man*) militar *m*.
sole [sɔul] *n* (*of foot*) planta; (*of shoe*) suela;
(*fish: pl inv*) lenguado // *a* único; ~ly *ad*
únicamente, sólo, solamente.
solemn ['sɔləm] *a* solemne.
solicitor [sə'lısıtəʳ] *n* (*for wills etc*)
notario; (*in court*) abogado.
solid ['sɔlıd] *a* (*not hollow*) sólido; (*gold etc*)
macizo; (*person*) serio // *n* sólido.
solidarity [sɔlı'dærıtı] *n* solidaridad *f*.
solidify [sə'lıdıfaı] *vi* solidificarse.
solitaire [sɔlı'tɛəʳ] *n* (*game*, *gem*)
solitario.
solitary ['sɔlıtərı] *a* solitario, solo;
(*isolated*) apartado, aislado; (*only*) único;
~ confinement *n* incomunicación *f*.
solitude ['sɔlıtjuːd] *n* soledad *f*.
solo ['sɔuləu] *n* solo; ~ist *n* solista *m/f*.
soluble ['sɔljubl] *a* soluble.
solution [sə'luːʃən] *n* solución *f*.
solve [sɔlv] *vt* resolver, solucionar.
solvent ['sɔlvənt] *a* (*COMM*) solvente // *n*
(*CHEM*) solvente *m*.
sombre, **somber** (*US*) ['sɔmbəʳ] *a*
sombrío.
some [sʌm] *det* (*a few*) algunos(as);
(*certain*) algún/una; (*a certain number or
amount*) *see phrases below*; (*unspecified*)
algo de // *pron* algunos/as; (*a bit*) algo //
ad: ~ 10 people unas 10 personas; ~
children came vinieron algunos niños;
have ~ tea tome té; there's ~ milk in
the fridge hay leche en la refrigeradora;
~ was left quedaba algo; I've got ~
(*books etc*) tengo algunos; (*milk*, *money
etc*) tengo algo; ~body *pron* alguien; ~
day *ad* algún día; ~how *ad* de alguna
manera; (*for some reason*) por una u otra
razón; ~one *pron* = ~body.
somersault ['sʌməsɔːlt] *n* (*deliberate*)
salto mortal; (*accidental*) vuelco // *vi* dar
un salto mortal; dar vuelcos.
something ['sʌmθıŋ] *pron* algo.
sometime ['sʌmtaım] *ad* (*in future*) algún
día, en algún momento; (*in past*): ~ last
month durante el mes pasado.
sometimes ['sʌmtaımz] *ad* a veces.
somewhat ['sʌmwɔt] *ad* algo.
somewhere ['sʌmwɛəʳ] *ad* (*be*) en alguna
parte; (*go*) a alguna parte; ~ else (*be*) en
otra parte; (*go*) a otra parte.
son [sʌn] *n* hijo.
song [sɔŋ] *n* canción *f*; ~writer *n*

compositor/a *m/f* de canciones.
sonic ['sɔnık] *a* (*boom*) sónico.
son-in-law ['sʌnınlɔː] *n* yerno.
sonnet ['sɔnıt] *n* soneto.
soon [suːn] *ad* pronto, dentro de poco;
(*early*) temprano; ~ afterwards poco
después; *see also* as; ~er *ad* (*time*) antes,
más temprano; (*preference*): I would
~er do that preferiría hacer eso; ~er
or later tarde o temprano.
soot [sut] *n* hollín *m*.
soothe [suːð] *vt* tranquilizar; (*pain*) aliviar.
sophisticated [sə'fıstıkeıtıd] *a* sofisticado.
soporific [sɔpə'rıfık] *a* soporífero.
sopping ['sɔpıŋ] *a*: ~ wet totalmente
empapado.
soppy ['sɔpı] *a* (*pej*) bobo, tonto.
soprano [sə'prɑːnəu] *n* soprano *f*.
sorcerer ['sɔːsərəʳ] *n* hechicero.
sordid ['sɔːdıd] *a* (*dirty*) sucio, asqueroso;
(*wretched*) miserable.
sore [sɔːʳ] *a* (*painful*) doloroso, que duele;
(*offended*) resentido // *n* llaga; ~ly *ad*: I
am ~ly tempted casi estoy por.
sorrow ['sɔrəu] *n* pena, dolor *m*; ~ful *a*
afligido, triste.
sorry ['sɔrı] *a* (*regretful*) arrepentido;
(*condition*, *excuse*) lastimoso; ~! ¡lo
siento!, ¡perdón!, ¡perdone!; to feel ~ for
sb sentir lástima por uno; I feel ~ for
him me da lástima.
sort [sɔːt] *n* clase *f*, género, tipo // *vt* (*also*:
~ out: *papers*) clasificar; (: *problems*)
arreglar, solucionar; ~ing office *n*
oficina de distribución de correos.
SOS *n abbr of* save our souls.
so-so ['sɔusɔu] *ad* regular, así-así.
soufflé ['suːfleı] *n* suflé *m*.
sought [sɔːt] *pt*, *pp of* seek.
soul [sɔul] *n* alma *m*; ~-destroying *a*
embrutecedor(a); ~ful *a* lleno de
sentimiento; ~less *a* desalmado.
sound [saund] *a* (*healthy*) sano; (*safe, not
damaged*) firme, sólido; (*secure*) seguro;
(*reliable, not superficial*) formal, digno de
confianza; (*sensible*) sensato, razonable //
ad: ~ asleep profundamente dormido //
n (*noise*) sonido, ruido; (*GEO*) estrecho //
vt (*alarm*) sonar; (*also*: ~ out: *opinions*)
consultar, sondear // *vi* sonar, resonar;
(*fig: seem*) parecer; to ~ like sonar a; ~
barrier *n* barrera del sonido; ~ effects
npl efectos *mpl* sonoros; ~ing *n* (*NAUT etc*)
sondeo; ~ly *ad* (*sleep*) profundamente;
(*beat*) completamente; ~proof *a* a
prueba de sonidos; ~track *n* (*of film*)
banda sonora.
soup [suːp] *n* (*thick*) sopa; (*thin*) caldo; in
the ~ (*fig*) en apuros; ~spoon *n* cuchara
sopera.
sour ['sauəʳ] *a* agrio; (*milk*) cortado; (*fig*)
desabrido, acre.
source [sɔːs] *n* fuente *f*.
south [sauθ] *n* sur *m* // *a* del sur // *ad* al
sur, hacia el sur; S~ Africa *n* Africa del
Sur; S~ African *a*, *n* sudafricano/a; S~
America *n* América (del Sur); S~

American *a, n* sudamericano/a; ~**-east** *n* sudeste *m*; ~**erly** ['sʌðəlı] *a* sur; (*from the* ~) del sur; ~**ern** ['sʌðən] *a* del sur, meridional; **S~ Pole** *n* Polo Sur; ~**ward(s)** *ad* hacia el sur; ~**-west** *n* suroeste *m*.

souvenir [suːvəˈnɪə*] *n* recuerdo.

sovereign ['sɔvrɪn] *a, n* soberano; ~**ty** *n* soberanía.

soviet ['sɔuvɪət] *a* soviético; **the S~ Union** la Unión Soviética.

sow [sau] *n* cerda, puerca // *vt* [səu], *pt* **sowed,** *pp* **sown** [səun] (*gen*) sembrar; (*spread*) esparcir.

soy [sɔɪ] *n*: ~ **sauce** salsa de soja.

soya bean ['sɔɪəbiːn] *n* semilla de soja.

spa [spaː] *n* (*spring*) baños *mpl* térmicos; (*town*) balneario.

space [speɪs] *n* (*gen*) espacio; (*room*) sitio // *vt* (*also:* ~ **out**) espaciar; ~**craft** *n* nave *f* espacial; ~**man/woman** *n* astronauta *m/f*, cosmonauta *m/f*; **spacing** *n* espaciamiento.

spacious ['speɪʃəs] *a* amplio.

spade [speɪd] *n* (*tool*) pala, laya; ~**s** *npl* (*CARDS:* British) picos *mpl*; (: *Spanish*) espadas *fpl*.

spaghetti [spəˈgɛtɪ] *n* espaguetis *mpl*, fideos *mpl*.

Spain [speɪn] *n* España.

span [spæn] *n* (*of bird, plane*) envergadura; (*of hand*) palmo; (*of arch*) luz *f*; (*in time*) lapso // *vt* extenderse sobre, cruzar; (*fig*) abarcar.

Spaniard ['spænjəd] *n* español/a *m/f*.

spaniel ['spænjəl] *n* perro de aguas.

Spanish ['spænɪʃ] *a* español(a) // *n* (*LING*) español *m*, castellano.

spank [spæŋk] *vt* zurrar.

spanner ['spænə*] *n* llave *f* (inglesa).

spar [spaː*] *n* palo, verga // *vi* (*BOXING*) entrenarse.

spare [spɛə*] *a* (*free*) desocupado; (*surplus*) sobrante, de más; (*available*) disponible // *n* (*part*) pieza de repuesto // *vt* (*do without*) pasarse sin; (*afford to give*) tener de sobra; (*refrain from hurting*) perdonar; (*be grudging with*) escatimar; ~ **part** *n* pieza de repuesto; ~ **time** *n* ratos *mpl* de ocio, tiempo libre.

sparing ['spɛərɪŋ] *a*: **to be** ~ **with** ser parco en; ~**ly** *ad* escasamente.

spark [spaːk] *n* chispa; (*fig*) chispazo; ~**(ing) plug** *n* bujía.

sparkle ['spaːkl] *n* centelleo, destello // *vi* centellear; (*shine*) relucir, brillar; **sparkling** *a* centelleante; (*wine*) espumoso.

sparrow ['spærəu] *n* gorrión *m*.

sparse [spaːs] *a* esparcido, escaso.

spasm ['spæzəm] *n* (*MED*) espasmo; (*fig*) arranque *m*, acceso; ~**odic** [-'mɔdɪk] *a* espasmódico.

spastic ['spæstɪk] *n* espástico/a.

spat [spæt] *pt, pp of* **spit**.

spate [speɪt] *n* (*fig*): ~ **of** torrente *m* de; **in** ~ (*river*) crecido.

spatter ['spætə*] *vt* salpicar, rociar.

spatula ['spætjulə] *n* espátula.

spawn [spɔːn] *vi* desovar, frezar // *n* huevas *fpl*.

speak [spiːk], *pt* **spoke,** *pp* **spoken** *vt* (*language*) hablar; (*truth*) decir // *vi* hablar; (*make a speech*) intervenir; **to** ~ **to sb/of** or **about sth** hablar con uno/de o sobre algo; ~ **up!** ¡habla fuerte!; ~**er** *n* (*in public*) orador/a *m/f*; (*also:* **loud**~**er**) altavoz *m*, parlante *m*; (*POL*): **the S~er** el Presidente del Congreso.

spear [spɪə*] *n* lanza; (*for fishing*) arpón *m* // *vt* alancear; arponear; ~**head** *n* punta de lanza.

special ['spɛʃl] *a* especial; (*edition etc*) extraordinario; (*delivery*) urgente; **take** ~ **care** ponga un cuidado especial; ~**ist** *n* especialista *m/f*; ~**ity** [spɛʃɪˈælɪtɪ] *n* especialidad *f*; ~**ize** *vi*: **to** ~**ize (in)** especializarse en; ~**ly** *ad* sobre todo, en particular.

species ['spiːʃiːz] *n* especie *f*.

specific [spəˈsɪfɪk] *a* específico; ~**ally** *ad* específicamente.

specification [spɛsɪfɪˈkeɪʃən] *n* especificación *f*; ~**s** *npl* presupuesto; **specify** ['spɛsɪfaɪ] *vt, vi* especificar, precisar.

specimen ['spɛsɪmən] *n* ejemplar *m*, espécimen *m*.

speck [spɛk] *n* grano, mota.

speckled ['spɛkld] *a* moteado.

specs [spɛks] *npl* (*col*) gafas *fpl*.

spectacle ['spɛktəkl] *n* espectáculo; ~**s** *npl* gafas *fpl*, anteojos *mpl*; **spectacular** [-'tækjulə*] *a* espectacular; (*success*) impresionante.

spectator [spɛkˈteɪtə*] *n* espectador/a *m/f*.

spectre, specter (*US*) ['spɛktə*] *n* espectro, fantasma *m*.

spectrum ['spɛktrəm], *pl* **-tra** [-trə] *n* espectro.

speculate ['spɛkjuleɪt] *vi* especular; (*try to guess*): **to** ~ **about** especular sobre; **speculation** [-'leɪʃən] *n* especulación *f*.

speech [spiːtʃ] *n* (*faculty*) habla, palabra; (*formal talk*) discurso; (*talk*) palabras *fpl*; (*language*) idioma *m*, lenguaje *m*; ~**less** *a* mudo, estupefacto.

speed [spiːd] *n* velocidad *f*, rapidez *f*; (*haste*) prisa; (*promptness*) prontitud *f*; **at full** or **top** ~ **a máxima velocidad; to** ~ **up** *vi* acelerarse // *vt* acelerar; ~**boat** *n* lancha motora; ~**ily** *ad* rápido, rápidamente; ~**ing** *n* (*AUT*) exceso de velocidad; ~ **limit** *n* límite *m* de velocidad, velocidad *f* máxima; ~**ometer** [spɪˈdɔmɪtə*] *n* velocímetro; ~**way** *n* (*SPORT*) carreras *fpl* de moto; ~**y** *a* (*fast*) veloz, rápido; (*prompt*) pronto.

spell [spɛl] *n* (*also:* **magic** ~) encanto, hechizo; (*period of time*) rato, período; (*turn*) turno // *vt, pt, pp* **spelt** or **spelled** (*also:* ~ **out**) deletrear; (*fig*) anunciar, presagiar; **to cast a** ~ **on sb** hechizar a uno; **he can't** ~ no sabe escribir bien, sabe poco de ortografía; **~bound** a embelesado, hechizado; **~ing** n ortografía.

spend [spɛnd], pt, pp **spent** [spɛnt] vt (money) gastar; (time) pasar; (life) dedicar; **~thrift** n derrochador/a m/f, pródigo/a.

sperm [spəːm] n esperma; ~ **whale** n cachalote m.

spew [spjuː] vt vomitar, arrojar.

sphere [sfiə*] n esfera; **spherical** ['sfɛrɪkl] a esférico.

sphinx [sfiŋks] n esfinge f.

spice [spaɪs] n especia // vt especiar; **spicy** a especiado; (fig) picante.

spider ['spaɪdə*] n araña.

spike [spaɪk] n (point) punta; (ZOOL) pincho, púa; (BOT) espiga.

spill [spɪl], pt, pp **spilt** or **spilled** vt derramar, verter // vi derramarse; **to** ~ **over** desbordarse.

spin [spɪn] n (revolution of wheel) vuelta, revolución f; (AVIAT) barrena; (trip in car) paseo (en coche) // (vb: pt, pp **spun**) vt (wool etc) hilar; (wheel) girar // vi girar, dar vueltas; **to** ~ **out** vt alargar, prolongar.

spinach ['spɪnɪtʃ] n espinaca; (as food) espinacas fpl.

spinal ['spaɪnl] a espinal; ~ **cord** n columna vertebral.

spindly ['spɪndlɪ] a zanquivano.

spin-drier [spɪn'draɪə*] n secador m centrífugo.

spine [spaɪn] n espinazo, columna vertebral; (thorn) espina; **~less** a (fig) débil, flojo.

spinning ['spɪnɪŋ] n (of thread) hilado; (art) hilandería; ~ **top** n peonza; ~ **wheel** n rueca, torno de hilar.

spinster ['spɪnstə*] n soltera; (pej) solterona.

spiral ['spaɪərl] n espiral m // a en espiral; ~ **staircase** n escalera de caracol.

spire ['spaɪə*] n aguja, chapitel m.

spirit ['spɪrɪt] n (gen) espíritu m; (soul) alma m; (ghost) fantasma m; (humour) humor m; (courage) valor m, ánimo; **~s** npl (drink) alcohol m, bebidas fpl alcohólicas; **in good ~s** alegre, de buen ánimo; **~ed** a enérgico, vigoroso; ~ **level** n nivel m de aire.

spiritual ['spɪrɪtjuəl] a espiritual // n (also: **Negro** ~) canción f religiosa, espiritual m; **~ism** n espiritualismo.

spit [spɪt] n (for roasting) asador m, espetón m // vi, pt, pp **spat** escupir; (sound) chisporrotear.

spite [spaɪt] n rencor m, ojeriza // vt causar pena a, mortificar; **in** ~ **of** a pesar de, pese a; **~ful** a rencoroso, malévolo.

spittle ['spɪtl] n saliva, baba.

splash [splæʃ] n (sound) chapoteo; (of colour) mancha // vt salpicar de // vi (also: ~ **about**) chapotear.

spleen [spliːn] n (ANAT) bazo.

splendid ['splɛndɪd] a espléndido; **splendour, splendor** (US) [-də*] n esplendor m; (of achievement) brillo, gloria.

splint [splɪnt] n tablilla.

splinter ['splɪntə*] n (of wood) astilla; (in finger) espigón m // vi astillarse, hacer astillas.

split [splɪt] n hendedura, raja; (fig) división f; (POL) escisión f // (vb: pt, pp **split**) vt partir, rajar; (party) dividir; (work, profits) repartir // vi (divide) dividirse, escindirse; **to** ~ **up** vi (couple) separarse; (meeting) acabarse.

splutter ['splʌtə*] vi chisporrotear; (person) balbucear.

spoil [spɔɪl], pt, pp **spoilt** or **spoiled** vt (damage) dañar; (mar) estropear, echar a perder; (child) mimar, consentir; **~s** npl despojo sg, botín m; **~sport** n aguafiestas m inv.

spoke [spəuk] pt of **speak** // n rayo, radio.

spoken ['spəukn] pp of **speak**.

spokesman ['spəuksmən] n vocero, portavoz m.

sponge [spʌndʒ] n esponja; (cake) pastel m // vt (wash) lavar con esponja // vi: **to** ~ **on sb** vivir a costa de uno; ~ **bag** n esponjera; ~ **cake** n bizcocho, pastel m; **spongy** a esponjoso.

sponsor ['spɔnsə*] n (RADIO, TV) patrocinador/a m/f; (for membership) padrino; (COMM) fiador/a m/f // vt patrocinar; apadrinar; (idea etc) presentar, promover; **~ship** n patrocinio.

spontaneous [spɔn'teɪnɪəs] a espontáneo.

spool [spuːl] n carrete m; (of sewing machine) canilla.

spoon [spuːn] n cuchara; **~-feed** vt dar de comer con cuchara; (fig) tratar como un niño; **~ful** n cucharada.

sporadic [spə'rædɪk] a esporádico.

sport [spɔːt] n deporte m; (person) buen perdedor m; **~ing** a deportivo; **~s car** n coche m sport; **~s jacket** n chaqueta sport; **sportsman** n deportista m; **sportsmanship** n deportividad f; **sportswear** n trajes mpl de deporte o sport; **sportswoman** n deportista; **~y** a deportivo.

spot [spɔt] n sitio, lugar m; (dot: on pattern) punto, mancha; (pimple) grano; (freckle) peca; (small amount): **a** ~ **of** un poquito de // vt (notice) notar, observar; **on the** ~ en el acto, acto seguido; (in difficulty) en un aprieto; ~ **check** n reconocimiento rápido; **~less** a nítido, perfectamente limpio; **~light** n foco, reflector m; **~ted** a (pattern) de puntos; **~ty** a (face) con granos.

spouse [spauz] n cónyuge m/f.

spout [spaut] n (of jug) pico; (pipe) caño // vi chorrear.

sprain [spreɪn] n torcedura // vt: **to** ~ **one's ankle** torcerse el tobillo.

sprang [spræŋ] pt of **spring**.

sprawl [sprɔːl] *vi* tumbarse.
spray [spreɪ] *n* rociada; (*of sea*) espuma; (*container*) atomizador *m*; (*of paint*) pistola rociadora; (*of flowers*) ramita // *vt* rociar; (*crops*) regar.
spread [sprɛd] *n* extensión *f*; (*distribution*) diseminación *f*, propagación *f*; (*col: food*) comilona // (*vb: pt, pp* **spread**) *vt* extender; diseminar; (*butter*) untar; (*wings, sails*) desplegar; (*scatter*) esparcir // *vi* extenderse; diseminarse; untarse; desplegarse; esparcirse.
spree [spriː] *n*: **to go on a** ~ ir de juerga.
sprightly ['spraɪtlɪ] *a* vivo, enérgico.
spring [sprɪŋ] *n* (*leap*) salto, brinco; (*coiled metal*) resorte *m*; (*season*) primavera; (*of water*) fuente *f*, manantial *f* // *vi, pt* **sprang**, *pp* **sprung** (*arise*) brotar, nacer; (*leap*) saltar, brincar; **to** ~ **up** *vi* nacer de repente, aparecer repentinamente; ~**board** *n* trampolín *m*; ~**-clean** *n* (*also:* ~**-cleaning**) limpieza general; ~**time** *n* primavera; ~**y** *a* elástico; (*grass*) muelle.
sprinkle ['sprɪŋkl] *vt* (*pour*) rociar; **to** ~ **water on,** ~ **with water** rociar *o* salpicar de agua; ~**d with** (*fig*) sembrado *o* salpicado de.
sprint [sprɪnt] *n* sprint *m* // *vi* (*gen*) correr a toda velocidad; (*sport*) sprintar; ~**er** *n* sprinter *m/f*, corredor/a *m/f*.
sprite [spraɪt] *n* duende *m*.
sprout [spraut] *vi* brotar, retoñar; **(Brussels)** ~**s** *npl* colecillos *mpl* de Bruselas.
spruce [spruːs] *n* (*BOT*) pícea // *a* aseado, pulcro.
sprung [sprʌŋ] *pp of* **spring.**
spry [spraɪ] *a* ágil, activo.
spun [spʌn] *pt, pp of* **spin.**
spur [spəː*] *n* espuela; (*fig*) estímulo, aguijón *m* // *vt* (*also:* ~ **on**) estimular, incitar; **on the** ~ **of the moment** de improviso.
spurn [spəːn] *vt* desdeñar, rechazar.
spurt [spəːt] *n* esfuerzo supremo; (*of energy*) arrebato // *vi* hacer un esfuerzo supremo.
spy [spaɪ] *n* espía *m/f* // *vi*: **to** ~ **on** espiar a // *vt* (*see*) divisar, lograr ver; ~**ing** *n* espionaje *m*.
sq. *abbr of* **square.**
squabble ['skwɔbl] *n* riña, pelea // *vi* reñir, pelear.
squad [skwɔd] *n* (*MIL, POLICE*) pelotón *m*, escuadra.
squadron ['skwɔdrn] *n* (*MIL*) escuadrón *m*; (*AVIAT, NAUT*) escuadra.
squalid ['skwɔlɪd] *a* vil, miserable, escuálido.
squall [skwɔːl] *n* (*storm*) chubasco; (*wind*) ráfaga.
squalor ['skwɔlə*] *n* miseria.
squander ['skwɔndə*] *vt* (*money*) derrochar, despilfarrar; (*chances*) desperdiciar.
square [skwɛə*] *n* cuadro; (*in town*) plaza // *a* cuadrado; (*col: ideas, tastes*) pasota //

vt (*arrange*) arreglar; (*MATH*) cuadrar; **all** ~ igual(es); **a** ~ **meal** una comida abundante; **2 metres** ~ 2 metros en cuadro; **1** ~ **metre** un metro cuadrado; ~**ly** *ad* en cuadro; (*fully*) de lleno.
squash [skwɔʃ] *n* (*drink*): **lemon/orange** ~ zumo de limón/naranja; (*sport*) squash *m*, frontenis *m* // *vt* aplastar; **to** ~ **together** apiñar.
squat [skwɔt] *a* achaparrado // *vi* agacharse, sentarse en cuclillas; ~**ter** *n* persona que ocupa ilegalmente una casa.
squawk [skwɔːk] *vi* graznar.
squeak [skwiːk] *n* chirrido, rechinamiento; (*of shoe*) crujido; (*of mouse*) chillido // *vi* chirriar, rechinar; crujir; chillar.
squeal [skwiːl] *vi* chillar, dar gritos agudos.
squeamish ['skwiːmɪʃ] *a* delicado, remilgado.
squeeze [skwiːz] *n* (*gen*) estrujón *m*; (*of hand*) apretón *m*; (*in bus etc*) apiñamiento // *vt* estrujar, apretar; (*hand, arm*) apretar; **to** ~ **out** *vt* exprimir; (*fig*) excluir; **to** ~ **through** abrirse paso con esfuerzos.
squelch [skwɛltʃ] *vi* aplastar, despachurrar.
squid [skwɪd] *n* calamar *m*.
squint [skwɪnt] *vi* bizquear, ser bizco // *n* (*MED*) estrabismo; **to** ~ **at sth** mirar algo de soslayo.
squirm [skwəːm] *vi* retorcerse, revolverse.
squirrel ['skwɪrəl] *n* ardilla.
squirt [skwəːt] *vi* salir a chorros.
Sr *abbr of* **senior.**
St *abbr of* **saint; street.**
stab [stæb] *n* (*with knife etc*) puñalada; (*of pain*) pinchazo; (*col: try*): **to have a** ~ **at (doing) sth** intentar (hacer) algo // *vt* apuñalar.
stability [stə'bɪlɪti] *n* estabilidad *f*; **stabilize** ['steɪbəlaɪz] *vt* estabilizar // *vi* estabilizarse; **stable** ['steɪbl] *a* estable // *n* cuadra, caballeriza.
stack [stæk] *n* montón *m*, pila // *vt* amontonar, apilar.
stadium ['steɪdɪəm] *n* estadio.
staff [stɑːf] *n* (*work force*) personal *m*, plantilla; (*stick*) bastón *m* // *vt* proveer de personal.
stag [stæg] *n* ciervo, venado.
stage [steɪdʒ] *n* escena; (*profession*): **the** ~ el escenario, el teatro; (*point*) etapa; (*platform*) plataforma // *vt* (*play*) poner en escena, representar; (*demonstration*) montar, organizar; (*fig: perform: recovery etc*) llevar a cabo; ~**coach** *n* diligencia. ~ **door** *n* entrada de artistas; ~ **manager** *n* director/a *m/f* de escena.
stagger ['stægə*] *vi* tambalear // *vt* (*amaze*) asombrar; (*hours, holidays*) escalonar; ~**ing** *a* (*amazing*) asombroso, pasmoso.
stagnant ['stægnənt] *a* estancado; **stagnate** [-'neɪt] *vi* estancarse.
stag party *n* fiesta de solteros.

staid [steɪd] *a* serio, formal.

stain [steɪn] *n* mancha; *(colouring)* tintura // *vt* manchar; *(wood)* teñir; **~ed glass window** *n* vidriera de colores; **~less** *a* *(steel)* inoxidable.

stair [stɛə*] *n* *(step)* peldaño, escalón *m*; **~s** *npl* escaleras *fpl*; **~case**, **~way** *n* escalera.

stake [steɪk] *n* estaca, poste *m*; *(BETTING)* apuesta // *vt* apostar; **to be at ~** estar en juego.

stalactite ['stælɐktaɪt] *n* estalactita.

stalagmite ['stælɐgmaɪt] *n* estalagmita.

stale [steɪl] *a* *(bread)* duro; *(food)* no fresco, pasado.

stalemate ['steɪlmeɪt] *n* tablas *fpl* (por ahogado); *(fig)* estancamiento.

stalk [stɔ:k] *n* tallo, caña // *vt* acechar, cazar al acecho; **to ~ off** irse con paso airado.

stall [stɔ:l] *n* *(in market)* puesto; *(in stable)* casilla (de establo) // *vt* *(AUT)* parar // *vi* *(AUT)* pararse; *(fig)* buscar evasivas; **~s** *npl* *(in cinema, theatre)* butacas *fpl*.

stallion ['stælɪən] *n* caballo padre, semental *m*.

stalwart ['stɔ:lwət] *n* *(in build)* fornido; *(in spirit)* valiente.

stamina ['stæmɪnə] *n* resistencia.

stammer ['stæmə*] *n* tartamudeo, balbuceo // *vi* tartamudear, balbucir.

stamp [stæmp] *n* sello, estampilla; *(mark, also fig)* marca, huella; *(on document)* timbre *m* // *vi* patear // *vt* patear, golpear con el pie; *(in dance)* zapatear; *(letter)* poner sellos en; *(with rubber ~)* marcar con estampilla; **~ album** *n* álbum *m* para sellos; **~ collecting** *n* filatelia.

stampede [stæm'pi:d] *n* estampida.

stance [stæns] *n* postura.

stand [stænd] *n* *(position)* posición *f*, postura; *(for taxis)* parada; *(hall ~)* perchero; *(music ~)* atril *m*; *(SPORT)* tribuna; *(news ~)* quiosco // *(vb: pt, pp stood)* *vi* *(be)* estar, encontrarse; *(be on foot)* estar de pie; *(rise)* levantarse; *(remain)* quedar en pie // *vt* *(place)* poner, colocar; *(tolerate, withstand)* aguantar, soportar; *(cost)* pagar; *(invite)* invitar; **to make a ~** resistir; *(fig)* aferrarse a un principio; **to ~ for parliament** presentarse como candidato al parlamento; **to ~ by** *vi* *(be ready)* estar listo // *vt fus* *(opinion)* aferrarse a; **to ~ for** *vt fus* *(defend)* apoyar; *(signify)* significar; *(tolerate)* aguantar, permitir; **to ~ in for** *vt fus* suplir a; **to ~ out** *vi* *(be prominent)* destacarse; **to ~ up** *vi* *(rise)* levantarse, ponerse de pie; **to ~ up for** *vt fus* defender; **to ~ up to** *vt fus* hacer frente a.

standard ['stændəd] *n* patrón *m*, norma; *(flag)* estandarte *m*; *(degree)* grado // *a* *(size etc)* normal, corriente, stándard; **~s** *npl* *(morals)* valores *mpl* morales; **~ize** *vt* estandarizar; **~ lamp** *n* lámpara de pie; **~ of living** *n* nivel *m* de vida.

stand-by ['stændbaɪ] *n* *(alert)* alerta, aviso; **to be on ~** estar sobre aviso; **~ ticket** *n* *(AVIAT)* billete *m* standby.

stand-in ['stændɪn] *n* suplente *m/f*; *(CINEMA)* doble *m/f*.

standing ['stændɪŋ] *a* *(upright)* derecho; *(on foot)* de pie, en pie // *n* reputación *f*; **of many years'** que lleva muchos años; **~ order** *n* *(at bank)* giro bancario; **~ orders** *npl* *(MIL)* reglamento *sg* general; **~ room** *n* sitio para estar de pie.

stand: **~-offish** *a* reservado, poco afable; **~point** *n* punto de vista; **~still** *n*: **at a ~still** paralizado, en paro; **to come to a ~still** pararse, quedar paralizado.

stank [stæŋk] *pt of* **stink.**

staple ['steɪpl] *n* *(for papers)* grapa // *a* *(food etc)* corriente // *vt* unir con grapa, engrapar; **stapler** *n* grapadora.

star [sta:*] *n* estrella; *(celebrity)* estrella, astro // *vi*: **to ~ in** ser la estrella o el astro de.

starboard ['sta:bəd] *n* estribor *m*.

starch [sta:tʃ] *n* almidón *m*; **~ed** *a* *(collar)* almidonado; **~y** *a* feculento.

stardom ['sta:dəm] *n* estrellato, calidad *f* de estrella.

stare [stɛə*] *n* mirada fija // *vt*: **to ~ at** mirar fijo.

starfish ['sta:fɪʃ] *n* estrella de mar.

stark [sta:k] *a* *(bleak)* severo, escueto // *ad*: **~ naked** en cueros, en pelota.

starlight ['sta:laɪt] *n*: **by ~** a la luz de las estrellas.

starling ['sta:lɪŋ] *n* estornino.

starry ['sta:rɪ] *a* estrellado; **~-eyed** *a* *(innocent)* inocentón(ona), ingenuo.

start [sta:t] *n* *(beginning)* principio, comienzo; *(departure)* salida; *(sudden movement)* salto, sobresalto; *(advantage)* ventaja // *vt* empezar, comenzar; *(cause)* causar; *(found)* fundar; *(engine)* poner en marcha // *vi* *(begin)* comenzar, empezar; *(with fright)* asustarse, sobresaltarse; *(train etc)* salir; **to ~ off** *vi* empezar, comenzar; *(leave)* salir, ponerse en camino; **to ~ up** *vi* comenzar; *(car)* ponerse en marcha // *vt* comenzar; *(car)* poner en marcha; **~er** *n* *(AUT)* botón *m* de arranque; *(SPORT: official)* juez *m/f* de salida; *(: runner)* corredor/a *m/f*; *(CULIN)* entrada; **~ing point** *n* punto de partida.

startle ['sta:tl] *vt* asustar, sobrecoger; **startling** *a* alarmante.

starvation [sta:'veɪʃən] *n* hambre *f*; *(MED)* inanición *f*; **starve** *vi* pasar hambre; *(to death)* morir de hambre // *vt* hacer pasar hambre; *(fig)* privar; **I'm starving** estoy muerto de hambre.

state [steɪt] *n* estado // *vt* *(say, declare)* afirmar; *(a case)* presentar, exponer; **the S~s** los Estados Unidos; **to be in a ~** estar agitado; **~ly** *a* majestuoso, imponente; **~ment** *n* afirmación *f*; *(LAW)* declaración *f*; **statesman** *n* estadista *m*.

static ['stætɪk] *n* *(RADIO)* parásitos *mpl* // *a* estático; **~ electricity** *n* estática.

station ['steɪʃən] n (gen) estación f; (place) puesto, sitio; (RADIO) emisora; (rank) posición f social // vt colocar, situar; (MIL) apostar.

stationary ['steɪʃnərɪ] a estacionario, fijo.

stationer's (shop) ['steɪʃənəz] n papelería; **stationery** [-nərɪ] n papel m de escribir.

station master n (RAIL) jefe m de estación.

station wagon n (US) break m.

statistic [stə'tɪstɪk] n estadística; ~s npl (science) estadística sg; ~al a estadístico.

statue ['stætju:] n estatua.

stature ['stætʃə*] n estatura; (fig) talla.

status ['steɪtəs] n condición f, estado; (reputation) reputación f, státus m; **the ~ quo** el statu quo; ~ **symbol** n símbolo de prestigio.

statute ['stætju:t] n estatuto, ley f; **statutory** a estatutario.

staunch [stɔ:ntʃ] a firme, incondicional.

stave [steɪv] vt: **to ~ off** (attack) rechazar; (threat) evitar.

stay [steɪ] n (period of time) estancia // vi (remain) quedar, quedarse; (as guest) hospedarse; (spend some time) pasar (un tiempo); **to ~ put** seguir en el mismo sitio; **to ~ the night** pasar la noche; **to ~ behind** vi quedar atrás; **to ~ in** vi (at home) quedarse en casa; **to ~ out** vi (of house) no volver a casa; **to ~ up** vi (at night) velar, no acostarse; ~**ing power** n resistencia.

steadfast ['stɛdfɑ:st] a firme, resuelto.

steadily ['stɛdɪlɪ] ad (firmly) firmemente; (unceasingly) sin parar; (fixedly) fijamente; (walk) normalmente; (drive) a velocidad constante.

steady ['stɛdɪ] a (constant) constante, fijo; (unswerving) firme; (regular) regular; (person, character) sensato, juicioso; (diligent) trabajador; (calm) sereno // vt (hold) mantener firme; (stabilize) estabilizar; (nerves) calmar; **to ~ o.s. on** or **against sth** afirmarse en algo.

steak [steɪk] n (gen) filete m; (beef) bistec m.

steal [sti:l], pt **stole**, pp **stolen** vt, vi robar.

stealth [stɛlθ] n: **by ~** a escondidas, sigilosamente; ~**y** a cauteloso, sigiloso.

steam [sti:m] n vapor m; (mist) vaho, humo m // vt empañar; (CULIN) cocer al vapor // vi echar vapor; (ship): **to ~ along** avanzar, ir avanzando; ~ **engine** n máquina de vapor; ~**er** n vapor m; ~**roller** n apisonadora; ~**y** a vaporoso; (room) lleno de vapor; (window) empañado.

steel [sti:l] n acero // a de acero; ~**works** n (fábrica) siderúrgica.

steep [sti:p] a escarpado, abrupto; (stair) empinado; (price) exorbitante, excesivo // vt empapar, remojar.

steeple ['sti:pl] n aguja, campanario; ~**chase** n carrera de obstáculos; ~**jack**

n reparador m de chimeneas.

steer [stɪə*] vt conducir, dirigir // vi conducir; ~**ing** n (AUT) dirección f; ~**ing wheel** n volante m.

stellar ['stɛlə*] a estelar.

stem [stɛm] n (of plant) tallo; (of glass) pie m; (of pipe) cañón m // vt detener; (blood) restañar; **to ~ from** vt fus proceder de.

stench [stɛntʃ] n hedor m.

stencil ['stɛnsl] n (typed) cliché m, clisé m; (lettering) plantilla // vt hacer un cliché de.

step [stɛp] n paso; (sound) paso, pisada; (stair) peldaño, escalón m // vi: **to ~ forward** dar un paso adelante; ~ **ladder**; **to ~ down** vi (fig) retirarse; **to ~ off** vt fus bajar de; **to ~ on** vt fus pisar; **to ~ over** vt fus pasar por encima de; **to ~ up** vt (increase) aumentar; ~**brother** n hermanastro; ~**daughter** n hijastra; ~**father** n padrastro; ~**ladder** n escalera de tijera o doble; ~**mother** n madrastra; ~**ping stone** n pasadera; ~**sister** n hermanastra; ~**son** n hijastro.

stereo ['stɛrɪəu] n estereo // a (also: ~**phonic**) estereo(fónico).

stereotype ['stɪərɪətaɪp] n estereotipo // vt estereotipar.

sterile ['stɛraɪl] a estéril; **sterility** [-'rɪlɪtɪ] n esterilidad f; **sterilization** [-'zeɪʃən] n esterilización f; **sterilize** ['stɛrɪlaɪz] vt esterilizar.

sterling ['stɜ:lɪŋ] a esterlina; (silver) de ley; (fig) auténtico.

stern [stɜ:n] a severo, austero // n (NAUT) popa.

stethoscope ['stɛθəskəup] n estetoscopio.

stew [stju:] n cocido, estofado; (fig: mess) apuro // vt, vi estofar, guisar; (fruit) cocer.

steward ['stju:əd] n (gen) camarero; ~**ess** n azafata.

stick [stɪk] n palo; (as weapon) porra; (walking ~) bastón m // (vb: pt, pp **stuck**) vt (glue) pegar; (thrust): **to ~ sth into** clavar o hincar algo en; (col: put) meter; (col: tolerate) aguantar, soportar // vi pegar, pegarse; (come to a stop) quedarse parado; (in mind etc) atascarse; (pin etc) clavarse; **to ~ out**, **to ~ up** vi sobresalir; **to ~ up for** vt fus defender; ~**er** n etiqueta engomada.

stickler ['stɪklə*] n: **to be a ~ for** dar mucha importancia a.

stick-up ['stɪkʌp] n asalto, atraco.

sticky ['stɪkɪ] a pegajoso; (label) engomado; (fig) difícil.

stiff [stɪf] a rígido, tieso; (hard) duro; (difficult) difícil; (person) inflexible; (price) exorbitante; ~**en** vt hacer más rígido; (limb) entumecer // vi endurecerse; (grow stronger) fortalecerse; ~**ness** n rigidez f, tiesura; dificultad f; (character) frialdad f.

stifle ['staɪfl] vt ahogar, sofocar; **stifling** a (heat) sofocante, bochornoso.

stigma ['stɪgmə], pl (BOT, MED, REL) ~**ta** [-tə], (fig) ~**s** n estigma m.

stile [staɪl] *n* escalera para pasar una cerca.

stiletto [stɪ'letəu] *n* (*also*: ~ **heel**) tacón *m* de aguja.

still [stɪl] *a* inmóvil, quieto // *ad* (*up to this time*) todavía; (*even*) aún; (*nonetheless*) sin embargo, aun así; ~**born** *a* nacido muerto; ~ **life** *n* naturaleza muerta.

stilt [stɪlt] *n* zanco; (*pile*) pilar *m*, soporte *m*.

stilted ['stɪltɪd] *a* afectado.

stimulant ['stɪmjulənt] *n* estimulante *m*.

stimulate ['stɪmjuleɪt] *vt* estimular; **stimulating** *a* estimulante; **stimulation** [-'leɪʃən] *n* estímulo.

stimulus ['stɪmjuləs], *pl* **-li** [-laɪ] *n* estímulo, incentivo.

sting [stɪŋ] *n* (*wound*) picadura; (*pain*) escozor *m*, picazón *m*; (*organ*) aguijón *m* // (*vb*: *pt*, *pp* **stung**) *vt* picar // *vi* picar, escocer.

stingy ['stɪndʒɪ] *a* tacaño.

stink [stɪŋk] *n* hedor *m*, tufo // *vi*, *pt* **stank**, *pp* **stunk** heder, apestar; ~**ing** *a* hediondo, fétido.

stint [stɪnt] *n* tarea, destajo; **to do one's** ~ hacer su parte // *vi*: **to** ~ **on** escatimar.

stipend ['staɪpend] *n* (*of vicar etc*) estipendio, sueldo.

stipulate ['stɪpjuleɪt] *vt* estipular, poner como condición; **stipulation** [-'leɪʃən] *n* estipulación *f*, condición *f*.

stir [stə:*] *n* (*fig*: *agitation*) conmoción *f* // *vt* (*tea etc*) remover; (*fire*) atizar; (*move*) mover; (*fig*: *emotions*) conmover // *vi* moverse, menearse; **to** ~ **up** *vt* excitar; (*trouble*) fomentar; ~**ring** *a* conmovedor(a).

stirrup ['stɪrəp] *n* estribo.

stitch [stɪtʃ] *n* (*SEWING*) puntada; (*KNITTING*) punto; (*MED*) punto (de sutura); (*pain*) punzada // *vt* coser; (*MED*) suturar.

stoat [stəut] *n* armiño.

stock [stɔk] *n* (*COMM. reserves*) existencias *fpl*, stock *m*; (*: selection*) surtido; (*AGR*) ganado, ganadería; (*CULIN*) caldo; (*fig*: *lineage*) estirpe *f*; (*FINANCE*) capital *m*; (*: shares*) acciones *fpl* // *a* (*fig*: *reply etc*) clásico, acostumbrado // *vt* (*have in* ~) tener (en existencia o almacén); (*supply*) proveer, abastecer; **to take** ~ **of** (*fig*) asesorar, examinar; **to** ~ **up with** *vt* abastecerse de; ~**s** *npl* cepo *sg*; ~**s and shares** acciones y valores.

stockade [stɔ'keɪd] *n* estacada.

stockbroker ['stɔkbrəukə*] *n* agente *m/f* o corredor/a *m/f* de bolsa.

stock exchange *n* bolsa.

stocking ['stɔkɪŋ] *n* media.

stock market *n* bolsa (de valores).

stockpile ['stɔkpaɪl] *n* reserva // *vt* acumular, almacenar.

stocktaking ['stɔkteɪkɪŋ] *n* (*COMM*) inventario, balance *m*.

stocky ['stɔkɪ] *a* (*strong*) robusto; (*short*) achaparrado.

stodgy ['stɔdʒɪ] *a* indigesto, pesado.

stoical ['stəuɪkəl] *a* estoico.

stoke [stəuk] *vt* cargar, cebar.

stole [stəul] *pt* of **steal** // *n* estola.

stolen ['stəuln] *pp* of **steal.**

stomach ['stʌmək] *n* (*ANAT*) estómago; (*belly*) vientre *m*; (*appetite*) apetito // *vt* tragar, aguantar; ~ **ache** *n* dolor *m* de estómago.

stone [stəun] *n* piedra; (*in fruit*) hueso; (*weight*) medida de peso (*6.348kg*) // *a* de piedra // *vt* apedrear; ~**-cold** *a* helado; ~**-deaf** *a* totalmente sordo; ~**work** *n* (*art*) cantería; (*stones*) piedras *fpl*; **stony** *a* pedregoso; (*glance*) glacial.

stood [stud] *pt*, *pp* of **stand.**

stool [stu:l] *n* taburete *m*.

stoop [stu:p] *vi* (*also*: **have a** ~) ser cargado de espaldas; (*bend*) inclinarse, encorvarse.

stop [stɔp] *n* parada, alto; (*in punctuation*) punto // *vt* parar, detener; (*break off*) suspender; (*block*) tapar, cerrar; (*also*: **put a** ~ **to**) terminar, poner término a // *vi* pararse, detenerse; (*end*) acabarse; **to** ~ **doing sth** dejar de hacer algo; **to** ~ **dead** *vi* pararse en seco; **to** ~ **off** *vi* interrumpir el viaje; **to** ~ **up** *vt* (*hole*) tapar; ~**gap** *n* recurso (temporal); ~**lights** *npl* (*AUT*) luces *fpl* de detención; ~**over** *n* parada intermedia.

stoppage ['stɔpɪdʒ] *n* (*strike*) paro; (*temporary stop*) interrupción *f*; (*of pay*) suspensión *f*; (*blockage*) obstrucción *f*.

stopper ['stɔpə*] *n* tapón *m*.

stopwatch ['stɔpwɔtʃ] *n* cronómetro.

storage ['stɔ:rɪdʒ] *n* almacenaje *m*.

store [stɔ:*] *n* (*stock*) provisión *f*; (*depot, large shop*) almacén *m*; (*reserve*) reserva, repuesto; ~**s** *npl* víveres *mpl* // *vt* almacenar; (*keep*) guardar; **to** ~ **up** *vt* acumular; ~**room** *n* despensa.

storey, story (*US*) ['stɔ:rɪ] *n* piso.

stork [stɔ:k] *n* cigüeña.

storm [stɔ:m] *n* tormenta; (*wind*) vendaval *m*; (*fig*) tempestad *f* // *vi* (*fig*) rabiar // *vt* tomar por asalto, asaltar; ~ **cloud** *n* nubarrón *m*; ~**y** *a* tempestuoso.

story ['stɔ:rɪ] *n* historia, relato; (*joke*) cuento, chiste *m*; (*plot*) argumento; (*lie*) cuento, embuste *m*; (*US*) = **storey;** ~**book** *n* libro de cuentos; ~**teller** *n* cuentista *m/f.*

stout [staut] *a* (*strong*) sólido, macizo; (*fat*) gordo, corpulento // *n* cerveza negra.

stove [stəuv] *n* (*for cooking*) cocina; (*for heating*) estufa.

stow [stəu] *vt* meter, poner; (*NAUT*) estibar; ~**away** *n* polizón/ona *m/f.*

straddle ['strædl] *vt* montar a horcajadas.

straggle ['strægl] *vi* (*wander*) vagar en desorden; (*lag behind*) rezagarse; **straggler** *n* rezagado; **straggling, straggly** *a* (*hair*) desordenado.

straight [streɪt] *a* recto, derecho; (*honest*) honrado; (*frank*) franco, directo; (*simple*) sencillo; (*in order*) en orden // *ad* derecho, directamente; (*drink*) sin mezcla; **to put**

or **get sth** ~ dejar algo en claro; ~ **away**, ~ **off** (*at once*) en seguida; ~**en** *vt* (*also*: ~**en out**) enderezar, poner derecho; ~-**faced** *a* solemne, sin expresión; ~-**forward** *a* (*simple*) sencillo; (*honest*) honrado, franco.

strain [strein] *n* (*gen*) tensión *f*; (TECH) esfuerzo; (MED) torcedura; (*breed*) raza // *vt* (*back etc*) torcerse; (*tire*) cansar; (*stretch*) estirar; (*filter*) filtrar // *vi* esforzarse; ~**s** *npl* (MUS) son *m*; ~**ed** *a* (*muscle*) torcido; (*laugh*) forzado; (*relations*) tenso; ~**er** *n* colador *m*.

strait [streit] *n* (GEO) estrecho; ~-**jacket** *n* camisa de fuerza; ~-**laced** *a* mojigato, gazmoño.

strand [strænd] *n* (*of thread*) hebra; (*of hair*) trenza; (*of rope*) ramal *m*; ~**ed** *a* abandonado (sin recursos), desamparado.

strange [streindʒ] *a* (*not known*) desconocido; (*odd*) extraño, raro; **stranger** *n* desconocido/a; (*from another area*) forastero/a.

strangle ['stræŋgl] *vt* estrangular; (*sobs etc*) ahogar; ~**hold** *n* (*fig*) dominio completo; **strangulation** [-'leiʃən] *n* estrangulación *f*.

strap [stræp] *n* correa; (*of slip, dress*) tirante *m* // *vt* atar con correa; (*punish*) azotar.

strapping ['stræpiŋ] *a* robusto, fornido.

strata ['strɑːtə] *pl of* **stratum.**

stratagem ['strætidʒəm] *n* estratagema.

strategic [strə'tiːdʒik] *a* estratégico.

strategy ['strætidʒi] *n* estrategia.

stratum ['strɑːtəm], *pl* -**ta** *n* estrato.

straw [strɔː] *n* paja; (*drinking* ~) caña, pajita.

strawberry ['strɔːbəri] *n* fresa.

stray [strei] *a* (*animal*) extraviado; (*bullet*) perdido; (*scattered*) disperso // *vi* extraviarse, perderse.

streak [striːk] *n* raya; (*fig: of madness etc*) vena // *vt* rayar // *vi*: **to** ~ **past** pasar como un rayo; ~**y** *a* rayado.

stream [striːm] *n* riachuelo, arroyo; (*jet*) chorro; (*current*) corriente *f*; (*of people*) oleada // *vt* (*scol*) dividir en grupos por habilidad // *vi* correr, fluir; **to** ~ **in/out** (*people*) entrar/salir en tropel.

streamer ['striːmə*] *n* serpentina.

streamlined ['striːmlaind] *a* aerodinámico.

street [striːt] *n* calle *f* // *a* callejero; ~**car** *n* (US) tranvia; ~ **lamp** *n* farol *m*.

strength [strɛŋθ] *n* fuerza; (*of girder, knot etc*) resistencia; ~**en** *vt* fortalecer, reforzar.

strenuous ['strɛnjuəs] *a* (*tough*) arduo; (*energetic*) enérgico; (*determined*) tenaz.

stress [strɛs] *n* (*force, pressure*) presión *f*; (*mental strain*) tensión *f*; (*accent*) énfasis *m*, acento; (TECH) tensión *f*, carga // *vt* subrayar, recalcar.

stretch [strɛtʃ] *n* (*of sand etc*) trecho, tramo // *vi* estirarse; (*extend*): **to** ~ **to** *or* **as far as** extenderse hasta // *vt* extender, estirar; (*make demands of*) exigir el máximo esfuerzo a; **to** ~ **out** *vi* tenderse // *vt* (*arm etc*) extender; (*spread*) estirar.

stretcher ['strɛtʃə*] *n* camilla.

strewn [struːn] *a*: ~ **with** cubierto *o* sembrado de.

stricken ['strikən] *a* (*wounded*) herido; (*ill*) enfermo.

strict [strikt] *a* (*person*) severo, riguroso; (*precise*) estricto, exacto; ~**ly** *ad* (*exactly*) estrictamente; (*totally*) terminantemente; (*severely*) rigurosamente; ~**ness** *n* exactitud *f*; rigor *m*, severidad *f*.

stride [straid] *n* zancada, tranco // *vi*, *pt* **strode**, *pp* **stridden** ['stridn] dar zancadas, andar a trancos.

strident ['straidnt] *a* estridente; (*colour*) chillón(ona).

strife [straif] *n* lucha.

strike [straik] *n* huelga; (*of oil etc*) descubrimiento; (*attack*) ataque *m*; (SPORT) golpe *m* // (*vb*: *pt*, *pp* **struck**) *vt* golpear, pegar; (*oil etc*) descubrir; (*obstacle*) topar con // *vi* declarar la huelga; (*attack*) atacar; (*clock*) dar la hora; **to** ~ **a match** encender un fósforo; **to** ~ **down** *vt* derribar; **to** ~ **out** *vt* borrar, tachar; **to** ~ **up** *vt* (MUS) empezar a tocar; (*conversation*) entablar; (*friendship*) trabar; ~**breaker** *n* rompehuelgas *m/f inv*; **striker** *n* huelgista *m/f*, (SPORT) delantero; **striking** *a* impresionante; (*nasty*) chocante; (*colour*) llamativo.

string [striŋ] *n* (*gen*) cuerda; (*row*) hilera // *vt*, *pt*, *pp* **strung**: **to** ~ **together** ensartar // *vi*: **to** ~ **out** extenderse; **the** ~**s** *npl* (MUS) los instrumentos de cuerda; **to pull** ~**s** (*fig*) mover palancas; ~ **bean** *n* judía verde, habichuela; ~**(ed) instrument** *n* (MUS) instrumento de cuerda.

stringent ['strindʒənt] *a* riguroso, severo.

strip [strip] *n* tira; (*of land*) franja; (*of metal*) cinta, lámina // *vt* desnudar; (*also*: ~ **down**: *machine*) desmontar // *vi* desnudarse; ~ **cartoon** *n* tira cómica.

stripe [straip] *n* raya; (MIL) galón *m*; ~**d** *a* a rayas, rayado.

stripper ['stripə*] *n* artista de striptease.

striptease ['striptiːz] *n* striptease *m*.

strive [straiv], *pt* **strove**, *pp* **striven** ['strivn] *vi*: **to** ~ **to do sth** esforzarse *o* luchar por hacer algo.

strode [strəud] *pt of* **stride.**

stroke [strəuk] *n* (*blow*) golpe *m*; (MED) ataque *m* fulminante; (*caress*) caricia; (*of pen*) trazo // *vt* acariciar, frotar suavemente; **at a** ~ de golpe.

stroll [strəul] *n* paseo, vuelta // *vi* dar un paseo *o* una vuelta.

strong [strɔŋ] *a* fuerte; **they are 50** ~ son 50; ~**box** *n* caja fuerte; ~**hold** *n* fortaleza; (*fig*) baluarte *m*; ~**ly** *ad* fuertemente, con fuerza; (*believe*)

firmemente; **~room** *n* cámara
acorazada.
strove [strəʊv] *pt of* **strive.**
struck [strʌk] *pt, pp of* **strike.**
structural ['strʌktʃərəl] *a* estructural;
structure *n* estructura; (*building*)
construcción *f.*
struggle ['strʌgl] *n* lucha // *vi* luchar.
strum [strʌm] *vt* (*guitar*) rasguear.
strung [strʌŋ] *pt, pp of* **string.**
strut [strʌt] *n* puntal *m* // *vi* pavonearse.
stub [stʌb] *n* (*of ticket etc*) talón *m*; (*of
cigarette*) colilla; **to ~ out** *vt* apagar; **to
~ one's toe** dar con el dedo contra algo.
stubble ['stʌbl] *n* rastrojo; (*on chin*) barba
(de pocos días).
stubborn ['stʌbən] *a* terco, testarudo.
stuck [stʌk] *pt, pp of* **stick** // *a* (*jammed*)
atascado; **~-up** *a* engreído, presumido.
stud [stʌd] *n* (*shirt ~*) botón *m*; (*of boot*)
taco; (*of horses*) caballeriza; (*also: ~
horse*) caballo padre *o* semental *m* // *vt*
(*fig*): **~ded with** sembrado de.
student ['stjuːdənt] *n* estudiante *m/f* // *a*
estudiantil.
studio ['stjuːdɪəʊ] *n* estudio; (*sculptor's*)
taller *m.*
studious ['stjuːdɪəs] *a* aplicado; (*studied*)
calculado; **~ly** *ad* (*carefully*) con esmero.
study ['stʌdɪ] *n* (*gen*) estudio // *vt* estudiar;
(*examine*) examinar, escudriñar // *vi*
estudiar.
stuff [stʌf] *n* materia; (*cloth*) tela;
(*substance*) material *m*, sustancia // *vt*
llenar; (*CULIN*) rellenar; (*animals*) disecar;
~ing *n* relleno; **~y** *a* (*room*) mal
ventilado; (*person*) de miras estrechas.
stumble ['stʌmbl] *vi* tropezar, dar un
traspié; **to ~ across** (*fig*) tropezar con;
stumbling block *n* tropiezo, obstáculo.
stump [stʌmp] *n* (*of tree*) tocón *m*; (*of
limb*) muñón *m* // *vt*: **to be ~ed** quedar
perplejo.
stun [stʌn] *vt* dejar sin sentido.
stung [stʌŋ] *pt, pp of* **sting.**
stunk [stʌŋk] *pp of* **stink.**
stunning ['stʌnɪŋ] *a* (*fig*) pasmoso.
stunt [stʌnt] *n* proeza excepcional; (*AVIAT*)
vuelo acrobático; (*publicity ~*) truco
publicitario; **~ed** *a* enano, achaparrado;
~man *n* doble *m.*
stupefy ['stjuːpɪfaɪ] *vt* dejar estupefacto.
stupendous [stjuː'pɛndəs] *a* estupendo,
asombroso.
stupid ['stjuːpɪd] *a* estúpido, tonto; **~ity**
[-'pɪdɪtɪ] *n* estupidez *f*; **~ly** *ad*
estúpidamente.
stupor ['stjuːpə*] *n* estupor *m.*
sturdy ['stɜːdɪ] *a* robusto, fuerte.
stutter ['stʌtə*] *n* tartamudeo // *vi*
tartamudear.
sty [staɪ] *n* (*for pigs*) pocilga.
stye [staɪ] *n* (*MED*) orzuelo.
style [staɪl] *n* estilo; **stylish** *a* elegante, a
la moda.
stylus ['staɪləs] *n* (*of record player*) aguja.

suave [swɑːv] *a* cortés, fino.
sub... [sʌb] *pref* sub...; **~conscious** *a*
subconsciente // *n* subconsciente *m*;
~divide *vt* subdividir; **~division** *n*
subdivisión *f.*
subdue [səb'djuː] *vt* sojuzgar; (*passions*)
dominar; **~d** *a* (*light*) tenue; (*person*)
sumiso, manso.
subject ['sʌbdʒɪkt] *n* súbdito; (*SCOL*) tema
m, materia // *vt* [səb'dʒɛkt]: **to ~ sb to
sth** someter a uno a algo; **to be ~ to**
(*law*) estar sujeto a; **~ion** [-'dʒɛkʃən] *n*
sometimiento, sujeción *f*; **~ive** *a*
subjetivo; **~ matter** *n* materia; (*content*)
contenido.
subjugate ['sʌbdʒugeɪt] *vt* subyugar.
sublet [sʌb'lɛt] *vt* subarrendar.
sublime [sə'blaɪm] *a* sublime.
submachine gun ['sʌbmə'ʃiːn-] *n*
metralleta.
submarine [sʌbmə'riːn] *n* submarino.
submerge [səb'mɜːdʒ] *vt* sumergir; (*flood*)
inundar // *vi* sumergirse.
submission [səb'mɪʃən] *n* sumisión *f*;
submissive [-'mɪsɪv] *a* sumiso.
submit [səb'mɪt] *vt* someter // *vi*
someterse.
subnormal [sʌb'nɔːməl] *a* anormal;
(*backward*) retrasado.
subordinate [sə'bɔːdɪnət] *a*, *n*
subordinado.
subpoena [səb'piːnə] (*LAW*) *n* comparendo,
citación *f* // *vt* mandar comparecer.
subscribe [səb'skraɪb] *vi* suscribir; **to ~
to** (*opinion, fund*) suscribir, aprobar;
(*newspaper*) suscribirse a; **subscriber** *n*
(*to periodical, telephone*) abonado/a.
subscription [səb'skrɪpʃən] *n* abono,
suscripción *f.*
subsequent ['sʌbsɪkwənt] *a* subsiguiente,
posterior; **~ly** *ad* después, más tarde.
subside [səb'saɪd] *vi* hundirse; (*flood*)
bajar; (*wind*) amainar; **subsidence**
[-'saɪdns] *n* hundimiento; (*in road*) socavón
m.
subsidiary [səb'sɪdɪərɪ] *n* sucursal *f*, filial
f.
subsidize ['sʌbsɪdaɪz] *vt* subvencionar;
subsidy [-dɪ] *n* subvención *f.*
subsistence [səb'sɪstəns] *n* subsistencia;
(*allowance*) dietas *fpl.*
substance ['sʌbstəns] *n* sustancia; (*fig*)
esencia.
substandard [sʌb'stændəd] *a* inferior.
substantial [səb'stænʃl] *a* sustancial,
sustancioso; (*fig*) importante; **~ly** *ad* sus-
tancialmente.
substantiate [səb'stænʃɪeɪt] *vt*
comprobar.
substitute ['sʌbstɪtjuːt] *n* (*person*)
suplente *m/f*; (*thing*) sustituto // *vt*: **to ~
A for B** sustituir B por A, reemplazar A
por B; **substitution** [-'tjuːʃən] *n* sustitución
f, reemplazo.
subterfuge ['sʌbtəfjuːdʒ] *n* subterfugio.
subterranean [sʌbtə'reɪnɪən] *a*
subterráneo.

subtitle ['sʌbtaɪtl] n subtítulo.
subtle ['sʌtl] a sutil; ~ty n sutileza.
subtract [səb'trækt] vt sustraer, restar; ~ion [-'trækʃən] n sustracción f, resta.
suburb ['sʌbə:b] n arrabal m, suburbio; ~an [sə'bə:bən] a suburbano; (train etc) de cercanías.
subversive [səb'və:sɪv] a subversivo.
subway ['sʌbweɪ] n (Brit) paso subterráneo o inferior; (us) metro.
succeed [sək'si:d] vi (person) tener éxito; (plan) salir bien // vt suceder a; to ~ in doing lograr hacer; ~ing a (following) sucesivo, seguido.
success [sək'sɛs] n éxito; (gain) triunfo; ~ful a (venture) de éxito; to be ~ful (in doing) lograr (hacer); ~fully ad con éxito.
succession [sək'sɛʃən] n (series) sucesión f, serie f; (descendants) descendencia; **successive** [-'sɛsɪv] a sucesivo, consecutivo; **successor** [-'sɛsə*] n sucesor/a m/f.
succinct [sək'sɪŋkt] a sucinto.
succulent ['sʌkjulənt] a suculento.
succumb [sə'kʌm] vi sucumbir.
such [sʌtʃ] a, det tal, semejante; (of that kind): ~ a book un libro parecido; ~ books tales libros; (so much): ~ courage tanto valor; ~ a long trip un viaje tan largo; ~ a lot of tanto; ~ as (like) tal como; a noise ~ as to un ruido tal que; as ~ ad como tal // pron los/las que; ~-and-~ det tal o cual; until ~ time as hasta que.
suck [sʌk] vt chupar; (bottle) sorber; (breast) mamar; ~er n (BOT) serpollo; (ZOOL) ventosa; (col) bobo, primo.
suckle ['sʌkl] vt amamantar.
suction ['sʌkʃən] n succión f.
sudden ['sʌdn] a (rapid) repentino, súbito; (unexpected) imprevisto; all of a ~, ~ly ad de repente; (unexpectedly) inesperadamente.
suds [sʌdz] npl jabonaduras fpl.
sue [su:] vt demandar.
suede [sweɪd] n ante m.
suet ['suɪt] n sebo.
suffer ['sʌfə*] vt sufrir, padecer; (bear) aguantar; (allow) permitir, tolerar // vi sufrir, padecer; ~er n víctima m/f; (MED) enfermo; ~ing n sufrimiento, padecimiento; (pain) dolor m.
suffice [sə'faɪs] vi bastar, ser suficiente.
sufficient [sə'fɪʃənt] a suficiente, bastante.
suffix [sʌfiks] n sufijo.
suffocate ['sʌfəkeɪt] vi ahogarse, asfixiarse; **suffocation** [-'keɪʃən] n sofocación f, asfixia.
suffrage ['sʌfridʒ] n sufragio; (vote) derecho de votar.
sugar ['ʃugə*] n azúcar m // vt echar azúcar a; ~ beet n remolacha; ~ cane n caña de azúcar; ~y a azucarado.
suggest [sə'dʒɛst] vt sugerir; (advise) aconsejar; ~ion n [-'dʒɛstʃən] n sugerencia;

(hypnotic) sugestión f; ~ive a sugestivo; (pej) indecente.
suicidal [suɪ'saɪdl] a suicida; **suicide** ['suɪsaɪd] n suicidio; (person) suicida m/f.
suit [su:t] n (man's) traje m; (woman's) conjunto; (LAW) litigio, pleito; (CARDS) palo // vt (gen) convenir; (clothes) sentar a, ir bien a; (adapt): to ~ sth to adaptar o ajustar algo a; ~able a conveniente; (apt) indicado; ~ably ad convenientemente, en forma debida.
suitcase ['su:tkeɪs] n maleta.
suite [swi:t] n (of rooms) grupo de habitaciones; (MUS) suite f; (furniture): bedroom/dining room ~ (juego de) dormitorio/comedor m.
suitor ['su:tə*] n pretendiente m.
sulk [sʌlk] vi tener mohíno; ~y a con mohino.
sullen ['sʌlən] a hosco, malhumorado.
sulphur, sulfur (US) ['sʌlfə*] n azufre m.
sultan ['sʌltən] n sultán m.
sultana [sʌl'tɑ:nə] n (fruit) pasa de Esmirna.
sultry ['sʌltrɪ] a (weather) bochornoso; (seductive) seductor(a).
sum [sʌm] n (gen) suma; (total) total m; to ~ up vt recapitular // vi hacer un resumen.
summarize ['sʌmərɑɪz] vt resumir.
summary ['sʌmərɪ] n resumen m // a (justice) sumario.
summer ['sʌmə*] n verano // a de verano; ~house n (in garden) cenador m, glorieta; ~time n (season) verano; ~ time n (by clock) hora de verano.
summit ['sʌmɪt] n cima, cumbre f; ~ (conference) n conferencia cumbre.
summon ['sʌmən] vt (person) llamar; (meeting) convocar; (LAW) citar; to ~ up vt cobrar; ~s n llamamiento, llamada // vt citar, emplazar.
sump [sʌmp] n (AUT) cárter m.
sumptuous ['sʌmptjuəs] a suntuoso.
sun [sʌn] n sol m; ~bathe vi tomar el sol; ~burn n (painful) quemadura; (tan) bronceado; ~burnt a (tanned) bronceado; (painfully) quemado por el sol.
Sunday ['sʌndɪ] n domingo.
sundial ['sʌndaɪəl] n reloj m de sol.
sundry ['sʌndrɪ] a varios, diversos; all and ~ todos y cada uno; **sundries** npl géneros mpl diversos.
sunflower ['sʌnflauə*] n girasol m.
sung [sʌŋ] pp of **sing**.
sunglasses ['sʌnglɑ:sɪz] npl gafas fpl de sol.
sunk [sʌŋk] pp of **sink**.
sun: ~light n luz f del sol; ~lit a iluminado por el sol; ~ny a soleado; (day) de sol; (fig) alegre; ~rise n salida del sol; ~set n puesta del sol; ~shade n (over table) sombrilla; ~shine n sol m; ~spot n mancha solar; ~stroke n insolación f; ~tan n bronceado; ~tan oil n bronceador m, crema bronceadora.
super ['su:pə*] a (col) bárbaro.

superannuation [su:pərænju'eɪʃən] *n* jubilación *f*.

superb [su:'pɔːb] *a* magnífico, espléndido.

supercilious [su:pə'sɪlɪəs] *a* (*disdainful*) desdeñoso; (*haughty*) altanero.

superficial [su:pə'fɪʃəl] *a* superficial.

superfluous [su'pɔːfluəs] *a* superfluo, de sobra.

superhuman [su:pə'hjuːmən] *a* sobrehumano.

superimpose ['su:pərɪm'pəuz] *vt* sobreponer.

superintendent [su:pərɪn'tɛndənt] *n* superintendente *m/f*; (*POLICE*) subjefe *m*.

superior [su'pɪərɪə*] *a* superior; (*smug*) desdeñoso // *n* superior *m*; ~**ity** [-'ɔrɪtɪ] *n* superioridad *f*; desdén *m*.

superlative [su'pɔːlətɪv] *a, n* superlativo.

superman ['su:pəmæn] *n* superhombre *m*.

supermarket ['su:pəmɑːkɪt] *n* supermercado.

supernatural [su:pə'nætʃərəl] *a* sobrenatural.

superpower ['su:pəpauə*] *n* (*POL*) superpotencia.

supersede [su:pə'si:d] *vt* suplantar.

supersonic ['su:pə'sɔnɪk] *a* supersónico.

superstition [su:pə'stɪʃən] *n* superstición *f*; **superstitious** [-ʃəs] *a* supersticioso.

supertanker ['su:pətæŋkə*] *n* superpetrolero.

supervise ['su:pəvaɪz] *vt* supervisar; **supervision** [-'vɪʒən] *n* supervisión *f*; **supervisor** *n* supervisor/a *m/f*.

supper ['sʌpə*] *n* cena; **to have** ~ cenar.

supple ['sʌpl] *a* flexible.

supplement ['sʌplɪmənt] *n* suplemento // *vt* [sʌplɪ'mɛnt] suplir; ~**ary** [-'mɛntərɪ] *a* suplementario.

supplier [sə'plaɪə*] *n* suministrador/a *m/f*; (*COMM*) distribuidor/a *m/f*.

supply [sə'plaɪ] *vt* (*provide*) suministrar, facilitar; (*equip*): **to** ~ (**with**) abastecer (de) // *n* suministro, provisión *f*; (*supplying*) abastecimiento // *a* (*teacher etc*) suplente; **supplies** *npl* (*food*) víveres *mpl*; (*MIL*) pertrechos *mpl*; ~ **and demand** la oferta y la demanda.

support [sə'pɔːt] *n* (*moral, financial etc*) apoyo; (*TECH*) soporte *m* // *vt* apoyar; (*financially*) mantener; (*uphold*) sostener; ~**er** *n* (*POL etc*) partidario; (*SPORT*) aficionado.

suppose [sə'pəuz] *vt, vi* (*gen*) suponer; (*imagine*) imaginarse; **to be** ~**d to do sth** deber hacer algo; ~**dly** [sə'pəuzɪdlɪ] *ad* que se supone, según cabe suponer; **supposing** *conj* en caso de que; **supposition** [sʌpə'zɪʃən] *n* suposición *f*.

suppository [sə'pɔzɪtərɪ] *n* supositorio.

suppress [sə'prɛs] *vt* suprimir; (*yawn*) ahogar; ~**ion** [sə'prɛʃən] *n* represión *f*.

supremacy [su'prɛməsɪ] *n* supremacía; **supreme** [-'pri:m] *a* supremo.

surcharge ['sɔːtʃɑːdʒ] *n* sobrecarga; (*extra tax*) recargo.

sure [ʃuə*] *a* (*gen*) seguro; (*definite, convinced*) cierto; (*aim*) certero; ~! (*of course*) ¡claro!, ¡por supuesto!; ~**-footed** *a* de pie firme; ~**ly** *ad* (*certainly*) seguramente.

surety ['ʃuərətɪ] *n* garantía, fianza; (*person*) fiador/a *m/f*.

surf [sɔːf] *n* olas *fpl*.

surface ['sɔːfɪs] *n* superficie *f* // *vt* (*road*) revestir // *vi* salir a la superficie.

surfboard ['sɔːfbɔːd] *n* plancha (de surfing), acuaplano.

surfeit ['sɔːfɪt] *n*: **a** ~ **of** exceso de.

surfing ['sɔːfɪŋ] *n* surfing *m*.

surge [sɔːdʒ] *n* oleada, oleaje *m* // *vi* avanzar a tropel.

surgeon ['sɔːdʒən] *n* cirujano; **dental** ~ odontólogo.

surgery ['sɔːdʒərɪ] *n* cirugía; (*room*) consultorio; **to undergo** ~ operarse; ~ **hours** *npl* horas *fpl* de consulta.

surgical ['sɔːdʒɪkl] *a* quirúrgico; ~ **spirit** *n* alcohol *m*.

surly ['sɔːlɪ] *a* hosco, malhumorado.

surmount [sɔː'maunt] *vt* superar, sobreponerse a.

surname ['sɔːneɪm] *n* apellido.

surpass [sɔː'pɑːs] *vt* superar, exceder.

surplus ['sɔːpləs] *n* (*gen*) excedente *m*; (*COMM*) superávit *m* // *a* excedente, sobrante.

surprise [sə'praɪz] *n* (*gen*) sorpresa; (*astonishment*) asombro // *vt* sorprender; asombrar; **surprising** *a* sorprendente; asombroso.

surrealist [sə'rɪəlɪst] *a* surrealista.

surrender [sə'rɛndə*] *n* rendición *f*, entrega // *vi* rendirse, entregarse.

surreptitious [sʌrəp'tɪʃəs] *a* subrepticio.

surround [sə'raund] *vt* rodar, circundar; (*MIL etc*) cercar; ~**ing** *a* circundante; ~**ings** *npl* alrededores *mpl*, cercanías *fpl*.

surveillance [sɔː'veɪləns] *n* vigilancia.

survey ['sɔːveɪ] *n* inspección *f*, examen *m*; (*inquiry*) encuesta // *vt* [sɔː'veɪ] (*gen*) examinar, inspeccionar; (*look at*) mirar, contemplar; (*make inquiries about*) hacer una encuesta sobre; ~**or** *n* agrimensor *m*.

survival [sə'vaɪvl] *n* supervivencia; **survive** *vi* sobrevivir; (*custom etc*) perdurar // *vt* sobrevivir a; **survivor** *n* superviviente *m/f*.

susceptible [sə'sɛptəbl] *a*: ~ (**to**) susceptible *o* sensible (a).

suspect ['sʌspɛkt] *a, n* sospechoso // *vt* [səs'pɛkt] sospechar.

suspend [səs'pɛnd] *vt* suspender; ~**er belt** *n* portaligas *m inv*; ~**ers** *npl* ligas *fpl*; (*US*) tirantes *mpl*.

suspense [səs'pɛns] *n* incertidumbre *f*, duda; (*in film etc*) suspense *m*.

suspension [səs'pɛnʃən] *n* (*gen, AUT*) suspensión *f*; (*of driving licence*) privación *f*; ~ **bridge** *n* puente *m* colgante.

suspicion [səs'pɪʃən] *n* (*gen*) sospecha; (*distrust*) recelo; (*trace*) traza; **suspicious**

[-ʃəs] a (*suspecting*) receloso; (*causing* ~) sospechoso.
sustain [səs'teɪn] vt sostener, apoyar; (*suffer*) sufrir, padecer; ~ed a (*effort*) sostenido.
sustenance ['sʌstɪnəns] n sustento.
swab [swɔb] n (*MED*) algodón m, torunda.
swagger ['swægə*] vi pavonearse.
swallow ['swɔləu] n (*bird*) golondrina; (*of food etc*) trago // vt tragar; **to ~ up** vt (*savings etc*) consumir.
swam [swæm] pt of **swim.**
swamp [swɔmp] n pantano, ciénaga // vt abrumar, agobiar; ~**y** a pantanoso.
swan [swɔn] n cisne m.
swap [swɔp] n canje m, intercambio // vt: **to ~ (for)** canjear (por).
swarm [swɔːm] n (*of bees*) enjambre m; (*gen*) multitud f // vi hormiguear, pulular.
swarthy ['swɔːðɪ] a moreno.
swastika ['swɔstɪkə] n suástika, cruz f gamada.
swat [swɔt] vt aplastar.
sway [sweɪ] vi mecerse, balancearse // vt (*influence*) mover, influir en.
swear [swɛə*], pt **swore**, pp **sworn** vi jurar; **to ~ to sth** declarar algo bajo juramento; ~**word** n taco, palabrota.
sweat [swɛt] n sudor m // vi sudar.
sweater ['swɛtə*] n suéter m.
sweaty ['swɛtɪ] a sudoroso.
swede [swiːd] n nabo.
Swede [swiːd] n sueco/a; **Sweden** n Suecia; **Swedish** a, n (*LING*) sueco.
sweep [swiːp] n (*act*) barredura; (*of arm*) golpe m; (*range*) extensión f, alcance m; (*also:* **chimney ~**) deshollinador m // (*vb: pt, pp* **swept**) vt barrer; (*mines*) rastrear // vi barrer; **to ~ away** vt barrer; (*rub out*) borrar; **to ~ past** vi pasar rápidamente; (*brush by*) rozar; **to ~ up** vi recoger la basura; ~**ing** a (*gesture*) dramático; (*generalized*) generalizado.
sweet [swiːt] n (*candy*) dulce m, caramelo; (*pudding*) postre m // a dulce; (*sugary*) azucarado; (*fresh*) fresco, nuevo; (*fig*) dulce, amable; ~**corn** n maíz m; ~**en** vt endulzar; (*add sugar to*) poner azúcar a; ~**heart** n novio/a; (*in speech*) amor; ~**ly** ad dulcemente; (*gently*) suavemente; ~**ness** n (*gen*) dulzura; (*amount of sugar*) lo dulce, lo azucarado; ~ **pea** n guisante m de olor.
swell [swɛl] n (*of sea*) marejada, oleaje m // a (*col: excellent*) estupendo, excelente // (*vb: pt* **swelled**, *pp* **swollen** or **swelled**) vt hinchar, inflar // vi hincharse, inflarse; ~**ing** n (*MED*) hinchazón m.
sweltering ['swɛltərɪŋ] a sofocante, de mucho calor.
swept [swɛpt] pt, pp of **sweep.**
swerve [swəːv] vi desviarse bruscamente.
swift [swɪft] n (*bird*) vencejo // a rápido, veloz; ~**ness** n rapidez f, velocidad f.
swig [swɪg] n (*col: drink*) trago.
swill [swɪl] n bazofia // vt (*also:* ~ **out**, ~

down) lavar, limpiar con agua.
swim [swɪm] n: **to go for a ~** ir a nadar // (*vb: pt* **swam**, *pp* **swum**) vi nadar; (*head, room*) dar vueltas // vt pasar a nado; ~**mer** n nadador/a m/f; ~**ming** n natación f; ~**ming baths** npl piscina sg; ~**ming cap** n gorro de baño; ~**ming costume** n bañador m, traje m de baño; ~**ming pool** n piscina; ~**suit** n bañador m, traje m de baño.
swindle ['swɪndl] n estafa // vt estafar; **swindler** n estafador/a m/f.
swine [swaɪn] n, pl inv cerdos mpl, puercos mpl; (*col!*) canalla sg.
swing [swɪŋ] n (*in playground*) columpio; (*movement*) balanceo, vaivén m; (*change of direction*) viraje m; (*rhythm*) ritmo // (*vb: pt, pp* **swung**) vt balancear; (*on a ~*) columpiar; (*also:* ~ **round**) voltear bruscamente // vi balancearse, columpiarse; (*also:* ~ **round**) volver bruscamente; **to be in full ~** estar en plena marcha; ~ **bridge** n puente m giratorio; ~ **door** n puerta giratoria.
swipe [swaɪp] n golpe m fuerte // vt (*hit*) golpear fuerte; (*col: steal*) guindar.
swirl [swəːl] vi arremolinarse.
Swiss [swɪs] a, n, pl inv suizo/a.
switch [swɪtʃ] n (*for light, radio etc*) interruptor m; (*change*) cambio; (*of hair*) trenza postiza // vt (*change*) cambiar de; **to ~ off** vt apagar; (*engine*) parar; **to ~ on** vt encender, prender; (*engine, machine*) arrancar; ~**board** n (*TEL*) central f de teléfonos.
Switzerland ['swɪtsələnd] n Suiza.
swivel ['swɪvl] vi (*also:* ~ **round**) girar.
swollen ['swəulən] pp of **swell.**
swoon [swuːn] vi desmayarse, desvanecerse.
swoop [swuːp] n (*by police etc*) redada // vi (*also:* ~ **down**) calarse, precipitarse.
swop [swɔp] = **swap.**
sword [sɔːd] n espada; ~**fish** n pez m espada.
swore [swɔː*] pt of **swear.**
sworn [swɔːn] pp of **swear.**
swot [swɔt] vt, vi empollar.
swum [swʌm] pp of **swim.**
swung [swʌŋ] pt, pp of **swing.**
sycamore ['sɪkəmɔː*] n sicomoro.
syllable ['sɪləbl] n sílaba.
syllabus ['sɪləbəs] n programa m de estudios.
symbol ['sɪmbl] n símbolo; ~**ic(al)** [-'bɔlɪk(l)] a simbólico; ~**ism** n simbolismo; ~**ize** vt simbolizar.
symmetrical [sɪ'mɛtrɪkl] a simétrico; **symmetry** ['sɪmɪtrɪ] n simetría.
sympathetic [sɪmpə'θɛtɪk] a compasivo; (*pleasant*) simpático; ~**ally** ad con compasión.
sympathize ['sɪmpəθaɪz] vi: **to ~ with sb** compadecerse de uno; **sympathizer** n (*POL*) simpatizante m/f.
sympathy ['sɪmpəθɪ] n (*pity*) compasión f; (*liking*) simpatía; **with our deepest ~**

nuestro más sentido pésame; ~ **strike** n huelga por solidaridad.

symphony ['sɪmfənɪ] n sinfonía; ~ **orchestra** n orquesta sinfónica.

symposium [sɪm'pəʊzɪəm] n simposio.

symptom ['sɪmptəm] n síntoma m, indicio; ~**atic** [-'mætɪk] a sintomático.

synagogue ['sɪnəgɔg] n sinagoga.

synchronize ['sɪŋkrənaɪz] vt sincronizar // vi: **to ~ with** sincronizarse con.

syndicate ['sɪndɪkɪt] n (gen) sindicato; (of newspapers) cadena.

syndrome ['sɪndrəʊm] n síndrome m.

synonym ['sɪnənɪm] n sinónimo; ~**ous** [sɪ'nɔnɪməs] a: ~**ous (with)** sinónimo (con).

synopsis [sɪ'nɔpsɪs], pl **-ses** [-siːz] n sinopsis f inv.

syntax ['sɪntæks] n sintáxis f.

synthesis ['sɪnθəsɪs], pl **-ses** [-siːz] n síntesis f inv.

synthetic [sɪn'θetɪk] a sintético.

syphilis ['sɪfɪlɪs] n sífilis f.

syphon ['saɪfən] = **siphon.**

Syria ['sɪrɪə] n Siria; ~**n** a, n sirio/a.

syringe [sɪ'rɪndʒ] n jeringa.

syrup ['sɪrəp] n jarabe m, almíbar m.

system ['sɪstəm] n (gen) sistema; (method) método; (ANAT) organismo; ~**atic** [-'mætɪk] a sistemático; metódico; ~**s analyst** n analista m/f de sistemas.

T

ta [tɑː] excl (Brit: col) gracias.

tab [tæb] n (gen) lengüeta; (label) etiqueta; **to keep ~s on** (fig) vigilar.

tabby ['tæbɪ] n (also: ~ **cat**) gato atigrado.

table ['teɪbl] n mesa; (of statistics etc) cuadro, tabla // vt (motion etc) presentar; **to lay** or **set the ~** poner la mesa; ~**cloth** n mantel m; ~ **d'hôte** [tɑːblˈdəʊt] n menú m; ~**mat** n mantel m individual; ~**spoon** n cuchara grande; (also: ~**spoonful**: as measurement) cucharada.

tablet ['tæblɪt] n (MED) tableta, pastilla; (for writing) bloc m; (of stone) lápida.

table: ~ **tennis** n ping-pong m, tenis m de mesa; ~ **wine** n vino de mesa.

taboo [tə'buː] n tabú m // a tabú.

tacit ['tæsɪt] a tácito.

taciturn ['tæsɪtəːn] a taciturno.

tack [tæk] n (nail) tachuela, chincheta; (stitch) hilván m; (NAUT) bordada // vt (nail) clavar con chinchetas; (stitch) hilvanar // vi virar.

tackle ['tækl] n (gear) equipo; (also: **fishing ~**) aparejo; (for lifting) polea; (RUGBY) atajo // vt (difficulty) enfrentar; (grapple with) agarrar; (RUGBY) atajar.

tacky ['tækɪ] a pegajoso.

tact [tækt] n tacto, discreción f; ~**ful** a discreto, diplomático; ~**fully** ad discretamente.

tactical ['tæktɪkl] a táctico; **tactics** [-tɪks] n, npl táctica sg.

tactless ['tæktlɪs] a indiscreto, falto de tacto; ~**ly** ad indiscretamente.

tadpole ['tædpəʊl] n renacuajo.

tag [tæg] n (label) etiqueta; (loose end) cabo; **to ~ along with sb** acompañar a uno.

tail [teɪl] n (gen) cola; (ZOOL) rabo; (of shirt, coat) faldón m // vt (follow) seguir los talones a; **to ~ away, ~ off** vi (in size, quality etc) ir disminuyendo; ~ **coat** n frac m; ~ **end** n cola, parte f final; ~**gate** n puerta trasera.

tailor ['teɪlə*] n sastre m; ~**ing** n (cut) corte m; (craft) sastrería; ~-**made** a hecho a la medida; (fig) especial.

tailwind ['teɪlwɪnd] n viento de cola.

tainted ['teɪntɪd] a (food) pasado; (water, air) contaminado; (fig) manchado.

take [teɪk], pt **took**, pp **taken** vt (gen) tomar; (grab) coger; (gain: prize) ganar; (require: effort, courage) exigir, hacer falta; (tolerate) aguantar; (hold: passengers etc) tener cabida para; (accompany, bring, carry) llevar; (exam) presentarse a; **to ~ sth from** (drawer etc) sacar algo de; (person) coger algo a; **I ~ it that...** supongo que...; **to ~ after** vt fus parecerse a; **to ~ apart** vt desmontar; **to ~ away** vt (remove) quitar; (carry off) llevar; **to ~ back** vt (return) devolver; (one's words) retractar; **to ~ down** vt (building) demoler; (letter etc) poner por escrito; **to ~ in** vt (deceive) engañar; (understand) entender; (include) abarcar; (lodger) acoger, recibir; **to ~ off** vi (AVIAT) despegar // vt (remove) quitar; (imitate) imitar; **to ~ on** vt (work) emprender; (employee) contratar; (opponent) desafiar; **to ~ out** vt sacar; (remove) quitar; **to ~ over** vt (business) tomar posesión de // vi: **to ~ over from sb** relevar a uno; **to ~ to** vt fus (person) coger simpatía a; (activity) aficionarse a; **to ~ up** vt (a dress) acortar; (occupy: time, space) ocupar; (engage in: hobby etc) dedicarse a; ~**away** a (food) para llevar; ~-**home pay** n salario neto; ~**off** n (AVIAT) despegue m; ~**over** n (COMM) absorción f; ~**over bid** n oferta de compra.

takings ['teɪkɪŋz] npl (COMM) ingresos mpl.

talc [tælk] n (also: ~**um powder**) talco.

tale [teɪl] n (story) cuento; (account) relación f; **to tell ~s** (fig: lie) chismear.

talent ['tælnt] n talento; ~**ed** a talentoso, de talento.

talk [tɔːk] n (gen) charla; (gossip) habladurías fpl, chismes mpl; (conversation) conversación f // vi (speak) hablar; (chatter) charlar; **to ~ about** hablar de; **to ~ sb into doing sth** convencer a uno de que debe hacer algo; **to ~ sb out of doing sth** disuadir a uno de algo; **to ~ shop** hablar de asuntos profesionales; **to ~ over** *vt* hablar de; **~ative** *a* hablador(a).

tall [tɔ:l] *a* (*gen*) alto; (*tree*) grande; **to be 6 feet ~** medir 6 pies, tener 6 pies de alto; **~boy** *n* cómoda alta; **~ness** *n* altura; **~ story** *n* historia inverosímil.

tally ['tælɪ] *n* cuenta // *vi*: **to ~ (with)** corresponder (con).

talon ['tælən] *n* garra.

tambourine [tæmbə'ri:n] *n* pandereta.

tame [teɪm] *a* (*mild*) manso; (*tamed*) domesticado; (*fig: story, style*) soso.

tamper ['tæmpə*] *vi*: **to ~ with** entrometerse en.

tampon ['tæmpən] *n* tampón *m*.

tan [tæn] *n* (*also*: **sun~**) bronceado // *vt* broncear // *vi* ponerse moreno // *a* (*colour*) marrón.

tandem ['tændəm] *n* tándem *m*.

tang [tæŋ] *n* sabor *m* fuerte.

tangerine [tændʒə'ri:n] *n* mandarina.

tangible ['tændʒəbl] *a* tangible.

tangle ['tæŋgl] *n* enredo; **to get in(to) a ~** enredarse.

tango ['tæŋgəʊ] *n* tango.

tank [tæŋk] *n* (*water* ~) depósito, tanque *m*; (*for fish*) acuario; (*MIL*) tanque *m*.

tanker ['tæŋkə*] *n* (*ship*) petrolero; (*truck*) camión *m* cisterna *o* tanque.

tanned [tænd] *a* (*skin*) moreno, bronceado.

tantalizing ['tæntəlaɪzɪŋ] *a* tentador(a).

tantamount ['tæntəmaunt] *a*: **~ to** equivalente a.

tantrum ['tæntrəm] *n* rabieta.

tap [tæp] *n* (*on sink etc*) grifo; (*gentle blow*) golpecito; (*gas* ~) llave *f* // *vt* dar golpecitos; (*resources*) utilizar, explotar; **~-dancing** *n* zapateado.

tape [teɪp] *n* cinta; (*also*: **magnetic ~**) cinta magnética; (*sticky* ~) cinta adhesiva // *vt* (*record*) grabar (en cinta); **~ measure** *n* cinta métrica, metro.

taper ['teɪpə*] *n* cirio // *vi* afilarse.

tape recorder ['teɪprɪkɔːdə*] *n* grabadora.

tapered ['teɪpəd], **tapering** ['teɪpərɪŋ] *a* afilado.

tapestry ['tæpɪstrɪ] *n* (*object*) tapiz *m*; (*art*) tapicería.

tapioca [tæpɪ'əʊkə] *n* tapioca.

tar [tɑ:] *n* alquitrán *m*, brea.

tarantula [tə'ræntjulə] *n* tarántula.

target ['tɑ:gɪt] *n* (*gen*) blanco; **~ practice** tiro al blanco.

tariff ['tærɪf] *n* tarifa.

tarmac ['tɑ:mæk] *n* (*on road*) alquitranado; (*AVIAT*) pista de aterrizaje.

tarnish ['tɑ:nɪʃ] *vt* quitar el brillo a.

tarpaulin [tɑ:'pɔ:lɪn] *n* alquitranado.

tarragon ['tærəgən] *n* estragón *m*.

tart [tɑ:t] *n* (*CULIN*) tarta; (*col: pej: woman*) fulana // *a* (*flavour*) agrio, ácido.

tartan ['tɑ:tn] *n* tartán *m*, escocés *m* // *a* de tartán.

tartar ['tɑ:tə*] *n* (*on teeth*) sarro; **~(e) sauce** *n* salsa tártara.

task [tɑ:sk] *n* tarea; **to take to ~** reprender; **~ force** *n* (*MIL, POLICE*) destacamento especial.

tassel ['tæsl] *n* borla.

taste [teɪst] *n* sabor *m*, gusto; (*also: after~*) dejo; (*sip*) sorbo; (*fig: glimpse, idea*) muestra, idea // *vt* probar // *vi*: **to ~ of** *or* **like** (*fish etc*) saber a; **you can ~ the garlic (in it)** se nota el sabor a ajo; **can I have a ~ of this wine?** ¿puedo probar el vino?; **to have a ~ for sth** ser aficionado a algo; **in good/bad ~** de buen/mal gusto; **~ful** *a* de buen gusto; **~fully** *ad* con buen gusto; **~less a** (*food*) insípido; (*remark*) de mal gusto; **tasty** *a* sabroso, rico.

tattered ['tætəd] *a see* **tatters**.

tatters ['tætəz] *npl*: **in ~** (*also*: **tattered**) hecho jirones.

tattoo [tə'tu:] *n* tatuaje *m*; (*spectacle*) espectáculo militar // *vt* tatuar.

tatty ['tætɪ] *a* (*col*) raído.

taught [tɔ:t] *pt*, *pp* of **teach.**

taunt [tɔ:nt] *n* burla // *vt* burlarse de.

Taurus ['tɔ:rəs] *n* Tauro.

taut [tɔ:t] *a* tirante, tenso.

tawdry ['tɔ:drɪ] *a* cursi, de mal gusto.

tawny ['tɔ:nɪ] *a* leonado.

tax [tæks] *n* impuesto // *vt* gravar (con un impuesto); (*fig: test*) abrumar; (: *patience*) agotar; **direct ~** contribución directa; **~ation** [-'seɪʃən] *n* impuestos *mpl*; **~ collector** *n* recaudador/a *m/f*; **~-free** *a* libre de impuestos.

taxi ['tæksɪ] *n* taxi *m* // *vi* (*AVIAT*) rodar de suelo.

taxidermist ['tæksɪdɔ:mɪst] *n* taxidermista *m/f.*

taxi: ~ driver *n* taxista *m/f*; **~ rank, ~ stand** *n* parada de taxis.

tax: ~ payer *n* contribuyente *m/f*; **~ return** *n* declaración *f* de ingresos.

TB *abbr of* **tuberculosis.**

tea [ti:] *n* té *m*; (*snack*) merienda; **high ~** merienda-cena; **~ bag** *n* bolsa de té; **~ break** *n* descanso para el té; **~cake** *n* bollo.

teach [ti:tʃ], *pt*, *pp* **taught** *vt*: **to ~ sb sth, ~ sth to sb** enseñar algo a uno // *vi* enseñar; (*be a teacher*) ser profesor/a; **~er** *n* (*in secondary school*) profesor/a *m/f*; (*in primary school*) maestro/a; **~ing** *n* enseñanza.

tea: ~ cosy *n* cubretetera; **~cup** *n* taza para té.

teak [ti:k] *n* (madera de) teca.

tea leaves *npl* hojas *fpl* de té.

team [ti:m] *n* equipo; (*of animals*) pareja; **~work** *n* trabajo de equipo.

teapot ['ti:pɔt] *n* tetera.

tear [tɛə*] *n* rasgón *m*, desgarrón *m* // *n* [tɪə*] lágrima // (*vb: pt* **tore**, *pp* **torn**) *vt* romper, rasgar // *vi* rasgarse; **in ~s** llorando; **to burst into ~s** deshacerse en lágrimas; **to ~ along** *vi* (*rush*) precipitarse; **~ful** *a* lloroso; **~ gas** *n* gas *m* lacrimógeno.

tearoom ['ti:ru:m] *n* salón *m* de té, cafetería.

tease [ti:z] *n* bromista *m/f* // *vt* bromear, tomar el pelo a.

tea: ~ **set** *n* juego de té; ~**spoon** *n* cucharilla; (*also*: ~**spoonful**: *as measurement*) cucharadita.

teat [ti:t] *n* (*of bottle*) tetina.

tea: ~ **time** *n* hora del té; ~ **towel** *n* trapo de cocina.

technical ['tɛknɪkl] *a* técnico; ~**ity** [-'kælɪtɪ] *n* detalle *m* técnico; ~**ly** *ad* técnicamente.

technician [tɛk'nɪʃn] *n* técnico.

technique [tɛk'ni:k] *n* técnica.

technological [tɛknə'lɔdʒɪkl] *a* tecnológico; **technology** [-'nɔlədʒɪ] *n* tecnología.

teddy (bear) ['tɛdɪ] *n* osito de felpa.

tedious ['ti:dɪəs] *a* pesado, aburrido.

tee [ti:] *n* (*GOLF*) tee *m*.

teem [ti:m] *vi* abundar, pulular; **to** ~ **with** rebosar de; **it is** ~**ing (with rain)** llueve a mares.

teenage ['ti:neɪdʒ] *a* (*fashions etc*) de *o* para los jóvenes; **teenager** *n* joven *m/f* (de 13 a 19 años).

teens [ti:nz] *npl*: **to be in one's** ~ ser un adolescente, no haber cumplido los 20.

tee-shirt ['ti:ʃɔ:t] *n* = **T-shirt.**

teeter ['ti:tə*] *vi* balancearse.

teeth [ti:θ] *pl of* **tooth.**

teethe [ti:ð] *vi* echar los dientes.

teething ['ti:ðɪŋ]: ~ **ring** *n* mordedor *m*; ~ **troubles** *npl* (*fig*) dificultades *fpl* iniciales.

teetotal ['ti:'təutl] *a* (*person*) abstemio.

telecommunications ['tɛlɪkəmju:nɪ-'keɪʃənz] *n* telecomunicaciones *fpl*.

telegram ['tɛlɪgræm] *n* telegrama *m*.

telegraph ['tɛlɪgrɑ:f] *n* telégrafo; ~**ic** [-'græfɪk] *a* telegráfico; ~ **pole** *n* poste *m* de telégrafos.

telepathic [tɛlɪ'pæθɪk] *a* telepático; **telepathy** [tə'lɛpəθɪ] *n* telepatía.

telephone ['tɛlɪfəun] *n* teléfono // *vt* (*person*) llamar por teléfono; (*message*) telefonear; ~ **booth**, ~ **box** *n* cabina telefónica; ~ **call** *n* llamada (telefónica); ~ **directory** *n* guía (telefónica); ~ **exchange** *n* central *f* telefónica; ~ **number** *n* número de teléfono; **telephonist** [tə'lɛfənɪst] *n* telefonista *m/f*.

telephoto ['tɛlɪ'fəutəu] *a*: ~ **lens** teleobjetivo.

teleprinter ['tɛlɪprɪntə*] *n* teletipo.

telescope ['tɛlɪskəup] *n* telescopio; **telescopic** [-'skɔpɪk] *a* telescópico.

televise ['tɛlɪvaɪz] *vt* televisar.

television ['tɛlɪvɪʒən] *n* televisión *f*; ~ **set** *n* televisor *m*.

telex ['tɛlɛks] *n* telex *m*.

tell [tɛl], *pt*, *pp* **told** *vt* decir; (*relate*: *story*) contar; (*distinguish*): **to** ~ **sth from** distinguir algo de // *vi* (*have effect*) tener

efecto; **to** ~ **sb to do sth** mandar a uno que haga algo; **to** ~ **sb off** reñir *o* regañar a uno; ~**er** *n* (*in bank*) cajero; ~**ing** *a* (*remark, detail*) revelador(a); ~**tale** *a* (*sign*) indicador(a).

telly ['tɛlɪ] *n* (*col*) *abbr of* **television.**

temerity [tə'mɛrɪtɪ] *n* temeridad *f*.

temper ['tɛmpə*] *n* (*nature*) carácter *m*; (*mood*) humor *m*; (*bad* ~) genio, mal genio; (*fit of anger*) cólera; (*of child*) rabieta // *vt* (*moderate*) moderar; **to be in a** ~ estar de mal humor; **to lose one's** ~ perder la paciencia.

temperament ['tɛmprəmənt] *n* (*nature*) temperamento; ~**al** [-'mɛntl] *a* temperamental.

temperance ['tɛmpərns] *n* moderación *f*; (*in drinking*) sobriedad *f*.

temperate ['tɛmprət] *a* moderado; (*climate*) templado.

temperature ['tɛmprətʃə*] *n* temperatura; **to have** *or* **run a** ~ tener fiebre.

tempered ['tɛmpəd] *a* (*steel*) templado.

tempest ['tɛmpɪst] *n* tempestad *f*.

temple ['tɛmpl] *n* (*building*) templo; (*ANAT*) sien *f*.

tempo ['tɛmpəu], *pl* ~**s** *or* **tempi** [-pi:] *n* tempo; (*fig: of life etc*) ritmo.

temporal ['tɛmpərl] *a* temporal.

temporarily ['tɛmpərərɪlɪ] *ad* temporalmente.

temporary ['tɛmpərərɪ] *a* provisional, temporal; (*passing*) transitorio; (*worker*) temporero.

tempt [tɛmpt] *vt* tentar; **to** ~ **sb into doing sth** tentar *o* inducir a uno a hacer algo; ~**ation** [-'teɪʃən] *n* tentación *f*; ~**ing** *a* tentador(a).

ten [tɛn] *num* diez.

tenable ['tɛnəbl] *a* sostenible.

tenacious [tə'neɪʃəs] *a* tenaz; **tenacity** [-'næsɪtɪ] *n* tenacidad *f*.

tenancy ['tɛnənsɪ] *n* alquiler *m*; (*of house*) inquilinato; **tenant** *n* (*rent-payer*) inquilino; (*occupant*) habitante *m/f*.

tend [tɛnd] *vt* cuidar // *vi*: **to** ~ **to do sth** tener tendencia a hacer algo.

tendency ['tɛndənsɪ] *n* tendencia.

tender ['tɛndə*] *a* tierno, blando; (*delicate*) delicado; (*sore*) sensible, dolorido; (*affectionate*) tierno, cariñoso // *n* (*COMM*: *offer*) oferta; (*money*): **legal** ~ moneda de curso legal // *vt* ofrecer; ~**ize** *vt* (*CULIN*) ablandar; ~**ness** *n* ternura; (*of meat*) blandura.

tendon ['tɛndən] *n* tendón *m*.

tenement ['tɛnəmənt] *n* casa de pisos.

tennis ['tɛnɪs] *n* tenis *m*; ~ **ball** *n* pelota de tenis; ~ **court** *n* pista de tenis; ~ **racket** *n* raqueta de tenis.

tenor ['tɛnə*] *n* (*MUS*) tenor *m*.

tenpin bowling ['tɛnpɪn-] *n* los bolos *mpl*.

tense [tɛns] *a* tenso; (*stretched*) tirante; (*stiff*) rígido, tieso // *n* (*LING*) tiempo; ~**ness** *n* tensión *f*.

tension ['tɛnʃən] *n* tensión *f*.

tent [tɛnt] *n* tienda (de campaña).
tentacle ['tɛntəkl] *n* tentáculo.
tentative ['tɛntətɪv] *a* experimental; (*conclusion*) provisional.
tenterhooks ['tɛntəhuks] *npl*: **on** ~ sobre ascuas.
tenth [tɛnθ] *a* décimo.
tent: ~ **peg** *n* clavija, estaquilla; ~ **pole** *n* mástil *m*.
tenuous ['tɛnjuəs] *a* tenue.
tenure ['tɛnjuə*] *n* posesión *f*, tenencia.
tepid ['tɛpɪd] *a* tibio.
term [tə:m] *n* (*limit*) límite *m*; (*COMM*) plazo; (*word*) término; (*period*) período; (*SCOL*) trimestre *m* // *vt* llamar; ~**s** *npl* (*conditions*) condiciones *fpl*; (*COMM*) precio, tarifa; **in the short/long** ~ a corto/largo plazo; **to be on good** ~**s with sb** llevarse bien con uno; **to come to** ~**s with** (*person*) llegar a un acuerdo con; (*problem*) adaptarse a.
terminal ['tə:mɪnl] *a* terminal; (*disease*) mortal // *n* (*ELEC*) borne *m*; (*also*: **air** ~) terminal *f*; (*also*: **coach** ~) estación *f* terminal.
terminate ['tə:mɪneɪt] *vt* terminar // *vi*: **to** ~ **in** acabar por; **termination** [-'neɪʃən] *n* terminación *f*; (*of contract*) conclusión *f*.
terminology [tə:mɪ'nɔlədʒɪ] *n* terminología.
terminus ['tə:mɪnəs], *pl* **-mini** [-mɪnaɪ] *n* término, estación *f* terminal.
termite ['tə:maɪt] *n* termita.
terrace ['tɛrəs] *n* terraza; (*row of houses*) hilera de casas adosadas; **the** ~**s** (*SPORT*) gradas *fpl*; ~**ed** *a* (*garden*) escalonado; (*house*) adosado.
terrain [tɛ'reɪn] *n* terreno.
terrible ['tɛrɪbl] *a* terrible, horrible; (*fam*) malísimo; **terribly** *ad* terriblemente; (*very badly*) malísimamente.
terrier ['tɛrɪə*] *n* terrier *m*.
terrific [tə'rɪfɪk] *a* fantástico, fenomenal; (*wonderful*) maravilloso.
terrify ['tɛrɪfaɪ] *vt* aterrorizar.
territorial [tɛrɪ'tɔ:rɪəl] *a* territorial.
territory ['tɛrɪtərɪ] *n* territorio.
terror ['tɛrə*] *n* terror *m*; ~**ism** *n* terrorismo; ~**ist** *n* terrorista *m/f*; ~**ize** *vt* aterrorizar.
terse [tə:s] *a* (*style*) conciso; (*reply*) brusco.
test [tɛst] *n* (*trial, check*) prueba, ensayo; (: *of goods in factory*) control *m*; (*of courage etc, CHEM*) prueba; (*MED*) examen *m*; (*exam*) examen *m*, test *m*; (*also*: **driving** ~) examen *m* de conducir // *vt* probar, poner a prueba.
testament ['tɛstəmənt] *n* testamento; **the Old/New** **T** ~ el Antiguo/Nuevo Testamento.
testicle ['tɛstɪkl] *n* testículo.
testify ['tɛstɪfaɪ] *vi* (*LAW*) prestar declaración; **to** ~ **to sth** atestiguar algo.
testimonial [tɛstɪ'məunɪəl] *n* (*reference*) recomendación *f*; (*gift*) obsequio.

testimony ['tɛstɪmənɪ] *n* (*LAW*) testimonio, declaración *f*.
test: ~ **match** *n* (*CRICKET, RUGBY*) partido internacional; ~ **pilot** *n* piloto de pruebas; ~ **tube** *n* probeta.
testy ['tɛstɪ] *a* irritable.
tetanus ['tɛtənəs] *n* tétano.
tether ['tɛðə*] *vt* atar (con una cuerda) // *n*: **at the end of one's** ~ a punto de perder la paciencia.
text [tɛkst] *n* texto; ~**book** *n* libro de texto.
textiles ['tɛkstaɪlz] *npl* textiles *mpl*, tejidos *mpl*.
texture ['tɛkstʃə*] *n* textura.
Thai [taɪ] *a, n* tailandés/esa *m/f*; ~**land** *n* Tailandia.
Thames [tɛmz] *n*: **the** ~ el (río) Támesis.
than [ðæn, ðən] *conj* que; (*with numerals*): **more** ~ **10/once** más de 10/una vez; **I have more/less** ~ **you** tengo más/menos que tú.
thank [θæŋk] *vt* dar las gracias a, agradecer; ~ **you (very much)** muchas gracias; ~**s** *npl* gracias *fpl*; ~ **s to** *prep* gracias a; ~**ful** *a*: ~**ful (for)** agradecido por; ~**less** *a* ingrato; **Thanksgiving (Day)** *n* día *m* de acción de gracias.
that [ðæt, ðət] *conj* que // *det* ese/esa; (*more remote*) aquel/aquella // *pron* ése/ésa; aquél/aquélla; (*neuter*) eso; aquello; (*relative: subject*) que; (: *object*) que, el cual/la cual *etc*; (*with time*): **on the day** ~ **he came** el día que vino // *ad*: ~ **high** tan alto, así de alto; **it's about** ~ **high** es más o menos así de alto; ~ **one** ése/ésa; aquél/aquélla; **what's** ~? ¿qué es eso?; **who's** ~? ¿quién es?; **is** ~ **you?** ¿eres tú?; (*formal*) ¿es Usted?; ~**'s what he said** eso es lo que dijo; **all** ~ todo eso; **I can't work** ~ **much** no puedo trabajar tanto.
thatched [θætʃt] *a* (*roof*) de paja; ~ **cottage** casita con tejado de paja.
thaw [θɔ:] *n* deshielo // *vi* (*ice*) derretirse; (*food*) descongelarse // *vt* (*food*) descongelar.
the [ði:, ðə] *def art* el/la; (*pl*) los/las; (*neuter*) lo; ~ **sooner** ~ **better** cuanto antes mejor.
theatre, theater (*US*) ['θɪətə*] *n* teatro; ~-**goer** *n* aficionado al teatro.
theatrical [θɪ'ætrɪkl] *a* teatral.
theft [θɛft] *n* robo.
their [ðɛə*] *a* su; ~**s** *pron* (el) suyo/(la) suya *etc*; **a friend of** ~**s** un amigo suyo.
them [ðɛm, ðəm] *pron* (*direct*) los/las; (*indirect*) les; (*stressed, after prep*) ellos/ellas; **I see** ~ los veo; **give** ~ **the book** dales el libro.
theme [θi:m] *n* tema *m*; ~ **song** tema (*musical*).
themselves [ðəm'sɛlvz] *pl pron* (*subject*) ellos mismos/ellas mismas; (*complement*) se; (*after prep*) sí (mismos/as).
then [ðɛn] *ad* (*at that time*) entonces; (*next*) pues; (*later*) luego, después; (*and also*)

además // conj (therefore) en ese caso, entonces // a: the ~ president el entonces presidente; from ~ on desde entonces.

theological [θɪə'lɔdʒɪkl] a teológico; **theology** [θɪ'ɔlədʒɪ] n teología.

theorem ['θɪərəm] n teorema m.

theoretical [θɪə'rɛtɪkl] a teórico; **theorize** ['θɪəraɪz] vi elaborar una teoría; **theory** ['θɪərɪ] n teoría.

therapeutic(al) [θɛrə'pjuːtɪk(l)] a terapéutico.

therapist ['θɛrəpɪst] n terapeuta m/f; **therapy** n terapia.

there [ðɛə*] ad allí, allá, ahí; ~, ~! ¡cálmate!; **it's** ~ está ahí; ~ **is**, ~ **are** hay; ~ **he is** ahí está; **on/in** ~ allí encima/dentro; ~**abouts** ad por ahí; ~**after** ad después; ~**fore** ad por lo tanto; ~**'s** = ~ **is**; ~ **has**.

thermal ['θəːml] a termal.

thermometer [θə'mɔmɪtə*] n termómetro.

Thermos ['θəːmɔs] n termo.

thermostat ['θəːməustæt] n termostato.

thesaurus [θɪ'sɔːrəs] n tesoro.

these [ðiːz] pl det estos/as // pl pron éstos/as.

thesis ['θiːsɪs], pl **-ses** [-siːz] n tesis f.

they [ðeɪ] pl pron ellos/ellas; (stressed) ellos (mismos)/ellas (mismas); ~ **say that...** (it is said that) se dice que...; ~**'d** = they had; they would; ~**'ll** = they shall, they will; ~**'re** = they are; ~**'ve** = they have.

thick [θɪk] a espeso; (fat) grueso; (dense) denso, espeso; (stupid) torpe // a n: **in the** ~ **of the battle** en plena batalla; **it's 20 cm** ~ tiene 20 cm de espesor; ~**en** vi espesarse // vt (sauce etc) espesar; ~**ness** n espesor m, grueso; ~**set** a rechoncho; ~**skinned** a (fig) insensible.

thief [θiːf], pl **thieves** [θiːvz] n ladrón/ona m/f.

thieving ['θiːvɪŋ] n robo.

thigh [θaɪ] n muslo.

thimble ['θɪmbl] n dedal m.

thin [θɪn] a (gen) delgado; (watery) aguado; (light) tenue; (hair, crowd) escaso; (fog) poco denso // vt: **to** ~ (**down**) (sauce, paint) diluir.

thing [θɪŋ] n (gen) cosa; (object) objeto, artículo; (matter) asunto; (mania) manía; ~**s** npl (belongings) efectos mpl (personales); **the best** ~ **would be to...** lo mejor sería...; **how are** ~**s?** ¿qué tal?

think [θɪŋk], pt, pp **thought** vi pensar // vt pensar, creer; (imagine) imaginar; **what did you** ~ **of them?** ¿qué te pare/cieron?; **to** ~ **about sth/sb** pensar en algo/alguien; **I'll** ~ **about it** lo pensaré; **to** ~ **of doing sth** pensar en hacer algo; **I** ~ **so/not** creo que sí/no; **to** ~ **well of sb** tener buen concepto de alguien; **to** ~ **over** vt reflexionar sobre, meditar; **to** ~ **up** vt imaginar; ~**ing** a pensante.

thinly ['θɪnlɪ] ad (cut) en lonchas finas; (spread) con una capa fina.

thinness ['θɪnnɪs] n delgadez f.

third [θəːd] a tercer(a) // n tercero; (fraction) tercio; (scoL: degree) de tercera clase; ~**ly** ad en tercer lugar; ~ **party insurance** n seguro contra terceras personas; ~**rate** a (de calidad) mediocre; **the T**~ **World** n el Tercer Mundo.

thirst [θəːst] n sed f; ~**y** a (person) sediento; **to be** ~**y** tener sed.

thirteen ['θəː'tiːn] num trece.

thirty ['θəːtɪ] num treinta.

this [ðɪs] det este/esta // pron éste/ésta; (neuter) esto; ~ **is what he said** esto es lo que dijo; ~ **high** así de alto.

thistle ['θɪsl] n cardo.

thong [θɔŋ] n correa.

thorn [θɔːn] n espina; ~**y** a espinoso.

thorough ['θʌrə] a (search) minucioso; (knowledge, research) profundo; ~**bred** a (horse) de pura sangre; ~**fare** n calle f; **'no** ~**fare'** "prohibido el paso"; ~**ly** ad minuciosamente; profundamente, a fondo.

those [ðəuz] pl pron esos/esas; (more remote) aquellos/as // pl det ésos/ésas; aquéllos/as.

though [ðəu] conj aunque // ad sin embargo.

thought [θɔːt] pt, pp of **think** // n pensamiento; (opinion) opinión f; (intention) intención f; ~**ful** a pensativo; (considerate) considerado; ~**less** a desconsiderado.

thousand ['θauzənd] num mil; **two** ~ dos mil; ~**s of** miles de; ~**th** a milésimo.

thrash [θræʃ] vt apalear; (defeat) derrotar; **to** ~ **about** vi revolcarse; **to** ~ **out** vt discutir largamente.

thread [θrɛd] n hilo; (of screw) rosca // vt (needle) enhebrar; ~**bare** a raído.

threat [θrɛt] n amenaza; ~**en** vi amenazar // vt: **to** ~ **sb with sth/to do** amenazar a uno con algo/ con hacer.

three [θriː] num tres; ~-**dimensional** a tridimensional; ~**fold** ad: **to increase** ~**fold** triplicar; ~-**piece suit** n traje m de tres piezas; ~-**piece suite** n tresillo; ~-**ply** a (wool) triple; ~-**wheeler** n (car) coche m de tres ruedas.

thresh [θrɛʃ] vt (AGR) trillar.

threshold ['θrɛʃhəuld] n umbral m.

threw [θruː] pt of **throw**.

thrift [θrɪft] n economía; ~**y** a económico.

thrill [θrɪl] n (excitement) emoción f; (shudder) estremecimiento // vt emocionar; estremecer; **to be** ~**ed** (with gift etc) estar encantado; ~**er** n película/novela de suspense.

thrive [θraɪv], pt **thrived** or **throve** [θrəuv], pp **thrived** or **thriven** ['θrɪvn] vi (grow) crecer; (do well) prosperar; **thriving** a próspero.

throat [θrəut] n garganta; **to have a sore** ~ tener dolor de garganta.

throb [θrɔb] n (of heart) latido; (of engine)

vibración f // vi latir; vibrar; (pain) dar punzadas.

throes [θrəuz] npl: **in the ~ of** en medio de.

thrombosis [θrɔm'bəusɪs] n trombosis f.

throne [θrəun] n trono.

throttle ['θrɔtl] n (AUT) acelerador m // vt ahogar.

through [θruː] prep por, a través de; (time) durante; (by means of) por medio de, mediante; (owing to) gracias a // a (ticket, train) directo // ad completamente, de parte a parte; **to put sb ~ to sb** (TEL) poner a alguien (en comunicación) con alguien; **to be ~** (TEL) tener comunicación; (have finished) haber terminado; **"no ~ way"** "calle sin salida"; **~out** prep (place) por todas partes de, por todo; (time) durante todo, en todo // ad por o en todas partes.

throw [θrəu] n tirada, tiro; (SPORT) lanzamiento // vt, pt **threw**, pp **thrown** tirar, echar; (SPORT) lanzar; (rider) derribar; (fig) desconcertar; **to ~ a party** dar una fiesta; **to ~ away** vt tirar; **to ~ off** vt deshacerse de; **to ~ out** vt tirar; **to ~ up** vi vomitar; **~away** a para tirar, desechable; **~-in** n (SPORT) saque m.

thru [θruː] (US) = **through.**

thrush [θrʌʃ] n zorzal m, tordo.

thrust [θrʌst] n (TECH) empuje m // vt, pt, pp **thrust** empujar; (push in) introducir.

thud [θʌd] n golpe m sordo.

thug [θʌg] n (criminal) criminal m/f; (pej) bruto.

thumb [θʌm] n (ANAT) pulgar m, dedo gordo (col) // vt (book) hojear; **to ~ a lift** hacer dedo o autostop; **~tack** n (US) chinche m.

thump [θʌmp] n golpe m; (sound) porrazo // vt, vi golpear.

thunder ['θʌndə*] n (gen) trueno; (sudden noise) tronido; (of applause etc) estruendo // vi tronar; (train etc): **to ~ past** pasar como un trueno; **~bolt** n rayo; **~clap** n trueno; **~storm** n tormenta; **~struck** a pasmado; **~y** a tormentoso.

Thursday ['θəːzdɪ] n jueves m.

thus [ðʌs] ad así, de este modo.

thwart [θwɔːt] vt frustrar.

thyme [taɪm] n tomillo.

thyroid ['θaɪrɔɪd] n tiroides m.

tiara [tɪ'ɑːrə] n tiara, diadema.

tic [tɪk] n tic m.

tick [tɪk] n (sound: of clock) tictac m; (mark) palomita; (ZOOL) garrapata; (col): **in a ~** en un instante // vi hacer tictac // vt marcar; **to ~ off** vt marcar; (person) poner como un trapo.

ticket ['tɪkɪt] n billete m, tíquet m; (for cinema) entrada; (in shop: on goods) etiqueta; (for library) tarjeta; **~ collector** n revisor m; **~ office** n taquilla.

tickle ['tɪkl] n cosquillas fpl // vt hacer cosquillas a; **ticklish** a que tiene cosquillas.

tidal ['taɪdl] a de marea; **~ wave** n maremoto.

tiddlywinks ['tɪdlɪwɪŋks] n juego de la pulga.

tide [taɪd] n marea; (fig: of events) curso, marcha.

tidiness ['taɪdɪnɪs] n (good order) buen orden m; (neatness) limpieza, aseo.

tidy ['taɪdɪ] a (room) ordenado; (dress, work) limpio; (person) (bien) arreglado // vt (also: **~ up**) poner en orden.

tie [taɪ] n (string etc) atadura; (also: **neck~**) corbata; (fig: link) vínculo, lazo; (SPORT: draw) empate m // vt (gen) atar // vi (SPORT) empatar; **to ~ in a bow** hacer un lazo; **to ~ a knot in sth** hacer un nudo a algo; **to ~ down** vt atar; (fig): **to ~ sb down** to obligar a uno a; **to ~ up** vt (parcel) envolver; (dog) atar; (boat) amarrar; (arrangements) concluir, despachar; **to be ~d up** (busy) estar ocupado.

tier [tɪə*] n grada; (of cake) piso.

tiger ['taɪgə*] n tigre m/f.

tight [taɪt] a (rope) tirante; (money) escaso; (clothes) ajustado; (budget, programme) apretado; (col: drunk) borracho // ad (squeeze) muy fuerte; (shut) herméticamente; **~s** npl pantimedias fpl; (for gym) malla sg; **~en** vt (rope) estirar; (screw) apretar // vi apretarse, estirarse; **~-fisted** a tacaño; **~ly** ad (grasp) muy fuerte; **~-rope** n cuerda floja.

tile [taɪl] n (on roof) teja; (on floor) baldosa; (on wall) azulejo, baldosín m; **~d** a embaldosado.

till [tɪl] n caja (registradora) // vt (land) cultivar // prep, conj = **until.**

tiller ['tɪlə*] n (NAUT) caña del timón.

tilt [tɪlt] vt inclinar // vi inclinarse.

timber [tɪmbə*] n (material) madera; (trees) árboles mpl.

time [taɪm] n tiempo; (epoch: often pl) época; (by clock) hora; (moment) momento; (occasion) vez f; (MUS) compás m // vt (gen) calcular o medir el tiempo de; (race) cronometrar; (remark etc) elegir el momento para; **a long ~** mucho tiempo; **for the ~ being** de momento, por ahora; **from ~ to ~** de vez en cuando; **in ~** (soon enough) a tiempo; (after some time) con el tiempo; (MUS) al compás; **in a week's ~** dentro de una semana; **on ~** a la hora; **5 ~s 5** 5 por 5; **what ~ is it?** ¿qué hora es?; **to have a good ~** pasarlo bien, divertirse; **~ bomb** n bomba de efecto retardado; **~keeper** n (SPORT) cronómetro; **~less** a eterno; **~ limit** n (gen) limitación f de tiempo; (COMM) plazo; **~ly** a oportuno; **~ off** n tiempo libre; **timer** n (in kitchen) reloj m programador; **~ switch** n interruptor m; **~table** n horario; **~ zone** n huso horario.

timid ['tɪmɪd] a tímido.

timing ['taɪmɪŋ] n (SPORT) cronometraje

m; (*gen*) elección *f* del momento; **the ~ of his resignation** el momento que eligió para dimitir.

timpani ['tɪmpənɪ] *npl* tímpanos *mpl*.

tin [tɪn] *n* estaño; (*also:* ~ **plate**) hojalata; (*can*) lata; ~ **foil** *n* papel *m* de estaño.

tinge [tɪndʒ] *n* matiz *m* // *vt:* ~**d with** teñido de.

tingle ['tɪŋgl] *n* picotazo // *vi* sentir picazón.

tinker ['tɪŋkə*] *n* calderero; (*gipsy*) gitano; **to ~ with** *vt* manosear.

tinkle ['tɪŋkl] *vi* tintinear // *n* (*col*): **to give sb a ~** dar un telefonazo a alguien.

tinned [tɪnd] *a* (*food*) en lata, en conserva.

tin opener ['tɪnəupnə*] *n* abrelatas *m inv*.

tinsel ['tɪnsl] *n* oropel *m*.

tint [tɪnt] *n* matiz *m*; (*for hair*) tinte *m*.

tiny ['taɪnɪ] *a* minúsculo, pequeñito.

tip [tɪp] *n* (*end*) punta; (*gratuity*) propina; (*for rubbish*) basurero; (*advice*) aviso // *vt* (*waiter*) dar una propina a; (*tilt*) inclinar; (*overturn: also:* ~ **over**) dar la vuelta a, volcar; (*empty: also:* ~ **out**) vaciar, echar; ~**-off** *n* (*hint*) aviso, advertencia; ~**ped** *a* (*cigarette*) con filtro.

tipsy ['tɪpsɪ] *a* algo borracho, mareado.

tiptoe ['tɪptəu] *n*: **on ~** de puntillas.

tiptop ['tɪp'tɔp] *a:* **in ~ condition** en perfectas condiciones.

tire ['taɪə*] *n* (*US*) = **tyre** // *vt* cansar // *vi* (*gen*) cansarse; (*become bored*) aburrirse; ~**d** *a* cansado; **to be ~d of sth** estar cansado *o* harto de algo; **tiredness** *n* cansancio; ~**less** *a* incansable; ~**some** *a* aburrido; **tiring** *a* cansado.

tissue ['tɪʃu:] *n* tejido; (*paper handkerchief*) pañuelo de papel, kleenex *m*; ~ **paper** *n* papel *m* de seda.

tit [tɪt] *n* (*bird*) herrerillo común; **to give ~ for tat** dar ojo por ojo.

titbit ['tɪtbɪt] *n* (*food*) golosina; (*news*) suceso.

titillate ['tɪtɪleɪt] *vt* estimular, excitar.

titivate ['tɪtɪveɪt] *vt* emperejillar.

title ['taɪtl] *n* título; ~ **deed** *n* (*LAW*) título de propiedad; ~ **role** *n* papel *m* principal.

titter ['tɪtə*] *vi* reírse entre dientes.

titular ['tɪtjulə*] *a* (*in name only*) nominal.

to [tu:, tə] *prep* a; (*towards*) hacia; (*of time*) a, hasta; (*of*) de; **give it ~ me** dámelo; **the key ~ the front door** la llave de la puerta; **the main thing is ~...** lo importante es...; **to go ~ France/school** ir a Francia/al colegio; **a quarter ~ 5** las 5 menos cuarto; **pull/push the door ~** tirar/empujar la puerta; **to go ~ and fro** ir y venir.

toad [təud] *n* sapo; ~**stool** *n* hongo venenoso.

toast [təust] *n* (*CULIN. also:* **piece of ~**) tostada; (*drink, speech*) brindis *m* // *vt* (*CULIN*) tostar; (*drink to*) brindar; ~**er** *n* tostador *m*.

tobacco [tə'bækəu] *n* tabaco; ~**nist** *n* estanquero; ~**nist's (shop)** *n* estanco.

toboggan [tə'bɔgən] *n* tobogán *m*.

today [tə'deɪ] *ad, n* (*also fig*) hoy *m*.

toddler ['tɔdlə*] *n* niño que empieza a andar.

toddy ['tɔdɪ] *n* ponche *m*.

toe [təu] *n* dedo (del pie); (*of shoe*) punta; **to ~ the line** (*fig*) obedecer, conformarse; ~**nail** *n* uña del pie.

toffee ['tɔfɪ] *n* caramelo; ~ **apple** *n* pirulí *m*.

toga ['təugə] *n* toga.

together [tə'geðə*] *ad* juntos; (*at same time*) al mismo tiempo, a la vez; ~ **with** *prep* junto con; ~**ness** *n* compañerismo.

toil [tɔɪl] *n* trabajo duro, labor *f* // *vi* esforzarse.

toilet ['tɔɪlət] *n* (*lavatory*) servicios *mpl*, wáter *m* // *cpd* (*bag, soap etc*) de aseo; ~ **bowl** *n* palangana; ~ **paper** *n* papel *m* higiénico; ~**ries** *npl* artículos *mpl* de aseo; (*make-up etc*) artículos *mpl* de tocador; ~ **roll** *n* rollo de papel higiénico; ~ **water** *n* agua de tocador.

token ['təukən] *n* (*sign*) señal *f*, muestra; (*souvenir*) recuerdo; (*voucher*) cupón *m*; **book/record ~** vale *m* para comprar libros/discos.

told [təuld] *pt, pp of* **tell.**

tolerable ['tɔlərəbl] *a* (*bearable*) soportable; (*fairly good*) pasable.

tolerance ['tɔlərns] *n* (*also: TECH*) tolerancia; **tolerant** *a:* **tolerant of** tolerante con.

tolerate ['tɔləreɪt] *vt* tolerar; **toleration** [-'reɪʃən] *n* tolerancia.

toll [təul] *n* (*of casualties*) número de víctimas; (*tax, charge*) peaje *m* // *vi* (*bell*) doblar; ~**bridge** *n* puente *m* de peaje.

tomato [tə'mɑ:təu], *pl* ~**es** *n* tomate *m*.

tomb [tu:m] *n* tumba.

tombola [tɔm'bəulə] *n* tómbola.

tomboy ['tɔmbɔɪ] *n* marimacho.

tombstone ['tu:mstəun] *n* lápida.

tomcat ['tɔmkæt] *n* gato.

tomorrow [tə'mɔrəu] *ad, n* (*also fig*) mañana; **the day after ~** pasado mañana; ~ **morning** mañana por la mañana.

ton [tʌn] *n* tonelada; ~**s of** (*col*) montones *mpl* de.

tone [təun] *n* tono // *vi* armonizar; **to ~ down** *vt* (*colour, criticism*) suavizar; (*sound*) bajar; (*MUS*) entonar; **to ~ up** *vt* (*muscles*) tonificar; ~**-deaf** *a* que no tiene oído.

tongs [tɔŋz] *npl* (*for coal*) tenazas *fpl*; (*for hair*) tenacillas *fpl*.

tongue [tʌŋ] *n* lengua; ~ **in cheek** *ad* irónicamente; ~**-tied** *a* (*fig*) mudo; ~**-twister** *n* trabalenguas *m inv*.

tonic ['tɔnɪk] *n* (*MED*) tónico; (*MUS*) tónica; (*also:* ~ **water**) (agua) tónica.

tonight [tə'naɪt] *ad, n* esta noche.

tonnage ['tʌnɪdʒ] *n* (*NAUT*) tonelaje *m*.

tonsil ['tɔnsl] *n* amígdala, anginas *fpl* (*col*); ~**litis** [-'laɪtɪs] *n* amigdalitis *f*, (inflamación *f* de las) anginas.

too [tu:] ad (*excessively*) demasiado; (*very*) muy; (*also*) también; ~ **much** ad demasiado; ~ **many** det demasiados/as.

took [tuk] pt of **take**.

tool [tu:l] n herramienta; ~ **box** n caja de herramientas.

toot [tu:t] n (*of horn*) bocinazo; (*of whistle*) silbido // vi (*with car-horn*) tocar la bocina.

tooth [tu:θ], pl **teeth** n (*ANAT, TECH*) diente m; (*molar*) muela; ~ **ache** n dolor m de muelas; ~ **brush** n cepillo de dientes; ~ **paste** n pasta de dientes; ~ **pick** n palillo.

top [tɔp] n (*of mountain*) cumbre f, cima; (*of head*) coronilla; (*of ladder*) lo alto; (*of cupboard, table*) superficie f; (*lid: of box, jar*) tapa, tapadera; (: *of bottle*) tapón m; (*of list etc*) cabeza; (*toy*) peonza // a más alto; (*in rank*) principal, primero; (*best*) mejor // vt (*exceed*) exceder; (*be first in*) ir a la cabeza de; **on** ~ **of** sobre, encima de; **from** ~ **to toe** de pies a cabeza; **to** ~ **up** vt llenar; ~ **coat** n sobretodo; ~ **hat** n sombrero de copa; ~ **-heavy** a (*object*) desequilibrado.

topic ['tɔpɪk] n tema m, tópico; ~ **al** a actual.

top: ~ **less** a (*bather etc*) con el pecho al descubierto, topless; ~ **-level** a (*talks*) al más alto nivel; ~ **most** a más alto.

topple ['tɔpl] vt volcar, derribar // vi caerse.

topsy-turvy ['tɔpsɪ'tɜ:vɪ] a, ad patas arriba.

torch [tɔ:tʃ] n antorcha; (*electric*) linterna.

tore [tɔ:*] pt of **tear**.

torment ['tɔ:ment] n tormento // vt [tɔ:'ment] atormentar; (*fig: annoy*) fastidiar.

torn [tɔ:n] pp of **tear**.

tornado [tɔ:'neɪdəu], pl ~ **es** n tornado.

torpedo [tɔ:'pi:dəu], pl ~ **es** n torpedo.

torrent ['tɔrnt] n torrente m; ~ **ial** [-'rɛnʃl] a torrencial.

torso ['tɔ:səu] n torso.

tortoise ['tɔ:təs] n tortuga; ~ **shell** ['tɔ:təʃɛl] a de carey.

tortuous ['tɔ:tjuəs] a tortuoso.

torture ['tɔ:tʃə*] n tortura // vt torturar; (*fig*) atormentar.

Tory ['tɔ:rɪ] a, n conservador/a m/f.

toss [tɔs] vt tirar, echar; (*head*) sacudir (la cabeza); **to** ~ **a coin** echar a cara o cruz; **to** ~ **up for sth** jugar a cara o cruz algo; **to** ~ **and turn in bed** dar vueltas en la cama.

tot [tɔt] n (*drink*) copita; (*child*) nene/a m/f.

total ['təutl] a total, entero // n total m, suma // vt (*add up*) sumar; (*amount to*) ascender a.

totalitarian [təutælɪ'tɛərɪən] a totalitario.

totem pole ['təutəm-] n poste m totémico.

totter ['tɔtə*] vi tambalearse.

touch [tʌtʃ] n (*gen*) tacto; (*contact*) contacto; (*FOOTBALL*) fuera de juego // vt (*gen*) tocar; (*emotionally*) conmover; **a** ~ **of** (*fig*) una pizca o un poquito de; **to get**

in ~ **with sb** ponerse en contacto con uno; **to lose** ~ (*friends*) perder contacto; **to** ~ **on** vt fus (*topic*) aludir (brevemente) a; **to** ~ **up** vt (*paint*) retocar; ~ **-and-go** a arriesgado; ~ **down** n aterrizaje m; (*on sea*) amerizaje m; ~ **ed** a conmovido; (*col*) chiflado; ~ **ing** a conmovedor(a); ~ **line** n (*SPORT*) línea de banda; ~ **y** a (*person*) susceptible.

tough [tʌf] a (*gen*) duro; (*difficult*) difícil; (*resistant*) resistente; (*person*) fuerte; (: *pej*) bruto // n (*gangster etc*) gorila m; ~ **en** vt endurecer; ~ **ness** n dureza; dificultad f; resistencia; fuerza.

toupee ['tu:peɪ] n peluca.

tour [tuə*] n viaje m, vuelta; (*also: package* ~) viaje m organizado; (*of town, museum*) visita // vt viajar por; ~ **ing** n viajes mpl turísticos, turismo.

tourism ['tuərɪzm] n turismo.

tourist ['tuərɪst] n turista m/f // cpd turístico; ~ **office** n oficina de turismo.

tournament ['tuənəmənt] n torneo.

tousled ['tauzld] a (*hair*) despeinado.

tout [taut] vi: **to** ~ **for** solicitar clientes para // n: **ticket** ~ revendedor/a m/f.

tow [təu] vt remolcar; **'on** ~' (*AUT*) "a remolque".

toward(s) [tə'wɔ:d(z)] prep hacia; (*of attitude*) respecto a, con; (*of purpose*) para.

towel ['tauəl] n toalla; ~ **ling** n (*fabric*) felpa; ~ **rail** n toallero.

tower ['tauə*] n torre f; ~ **block** n rascacielos m inv; ~ **ing** a muy alto, imponente.

town [taun] n ciudad f; **to go to** ~ ir a la ciudad; (*fig*) hacer con entusiasmo; ~ **clerk** n secretario del Ayuntamiento; ~ **council** n consejo municipal; ~ **hall** n ayuntamiento; ~ **planning** n urbanismo.

towrope ['təurəup] n cable m de remolque.

toxic ['tɔksɪk] a tóxico.

toy [tɔɪ] n juguete m; **to** ~ **with** vt fus jugar con; (*idea*) acariciar; ~ **shop** n juguetería.

trace [treɪs] n rastro // vt (*draw*) trazar, delinear; (*follow*) seguir la pista de; (*locate*) encontrar.

track [træk] n (*mark*) huella, pista; (*path: gen*) camino, senda; (: *of bullet etc*) trayectoria; (: *of suspect, animal*) pista, rastro; (*RAIL*) vía; (*on tape, SPORT*) pista // vt seguir la pista de; **to keep** ~ **of** mantenerse al tanto de, seguir; **to** ~ **down** vt (*prey*) averiguar el paradero de; (*sth lost*) buscar y encontrar; ~ **suit** n chandal m.

tract [trækt] n (*GEO*) región f; (*pamphlet*) folleto.

tractor ['træktə*] n tractor m.

trade [treɪd] n comercio, negocio; (*skill, job*) oficio, empleo // vi negociar, comerciar; **to** ~ **in** vt (*old car etc*) ofrecer como parte del pago; ~ **-in price** n valor m de un objeto usado que se descuenta del precio de otro nuevo; ~ **mark** n marca de fábrica; ~ **name** n marca registrada;

trader n comerciante m/f; **tradesman** n (*shopkeeper*) tendero; ~ **union** n sindicato; ~ **unionism** n sindicalismo; **trading** n comercio; **trading estate** n zona comercial.

tradition [trə'dɪʃən] n tradición f; ~**al** a tradicional.

traffic ['træfɪk] n (*gen, AUT*) tráfico, circulación f; (*air* ~ *etc*) tránsito // vi: to ~ **in** (*pej: liquor, drugs*) traficar en; ~ **circle** n (*US*) cruce m giratorio; ~ **jam** n embotellamiento; ~ **lights** npl semáforo sg; ~ **warden** n guardia m/f de tráfico.

tragedy ['trædʒədɪ] n tragedia.

tragic ['trædʒɪk] a trágico.

trail [treɪl] n (*tracks*) rastro, pista; (*path*) camino, sendero; (*wake*) estela // vt (*drag*) arrastrar; (*follow*) seguir la pista de; (*follow closely*) vigilar // vi arrastrarse; **to** ~ **behind** vi quedar a la zaga; ~**er** n (*AUT*) remolque m; (*US*) caravana; (*CINEMA*) trailer m, ávance m.

train [treɪn] n tren m; (*of dress*) cola; (*series*) serie f; (*followers*) séquito // vi (*educate*) formar; (*teach skills to*) adiestrar; (*sportsman*) entrenar; (*dog*) amaestrar; (*point: gun etc*): **to** ~ **on** apuntar a // vi (*SPORT*) entrenarse; (*be educated*) recibir una formación; ~**ed** a (*worker*) cualificado, adiestrado; (*teacher*) diplomado; (*animal*) amaestrado; ~**ee** [treɪ'ni:] n persona que está aprendiendo; (*in trade*) aprendiz/a m/f; ~**er** n (*SPORT*) entrenador/a m/f; (*of animals*) domador/a m/f; ~**ing** n formación f; adiestramiento; entrenamiento; **in** ~**ing** (*SPORT*) en forma; ~**ing college** n (*for teachers*) escuela normal; (*gen*) colegio de formación profesional.

traipse [treɪps] vi andar con desgana.

trait [treɪt] n rasgo.

traitor ['treɪtə*] n traidor/a m/f.

tram [træm] n (*also:* ~**car**) tranvía m.

tramp [træmp] n (*person*) vagabundo // vi andar con pasos pesados.

trample ['træmpl] vt: **to** ~ (**underfoot**) pisotear.

trampoline ['træmpəli:n] n trampolín m.

trance [trɑ:ns] n trance m; (*MED*) catalepsia.

tranquil ['træŋkwɪl] a tranquilo; ~**lity** n tranquilidad f; ~**lizer** n (*MED*) tranquilizante m.

transact [træn'zækt] vt (*business*) tramitar; ~**ion** [-'zækʃən] n transacción f, negocio.

transatlantic ['trænzət'læntɪk] a transatlántico.

transcend [træn'sɛnd] vt trascender.

transcript ['trænskrɪpt] n copia; ~**ion** [-'skrɪpʃən] n transcripción f.

transept ['trænsɛpt] n crucero.

transfer ['trænsfə*] n (*gen*) transferencia; (*SPORT*) traspaso; (*picture, design*) calcomanía // vt [træns'fə:*] trasladar, pasar; **to** ~ **the charges** (*TEL*) llamar a cobro revertido; ~**able** [-'fɔ:rəbl] a trans-

ferible; '**not** ~**able**' "intransferible".

transform [træns'fɔ:m] vt transformar; ~**ation** [-'meɪʃən] n transformación f; ~**er** n (*ELEC*) transformador m.

transfusion [træns'fju:ʒən] n transfusión f.

transient ['trænzɪənt] a transitorio.

transistor [træn'zɪstə*] n (*ELEC*) transistor m; ~ **radio** n radio f a transistores.

transit ['trænzɪt] n: **in** ~ de tránsito, de paso.

transition [træn'zɪʃən] n transición f; ~**al** a transitorio.

transitive ['trænzɪtɪv] a (*LING*) transitivo.

transitory ['trænzɪtərɪ] a transitorio.

translate [trænz'leɪt] vt traducir; **translation** [-'leɪʃən] n traducción f; **translator** n traductor/a m/f.

transmission [trænz'mɪʃən] n transmisión f.

transmit [trænz'mɪt] vt transmitir; ~**ter** n transmisor m; (*station*) emisora.

transparency [træns'pɛərnsɪ] n (*PHOT*) diapositiva.

transparent [træns'pærnt] a transparente.

transplant [træns'plɑ:nt] vt transplantar // n ['trænsplɑ:nt] (*MED*) transplante m.

transport ['trænspɔ:t] n (*gen*) transporte m; (*also:* **road/rail** ~) transportes mpl // vt [-'pɔ:t] transportar; (*carry*) acarrear; ~**ation** [-'teɪʃən] n transporte m; ~ **café** n cafetería de carretera.

transverse ['trænzvə:s] a transversal.

transvestite [trænz'vɛstaɪt] n travesti m/f.

trap [træp] n (*snare, trick*) trampa; (*carriage*) cabriolé m // vt coger en una trampa; (*immobilize*) bloquear; (*jam*) atascar; ~ **door** n escotilla.

trapeze [trə'pi:z] n trapecio.

trappings ['træpɪŋz] npl adornos mpl.

trash [træʃ] n (*pej: goods*) pacotilla; (: *nonsense*) basura; ~ **can** n (*US*) cubo de la basura.

trauma ['trɔ:mə] n trauma m; ~**tic** [-'mætɪk] a traumático.

travel ['trævl] n viaje m // vi viajar // vt (*distance*) recorrer; ~ **agency** n agencia de viajes; ~**ler**, ~**er** n (*US*) n viajero/a; ~**ler's cheque** n cheque m de viajero; ~**ling**, ~**ing** (*US*) n los viajes mpl, el viajar; ~ **sickness** n mareo.

traverse ['trævəs] vt atravesar, cruzar.

travesty ['trævəstɪ] n parodia.

trawler ['trɔ:lə*] n barco rastreador o de rastra.

tray [treɪ] n (*for carrying*) bandeja; (*on desk*) cajón m.

treacherous ['trɛtʃərəs] a traidor(a); **treachery** n traición f.

treacle ['tri:kl] n melaza.

tread [trɛd] n (*step*) paso, pisada; (*sound*) ruido de pasos; (*of tyre*) banda de rodadura // vi, pt **trod**, pp **trodden** pisar; **to** ~ **on** vt fus pisar sobre.

treason ['tri:zn] n traición f.

treasure ['trɛʒə*] n tesoro // vt (value) apreciar, valorar; ~ **hunt** n caza del tesoro.

treasurer ['trɛʒərə*] n tesorero.

treasury ['trɛʒərɪ] n: **the T~** (POL) el Ministerio de Hacienda.

treat [tri:t] n (present) regalo; (pleasure) placer m // vt tratar; **to ~ sb to sth** invitar a uno a algo.

treatise ['tri:tɪz] n tratado.

treatment ['tri:tmənt] n tratamiento.

treaty ['tri:tɪ] n tratado.

treble ['trɛbl] a triple // n (MUS) triple m // vt triplicar // vi triplicarse.

tree [tri:] n árbol m; ~ **trunk** n tronco de árbol.

trek [trɛk] n (long journey) viaje m largo y peligroso; (tiring walk) caminata; (as holiday) excursión f.

trellis ['trɛlɪs] n enrejado.

tremble ['trɛmbl] vi temblar; **trembling** n temblor m // a tembloroso.

tremendous [trɪ'mɛndəs] a tremendo; (enormous) enorme; (excellent) estupendo.

tremor ['trɛmə*] n temblor m; (also: **earth ~**) temblor m de tierra.

trench [trɛntʃ] n trinchera.

trend [trɛnd] n (tendency) tendencia; (of events) curso; (fashion) moda; ~**y** a (idea) según las tendencias actuales; (clothes) a la última moda.

trepidation [trɛpɪ'deɪʃən] n agitación f; (fear) ansia.

trespass ['trɛspəs] vi: **to ~ on** entrar sin permiso en; **"no ~ing"** "prohibido el paso".

tress [trɛs] n trenza.

trestle ['trɛsl] n caballete m; ~ **table** n mesa de caballete.

trial ['traɪəl] n (LAW) juicio, proceso; (test: of machine etc) prueba; (hardship) desgracia; **by ~ and error** por tanteo.

triangle ['traɪæŋgl] n (MATH, MUS) triángulo; **triangular** [-'æŋgjulə*] a triangular.

tribal ['traɪbəl] a tribal.

tribe [traɪb] n tribu f; **tribesman** n miembro de una tribu.

tribulation [trɪbju'leɪʃən] n tribulación f, sufrimiento.

tribunal [traɪ'bju:nl] n tribunal m.

tributary ['trɪbjutərɪ] n (river) afluente m.

tribute ['trɪbju:t] n homenaje m; (payment) tributo; **to pay ~ to** rendir homenaje a.

trice [traɪs] n: **in a ~** en un santiamén.

trick [trɪk] n (deceit) truco; (joke) broma; (CARDS) baza // vt engañar; **to play a ~ on sb** gastar una broma a uno; ~**ery** n astucia.

trickle ['trɪkl] n (of water etc) hililllo // vi gotear.

tricky ['trɪkɪ] a difícil, delicado.

tricycle ['traɪsɪkl] n triciclo.

trifle ['traɪfl] n bagatela; (CULIN) dulce m de bizcocho, fruta y natillas // ad: **a ~ long** un poquito largo; **trifling** a insignificante.

trigger ['trɪgə*] n (of gun) gatillo; **to ~ off** vt desencadenar.

trigonometry [trɪgə'nɔmətrɪ] n trigonometría.

trill [trɪl] n (of bird) trino.

trim [trɪm] a (elegant) aseado; (house, garden) en buen estado; (figure) con buen tipo // n (haircut etc) recorte m; (on car) tapicería // vt arreglar; (cut) recortar; (decorate) adornar; (NAUT: a sail) orientar; ~**mings** npl decoraciones fpl; (cuttings) recortes mpl.

Trinity ['trɪnɪtɪ] n: **the ~** la Trinidad.

trinket ['trɪŋkɪt] n chuchería; (piece of jewellery) baratija.

trio ['tri:əu] n trío.

trip [trɪp] n viaje m; (excursion) excursión f; (stumble) traspié m // vi (also: ~ **up**) tropezar; (go lightly) andar a paso ligero // vt poner la zancadilla a.

tripe [traɪp] n (CULIN) callos mpl; (pej: rubbish) bobadas fpl.

triple ['trɪpl] a triple.

triplets ['trɪplɪts] npl trillizos/as m/fpl.

triplicate ['trɪplɪkət] n: **in ~** por triplicado.

tripod ['traɪpɔd] n trípode m.

trite [traɪt] a gastado, trillado.

triumph ['traɪʌmf] n triunfo // vi: **to ~ (over)** vencer; ~**ant** [-'ʌmfənt] a triunfante.

trivia ['trɪvɪə] npl trivialidades fpl.

trivial ['trɪvɪəl] a insignificante; (commonplace) trivial; ~**ity** [-'ælɪtɪ] n trivialidad f.

trod [trɔd], **trodden** ['trɔdn] pt, pp of **tread.**

trolley ['trɔlɪ] n carrito; ~ **bus** n trolebús m.

trombone [trɔm'bəun] n trombón m.

troop [tru:p] n grupo, banda; ~**s** npl (MIL) tropas fpl; **to ~ in/out** vi entrar/salir en grupo; ~**er** n (MIL) soldado de caballería.

trophy ['trəufɪ] n trofeo.

tropic ['trɔpɪk] n trópico; ~**al** a tropical.

trot [trɔt] n trote m // vi trotar; **on the ~** (fig: col) de corrido.

trouble ['trʌbl] n problema m, dificultad f; (worry) preocupación f; (bother, effort) molestia, esfuerzo; (unrest) inquietud f; (MED): **stomach ~** problemas mpl gástricos // vt molestar; (worry) preocupar, inquietar // vi: **to ~ to do sth** molestarse en hacer algo; ~**s** npl (POL etc) conflictos mpl; **to be in ~** estar en un apuro; **to go to the ~ of doing sth** tomarse la molestia de hacer algo; **what's the ~?** ¿qué pasa?; ~**d** a (person) preocupado; (epoch, life) agitado; ~**maker** n elemento perturbador; (child) niño alborotado; ~**shooter** n (in conflict) conciliador m; ~**some** a molesto, inoportuno.

trough [trɔf] n (also: **drinking ~**)

abrevadero; (also: **feeding** ~) comedero; (channel) canal m.

troupe [tru:p] n grupo.

trousers ['trauzəz] npl pantalones mpl.

trousseau ['tru:səu], pl ~**x** or ~**s** [-z] n ajuar m.

trout [traut] n, pl inv trucha.

trowel ['trauəl] n paleta.

truant ['truənt] n: **to play** ~ hacer novillos.

truce [tru:s] n tregua.

truck [trʌk] n camión m; (RAIL) vagón m; ~ **driver** n camionero; ~ **farm** n (US) huerto de hortalizas.

truculent ['trʌkjulənt] a agresivo.

trudge [trʌdʒ] vi andar con dificultad o pesadamente.

true [tru:] a verdadero; (accurate) exacto; (genuine) auténtico; (faithful) fiel.

truffle ['trʌfl] n trufa.

truly ['tru:lɪ] ad auténticamente; (truthfully) verdaderamente; (faithfully) fielmente; **yours** ~ (in letter) (le saluda) atentamente.

trump [trʌmp] n triunfo; ~**ed-up** a inventado.

trumpet ['trʌmpɪt] n trompeta.

truncheon ['trʌntʃən] n porra.

trundle ['trʌndl] vt, vi: **to** ~ **along** rodar haciendo ruido.

trunk [trʌŋk] n (of tree, person) tronco; (of elephant) trompa; (case) baúl m; ~**s** npl (also: **swimming** ~**s**) bañador m; ~ **call** n (TEL) llamada interurbana.

truss [trʌs] n (MED) braguero; **to** ~ **(up)** vt atar.

trust [trʌst] n confianza; (COMM) trust m, cartel m; (obligation) responsabilidad f; (LAW) fideicomiso // vt (rely on) tener confianza en; (entrust): **to** ~ **sth to sb** confiar algo a uno; ~**ed** a de confianza; ~**ee** [trʌs'ti:] n (LAW) depositario, fideicomisario; (of school etc) administrador/a m/f; ~**ful, ~ing** a confiado; ~**worthy** a digno de confianza; ~**y** a fiel.

truth [tru:θ], pl ~**s** [tru:ðz] n verdad f; ~**ful** a (person) que dice la verdad; ~**fully** ad sinceramente; ~**fulness** n veracidad f.

try [traɪ] n tentativa, intento; (RUGBY) ensayo // vt (LAW) juzgar, procesar; (test: sth new) probar, someter a prueba; (attempt) intentar; (strain) hacer sufrir // vi probar; **to** ~ **to do sth** intentar hacer algo; **to** ~ **on** vt (clothes) probarse; **to** ~ **out** vt probar, poner a prueba; ~**ing** a penoso, cansado.

tsar [zɑː*] n zar m.

T-shirt ['ti:ʃəːt] n camiseta.

tub [tʌb] n cubo; (bath) tina, bañera.

tuba ['tju:bə] n tuba.

tubby ['tʌbɪ] a regordete.

tube [tju:b] n tubo; (underground) metro; (for tyre) cámara de aire; ~**less** a sin cámara.

tuberculosis [tjubə:kju'ləusɪs] n tuberculosis f.

tube station n estación f de metro.

tubing ['tju:bɪŋ] n tubería; **a piece of** ~ un trozo de tubo.

tubular ['tju:bjulə*] a tubular; (furniture) de tubo.

TUC n abbr of **Trades Union Congress.**

tuck [tʌk] n (SEWING) pliegue m // vt (put) poner; **to** ~ **away** vt esconder; **to** ~ **in** vt meter; (child) arropar // vi (eat) comer con mucho apetito; **to** ~ **up** vt (child) arropar; ~ **shop** n tienda de golosinas.

Tuesday ['tju:zdɪ] n martes m.

tuft [tʌft] n mechón m; (of grass etc) manojo.

tug [tʌg] n (ship) remolcador m // vt remolcar; ~**-of-war** n lucha de la cuerda.

tuition [tju:'ɪʃən] n enseñanza; (private ~) clases fpl particulares.

tulip ['tju:lɪp] n tulipán m.

tumble ['tʌmbl] n (fall) caída // vi caerse, tropezar // vt tirar; ~**down** a destartalado; ~ **dryer** n secador m de ropa automático.

tumbler ['tʌmblə*] n vaso.

tummy ['tʌmɪ] n (col: belly) barriga; (: stomach) vientre m.

tumour ['tju:mə*] n tumor m.

tumult ['tju:mʌlt] n tumulto; ~**uous** [-'mʌltjuəs] a tumultuoso.

tuna ['tju:nə] n, pl inv (also: ~ **fish**) atún m.

tune [tju:n] n (melody) melodía // vt (MUS) afinar; (RADIO, TV, AUT) sintonizar; **to be in/out of** ~ (instrument) estar afinado/desafinado; (singer) cantar bien/ mal; **to be in/out of** ~ **with** (fig) armonizar/desentonar con; **to** ~ **up** vi (musician) afinar (su instrumento); ~**ful** a melodioso; **tuner** n (radio set) sintonizador m; **piano tuner** afinador m de pianos.

tunic ['tju:nɪk] n túnica.

tuning ['tju:nɪŋ] n sintonización f; (MUS) afinación f; ~ **fork** n diapasón m.

Tunisia [tju:'nɪzɪə] n Túnez m.

tunnel ['tʌnl] n túnel m; (in mine) galería // vi construir un túnel/una galería.

tunny ['tʌnɪ] n atún m.

turban ['tə:bən] n turbante m.

turbine ['tə:baɪn] n turbina.

turbulence ['tə:bjuləns] n (AVIAT) turbulencia; **turbulent** a turbulento.

tureen [tə'ri:n] n sopera.

turf [tə:f] n turba; (clod) césped m // vt poner césped; **to** ~ **out** vt (col) echar a la calle.

turgid ['tə:dʒɪd] a (speech) pesado.

Turk [tə:k] n turco/a.

turkey ['tə:kɪ] n pavo.

Turkey ['tə:kɪ] n Turquía; **Turkish** a, n turco; **Turkish bath** n baño turco.

turmoil ['tə:mɔɪl] n desorden m, alboroto.

turn [tə:n] n turno; (in road) curva; (tendency: of mind, events) disposición f, propensión f; (THEATRE) número; (MED) desmayo // vt girar, volver; (collar, steak) dar la vuelta a; (change): **to ~ sth into** convertir algo en // vi volver; (person: look back) volverse; (reverse direction) dar la vuelta; (milk) cortarse; (change) cambiar; (become) convertirse en; **a good ~** un favor; **it gave me quite a ~** me dio un susto (bastante grande); **'no left ~'** (AUT) 'prohibido girar a la izquierda'; **it's your ~** te toca a ti; **in ~** por turnos; **to take ~s** turnarse; **to ~ about** vi dar una vuelta completa; **to ~ away** vi volver la cabeza; **to ~ back** vi volverse atrás; **to ~ down** vt (refuse) rechazar; (reduce) bajar; (fold) doblar (hacia abajo); **to ~ in** vi (col: go to bed) acostarse // vt (fold) doblar hacia dentro; **to ~ off** vi (from road) desviarse // vt (light, radio etc) apagar; (engine) parar; **to ~ on** vt (light, radio etc) encender; (engine) poner en marcha; **to ~ out** vt (light, gas) apagar // vi: **to ~ out to be...** resultar ser...; **to ~ up** vi (person) llegar, presentarse; (lost object) aparecer // vt (gen) subir; **~ing** n (in road) vuelta; **~ing point** n (fig) momento decisivo.

turnip ['təːnɪp] n nabo.

turnout ['təːnaut] n asistencia, número de asistentes.

turnover ['təːnəuvə*] n (COMM: amount of money) cifra de negocios; (: of goods) movimiento.

turnpike ['təːnpaɪk] n (US) autopista de peaje.

turnstile ['təːnstaɪl] n torniquete m.

turntable ['təːnteɪbl] n (on record player) plato.

turn-up ['təːnʌp] n (on trousers) vuelta.

turpentine ['təːpəntaɪn] n (also: **turps**) trementina.

turquoise ['təːkwɔɪz] n (stone) turquesa // a color turquesa.

turret ['tʌrɪt] n torrecilla.

turtle ['təːtl] n tortuga marina.

tusk [tʌsk] n colmillo.

tussle ['tʌsl] n (fight) lucha; (scuffle) pelea.

tutor ['tjuːtə*] n (gen) profesor/a m/f; **~ial** [-'tɔːrɪəl] n (SCOL) seminario.

T.V. [tiː'viː] n abbr of **television.**

twaddle ['twɔdl] n tonterías fpl, bobadas fpl.

twang [twæŋ] n (of instrument) punteado; (of voice) timbre m nasal // vi vibrar // vt (guitar) puntear.

tweed [twiːd] n tweed m.

tweezers ['twiːzəz] npl pinzas fpl de depilar.

twelfth [twelfθ] a duodécimo; **T~ Night** n Día de Reyes.

twelve [twelv] num doce.

twentieth ['twentɪɪθ] a vigésimo.

twenty ['twentɪ] num veinte.

twerp [twəːp] n (col) imbécil m/f.

twice [twaɪs] ad dos veces; **~ as much** dos veces más.

twig [twɪg] n ramita // vi (col) caer en la cuenta.

twilight ['twaɪlaɪt] n crepúsculo, ocaso.

twin [twɪn] a, n gemelo/a // vt tener como gemelo.

twine [twaɪn] n bramante m // vi (plant) enroscarse.

twinge [twɪndʒ] n (of pain) punzada; (of conscience) remordimiento.

twinkle ['twɪŋkl] n centelleo // vi centellear; (eyes) parpadear.

twirl [twəːl] n giro // vt dar vueltas a // vi girar rápidamente.

twist [twɪst] n (action) torsión f; (in road, coil) vuelta; (in wire, flex) enroscadura; (in story) cambio imprevisto // vt torcer, retorcer; (weave) entrelazar; (roll around) enrollar; (fig) deformar // vi serpentear.

twit [twɪt] n (col) tonto.

twitch [twɪtʃ] n sacudida; (nervous) tic m nervioso // vi moverse nerviosamente.

two [tuː] num dos; **to put ~ and ~ together** (fig) atar cabos; **~-door** a (AUT) de dos puertas; **~-faced** a (pej: person) falso; **~-fold** ad: **to increase ~-fold** duplicar; **~-piece (suit)** n traje m de dos piezas; **~-piece (swimsuit)** n dos piezas m inv, bikini m; **~-seater** n (plane) avión m biplaza; (car) coche m de dos plazas; **~some** n (people) pareja; **~-way** a: **~-way traffic** circulación f en ambas direcciones.

tycoon [taɪ'kuːn] n: **(business) ~** magnate m.

type [taɪp] n (category) tipo, género; (model) modelo; (TYP) tipo, letra // vt (letter etc) escribir a máquina; **~-cast** a (actor) encasillado; **~script** n texto mecanografiado; **~writer** n máquina de escribir; **~written** a mecanografiado.

typhoid ['taɪfɔɪd] n tifoidea.

typhoon [taɪ'fuːn] n tifón m.

typhus ['taɪfəs] n tifus m.

typical ['tɪpɪkl] a típico; **typify** [-faɪ] vt ser típico de.

typing ['taɪpɪŋ] n mecanografía; **typist** n mecanógrafa.

tyranny ['tɪrənɪ] n tiranía.

tyrant ['taɪərnt] n tirano/a.

tyre, tire (US) ['taɪə*] n neumático, llanta.

tzar [zɑː*] n = **tsar.**

U

U-bend ['juːbend] n (in pipe) recodo.

ubiquitous [juː'bɪkwɪtəs] a ubicuo, omnipresente.

udder ['ʌdə*] n ubre f.

UFO ['juːfəu] n abbr of **unidentified flying object** O.V.N.I. m (objeto volante no identificado).

ugliness ['ʌglɪnɪs] n fealdad f; **ugly** a feo; (dangerous) peligroso.

U.K. n abbr of **United Kingdom.**

ulcer ['ʌlsə*] n úlcera.

Ulster ['ʌlstə*] n Úlster m, Irlanda del Norte.

ulterior [ʌl'tɪərɪə*] a ulterior; ~ **motive** motivo oculto.

ultimate ['ʌltɪmət] a último, final; (authority) supremo; ~**ly** ad (in the end) por último, al final; (fundamentally) en el fondo.

ultimatum [ʌltɪ'meɪtəm] n ultimátum m.

ultraviolet ['ʌltrə'vaɪəlɪt] a ultravioleta.

umbilical cord [ʌmbɪ'laɪkl-] n cordón m umbilical.

umbrella [ʌm'brɛlə] n paraguas m inv.

umpire ['ʌmpaɪə*] n árbitro // vt arbitrar.

umpteen [ʌmp'tiːn] a tantísimos; **for the** ~**th time** por enésima vez.

UN, UNO abbr of **United Nations (Organization)**.

unable [ʌn'eɪbl] a: **to be** ~ **to do sth** ser incapaz o no poder hacer algo.

unabridged [ʌnə'brɪdʒd] a íntegro.

unaccompanied [ʌnə'kʌmpənɪd] a no acompañado.

unaccountably [ʌnə'kauntəblɪ] ad inexplicablemente.

unaccustomed [ʌnə'kʌstəmd] a: **to be** ~ **to** no tener costumbre de.

unaided [ʌn'eɪdɪd] a sin ayuda, por sí solo.

unanimous [juː'nænɪməs] a unánime; ~**ly** ad unánimemente.

unarmed [ʌn'ɑːmd] a (without a weapon) desarmado; (defenceless) inerme.

unassuming [ʌnə'sjuːmɪŋ] a modesto, sin pretensiones.

unattached [ʌnə'tætʃt] a (person) libre; (part etc) suelto, separable.

unattended [ʌnə'tɛndɪd] a (car, luggage) sin vigilancia.

unattractive [ʌnə'træktɪv] a poco atractivo.

unauthorized [ʌn'ɔːθəraɪzd] a desautorizado.

unavoidable [ʌnə'vɔɪdəbl] a inevitable.

unaware [ʌnə'wɛə*] a: **to be** ~ **of** ignorar, no darse cuenta de; ~**s** ad de improviso.

unbalanced [ʌn'bælənst] a desequilibrado; (mentally) trastornado.

unbearable [ʌn'bɛərəbl] a insoportable.

unbeatable [ʌn'biːtəbl] a (team) imbatible; (price) inmejorable.

unbeaten [ʌn'biːtn] a imbatido.

unbeknown(st) [ʌnbɪ'nəun(st)] ad: ~ **to me** sin saberlo (yo).

unbelievable [ʌnbɪ'liːvəbl] a increíble.

unbend [ʌn'bɛnd] (irg: like bend) vi suavizarse // vt (wire) enderezar.

unblock [ʌn'blɔk] vt (pipe) desatascar.

unborn [ʌn'bɔːn] a sin nacer.

unbounded [ʌn'baundɪd] a ilimitado, sin límite.

unbreakable [ʌn'breɪkəbl] a irrompible.

unbridled [ʌn'braɪdld] a (fig) desenfrenado.

unbroken [ʌn'brəukən] a (seal) intacto;

(series) continuo; (record) imbatido; (spirit) indómito.

unburden [ʌn'bɜːdn] vr: **to** ~ **o.s.** desahogarse.

unbutton [ʌn'bʌtn] vt desabrochar.

uncalled-for [ʌn'kɔːldfɔː*] a gratuito, inmerecido.

uncanny [ʌn'kænɪ] a extraño, extraordinario.

unceasing [ʌn'siːsɪŋ] a incesante.

uncertain [ʌn'sɜːtn] a incierto; (character) indeciso; ~**ty** n incertidumbre f.

unchanged [ʌn'tʃeɪndʒd] a sin cambiar o alterar.

uncharitable [ʌn'tʃærɪtəbl] a poco caritativo.

uncharted [ʌn'tʃɑːtɪd] a inexplorado.

unchecked [ʌn'tʃɛkt] a desenfrenado.

uncivil [ʌn'sɪvɪl] a grosero.

uncle ['ʌŋkl] n tío.

uncomfortable [ʌn'kʌmfətəbl] a incómodo; (uneasy) molesto.

uncommon [ʌn'kɔmən] a poco común, raro.

unconcerned [ʌnkən'sɜːnd] a indiferente, despreocupado.

unconditional [ʌnkən'dɪʃənl] a incondicional.

unconscious [ʌn'kɔnʃəs] a sin sentido; (unaware) inconsciente // n: **the** ~ el inconsciente; ~**ly** ad inconscientemente.

uncontrollable [ʌnkən'trəuləbl] a (temper) ingobernable; (laughter) incontenible.

uncouth [ʌn'kuːθ] a grosero, inculto.

uncover [ʌn'kʌvə*] vt (gen) descubrir; (take lid off) destapar.

undecided [ʌndɪ'saɪdɪd] a (character) indeciso; (question) no resuelto, pendiente.

undeniable [ʌndɪ'naɪəbl] a innegable.

under ['ʌndə*] prep debajo de; (less than) menos de; (according to) según, de acuerdo con // ad debajo, abajo; ~ **there** allí abajo; ~ **repair** en reparación.

under... [ʌndə*] pref sub; ~**age** a menor de edad; ~**carriage** n tren m de aterrizaje; ~**clothes** npl ropa sg interior; ~**coat** n (paint) primera mano; ~**cover** a clandestino; ~**current** n corriente f submarina; (fig) tendencia oculta; ~**cut** vt irg rebajar los precios para competir con; ~**developed** a subdesarrollado; ~**dog** n desvalido; ~**done** a (CULIN) poco hecho; ~**estimate** vt subestimar; ~**exposed** a (PHOT) subexpuesto; ~**fed** a subalimentado; ~**foot** ad bajo los pies; ~**go** vt irg sufrir; (treatment) recibir; ~**graduate** n estudiante m/f; ~**ground** n (railway) metro; (POL) movimiento clandestino // a subterráneo; ~**growth** n maleza; ~**hand(ed)** a (fig) turbio; ~**lie** vt irg estar debajo de; (fig) ser la razón fundamental de; ~**line** vt subrayar; ~**ling** ['ʌndəlɪŋ] n (pej) subalterno; ~**mine** vt socavar, minar; ~**neath** [ʌndə'niːθ] ad debajo // prep debajo de, bajo; ~**paid** a mal pagado; ~**pants** npl

(Brit) calzoncillos mpl; ~**pass** n paso subterráneo; ~**price** vt vender demasiado barato; ~**rate** vt menospreciar, subestimar; ~**side** n parte f inferior, revés m; ~**skirt** n enaguas fpl.

understand [ʌndə'stænd] (irg: like **stand**) vt, vi entender, comprender; (assume) sobreentender; ~**able** a comprensible; ~**ing** a comprensivo // n comprensión f, entendimiento; (agreement) acuerdo.

understatement [ʌndə'steɪtmənt] n descripción f insuficiente; (quality) modestia (excesiva).

understood [ʌndə'stud] pt, pp o. **understand** // a entendido; (implied) sobreentendido.

understudy ['ʌndəstʌdɪ] n suplente m/f.

undertake [ʌndə'teɪk] (irg: like **take**) vt acometer; **to** ~ **to do sth** comprometerse a hacer algo.

undertaker ['ʌndəteɪkə*] n director m de pompas fúnebres, sepulturero.

undertaking [ʌndə'teɪkɪŋ] n empresa; (promise) promesa.

underwater [ʌndə'wɔːtə*] ad bajo el agua // a submarino.

underwear ['ʌndəwɛə*] n ropa interior.

underweight [ʌndə'weɪt] a de peso insuficiente; (person) demasiado delgado.

underworld ['ʌndəwɜːld] n (of crime) hampa, inframundo.

underwriter ['ʌndəraɪtə*] n (INSURANCE) (re)asegurador/a m/f.

undesirable [ʌndɪ'zaɪərəbl] a indeseable.

undies ['ʌndɪz] npl (col) paños mpl menores.

undignified [ʌn'dɪgnɪfaɪd] a indecoroso.

undisputed [ʌndɪ'spjuːtɪd] a incontestable.

undo [ʌn'duː] (irg: like **do**) vt deshacer; ~**ing** n ruina, perdición f.

undoubted [ʌn'dautɪd] a indudable; ~**ly** ad indudablemente, sin duda.

undress [ʌn'drɛs] vi desnudarse.

undue [ʌn'djuː] a indebido, excesivo.

undulating ['ʌndjuleɪtɪŋ] a ondulante.

unduly [ʌn'djuːlɪ] ad excesivamente, demasiado.

unearth [ʌn'ɜːθ] vt desenterrar.

unearthly [ʌn'ɜːθlɪ] a (hour) inverosímil.

uneasy [ʌn'iːzɪ] a intranquilo; (worried) preocupado.

uneconomic(al) ['ʌniːkə'nɔmɪk(l)] a antieconómico.

uneducated [ʌn'ɛdjukeɪtɪd] a sin educación, inculto.

unemployed [ʌnɪm'plɔɪd] a parado, sin trabajo // n: **the** ~ los parados; **unemployment** [-'plɔɪmənt] n paro, desempleo.

unending [ʌn'endɪŋ] a interminable.

unenthusiastic [ʌnɪnθuːzɪ'æstɪk] a poco entusiasta.

unerring [ʌn'ɜːrɪŋ] a infalible.

uneven [ʌn'iːvn] a desigual; (road etc) quebrado, accidentado.

unexpected [ʌnɪk'spɛktɪd] a inesperado.

unfair [ʌn'fɛə*] a: ~ (**to**) injusto (con); ~**ly** ad injustamente.

unfaithful [ʌn'feɪθful] a infiel.

unfamiliar [ʌnfə'mɪlɪə*] a nuevo, desconocido.

unfashionable [ʌn'fæʃnəbl] a pasado o fuera de moda.

unfasten [ʌn'fɑːsn] vt desatar.

unfavourable, unfavorable (US) [ʌn-'feɪvərəbl] a desfavorable.

unfeeling [ʌn'fiːlɪŋ] a insensible.

unfinished [ʌn'fɪnɪʃt] a incompleto, sin terminar.

unfit [ʌn'fɪt] a con mala salud, enfermo; (incompetent) incompetente, incapaz; ~ **for work** no apto para trabajar.

unflagging [ʌn'flægɪŋ] a incansable.

unfold [ʌn'fəuld] vt desdoblar; (fig) revelar // vi abrirse; revelarse.

unforeseen ['ʌnfɔː'siːn] a imprevisto.

unforgettable [ʌnfə'gɛtəbl] a inolvidable.

unforgivable [ʌnfə'gɪvəbl] a imperdonable.

unfortunate [ʌn'fɔːtʃnət] a desgraciado; (event, remark) inoportuno; ~**ly** ad desgraciadamente.

unfounded [ʌn'faundɪd] a infundado.

unfriendly [ʌn'frɛndlɪ] a antipático.

unfurnished [ʌn'fɜːnɪʃt] a desamueblado.

ungainly [ʌn'geɪnlɪ] a desgarbado.

unhappiness [ʌn'hæpɪnɪs] n tristeza; **unhappy** a (sad) triste; (unfortunate) desgraciado; (childhood) infeliz; **unhappy with** (arrangements etc) poco contento con, descontento de.

unharmed [ʌn'hɑːmd] a ileso; (col) sano y salvo.

unhealthy [ʌn'hɛlθɪ] a (gen) malsano; (person) enfermizo, con poca salud.

unheard-of [ʌn'hɜːdɔv] a inaudito, sin precedente.

unhook [ʌn'huk] vt desenganchar; (from wall) descolgar; (dress) desabrochar.

unhurt [ʌn'hɜːt] a ileso.

unidentified [ʌnaɪ'dɛntɪfaɪd] a no identificado.

uniform ['juːnɪfɔːm] n uniforme m // a uniforme; ~**ity** [-'fɔːmɪtɪ] n uniformidad f.

unify ['juːnɪfaɪ] vt unificar, unir.

unilateral [juːnɪ'lætərəl] a unilateral.

unintentional [ʌnɪn'tenʃənəl] a involuntario.

union ['juːnjən] n unión f; (also: **trade** ~) sindicato // a sindical; **U~ Jack** n bandera del Reino Unido.

unique [juː'niːk] a único.

unison ['juːnɪsn] n: **in** ~ en armonía.

unit ['juːnɪt] n unidad f; (team, squad) grupo; **kitchen** ~ mueble m de cocina.

unite [juː'naɪt] vt unir // vi unirse; ~**d** a unido; **U~d Kingdom (U.K.)** n Reino Unido; **U~d Nations (Organization) (UN, UNO)** n (Las) Naciones Unidas fpl (O.N.U.); **U~d States (of America)**

(US, USA) *n* (Los) Estados Unidos *mpl* (EE.UU.).

unity ['juːnɪtɪ] *n* unidad *f.*

universal [juːnɪ'vɜːsl] *a* universal.

universe ['juːnɪvɜːs] *n* universo.

university [juːnɪ'vɜːsɪtɪ] *n* universidad *f.*

unjust [ʌn'dʒʌst] *a* injusto.

unkempt [ʌn'kempt] *a* descuidado; (*hair*) despeinado.

unkind [ʌn'kaɪnd] *a* poco amable; (*comment etc*) cruel.

unknown [ʌn'nəʊn] *a* desconocido.

unladen [ʌn'leɪdn] *a* (*ship, weight*) vacío.

unleash [ʌn'liːʃ] *vt* soltar; (*fig*) desencadenar.

unless [ʌn'lɛs] *conj* a menos que, a no ser que; ~ **he comes** a menos que venga; ~ **otherwise stated** salvo indicación contraria.

unlike [ʌn'laɪk] *a* distinto // *prep* a diferencia de.

unlikely [ʌn'laɪklɪ] *a* improbable.

unlimited [ʌn'lɪmɪtɪd] *a* ilimitado.

unload [ʌn'ləʊd] *vt* descargar.

unlock [ʌn'lɔk] *vt* abrir (con llave).

unlucky [ʌn'lʌkɪ] *a* desgraciado; (*object, number*) que da mala suerte; **to be** ~ tener mala suerte.

unmarried [ʌn'mærɪd] *a* soltero.

unmask [ʌn'mɑːsk] *vt* desenmascarar.

unmistakable [ʌnmɪs'teɪkəbl] *a* inconfundible.

unmitigated [ʌn'mɪtɪgeɪtɪd] *a* no mitigado, absoluto.

unnatural [ʌn'nætʃrəl] *a* (*gen*) antinatural; (*manner*) afectado; (*habit*) perverso.

unnecessary [ʌn'nɛsəsərɪ] *a* innecesario, inútil.

unnoticed [ʌn'nəʊtɪst] *a*: **to go** ~ pasar desapercibido.

unobtainable [ʌnəb'teɪnəbl] *a* inconseguible.

unoccupied [ʌn'ɔkjupaɪd] *a* (*seat etc*) libre.

unofficial [ʌnə'fɪʃl] *a* no oficial; (*strike*) espontáneo, sin la aprobación de la central.

unorthodox [ʌn'ɔːθədɔks] *a* poco ortodoxo.

unpack [ʌn'pæk] *vi* deshacer las maletas.

unpalatable [ʌn'pælətəbl] *a* (*truth*) desagradable.

unparalleled [ʌn'pærəleld] *a* (*unequalled*) sin par; (*unique*) sin precedentes.

unpleasant [ʌn'plɛznt] *a* (*disagreeable*) desagradable; (*person, manner*) antipático.

unplug [ʌn'plʌg] *vt* desenchufar, desconectar.

unpopular [ʌn'pɔpjulə*] *a* poco popular.

unprecedented [ʌn'prɛsɪdəntɪd] *a* sin precedentes.

unpredictable [ʌnprɪ'dɪktəbl] *a* imprevisible.

unproductive [ʌnprə'dʌktɪv] *a* improductivo.

unqualified [ʌn'kwɔlɪfaɪd] *a* (*teacher*) sin título, no cualificado; (*success*) total, incondicional.

unravel [ʌn'rævl] *vt* desenmarañar.

unreal [ʌn'rɪəl] *a* irreal.

unrealistic [ʌnrɪə'lɪstɪk] *a* poco realista.

unreasonable [ʌn'riːznəbl] *a* poco razonable; (*demand*) excesivo.

unrelated [ʌnrɪ'leɪtɪd] *a* sin relación; (*family*) sin parentesco.

unrelenting [ʌnrɪ'lɛntɪŋ] *a* implacable.

unreliable [ʌnrɪ'laɪəbl] *a* (*person*) informal; (*machine*) de poca confianza.

unrelieved [ʌnrɪ'liːvd] *a* (*monotony*) monótono.

unrepeatable [ʌnrɪ'piːtəbl] *a* (*offer*) irrepetible.

unrepresentative [ʌnrɛprɪ'zɛntətɪv] *a* poco representativo *o* característico.

unrest [ʌn'rɛst] *n* inquietud *f*, malestar *m*; (*POL*) disturbios *mpl.*

unroll [ʌn'rəʊl] *vt* desenrollar.

unruly [ʌn'ruːlɪ] *a* indisciplinado.

unsafe [ʌn'seɪf] *a* (*journey*) peligroso; (*car etc*) inseguro.

unsaid [ʌn'sɛd] *a*: **to leave sth** ~ dejar algo sin decir.

unsatisfactory ['ʌnsætɪs'fæktərɪ] *a* insatisfactorio.

unsavoury, unsavory (*US*) [ʌn'seɪvərɪ] *a* (*fig*) repugnante.

unscathed [ʌn'skeɪðd] *a* ileso.

unscrew [ʌn'skruː] *vt* destornillar.

unscrupulous [ʌn'skruːpjuləs] *a* sin escrúpulos.

unsettled [ʌn'sɛtld] *a* inquieto, inestable; (*weather*) variable.

unshaven [ʌn'ʃeɪvn] *a* sin afeitar.

unsightly [ʌn'saɪtlɪ] *a* feo.

unskilled [ʌn'skɪld] *a*: ~ **worker** obrero no cualificado.

unspeakable [ʌn'spiːkəbl] *a* indecible; (*bad*) horrible.

unsteady [ʌn'stɛdɪ] *a* inestable.

unstuck [ʌn'stʌk] *a*: **to come** ~ despegarse; (*fig*) fracasar.

unsuccessful [ʌnsək'sɛsful] *a* (*attempt*) infructuoso; (*writer, proposal*) sin éxito; **to be** ~ (*in attempting sth*) no tener éxito, fracasar; ~ **ly** *ad* en vano, sin éxito.

unsuitable [ʌn'suːtəbl] *a* inconveniente, inapropiado.

unsure [ʌn'ʃuə*] *a* inseguro, poco seguro.

unsuspecting [ʌnsə'spɛktɪŋ] *a* confiado.

unswerving [ʌn'swɜːvɪŋ] *a* inquebrantable.

untangle [ʌn'tæŋgl] *vt* desenredar.

untapped [ʌn'tæpt] *a* (*resources*) sin explotar.

unthinkable [ʌn'θɪŋkəbl] *a* inconcebible, impensable.

untidy [ʌn'taɪdɪ] *a* (*room*) desordenado, en desorden; (*appearance*) descuidado.

untie [ʌn'taɪ] *vt* desatar.

until [ʌn'tɪl] *prep* hasta // *conj* hasta que; ~ **he comes** hasta que venga; ~ **then** hasta entonces.

untimely [ʌn'taɪmlɪ] a inoportuno; (death) prematuro.
untold [ʌn'təʊld] a (story) inédito; (suffering) indecible; (wealth) incalculable.
untoward [ʌntə'wɔːd] a desfavorable.
unused [ʌn'juːzd] a sin usar, nuevo.
unusual [ʌn'juːʒʊəl] a insólito, poco común.
unveil [ʌn'veɪl] vt (statue) descubrir.
unwavering [ʌn'weɪvərɪŋ] a inquebrantable.
unwelcome [ʌn'wɛlkəm] a (at a bad time) inoportuno; (unpleasant) desagradable.
unwell [ʌn'wɛl] a: **to feel ~** estar indispuesto; **to be ~** estar enfermo.
unwieldy [ʌn'wiːldɪ] a difícil de manejar.
unwilling [ʌn'wɪlɪŋ] a: **to be ~ to do sth** estar poco dispuesto a hacer algo; **~ly** ad de mala gana.
unwind [ʌn'waɪnd] (irg: like **wind**) vt desenvolver // vi (relax) relajarse.
unwitting [ʌn'wɪtɪŋ] a inconsciente.
unworthy [ʌn'wɜːðɪ] a indigno.
unwrap [ʌn'ræp] vt desenvolver.
up [ʌp] prep: **to go/be ~ sth** subir/estar encima de algo // ad hacia arriba, arriba; **~ there** allí arriba; **~ above** encima, allí arriba; **to be ~** (out of bed) estar levantado; **it is ~ to you** Ud. decide/tú decides; **what is he ~ to?** ¿qué es lo que quiere?, ¿qué está tramando?; **he is not ~ to it** no es capaz de hacerlo; **~-and-coming** a prometedor(a); **~s and downs** npl (fig) altibajos mpl.
upbringing ['ʌpbrɪŋɪŋ] n educación f.
update [ʌp'deɪt] vt poner al día, modernizar; (contract etc) actualizar.
upgrade [ʌp'greɪd] vt ascender; (job) revalorizar.
upheaval [ʌp'hiːvl] n trastorno, conmoción f.
uphill [ʌp'hɪl] a cuesta arriba; (fig: task) penoso, difícil // ad: **to go ~** ir cuesta arriba.
uphold [ʌp'həʊld] (irg: like **hold**) vt sostener.
upholstery [ʌp'həʊlstərɪ] n tapicería.
upkeep ['ʌpkiːp] n mantenimiento.
upon [ə'pɔn] prep sobre.
upper ['ʌpə*] a superior, de arriba // n (of shoe) pala; **~class** a de clase alta; **~most** a el más alto; **what was ~most in my mind** lo que me preocupaba más.
upright ['ʌpraɪt] a vertical; (fig) honrado.
uprising ['ʌpraɪzɪŋ] n sublevación f.
uproar ['ʌprɔː*] n tumulto, escándalo.
uproot [ʌp'ruːt] vt desarraigar.
upset ['ʌpset] n (to plan etc) revés m, contratiempo; (MED) trastorno // vt [ʌp'set] (irg: like **set**) (glass etc) volcar; (spill) derramar; (plan) alterar; (person) molestar, perturbar // a [ʌp'set] preocupado, perturbado; (stomach) trastornado.
upshot ['ʌpʃɔt] n resultado.
upside-down ['ʌpsaɪddaʊn] ad al revés.

upstairs [ʌp'stɛəz] ad arriba // a (room) de arriba // n el piso superior.
upstart ['ʌpstɑːt] n advenedizo.
upstream [ʌp'striːm] ad río arriba.
uptake ['ʌpteɪk] n: **he is quick/slow on the ~** es muy listo/ algo torpe.
up-to-date ['ʌptə'deɪt] a moderno, actual.
upturn ['ʌptɜːn] n (in luck) mejora.
upward ['ʌpwəd] a ascendente; **~(s)** ad hacia arriba.
uranium [jʊə'reɪnɪəm] n uranio.
urban ['ɔːbən] a urbano.
urbane [ɔː'beɪn] a cortés.
urchin ['ɔːtʃɪn] n pilluelo, golfillo.
urge [ɔːdʒ] n (force) impulso; (desire) deseo // vt: **to ~ sb to do sth** incitar a uno a hacer algo.
urgency ['ɔːdʒənsɪ] n urgencia; (of tone) insistencia; **urgent** a urgente.
urinal ['jʊərɪnl] n urinario.
urinate ['jʊərɪneɪt] vi orinar; **urine** n orina, orines mpl.
urn [ɔːn] n urna; (also: **tea ~**) tetera.
us [ʌs] pron nos; (after prep) nosotros/as.
US, USA n abbr of **United States (of America)**.
usage ['juːzɪdʒ] n uso, costumbre f.
use [juːs] n uso, empleo; (usefulness) utilidad f // vt [juːz] usar, emplear; **she ~d to do it** (ella) solía hacerlo; **in ~** en uso; **out of ~** anticuado, que ya no se usa; **to be of ~** servir; **it's no ~** (pointless) es inútil; (not useful) no sirve; **to be ~d to** estar acostumbrado a; **to ~ up** vt agotar, consumir; **~d** a (car) usado; **~ful** a útil; **to be ~ful** servir; **~less** a inútil; **user** n usuario/a.
usher ['ʌʃə*] n ujier m, portero; **~ette** [-'rɛt] n (in cinema) acomodadora.
USSR n: **the ~** la U.R.S.S.
usual ['juːʒʊəl] a normal, corriente; **~ly** ad normalmente.
usurp [juː'zɔːp] vt usurpar.
utensil [juː'tɛnsl] n utensilio; **kitchen ~s** batería sg de cocina.
uterus ['juːtərəs] n útero.
utilitarian [juːtɪlɪ'tɛərɪən] a utilitario.
utility [juː'tɪlɪtɪ] n utilidad f; **~ room** n trascocina.
utilize ['juːtɪlaɪz] vt utilizar.
utmost ['ʌtməʊst] a mayor // n: **to do one's ~** hacer todo lo posible.
utter ['ʌtə*] a total, completo // vt pronunciar, proferir; **~ance** n palabras fpl, declaración f; **~ly** ad completamente, totalmente.
U-turn ['juː'tɜːn] n viraje m en U.

V

v. abbr of **verse; versus; volt; vide** véase.
vacancy ['veɪkənsɪ] n (job) vacante f; (room) cuarto libro; **vacant** a desocupado, libre; (expression) distraído; **vacate**

[və'keɪt] vt (house) desocupar; (job) salir de; (throne) renunciar a.
vacation [və'keɪʃən] n vacaciones fpl.
vaccinate ['væksɪneɪt] vt vacunar; **vaccination** [-'neɪʃən] n vacunación f.
vaccine ['væksi:n] n vacuna.
vacuum ['vækjum] n vacío; ~ **cleaner** n aspiradora; ~ **flask** n termo.
vagabond ['vægəbɔnd] n vagabundo.
vagina [və'dʒaɪnə] n vagina.
vagrant ['veɪgrnt] n vagabundo.
vague [veɪg] a vago; (blurred: memory) borroso; (uncertain) incierto, impreciso; (person) distraído; ~**ly** ad vagamente.
vain [veɪn] a (conceited) vanidoso; (useless) vano, inútil; **in** ~ en vano.
vale [veɪl] n valle m.
valentine ['vælɛntaɪn] n: **V**~'**s Day** Día m de los Enamorados.
valid ['vælɪd] a válido; (ticket) valedero; (law) vigente; ~**ity** [-'lɪdɪtɪ] n validez f; vigencia.
valley ['vælɪ] n valle m.
valour, valor (US) ['vælə*] n valor m, valentía.
valuable ['væljuəbl] a (jewel) de valor; (time) valioso; ~**s** npl objetos mpl de valor.
valuation [vælju'eɪʃən] n tasación f, valuación f.
value ['vælju:] n valor m; (importance) importancia // vt (fix price of) tasar, valorar; (esteem) apreciar; (cherish) tener en mucho; ~ **added tax (VAT)** n tasa al valor añadido o agregado; ~**d** a (appreciated) apreciado.
valve [vælv] n (gen) válvula; (MED) valva.
vampire ['væmpaɪə*] n vampiro/vampiresa.
van [væn] n (AUT) furgoneta; (RAIL) furgón m (de equipajes).
vandal ['vændl] n vándalo; ~**ism** n vandalismo; ~**ize** vt dañar, destruir.
vanilla [və'nɪlə] n vainilla.
vanish ['vænɪʃ] vi desvanecerse, esfumarse.
vanity ['vænɪtɪ] n vanidad f; ~ **case** n neceser m.
vantage point ['vɑ:ntɪdʒ-] n posición f ventajosa.
vapour, vapor (US) ['veɪpə*] n vapor m; (steam) vaho.
variable ['vɛərɪəbl] a variable.
variance ['vɛərɪəns] n: **to be at** ~ **(with)** desentonar (con), estar en desacuerdo (con).
variation [vɛərɪ'eɪʃən] n variedad f; (in opinion) variación f.
varicose ['værɪkəus] a: ~ **veins** varices fpl.
varied ['vɛərɪd] a variado.
variety [və'raɪətɪ] n variedad f, diversidad f; (quantity) surtido; ~ **show** n variedades fpl.
various ['vɛərɪəs] a varios(as), diversos(as).

varnish ['vɑ:nɪʃ] n (gen) barniz m; (nail ~) esmalte m // vt (gen) barnizar; (nails) pintar (con esmalte).
vary ['vɛərɪ] vt variar; (change) cambiar // vi variar; (disagree) discrepar; (deviate) desviarse; ~**ing** a diversos(as).
vase [vɑ:z] n florero.
vaseline ['væsɪli:n] n vaselina.
vast [vɑ:st] a enorme; (success) abrumador(a); ~**ness** n inmensidad f.
vat [væt] n tina, tinaja.
VAT [væt] n abbr of **Value Added Tax.**
Vatican ['vætɪkən] n: **the** ~ el Vaticano.
vault [vɔ:lt] n (of roof) bóveda; (tomb) tumba; (in bank) sótano // vt (also: ~ over) saltar (por encima de).
veal [vi:l] n ternera.
veer [vɪə*] vi virar.
vegetable ['vɛdʒtəbl] n (BOT) vegetal m; (edible plant) legumbre f, hortaliza; ~**s** npl (cooked) verduras fpl // a vegetal; ~ **garden** n huerto.
vegetarian [vɛdʒɪ'tɛərɪən] a, n vegetariano/a.
vegetate ['vɛdʒɪteɪt] vi vegetar.
vegetation [vɛdʒɪ'teɪʃən] n vegetación f.
vehement ['vi:mənt] a vehemente; (impassioned) apasionado.
vehicle ['vi:ɪkl] n vehículo.
veil [veɪl] n velo // vt velar.
vein [veɪn] n vena; (of ore etc) veta.
velocity [vɪ'lɔsɪtɪ] n velocidad f.
velvet ['vɛlvɪt] n terciopelo // a aterciopelado.
vendetta [vɛn'dɛtə] n vendetta.
vending machine ['vɛndɪŋ-] n distribuidor m automático.
vendor ['vɛndə*] n vendedor/a m/f.
veneer [və'nɪə*] n chapa, enchapado; (fig) barniz m, apariencia.
venereal [vɪ'nɪərɪəl] a: ~ **disease (VD)** enfermedad f venérea.
Venetian blind [vɪ'ni:ʃən-] n persiana.
Venezuela [vɛnɛ'zweɪlə] n Venezuela; ~**n** a, n venezolano/a.
vengeance ['vɛndʒəns] n venganza; **with a** ~ (fig) con creces.
venison ['vɛnɪsn] n carne f de venado.
venom ['vɛnəm] n veneno; ~**ous** a venenoso.
vent [vɛnt] n (opening) abertura; (air-hole) respiradero; (in wall) rejilla (de ventilación) // vt (fig: feelings) desahogar.
ventilate ['vɛntɪleɪt] vt ventilar; **ventilation** [-'leɪʃən] n ventilación f; **ventilator** n ventilador m.
ventriloquist [vɛn'trɪləkwɪst] n ventrílocuo.
venture ['vɛntʃə*] n empresa // vt aventurar; (opinion) ofrecer // vi arriesgarse, lanzarse.
venue ['vɛnju:] n lugar m; (meeting place) lugar m de reunión.
veranda(h) [və'rændə] n terraza; (with glass) galería.
verb [və:b] n verbo; ~**al** a verbal.

verbatim [vɔː'beɪtɪm] *a, ad* palabra por palabra.

verbose [vɔː'bəʊs] *a* prolijo.

verdict ['vɔːdɪkt] *n* veredicto, fallo; (*fig*) opinión *f*, juicio.

verge [vɔːdʒ] *n* borde *m*, margen *m*; **to be on the ~ of doing sth** estar a punto de hacer algo; **to ~ on** *vt fus* rayar en.

verify ['vɛrɪfaɪ] *vt* comprobar, verificar.

vermin ['vɔːmɪn] *npl* (*animals*) bichos *mpl*; (*insects, fig*) sabandijas *fpl*.

vermouth ['vɔːməθ] *n* vermut *m*.

vernacular [vɔ'nækjʊlə*] *n* vernáculo.

versatile ['vɔːsətaɪl] *a* (*person*) de talentos variados; (*machine, tool etc*) que tiene muchos usos; (*mind*) ágil, flexible.

verse [vɔːs] *n* versos *mpl*, poesía; (*stanza*) estrofa; (*in bible*) versículo.

versed [vɔːst] *a*: (**well-**)**~ in** versado en, conocedor de.

version ['vɔːʃən] *n* versión *f*.

versus ['vɔːsəs] *prep* contra.

vertebra ['vɔːtɪbrə], *pl* **~e** [-briː] *n* vértebra; **vertebrate** [-brɪt] *n* vertebrado.

vertical ['vɔːtɪkl] *a* vertical.

vertigo ['vɔːtɪgəʊ] *n* vértigo.

very ['vɛrɪ] *ad* muy // *a*: **the ~ book which** el mismo libro que; **the ~ last** el último (de todos); **at the ~ least** al menos; **~ much** muchísimo.

vespers ['vɛspəz] *npl* vísperas *fpl*.

vessel ['vɛsl] *n* (ANAT, NAUT) vaso; (*container*) vasija.

vest [vɛst] *n* camiseta; (*US: waistcoat*) chaleco; **~ed interests** *npl* (COMM) intereses *mpl* creados.

vestibule ['vɛstɪbjuːl] *n* vestíbulo.

vestige ['vɛstɪdʒ] *n* vestigio, rastro.

vestry ['vɛstrɪ] *n* sacristía.

vet [vɛt] *n abbr of* **veterinary surgeon** // *vt* repasar, revisar.

veteran ['vɛtərn] *n* veterano; **~ car** *n* coche *m* antiguo.

veterinary ['vɛtrɪnərɪ] *a* veterinario; **~ surgeon** *n* veterinario.

veto ['viːtəʊ], *pl* **~es** *n* veto // *vt* vetar, vedar.

vex [vɛks] *vt* (*irritate*) fastidiar; (*make impatient*) impacientar; **~ed** *a* (*question*) batallón(ona), controvertido.

via ['vaɪə] *prep* por, por vía de.

viable ['vaɪəbl] *a* viable.

viaduct ['vaɪədʌkt] *n* viaducto.

vibrate [vaɪ'breɪt] *vi* vibrar; **vibration** [-'breɪʃən] *n* vibración *f*.

vicar ['vɪkə*] *n* párroco; **~age** *n* parroquia.

vice [vaɪs] *n* (*evil*) vicio; (TECH) torno de banco.

vice- [vaɪs] *pref* vice; **~chairman** *n* vicepresidente *m*.

vice versa ['vaɪsɪ'vɔːsə] *ad* viceversa.

vicinity [vɪ'sɪnɪtɪ] *n* (*area*) vecindad *f*; (*nearness*) proximidad *f*.

vicious ['vɪʃəs] *a* (*violent*) violento; (*depraved*) depravado; (*cruel*) cruel;

(*bitter*) rencoroso; **~ness** *n* violencia; depravación *f*; crueldad *f*; rencor *m*.

victim ['vɪktɪm] *n* víctima *m/f*; **~ization** [-'zeɪʃən] *n* (*gen*) persecución *f*; (*in strike*) represalias *fpl*; **~ize** *vt* (*strikers etc*) tomar represalias contra.

victor ['vɪktə*] *n* vencedor/a *m/f*.

Victorian [vɪk'tɔːrɪən] *a* victoriano.

victorious [vɪk'tɔːrɪəs] *a* vencedor(a).

victory ['vɪktərɪ] *n* victoria.

video ['vɪdɪəʊ] *cpd* video; **~(-tape) recorder** *n* video-grabadora.

vie [vaɪ] *vi*: **to ~ with** competir con.

Vienna [vɪ'ɛnə] *n* Viena.

view [vjuː] *n* vista, perspectiva; (*landscape*) paisaje *m*; (*opinion*) opinión *f*, criterio // *vt* (*look at*) mirar; (*examine*) examinar; **on ~** (*in museum etc*) expuesto; **in full ~ (of)** en plena vista (de); **in ~ of the fact that** en vista del hecho de que; **~er** *n* (*small projector*) visionadora; (TV) televidente *m/f*; **~finder** *n* visor *m* de imagen; **~point** *n* punto de vista.

vigil ['vɪdʒɪl] *n* vigilia; **to keep ~** velar; **~ance** *n* vigilancia; **~ant** *a* vigilante.

vigorous ['vɪgərəs] *a* enérgico, vigoroso; **vigour, vigor** (*us*) *n* energía, vigor *m*.

vile [vaɪl] *a* (*action*) vil, infame; (*smell*) asqueroso.

vilify ['vɪlɪfaɪ] *vt* vilipendiar.

villa ['vɪlə] *n* (*country house*) casa de campo; (*suburban house*) chalet *m*.

village ['vɪlɪdʒ] *n* aldea; **villager** *n* aldeano/a.

villain ['vɪlən] *n* (*scoundrel*) malvado; (*criminal*) maleante *m/f*.

vindicate ['vɪndɪkeɪt] *vt* vindicar, justificar.

vindictive [vɪn'dɪktɪv] *a* vengativo.

vine [vaɪn] *n* vid *f*.

vinegar ['vɪnɪgə*] *n* vinagre *m*.

vineyard ['vɪnjɑːd] *n* viña, viñedo.

vintage ['vɪntɪdʒ] *n* (*year*) vendimia, cosecha; **~ wine** *n* vino añejo.

vinyl ['vaɪnl] *n* vinilo.

violate ['vaɪəleɪt] *vt* violar; **violation** [-'leɪʃən] *n* violación *f*.

violence ['vaɪələns] *n* violencia; **violent** *a* (*gen*) violento; (*intense*) intenso.

violet ['vaɪələt] *a* violado, violeta // *n* (*plant*) violeta.

violin [vaɪə'lɪn] *n* violín *m*; **~ist** *n* violinista *m/f*.

VIP *n abbr of* **very important person.**

viper ['vaɪpə*] *n* víbora.

virgin ['vɔːdʒɪn] *n* virgen *m/f* // *a* virgen; **the Blessed V~** la Santísima Virgen; **~ity** ['dʒɪnɪtɪ] *n* virginidad *f*.

Virgo ['vɔːgəʊ] *n* Virgo.

virile ['vɪraɪl] *a* viril; **virility** [vɪ'rɪlɪtɪ] *n* virilidad *f*; (*fig*) machismo.

virtually ['vɔːtjʊəlɪ] *ad* (*almost*) virtualmente.

virtue ['vɔːtjuː] *n* virtud *f*; **by ~ of** en virtud de.

virtuoso [vɔːtju'əʊzəʊ] *n* virtuoso.

virtuous ['vəːtjuəs] *a* virtuoso.
virulent ['virulənt] *a* virulento.
virus ['vaiərəs] *n* virus *m*.
visa ['viːzə] *n* visado, visa (AM).
vis-à-vis [viːzə'viː] *prep* respecto de.
visibility [vizi'biliti] *n* visibilidad *f*.
visible ['vizəbl] *a* visible; **visibly** *ad* visiblemente.
vision ['viʒən] *n* (*sight*) vista; (*foresight, in dream*) visión *f*; ~**ary** *n* visionario.
visit ['vizit] *n* visita // *vt* (*person*) visitar, hacer una visita a; (*place*) ir a, (ir a) conocer; ~**or** *n* (*gen*) visitante *m/f*; (*to one's house*) visita; (*tourist*) turista *m/f*; (*tripper*) excursionista *m/f*; ~**ors' book** *n* libro de visitas.
visor ['vaizə*] *n* visera.
vista ['vistə] *n* vista, panorama.
visual ['vizjuəl] *a* visual; ~**ize** *vt* imaginarse; (*foresee*) prever.
vital ['vaitl] *a* (*essential*) esencial, imprescindible; (*important*) de suma importancia; (*crucial*) crítico; (*person*) enérgico, vivo; (*of life*) vital; ~**ity** [-'tæliti] *n* energía, vitalidad *f*; ~**ly** *ad*: ~**ly important** de primera importancia.
vitamin ['vitəmin] *n* vitamina.
vivacious [vi'veiʃəs] *a* vivaz, alegre.
vivid ['vivid] *a* (*account*) gráfico; (*light*) intenso; (*imagination*) vivo.
vivisection [vivi'sekʃən] *n* vivisección *f*.
V-neck ['viːnɛk] *n* cuello de pico.
vocabulary [vəu'kæbjuləri] *n* vocabulario.
vocal ['vəukl] *a* vocal; (*noisy*) ruidoso; ~ **chords** *npl* cuerdas *fpl* vocales; ~**ist** *n* cantante *m/f*.
vocation [vəu'keiʃən] *n* vocación *f*; ~**al** *a* vocacional.
vociferous [və'sifərəs] *a* vocinglero.
vodka ['vɔdkə] *n* vodka.
vogue [vəug] *n* boga, moda.
voice [vɔis] *n* voz *f* // *vt* (*opinion*) expresar.
void [vɔid] *n* vacío; (*hole*) hueco // *a* (*gen*) vacío; (*vacant*) vacante; (*null*) nulo, inválido.
volatile ['vɔlətail] *a* volátil.
volcanic [vɔl'kænik] *a* volcánico; **volcano** [-'keinəu], *pl* -**es** *n* volcán *m*.
volley ['vɔli] *n* (*of gunfire*) descarga; (*of stones etc*) lluvia; (TENNIS *etc*) voleo; ~**ball** *n* balonvolea, vol(e)ibol *m* (AM).
volt [vəult] *n* voltio; ~**age** *n* voltaje *m*.
voluble ['vɔljubl] *a* locuaz, hablador(a).
volume ['vɔljuːm] *n* (*gen*) volumen *m*; (*book*) tomo.
voluntarily ['vɔləntrili] *ad* libremente, de su propia voluntad.
voluntary ['vɔləntəri] *a* voluntario, espontáneo; (*unpaid*) (a título) gratuito.
volunteer [vɔlən'tiə*] *n* voluntario // *vi* ofrecerse (de voluntario).
voluptuous [və'lʌptjuəs] *a* voluptuoso.
vomit ['vɔmit] *n* vómito // *vt, vi* vomitar.
vote [vəut] *n* voto; (*votes cast*) votación *f*; (*right to* ~) derecho de votar; (*franchise*) sufragio // *vt* (*chairman*) elegir // *vi* votar,

ir a votar; **voter** *n* votante *m/f*; **voting** *n* votación *f*.
vouch [vautʃ]: **to** ~ **for** *vt* garantizar, responder de.
voucher ['vautʃə*] *n* (*for meal, petrol*) vale *m*.
vow [vau] *n* voto // *vi* hacer voto.
vowel ['vauəl] *n* vocal *f*.
voyage ['vɔiidʒ] *n* (*journey*) viaje *m*; (*crossing*) travesía.
vulgar ['vʌlgə*] *a* (*rude*) ordinario, grosero; (*in bad taste*) de mal gusto; ~**ity** [-'gæriti] *n* grosería; mal gusto.
vulnerable ['vʌlnərəbl] *a* vulnerable.
vulture ['vʌltʃə*] *n* buitre *m*.

W

wad [wɔd] *n* (*of cotton wool, paper*) bolita; (*of banknotes etc*) fajo.
waddle ['wɔdl] *vi* anadear.
wade [weid] *vi*: **to** ~ **through** caminar por el agua; (*fig: a book*) leer con dificultad.
wafer ['weifə*] *n* (*biscuit*) galleta, barquillo; (REL) oblea.
waffle ['wɔfl] *n* (CULIN) buñuelo, panqueque *m* // *vi* meter paja.
waft [wɔft] *vt* hacer flotar // *vi* flotar.
wag [wæg] *vt* menear, agitar // *vi* moverse, menearse.
wage [weidʒ] *n* (*also*: ~**s**) sueldo, salario // *vt*: **to** ~ **war** hacer la guerra; ~ **claim** *n* demanda de aumento de sueldo; ~ **earner** *n* asalariado/a; ~ **freeze** *n* congelación *f* de salarios.
wager ['weidʒə*] *n* apuesta // *vt* apostar.
waggle ['wægl] *vt* menear, mover.
wag(g)on ['wægən] *n* (*horse-drawn*) carro; (*truck*) camión *m*; (RAIL) vagón *m*.
wail [weil] *n* gemido // *vi* gemir.
waist [weist] *n* cintura, talle *m*; ~**coat** *n* chaleco; ~**line** *n* talle *m*.
wait [weit] *n* espera; (*interval*) pausa // *vi* esperar; **to lie in** ~ **for** acechar a; **I can't** ~ **to** (*fig*) estoy deseando; **to** ~ **for** esperar (a); **to** ~ **on** *vt fus* servir a; '**no** ~**ing**' (AUT) 'prohibido aparcar'; ~**er** *n* camarero; ~**ing list** *n* lista de espera; ~**ing room** *n* sala de espera; ~**ress** *n* camarera.
waive [weiv] *vt* renunciar a.
wake [weik], *pt* **woke** *or* **waked**, *pp* **woken** *or* **waked** *vt* (*also*: ~ **up**) despertar // *vi* (*also*: ~ **up**) despertarse // *n* (*for dead person*) vela, velatorio; (NAUT) estela; **waken** *vt, vi* = **wake**.
Wales [weilz] *n* País *m* de Gales.
walk [wɔːk] *n* paseo; (*hike*) excursión *f* a pie, caminata; (*gait*) paso, andar *m*; (*in park etc*) paseo, alameda // *vi* andar; (*for pleasure, exercise*) pasearse // *vt* (*distance*) recorrer a pie, andar; (*dog*) sacar de paseo, pasear; **10 minutes'** ~ **from here** desde aquí hay 10 minutos a pie; **people from all** ~**s of life** gente de todas las esferas; ~**er** *n* (*person*)

paseante *m/f*, caminante *m/f*; ~ie-talkie
['wɔːkɪ'tɔːkɪ] *n* walkie-talkie *m*, transmisor-
receptor *m* (portátil); ~ing *n* el andar;
~ing shoes *npl* zapatos *mpl* para andar;
~ing stick *n* bastón *m*; ~out *n* (*of
workers*) huelga sorpresa; ~over *n* (*col*)
triunfo fácil; ~way *n* paseo.

wall [wɔːl] *n* pared *f*; (*exterior*) muro; (*city
~ etc*) muralla; ~ed *a* (*city*) amurallado;
(*garden*) con tapia.

wallet ['wɔlɪt] *n* cartera.

wallflower ['wɔːlflauə*] *n* alhelí *m*; **to be
a** ~ (*fig*) comer pavo.

wallop ['wɔləp] *vt* (*col*) zurrar.

wallow ['wɔləu] *vi* revolcarse.

wallpaper ['wɔːlpeɪpə*] *n* papel *m*
pintado.

walnut ['wɔːlnʌt] *n* nuez *f*; (*tree*) nogal *m*.

walrus ['wɔːlrəs], *pl* ~ *or* ~es *n* morsa.

waltz [wɔːlts] *n* vals *m* // *vi* bailar el vals.

wand [wɔnd] *n* (*also*: **magic** ~) varita
(mágica).

wander ['wɔndə*] *vi* (*person*) vagar,
deambular; (*thoughts*) divagar; (*get lost*)
extraviarse // *vt* recorrer, vagar por;
~er *n* vagabundo; ~ing *a* errante;
(*thoughts*) distraído.

wane [weɪn] *vi* menguar.

wangle ['wæŋgl] *vt* (*col*): **to** ~ **sth**
agenciarse algo.

want [wɔnt] *vt* (*wish for*) querer, desear;
(*demand*) exigir; (*need*) necesitar; (*lack*)
carecer de // *n*: **for** ~ **of** por falta de;
~s *npl* (*needs*) necesidades *fpl*; **to** ~ **to
do** querer hacer; **to** ~ **sb to do sth**
querer que uno haga algo; ~ing *a* falto,
deficiente; **to be found** ~ing no estar a
la altura de las circunstancias.

wanton ['wɔntn] *a* (*playful*) juguetón(ona);
(*licentious*) lascivo.

war [wɔː*] *n* guerra; **to make** ~ hacer la
guerra.

ward [wɔːd] *n* (*in hospital*) sala; (*POL*)
distrito electoral; (*LAW: child*) pupilo; **to** ~
off *vt* desviar, parar; (*attack*) rechazar.

warden ['wɔːdn] *n* (*of institution*) director
m; (*of park, game reserve*) guardián *m*;
(*also*: **traffic** ~) guardia *m/f*.

warder ['wɔːdə*] *n* guardián *m*, carcelero.

wardrobe ['wɔːdrəub] *n* (*cupboard*)
armario; (*clothes*) guardarropa.

warehouse ['wɛəhaus] *n* almacén *m*,
depósito.

wares [wɛəz] *npl* mercancías *fpl*.

war: ~fare *n* guerra; ~head *n* cabeza
armada.

warily ['wɛərɪlɪ] *ad* con cautela,
cautelosamente.

warlike ['wɔːlaɪk] *a* guerrero.

warm [wɔːm] *a* caliente; (*thanks*) efusivo;
(*clothes, etc*) cálido; (*welcome, day*)
caluroso; **it's** ~ hace calor; **I'm** ~ tengo
calor; **to** ~ **up** *vi* (*person, room*)
calentarse; (*athlete*) hacer ejercicios de
calentamiento; (*discussion*) acalorarse //
vt calentar; ~-hearted *a* afectuoso; ~ly
ad afectuosamente; ~th *n* calor *m*.

warn [wɔːn] *vt* avisar, prevenir; ~ing *n*
aviso, advertencia; ~ing light *n* luz *f* de
advertencia.

warp [wɔːp] *vi* diformarse.

warrant ['wɔrnt] *n* (*guarantee*) garantía;
(*LAW*) mandato judicial.

warranty ['wɔrəntɪ] *n* garantía.

warren ['wɔrən] *n* (*of rabbits*) madriguera;
(*house*) conejera.

warrior ['wɔrɪə*] *n* guerrero.

warship ['wɔːʃɪp] *n* buque *m* o barco de
guerra.

wart [wɔːt] *n* verruga.

wartime ['wɔːtaɪm] *n*: **in** ~ en tiempos
de guerra, en la guerra.

wary ['wɛərɪ] *a* cauteloso, cauto.

was [wɔz] *pt of* **be**.

wash [wɔʃ] *vt* lavar // *vi* lavarse // *n*
(*clothes etc*) lavado; (*bath*) baño; (*of ship*)
estela; **to have a** ~ lavarse; **to** ~ **away**
vt (*stain*) quitar lavando; (*subj: river etc*)
llevarse; (*fig*) regar; **to** ~ **off** *vt* quitar
lavando; **to** ~ **up** *vi* fregar los platos;
~able *a* lavable; ~basin *n* lavabo; ~er
n (*TECH*) arandela; ~ing *n* (*dirty*) ropa
sucia; (*clean*) colada; ~ing machine *n*
lavadora; ~ing powder *n* jabón *m* en
polvo; ~ing-up *n* fregado, platos *mpl*
(para fregar); ~-out *n* (*col*) fracaso;
~room *n* servicios *mpl*.

wasn't ['wɔznt] = **was not**.

wasp [wɔsp] *n* avispa.

wastage ['weɪstɪdʒ] *n* desgaste *m*; (*loss*)
pérdida; **natural** ~ desgaste natural.

waste [weɪst] *n* derroche *m*, despilfarro;
(*wastage*) desgaste *m*; (*of time*) pérdida;
(*food*) sobras *fpl*; (*rubbish*) basura,
desperdicios *mpl* // *a* (*material*) de
desecho; (*left over*) sobrante; (*land*) baldío
// *vt* (*squander*) malgastar, derrochar;
(*time*) perder; (*opportunity*) desperdiciar;
(*use up*) consumir; **to** ~ **away** *vi*
consumirse; ~bin *n* cubo de la basura; ~
disposal unit *n* triturador *m* de basura; ~
~ful *a* derrochador(a); (*process*) antieconómico; ~ **ground** *n* terreno baldío;
~paper basket *n* papelera; ~ pipe *n*
tubo de desagüe.

watch [wɔtʃ] *n* reloj *m*; (*act of watching*)
vigilia; (*vigilance*) vigilancia; (*guard*: MIL)
centinela *m*; (NAUT: *spell of duty*) guardia
// *vt* (*look at*) mirar, observar; (: *match,
programme*) ver; (*spy on, guard*) vigilar;
(*be careful of*) cuidarse de, tener cuidado
de // *vi* ver, mirar; (*keep guard*) montar
guardia; **to** ~ **out** *vi* cuidarse, tener
cuidado; ~dog *n* perro guardián; ~ful *a*
vigilante, observador(a); ~maker *n*
relojero; ~man *n* guardián *m*; (*also*:
night ~man) sereno; (*in factory*)
vigilante *m* nocturno; ~ **strap** *n* pulsera
(de reloj); ~word *n* lema *m*.

water ['wɔːtə*] *n* agua // *vt* (*plant*) regar;
to ~ **down** *vt* (*milk*) aguar; ~ **closet** *n*
wáter *m*; ~colour *n* acuarela; ~cress *n*
berro; ~fall *n* cascada, salto de agua; ~
hole *n* charco; ~ing can *n* regadera; ~

level n nivel m del agua; ~ **lily** n nenúfar m; ~**line** n (NAUT) línea de flotación; ~**logged** a empapado; ~ **main** n cañería del agua; ~**mark** n (on paper) filigrana; ~**melon** n sandía; ~ **polo** n polo acuático; ~**proof** a impermeable; ~**shed** n (GEO) cuenca; (fig) momento crítico; ~-**skiing** n esquí m acuático; ~ **tank** n depósito de agua; ~**tight** a hermético; ~ **works** npl central f depuradora; ~**y** a (colour) desvaído; (coffee) aguado; (eyes) lloroso.

watt [wɔt] n vatio.

wave [weɪv] n ola; (of hand) ademán m, señal f; (RADIO) onda; (in hair) ondulación f; (fig) oleada // vi agitar la mano; (flag) ondear // vt (handkerchief) agitar; (weapon) blandir; (hair) ondular; ~**length** n longitud f de onda.

waver ['weɪvə*] vi oscilar; (person) vacilar.

wavy ['weɪvɪ] a ondulado.

wax [wæks] n cera // vt encerar // vi (moon) crecer; ~**works** npl museo sg de cera.

way [weɪ] n (gen) camino; (distance) trayecto, recorrido; (direction) dirección f, sentido; (manner) modo, manera; (habit) costumbre f; (condition) estado; **which** ~? ¿por dónde?, ¿en qué dirección?; **to be on one's** ~ estar en camino; **to be in the** ~ bloquear el camino; **to go out of one's** ~ **to do sth** desvivirse por hacer algo; **to lose one's** ~ extraviarse; **in a** ~ en cierto modo o sentido; **by the** ~ a propósito; '~ **out**' 'salida'; **the** ~ **back** el camino de vuelta; '**give** ~' (AUT) 'ceda el paso'.

waylay [weɪ'leɪ] (irg: like **lay**) vt acechar.

wayward ['weɪwəd] a (wilful) voluntarioso; (capricious) caprichoso; (naughty) travieso.

W.C. ['dʌblju'si:] n wáter m.

we [wi:] pl pron nosotros/as.

weak [wi:k] a (gen) débil, flojo; (tea) claro; ~**en** vi debilitarse; (give way) ceder // vt debilitar; (lessen) disminuir; ~**ling** n persona débil o delicada; ~**ness** n debilidad f; (fault) punto débil.

wealth [wɛlθ] n (money, resources) riqueza; (of details) abundancia; ~**y** a rico.

wean [wi:n] vt destetar.

weapon ['wɛpən] n arma.

wear [wɛə*] n (use) uso; (deterioration through use) desgaste m; (clothing): **sports/baby**~ ropa de deportes/para niños // (vb: pt **wore**, pp **worn**) vt (clothes) llevar; (shoes) calzar; (put on) ponerse; (damage: through use) gastar, usar // vi (last) durar; (rub through etc) desgastarse; ~ **and tear** n desgaste m; **to** ~ **away** vt gastar // vi desgastarse; **to** ~ **down** vt gastar; (strength) agotar; **to** ~ **off** vi (pain etc) pasar, desaparecer; **to** ~ **out** vt desgastar; (person, strength) agotar.

weariness ['wɪərɪnɪs] n cansancio; (boredom) aburrimiento, hastío.

weary ['wɪərɪ] a (tired) cansado; (dispirited) abatido // vt cansar // vi: **to** ~ **of** cansarse de, aburrirse de.

weasel ['wi:zl] n (ZOOL) comadreja.

weather ['wɛðə*] n tiempo // vt (storm, crisis) hacer frente a; ~-**beaten** a curtido; ~ **cock** n veleta; ~ **forecast** n boletín m meteorológico; ~ **vane** n = ~ **cock.**

weave [wi:v], pt **wove**, pp **woven** vt (cloth) tejer; (fig) entretejer; **weaver** n tejedor/a m/f; **weaving** n tejeduría.

web [wɛb] n (of spider) telaraña; (on foot) membrana; (network) red f; ~**bed** a (foot) palmeado; ~**bing** n (on chair) cinchas fpl.

wed [wɛd], pt, pp **wedded** vt casar // vi casarse // n: **the newly-**~**s** los recién casados.

we'd [wi:d] = **we had; we would.**

wedded ['wɛdɪd] pt, pp of **wed.**

wedding ['wɛdɪŋ] n boda, casamiento; **silver/golden** ~ bodas fpl de plata/de oro; ~ **day** n día m de la boda; ~ **dress** n traje m de novia; ~ **present** n regalo de boda; ~ **ring** n anillo de boda.

wedge [wɛdʒ] n (of wood etc) cuña; (of cake) porción f // vt acuñar; (pack tightly) apretar.

wedlock ['wɛdlɔk] n matrimonio.

Wednesday ['wɛdnzdɪ] n miércoles m.

wee [wi:] a (Scottish) pequeñito.

weed [wi:d] n mala hierba, maleza // vt escardar, desherbar; ~-**killer** n herbicida m.

week [wi:k] n semana; ~**day** n día m laborable; ~**end** n fin m de semana; ~**ly** ad semanalmente, cada semana // a semanal // n semanario.

weep [wi:p], pt, pp **wept** vi, vt llorar; ~**ing willow** n sauce m llorón.

weigh [weɪ] vt, vi pesar; **to** ~ **down** vt sobrecargar; (fig: with worry) agobiar; **to** ~ **up** vt pesar; ~**bridge** n báscula-puente f.

weight [weɪt] n peso; (on scale) pesa; **to lose/put on** ~ adelgazarse/engordarse; ~**lessness** n ingravidez f; ~ **lifter** n levantador m de pesos; ~**y** a pesado.

weir [wɪə*] n presa.

weird [wɪəd] a raro, extraño.

welcome ['wɛlkəm] a bienvenido // n bienvenida // vt dar la bienvenida a; (be glad of) alegrarse de; **welcoming** a acogedor(a); (speech) de bienvenida.

weld [wɛld] n soldadura // vt soldar; ~**er** n (person) soldador m; ~**ing** n soldadura.

welfare ['wɛlfɛə*] n bienestar m; (social aid) asistencia social; ~ **state** n estado de bienestar.

well [wɛl] n fuente f, pozo // ad bien // a: **to be** ~ estar bien (de salud) // excl ¡vaya!, ¡bueno!; **as** ~ también; **as** ~ **as** igual que; ~ **done!** ¡bien hecho!; **get** ~ **soon!** ¡que te mejores pronto!; **to do** ~ ir o salir bien; **to** ~ **up** vi brotar.

we'll [wi:l] = **we will, we shall.**

well: ~-behaved a bien educado, formal; ~-being n bienestar m; ~-built a (person) fornido; ~-deserved a merecido; ~-developed a bien desarrollado; ~-dressed a bien vestido; ~-heeled a (col: wealthy) rico; ~-informed a enterado.

wellingtons ['wɛlɪŋtənz] n (also: wellington boots) botas fpl de goma.

well: ~-known a (person) conocido; ~-mannered a educado; ~-meaning a bienintencionado; ~-off a pudiente, con dinero; ~-read a culto; ~-to-do a acomodado; ~-wisher n admirador/a m/f, amigo.

Welsh [wɛlʃ] a galés(esa) // n (LING) galés m; ~man/woman n galés/esa m/f.

went [wɛnt] pt of go.

wept [wɛpt] pt, pp of weep.

were [wə:*] pt of be.

we're [wɪə*] = we are.

weren't [wə:nt] = were not.

west [wɛst] n oeste m // a occidental, del oeste // ad hacia el o al oeste; the W~ n el Oeste, el Occidente; the W~ Country n el suroeste de Inglaterra; ~erly a (situation) oeste; (wind) del oeste; ~ern a occidental // n (CINEMA) película del oeste; W~ Germany n Alemania Occidental; W~ Indies npl Antillas fpl; ~ward(s) ad hacia el oeste.

wet [wɛt] a (damp) húmedo; (~ through) mojado; (rainy) lluvioso; to get ~ mojarse; '~ paint' 'recién pintado'; to be a ~ blanket (fig) ser un/una aguafiestas; ~ness n humedad f; ~ suit n traje m de buzo.

we've [wi:v] = we have.

whack [wæk] vt dar un buen golpe a; ~ed a (col: tired) reventado.

whale [weɪl] n (ZOOL) ballena.

wharf [wɔ:f], pl wharves [wɔ:vz] n muelle m.

what [wɔt] excl ¡qué!, ¡cómo! // det que // pron (interrogative) ¿qué?, ¿cómo?; (relative, indirect: object) lo que; (: subject) el/la que; ~ are you doing? ¿qué haces?; I saw ~ you did he visto lo que hiciste; ~ a mess! ¡que lío!; ~ is it called? ¿cómo se llama?; ~ about me? ¿y yo?; ~ever det: ~ever book you choose cualquier libro que elijas // pron: do ~ever is necessary haga lo que sea necesario; no reason ~ever or ~soever ninguna razón sea la que sea; nothing ~ever nada en absoluto.

wheat [wi:t] n trigo.

wheel [wi:l] n rueda; (AUT: also: steering ~) volante m; (NAUT) timón m // vt (pram etc) empujar // vi (also: ~ round) dar la vuelta, girar; ~barrow n carretilla; ~chair n silla de ruedas; ~house n timonera.

wheeze [wi:z] n respiración f ruidosa // vi resollar.

when [wɛn] ad cuándo // conj cuando; (whereas) mientras; on the day ~ I met him el día que le conocí; ~ever conj cuando, todas las veces que; (every time that) siempre que.

where [wɛə*] ad dónde // conj donde; this is ~ aquí es donde; ~abouts ad ¿dónde? // n: nobody knows his ~abouts nadie conoce su paradero; ~as conj visto que, mientras; wherever [-'ɛvə*] ad dondequiera que; (interrogative) ¿dónde?; ~withal n recursos mpl.

whet [wɛt] vt estimular.

whether ['wɛðə*] conj si; I don't know ~ to accept or not no sé si aceptar o no; ~ you go or not vayas o no vayas.

which [wɪtʃ] det (interrogative) ¿qué?, ¿cuál?; ~ one of you? ¿cuál de vosotros?; ~ picture do you want? ¿qué cuadro quieres? // pron (interrogative) ¿cuál?; (relative: subject) que, lo que; (: object) el que etc, el cual etc, lo cual; I don't mind ~ no me importa cuál; the apple ~ is on the table la manzana que está sobre la mesa; the chair on ~ you are sitting la silla sobre la que estás sentado; he said he knew, ~ is true el dijo que sabía, lo cual es cierto; in ~ case en cuyo caso; ~ever det: take ~ever book you prefer coja el libro que prefiera; ~ever book you take cualquier libro que coja.

whiff [wɪf] n bocanada.

while [waɪl] n rato, momento // conj durante; (as long as) mientras; (although) aunque; for a ~ durante algún tiempo.

whim [wɪm] n capricho.

whimper ['wɪmpə*] n (weeping) lloriqueo; (moan) quejido // vi lloriquear; quejarse.

whimsical ['wɪmzɪkl] a (person) caprichoso; (look) extraño.

whine [waɪn] n (of pain) gemido; (of engine) zumbido // vi gemir; zumbar.

whip [wɪp] n látigo; (for riding) fusta; (Brit: POL) oficial disciplinario del partido // vt azotar; (snatch) arrebatar; ~ped cream n crema batida; ~-round n colecta.

whirl [wə:l] n remolino // vt hacer girar, dar vueltas a // vi girar, dar vueltas; (leaves, water etc) arremolinarse; ~pool n remolino; ~wind n torbellino.

whirr [wə:*] vi rechinar, zumbar.

whisk [wɪsk] n (CULIN) batidor m // vt batir; to ~ sth away from sb arrebatarle algo a uno; to ~ sb away or off llevar rápidamente a uno.

whisker ['wɪskə*] n: ~s (of animal) bigotes mpl; (of man) patillas fpl.

whisk(e)y ['wɪski] n whisky m.

whisper ['wɪspə*] n cuchicheo; (rumour) rumor m; (fig) susurro, murmullo // vi cuchichear, hablar bajo; (fig) susurrar.

whist [wɪst] n whist m.

whistle ['wɪsl] n (sound) silbido; (object) silbato // vi silbar.

white [waɪt] a blanco; (pale) pálido // n blanco; (of egg) clara; ~-collar worker n oficinista m/f; ~ elephant n (fig) maula; ~ lie n mentira piadosa; ~ness n blancura; ~ **paper** n (POL) libro rojo; ~**wash** n (paint) jalbegue m, cal f // vt enjalbegar; (fig) encubrir.

whiting ['waitiŋ] n, pl inv (fish) pescadilla.

Whitsun ['witsn] n pentecostés m.

whittle ['witl] vt: **to** ~ **away**, ~ **down** reducir poco a poco.

whizz [wiz] vi: **to** ~ **past** or **by** pasar a toda velocidad; ~ **kid** n (col) prodigio, portento.

who [hu:] pron (relative) que, el que etc, quien; (interrogative) ¿quién?; (pl) ¿quiénes?; ~**ever** pron: ~**ever finds it** cualquiera o quienquiera que lo encuentre; **ask** ~**ever you like** pregunta a quien quieras; ~**ever be marries** no importa con quién se case.

whole [həul] a (complete) todo, entero; (not broken) intacto // n (total) total m; (sum) conjunto; **the** ~ **of the town** toda la ciudad, la ciudad entera; **on the** ~, **as a** ~ en general; ~**hearted** a sincero, cordial; ~**sale** n venta al por mayor // a al por mayor; (destruction) sistemático; ~**saler** n mayorista m/f; ~**some** a sano; **wholly** ad totalmente, enteramente.

whom [hu:m] pron que, a quien; (interrogative) ¿a quién?

whooping cough ['hu:piŋkɔf] n tos f ferina.

whopper ['wɔpə*] n cosa muy grande; (lie) bola; **whopping** a (col: big) enorme.

whore [hɔ:*] n (col: pej) puta.

whose [hu:z] det: ~ **book is this?** ¿de quién es este libro?; **the man** ~ **son you rescued** el hombre cuyo hijo salvaste; **the girl** ~ **sister you were speaking to** la chica con cuya hermana estabas hablando // pron: ~ **is this?** ¿de quién es esto?; **I know** ~ **it is** yo sé de quien es.

why [wai] ad por qué; (interrogative) ¿por qué?, ¿para qué? // excl ¡toma!, ¡cómo!; **tell me** ~ dime por qué, dime la razón; ~**ever** ad por qué.

wick [wik] n mecha.

wicked ['wikid] a malvado, cruel.

wicker ['wikə*] n (also: ~**work**) artículos mpl de mimbre.

wicket ['wikit] n (CRICKET) palos mpl.

wide [waid] a ancho; (region, knowledge) vasto, grande; (choice) grande // ad: **to open** ~ abrir de par en par; **to shoot** ~ errar el tiro; ~**awake** a bien despierto; (fig) despabilado; ~**ly** ad (different) muy; **it is** ~**ly believed that...** hay una convicción general de que...; **widen** vt ensanchar; ~**ness** n anchura; ~ **open** a abierto de par en par; ~**spread** a (belief etc) extendido, general.

widow ['widəu] n viuda; ~**ed** a viudo; ~**er** n viudo.

width [widθ] n anchura; (of cloth) ancho.

wield [wi:ld] vt (sword) manejar; (power) ejercer.

wife [waif], pl **wives** [waivz] n mujer f, esposa.

wig [wig] n peluca.

wiggle ['wigl] vt menear (rápidamente) // vi menearse.

wild [waild] a (animal) salvaje; (plant) silvestre; (rough) furioso, violento; (idea) disparatado, descabellado; (person) loco; ~**s** npl regiones fpl salvajes, tierras fpl vírgenes; ~**erness** ['wildənis] n desierto; ~**life** n fauna; ~**ly** ad (roughly) violentamente; (foolishly) locamente; (rashly) descabelladamente.

wilful ['wilful] a (person) voluntarioso; (action) deliberado; (obstinate) testarudo; (child) travieso.

will [wil] auxiliary vb: **he** ~ **come** vendrá // vt, pt, pp **willed**: **to** ~ **sb to do sth** desear que alguien haga algo; **he** ~**ed himself to go on** con gran fuerza de voluntad, continuó // n voluntad f; (testament) testamento; ~**ing** a (with goodwill) de buena voluntad; (submissive) complaciente; ~**ingly** ad con mucho gusto; ~**ingness** n buena voluntad.

willow ['wiləu] n sauce m.

will power n fuerza de voluntad.

wilt [wilt] vi marchitarse.

wily ['waili] a astuto.

win [win] n (in sports etc) victoria, triunfo // (vb: pt, pp **won**) vt ganar; (obtain) conseguir, lograr // vi ganar, tener éxito; **to** ~ **over**, ~ **round** vt atraerse.

wince [wins] vi estremecerse.

winch [wintʃ] n torno.

wind [wind] n viento; (MED) flatulencia; (breath) aliento // (vb: [waind], pt, pp **wound**) vt enrollar; (wrap) envolver; (clock, toy) dar cuerda a // vi (road, river) serpentear // vt [wind] (take breath away from) dejar sin aliento a; **to** ~ **up** vt (clock) dar cuerda a; (debate) concluir, terminar; ~**break** n abrigada; ~**fall** n golpe m de suerte; ~**ing** a (road) tortuoso; ~ **instrument** n (MUS) instrumento de viento; ~**mill** n molino de viento.

window ['windəu] n ventana; (in car, train) ventanilla; (in shop etc) escaparate m; ~ **box** n jardinera (de ventana); ~ **cleaner** n (person) limpiacristales m inv; ~ **ledge** n alféizar m; ~ **pane** n cristal m; ~**sill** n alféizar m.

windpipe ['windpaip] n tráquea.

windscreen ['windskri:n], **windshield** ['windʃi:ld] (US) n parabrisas m inv; ~ **washer** n lavaparabrisas m inv; ~ **wiper** n limpiaparabrisas m inv.

windswept ['windswept] a azotado por el viento.

windy ['windi] a de mucho viento; **it's** ~ hace viento.

wine [wain] n vino; ~ **cellar** n bodega; ~ **glass** n copa (para vino); ~ **list** n lista de vinos; ~ **merchant** n vinatero; ~ **tasting** n degustación f de vinos.

wing [wiŋ] n (gen) ala; (AUT) aleta, guardabarros m inv; ~**s** npl (THEATRE) bastidores mpl; ~**er** n (SPORT) extremo.

wink [wiŋk] n guiño, pestañeo // vi guiñar,

pestañear; (light etc) parpadear.
winner ['wɪnɔ*] n ganador/a m/f.
winning ['wɪnɪŋ] a (team) ganador(a); (goal) decisivo; **~s** npl ganancias fpl; **~ post** n meta.
winter ['wɪntɔ*] n invierno // vi invernar; **~ sports** npl deportes mpl de invierno.
wintry ['wɪntrɪ] a invernal.
wipe [waɪp] n: **to give sth a ~** pasar un trapo sobre algo // vt limpiar; **to ~ off** vt limpiar con un trapo; **to ~ out** vt (debt) liquidar; (memory) borrar; (destroy) destruir.
wire ['waɪɔ*] n alambre m; (ELEC) cable m (eléctrico); (TEL) telegrama m // vt (house) instalar el alambrado de; (also: **~ up**) conectar // vi poner un telegrama.
wireless ['waɪɔlɪs] n radio f.
wiring ['waɪɔrɪŋ] n instalación f eléctrica, alambrado.
wiry ['waɪɔrɪ] a nervioso, nervudo.
wisdom ['wɪzdəm] n sabiduría, saber m; (good sense) cordura; (care) prudencia; **~ tooth** n muela del juicio.
wise [waɪz] a sabio; (sensible) cuerdo; (careful) prudente.
...wise [waɪz] suff: **time~** en cuanto a o respecto al tiempo.
wisecrack ['waɪzkræk] n broma.
wish [wɪʃ] n (desire) deseo // vt desear; (want) querer; **best ~es** (on birthday etc) felicidades fpl; **with best ~es** (in letter) saludos mpl, recuerdos mpl; **to ~ sb goodbye** despedirse de uno; **he ~ed me well** me deseó mucha suerte; **to ~ to do/sb to do sth** querer hacer/que alguien haga algo; **to ~ for** desear; **it's ~ful thinking** es un espejismo.
wisp [wɪsp] n mechón m; (of smoke) voluta.
wistful ['wɪstful] a pensativo.
wit [wɪt] n (wittiness) ingenio, gracia; (intelligence) entendimiento; (person) chistoso/a.
witch [wɪtʃ] n bruja; **~craft** n brujería.
with [wɪð, wɪθ] prep con; **red ~ anger** rojo de cólera; **the man ~ the grey hat** el hombre del sombrero gris; **to be ~ it** (fig) estar al tanto o a la moda; **i am ~ you** (I understand) te entiendo.
withdraw [wɪθ'drɔ:] (irg: like **draw**) vt retirar, sacar // vi retirarse; (go back on promise) retractarse; **to ~ money (from the bank)** retirar fondos (del banco); **~al** n retirada; **~n** a (person) reservado, introvertido.
wither ['wɪðɔ*] vi marchitarse; **~ed** a marchito.
withhold [wɪθ'hɔuld] (irg: like **hold**) vt (money) retener; (decision) aplazar; (permission) negar; (information) ocultar.
within [wɪð'ɪn] prep dentro de // ad dentro; **~ reach** al alcance de la mano; **~ sight of** a la vista de; **~ the week** antes de acabar la semana.
without [wɪð'aut] prep sin.
withstand [wɪθ'stænd] (irg: like **stand**) vt resistir a.

witness ['wɪtnɪs] n (person) testigo; (evidence) testimonio // vt (event) presenciar; (document) atestiguar la veracidad de; **~ box**, **~ stand** (US) n tribuna de los testigos.
witticism ['wɪtɪsɪzm] n dicho ingenioso.
witty ['wɪtɪ] a ingenioso, salado.
wives [waɪvz] pl of **wife**.
wizard ['wɪzəd] n hechicero.
wk abbr of **week**.
wobble ['wɔbl] vi tambalearse; (chair) ser poco firme.
woe [wəu] n desgracia.
woke [wəuk], **woken** ['wəukən] pt, pp of **wake**.
wolf [wulf], pl **wolves** [wulvz] n lobo.
woman ['wumən], pl **women** n mujer f; **~ly** a femenino.
womb [wu:m] n (ANAT) matriz f, útero.
women ['wɪmɪn] pl of **woman**.
won [wʌn] pt, pp of **win**.
wonder ['wʌndɔ*] n maravilla, prodigio; (feeling) asombro // vi: **to ~ whether** preguntarse si; **to ~ at** asombrarse de; **to ~ about** pensar sobre o en; **it's no ~ that** no es de extrañarse que; **~ful** a maravilloso; **~fully** ad maravillosamente, estupendamente.
won't [wəunt] = **will not**.
woo [wu:] vt (woman) cortejar.
wood [wud] n (timber) madera; (forest) bosque m; **~ carving** n escultura de madera; **~ed** a arbolado; **~en** a de madera; (fig) inexpresivo; **~pecker** n pájaro carpintero; **~wind** n (MUS) instrumentos mpl de viento de madera; **~work** n carpintería; **~worm** n carcoma.
wool [wul] n lana; **to pull the ~ over sb's eyes** (fig) dar a uno gato por liebre; **~len**, **~en** (US) a de lana; **~lens** npl géneros mpl de lana; **~ly**, **~y** (US) a lanudo, de lana; (fig: ideas) confuso.
word [wɔ:d] n palabra; (news) noticia; (message) aviso // vt redactar; **in other ~s** en otras palabras; **to break/keep one's ~** faltar a la palabra/cumplir la promesa; **~ing** n redacción f.
wore [wɔ:*] pt of **wear**.
work [wɔ:k] n (gen) trabajo; (job) empleo, trabajo; (ART, LITERATURE) obra // vi trabajar; (mechanism) funcionar, marchar; (medicine) ser eficaz, surtir efecto // vt (clay, wood etc) tallar; (mine etc) explotar; (machine) manejar, hacer funcionar; (cause) producir; **to be out of ~** estar parado, no tener trabajo; **~s** n (factory) fábrica // npl (of clock, machine) mecanismo sg; **to ~ loose** vi (part) desprenderse; (knot) aflojarse; **to ~ on** vt fus trabajar en, dedicarse a; (principle) basarse en; **to ~ out** vi (plans etc) salir bien, funcionar // vt (problem) resolver; (plan) elaborar; **does it ~ out?** ¿da resultado?; **it ~s out at £100** suma 100 libras; **to get ~ed up** exaltarse; **~able** a (solution) práctico, factible; **~er** n trabajador/a, obrero; **~ing class** n clase

f obrera; ~**ing-class** *a* de clase obrera; **in** ~**ing order** en funcionamiento; ~**man** *n* obrero; ~**manship** *n* (*art*) hechura, arte *m*; (*skill*) habilidad *f*, trabajo; ~**shop** *n* taller *m*; ~**-to-rule** *n* huelga de celo.

world [wɜːld] *n* mundo // *cpd* (*champion*) del mundo; (*power, war*) mundial; **to think the** ~ **of sb** (*fig*) tener un concepto muy alto de uno; ~**ly** *a* mundano; ~**-wide** *a* mundial, universal.

worm [wɜːm] *n* gusano; (*earth*~) lombriz *f*.

worn [wɔːn] *pp of* **wear** // *a* usado; ~**-out** *a* (*object*) gastado; (*person*) rendido, agotado.

worried [ˈwʌrɪd] *a* preocupado.

worry [ˈwʌrɪ] *n* preocupación *f* // *vt* preocupar, inquietar // *vi* preocuparse; ~**ing** *a* inquietante.

worse [wɜːs] *a, ad* peor, inferior // *n* el peor, lo peor; **a change for the** ~ un empeoramiento; **worsen** *vt, vi* empeorar; ~ **off** *a* (*fig*): **you'll be** ~ **off this way** de esta forma estarás peor que nunca.

worship [ˈwɜːʃɪp] *n* culto; (*act*) adoración *f* // *vt* adorar; **Your W**~ (*to mayor*) señor alcalde; (*to judge*) señor juez; ~**per** *n* devoto/a.

worst [wɜːst] *a* (el/la) peor // *ad* peor // *n* lo peor; **at** ~ en lo peor de los casos.

worth [wɜːθ] *n* valor *m* // *a*: **to be** ~ valer; **it's** ~ **it** vale *o* merece la pena; ~**less** *a* sin valor; (*useless*) inútil; ~**while** *a* (*activity*) que merece la pena; (*cause*) loable.

worthy [ˈwɜːðɪ] *a* (*person*) respetable; (*motive*) honesto; ~ **of** digno de.

would [wud] *auxiliary vb*: **she** ~ **come** ella vendría; **he** ~ **have come** él hubiera venido; ~ **you like a biscuit?** ¿quieres una galleta?; **he** ~ **go on Mondays** solía ir los lunes; ~**-be** *a* (*pej*) presunto, aspirante.

wound [waund] *pt, pp of* **wind** // *n* [wuːnd] herida // *vt* [wuːnd] herir.

wove [wəuv], **woven** [ˈwəuvən] *pt, pp of* **weave.**

wrangle [ˈræŋgl] *n* riña // *vi* reñir.

wrap [ræp] *n* (*stole*) chal *m*; (*cape*) capa // *vt* (*also*: ~ **up**) envolver; ~**per** *n* (*of book*) cubierta, tapa; ~**ping paper** *n* papel *m* de envolver.

wrath [rɔθ] *n* cólera.

wreath [riːθ], *pl* ~**s** [riːðz] *n* (*funeral* ~) corona; (*of flowers*) guirnalda.

wreathe [riːð] *vt* ceñir.

wreck [rɛk] *n* naufragio; (*ship*) restos *mpl* del barco; (*pej: person*) ruina // *vt* destruir, hundir; (*fig*) arruinar; ~**age** *n* restos *mpl*; (*of building*) escombros *mpl*.

wren [rɛn] *n* (*zool*) reyezuelo.

wrench [rɛntʃ] *n* (*tech*) llave *f* inglesa; (*tug*) tirón *m* // *vt* arrancar; **to** ~ **sth from sb** arrebatar algo violentamente a uno.

wrestle [ˈrɛsl] *vi*: **to** ~ (**with sb**) luchar (con *o* contra uno); **wrestler** *n* luchador *m*

(de lucha libre); **wrestling** *n* lucha libre; **wrestling match** *n* partido de lucha libre.

wretched [ˈrɛtʃɪd] *a* miserable.

wriggle [ˈrɪgl] *n* (*gen*) culebreo // *vi* (*gen*) serpentear.

wring [rɪŋ], *pt, pp* **wrung** *vt* torcer, retorcer; (*wet clothes*) escurrir; (*fig*): **to** ~ **sth out of sb** sacar algo por la fuerza a uno.

wrinkle [ˈrɪŋkl] *n* arruga // *vt* arrugar // *vi* arrugarse.

wrist [rɪst] *n* muñeca; ~ **watch** *n* reloj *m* de pulsera.

writ [rɪt] *n* mandato judicial; **to issue a** ~ **against sb** demandar a uno (en juicio).

write [raɪt], *pt* **wrote**, *pp* **written** *vt, vi* escribir; **to** ~ **down** *vt* escribir; (*note*) apuntar; **to** ~ **off** *vt* (*debt*) borrar (como incobrable); (*depreciate*) depreciar; **to** ~ **out** *vt* escribir; **to** ~ **up** *vt* redactar; ~**-off** *n* pérdida total; **the car is a** ~**-off** el coche es pura chatarra; **writer** *n* escritor/a *m/f*.

writhe [raɪð] *vi* retorcerse.

writing [ˈraɪtɪŋ] *n* escritura; (*hand-*~) letra; (*of author*) obra; **in** ~ por escrito; ~ **paper** *n* papel *m* de escribir.

written [ˈrɪtn] *pp of* **write.**

wrong [rɔŋ] *a* (*bad*) malo; (*unfair*) injusto; (*incorrect*) equivocado, incorrecto; (*not suitable*) inoportuno, inconveniente // *ad* mal; equivocadamente // *n* mal *m*; (*injustice*) injusticia // *vt* ser injusto con; (*hurt*) agraviar; **you are** ~ **to do it** estás equivocado en hacerlo, cometes un error al hacerlo; **you are** ~ **about that, you've got it** ~ en eso, estás equivocado; **to be in the** ~ no tener razón, tener la culpa; **what's** ~? ¿qué pasa?; **to go** ~ (*person*) equivocarse; (*plan*) salir mal; (*machine*) tener una avería; ~**ful** *a* injusto; ~**ly** *ad* injustamente.

wrote [rəut] *pt of* **write.**

wrought [rɔːt] *a*: ~ **iron** hierro forjado.

wrung [rʌŋ] *pt, pp of* **wring.**

wry [raɪ] *a* irónico.

wt. *abbr of* **weight.**

X

Xmas [ˈɛksməs] *n abbr of* **Christmas.**

X-ray [ɛksˈreɪ] *n* radiografía; ~**s** *npl* rayos *mpl* X // *vt* hacer una radiografía a.

xylophone [ˈzaɪləfəun] *n* xilófono.

Y

yacht [jɔt] *n* yate *m*; ~**ing** *n* (*sport*) balandrismo; **yachtsman** *n* balandrista *m*.

Yank [jæŋk] *n* (*pej*) yanqui *m/f*.

yap [jæp] *vi* (*dog*) aullar.

yard [jɑːd] *n* patio; (*measure*) yarda; ~**stick** *n* (*fig*) criterio, norma.

yarn [jɑːn] *n* hilo; (*tale*) cuento, historia.

yawn [jɔːn] *n* bostezo // *vi* bostezar.

yd. *abbr of* **yard(s).**

year [jɪə*] *n* año; **to be 8 ~s old** tener 8 años; **~ly** *a* anual // *ad* anualmente, cada año.

yearn [jə:n] *vi:* **to ~ for sth** añorar *o* suspirar por algo; **~ing** *n* ansia, añoranza.

yeast [ji:st] *n* levadura.

yell [jɛl] *n* grito, alarido // *vi* gritar.

yellow ['jɛləu] *a, n* amarillo.

yelp [jɛlp] *n* aullido // *vi* aullar.

yeoman ['jəumən] *n:* **Y~ of the Guard** alabardero de la Casa Real.

yes [jɛs] *ad, n* sí *m.*

yesterday ['jɛstədɪ] *ad, n* ayer *m.*

yet [jɛt] *ad* todavía // *conj* sin embargo, a pesar de todo; **it is not finished ~** todavía no está acabado; **the best ~** el mejor hasta ahora; **as ~** hasta ahora, todavía.

yew [ju:] *n* tejo.

Yiddish ['jɪdɪʃ] *n* judío.

yield [ji:ld] *n* producción *f*; (*AGR*) cosecha; (*COMM*) rendimiento // *vt* (*gen*) producir; (*profit*) rendir // *vi* rendirse, ceder.

yoga ['jəugə] *n* yoga.

yog(h)ourt, yog(h)urt ['jəugət] *n* yogur *m.*

yoke [jəuk] *n* (*of oxen*) yunta; (*on shoulders*) balancín *m*; (*fig*) yugo // *vt* acoplar.

yolk [jəuk] *n* yema (de huevo).

yonder ['jɔndə*] *ad* allá (a lo lejos).

you [ju:] *pron* tú; (*pl*) vosotros; (*polite form*) usted; (: *pl*) ustedes; (*complement*) te; (: *pl*) os; (*after prep*) tí; (: *pl*) vosotros; (: *formal*) le/la; (: *pl*) les; (*after prep*) usted; (: *pl*) ustedes; (*one*): **~ never know** uno nunca sabe; (*impersonal*): **~ can't do that** eso no se hace.

you'd [ju:d] = **you had; you would.**

you'll [ju:l] = **you will, you shall.**

young [jʌŋ] *a* joven // *npl* (*of animal*) la cría *sg*; (*people*): **the ~** los jóvenes, la juventud *sg*; **~er** *a* (*brother etc*) menor; **~ish** *a* bastante joven; **~ster** *n* joven *m/f.*

your [jɔ:*] *a* tu; (*pl*) vuestro; (*formal*) su.

you're [juə*] = **you are.**

yours [jɔ:z] *pron* tuyo; (: *pl*) vuestro; (*formal*) suyo; **is it ~?** ¿es tuyo *etc*?; **~ sincerely** *or* **faithfully** le saluda atentamente.

yourself [jɔ:'sɛlf] *pron* (*reflexive*) tú mismo; (*complement*) te; (*after prep*) tí (mismo); (*formal*) usted mismo; (: *complement*) se; (: *after prep*) sí (mismo); **yourselves** *pl pron* vosotros mismos; (*after prep*) vosotros (mismos); (*formal*) ustedes (mismos); (: *complement*) se; (: *after prep*) sí mismos.

youth [ju:θ] *n* juventud *f*; (*young man:* *pl* **~s** [ju:ðz]) joven *m*; **~ful** *a* juvenil; **~ hostel** *n* albergue *m* de juventud.

you've [ju:v] = **you have.**

Yugoslav ['ju:gəu'slɑ:v] *a, n* yugoeslavo/a; **~ia** *n* Yugoeslavia.

Yuletide ['ju:ltaɪd] *n* Navidad *f.*

Z

zany ['zeɪnɪ] *a* tonto.

zeal [zi:l] *n* celo, entusiasmo; **~ous** ['zɛləs] *a* celoso, entusiasta.

zebra ['zi:brə] *n* cebra; **~ crossing** *n* paso de peatones.

zenith ['zɛnɪθ] *n* cénit *m.*

zero ['zɪərəu] *n* cero.

zest [zɛst] *n* ánimo, vivacidad *f.*

zigzag ['zɪgzæg] *n* zigzag *m* // *vi* zigzaguear.

zinc [zɪŋk] *n* cinc *m*, zinc *m.*

Zionism ['zaɪənɪzm] *n* sionismo; **Zionist** *n* sionista *m/f.*

zip [zɪp] *n* (*also:* **~ fastener, ~per**) cremallera // *vt* (*also:* **~ up**) cerrar la cremallera de.

zodiac ['zəudɪæk] *n* zodiaco.

zombie ['zɔmbɪ] *n* (*fig*): **like a ~** como un sonámbulo.

zone [zəun] *n* zona.

zoo [zu:] *n* (*jardín m*) zoológico.

zoological [zuə'lɔdʒɪkl] *a* zoológico.

zoologist [zu'ɔlədʒɪst] *n* zoólogo.

zoology [zu:'ɔlədʒɪ] *n* zoología.

zoom [zu:m] *vi:* **to ~ past** pasar zumbando; **~ lens** *n* zoom *m.*

SPANISH VERB TABLES

1 Gerund. *2* Imperative. *3* Present. *4* Preterite. *5* Future. *6* Present subjunctive. *7* Imperfect subjunctive. *8* Past participle. *9* Imperfect.
Etc indicates that the irregular root is used for all persons of the tense, e.g. **oír**: *6* oiga, oigas, oigamos, oigáis, oigan.

acertar *2* acierta *3* acierto, aciertas, acierta, aciertan *6* acierte, aciertes, acierte, acierten

acordar *2* acuerda *3* acuerdo, acuerdas, acuerda, acuerdan *6* acuerde, acuerdes, acuerde, acuerden

advertir *1* advirtiendo *2* advierte *3* advierto, adviertes, advierte, advierten *4* advirtió, advirtieron *6* advierta, adviertas, advierta, advirtamos, advirtáis, adviertan *7* advirtiera *etc*

agradecer *3* agradezco *6* agradezca *etc*

aparecer *3* aparezco *6* aparezca *etc*

aprobar *2* aprueba *3* apruebo, apruebas, aprueba, aprueban *6* apruebe, apruebes, apruebe, aprueben

atravesar *2* atraviesa *3* atravieso, atraviesas, atraviesa, atraviesan *6* atraviese, atravieses, atraviese, atraviesen

caber *3* quepo *4* cupe, cupiste, cupo, cupimos, cupisteis, cupieron *5* cabré *etc* *6* quepa *etc* *7* cupiera *etc*

caer *1* cayendo *3* caigo *4* cayó, cayeron *6* caiga *etc* *7* cayera *etc*

calentar *2* calienta *3* caliento, calientas, calienta, calientan *6* caliente, calientes, caliente, calienten

cerrar *2* cierra *3* cierro, cierras, cierra, cierran *6* cierre, cierres, cierre, cierren

COMER *1* comiendo *2* come, comed *3* como, comes, come, comemos, coméis, comen *4* comí, comiste, comió, comimos, comisteis, comieron *5* comeré, comerás, comerá, comeremos, comeréis, comerán *6* coma, comas, coma, comamos, comáis, coman *7* comiera, comieras, comiera, comiéramos, comierais, comieran *8* comido *9* comía, comías, comía, comíamos comíais, comían

conocer *3* conozco *6* conozca *etc*

contar *2* cuenta *3* cuento, cuentas, cuenta, cuentan *6* cuente, cuentes, cuente, cuenten

costar *2* cuesta *3* cuesto, cuestas, cuesta, cuestan *6* cueste, cuestes, cueste, cuesten

dar *3* doy *4* di, diste, dio, dimos, disteis, dieron *7* diera *etc*

decir *2* di *3* digo *4* dije, dijiste, dijo, dijimos, dijisteis, dijeron *5* diré *etc* *6* diga *etc* *7* dijera *etc* *8* dicho

despertar *2* despierta *3* despierto, despiertas, despierta, despiertan *6* despierte, despiertes, despierte, despierten

divertir *1* divirtiendo *2* divierte *3* divierto, diviertes, divierte, divierten *4* divirtió, divirtieron *6* divierta, diviertas, divierta, divirtamos, divirtáis, diviertan *7* divirtiera *etc*

dormir *1* durmiendo *2* duerme *3* duermo, duermes, duerme, duermen *4* durmió, durmieron *6* duerma, duermas, duerma, durmamos, durmáis, duerman *7* durmiera *etc*

empezar *2* empieza *3* empiezo, empiezas, empieza, empiezan *4* empecé *6* empiece, empieces, empiece, empecemos, empecéis, empiecen

entender *2* entiende *3* entiendo, entiendes, entiende, entienden *6* entienda, entiendas, entienda, entiendan

ESTAR *2* está *3* estoy, estás, está, están *4* estuve, estuviste, estuvo, estuvimos, estuvisteis, estuvieron *6* esté, estés, esté, estén *7* estuviera *etc*

HABER *3* he, has, ha, hemos, han *4* hube, hubiste, hubo, hubimos,

hubisteis, hubieron *5* habré *etc 6*
haya *etc 7* hubiera *etc*

HABLAR *1* hablando *2* habla,
hablad *3* hablo, hablas, habla,
hablamos, habláis, hablan *4* hablé
hablaste, habló, hablamos,
hablasteis, hablaron *5* hablaré,
hablarás, hablará, hablaremos,
hablaréis, hablarán *6* hable, hables,
hable, hablemos, habléis, hablen *7*
hablara, hablaras, hablara,
habláramos, hablarais, hablaran *8*
hablado *9* hablaba, hablabas,
hablaba, hablábamos, hablabais,
hablaban

hacer *2* haz *3* hago *4* hice, hiciste,
hizo, hicimos, hicisteis, hicieron *5*
haré *etc 6* haga *etc 7* hiciera *etc 8*
hecho

instruir *1* instruyendo *2* instruye *3*
instruyo, instruyes, instruye,
instruyen *4* instruyó, instruyeron *6*
instruya *etc 7* instruyera *etc*

ir *1* yendo *2* ve *3* voy, vas, va, vamos,
vais, van *4* fui, fuiste, fue, fuimos,
fuisteis, fueron *6* vaya, vayas, vaya,
vayamos, vayáis, vayan *7* fuera *etc*
8 iba, ibas, iba, íbamos, ibais, iban

jugar *2* juega *3* juego, juegas, juega,
juegan *4* jugué *6* juegue *etc*

leer *1* leyendo *4* leyó, leyeron *7* leyera
etc

morir *1* muriendo *2* muere *3* muero,
mueres, muere, mueren *4* murió,
murieron *6* muera, mueras, muera,
muramos, muráis, mueran *7*
muriera *etc 8* muerto

mostrar *2* muestra *3* muestro,
muestras, muestra, muestran *6*
muestre, muestres, muestre,
muestren

mover *2* mueve *3* muevo, mueves,
mueve, mueven *6* mueva, muevas,
mueva, muevan

negar *2* niega *3* niego, niegas, niega,
niegan *4* negué *6* niegue, niegues,
niegue, neguemos, neguéis,
nieguen

ofrecer *3* ofrezco *6* ofrezca *etc*

oír *1* oyendo *2* oye *3* oigo, oyes, oye,
oyen *4* oyó, oyeron *6* oiga *etc 7*
oyera *etc*

oler *2* huele *3* huelo, hueles, huele,

huelen *6* huela, huelas, huela,
huelan

parecer *3* parezco *6* parezca *etc*

pedir *1* pidiendo *2* pide *3* pido,
pides, pide, piden *4* pidió, pidieron
6 pida *etc 7* pidiera *etc*

pensar *2* piensa *3* pienso, piensas,
piensa, piensan *6* piense, pienses,
piense, piensen

perder *2* pierde *3* pierdo, pierdes,
pierde, pierden *6* pierda, pierdas,
pierda, pierdan

poder *1* pudiendo *2* puede *3* puedo,
puedes, puede, pueden *4* pude,
pudiste, pudo, pudimos, pudisteis,
pudieron *5* podré *etc 6* pueda,
puedas, pueda, puedan *7* pudiera
etc

poner *2* pon *3* pongo *4* puse, pusiste,
puso, pusimos, pusisteis, pusieron
5 pondré *etc 6* ponga *etc 7* pusiera
etc 8 puesto

preferir *1* prefiriendo *2* prefiere *3*
prefiero, prefieres, prefiere,
prefieren *4* prefirió, prefirieron *6*
prefiera, prefieras, prefiera,
prefiramos, prefiráis, prefieran *7*
prefiriera *etc*

querer *2* quiere *3* quiero, quieres,
quiere, quieren *4* quise, quisiste,
quiso, quisimos, quisisteis,
quisieron *5* querré *etc 6* quiera,
quieras, quiera, quieran *7* quisiera
etc

reír *2* ríe *3* río, ríes, ríe, ríen *4* rio,
rieron *6* ría, rías, ría, riamos, riáis,
rían *7* riera *etc*

repetir *1* repitiendo *2* repite *3* repito,
repites, repite, repiten *4* repitió,
repitieron *6* repita *etc 7* repitiera *etc*

rogar *2* ruega *3* ruego, ruegas, ruega,
ruegan *4* rogué *6* ruegue, ruegues,
ruegue, roguemos, roguéis,
rueguen

saber *3* sé *4* supe, supiste, supo,
supimos, supisteis, supieron *5*
sabré *etc 6* sepa *etc 7* supiera *etc*

salir *2* sal *3* salgo *5* saldré *etc 6* salga
etc

seguir *1* siguiendo *2* sigue *3* sigo,
sigues, sigue, siguen *4* siguió,
siguieron *6* siga *etc 7* siguiera *etc*

sentar *2* sienta *3* siento, sientas,

sienta, sientan 6 siente, sientes,
siente, sienten

sentir *1* sintiendo *2* siente *3* siento,
sientes, siente, sienten *4* sintió,
sintieron *6* sienta, sientas, sienta,
sintamos, sintáis, sientan *7* sintiera
etc

SER *2* sé *3* soy, eres, es, somos, sois,
son *4* fui, fuiste, fue, fuimos,
fuisteis, fueron *6* sea *etc 7* fuera *etc*
9 era, eras, era, éramos, erais, eran

servir *1* sirviendo *2* sirve *3* sirvo,
sirves, sirve, sirven *4* sirvió,
sirvieron *6* sirva *etc 7* sirviera *etc*

soñar *2* sueña *3* sueño, sueñas,
sueña, sueñan *6* sueñe, sueñes,
sueñe, sueñen

tener *2* ten *3* tengo, tienes, tiene,
tienen *4* tuve, tuviste, tuvo,
tuvimos, tuvisteis, tuvieron *5* tendré
etc 6 tenga *etc 7* tuviera *etc*

traer *1* trayendo *3* traigo *4* traje,
trajiste, trajo, trajimos, trajisteis,
trajeron *6* traiga *etc 7* trajera *etc*

valer *2* val *3* valgo *5* valdré *etc 6*
valga *etc*

venir *2* ven *3* vengo, vienes, viene,
vienen *4* vine, viniste, vino,
vinimos, vinisteis, vinieron *5*
vendré *etc 6* venga *etc 7* viniera *etc*

ver *3* veo *6* vea *etc 8* visto *9* veía *etc*

vestir *1* vistiendo *2* viste *3* visto,
vistes, viste, visten *4* vistió, vistieron
6 vista *etc 7* vistiera *etc*

VIVIR *1* viviendo *2* vive, vivid *3*
vivo, vives, vive, vivimos, vivís,
viven *4* viví, viviste, vivió, vivimos,
vivisteis, vivieron *5* viviré, vivirás,
vivirá, viviremos, viviréis, vivirán *6*
viva, vivas, viva, vivamos, viváis,
vivan *7* viviera, vivieras, viviera,
viviéramos, vivierais, vivieran *8*
vivido *9* vivía, vivías, vivía,
vivíamos, vivíais, vivían

volver *2* vuelve *3* vuelvo, vuelves,
vuelve, vuelven *6* vuelva, vuelvas,
vuela, vuelvan *8* vuelto.

VERBOS IRREGULARES EN INGLÉS

present	pt	pp	present	pt	pp
arise	arose	arisen	eat	ate	eaten
awake	awoke	awaked	fall	fell	fallen
be (am, is, are; being)	was, were	been	feed	fed	fed
			feel	felt	felt
			fight	fought	fought
bear	bore	born(e)	find	found	found
beat	beat	beaten	flee	fled	fled
become	became	become	fling	flung	flung
befall	befell	befallen	fly	flew	flown
begin	began	begun	forbid	forbade	forbidden
behold	beheld	beheld	forecast	forecast	forecast
bend	bent	bent	forget	forgot	forgotten
beset	beset	beset	forgive	forgave	forgiven
bet	bet, betted	bet, betted	forsake	forsook	forsaken
			freeze	froze	frozen
bid	bid	bid	get	got	got, (US) gotten
bind	bound	bound			
bite	bit	bitten	give	gave	given
bleed	bled	bled	go (goes)	went	gone
blow	blew	blown			
break	broke	broken	grind	ground	ground
breed	bred	bred	grow	grew	grown
bring	brought	brought	hang	hung, hanged	hung, hanged
build	built	built			
burn	burnt, burned	burnt, burned	have	had	had
			hear	heard	heard
burst	burst	burst	hide	hid	hidden
buy	bought	bought	hit	hit	hit
can	could	(been able)	hold	held	held
cast	cast	cast	hurt	hurt	hurt
catch	caught	caught	keep	kept	kept
choose	chose	chosen	kneel	knelt, kneeled	knelt, kneeled
cling	clung	clung			
come	came	come	know	knew	known
cost	cost	cost	lay	laid	laid
creep	crept	crept	lead	led	led
cut	cut	cut	lean	leant, leaned	leant, leaned
deal	dealt	dealt			
dig	dug	dug	leap	leapt, leaped	leapt, leaped
do (3rd person; he/she/it/does)	did	done			
			learn	learnt, learned	learnt, learned
			leave	left	left
draw	drew	drawn	lend	lent	lent
dream	dreamed, dreamt	dreamed, dreamt	let	let	let
			lie (lying)	lay	lain
drink	drank	drunk			
drive	drove	driven	light	lit, lighted	lit, lighted
dwell	dwelt	dwelt			

403

present	pt	pp	present	pt	pp
lose	lost	lost	speed	sped, speeded	sped, speeded
make	made	made			
may	might	—	spell	spelt, spelled	spelt, spelled
mean	meant	meant			
meet	met	met	spend	spent	spent
mistake	mistook	mistaken	spill	spilt, spilled	spilt, spilled
mow	mowed	mown, mowed			
			spin	spun	spun
must	(had to)	(had to)	spit	spat	spat
pay	paid	paid	split	split	split
put	put	put	spoil	spoiled, spoilt	spoiled, spoilt
quit	quit, quitted	quit, quitted			
			spread	spread	spread
read	read	read	spring	sprang	sprung
rend	rent	rent	stand	stood	stood
rid	rid	rid	steal	stole	stolen
ride	rode	ridden	stick	stuck	stuck
ring	rang	rung	sting	stung	stung
rise	rose	risen	stink	stank	stunk
run	ran	run	stride	strode	strode
saw	sawed	sawn	strike	struck	struck, stricken
say	said	said			
see	saw	seen	strive	strove	striven
seek	sought	sought	swear	swore	sworn
sell	sold	sold	sweep	swept	swept
send	sent	sent	swell	swelled	swollen, swelled
set	set	set			
shake	shook	shaken	swim	swam	swum
shall	should	—	swing	swung	swung
shear	sheared	shorn, sheared	take	took	taken
			teach	taught	taught
shed	shed	shed			
shine	shone	shone	tear	tore	torn
shoot	shot	shot	tell	told	told
show	showed	shown	think	thought	thought
shrink	shrank	shrunk	throw	threw	thrown
shut	shut	shut	thrust	thrust	thrust
sing	sang	sung	tread	trod	trodden
sink	sank	sunk	wake	woke, waked	woken, waked
sit	sat	sat			
slay	slew	slain	wear	wore	worn
sleep	slept	slept	weave	wove, weaved	woven, weaved
slide	slid	slid			
sling	slung	slung	wed	wedded, wed	wedded, wed
slit	slit	slit			
smell	smelt, smelled	smelt, smelled	weep	wept	wept
			win	won	won
sow	sowed	sown, sowed	wind	wound	wound
			wring	wrung	wrung
speak	spoke	spoken	write	wrote	written

NOTES TO THE USER OF THIS DICTIONARY

I **Using the dictionary**

    1. The wordlist: where to look for a word   407
    2. Entry layout and 'signposting'   410
    3. Using the translations   410

II **Notes on Spanish grammar**

    1. Nouns and noun groups   413
        1.1 Gender
        1.2 Articles
        1.3 Adjectives
        1.4 Possessives
        1.5 Demonstratives
        1.6 Comparative and superlative

    2. Verbs   417
        2.1 Verb forms
        2.2 Negatives and questions
        2.3 Tenses
        2.4 The verb 'to be'

    3. Prepositions   420

    4. Adverbs   421

    5. Pronouns   421

III **Spanish verb conjugations**   422

IV **The sounds of Spanish**   427

V **The time, dates and numbers**   433

in for one headword only. If the copy [...] where the co not

possible, the presence of a homonym [...] distinguish Reference

to successive homonyms [...]

I. Using the dictionary

In using this book, you will either want to check the meaning of a
Spanish word you don't know, or find the Spanish for an English word.
These two operations are quite different, and so are the problems you
may face when using one side of the dictionary or the other. In order to
help you, we have tried to explain below the main features of this book.

The 'wordlist' is the alphabetical list of all the items in large bold type,
i.e. all the 'headwords'. Each 'entry', or article, is introduced by a
headword, and may contain additional 'references' in smaller bold type,
such as phrases, derivatives, and compound words. Section 1. below
deals with the way references are listed.

The typography distinguishes between three broad categories of text
within the dictionary. All items in bold type, large or small, are 'source
language' references, for which an equivalent in the other language is
provided. All items in standard type are translations. Items in italics are
information about the words being translated, i.e. either labels, or
'signposts' pinpointing the appropriate translation, or explanations.

1. Where to look for a word

1.1 Derivatives

In order to save space, a number of derivatives have been listed within
entries, provided this does not break alphabetical order. Thus, **laborar,
laborioso,** and **laborista** are listed under the entry for **labor,** and
caller and **calling** under **call.** You must remember this when looking
for a word you don't find listed as a headword. These derivatives are
always listed last within an entry (see also I.2 on entry layout).

1.2 Homographs

Homographs are words which are spelt in exactly the same way, like
pago (payment) and **pago** (district), or **hacha** (axe) and **hacha**
(torch). As a rule, in order to save space, such words have been treated

under one headword only. In the very few cases where this was not possible, the presence of a feminine form helps distinguish between two consecutive homograph entries (e.g. **rapaz** and **rapaz, -a**).

1.3 Phrases

Because of the constraints of space, there can be only a limited number of idiomatic phrases in a pocket dictionary like this one. Particular emphasis is given to verbal phrases like **sacar a luz, dar a luz, dar una vuelta, dar vueltas, estar de vuelta**, etc, and also to basic constructions (see the entries for **apply, agree, ponerse, deber, dar**). Verbal phrases with the ten or so basic verbs (ser, estar, poner etc.) are listed under the noun. Other phrases and idioms are listed under the first key word, for instance **de antemano** under **antemano, no obstante** under **obstante**.

1.4 Abbreviations and proper names

For easier reference, abbreviations, acronyms and proper names have been listed alphabetically in the wordlist, as opposed to being relegated to the appendices. **M.O.T.** is used in every way like **certificate** or **permit, OVNI** like **objeto,** and these words are treated like other nouns.

1.5 Compounds

Housewife, smoke screen, caja fuerte and **lámpara de pie** are all compounds. One-word compounds like 'housewife' are not a problem when consulting the dictionary, since they can appear only in one place and in strict alphabetical order. When it comes to other compounds, however — hyphenated compounds and compounds made up of separate words — each language presents its own peculiar problems.

1.5.1 Spanish compounds

There are many compounds made up of two or more 'words'. When checking a Spanish compound, you might not be aware that you are dealing with a compound and not a string of autonomous words, and there may inevitably be some toing and froing between entries.

As spelling is regular in Spanish, we have listed Spanish compounds under the first word, and grouped them alphabetically within that entry. For instance, **cama de matrimonio** is within the entry for **cama** and comes before the headword **camada. Tos ferina** comes before the headword **tosco,** in the entry for **tos.** Remember that the meaning of a phrase or of a compound can be quite different from that of its elements

taken separately, so be prepared to check through an entry thoroughly
before giving up.

1.5.2 English compounds

Here there is a problem of where to find a compound because of less
predictable spelling than is the case with Spanish : is it **airgun, air-gun**
or **air gun** ? This is why we choose to list them according to strict
alphabetical order. Thus **coal field** and **coalman** are separated by
coalition. The entries between **tax** and **technical** will provide a good
illustration of the system of listing. It has drawbacks, for instance in that
tax-free and **tax-payer** are separated by **taxi, taxidermist** and
three 'taxi' compounds. However, in a short dictionary used by
beginners, it has the merit of simplicity and consistency.

1.5.3 English 'phrasal verbs'

'Phrasal verbs' are verbs like **go off, blow up, cut down** etc. Here
you have the advantage of knowing that these words belong together,
whereas it will take the foreign user some time before he can identify
these verbs immediately. They have been listed under the entry for the
basic verb (e.g. **go, blow, cut**), grouped alphabetically before any other
derivative or compound – for instance, **pull up** comes before **pulley**.
(See also **to back out, to look up** (a word), **to look out**.)

1.6 Irregular forms

When looking up a Spanish word, you may not immediately find the
form you are looking for, although the word in question has been duly
entered in the dictionary. This is possibly because you are looking up an
irregular noun or verb form, and these are not always given as entries in
their own right.

We have assumed that you know basic Spanish grammar. Thus you
will be expected to know that 'cantan' is a form of the verb **cantar,**
'luces' the plural of **luz** and so on. However, in order to help you, we
have included the main irregular forms as entries in their own right, with
a cross-reference to the basic form. Thus, if you come across the word
'fui' and attempt to look up a verb 'fuir', you won't find it, but what you
will find between **fuga** and **fulano,** is the entry **fui** *vb ver* **ser, ir.**
Similarly **hizo, hecho** etc.

With past participles, it sometimes happens that in addition to the
purely verbal form there is an adjectival or noun use, for instance **herido**
or **bendito**. These usages are translated as autonomous words, but they
are also cross-referred to the verb whenever appropriate (see for instance
entries for **abierto** or **muerto**).

2. *Entry layout*

All entries, however long or complex, are arranged systematically. But it may be a little difficult at first to find one's way through an entry like Spanish **parte,** or English **back, round** or **run** because homographs are grouped under the same entry (see 1.2) and the text is run on without any breakdown into paragraphs, in order to save space. Ease of reference comes with practice, but the guidelines below will make it easier for you.

2.1 'Signposting'

If you look up a Spanish word and find a string of quite different English translations, you are unlikely to have much trouble finding out which is the relevant one for the context, because you know what the English words mean, and the context will almost automatically rule out unsuitable translations. It is quite a different matter when you want to find the Spanish for, say, **lock,** in the context 'we got to the lock around lunchtime', and are faced with an entry that reads 'lock: cerradura; esclusa; mechón *m*.' You can of course go to the other side and check what each translation means. But this is time-consuming, and it doesn't always work. This is why we have provided the user with signposts which pinpoint the relevant translation. For instance with **lock,** the entry reads: ... (*of door, box*) cerradura; (*of canal*) esclusa; (*of hair*) mechón *m* ... For the context suggested above, it is now clear that 'esclusa' is the right word.

2.2 Grammatical categories and meaning categories

Complex entries are first broken down into grammatical categories, e.g.: **lock** *m // vt // vi*. Be prepared to go through entries like **run** or **back** carefully, and you will find how useful all these 'signposts' are. Each grammatical category is then split where appropriate into the various meanings, e.g.:

> **lock** *n* (*of door, box*) cerradura; (*of canal*) esclusa; (*of hair*) mechón *m // vt* (*with key*) cerrar con llave; (*immobilize*) inmovilizar *// vi* (*door etc*) cerrarse con llave; (*wheels*) bloquearse, trabarse.

3. *Using the translations*

3.1 Gender

Feminine endings for Spanish adjectives ending in -o have not been given on the English-Spanish side, but endings for other adjectives are shown: 'charming *a* encantador(a)'; 'Danish *a* danés(esa)'; 'German *a* alemán(ana)'. This may appear to duplicate information given in the Spanish-English side of the dictionary, but we feel it is a useful reminder where and when it matters. The feminine form is also given for words like **teacher, researcher** etc.

3.2 Plurals

Information on the formation of plurals in Spanish, including the plural of compounds is given in section II. Most plural forms in Spanish are regular and are not shown, but where a problem could arise, the plural is shown beside the headword on the Spanish side, e.g. **carácter,** *pl* **caracteres.** We have shown when the translation of a word used in the singular is plural; see for instance **hair, jealousy, offal.**

3.3 Verb forms

Irregular Spanish verbs appearing as translations have not been marked as such, and the user should refer to the Spanish verb tables when in doubt (pp. 400–402).

3.4 Colloquial language

You should as a rule proceed with great caution when handling foreign language which has a degree of informality. When an English word or phrase has been labelled (*col*), i.e. colloquial, you must assume that the translation belongs to a similar level of informality. If the translation is followed by (!) you should use it with extreme care, or better still avoid it unless you are with close friends!

3.5 'Grammatical words'

It is exceedingly difficult to give adequate treatment for words like **for, away, whose, which, out, off** etc. in a short dictionary such as this one. We have tried to go some way towards providing as much relevant information as possible about the most frequent uses of these words. However, for further information use a good monolingual dictionary of Spanish, and a good modern Spanish grammar.

3.6 'Approximate' translations and cultural equivalents

It is not always possible to give a genuine translation, when for instance an English word denotes a thing or institution which either doesn't exist in Spain, or is quite different. Therefore, only an approximate equivalent can be given, or else an explanation. See for instance **whip, shadow cabinet,** and on the Spanish-English side **gazpacho, doña.**

3.7 Alternative translations

As a rule, translations separated by commas can be regarded as broadly interchangeable for the meaning indicated. Translations separated by a semi-colon are not interchangeable and when in doubt you should consult either a larger bilingual dictionary such as the Collins Spanish Dictionary, or a good monolingual Spanish dictionary. You will find however that there are very few cases of translations separated by a semi-colon without an intervening 'signpost'.

II. Notes on Spanish grammar

Although a relatively easy language to learn, Spanish may seem very different from English when you first meet it in school or hear a Spanish speaker talk. Certainly the order of words and the way a Spaniard says certain things will be strange (in fact a general feeling might be that everything is the wrong way round), but if you were to compare it to languages like Arabic, Swahili or Chinese, you would soon recognize that the basic structure and pattern of Spanish is quite close to English.

We have tried here to show some of these differences, especially with the beginner and the dictionary user in mind, without dwelling on subtleties or the aspects of Spanish which are broadly similar to English. Among the greatest obstacles for the beginner are gender, verb forms and tenses, the position of adjectives, the uses of prepositions and of course, in a few cases, the sounds of Spanish (although once you have mastered each sound it is arguably one of the easiest languages to speak and understand). There are of course many more differences, some of which take us into the realm of style etc., but this is beyond the scope of this introduction.

1. *Nouns and 'satellite' words (i.e. articles, adjectives etc.)*

1.1   Gender

Note the basic difference: 'the table and the knife', but '*la* mes*a* y *el* cuchill*o*'. Gender can usually be determined by the ending of the word: 'mesa' ends in *a* and is feminine; 'cuchillo' ends in *o* and is masculine. Certain endings are always one gender, e.g. -ción is always feminine and -tor masculine. Otherwise you just have to learn the genders in each case. What *is* important, however, is that you get the article right and also the agreement of adjectives and past participles: '*un* hombre alt*o* con *la* nariz torcid*a*'. See also 1.4 (possessive adjectives).

413

1.2   Articles: *'el, la, lo; un; del'* etc.

Apart from the problem of gender, there is the question of whether the article is used or not, and Spanish does not always follow the English pattern. For instance, you say 'I like wine', but the Spanish say 'me gusta **el** vino'. Conversely, 'my father is **a** mechanic', but 'mi padre es mecánico'.

1.2.1   *'el, la, lo; los, las'*

(a)   In almost all cases where 'the' is not used in English, the article must be used in Spanish. For instance:

apples are good for you   **las** manzanas son buenas para la salud
salmon is expensive   **el** salmón es caro

patience is a virtue   **la** paciencia es una virtud
I don't like fighting   no me gustan **las** peleas

N.B.   With names of countries, Spanish is gradually losing the habit of using the article, but you may still find a few cases where it persists:

e.g.   **el** Canadá, **el** Japón, **la** China.

(b)   Use of 'el/la' with parts of the body

Where the possessive is used in English, 'el/la' tends to be used in Spanish (often in conjunction with a pronoun):

I've twisted **my** ankle   **me** he torcido **el** tobillo
Put up **your** hand   levante **la** mano
My nose is bleeding   **me** está sangrando **la** nariz

(c)   'a + el; de + el'

Remember the contracted forms (shown in the dictionary under **a** and **de**):
voy **al** cine; vengo **del** huerto

(d)   'lo'

Spanish also has a neuter gender: 'lo' is often used with an adjective to express general or abstract ideas, e.g. 'eso es **lo** bueno' (that's **the** good **thing** about it)

1.2.2 'un, una, uno; unos, unas'

(a)   In structures like 'my father is a postman' (i.e. expressing occupation, nationality or rank), Spanish does not use the indefinite article:

my brother is **a** mechanic   mi hermano es mecánico
he's **a** Frenchman   es francés

(b)   After negatives, the article 'un/una' is not used with unspecified nouns:

I don't have a car   no tengo coche
she went out without saying a word   ella salió sin decir palabra

(c)   The form 'uno' is used either to express the number 'one' when a masculine noun is understood, or to express the neuter idea of 'one' (i.e. we, people)

how many cats have you? **One**   ¿cuántos gatos tiene? **Uno**
(whereas: he has only **one cat**   tiene sólo **un gato**)

when **one** thinks about it   cuando **uno** lo piensa

(d)   'unos/unas'

Remember to use the plural of the article, even though there may be no article in English:

friends from Madrid have arrived   **unos** amigos de Madrid han llegado

1.2.3 'some/any'

Unless 'some/any' expresses something specific, it is normally not translated in Spanish, especially after a negative:

me quedan **unas** pesetas   I have **some** pesetas left

BUT: ¿quiere usted patatas?   do you want *some/any* potatoes?
quiero pan   I want *some* bread
no tengo cigarillos   I haven't *any* cigarettes

415

1.3 Adjectives

Apart from the question of gender, the main difficulty is the position of adjectives. As a general rule, they follow the noun (las leyes físicas, una comida sabrosísima, unos guantes rojos). Some adjectives or types of adjectives will *always* go after the noun, especially if their meaning can only be literal (una casa desmoronada, las leyes físicas, un vestido rojo). Others can also go before the noun in a figurative sense or for stylistic effect (una sabrosísima comida).

Adjectives, however, which 'limit' rather than 'describe' (mucho, poco, demasiado, tanto, primero, último) always come in front of the noun.

Finally, many common adjectives like 'bueno, malo; grande, pequeño; viejo, joven; nuevo, antiguo; pobre, rico' and others like 'mismo, cierto' will be found before or after, but with different meanings: before the meaning is usually figurative, after it is literal (the dictionary makes these differences clear).

1.3.1 Remember that certain adjectives have a shortened masculine form before nouns: buen**o**, BUT: un buen hombre

1.4 Possessives:

1.4.1 *'su/sus'*

Since this form can be ambiguous (his, hers, its; yours, theirs), Spanish often substitutes 'el ... de él, de ella; de usted, de ellos':

e.g. their father   su padre: **el** padre **de ellos**

1.4.2 *'el mío/la mía; los míos/las mías'* etc.

The possessive pronouns vary according to the gender of the noun they qualify as well as the number:

¿de quién es este **coche**?   es mí**o**   whose is this car?   it's mine.
aquí están las entrad**as**; las tuy**as** costaron más   here are the tickets; yours cost more

1.5 Demonstratives: *'este, ese, aquel; esta, esa, aquella; esto'* etc.

1.5.1

Demonstrative adjectives agree in gender and number with the noun they qualify. Spanish also has a neuter form for the pronouns 'this' and 'that':

¿qué es **eso**? what's that? ¿qué es **esto**? what's this?

The main problem, however, is choosing between the three forms of demonstrative: the 'este' forms are straightforward and mean 'this'; the 'ese' forms mean 'that' in the sense of 'that nearby or near you'; the 'aquel' forms mean 'that yonder':

este libro **this** book
¿qué es **eso** que tienes en la mano? what is **that** you have (*there*) in your hand?
¿cómo se llaman **aquellas** montañas? what are **those** mountains called (*yonder*)?

1.6 Comparative and superlative: '*más ... que*' etc.

1.6.1

Generally you use 'más' + *adjective* or *adverb* to form the comparative; the superlative is slightly more complicated because you use the definite article with the 'más' and the article must agree in gender and number with the adjective. The superlative adverb is formed with 'lo' + 'más' + *adverb*.

más bonito/más frecuentemente prettier/more frequently
esa cas*a* es l*a más* bonit*a* that is the pretti*est house*
l*o más* frecuentemente the *most* frequent*ly*

2. *Verbs*

This is one of the main areas of difficulty for English-speaking learners. There are four major problems. First, the variety of endings (hablo, hablamos etc.) and the number of irregular or 'semi-irregular' forms. Second, the difference in the formation of negative or interrogative phrases (no equivalent of 'do', 'did' etc., as in 'I didn't go; did you?'). Third, the difference in the use of tenses (e.g. two past tenses, imperfect and preterite). Fourth, the use of two verbs meaning 'to be' (ser, estar).

2.1 Verb forms

The verb tables on pp. 424 and 425 will give you the patterns for the main verb groups; irregular verb forms are shown on page 400. There is no substitute for practice on this, but try not to look upon these forms as a vast array of separate items to be learnt: there are two basic combining patterns, one relating to the person doing the action ('*I* speak vs *you* speak: habl*o*/habl*as*) and one relating to the tense (I *speak*/I *spoke*:

hablo/hablé). The present, perfect, imperfect, future and conditional will cater for most of your needs at first.

2.2 Negatives and questions

Although the simple negative 'no' is the same as English, most other negative words also need a 'no' in front when they follow the verb, but their meaning is not a 'double' negative:

no lo sé   I do *not* know
nunca lo sé   I *never* know
BUT: **no** lo sabía **nunca**   I *never* knew
ALSO: **no** lo sabe **nunca nadie**   *nobody ever* knows

The way Spanish forms questions is really a matter of the tone of voice in which the sentence is said and presents no real problem because we often use the same tone in English. When Spanish questions are written therefore, they need a special question mark at the beginning to warn you that it is a question:

es loco   he is mad
¿es loco?   is he mad?

2.3 Tenses

2.3.1

The Spanish equivalent to our continuous '-ing' form is just the same but you must remember to use the 'estar' verb 'to be' and not 'ser':

estoy ley*endo*   I am read*ing*
estaré ley*endo*   I shall be read*ing*

2.3.2

The perfect tense in English (I have done it) corresponds fairly closely to the Spanish (lo he hecho); but what seems to be a preterite in English (I did it) can in certain circumstances be translated by any of the three past tenses in Spanish (lo hice, lo he hecho, lo hacía). Basically it is a question of 'when' and 'how often'.

2.3.2.1 The imperfect

The 'imperfect' describes an action done repeatedly in the past or which went on for some time (often being a replacement for the continuous tense), e.g. lo hacían means 'they *used to* do it' or 'they *were* doing it', which is what the English preterite implies in a sentence such as 'they *did* it *all the time*'.

2.3.2.2. The perfect

The perfect in Spanish describes an action which has been carried out recently, usually that day. Because it expresses recent time, it can therefore translate English 'preterites': such as 'they *did* it this morning' lo *han hecho* esta mañana.

2.3.2.3 The preterite

The preterite denotes completed actions in the more distant past and is more a tense of written Spanish, e.g. 'he *did* it yesterday/the day before lo *hizo* ayer/el día anterior.

2.3.3

Don't be surprised to see Spanish use a present tense instead of the future in phrases like 'I *shall go* tomorrow': me *voy* mañana.

2.3.4 The subjunctive: 'quiero que lo haga' *vs* 'sé que lo hace' etc.

Good command of both the present and imperfect subjunctive is necessary in order to speak good Spanish, but you can probably cover a lot of situations with just the present. Even without the subjunctive you would probably be understood, except that is with verbs like 'decir' where misunderstandings might arise, e.g. dígale que **venga** means 'tell him *to come*', but dígale que **viene** means 'tell him he *is coming*'.

It is not possible to give you all the rules governing the use of the subjunctive but here are a few basic ideas explaining its use:

(a)   The subjunctive is used to express a command when the polite form 'usted' is implied:
hágalo usted   you do it
lea esto   read this

(b)   The subjunctive is used in subordinate clauses when doubt, hypothesis and denial are expressed (i.e. it is not a fact):

dudo que lo tenga   I doubt if he has it
no creo que lo tenga   I don't believe he has it

(c)   The best guide perhaps is to see whether the subjects of the clauses
change: if they do, then there will probably be a subjunctive.

I want *him* to do it   quie**ro** que lo **haga él**
it is good for *him* to do it   **es** bueno que **él** lo **haga**

(d)   It is also used for actions which are not yet facts.
until he comes   hasta que *venga*.

2.4   Spanish has two verbs 'to be': ser, estar.

2.4.1   *ser*

Ser means 'to exist' but it also covers the meanings of 'to be' which
express qualities or permanent states: 'es bueno'   he is good (always);
'es profesor'   he is a teacher. It is also used to form the passive tense:
'fui herido'   I was wounded.

2.4.2   *estar*

Estar means 'to be situated' or 'to be in a state of ...': ' ¿dónde está el
banco?'   where is the bank (situated)?; 'estaba herido'   I was (in a)
wounded (state); 'está sentado'   he is (in a) sitting down (state); 'está
bueno'   he is well.

3. *Prepositions*

Most prepositions present no problems. The main confusion will be
about when to use 'por' and when to use 'para' when translating English
'for'. Essentially, 'por' expresses *cause* or *reason* and 'para' expresses
purpose:

lo hizo *por* mí   he did it *for* me (because of me, for my sake)
¿*para* qué lo quieres?   what do you want it *for*?

'por' also expresses exchange: ¿cuánto me da *por* esto?   how much
will you give me *for* this?

3.1   Don't forget that many verbs in English are followed by
prepositions but they are usually contained in the Spanish verb: to go
up 'subir'; to sit *down* 'sentarse' etc.

4. *Adverbs*

Adverbs can be formed from most adjectives by taking the feminine form and adding '-mente': quick-ly rápida-mente; easi-ly fácil-mente. Spanish often uses idiomatic constructions, such as 'por lo general' (generally).

5. *Pronouns*: yo, te, le, sí etc.

5.1   Subject pronouns are not normally used in Spanish except for emphasis since the verb form tells you who is doing the action: hablo   *I* speak; *él* lo tiene, *yo* no   *he* has it, not *me*.

5.2   Pronoun table

	SUBJECT	REFLEX.	INDIRECT OBJECT	OBJECT	PREPOSITIONAL
I	yo	me	me	me	para mí/conmigo
you	tu	te	te	te	para ti/contigo
he	él	se	le (se)	le, lo	para él
she	ella	se	le (se)	le, la	para ella
it	(ello)	se		lo, la	para (ello)
you	usted	se	le (se)	le	para usted
we	nosotros/as	nos	nos	nos	para nosotros/as
you	vosotros/as	os	os	os	para vosotros/as
they	ellos	se	les (se)	les, los	para ellos
they	ellas	se	les (se)	les, las	para ellas

III. Spanish verb conjugations

1. The table of irregular verbs on p. 400 is self-explanatory. Unless stated otherwise, if one form only is given it is the first person singular; if two forms are given, they are the third person singular and plural; if four forms are shown, they are the first, second and third person singular plus the third person plural. Any forms not shown are regular and can be found by consulting the model verb tables below: table A for an infinitive ending in '-ar' and table B for infinitives ending in '-er' or '-ir'.

2. Do not forget to use the appropriate pronoun with reflexive verbs: *me* lavo, *te* lavaste, *se* había cortado.

3. 'Semi-irregular' verbs.
   Some verbs appear to be irregular but they are in fact predictable with reference to the following guidelines:

   3.1   Because a 'c' or a 'g' in Spanish is pronounced differently depending on the vowel which follows, these letters will change in certain cases in order to maintain the original root sound:
   Roots ending in 'c': sa*c*-ar, sa*qu*-é; ven*c*-er, ven*z*-o; zur*c*-ir, zur*z*-o
   Roots ending in 'g': pa*g*-ar, pa*gu*-é; prote*g*-er, prote*j*-o; fin*g*-ir, fin*j*-o
   Roots ending in 'qu' and 'gu': delin*qu*ir, delin*c*o; averi*gu*ar, averi*gü*é; distin*gu*ir, distin*g*o
   Roots ending in 'z': cazar, ca*c*é

   3.2   A root ending in 'i' or 'u' has to be strengthened by an accent when it takes the stress:
   'i' – confiar: conf*í*o, conf*í*as, conf*í*a, confi*a*mos, confi*a*is, conf*í*an
   'u' – situar: sit*ú*o, sit*ú*as, sit*ú*a, situ*a*mos, situ*a*is, sit*ú*an
   (N.B. there are exceptions, e.g. cambiar: c*a*mbio, c*a*mbias, c*a*mbia, etc.)

3.3.1   When a root ends in 'ñ', 'll' and 'ch' it will 'absorb' any unstressed 'i' which follows: thus 'gruñ + iendo' becomes 'gruñendo', 'gruñ + ió' 'gruñó'.

3.3.2   The opposite happens when the root is a vowel itself: when an unstressed 'i' follows, it is strengthened into a 'y', e.g. 'o + iendo' becomes 'oyendo', 'argü + iendo' 'arguyendo'.

3.4   Spanish also has what are called 'root-changing' verbs, where the vowel within the root becomes a diphthong when stressed: e>ie; o>ue. The common verbs like 'acertar' and 'acordar' are already in the verb tables, but be prepared for other verbs to follow this model, e.g. fregar friego; doler duele.

4. The 'compound tenses' are formed as follows:
    Indicative:
    (a) 'perfect': *present* of 'haber' + *past participle* (he hablado/comido)
    (b) 'pluperfect': *imperfect* of 'haber' + *past participle* (había hablado/comido)
    (c) 'future perfect': *future* of 'haber' + *past participle* (habré hablado/comido)
    (d) 'conditional perfect': *conditional* of 'haber' + *past participle* (habría hablado/comido)

    Subjunctive:
    (a) 'perfect': *present subjunctive* of 'haber' + *past participle* (haya hablado/comido)
    (b) 'pluperfect': *imperfect subjunctive* of 'haber' + *past participle* (hubiera/hubiese hablado)

5. The passive is formed by using the verb 'ser' + *past participle*. The past participle agrees in number and gender with the subject: la televisión *fue* inventada en el año... television was invented in... (Note that Spanish often avoids the passive by using a reflexive construction: la televisión *se inventó* en el año...)

6. Irregular past participles not appearing in the verb tables are formed as follows:
    abrir *abierto*; cubrir *cubierto*; escribir *escrito*; imprimir *impreso*; freír *frito*; romper *roto*.

7. Imperative forms:
    The familiar imperative forms are found in the verb tables (tú, vosotros). The formal imperative (usted, ustedes) adopts the form of the subjunctive: hable (usted); hablen (ustedes).

A. A regular '-ar' verb: 'hablar'

PRESENT: Indicative		Subjunctive	
PRESENT: Indicative		Subjunctive	
habl	o as a amos áis an	habl	e es e emos éis en

IMPERFECT: Indicative		Subjunctive	
habl	aba abas aba ábamos ábais aban	habl	ara/ase aras/ases ara/ase áramos/ásemos arais/aseis aran/asen

PRETERITE	
habl	é aste ó amos asteis aron

FUTURE		CONDITIONAL	
hablar	é ás á emos éis án	hablar	ía ías ía íamos íais ían

IMPERATIVE: habla, hablad

PAST PARTICIPLE: hablado

GERUND: hablando

B. Regular '-er' and '-ir' verbs: 'com*er*' and 'part*ir*'

PRESENT: Indicative		Subjunctive	
com/part	o es e emos/imos éis/ís en	com/part	a as a amos áis an

IMPERFECT: Indicative		Subjunctive	
com/part	ía ías ía íamos íais ían	com/part	iera/iese ieras/ieses iera/iese iéramos/iésemos ierais/ieseis ieran/iesen

PRETERITE	
com/part	í iste ió imos isteis ieron

FUTURE		CONDITIONAL	
comer/partir	é ás á emos éis án	comer/partir	ía ías ía íamos íais ían

IMPERATIVE: come/parte, comed/partid
PAST PARTICIPLE: comido/partido
GERUND: comiendo/partiendo

IV. **The sounds of Spanish**

Learning to pronounce Spanish well is, as with all foreign languages, largely a matter of adopting different 'speech habits' from those used in speaking English.

A 'foreign accent' results from using the sounds of one's own language to approximate the sounds of the foreign language. This is particularly tempting when the same letter or letters represent similar sounds in each language. For instance the letter 'i' is used in both Spanish and English, but to represent slightly different sounds in each, and many Spanish speakers are unable to pronounce it in the English manner. It is possible that many do not even realise that the English speaker uses a different sound from the Spanish – hence the typical Spanish pronunciation of 'it is' which to the English speaker sounds as if it were written 'eet eess'.

These are the main ways in which Spanish 'speech habits' differ from the English:

1. *Activity of the lips, tongue etc.*

When you first hear (or even just see) a Spaniard talking, your immediate impression will probably be one of great activity and speed. However the truth is that he/she is not necessarily talking any quicker, but merely using all the 'instruments' of speech (lips, tongue, cheeks, jaw, throat, etc.) to their fullest extent.

English-speakers, on the other hand, tend to be 'lazy' in the use of these instruments – lip position, especially, is fairly unimportant and as a result vowel sounds tend to merge together, whereas in Spanish the activity of the lips etc. means that every vowel sound is clearly distinct from every other.

2. *Fewer diphthongs*

A diphthong is a glide between two vowel sounds in the same syllable. In English there are few 'pure' vowel sounds and a great many diphthongs

427

instead. Although speakers of English may think they produce one vowel sound in the word 'day', in fact they use a diphthong, which in this instance is a glide between the vowels [e] and [ɪ] : [deɪ]. In Spanish the tension maintained in the lips, tongue and the mouth in general prevents diphthongs occurring, as the vowel sound is kept constant throughout. Hence the Spanish word corresponding to the above example, 'de', is pronounced with no final [ɪ] sound, but is phonetically represented thus: [de]. Spanish does have diphthongs, of course, but they are always a combination of two 'pure' vowel sounds.

3. *Consonants*

Consonants in Spanish are always given their full value (except in regional dialects). In English, consonants are often pronounced with a degree of laxness that can result in their becoming 'muted' but not entirely silent. In a relaxed pronunciation of a word such as 'hat', the 't' is often scarcely heard, or may even be replaced by a 'glottal stop' (a sort of 'stutter' in the throat, as in Cockney: bottle = bo'le). Hence a Spaniard sounds unmistakeably foreign to an English speaker if he 'over'-pronounces the 't' and 'l' in 'bottle' as if it were Spanish.

4. *Stress*

In English, each word has its own particular stress pattern – for instance, the two different stress patterns for the word 'escort' produces two different words, one a noun and one a verb (*an* es*cort bureau*; *may I* es*cort you*). This does not happen in Spanish because each word can only be stressed in one way, the rules for which are as follows:

(a)   When a word ends in a *vowel* or in 'n' or 's', the *next to last* syllable is stressed: pat*a*ta, pat*a*tas, com*e*dia, c*o*me, c*o*men.

(b)   When a word ends in a consonant *other* than 'n' or 's', the stress falls on the last syllable: par*e*d, habl*a*r, aud*a*z.

(c)   Whenever these rules (a,b) are not applied, then an acute accent appears over the stressed vowel: hablar*á*, comi*ó*, geograf*í*a.

(d)   Normally the same syllable is stressed in the plural as in the singular, so that accents may appear or disappear accordingly: c*a*rmen, c*á*rmenes; ingl*é*s, ingl*e*ses. There are two exceptions to this rule: car*á*cter, caract*e*res; r*é*gimen, reg*í*menes.

428

Pronunciation of the sounds of Spanish

I. Vowel

symbol	as in	hints on pronunciation
[a]	*a*mo	not as long as 'a' in English f*a*r
[æ]	am*a*nte	in a closed syllable (ending in a consonant) the 'a' is short, as in English 'b*a*t'
[e]	c*e*lo	like 'e' in the 'th*e*y' (or even 'a' in 'p*a*y') but without the 'y' sound
[ɛ]	g*e*nte	in a closed syllable the 'e' is short, as in English 'p*e*t'
[i]	m*i*na	as in English 'm*ea*n', 'mach*i*ne', but without slight 'y' sound
[o]	l*o*c*o*	as in English 'l*o*cal', but without slight 'w' sound
[ɔ]	contr*o*l	in a closed syllable the 'o' is short as in English 'c*o*t'
[u]	m*u*la	as in English 'r*u*le', 'r*ue*', but without slight 'w' sound. It is silent after 'q' and in the groups 'gue', 'gui' unless marked with a diaeresis (argüir, averigüe).

II. Diphthongs

[ai]	ba*i*le, car*ay*	like the 'i' in English 'r*i*de'
[au]	fra*u*de	like the 'ou' in English 'shout'
[eɪ]	p*ei*ne, r*ey*	like the 'ey' in English 'gr*ey*'
[eu]	d*eu*da	like 'ay' as in 'bay' plus 'oo' as in 'too', in rapid succession
[oɪ]	*oi*go, h*oy*	like the 'oy' in English 't*oy*'

III. Semiconsonants

[j]	b*i*en, *y*ugo	both '*i*' and '*y*' can stand for the sound 'y' in English '*y*acht'
[w]	ag*u*a, f*u*era	the Spanish 'u' can also convey the 'w' sound of English

IV. Consonants

[b]	*v*oy, en*v*iar, *b*ola	'*b*' and '*v*' are pronounced the same in Spanish. Here at the beginning of a phrase, or after 'm' or 'n', they are pronounced like English 'b' in '*b*oy', em*b*er'
[ß]	hu*b*o, de *v*eras	in any other position they are pronounced like an English 'v' but with *both lips* and not lip and teeth together
[k]	*c*o*c*o, *c*alculo	'c' before 'a', 'o' or 'u' is pronounced as in English '*c*at'
[θ]	*c*ero, *c*inco	before 'e' or 'i' it is pronounced like 'th' in English '*th*ink'
[d]	*d*oy, bal*d*e	at the beginning of a phrase, or after 'l' or 'n', 'd' is pronounced as in English
[ð]	mo*d*o, Ma*d*ri(*d*)	in any other position it is pronounced something like the 'th' in English '*th*e'; at the end of words it almost disappears
[g]	*g*ano, pon*g*o	'g' before 'a', 'o' or 'u' is pronounced as in English 'gap' if at the beginning of a phrase or after 'n'
[ɣ]	ha*g*a	'g' before 'a', 'o', 'u' but in median position and not after 'n' is pronounced more softly
[x]	*g*iro, *g*ente	before 'e' or 'i' it is pronounced as the Spanish 'j' below
[x]	*j*oven	'j' (and 'ge', 'gi') is similar to the 'ch' sound of Scottish 'lo*ch*' or Welsh 'ba*ch*'

[ʎ]	ca*ll*e, *ll*uvia	'll' is like the '*lli*' in English 'mi*lli*on', but is being pronounced more and more like 'y' in '*y*et'
[n]-[m]	e*n*viar	when followed by a 'v', an 'n' changes to 'm'
[ñ]	ca*ñ*a	something like the '*ni*' in English '*oni*on
[k]	*qu*ien, *qu*ince	'q' is always followed by a silent 'u' and pronounced as 'k' in English '*k*ing'
[rr]	*r*ápido, co*rr*e	('r' is *always* pronounced in Spanish, unlike the often silent 'r' in English 'dance*r*'); after 'l', 'n' or 's', at the beginning of a phrase or when the 'r' is doubled, it is trilled something like a Scottish or Welsh 'r'
[s]	pa*s*a, ca*s*tillo	's' is usually pronounced as in English 'pa*ss*'
[z]	mi*s*mo, de*s*de	before 'b', 'd', 'g', 'l', 'm' or 'n' it sounds like the 's' in English 'ro*s*e'
[ks]	pró*x*imo	as in English 'pro*x*y'
[gs]	e*x*amen	like the 'gs' in 'pi*g*skin
[s]	se*x*ta	before a consonant (and even in the other cases above) the 'x' is more and more being pronounced as an English 's' as in 'pest'
[i]	*y*	by itself the 'y' is pronounced as the Spanish 'i'
[θ]	*z*ona, lu*z*	like the 'th' in English '*th*ink' (but in many regions it will be pronounced as an 's')

Note that the 'h' is always silent in Spanish: 'haya'['aja], 'ahora' [a'ɔra]

From Spelling to Sounds

1. Spanish is an *almost* 'phonetic' language, by which we mean that
every vowel and consonant has a fixed sound value. As you will have seen
from the previous list, this value changes for only a few letters, and even

431

then in only one alternative position: pon*go*; *c*acé etc. Some letters also duplicate the same sound (i/y; b/v) or are not even pronounced (h).

If you look at the language in this manner, you will soon appreciate how simple it is to pronounce. There are only two important factors, therefore, which hinder this: first, the temptation (as with any foreign language) to see the language as if it were written in English, e.g. Spanish 'lee' [lee] might be seen as English 'lee' [li:]; and secondly, the related problem of knowing when two or more vowels *do* form a diphthong or are pronounced separately.

1.2.1 The solution to the first is always to look upon Spanish vowels as clearly distinct, individual sounds which are *always* pronounced.

1.2.2 The second is solved according to the following rules:

(a) to start with, vowels are either *weak* or *strong*: 'i' and 'u' are weak, whereas 'a', 'e' and 'o' are strong.

(b) a *weak* and *strong* combination forms a diphthong in which the stress falls on the *strong* vowel: b*a*ile, vu*e*stro, si*e*rra, p*e*ine, p*a*usa.

(c) a *weak* and *weak* combination forms a diphthong and the stress falls on the *second* vowel: fu*i*, ru*i*do, vi*u*da.

(d) a *strong* and *strong* combination remains as two separate vowels, and stress follows the normal rules (4a,b): ca-*e*r; cre-*e*r; cr*e*-e; c*a*-os.

(e) any word which is to be pronounced otherwise will carry an accent on the stressed vowel: ca*í*do, r*í*o, cre*í*, ba*ú*l.

2. The letters of the Spanish alphabet

When a Spaniard wishes to spell out a word he pronounces the letters like this:

a [a]	b [be]	c [θe]	ch [tʃe]	d [de]	e [e]
f [efe]	g [xe]	h [atʃe]	i [i]	j [xota]	k [ka]
l [ele]	ll [eʎe]	m [eme]	n [ene]	o [o]	p [pe]
q [ku]	r [ere]	rr [erre]	s [ese]	t [te]	u [u]
v [uße]	x [ekis]	y [iɤrjeʋa]	z [θeta]		

The letters are feminine and you therefore talk of 'una a' or 'la a': 'Miguel se escribe con una *m* mayúscula'.

3. It is virtually impossible for a Spaniard to pronounce an 's' at the beginning of a word without an 'e' in front: this explains why English loan-words which are established in the language already are spelled with an 'e' (*e*snob), or why you will hear new additions *pronounced* with an 'e' though not written with one (slip = 'eslip').

V. The time

what is the time ?   ¿qué hora es?

it's...   es... (*midnight, noon, 1 o'clock*), son... (*other times*)

00.00	*es* medianoche; *son* las doce (de la noche)
01.00	*es* la una (de la noche)
01.10	la una y diez
01.15	la una y cuarto
	la una y quince
01.30	la una y media
01.45	*son* las dos menos quarto
01.50	las dos menos diez
	la una cincuenta
02.00	*son* las dos
12.00	mediodía
	las doce (de la tarde)
13.00	la una
	las trece (horas)
18.00	las seis
	las dieciocho
22.30	las diez y media
	las veintidós horas y media

at what time ?   ¿a qué hora?

at one   a la una

at 2.15   a las dos y cuarto

just after 3.00   a las tres y pico

about 4.30   hacia las cuatro y media

from 6.00 to 8.00   de seis a ocho

it's nearly 9.00   son casi las nueve

at 4.00 sharp   a las cuatro en punto

Dates and numbers

1. The date

what is the date today? ¿qué día es hoy?

the first of May el primero de mayo

the 2nd of March el dos de marzo (*cardinals are used from 2nd to 31st*)

today is the 14th hoy es catorce; estamos a catorce

on the 10th of June el diez de junio

on Tuesday el martes

on Tuesdays los martes

from the 1st to the 3rd desde el día uno hasta el día tres

Letter headings: dates on Spanish letters are usually written thus:

22nd October, 1949 22 de octubre de 1949

Years: **1981**   mil novecientos ochenta y uno
            2000 B.C.   2000 a. de J.C. (=antes de Jesucristo)
            70 A.D.   70 d. de J.C. (=después de Jesucristo)
            in the 12th century en el siglo doce
            in the 1940s durante los años cuarenta

2. Notes on numbers

Cardinals

(a) 'uno' (+ 'veintiuno' etc.) agrees in gender (but not number) with its noun: treinta y un*a* person*as*; the masculine form is shortened to 'un' unless it stands alone: veinti*ún* caballos, veinti*uno*

(b) 'cien' is the commonest form; 'ciento' is mainly used for the compound numbers (except when it multiplies: 'cien mil')

434

(c) large numbers are divided by a full stop in Spanish:
3.461.203 = English 3,461,203

Ordinals

(a) they are adjectives and therefore agree in number and gender.

(b) 'primero' and 'tercero' lose the final 'o' in front of masculine nouns: 'el primer año', 'en tercer lugar'.

(c) they are not commonly used above 21, except for 100th and 1,000th.

(d) in the case of centuries and titles, the ordinals are only used up to 9th, and from then on the cardinals are used: 'en el siglo *quinto*' BUT 'en el siglo *diecinueve*'; 'Alfonso *primero*' BUT 'Alfonso *doce*'.

(e) the ordinals are also used for fractions:
a third   un tercio
a quarter of a kilo   un cuarto de kilo

(f) Spanish abbreviations for 1st, 2nd, 3rd etc. depend on gender and are written thus:
1st   1º (masculine), 1ª (feminine)
4th   4º, 4ª etc.

Decimals
Where English uses a point, Spanish uses a comma:

101.7   101,7 (ciento uno coma siete)
0.031   0,031 (cero coma cero tres uno)

Calculations

4 + 7 = 11	cuatro *más* siete *son* once
12 − 3 = 9	doce *menos* tres *resta* nueve
3 × 7 = 21	tres *por* siete *son* veintiuno
16 ÷ 4 = 4	dieciséis *divido por* cuatro *es* cuatro

Telephone numbers
Spaniards normally read telephone numbers by dividing them into two-figure numbers:

019567   01-95-67 (cero uno, noventa y cinco, sesenta y siete)

Numbers

1	uno(un, una)*	1st	primero(primer, primera)*
2	dos	2nd	segundo(a)
3	tres	3rd	tercero(tercer, tercera)*
4	cuatro	4th	cuarto(a)
5	cinco	5th	quinto(a)
6	seis	6th	sexto(a)
7	siete	7th	séptimo(a)
8	ocho	8th	octavo(a)
9	nueve	9th	noveno(a); nono(a)
10	diez	10th	décimo(a)
11	once	11th	undécimo(a)
12	doce	12th	duodécimo(a)
13	trece	13th	decimotercero(a)***
14	catorce	14th	decimocuarto(a)
15	quince	15th	decimoquinto(a)
16	dieciséis	16th	decimosexto(a)
17	diecisiete	17th	decimoséptimo(a)
18	dieciocho	18th	decimoctavo(a)
19	diecinueve	19th	decimonono(a)
20	veinte	20th	vigésimo(a)
21	veintiuno(-ún, -una)*	21st	vigésimo primero(a)***
22	veintidós	22nd	vigésimo segundo(a)
30	treinta	30th	trigésimo(a)
31	treinta y uno(un, una)*	31st	trigésimo primero(a)***
32	treinta y dos	32nd	trigésimo segundo(a)
40	cuarenta	40th	cuadragésimo(a)
50	cincuenta	50th	quincuagésimo(a)
60	sesenta	60th	sexagésimo(a)
70	setenta	70th	septuagésimo(a)
80	ochenta	80th	octogésimo(a)
90	noventa	90th	nonogésimo(a)
100	cien(ciento)*	100th	centésimo(a)
101	ciento uno(un, una)*		
102	ciento dos	5 1/2	cinco y medio
156	ciento cincuenta y seis	0.31	cero coma tres uno (0,31)
200	doscientos(as)	10%	diez por ciento
500	quinientos(as)		
1,000	mil	1000th	milésimo(a)
1,003	mil tres		
2,000	dos mil	2^2	dos al cuadrado
1,000,000	un millón	2^4	dos a la cuarta potencia

*, **, *** : *see notes on pages 434, 435*